南京中医药大学 孙世发 主编

中华医方

内科篇 肾系病

科学技术文献出版社
SCIENTIFIC AND TECHNICAL DOCUMENTATION PRESS

图书在版编目（CIP）数据

中华医方. 内科篇. 肾系病 / 孙世发主编. —北京：科学技术文献出版社，2015. 3
ISBN 978-7-5023-9187-4

Ⅰ. ①中… Ⅱ. ①孙… Ⅲ. ①肾病（中医）—验方—汇编 Ⅳ. ① R289.5

中国版本图书馆 CIP 数据核字（2014）第 150532 号

中华医方·内科篇肾系病

策划编辑：薛士滨　责任编辑：巨娟梅　责任校对：赵　瑗　责任出版：张志平

出 版 者　科学技术文献出版社
地　　址　北京市复兴路15号　邮编　100038
编 务 部　（010）58882938，58882087（传真）
发 行 部　（010）58882868，58882874（传真）
邮 购 部　（010）58882873
官方网址　www.stdp.com.cn
发 行 者　科学技术文献出版社发行　全国各地新华书店经销
印 刷 者　北京京华虎彩印刷有限公司
版　　次　2015 年 3 月第 1 版　2015 年 3 月第 1 次印刷
开　　本　889 × 1194　1/16
字　　数　1462千
印　　张　55
书　　号　ISBN 978-7-5023-9187-4
定　　价　279.00元

编委会名单

主　编　孙世发

副主编　陈涤平　杭爱武　王兴华　吴承艳　陈仁寿　许二平　卫向龙　唐伟华　聂建华
王剑锋　刘华东　黄仕文　张卫华

编　委（以姓氏笔画为序）：

卫向龙　王九龙　王庆敏　王兴华　王剑锋　伍梅梅　任威铭　刘华东　衣兰杰　许二平
许菲斐　孙　弢　孙世发　杜雪萌　李　娴　李　缨　李晓建　吴承艳　张　蕾　张卫华
陈仁寿　陈涤平　杭爱武　周　静　聂建华　唐伟华　黄仕文　彭会巧　樊园园

编写人员（以姓氏笔画为序）：

刁青蕊　卫向龙　马丽亚　马艳霞　王　霞　王九龙　王北溟　王光耀　王庆敏　王兴华
王红玲　王国斌　王剑锋　毛海燕　叶　琴　史话跃　邢晓宁　吕新华　朱智媛　伍梅梅
任威铭　向　好　刘华东　刘旭辉　衣兰杰　江晶晶　许　可　许二平　许岳亭　许菲斐
孙　弢　孙世发　严　娟　杜雪萌　杨亚龙　李　芮　李　娴　李　缨　李永亮　李志轩
李晓建　吴　坚　吴承红　吴承艳　张　蕾　张卫华　张书研　张延武　张英杰　张顺超
张锋莉　张稚鲲　陆红伟　陈　晨　陈仁寿　陈玉超　陈涤平　苑述刚　范　俊　杭爱武
欧阳文娟　季丹丹　周　健　周　雯　周　静　周凯伦　周轶群　郑绍勇　郑晓丹　赵君谊
侯　彬　姜卫东　宫健伟　姚　颖　聂建华　莫　楠　柴　卉　钱丽花　高　想　唐千晰
唐伟华　唐艳芬　黄仕文　黄亚俊　曹　宜　盛　炜　彭会巧　彭金祥　彭振亚　蒋　好
韩玉强　程　旺　程率芳　谢秀英　蔡　云　樊园园

前言

人类的发展历史，伴随着文化进步的脚印。中医药学，作为中国传统文化的重要组成部分，一直并继续担负着促进人类发展与繁衍的一份责任，故而古人有“不为良相则为良医”之言。

良相治国，良医治人，良相良医，孺子以求。中华民族的发展壮大，离不开良相之治国；中华民族的繁衍昌盛，离不开良医之治病。神农尝百草，以明草木之药用，伊尹制汤液，论广药用而成方。《周礼·天官》篇记载，周代有医师、食医、疾医和疡医等。疾医“掌养万民之疾病……以五味、五谷、五药养其病”，主管治疗平民百姓的疾病，治疗时既用“毒药”之剂，也用食疗之方；疡医“掌肿疡、溃疡、金疡、折疡之注药、劀杀之剂。凡疗疡，以五毒攻之，以五气养之，以五药疗之，以五味节之”，分工治疗外伤科疾病，亦兼用毒药方与食疗方。这些文献应该可以表明，早在周代便已有了不同的药物配合应用以治疗疾病的医疗活动。《汉书·艺文志·方技略》记载古有医经七家，“经方十一家，二百七十四卷。经方者，本草石之寒温，量疾病之浅深，假药味之滋，因气感之宜，辨五苦六辛，致水火之齐，以通闭结，反之于平。”经方十一家，包括《五藏六府痹十二病方》三十卷、《五藏六府疝十六病方》四十卷、《五藏六府瘅十二病方》四十卷、《风寒热十六病方》二十六卷、《泰始黄帝扁鹊俞跗方》二十三卷、《五藏伤中十一病方》三十一卷、《客疾五藏狂颠病方》十七卷、《金疮瘲瘛方》三十卷、《妇女婴儿方》十九卷、《汤液经法》三十二卷、《神农黄帝食禁》七卷。但原书俱失传，今只见其名而无法知其内容了。现存《五十二病方》收载方剂280首，乃1973年湖南长沙马王堆汉墓出土帛书整理而成，据研究者推测，其内容当为春秋时期所成，这是今天可见的最早方书。成书于西汉的《黄帝内经》所载方剂十数首，也必为汉以前所制。《五十二病方》和《黄帝内经》所载方剂，古朴而简单，代表了单药向多药配伍成方用于临床的历史发展过程。至东汉末年，张仲景“勤求古训，博采众方”，著成《伤寒杂病论》一十六卷，载269方，为后人尊为方书之祖。以此为标志，中医方剂学之框架已经形成。以此为起点，中医治病之药方时时涌现，载方之书蔚然大观。

两晋南北朝时期，方书甚多。诸如李当之的《药方》，皇甫谧的《曹歙论寒食散方》与《依诸方撰》，葛洪的《肘后备急方》与《玉函方》，支法存的《申苏方》，范汪的《范东阳方》，胡洽的《胡氏百病方》，姚僧垣的《集验方》，甄权的《古今录验方》，徐之才的《徐王方》与《徐王八世家传效验方》，陶弘景的《陶氏方》与《效验方》，陈延之的《小品方》，谢士泰的《删繁方》……惜乎！这些方书除了《肘后备急方》后经陶弘景与杨用道的整理得以传世，《小品方》现存辑佚本外，余皆因年湮代远而散佚。葛洪与陈延之为该时期方剂学的代表人物。葛洪是亦医亦道者，所著《玉函方》（一名《金匮药方》）多达100卷，是“周流华夏九州之中，收拾奇异，捃拾遗逸，选而集之，使神类殊分，缓急易简”而成。后因卷帙浩大，传世不便而遗佚了。葛氏的《肘后备急方》则是将《玉函方》撷要而成，书仅3卷，所载诸方，“单行径易，篱陌之间，顾眄皆药，众急之病，无不毕备”，后人称其验、便、廉，允为切实。南北朝时期医家陈延之，著《小品方》12卷，但原书至北宋初年即已亡佚，其佚文多保留在《外台秘要》《医心方》等书中。在唐代，《小品方》与《伤寒论》齐名，曾作为医学教科书，故对唐代的方剂学发展有较大影响。该书比较重视伤寒、天行温疫等病的论治，所载芍药地黄汤、茅根汤、葛根桔皮汤等方，孕育了后世温病学的养阴生津、凉血散瘀、清热解毒等治法，足可弥补《伤寒论》之未备。

盛唐以降，医方兴盛。大型方书如《备急千金要方》《外台秘要》《太平圣惠方》《圣济总录》《普济

方》等。更有致力于方剂研究者编著了如《博济方》《普济本事方》《杨氏家藏方》《传信适用方》《仙授理伤续断方》《是斋百一选方》《魏氏家藏方》《仁斋直指方》《朱氏集验方》《御药院方》《瑞竹堂经验方》《永类钤方》《世医得效方》《袖珍方》《奇效良方》《扶寿精方》《摄生众妙方》《种福堂公选良方》《饲鹤亭集方》等方剂专著。方剂是临床实践的产物，现在被广泛运用的一些古代名方，多散见于临床医书，诸如《小儿药证直诀》《脾胃论》《内外伤辨惑论》《兰室秘藏》《宣明论方》《丹溪心法》《儒门事亲》《医林改错》《医学衷中参西录》等，均记载了一些著名医方。

以上方书文献，展示了各历史时期方剂研究的重要成果，为我们进一步研究历代方剂提供了大量宝贵文献。特别是具有官编性质的《太平圣惠方》《圣济总录》《普济方》三巨著，集一个时代的医方之大成，保存了诸多已佚方书医著的医方资料，不仅为我们今天的临床医疗传承了优良药方，也为我们研究中医药的发展提供了重要文献依据。

汉以前中医学主要分两大领域，即医经和经方。经方十一家中之多数，均为某类或某些疾病的治疗药方。汉唐以后医书，虽言称某某方者，但依然是论病列方。然而，《普济方》问世至今620余年，以病症列方之大成者则一直阙如。

《中华医方》秉承历代医方巨著之体例，以病症为门类，以历史为序，收录诸方，填补《普济方》问世至今620余年以病症列方大型方书之历史空白。

古今中医病名繁杂，医方叙述多有简略。欲将近2000年之古今病症及药方有序汇集一书，实非易举。虽继《中医方剂大辞典》完成后又经10数年之努力，终于能成《中华医方》，然错讹遗漏，也实难免，冀希未来，或可正之。

孙世发

凡例

一、本书分列伤寒温病、内科、外科、妇科、儿科、骨伤科、五官科、眼科等篇为纲，以病症为目，共收载有方名的方剂88 489首，清以前的方剂几近收罗殆尽，清以后，特别对现代书刊所载方剂则有所选择。

二、本书以中医病症为目，兼及部分现代西医疾病。

三、每病症首先简介其病因病机、治疗大法等基本内容，继之以原载方剂文献时间、文献卷次篇章、方剂首字笔画为序收列相关方剂。由于文献名称、版本、印行时间过于复杂，对于一书引用文献或多次修订增补内容的时间多从原书。

四、一方治多种病症者，其详细资料将限在第一主治病症中出现，别处再现时则从简。第一主治病症以原载文献记载并结合后世临床应用状况确定。如地黄丸（六味地黄丸），原载宋·钱乙《小儿药证直诀》，主治“肾怯失音，囟开不合”，现代广泛用于各科多种病症，为减少大量重复，本书将其详细内容收入肾虚证，其他处仅收方名、方源、组成、用法、功用及与所在病症相关的主治、宜忌和相应验案，余皆从略。

五、一方多名的方剂以最早出现且有实质内容之名为本书所用之正名。

六、每一方剂内容以来源、别名、组成、用法、功用、主治、宜忌、加减、方论、实验、验案分项收入，无内容之项目从缺。

1. 来源：为一方之原始出处。如始载书存在者，注始载书的书名和卷次；始载书已佚者，注现存最早转载书引始载书或创方人。始载书无方名，后世文献补立方名者，注“方出（始载书）某书卷×，名见（转载书）某书卷×”。

2. 别名：为正名以外的不同名称及其出处。如一方有多个异名者，则按所载异名的文献年代先后排列。

3. 组成：为始载书之一方所含药物、炮制、用量等内容，均遵原书不改，炮制内容在药名之前者与药名连写，在药名之后者加括号与后一药分隔，如“炙甘草”，“甘草（炙）”。与组成相关内容均在本项另起行说明：如方中药物原无用量者，则注“方中某药用量原缺”；如上述某药原无用量，转载书中有用量者，则根据转载文献补入；如方中某药转载书有异者，则注明：方中某药，某书（后世转载书）作某药；如方名中含某药或药味数，组成中阙如或不符者，则注明：方名某某，但方中无某药，或方名×味，但方中组成×味，疑脱。

4. 用法：收录方剂的制剂、剂型、服用方法与用量等内容。如原书无用法，后世其他文献有用法者，则收录后世文献内容并注明来源文献；如后世文献用法与始载文献用法有差异且有参考意义者，另起行收录；如剂型改变另立方名者，另起行说明。

5. 功用、主治：分别设项以文献先后为序、去同存异摘收。

6. 宜忌：收录组方用方的注意事项，有关疾病、体质、妊娠宜忌和毒副反应，以及药物配伍、炮制与煎煮药物器皿、服药时的饮食宜忌等。

7. 加减：仅收录始载书的资料。如加减药物占原方用药比例过多者不录；现代方剂加减不严谨者不录；后世转载书的加减一概不录。药物加减后方名改变者，在本项另起行说明：本方加（减）某药，名

“某某”。

8. 方论：收录古今名医对一方之方名释义、组成结构、配伍原理、综合功效、辨证运用、类方比较等论述而有独到见解者。原文精简者，录其全文；文字冗长者，择要选录。

9. 实验：收摘用现代方法与手段对方剂进行实验研究和剂型改革的资料，包括复方药理作用和主要成分的研究，将传统的成方剂型改造成现代剂型等内容，均以摘要或综述方式撰写。对实验资料，摘录其实验结果，不详述实验方法与操作步骤；对剂型改革，不详述制剂的工艺流程。

10. 验案：选录古今医家运用一方治疗疾病的实际案例，文字简短者全文照录，文字较长者择要摘录。对于现代书刊临床大样本报道，择其用药与原方出入较小者，仅文摘其治疗结果。

11. 自功用以下各项，其内容出处与方源相一致者，所录引文不注出处；如上述各项收录有方源以外其他文献引文者，均分别注明出处。凡两条以上引文均根据文献年代排列。

七、引文筛选与整理：所有引文资料，均经过编者去同存异，精心筛选。相同的引文，一般从最早的文献中收录；若后世文献论述精辟者，择用后世文献的资料。引文文义不顺或重复者，在不违背原意之前提下，由编者做适当的加工整理。

八、出处标注：除方源、异名二项标明书名和卷次外，其余诸项均只注书名，不注卷次。期刊注法统一采用：刊年，期：起页。

九、药名统一：凡首字不同的中药异名保持原貌，如“瓜蒌”不改“栝楼”，“薯蓣”不改“山药”，“玄胡索”“元胡索”不改“延胡索”。首字相同的中药异名，第二字以下诸字与《中药大辞典》的正名系同音字者，一律改用《中药大辞典》的正名，如“黄芪”改“黄耆”，“芒硝”改“芒消”，“白藓皮”改“白鲜皮”；若非同音字者，仍保留此异名。凡方名中含有药名者，处理方法同此。

十、文字统一：本书所用简化字，以中国文字改革委员会《简化字总表》（1964 年第二版）为主要依据，表中未收入者，不加简化，如苪藭、獖猪、鉀鑼；数词有用汉字和阿拉伯字者，须一方内一致，不作全书统一。

十一、文献版本：凡一书有多种版本者，选用善本、足本；无善本者，选用最佳的通行本；其他不同的版本作为校勘、补充。若同一方剂在不同的版本中方名有所差异者，以善本、最佳通行本或较早版本之方名作正名，其他版本的方名作别名。

目录

肾系病

肾系病

一、肾虚证

肾虚证，是泛指肾脏精气阴阳不足的病情。《脉经》："左手尺中神门以后脉阴虚者，足少阴经也。病苦心中闷，下重，足肿不可以按地"，"右手尺中神门以后脉阴虚者，足少阴经也。病苦足胫小弱，恶风寒，脉代绝，时不至，足寒，上重下轻，行不可以按地，少腹胀满，上抢胸，胁痛引肋下"。是以左右尺脉之象论断病情。《圣济总录》记载肾虚的主要症状为："腰背酸痛，小便滑利，脐腹痛，耳鸣，四肢逆冷，骨枯髓寒，足胫力劣，不能久立。"《本草经疏》归纳为腰痛、骨乏无力、骨蒸潮热、五心烦热、梦遗泄精、伤精白浊、五淋、精塞水窍不通、齿浮、齿衄、下消、善恐、阴窍漏气、疝、奔豚等十八证。属肾虚，脾家湿邪下，或为先天禀赋不足，或是后天营养不足，或是久病耗损，或是房劳纵欲，皆可致肾之精气阴阳亏虚。其治疗，总以益气填精，育阴扶阳为务。

补肾茯苓丸

【来源】《外台秘要》卷十七引《素女经》。

【组成】茯苓三两　防风二两　桂心二两　白术二两　细辛二两　山茱萸二两　薯蓣二两　泽泻二两　附子二两（炮）　干地黄二两　紫菀二两　牛膝三两　芍药二两　丹参二两　黄耆二两　沙参二两　苁蓉二两　干姜二两　玄参二两　人参二两　苦参二两　独活二两

【用法】上为末，炼蜜为丸，如梧桐子大。每服五丸，食前临时以酒饮送下。

【主治】男子肾虚冷，五脏内伤，风冷所苦，令人身体湿痒，足行失顾，不自觉省；或食饮失味，目视茫茫，身偏拘急，腰脊痛强，不能食饮，日渐羸瘦，胸心懊闷，咳逆上气，转侧须人，起则扶舁，针灸服药，疗之小折；或乘马触风，或因房室不自将护，饮食不量，用力过度，或口干舌燥，或流涎出口，或梦寤精便自出，或尿血、尿有淋沥，阴下痒湿，心惊动悸，少腹偏急，四肢酸疼，气息嘘吸，身体浮肿，气逆胸胁。

【宜忌】忌酢物、生葱、桃李、雀肉、生菜、猪肉、芜荑等。

泻肾汤

【来源】《外台秘要》卷十七引《古今录验》。

【组成】芒消二两　矾石二两（熬汁尽）　大豆一升

【用法】上以水三升，煮取一升二合，去滓，分二次服，当快下。

【主治】肾气不足。

羊脊骨汤

【来源】方出《证类本草》卷十七引《食医心镜》，名见《普济方》卷三十一。

【组成】羊脊骨一具（嫩者）

【用法】捶碎，烂煮，和蒜齑空腹食之，兼饮酒少许。

【主治】肾脏虚冷，腰脊转动不得。

天麻丸

【来源】《太平圣惠方》卷七。

【组成】天麻一两半　附子一两（炮裂，去皮脐）　巴戟一两　鹿茸二两（去毛，涂酥，炙微黄）　菖蒲一两　石斛一两半（去根，锉）　蛜蝌一两（微炒）　萆薢一两（锉）　肉桂一两（去皱皮）　牛膝一两（去苗）　天雄一两（炮裂，去皮脐）　独活一两　丹参一两　当归一两（锉，微炒）　杜仲一两（去皱皮，炙微黄，锉）　肉苁蓉一两半（酒浸一宿，刮去皱皮，炙令黄）　磁石二两（烧令通赤，醋淬七遍，细研，水飞过）

【用法】上为末，炼蜜为丸，如梧桐子大。每服二十丸，空心及晚食前以温酒送下。

【主治】肾脏气虚，风邪所中，腰脚缓弱无力，视听不聪，腰脊疼痛，脐腹虚冷，颜色不泽，志意昏沉。

天雄丸

【来源】《太平圣惠方》卷七。

【组成】天雄一两（炮裂，去皮脐）　石斛三分（去根，锉）　五味子三分　巴戟一两　白茯苓三分　熟干地黄一两　远志三分（去心）　人参半两（去芦头）　补骨脂三分（微炒）　蛇床子一两　泽泻三分　薯蓣三分　石南三分　萆薢三分（锉）　附子三分（炮裂，去皮脐）　沉香三分　石龙芮三分　桂心三分　棘刺三分　黄耆三分（锉）　白龙骨一两　菟丝子一两（酒浸三日，曝干，别杵为末）　杜仲三分（去粗皮，炙微黄，锉）　肉苁蓉三分（酒浸一宿，刮去皱皮，炙干）

【用法】上为散，炼蜜为丸，如梧桐子大。每日三十丸，空心及晚食前以温酒送下。

【主治】肾气不足，体重无力，腰背强痛。脚膝酸疼，耳目不聪，忽忽喜忘，悲恐不乐，阳气虚弱，小便失精。

石龙芮丸

【来源】《太平圣惠方》卷七。

【组成】石龙芮一两　石斛二分（去根，锉）　牛膝三分（去苗）　续断三分　菟丝子一两（酒浸三日，晒干，别捣为末）　肉桂一两（去皴皮）　鹿茸一两（去毛，涂酥炙微黄）　肉苁蓉三分（酒浸一宿，锉去皱皮，炙令干）　杜仲三分（去粗皮，炙令微黄，锉）　白茯苓三分　熟干地黄三分　附子一两（炮裂，去皮脐）　巴戟半两　防风三分（去芦头）　桑螵蛸半两（微炙）　川芎半两　山茱萸三分　覆盆子半两　补骨脂三分（微炒）　荜澄茄三分　五味子半两　泽泻一两　沉香三分　茴香子三分（微炒）

【用法】上为末，炼蜜为丸，如梧桐子大。每服三十丸，空心以温酒送下，晚食前再服。

【主治】肾气不足，风冷所攻，脏腑气虚，视听不利，肌体羸瘦，腰脚酸痛，饮食无味，小便滑数。

四雄丸

【来源】《太平圣惠方》卷七。

【组成】雄雀肝十具（微炙）　雄鸡肝三具（微炙）　雄蚕蛾五十枚（微炙）　天雄二两（炮裂，去皮脐）　龙脑一两（细研）　白矾一两（烧令汁尽）　木香半两　白马茎二两（涂酥，炙令微黄）　硇砂一两（细研）　吴茱萸半两（汤浸七遍，焙干，微炒）　莨菪子一两（水淘去浮者，水煮芽出，候干，炒令黄黑色）

【用法】上为末，炼蜜为丸，如梧桐子大。每服二十丸，食前以温酒送下。

【主治】肾脏虚损，阳气萎弱。

冬季补肾肾沥汤

【来源】《太平圣惠方》卷七。

【组成】石斛一两（去根） 五味子三分 黄耆三分（锉） 熟干地黄一两 人参三分（去芦头） 桑螵蛸半两（微炙） 附子一两（炮裂，去皮脐） 防风半两（去芦头） 白龙骨一两 肉苁蓉一两（酒浸，去麸皮，微炙） 磁石二两（捣碎，水淘去赤汁，以帛绢包之） 川椒半两（去目及闭口者，微炒去汗） 桂心半两 甘草半两（炙微赤，锉）

【用法】上为散，每服五钱，水一大盏，以羊肾一对（切去脂膜），加生姜半分，大枣三枚，每与磁石包子同煎至六分，去滓，食前温服。

【功用】补肾。

【主治】肾虚。

半夏散

【来源】《太平圣惠方》卷七。

【组成】半夏一两（汤浸七遍去滑） 川乌头半两（炮裂，去皮脐） 防风半两（去芦头） 旋覆花一两 前胡一两（去芦头） 赤茯苓一两 桂心一两 白术半两 甘草半两（炙微赤，锉）

【用法】上为散。每服三钱，以水一中盏，加生姜半分，煎至六分，去滓，食前温服。

【主治】肾脏虚损，上热下冷，心胸塞滞，痰毒结实，唾如筋胶，饮食减少。

肉苁蓉散

【来源】《太平圣惠方》卷七。

【组成】肉苁蓉一两半（酒浸，去皴皮，微炙） 石斛一两（去根） 五味子一两 黄耆一两（锉） 丹参二两 牛膝一两（去苗） 肉桂二两（去粗皮） 附子一两（炮裂，去皮脐） 当归一两（锉，微炒） 人参一两（去芦头） 沉香一两 白茯苓一两 石南一两 杜仲一两（去粗皮，炙微黄，锉） 枳实一两（麸炒微黄） 熟干地黄一两 磁石二两（捣碎，水淘去赤汁，以绢包之）

【用法】上为散。每服四钱，以水一中盏，每用磁石包子同煎至六分，去滓，空心及晚食前热服。

【主治】肾气不足，体重嗜卧，骨节痠疼，目暗耳鸣，多恐喜唾，腰背强痛，小腹满急，食饮无味，心悬少气。

补肾巴戟丸

【来源】《太平圣惠方》卷七。

【组成】巴戟一两 石斛半两（去根，锉） 鹿茸一两（去毛，涂酥炙微黄） 当归三分（锉，微炒） 白石英三分（细研，水飞过） 石韦三分（去毛） 石长生三分 桂心一两 天雄一两（炮裂，去皮脐） 远志三分（去心） 菟丝子一两（酒浸三宿，晒干） 白茯苓三分 钟乳粉一两 肉苁蓉三两（酒浸一宿，刮去皴皮，炙干） 五味子三分 牛膝三分（去苗） 蛇床子三分 牡蛎一两（烧为粉） 柏子仁三分 附子一两（炮裂，去皮脐） 补骨脂一两（微炒） 薯蓣三分 沉香一两 荜澄茄三分 熟干地黄二两 黄耆三分（锉） 川椒三分（去目及闭口者，微炒去汗）

【用法】上为末，炼蜜为丸，如梧桐子大。每服二十丸，空心以温酒送下，晚食前再服。

【主治】肾脏气虚，胸中短气，胸胁腰脚疼痛，志意不乐，视听不明，肌肉消瘦，体重无力。

补肾石斛散

【来源】《太平圣惠方》卷七。

【组成】石斛一两（去根，锉） 当归半两（锉，微炒） 人参半两（去芦头） 杜仲一两（去粗皮，微炙，锉） 五味子半两 附子一两（炮裂，去皮脐） 熟干地黄一两 白茯苓三分 沉香一两 黄耆半两（锉） 白芍药三分 牛膝三分（去苗） 棘刺半两 桂心半两 防风半两（去芦头） 萆薢一两（锉） 肉苁蓉一两（酒浸一宿，刮去皴皮，炙令干） 磁石三两（捣碎，水淘，去赤汁）

【用法】上为粗散。每服四钱，以水一中盏，加生姜半分、大枣三枚，煎至六分，去滓，不拘时候稍热服。

【主治】肾气虚，腰胯脚膝无力，小腹急痛，四肢酸疼，手足逆冷，面色萎黑，虚弱不足。

补肾肾沥汤

【来源】《太平圣惠方》卷七。

【别名】肾沥汤（《圣济总录》卷二十）。

【组成】磁石五两（烧醋淬七遍，捣碎，以帛包

之）　肉苁蓉一两（酒浸去皴皮，微炙）　黄耆一两（锉）　人参一两（去芦头）　白茯苓一两　川芎一两　肉桂一两（去皴皮）　菖蒲一两　当归一两（锉，微炒）　熟干地黄一两　石斛一两（去根）　覆盆子一两　干姜一两（炮裂，锉）　附子一两（炮裂，去皮脐）五味子一两

【用法】上为散。每服五钱，水一大盏，以羊肾一对切去脂膜，每与磁石包子同煎至五分，去滓，空心及晚食前温服。

【主治】肾脏久虚，体瘦骨疼，腰痛足冷，视听不利，食少无力。

补肾肾沥汤

【来源】《太平圣惠方》卷七。

【组成】白茯苓一两　泽泻一两　人参一两（去芦头）　五味子一两　川芎一两　甘草半两（炙微赤，锉）　黄耆一两（锉）　当归一两（锉，微炒）　杜仲一两（去粗皮，微炙，锉）　桂心一两半　石斛一两（去根，锉）　熟干地黄二两　肉苁蓉一两（酒浸，去皴皮，微炙）　磁石三两（捣碎，水淘去赤汁，以帛包之）

【用法】上为散。每服半两，水二大盏，以羊肾一对，细切去脂膜，加生姜一分，大枣五枚，每与磁石包子同煎至一大盏，去滓，食前分二次温服。

【主治】肾虚劳损，咳逆短气，四肢烦疼，腰背相引痛，色黧黑，骨间多疼，小便赤黄，耳目不聪，虚乏羸瘦。

补肾肾沥汤

【来源】《太平圣惠方》卷七。

【组成】黄耆一两（锉）　五味子一两　沉香一两　附子一两（炮裂，去皮脐）　巴戟一两　人参一两（去芦头）　泽泻一两　石斛一两（去根，锉）　牛膝一两（去苗）　杜仲一两（去粗皮，炙微黄，锉）　桂心一两半　石南一两　丹参一两　当归一两（锉，微炒）　棘刺一两半（锉）　茯神一两　肉苁蓉一两（酒浸一宿，刮去皴皮，炙令干）　磁石五两（捣碎，水淘去赤汁，以帛包之）

【用法】上为散。每服半两，水二大盏，以羊肾一对，细切去脂膜，加生姜一分，大枣五枚，每与磁石包子同煎至一大盏，去滓，食前分二次温服。

【主治】肾虚，嘘吸短气，腰背疼痛，体重无力，食少羸瘦。

补肾腽肭脐丸

【来源】《太平圣惠方》卷七。

【组成】腽肭脐一两（微炙）　补骨脂一两（微炒）　牛膝三分（去苗）　天雄一两（炮裂，去皮脐）　白茯苓一两　桑螵蛸一两（微炙）　楮实一两半（水淘去浮者，晒干，微炒）　五味子一两　石斛一两（去根）　覆盆子一两　桂心一两半　菟丝子一两半（酒浸三日，晒干，别杵为末）　鹿茸一两（去毛，涂酥炙微黄）　巴戟一两　熟干地黄一两半　肉苁蓉二两半（酒浸一宿，刮去皴皮，炙干）　磁石一两（烧醋淬七遍，捣碎，细研，水飞过）

【用法】上为末，炼蜜为丸。如梧桐子大。每服三十丸，空心及晚食前以温酒送下。

【主治】肾脏气衰，肌肤羸瘦，面色黧黑，脚膝无力，小便滑数。

春季补肾肾沥汤

【来源】《太平圣惠方》卷七。

【组成】牛膝一两（去苗）　人参三分（去芦头）　五味子三分　白茯苓三分　附子一两（炮裂，去皮脐）　熟干地黄一两　续断三分　覆盆子三分　狗脊三分　防风三分（去芦头）　磁石一两（捣碎，水淘去赤汁，以绵绢包之）　甘草一分（炙微赤，锉）

【用法】上为粗散。每服五钱，以水一大盏，用羊肾一对，切去脂膜，入生姜半分，大枣三个，每与磁石包子同煎至五分，去滓，食前温服。

【主治】肾虚。

【宜忌】春季宜用。

荜澄茄散

【来源】《太平圣惠方》卷七。

【组成】荜澄茄一两　木香一两　人参一两（去芦头）　肉桂一两（去皴皮）　肉豆蔻一两（去壳）　陈橘皮一两（汤浸，去白瓤，焙）　槟榔一两　诃

黎勒皮一两　丁香三分　附子一两（半）（炮裂，去皮脐）　缩砂三分（去皮）　干姜三分（炮裂，锉）　京三棱三分（微煨，锉）　赤茯苓三分　白术三分　赤芍药半两　甘草半两（炙微赤，锉）

【用法】上为细散。每服二钱，以热酒调下，不拘时候。

【主治】肾脏虚冷气攻心腹疼痛，或时吐逆，两胁虚胀，不思饮食，四肢乏力。

磁石丸

【来源】《太平圣惠方》卷二十六。

【组成】磁石二两（烧，醋淬七遍，细研，水飞）　五味子一两　鹿茸一两（去毛，涂酥炙令黄）　菟丝子一两（酒浸一宿，焙干，别捣为末）　蛇床子一两　车前子一两　白茯苓一两　桂心一两　黄耆一两（锉）　肉苁蓉一两（酒浸一宿，刮去皱皮，炙干）防风一两（去芦头）　阳起石一两（细研，水飞过）附子一两（炮裂，去皮脐）　山茱萸一两　熟干地黄一两

【用法】上为末。炼蜜为丸，如梧桐子大。每服三十丸，空心以温酒送下，渐加至四十丸，晚食前再服。

【主治】劳极，肾虚劳损，卧多盗汗，小便余沥，阴湿萎弱。

磁石丸

【来源】《太平圣惠方》卷三十。

【组成】磁石二两（烧，醋淬七遍，捣碎，细研，水飞过）　阳起石一两（细研，水飞过）　白石英一两（细研，水飞过）　菟丝子一两（酒浸三日，晒干，别捣为末）　熟干地黄一两　石斛一两（去根，锉）　五味子三分　栝楼根三分　防风三分（去芦头）　巴戟一两　桂心三分　人参一两（去芦头）　蛇床子三分

【用法】上为末，炼蜜为丸，如梧桐子大。每服三十丸，食前以温酒送下。

【功用】补养肾脏。

【主治】虚劳少气。

磁石丸

【来源】《太平圣惠方》卷三十。

【组成】磁石一两半（烧，醋淬七遍，捣碎，研细，水飞过）　朱砂半两（细研，水飞过）　补骨脂半两（微炒）　肉苁蓉三分（酒浸一宿，刮去皱皮，炙干）　神曲三分（炒令微黄）　远志半两（去心）　木香半两　覆盆子半两　五味子半两　熟干地黄三分　巴戟半两　桂心半两　牛膝三分（去苗）　石斛三分（去根，锉）　薯蓣半两　甘草半两（炙微赤，锉）　车前子半两

【用法】上为末，入研了药令匀，炼蜜为丸，如梧桐子大。每服三十丸，食前煎黄耆汤送下。

【主治】虚劳目暗。

磁石丸

【来源】《太平圣惠方》卷九十八。

【组成】磁石十两（大火烧令赤，投于醋中淬之七度，细研，水飞过，以好酒一升煎如饧）　肉苁蓉二两（酒浸一宿，刮去皱皮，炙干）　木香二两　补骨脂二两（微炒）　槟榔二两　肉豆蔻二两（去壳）　蛇床子二两

【用法】上为末，与磁石煎相合为丸，如梧桐子大。每服二十丸，空心以温酒送下。

【功用】补暖水脏，强益气力，明耳目，利腰脚。

磁石丸

【来源】《太平圣惠方》卷九十八。

【组成】磁石三两（烧，醋淬七遍，细研，水飞过）　雄黄二两（细研，水飞过）　桂心一两　菟丝子二两（酒浸三日，晒干，别捣为末）　雄雀粪一分　牛酥一分

【用法】将磁石、雄黄二味，取鸡子二枚，打破小头，作孔，出白，调和二味令匀，却入于鸡子壳内，以数重纸糊定，后即与鸡同抱之。二十日后取出，细研，并菟丝子、桂心二味，入牛酥等，以蜜为丸，如绿豆大。每服三丸至五丸，空心以温酒送下。

【功用】暖腰肾，壮筋骨，明耳目，利脚膝；补暖强元气。

獐骨丸

【来源】《太平圣惠方》卷九十八。

【组成】獐骨四两（涂酥炙微黄） 桑螵蛸二两（微炒） 钟乳粉二两 石斛（去根，锉） 肉苁蓉（以酒浸一宿，刮去皱皮，炙干） 鹿茸（去毛，涂酥炙微黄） 菟丝子（酒浸三日，晒干，别捣为末） 龙骨 黄耆（锉） 五味子 牡蛎粉 巴戟 防风（去芦头） 诃黎勒皮 附子（炮裂，去皮脐） 桂心 羚羊角各一两

【用法】上药为末，入研了药令匀，炼蜜和捣为丸，如梧桐子大。每服三十丸，渐加至四十丸，空心温酒送下。

【功用】填精补髓。

【主治】男子水脏虚冷，诸有不足。

磁石丸

【来源】《医方类聚》卷九引《简要济众方》。

【组成】磁石二两（紧者） 硇砂半两（去石）

【用法】上药同捣研为末，于瓷盒子内固济，烧令通赤，候冷，细研为末，以酒煮羊肾子细切，研，糊和丸，如梧桐子大。每服二十丸，空心、食前盐酒、盐汤送下。

【功用】补肾脏，明目，暖丹田。

木瓜丸

【来源】《太平惠民和济局方》卷一（续添诸局经验秘方）。

【别名】木瓜牛膝丸（《世医得效方》卷九）。

【组成】熟干地黄（洗，焙） 陈皮（去白） 乌药各四两 黑牵牛（炒）三两 石楠藤 杏仁（去皮尖） 当归 苁蓉（酒浸，焙） 干木瓜 续断 牛膝（酒浸）各二两 赤芍药一两

【用法】上为细末，酒糊为丸，如梧桐子大。每服三五十丸，空心木瓜汤吞下；温酒亦可。

【主治】肾经虚弱，下攻腰膝，沉重少力，腿部肿痒，疰破生疮，脚心隐痛，筋脉拘挛，或腰膝缓弱，步履艰难，举动喘促，面色黧黑，大小便秘涩，饮食减少，无问久新，并宜服之。

木瓜丸

【来源】《太平惠民和济局方》卷五（宝庆新增方）。

【组成】狗脊（去毛）六两 大艾（去梗，糯米糊调成饼，焙干为末）四两 木瓜（去瓤）四两 天麻（去芦） 当归（酒浸制） 萆薢 苁蓉（去芦，酒浸） 牛膝（洗去土，酒浸一宿）各二两

【用法】上为细末，炼蜜为丸，如梧桐子大。每服二十丸，渐加至三十丸，空心、食前温酒吞下，盐汤亦可。

【主治】肾经虚弱，腰膝沉重，腿脚肿痒，疰破生疮，脚心隐痛，筋脉拘挛，或腰膝缓弱，步履艰难，举动喘促，面色黧黑，大小便秘涩，饮食减少，无问新久，并宜服之。

安肾丸

【来源】《太平惠民和济局方》卷五（绍兴续添方）。

【组成】肉桂（去粗皮，不见火） 川乌（炮，去皮脐）各十六两 桃仁（麸炒） 白蒺藜（炒去刺） 巴戟（去心） 山药 茯苓（去皮） 肉苁蓉（酒浸，炙） 石斛（去根，炙） 萆薢 白术 破故纸各四十八两

【用法】上为末，炼蜜为丸，如梧桐子大。每服三十丸，空心、食前以温酒或盐汤送下；小肠气，炒茴香盐酒下。

【功用】补元阳，益肾气。

【主治】

1.《太平惠民和济局方》（绍兴续添方）：肾经久积阴寒，膀胱虚冷，下元衰惫，耳重唇焦，腰腿肿疼，脐腹撮痛，两胁刺胀，小腹坚疼，下部湿痒，夜梦遗精，恍惚多惊，皮肤干燥，面无光泽，口淡无味，不思饮食，大便溏泄，小便滑数，精神不爽，事多健忘。

2.《证治要诀类方》：牙宣。

3.《保命歌括》：肾虚寒湿脚气，及肾虚不足，膀胱虚冷，致成水疝。

4.《医宗必读》：肾虚咳逆烦冤。

5.《证治汇补》：肾虚水涸，气孤阳浮致喘者。

巴戟丸

【来源】《圣济总录》卷五十一。

【组成】巴戟天（去心）一两 熟干地黄（焙）

五味子各二两半　黄耆（锉）一两三分　牛膝（酒浸，切，焙）一两半　牡蛎（煅）半两　菟丝子（酒浸，别捣，焙）　干姜（炮）各一两　附子（炮裂，去皮脐）一两半　桂（去粗皮）一两　白术二两　肉苁蓉（酒浸，切，焙）二两半

【用法】上为末，炼蜜为丸，如梧桐子大。每服三十丸，空心、食前温酒送下。

【主治】肾脏虚冷中寒，脐腹急痛，小便频数，面色昏浊。

巴戟丸

【来源】《圣济总录》卷五十一。

【组成】巴戟天（去心）　干姜（炮）　沉香（锉）　附子（炮裂，去皮脐）　木香　桂（去粗皮）　肉苁蓉（酒浸，切，焙）　茴香子（炒）　牛膝（酒浸，切，焙）各半两　硇砂一分（浆水飞过，别研）

【用法】上为末，猪肾一对，湿纸裹煨熟，薄切作片，入盐一分，无灰酒少许，同研烂，和药末为丸，如梧桐子大。每日服三十丸，空心、日午、临卧时以盐汤或温酒送下。

【功用】温补下元。

【主治】肾虚中寒气。

沉香饮

【来源】《圣济总录》卷五十一。

【组成】沉香半两　大腹（炮，锉）三分　木香半两　羌活（去芦头）半两　萆薢三分　牛膝（去苗，酒浸）三分　黄耆（细锉）半两　泽泻半两　熟干地黄（焙）半两　桑螵蛸（炒）半两　当归（焙）一分　芍药（炒）一分　磁石（醋淬）一两　天雄（炮裂，去皮脐）一两　续断一两

【用法】上锉，如麻豆大。每服五钱匕，水一盏半，加生姜半分（切），煎至八分，去滓，食前温服，每日二次。

【主治】肾虚，小腹急满，骨肉干枯，阴囊湿痒。

补肾丸

【来源】《圣济总录》卷五十一。

【组成】羊肾一对（去筋膜）　黄耆（蜜炙，锉）　麻黄根　当归（切，焙）　蜀椒（去目并闭口，炒出汗）　杏仁（汤浸去皮尖双仁，炒）各一两

【用法】上为末，羊肾煮烂，细研，酒煮面糊为丸，如梧桐子大。每服二十丸，盐酒送下，空心、午前各一服。

【主治】肾脏虚冷，攻注四肢，烦热多汗，肢节痛，耳内鸣。

补肾汤

【来源】《圣济总录》卷五十一。

【组成】磁石（绵裹）二两半　五味子　防风（去叉）　白茯苓（去黑皮）　黄耆　生姜　桂（去皮）　甘草（炙）　人参　当归（切，焙）　玄参各半两　羊肾一具（去脂）

【用法】上锉，如麻豆大，分作五剂。每剂以水五盏，煎取三盏，去滓，分三次温服。

【主治】肾虚厥寒，面黑耳枯，脐腹冷痛，倦怠。

补肾汤

【来源】《圣济总录》卷五十一。

【组成】磁石（煅，醋淬七遍，研）一两　五味子（炒）　附子（炮裂，去皮脐）　防风（去叉）　黄耆（锉，炒）　牡丹皮　桂（去皮）　甘草（炙，锉）　桃仁（去皮尖双仁，炒令黄）各二两

【用法】上锉，如麻豆大。每服五钱匕，以水一盏半，加生姜半分（切），煎取八分，去滓，空心顿服。

【主治】肾虚忪悸恍惚，眼花耳聋，肢节疼痛，皮肤瘙痒，小腹拘急，面色常黑，黄疸消渴。

秦艽酒

【来源】《圣济总录》卷五十一。

【别名】牛膝汤（《普济方》卷一八六）。

【组成】秦艽　牛膝　芎藭　防风　桂　独活　茯苓各一两　杜仲　丹参各八两　侧子（炮裂，去皮脐）　石斛（去梢，黑者）　干姜（炮）　麦门冬（去心）　地骨皮各一两半　五加皮五两　薏苡仁一两　大麻仁一合（炒）

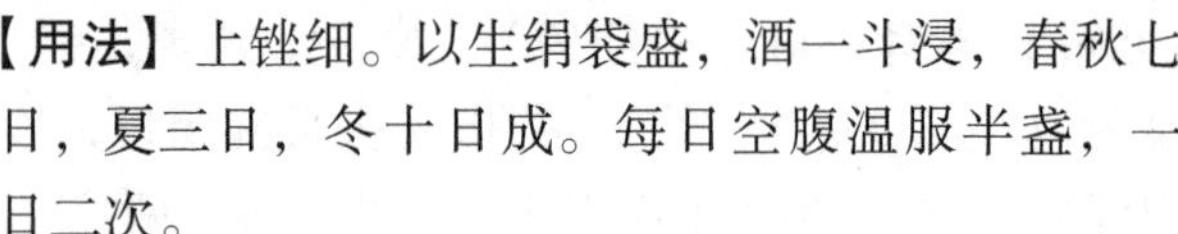

【用法】上锉细。以生绢袋盛，酒一斗浸，春秋七日，夏三日，冬十日成。每日空腹温服半盏，一日二次。

【主治】

1.《圣济总录》：忧恚内伤，久坐湿地所致肾劳虚冷，干枯。

2.《普济方》：胞痹，小便不利。

萆薢丸

【来源】《圣济总录》卷五十一。

【组成】萆薢（锉） 熟干地黄（焙） 天雄（炮裂，去皮脐）各一两 蜀椒（去目并闭口，炒出汗） 桂（去粗皮） 细辛（去苗叶） 续断（锉）各三分

【用法】上为末，炼蜜为丸，如梧桐子大。每服三十丸，空心、日午、夜卧温酒或盐汤送下。

【主治】肾虚胀气，攻腰腹髀痛。

黄耆丸

【来源】《圣济总录》卷五十一。

【组成】黄耆（炙，锉） 熟干地黄（焙） 龙骨（去土，碎）各一两半 枳壳（去瓤，麸炒） 肉苁蓉（酒浸，切焙） 泽泻各一两一分 菟丝子（酒浸一宿，别捣） 鹿茸（去毛，酥炙） 麦门冬（去心，焙）各二两 牡丹皮 石斛（去根） 五味子（炒）各一两 桑螵蛸二十一枚（炙）

【用法】上为末，炼蜜为丸，如梧桐子大。每服三十丸，空腹煎黄耆汤送下。

【主治】肾风虚冷，小便多，腿细脚弱，渐渐羸瘦。

黄耆汤

【来源】《圣济总录》卷五十一。

【组成】黄耆（锉）一两 干姜（炮）半两 当归（切，焙） 甘草（炙，锉） 黄芩（去黑心） 远志（去心） 五味子 芍药 人参 白茯苓（去黑皮） 麦门冬（去心，焙） 防风（去叉） 泽泻 熟干地黄（焙） 桂（去粗皮）各一两

【用法】上为粗末。每以水一盏半，先煮羊肾一只，取一盏，去肾，入药三钱匕，大枣二枚（擘破），煎至七分，去滓，空腹温服，日午、夜卧再服。

【主治】肾脏虚损，劳伤诸病；胞痹，少腹膀胱按之内痛。

鹿茸丸

【来源】《圣济总录》卷五十一。

【组成】鹿茸一对（酒浸，去毛，炙） 肉苁蓉（酒浸一宿，去皴皮，焙） 附子（炮裂，去皮脐） 牛膝（酒浸一宿，焙） 天雄（炮裂，去皮脐） 五味子 巴戟天 葫芦巴 山芋 菟丝子（酒浸，别捣） 熟干地黄（焙） 桂（去皮） 桑螵蛸（炙） 楮实 木香 肉豆蔻（去壳） 红豆 蜀椒（去目并闭口者，炒出汗） 没药 沉香 人参 白茯苓（去黑皮） 羌活（去芦头） 白蒺藜（炒，去角）各一两

【用法】上为末，炼蜜为丸，如梧桐子大。每服二十丸，温酒送下，空心、午前、临卧各一服。

【主治】男子肾脏虚损，腰脚弱，气不足，体烦倦，面色黑，小便数。

鹿茸丸

【来源】《圣济总录》卷五十一。

【组成】鹿茸（去毛，酥炙）半两 桂（去粗皮）三分 黄耆（锉） 泽泻 芍药 桑寄生 补骨脂（炒）各一两

【用法】上为末，炼蜜为丸，如梧桐子大。每服三十丸，空心温酒或盐汤送下。

【主治】肾胀虚寒，痛引脐腹腰髀。

温肾散

【来源】《圣济总录》卷五十一。

【组成】桂（去粗皮） 附子（炮裂，去皮脐）各一两 青橘皮（汤浸，去白，焙） 干姜（炮）各半两 木香一分

【用法】上为散。每服二钱匕，用羊肾一对，去筋膜，切开，入药湿纸裹，慢火煨熟。空心、食前细嚼，温酒送下。

【主治】肾脏虚惫，为寒邪所中，腰背拘急，脐腹冷痛。

温经木香丸

【来源】《圣济总录》卷五十一。

【别名】木香丸（《普济方》卷三十）。

【组成】木香　葫芦巴（炒）　补骨脂（炒）　巴戟天（去心）　茴香子（炒）　桂（去粗皮）　艾叶（炒）　附子（炮裂，去皮脐）　青橘皮（去白，焙）各一两

【用法】上为末，炼蜜为丸，如梧桐子大。每服二十丸，加至三十丸，空心、日午、临卧以温酒或盐汤送下。

【主治】肾中寒气，脐腹冷疼，腰脚痠痛，筋脉拘急。

磁石丸

【来源】《圣济总录》卷五十一。

【组成】磁石（火煅，醋淬，研）　附子（炮裂，去皮脐）　补骨脂（炒）　肉苁蓉（酒浸，去皱皮，焙）　桂（去粗皮）各一两　续断　柴胡（去苗）　巴戟天（去心）　桃仁（汤浸，去皮尖双仁，麸炒）　白茯苓（去黑皮）　人参　山芋　木香　厚朴（去粗皮，生姜汁炙）　远志（去心）　当归（切，焙）　牛膝（酒浸一宿，切，焙）　黄耆（锉）各三分　羊肾一对（去筋膜，水煮熟，切，焙）　白蒺藜（炒去角）　蜀椒（去目并开口者，炒出汗）　枳壳（去瓤，麸炒）各半两　槟榔一枚（锉）

【用法】上为末，炼蜜为丸，如梧桐子大。每服二十丸，温酒送下，空心、午前各一服。

【主治】肾经虚惫，四肢无力，面体少色，恶风寒，手足冷，骨节痛，耳内蝉鸣。

磁石汤

【来源】《圣济总录》卷五十一。

【组成】磁石（醋淬）　肉苁蓉（酒浸，焙干）各二两　沉香一两半　五味子　附子（炮裂，去皮脐）　覆盆子　狗脊（去毛）　白茯苓（去黑皮）各一两　猪肾一只　槟榔三分

【用法】上药除肾外，锉如麻豆大。每服五钱匕，以水二盏，先煮猪肾，取一盏半，去肾，入药再煎取八分，去滓，食前温服。

【主治】肾脏劳伤。

漏芦丸

【来源】《圣济总录》卷五十一。

【组成】漏芦（去芦头，生）　毕茇（生）　木香　干蝎（头尾足全者，炒）各半两　阿魏一分（用醋化面和作饼，慢火炙）　硇砂一分（别研）

【用法】上为末，炼蜜为丸，如鸡头子大。每服一丸，煨葱酒嚼下，不拘时候。

【功用】补益元脏。

【主治】肾虚冷。

螵蛸丸

【来源】《圣济总录》卷五十一。

【组成】桑螵蛸（炒）半两　菖蒲三分　山茱萸（微炒）半两　磁石（煅，醋淬，研）半两　附子（炮裂，去皮脐）三枚　续断三分　五味子　肉苁蓉（酒浸，去皱皮，炙）　山芋　当归（切，焙）　沉香各半两　茴香子（炒）一分

【用法】上为末，炼蜜为丸，如梧桐子大。每服二十丸，温酒送下；荆芥盐汤亦得。

【主治】肾虚，耳聋胀满，腰脊强直，小便黄赤。

木香散

【来源】《圣济总录》卷五十二。

【组成】木香　干姜（炮裂，锉）　茴香子　桃仁（汤浸，去皮尖双仁，炒黄秤）　桂心　槟榔　青橘皮（汤浸，去白瓤，焙称）　鸡舌香　荜澄茄　白术各三分

【用法】上为散。每服二钱匕，食前温酒调下，一日二次。

【主治】肾脏虚寒，客气卒暴攻注，脐腹疼痛，胀满壅闷，全不思饮食，面色萎黄，怠堕无力。

乌头怀香丸

【来源】《圣济总录》卷五十二。

【别名】乌头茴香子丸（《普济方》卷三十一）。

【组成】乌头（炮裂，去皮脐）　槟榔（锉）　茴

香子（炒） 楝实（锉，炒） 当归（切，炒）各一两 木香半两 硇砂（研）一两

【用法】上为末，和匀，醋煮面糊为丸，如梧桐子大，丹砂为衣。每服二十丸，温酒送下，不拘时候。

【主治】男子肾气虚，攻腹胁疼痛胀满。

六味沉香饮

【来源】《圣济总录》卷五十二。

【组成】沉香 葫芦巴（炒） 楝实（去核，炒） 茴香子（炒）各一两 木香 附子（炮裂，去皮脐，切）各半两

【用法】上锉，如麻豆大。每服三钱匕，水一盏，酒三分，同煎七分，去滓，空腹温服。

【主治】肾脏虚冷，气攻心腹疼痛，腰背急强，不思饮食，身热足冷。

巴戟天丸

【来源】《圣济总录》卷五十二。

【组成】巴戟天（去心） 补骨脂（炒） 茴香子（舶上者，炒） 木香各半两 桂（去粗皮） 附子（炮裂，去皮脐，盐炒）各一两

【用法】上为末。用酒煮面糊为丸，如梧桐子大。每服二十丸，空心、食前盐汤或盐酒任下。

【主治】肾脏久虚，心腹冷痛，饮食无味，腰膝疼疼，烦倦少力，时多梦泄，耳内虚鸣。

石钟乳丸

【来源】《圣济总录》卷五十二。

【组成】石钟乳（依法别研为粉） 菟丝子（酒浸，别捣为末） 五味子（炒） 蛇床子

【用法】上为末，酒煮面糊为丸，如梧桐子大。每服二十丸，空心、日午、夜卧温酒送下。

【主治】肾脏虚损，骨痿羸瘦，行坐无力，短气不足，腰背相引疼痛。

肉苁蓉丸

【来源】《圣济总录》卷五十二。

【组成】肉苁蓉（酒浸一宿，切，焙） 石斛（去根） 磁石（火煅，醋淬二七遍） 鹿茸（酥炙） 桂（去粗皮） 巴戟天（去心） 杜仲（锉，炒尽丝） 木香 覆盆子（去茎）各一两

【用法】上为末，炼蜜为丸，如梧桐子大。每服二十丸至三十丸，温酒送下，盐汤亦得，空心、日午、临卧各一次

【主治】肾气虚损，羸瘦，饮食不为肌肤，骨痿无力，腰脚痠痛。

补肾丸

【来源】《圣济总录》卷五十二。

【组成】肉苁蓉（酒浸，焙）三两 黄耆（炙，锉） 附子（炮裂，去皮脐） 泽泻 巴戟天（去心）各二两 枳壳（去瓤，麸炒） 桃仁（去皮尖双仁，炒黄） 蒺藜子（炒去角） 白术 牡蛎（煅过，研细） 牛膝（酒浸，切，焙） 菟丝子（酒浸，捣焙） 干姜（炮） 蜀椒（去目及合口者，炒出汗） 槟榔（锉） 桂（去粗皮） 陈橘皮（去白，焙）各一两 五味子（炒）一两半

【用法】上为末，炼蜜为丸，如梧桐子大。每服三十丸，空心温酒送下。

【主治】肾脏积冷，虚损气乏羸劣。

补肾汤

【来源】《圣济总录》卷五十二。

【组成】磁石（水飞，研，淘去赤汁） 附子（炮裂，去皮脐）各二两 黄耆（锉） 五味子 当归（切，焙） 白茯苓（去黑皮） 石斛（去根） 芍药 人参 沉香各一两 桂（去粗皮）一两半 陈橘皮（汤浸去白，焙）三分 枳壳（去瓤，麸炒） 蜀椒（去目并闭口，炒出汗）各半两

【用法】上锉，如麻豆大。每服三钱匕，水一盏，加生姜如枣大（拍碎），大枣三枚（擘破），煎至六分，去滓，食前温服。

【主治】肾脏虚冷，气攻两胁下胀，小腹急痛，胸中短气。

补肾汤

【来源】《圣济总录》卷五十二。

【组成】黄耆（炙，锉）一两半　人参　白茯苓（去黑皮）　独活（去芦头）　芎藭　当归（切，焙）　芍药　白术（锉，炒）　蒺藜子（炒去角）　附子（炮裂，去皮脐）　泽泻各一两　蜀椒（去目及合口者，炒出汗）二两

【用法】上锉，如麻豆大。每服五钱匕，以水二盏，先煎羊肾一只至一盏半，入药煎取八分，去滓空心顿服。

【主治】肾脏虚损，耳作蝉鸣，腹痛腰疼。

补骨脂丸

【来源】《圣济总录》卷五十二。

【组成】补骨脂（微炒）　五味子（炒）　石斛（去根）　肉苁蓉（酒浸一宿，切，焙）各二两　白茯苓（去黑皮）　熟干地黄　人参　杜仲（锉，炒尽丝）　天雄（炮裂，去皮脐）　菟丝子（酒浸一宿，别捣为末）各一两

【用法】上为末，炼蜜为丸，如梧桐子大。每服二十丸至三十丸，空心、日午、夜卧温酒送下。

【主治】肾气虚损，骨痿肉瘦，耳鸣心烦，小腹里急，气引膀胱连腰膝痛。

胡芦巴饮

【来源】《圣济总录》卷五十二。

【组成】胡芦巴　白茯苓（去黑皮）　舶上茴香各一两　肉豆蔻（去壳）　木香　附子（炮裂，去皮脐）各半两　沉香三分

【用法】上锉，如麻豆大。每服三钱匕，水一盏，盐一捻，煎至七分，去滓，空心、食前温服。

【主治】肾脏气冷，腹痛呕逆，腹胁胀满，四肢少力，不思饮食。

荜澄茄煮散

【来源】《圣济总录》卷五十二。

【组成】荜澄茄　甘草（炙，锉）　人参　芍药各一两　茴香子（炒）　槟榔（锉）各三分　干姜（炮）　诃黎勒皮　桂（去粗皮）各半两

【用法】上为散。每服三钱匕，水一盏，煎至七分，温服，不拘时候。

【主治】肾脏虚冷，气攻腹胁，疼痛胀满，烦倦。

菟丝子丸

【来源】《圣济总录》卷五十二。

【组成】菟丝子（酒浸三日，湿捣，焙干）　肉苁蓉（净洗，酒浸一宿，切，焙）　天雄（炮裂，水浸少时，去皮脐）各二两　骨碎补（去毛）一两（锉，以盐半两同炒令黄，去盐不用）　薏苡仁（炒）　地龙（去土，焙干）各一两　石硫黄（研）半两

【用法】上为末，酒煮面糊为丸，如梧桐子大。每服二十丸，加至三十丸，空心温酒或盐汤任下。

【主治】肾脏虚损，精髓枯竭，形体瘦瘁，百骨痿弱，昼夜掣痛，腰膝冷痹，耳内虚声，强直不任转侧。

鹿茸丸

【来源】《圣济总录》卷五十二。

【组成】鹿茸（酒浸一宿，涂酥炙）　石斛（去根）　桂（去粗皮）　附子（炮裂，去皮脐）　牛膝（酒浸，切，焙）　肉苁蓉（酒浸一宿，切，焙）　熟干地黄（焙）　萆薢（炒）　人参　五味子（炒）　蛇床子（炒）　白茯苓（去黑皮）　覆盆子（去茎）　黄耆（锉）　木香　车前子　天门冬（去心，焙）　山芋各一两

【用法】上为末，炼蜜为丸，如梧桐子大。每服十五丸，渐加至三十丸，空心温酒送下。

【主治】肾气虚损，骨痿羸瘦，心烦腹急，腰重耳鸣，行坐无力。

鹿茸丸

【来源】《圣济总录》卷五十二。

【组成】鹿茸（去毛，涂酥炙脆）　天雄（炮裂，冷水浸，去皮脐）　白附子（大者，炮）　鹿髓（去膜，别研如膏后入）各一两　腽肭脐一对（薄切，涂盐炙香）

【用法】上五味，捣罗四味为末，与鹿髓同研令匀，炼蜜为丸，如梧桐子大。每服三十丸，温酒送下，一日二至三次。

【主治】肾脏伤惫，腰膝无力，形瘦骨痿，头目昏

沉，时忽旋运，项背疼痛，不得俯仰。

磁石汤

【来源】《圣济总录》卷五十二。

【组成】磁石（火煅，醋淬二七遍）二两　附子（炮裂，去皮脐）一两　黄耆（锉，炒）　五味子　白术　地骨皮　桂（去粗皮）　牡蛎（火煅）　泽泻　白茯苓（去黑皮）　人参　熟干地黄（焙）各三分

【用法】上锉，如麻豆大。每服三钱匕，先以水二盏，羊肾一具（去筋膜，切开），煮取一盏，去羊肾入药，并生姜三片，大枣二枚（擘破）再煎至七分，去滓，食前通口服。

【主治】肾藏虚损，骨髓枯竭，小便滑数，腰背拘急，耳鸣色暗，阳气痿弱。

地黄酒

【来源】《圣济总录》卷五十三。

【组成】生地黄一石（洗，切）

【用法】上捣取自然汁，绞去滓，用酒二斗和匀，同于瓷石器中，煎熟为度，瓷器盛贮。每温饮一盏，不拘时候。

【主治】骨髓虚冷痛。

苁蓉汤

【来源】《圣济总录》卷五十三。

【组成】肉苁蓉（酒浸，切，焙）　菟丝子（酒浸一宿，焙干，别捣）　人参　黄耆（锉）　木香　附子（炮裂，去皮脐）　补骨脂（炒）各一分

【用法】上锉，如麻豆大。每服三钱匕，水一盏，煎至七分，去滓，食前温服。

【主治】骨髓虚冷酸疼。

补骨脂汤

【来源】《圣济总录》卷五十三。

【组成】补骨脂（炒）　附子（炮裂，去皮脐）　人参　肉苁蓉（酒浸，切，焙）　五味子（去梗）各一两

【用法】上锉，如麻豆大。每服三钱匕，水一盏，煎至七分，临熟入酒二分搅匀，去滓，食前温服。

【主治】骨虚酸痛多倦。

肉苁蓉丸

【来源】《圣济总录》卷八十六。

【组成】肉苁蓉（酒浸，切，焙）一两　巴戟天（去心）　石斛（去根）各半两　牛膝（酒浸，切，焙）　附子（炮裂，去皮脐）　羌活（去芦头）各一两　桔梗（炒）　远志（去心）　萆薢　独活（去芦头）　枳壳（去瓤，麸炒）　黄耆（锉）各半两　熟干地黄（焙）　当归（切，焙）各一两　海桐皮（锉）一分

【用法】上为末，炼蜜为丸，如梧桐子大。每服二十丸，食前米饮或温酒任下。

【主治】肾劳，心忪乏力，夜多梦泄、肌瘦发热，口内生疮，脐腹冷痛。

阳起石丸

【来源】《圣济总录》卷八十六。

【组成】阳起石（飞过）一两　远志（去心）　山芋　巴戟天（去心）　附子（炮裂，去皮脐）各二两　龙骨（研）一两　肉苁蓉（酒浸，切，焙）四两　蛇床子三两　牛膝（酒浸，切，焙）　杜仲（去粗皮，炙）　赤石脂　牡蛎（煨）各二两　石斛（去根）　黄耆（锉）　续断　五味子　菟丝子（酒浸，别捣）　地骨皮　五加皮（锉）　萆薢　卷柏各二两半

【用法】上为细末，炼蜜为丸，如梧桐子大。每服二十丸，空心、食前以温酒送下。

【主治】肾劳虚损，腰脚酸疼，少腹急痛，小便滑数，面色黧黑。

远志丸

【来源】《圣济总录》卷八十六。

【组成】远志（去心）　桂（去粗皮）　杜仲（去粗皮，炙）　枳壳（去瓤，麸炒）　白茯苓（去黑皮）各半两

【用法】上为末和匀，炼蜜为丸，如梧桐子大。每服三十丸，空腹温酒送下。

【主治】肾劳虚损，梦寐惊悸，少腹拘急，面色黧黑，小便白浊，腰脊疼痛。

沉香饮

【来源】《圣济总录》卷八十六。

【别名】沉香散（《普济方》卷三十）。

【组成】沉香　白蒺藜（炒去角）　补骨脂（炒令香）　巴戟天（去心）　酸枣仁（炒）　五味子（炒）　泽泻　磁石（煅，醋淬七度）　桂（去粗皮）　人参　陈橘皮（去白，焙）　枳壳（去瓤，麸炒）　牛膝（切，酒浸，焙）　芍药　石斛（去根）　鳖甲（醋炙，去裙襴）各一两　槟榔　桑螵蛸各三两　肉苁蓉（酒浸，切，焙）　当归（切，焙）　柴胡（去苗）　黄耆（锉，炒）各二两　芎䓖三两　附子（炮裂，去皮脐）一两半

【用法】上锉细。每服五钱匕，水一盏半，加生姜五片，煎取八分，去滓，空心温服。

【主治】五劳七伤，肾气虚乏。

补肾丸

【来源】《圣济总录》卷八十六。

【组成】麦门冬（去心，焙）　远志（去心）　干姜（炮）　防风（去叉）　乌喙（炮裂，去皮脐）　枸杞根　牛膝（去苗，酒浸，切，焙）　萎蕤　肉苁蓉（酒洗，切，焙）　棘刺　菟丝子（酒浸一宿，别捣）　桂（去粗皮）　厚朴（去粗皮，生姜汁炙）　防葵　石龙芮　萆薢　山芋各等分

【用法】上为末，炼蜜和鸡子白为丸，如梧桐子大。每服十丸，加至二十丸，食前温酒送下，一日三次。

【主治】虚劳肾气不足，膝胫痛，阳气衰弱，小便数，囊冷湿，尿有余沥，精自出，阴痿不起，悲恚消渴。

补虚杜仲丸

【来源】《圣济总录》卷八十六。

【组成】杜仲（去粗皮，炙）　桂（去粗皮）　白茯苓（去黑皮）　枳壳（去瓤，麸炒）各一两半　菟丝子（酒浸一宿，别捣）二两　干姜（炮）半两　远志（去心）二两

【用法】上为末，炼蜜为丸，如梧桐子大。每服三十丸，食前温酒或枣汤送下。

【主治】肾虚劳损，腰疼少力。

补益苁蓉獭肝丸

【来源】《圣济总录》卷八十六。

【组成】肉苁蓉（酒浸，切，焙）二两　獭肝（酥炙）一具　柴胡（去苗）　秦艽（去苗土）　当归（切，焙）　石斛（去根）　白茯苓（去黑皮）　泽泻　附子（炮裂，去皮脐）各一两半　远志（去心）　巴戟天（去心）各二两　蒺藜子（炒去角）　熟干地黄（焙）　厚朴（去粗皮，生姜汁炙）　五味子（炒）　桂（去粗皮）　桃仁（去皮尖双仁，炒）　丁香　木香　山芋　芍药　陈橘皮（浸去白，焙）　赤石脂（研）　槟榔（锉）　白术（炒）　干姜（炮）　郁李仁（汤浸去皮尖，研）　甘草（炙，锉）　牡丹皮　蜀椒（去目并合口者，炒出汗）　山茱萸　芎䓖　牡蛎（煅，研）　人参各一两　黄耆（锉，炒）二两半

【用法】上为末，炼蜜为丸，如梧桐子大。每服四十丸，空心酒送下。

【主治】肾虚劳气，腰疼耳聋，目黄睛痛，面常青黑，四肢羸弱烦闷，痰饮气攻，肢节痠痛。

桃仁汤

【来源】《圣济总录》卷八十六。

【组成】桃仁（汤浸，去皮尖双仁，麸炒）二两　白术一两　芎䓖　附子（炮裂，去皮脐）各三分　荜澄茄半两

【用法】上锉，如麻豆大。每服二钱匕，水一盏，加生姜三片，盐少许同煎，取七分，去滓，食前稍热服，一日三次。

【主治】肾劳虚损，心腹胀满，骨节烦疼。

黄耆饮

【来源】《圣济总录》卷八十六。

【组成】黄耆　白术　白茯苓（去黑皮）　五味子各一两半　熟干地黄（焙）　牡蛎（煅）各二两

大枣七枚（去核）

【用法】上锉，如麻豆大。每服五钱匕，水一盏半，煎至八分，去滓，食前温服，日三次。

【主治】肾劳。盗汗，嘘吸少气。

猪肝丸

【来源】《圣济总录》卷八十六。

【组成】猪肝一具（去膜，切，以米醋二斗煮令极烂） 柴胡（去苗） 泽泻 槟榔（锉） 附子（炮裂，去皮脐） 熟干地黄（焙） 当归（炙，锉）各二两 蜀椒（去目及闭口者，炒出汗） 桃仁（去皮尖双仁，炒令黄，研） 蒺藜子（炒去角） 牛膝（酒浸，切，焙） 木香 秦艽（去苗土） 桂（去粗皮） 芜荑仁（炒） 干姜（炮） 黄连（去须，炒）各一两

【用法】上十七味，除肝外，捣罗为末；取肝入砂盆内研烂，同药末入臼内捣，滴余醋并熟蜜为丸，如梧桐子大。每服四十丸，空心温酒送下。

【主治】肾虚劳气，腰胯疼痛，脚膝无力，耳中虚鸣，夜多小便，饮食减少，女人血劳，面色萎黄，心腹刺痛，经脉不利。

磁石汤

【来源】《圣济总录》卷八十六。

【组成】磁石（煅，醋淬五七遍）一两半 黄耆（锉）三分 杜仲（去粗皮，炙）一两 白石英（碎）一两一分 五味子（炒）一两 白茯苓（去黑皮）三分 白术一两半

【用法】上为粗末。每服五钱匕，水一盏半，煎至一盏，去滓，食前温服，一日二次。

【主治】肾劳虚寒，饥不欲食，面色黧黑。

猪肚丸

【来源】《圣济总录》卷八十九。

【组成】猪肚一枚（净洗） 附子（炮裂，去皮脐） 泽泻 肉苁蓉（去皱皮，酒浸，切，焙） 干姜（炮裂） 青蒿 陈橘皮（去白，炒）各二两 桃仁（去皮尖双仁，炒） 蜀椒（去目并闭口，炒出汗） 槟榔（锉） 黄连（去须，炒） 柴胡（去苗） 木香 桂（去粗皮）各一两

【用法】上为末，将猪肚入熟艾十两，以米醋一斗烂煮取出，捣研令细，入诸药末，入余醋和硬软得所，杵为丸，如梧桐子大。每服三十丸，加至四十丸，空心米饮送下。

【主治】肾劳，腰脚疼痛及脾胃极冷。

黄耆丸

【来源】《圣济总录》卷九十八。

【组成】黄耆（锉） 黄连（去须） 土瓜根（锉）各二两半 玄参三两 地骨皮（锉） 菝葜（锉） 鹿茸（去毛，酥炙）各二两 牡蛎（熬）一两 人参 桑螵蛸（炒） 五味子各一两半

【用法】上为末，炼蜜为丸，如梧桐子大。每服二十丸，盐酒送下，不拘时候。

【主治】肾虚膀胱冷，淋沥不利。

四灵丸

【来源】《圣济总录》卷一八〇。

【组成】巨胜子 生干地黄（焙） 麦门冬（去心，焙）各一两 白茯苓（去黑皮）三两

【用法】上为细末，炼蜜为丸，如梧桐子大。每服三十丸，煎枣汤送下；水饮亦得。服至百日自觉有异。

【功用】还元保命，壮气除风。

【主治】肾虚。

生阳丹

【来源】《圣济总录》卷一八五。

【组成】硫黄（生研） 附子（炮裂，去皮脐） 桂（去粗皮） 干姜（炮）各一钱

【用法】上为末，酒煮，面糊为丸，如梧桐子大，丹砂末为衣。每服二十丸，食前温艾汤下，温米饮亦得。

【主治】肾虚脏气寒。

小牛膝丸

【来源】《圣济总录》卷一八六。

【组成】牛膝（寸截，用酒一碗，浸一复时，煮三

两沸，捣烂捩汁，熬成膏） 防风（去叉） 附子（炮） 赤小豆（拣）各二两 人参 地龙（去土） 檀香（锉）各半两 乳香三分

【用法】上药捣七味为末，入膏和丸，如豌豆大。每服十五丸，加至二十丸，空心盐汤送下。

【主治】肾脏虚冷，风气。

天仙丸

【来源】《圣济总录》卷一八六。

【别名】大玉辰丹。

【组成】木香一两 硫黄二两（柳木捶研七日，频以甘草水洒） 怀香子（微炒）四两 附子（炮裂，去皮脐）三两 葫芦巴 补骨脂（炒） 金铃子 桂（去粗皮） 巴戟天（去心） 槟榔（锉） 牛膝（切，酒浸，焙） 萆薢 青橘皮（汤浸，去白，焙） 沉香（锉）各一两

【用法】上为末，酒糊为丸，如梧桐子大。每服十五丸，空心盐汤或酒送下。渐加至二十丸。

【功用】

1.《圣济总录》：补暖。

2.《普济方》：逐风。

【主治】肾脏久虚。

【加减】加五味子尤佳。

黄耆羌活丸

【来源】《圣济总录》卷一八六。

【组成】黄耆（略炙） 羌活（去芦头，锉，米泔浸一宿，焙） 附子（炮裂，去皮脐） 蒺藜子（炒去角） 乌头（炮裂，去皮脐） 沙苑蒺藜（生用） 牛膝（酒浸，焙一宿） 木鳖子（去壳） 防风（去叉，净洗，锉） 萆薢（净洗，切）各一两 狗脊（去毛，生用）一两半

【用法】上为末，酒煮面糊为丸，如梧桐子大。每服二十丸至三十丸，空心以盐汤送下。

【功用】补益元气。

【主治】肾脏虚风。

地黄丸

【来源】《小儿药证直诀》卷下。

【别名】补肾地黄丸（《幼幼新书》卷六引《集验方》）、补肝肾地黄丸（《奇效良方》卷六十四）、六味地黄丸（《正体类要》卷下）、六味丸（《校注妇人良方》卷二十四）。

【组成】熟地黄八钱 山萸肉 干山药各四钱 泽泻 牡丹皮 白茯苓（去皮）各三钱

【用法】上为末，炼蜜为丸，如梧桐子大。每服三丸，空心温水化下。

《医方集解》：盐汤下；冬，酒下。

本方改为汤剂，名“六味地黄汤”（《景岳全书》卷五十三）、“地黄汤”（《证治宝鉴》卷三）、“六味汤”（《医学心悟》卷六）。

【功用】

1.《小儿药证直诀》：补肾，补肝。

2.《校注妇人良方》：壮水制火。

3.《保婴撮要》：滋肾水，生肝木。

4.《东医宝鉴·内景篇》：专补肾水，能生精补精，滋阴。

【主治】

1.《小儿药证直诀》：肾怯失音，囟开不合，神不足，目中白睛多，面色白。

2.《校注妇人良方》：肾虚发热作渴，小便淋秘，痰壅失音，咳嗽吐血，头目眩晕，眼花耳聋，咽喉燥痛，口舌疮裂，齿不坚固，腰腿痿软，五脏亏损，自汗盗汗，便尿诸血。

3.《万氏女科》：女子冲任损伤，及肾虚血枯，血少血闭之症。

4.《寿世保元》：小儿肝疳，白膜遮睛，肝经虚热，血燥，或风客淫气，而患瘰疬结核，或四肢发搐，眼目忽抽动，痰涎上壅；又治肾疳脑热，消瘦，手足如冰，寒热往来，滑泄肚胀，口臭干渴，齿龈溃烂，爪黑面黧，遍身、两耳生疮，或耳内出水，或发热，自汗盗汗，或小便淋闭，咳嗽吐血，或咽喉燥痛，口舌疮裂，或禀赋不足，肢体瘦弱，解颅鹤节，五迟五软，或畏明下窜，或早近女色，精血亏耗，五脏齐损等肝肾诸虚不足之症。

5.《医方集解》：肝肾不足，真阴亏损，精血枯竭，憔悴羸弱，腰痛足酸，自汗盗汗，水泛为痰，发热咳嗽，头晕目眩，耳鸣耳聋，遗精便血，消渴淋沥，失血失音，舌燥喉痛，虚火牙痛，足跟作痛，下部疮疡。

【宜忌】

1.《审视瑶函》：忌萝卜。

2.《寿世保元》：忌铁器，忌三白。

3.《医方发挥》：本方熟地滋腻滞脾，有碍消化，故脾虚食少及便溏者慎用。

4.《中医方剂选讲》：阴盛阳衰，手足厥冷，感冒头痛，高热，寒热往来者不宜用。又南方夏季暑热湿气较盛时，宜少服用。

【方论】

1.《校注妇人良方》：此壮水制火之剂。夫人之生，以肾为主。人之病，多由肾虚而致者。此方乃天一生水之剂，无不可用；凡肝经不足之证，尤当用之，盖水能生木故也。此水泛为痰之圣药，血虚发热之神剂。又治肝肾精血不足虚热，不能起床，即八味丸去附子、肉桂。

2.《医方考》：肾非独水也，命门之火并焉。肾不虚，则水足以制火，虚则火无所制，而热证生矣，名之曰阴虚火动，河间氏所谓肾虚则热是也。今人足心热，阴股热，腰脊痛，率是此证。老人得之为顺，少年得之为逆，乃咳血之渐也。熟地黄、山茱萸、味厚者也，经曰：味厚为阴中之阴，故能滋少阴，补肾水；泽泻味甘咸寒，甘从湿化，咸从水化，寒从阴化，故能入水脏而泻水中之火；丹皮气寒味苦辛，寒能胜热，苦能入血，辛能生水，故能益少阴，平虚热；山药、茯苓，味甘者也；甘从土化，土能防水，故用之以制水脏之邪，且益脾胃而培万物之母也。

3.《医贯》：熟地黄、山茱萸，味厚者也；经曰味厚为阴中之阴，故能滋少阴、补肾水。泽泻味咸，咸先入肾。地黄、山药、泽泻，皆润物也，肾恶燥，须次润之。此方所补之水，无形之水，物之润者亦无形，故用之。丹皮者，牡丹之根皮也；丹者，南方之火色，牡而非牝，属阳，味辛苦，故入肾而敛阴火，益少阴，平虚热。茯苓味甘而淡者，甘从土化，土能防火，淡能渗湿，故用之以制水脏之邪，且益脾胃而培万物之母。壮水之主，以镇阳光，即次药也。

4.《红炉点雪》：六味丸，古人制以统治痰火诸证。痰火之作，始于水亏火炽金伤，绝其生化之源乃尔。观方中君地黄，佐山药、山茱，使以茯苓、牡丹皮、泽泻者，则主益水、清金、敦土之意可知矣。盖地黄一味，为补肾之专品，益水之主味，孰胜乎此？夫所谓益水者，即所以清金也。惟水足则火自平而金自清，有子令母实之义也。所谓清金者，即所以敦土也。惟金气清肃，则木有所畏而土自实，有子受母荫之义也。而山药者，则补脾之要品，以脾气实则能运化水谷之精微，输转肾脏而充精气，故有补土益水之功也。而其山茱、茯苓、丹皮，皆肾经之药，助地黄之能。其泽泻一味，虽曰接引诸品归肾，然方意实非此也。盖茯苓、泽泻，皆取其泻膀胱之邪。古人用补药，必兼泻邪，邪去则补药得力。一辟一阖，此乃玄妙。后世不知此理，专一于补，所以久服必致偏胜之害。

5.《摄生秘剖》：肾者，水脏也。水衰则龙雷之火无畏而亢上，故王启玄曰：壮水之主，以制阳光。即经所谓求其属而衰之也。地黄味厚为阴中之阴，专主补肾填精，故以为君。山茱萸酸味归肝，乙癸同治之义，且肾主闭臧，而酸敛之性正与之宜；山药味甘归脾，安水之仇，故用二味为臣。丹皮亦入肝，其用主宣通，所以佐茱萸之涩也；茯苓亦入脾，其主通利，所以佐山药之滞也，且色白属金，能培肺部，又有虚补母之义。至于泽泻，有三功焉：一曰利小便，以清相火；二曰行地黄之滞，引诸药速达肾经；三曰有补有泻，诸药无喜补增气之虞，故用以为使。此丸为益肾之圣药，而昧者薄其功缓。盖用药者有四失也：一则地黄非怀庆则力浅；一则地黄非自制则不热，且有犯铁之弊；一则疑地黄之滞而减之，则君主弱；一则恶泽泻之渗而减之，则使者缓。蹈是四失，而顾咎药之无功，毋乃愚乎！

6.《审视瑶函》：肾者，水脏也。水衰则龙雷之火无畏而亢上，故王启玄曰：壮水之主，以制阳光，也即《经》所谓求其属而衰之。地黄味厚，为阴中之阴，专主补肾填精，故以为君药；山茱萸味酸归肝，乙癸同治之义，且肾主闭藏，而酸敛之性，正与之宜也；山药味甘归脾，安水之仇，故用二味为臣；丹皮亦入肝，其用主宣通，所以佐茱萸之涩也；茯苓亦入脾，其用主通利，所以佐山药之滞也，且色白属金，能培肺部，又有虚则补其母之义；至于泽泻有三功：一曰利小便以泄相火，二曰行地黄之滞，引诸药速达肾经，三曰有补有泻，诸药无畏恶增气之虞，故用之为使。此丸为益肾之圣药，而昧者薄其功缓，乃用药者有四失也：一则地黄非怀庆则力浅；一则地黄非自制则不工，且有犯铁之弊；一则疑地黄之滞而减之，则君主力弱；一则恶泽泻之渗而减之，则使力微。自蹈四失，而反咎药之无功，毋乃冤乎。

7.《古今名医方论》柯韵伯曰：肾虚不能藏精，坎宫之火无所附而妄行，下无以奉春生之令，上绝肺金之化源。地黄禀甘寒之性，制熟味更厚，是精不足者补之以味也，用以大滋肾阴，填精补髓，壮水之主。以泽泻为使，世或恶其泻肾而去之，不知一阴一阳者，天地之道，一开一阖者，动静之机。精者，属癸，阴水也，静而不走，为肾之体；溺者，属壬，阳水也，动而不居，为肾之用。是以肾主五液，若阴水不守，则真水不足，阳水不流，则邪水逆行。故君地黄以护封蛰之本，即佐泽泻以疏水道之滞也。然肾虚不补其母，不导其上源，亦无以固封蛰之用。山药凉补，以培癸水之上源。茯苓淡渗，以导壬水之上源，加茱萸之酸温，藉以收少阳之火，以滋厥阴之液。丹皮辛寒，以清少阴之火，还以奉少阳之气也。滋化源，奉生气，天癸居其所矣。壮水制火，特其一端耳。

8.《医方集解》：此足少阴、厥阴药也。熟地滋阴补肾，生血生精；山茱温肝逐风，涩精秘气；牡丹泻君相之伏火，凉血退蒸；山药清虚热于肺脾，补脾固肾；茯苓渗脾中湿热，而通肾交心；泽泻泻膀胱水邪，而聪耳明目。六经备治，而功专肾肝，寒燥不偏，而补兼气血。苟能常服，其功未易殚述也。

9.《张氏医通》：八味丸去桂、附。方中熟地用缩砂蜜八钱制。按《金匮要略》八味肾气地黄本无缩砂之制，以中有附子之雄，肉桂之窜也。钱氏裁去二味，治小儿解颅等证，虽曰素禀肾虚，而纯阳未动，地黄不制可也。后世借治真阴不足，乃用缩砂制地黄，不特无减食作泻之虞，服后连嗳数声，气转食运，脾肾安和，其阳生长之妙，世都莫知，兹特表而出之。

10.《医方论》：此方非但治肝肾不足，实三阴并治之剂。有熟地之腻补肾水，即有泽泻之宣泄肾浊以济之；有萸肉之温涩肝经，即有丹皮之清泻肝火以佐之；有山药收摄脾经，即有茯苓之淡渗脾湿以和之。药止六味，而大开大合，三阴并治，洵补方之正鹄也。

11.《绛雪园古方选注》：六味者，苦、酸、甘、咸、辛、淡也。《阴阳应象论》曰：精不足者，补之以味。五脏之精，皆赖肾气闭藏，故以地黄丸名其丸。地黄味苦入肾，固封蛰之本，泽泻味咸入膀胱，开气化之源，二者补少阴、太阳之精也。萸肉味酸入肝，补罢极之劳，丹皮味辛入肝，清中正之气，二者补厥阴、少阳之精也。山药味甘入脾，键消运之机，茯苓味淡入胃，利入出之器，二者补太阴、阳明之精也。足经道远，故制以大，足经在下，故治以偶。钱仲阳以肾气丸去桂、附，治小儿纯阳之体，始名六味。后世以六味加桂，名七味；再加附子，名八味，方义昧矣。

12.《杂病源流犀烛》：肾之蛰藏，必藉土封之力，《内经》所以谓肾合精，其主脾，不曰克，而反曰主也。罗淡生亦曰：水藏土中。此前人补肾用六味，当知其入茯苓、山药之妙是已。但脾药甚多，必用此二味者，实因补水故补土，水本湿土，又易生湿，故必须此二味能渗土中之湿，则土即无湿淫之患，而水之臧土中者，亦自若其性，而不至湿于湿并，多溃溢之病矣。此六味不用其他脾药，而必用茯苓、山药者，其旨更自深微，不可不知也。

13.《成方便读》：此方大补肝脾肾三脏真阴不足，精血亏损等证。古人用补，必兼泻邪，邪去则补乃得力。故以熟地大补肾脏之精血为君，必以泽泻分导肾于膀胱之邪浊为佐；山萸之补肝固精，即以丹皮能清泄厥阴、少阳血分相火者继之；山药养脾阴，茯苓渗脾湿。相和相济，不燥不寒，乃王道之方也。

14.《实用方剂学》：本方是补阴的代表方剂，其组成特点，是补中寓泻，而以补阴为主。方中以熟地滋阴补肾，填精益髓而生血；山茱萸温补肝肾，收敛精气；山药健脾，兼固精缩尿；是本方的三补，用以治本。但以熟地补肾为主，山茱萸的补肝和山药的补脾为辅，故熟地的用量是山茱萸和山药的一倍。由于肝肾阴虚，常可导致虚火上炎，故又以泽泻泻肾火，丹皮泻肝火，茯苓渗脾湿，是本方的三泻，用以治标。但本方是以补为主，所以这三种泻药的用量较轻。这样把补虚与祛邪结合起来，就形成甘淡平和，不温不燥，补而不滞的平补之剂。因此，本方滋补而非峻补，故虚不受补者亦可用。

15.《吴医汇讲》：此为补阴之主方，补五脏之阴以纳入于肾也。脏阴亏损，以熟地大滋肾阴，壮水之主以为君。用山萸肉之色赤入心，味酸入肝者，从左以纳于肾；山药之色白入肺，味甘入脾者，从右以纳于肾。又用三味通腑者，恐腑气不宣，则气郁生热，以至消烁脏阴，故以泽泻清膀胱，而后肾精不为相火所摇；又以丹皮清血分中热，则主血之心，藏血之肝，俱不为所烁矣；又以茯苓清血分之热，则饮食之精，由脾输肺以下降者，亦不为火所烁矣。夫然后四脏之真阴无所损耗，得以摄纳精液，归入肾脏，肾受诸脏之精液而藏之矣。从来囫囵看过，未识此方之元妙，至于此极。今将萸肉、山药二味分看，一入心肝，一入肺脾，即极分明，而气味又融洽。将熟地、萸肉、山药三味总看，既能五脏兼入，不致偏倚，又能将诸脏之气，尽行纳入肾脏，以为统摄脏阴之主，而不致两歧。至泽泻、茯苓、丹皮与三补对看，其配合之妙，亦与三补同法。制方妙义，周备如此，非臻于神话者，其孰能之？惟其兼补五脏，故久服无虞偏胜，而为万世不易之祖方也。

16.《医方发挥》：本方为肾、肝、脾三阴并补之剂而以补肾阴为主，是滋补肾阴的代表方剂。方中重用熟地甘温滋肾填精为主药，《本草逢原》：熟地黄，假火力蒸晒，转苦为甘，为阴中之阳，故能补肾中元气。《本草从新》：滋肾水，封填骨髓，利血脉，补益真阴，聪耳明目，黑发乌须。以山药甘平补益脾阴而固精，《本草正》：山药，能健脾补虚，滋精固肾，治诸虚百损，疗五劳七伤。《本草求真》：且其性涩，能治遗精不禁，味甘兼咸，又能益肾强阴，故六味地黄丸用此以佐地黄。山茱萸酸温养肝肾而涩精，《药品化义》：山茱萸，滋阴益血，主治目昏耳鸣，口苦舌干，面青色脱，汗出振寒，为补肝助胆良品。《医学衷中参西录》：山茱萸，大能收敛元气，振作精神，固涩滑脱。二药为辅，合主药以滋肾养阴，养肝血，益脾阴，而涩精止遗。由于肾阴亏虚，常导致虚火上炎，而肾浊不降。故配以泽泻甘寒泄肾湿浊；茯苓甘淡平淡渗脾湿；丹皮辛苦凉清泄肝火，合为佐使药。前三味药为补，三补治本；后三味药为泻，三泻治标。补泻结合，以补为主。

【实验】

1. 保护肾功能作用 《中成药研究》（1982，12：23）：用本方对大鼠 Masugi 型肾炎的实验治疗，治疗组血清尿素明显低于对照组，而停药后尿素量又明显增高，说明本方能促进肾脏对体内代谢产物——尿素的排泄，从而保护肾功能。

2. 防治肿瘤 《中医杂志》（1983，6：71）：本方能抑制 N－亚硝基氨酸乙脂和氨基甲酸乙脂的诱瘤作用，有助于荷瘤体的单核吞噬系统的吞噬功能，促进骨髓干细胞和淋巴组织增生，在一定程度上维持荷瘤小鼠甲状腺功能，降低蛋白分解代谢，从而对肿瘤的形成和荷瘤体的生存具有某些作用。

3. 降血糖作用 《国外医学·中医中药分册》（1986，4：11）：用本方水提物口饲糖尿病大鼠，3 天后能降低血糖、尿素氮和甘油三酯，5 天后能降低血钾，提高血钠和血蛋白，降低尿中酮体水平。

4. 滋补强壮作用 《中成药研究》（1986，4：26）：本方与人参有类似的抗低温、抗疲劳、耐缺氧及促皮质激素样作用，对氢化考的松引起的小鼠肾上腺、胸腺萎缩有一定的对抗作用，并能抑制小鼠棉球肉芽肿增生。

5. 降血脂作用 《中成药研究》（1986，12：41）：以本方片剂对实验性高血脂家兔进行研究，给药组的血清胆固醇和甘油三酯分别低于对照组，效果显著（$P<0.01$），而对正常大鼠无明显影响；给药组肝、脾、肾上腺重量均比对照组明显下降（$P<0.05$）；解剖时肉眼观察，对照组肝脏等脏器都呈现较明显的脂肪沉积，而给药组色泽均较正常；对实验性高血脂大鼠 HDL－C 能明显增高（$P<0.01$）。

6. 对实验性肾虚动物牙周组织的影响 《中西医结合杂志》（1990，5：295）：本方对牙周病阴虚模型动物的牙周组织有保护作用，具有修复牙周组织损害的作用，并且动物体重和活力增加。在一定程度上可以纠正由甲状腺素引起的代谢紊乱，对由甲状腺素所致肾虚模型动物的牙组织有保护作用。

7. 对虚症动物的影响 《中成药》（1994，6：38）刘氏等通过六味地黄汤对激素（醋酸地塞米松）所致虚症大鼠的体重、血糖、皮质醇含量、某些脏器指数、组织形态的影响，表明六味地黄汤对虚证具有明显疗效。

8. 免疫调节作用 《中成药》（1994，9：34）

贾氏将鼠巨噬细胞J774细胞株与六味地黄丸水抽提液一起培养，发现该药能增强巨噬细胞的免疫活性。浓度在50～3000μg/ml范围内，增强效果与无药对照组比较有显著性差异（$P<0.05$），在500μg/ml和1000μg/ml时，分别增强4.99和5.20倍，实验结果提示，六味地黄丸的免疫调节作用可能是通过巨噬细胞的吞噬活性而实现的。

9. 补肾作用与微量元素的关系 《中成药》（1996，6：37）李氏等认为六味地黄丸所富含的微量元素锌、铜、锰、铁与补肾作用的关系，提出中药的疗效是中药中的微量元素与多种有机物相互协同的结果。

10. 对家蚕寿命及生长发育的影响 《中国中医基础医学杂志》（1998，9：39）：李氏等观察了六味地黄丸、杞菊地黄丸、麦味地黄丸、六味地黄丸加黄柏知母方、七味都气丸对家蚕寿命及生长发育的影响。结果表明：前三方可显著延长家蚕龄期，身长、体重较对照组增加缓慢，食桑量也减少；而七味都气丸组家蚕的寿命及身长、体重与对照组无显著差异（$P<0.05$）。

11. 对血糖与超氧化物歧化酶的影响 《山东中医杂志》（1998，10：454）：周氏等对链脲佐菌素所致大鼠糖尿病性白内障体内模型中晶体及血清中超氧化物歧化酶活性和脂质过氧化物含量进行了动态观察。结果表明：以地黄丸化裁的中药复方能降低糖尿病大鼠空腹血糖，提高晶体及血清中的超氧化物歧化酶活性，降低脂质过氧化物含量，并在一定程度上延迟了白内障的发生发展。

【验案】

1. 慢惊后不语 《小儿药证直诀》：东都王氏子，吐泻，诸医药下之，至虚，变慢惊。后又不语，诸医作失音治之。钱曰：既失音，开目不能饮食，又牙不紧，而口不紧也，诸医不能晓。钱以地黄丸补肾，治之半月而能言，一月而痊也。

2. 血痢 《明医杂著》薛己注：祠部李宜散，患血痢，胸腹膨胀，大便欲去不去，肢体殊倦。余以为脾气虚弱，不能摄血归原，用补中益气汤加茯苓、半夏，治之渐愈。后因怒，前症复作，左关脉弦浮，按之微弱，此肝气虚不能藏血，用六味丸治之而愈。

3. 防治食管癌 《中医杂志》（1983，6：71）：先后在湖北、河北两地食管癌高发人群中用六味地黄汤治疗食管上皮重度增生病人92例，1年后，病理脱落细胞复查，癌变2例，稳定8例，好转和正常者82例，而在湖北当地做对照的未服药病人89例中，8个月后随访，癌变11例，稳定23例，好转55例。两者相较，差异显著（$P<0.001$）。对湖北的57例病人做了5年以上的随访，并和相应的47例未服药病人作了对比观察，服药组的癌变率明显低于对照组（$P<0.05$）。

4. 早搏 《河南中医》（1987，3：24）：以本方加苦参，每日1剂，早、晚各服1次，治疗病理性室性早搏12例。结果：其中7例经心电图复查，均无室早发现，且无自觉症状。

5. 慢性咽炎 《江苏中医》（1995，2：22）：用本方加养阴清咽饮（自拟方：胖大海、薄荷、桔梗、甘草、山楂、麦冬各10克，柴胡3克），治疗慢性咽炎95例，总有效率为100%。

6. 小儿神经性尿频 《实用中西医结合杂志》（1996，4：235）：用本方原方（不作加减，仅根据年龄调整剂量）每日1剂，水煎，分2～3次口服。治疗小儿神经性尿频（尿频、尿急，体检尿液检查无异常，抗生素治疗无效者）26例。结果：除1例服7剂后症状改善，未能随访外，其余服药7剂后全部治愈，无任何毒副作用，经3个月随访均无复发。

7. 痤疮 《新中医》（1997，8：37）：以本方为基本方，肺热型加枇杷叶、黄芩、野菊花、桑白皮；脾胃湿热型加生地黄、茵陈、薏苡仁、大黄；热毒型加金银花、野菊花、白花蛇舌草、赤芍、皂角刺；血瘀痰凝型加桃仁、红花、川贝母、赤芍、牡蛎；冲任不调型加当归、益母草、赤芍、丹参；10天为1个疗程，治疗痤疮52例。结果：痊愈46例，显效3例，有效2例，无效1例，其中1个疗程治愈者26例，2～3个疗程治愈者25例。

8. 急性肾炎 《甘肃中医学院学报》（1998，2：16）：用本方加党参、黄芪、牛膝、白茅根、杜仲、益母草为基本方，兼外感有热者合桑菊饮、银翘散加减；浮肿咽痛者合麻黄连翘赤小豆汤、越婢加术汤加减；舌偏红者去熟地黄，加生地黄、知母；苔黄腻者加大茯苓、泽泻用量；并加黄柏、车前子；舌淡苔白加肉桂、附子；苔白腻加苍术、半夏；治疗小儿急性肾炎62例。结果：痊愈（症状消失，尿常规化验3次正常，1年内未复发）56例，有效4例，总有效率为96.8%。

9. 老年性便秘 《陕西中医》（1998，3：117）：用本方加肉豆蔻、火麻仁为基本方，肾阳虚者加附子、桂枝、肉苁蓉；兼气虚者加炙黄芪、党参；兼血虚者加当归、白芍、何首乌；治疗老年性便秘55例。结果：痊愈24例，好转27例，总有效率为92.7%。

10. 糖尿病 《陕西中医学院学报》（1999，3：12）：用本方加减：生地、丹皮、茯苓、山茱萸、麦冬、花粉、黄精、山药、泽泻为基本方，并随症加减，每日1剂，水煎服，服药期间停用西药降糖药；治疗糖尿病60例。结果：显效29例，好转20例，有效11例，总有效率为100%。

11. 复发性泌尿系感染 《山西中医学院学报》（2004，4：27）：以本方：熟地24g，山药、山萸肉各12g，茯苓、泽泻、丹皮各9g，随症加减，每日1剂，水煎服，治疗复发性泌尿系感染50例。结果：治愈41例，显效8例，无效1例。治愈率82%，有效率98%。

12. 寻常性痤疮 《福建中医药》（2006，5：46）：将寻常性痤疮79例随机分为治疗组49例，对照组30例，治疗组用六味地黄丸，每次8丸，1日3次；对照组用罗红霉素胶囊150mg，1日2次，2周为1个疗程，2个疗程评定疗效。结果：治疗组临床痊愈21例（42.9%），显效19例（38.8%），有效6例（12.2%），无效3例（6.1%），总有效率93.9%；对照组临床痊愈9例（30%），显效7例（23.3%），有效7例（23.3%），无效7例（23.3%），总有效率76.7%。

生姜丹

【来源】《鸡峰普济方》卷十二。

【组成】茴香二两 生姜四两（不去皮）

【用法】上二味擦拌，入垍器内，淹一伏时，不透气，取出用慢火炒，不得过，次入青盐一两，同为细末，煮好面糊为丸，如梧桐子大。每服三五十丸，空心酒或盐汤下。

【主治】肾受邪，阳气衰弱，意情不快，多倦。

地黄丸

【来源】《普济本事方》卷二。

【别名】八味地黄丸（《普济方》卷二十九）。

【组成】熟地黄（酒洒，九蒸九晒，焙干称）二两半 肉苁蓉（酒浸，水洗，焙干） 白茯苓（去皮） 泽泻各三两 桂枝（不见火） 附子（炮，去皮脐）各半两 五味子三两（拣） 黄耆（独茎者，蜜水涂炙）一两

【用法】上为细末，炼蜜为丸，如梧桐子大。每服四十至五十丸，空心酒送下，食前再服。

【主治】肾虚或时脚肿，兼治脾虚。

【方论】《本事方释义》：熟地黄气味甘苦微寒，入足少阴；肉苁蓉气味咸温，入肾；茯苓气味甘平淡渗，入胃；泽泻气味咸微寒，入足太阳；五味子气味酸咸温，入肾；桂枝气味辛温，入足太阳；附子气味辛咸热，入手足少阴；黄耆气味甘微温，入手足太阴。此肾虚而兼脾弱，则湿留不去，或时脚肿，故补肾药中必佐以辛热之品，淡渗下行之味，兼理脾肺之药。以酒送之，斯气化流行，脾肾不致失司，病焉有不去耶。

温肾散

【来源】《三因极一病证方论》卷八。

【组成】熟干地黄一斤 苁蓉（酒浸） 麦门冬（去心） 牛膝（酒浸） 五味子 巴戟天（去心） 甘草（炙）各八两 茯神（去木） 干姜（炮）各五两 杜仲（去粗皮，姜汁淹，炒丝断）三两

【用法】上为末。每服二钱，空心温酒调下，一日二三次。

【主治】肾虚寒，阴痿，腰脊痛，身重缓弱，足腰不可以按，语音混浊，阳气顿绝。

加减八味丸

【来源】《集验背疽方》。

【别名】加味八味丸（《仁斋直指方论》卷二十二）、加减八味地黄丸（《准绳疡医》卷二）。

【组成】干熟地黄（焙，锉）二两 真山药（锉细，微炒） 山茱萸（去核取肉，焙干）各一两 肉桂（削去粗皮，锉，不见火）一两（别研，取半两净末，和入众药，余粗滓仍勿用） 泽泻（水洗，锉作块，无灰酒湿，瓦器盛盖，而上蒸五次，锉，焙） 牡丹皮（去心枝杖，锉，炒） 白茯苓

（去黑皮，锉，焙）各八钱　北真五味子（拣去枝杖，慢火炒至透，不得伤火）一两半（别研罗，和入众药。最要真者）

【用法】上为细末，炼蜜为丸，如梧桐子大。每服三十丸，空心无灰酒或盐汤任下。

本方改为汤剂，名“加减八味汤”（《医学心悟》卷六）。

【功用】

1.《集验背疽方》：降心火，生肾水，止渴；增益气血，生长肌肉，强健精神。

2.《医方类聚》引《澹寮方》：免生痈疽。

3.《寿世保元》：久服必肥健而多子；晚年服此，不生痈疽诸毒，不患消渴。

【主治】

1.《集验背疽方》：痈疽之后，转作渴疾，或未发疽人，先有渴症者。

2.《小儿痘疹方论》：小儿禀赋肾阴不足，或吐泻久病，津液亏损，或口舌生疮，两足发热，或痰气上涌，或手足厥冷。

3.《医方类聚》引《澹寮》：肾虚津乏，心烦燥渴。

4.《世医得效方》：肾消，小便频数，白浊，阴瘦弱，饮食不多，肌肤渐渐如削，或腿肿脚先瘦小。

5.《普济方》：或先患痈疽而才觉作渴，或有痈疽而无渴。

【方论】内真北五味子，最为得力，此一味独能生肾水、平补、降心火，大有功效。

【验案】

1. 发热　《内科摘要》：大尹沈用之不时发热，日饮冰水数碗。寒药二剂，热渴益甚，形体日瘦，尺脉洪大而数，时或无力。王太仆曰：热之不热，责其无火；寒之不寒，责其无水。又云：倏热往来，是无火也；时作时止，是无水也。法当补肾，用加减八味丸，不月而愈。

2. 肾虚　《内科摘要》：州同韩用之年四十有六，时仲夏色欲过度，烦热作渴，饮水不绝，小便淋沥，大便秘结，唾痰如涌，面目俱赤，满舌生刺，两唇燥裂，遍身发热，或时如芒刺而无定处，两足心如烙，以冰折之作痛，脉洪而无伦。此肾阴虚阳无所附，而发于外，非火也。盖大热而甚，寒之不寒，是无水也，当峻补其阴。遂以加减八味丸料一斤内肉桂一两，以水顿煎六碗，水冷与饮，半饱已用大半，睡觉而食温粥一碗，复睡至晚，乃以前药温饮一碗，乃睡至晓，食热粥二碗，诸症悉退。翌日畏寒，足冷至膝，诸症仍至，或以为伤寒。余曰，非也，大寒而甚，热之不热，是无火也，阳气亦虚矣。急以八味丸一剂服之稍缓，四剂诸症复退。大便至十三日不通，以猪胆导之，诸症复作，急以十全大补汤数剂方应。

3. 痈疽作渴　《集验背疽方》：有一贵人病疽疾，未安而渴作，一日饮水数升，愚献此方，诸医失笑云：此药若能止渴，我辈当不复业医矣。诸医尽用木瓜、紫苏、乌梅、参、苓、百药煎等生津液、止渴之药，服多而渴愈甚。数日之后，茫无功效，不得已而用此药服之，三日渴止。今医多用醒脾、生津、止渴之药，误矣！而其疾本起于肾水枯竭，不能上润，是以心火上炎，不能既济，煎熬而生渴。今服八味丸，降其心火，生其肾水，则渴自止矣。

4. 口舌生疮　《续名医类案》：薛立斋治一男子口舌糜烂，津液短少，眼目赤，小便数，痰涎壅盛，脚膝无力，或冷，或午后脚热，劳而愈盛，数年不愈。服加减八味丸而痊。

阳起石丸

【来源】《济生方》卷一。

【组成】阳起石（煅）　韭子（炒）　肉苁蓉（酒蒸）　青盐（别研）　鹿茸（酒蒸）　钟乳粉　菟丝子（水淘净，酒蒸，焙，别研）　沉香（别研，不见火）　原蚕蛾（酒浸）　山茱萸（取肉）各半两　桑螵蛸（酒浸）　山药（锉，炒）各半两

【用法】上为细末，酒糊为丸，如梧桐子大。每服七十丸，空心盐汤任下。

【主治】肾脏虚损，阳气全乏。

五味子汤

【来源】《外科精要》卷下。

【组成】五味子一两　黄耆（炒）三两　人参二两　麦门冬一两　粉草（炙）五钱

【用法】上每服五钱，水煎，日夜服五七剂。

【主治】

1.《外科精要》：痈疽，肾水枯涸，口燥

舌干。

2.《普济方》：肾水枯竭，运用不上，致令口中干燥，舌上坚硬，或如鸡内金。

黑牛髓煎

【来源】《饮膳正要》卷二。

【组成】黑牛髓半斤　生地黄汁半斤　白沙蜜半斤（炼去蜡）

【用法】上和匀，煎成膏。空心酒服。

【主治】肾虚弱，骨伤败，瘦弱无力。

茱萸散

【来源】方出《世医得效方》卷十一，名见《普济方》卷三六一。

【组成】硫黄　茱萸各半两

【用法】上为末。研大蒜薄涂其腹，仍以蛇床子熏子。

【主治】儿生七日肾缩，乃初生受寒气。

茴香丸

【来源】《普济方》卷二一九引《经效济世方》。

【组成】茴香一斤（去枝梗）　生姜二斤

【用法】以生姜细搽，淹茴香一宿，晒，焙干为末。另研青盐末一两半拌匀，温水泡蒸饼，微炙干，研，入药末再捣千余下，为丸如梧桐子大。每服五十丸，空心盐汤送下。

【功用】壮下元。

养肾丸

【来源】《普济方》卷二二四引《医学切问》。

【组成】人参一两　破故纸一两

【用法】上为末，胡桃一百个，取肉为丸。每服五十丸，空心温酒送下。

【功用】补肾。

四补丹

【来源】《普济方》卷二十九。

【组成】何首乌（泔浸，春、秋五日，夏三日，冬七日）　苍术（去皮，制度同上）　甘州枸杞（酒浸一宿）　小茴香（盐炒令热）各等分

【用法】上为细末，酒打面糊为丸，如梧桐子大。每服三十丸至四十丸，空心好酒送下。

【主治】肾虚。

白术散

【来源】《普济方》卷二十九。

【组成】白术一斤　肉桂半斤　干地黄　泽泻　茯苓各四两

【用法】上为末。每服方寸匕，米饮下，一日三次。两服佳。

【功用】补肾气。

【主治】肾虚。

沉香散

【来源】《普济方》卷二十九。

【组成】萆薢　续断各半两　木香　芎藭　当归　茯苓　甘草　石斛　牛膝　枳壳（只用青）　细辛　防风各一两

本方名沉香散，但方中无沉香，疑脱。

【用法】上为细末。每服二钱，水一盏，煎取八分，空心和滓吃。

【功用】治肾脏，益元气，养精神。

补肾汤

【来源】《普济方》卷二十九。

【组成】芒消二两　矾石二两（熬汁尽）　大豆

方中大豆用量原缺。

【用法】以水三升，煮取一升二合，去滓，分二次服，当快下。

【主治】肾气不足。

菟丝子丸

【来源】《普济方》卷二十九。

【组成】菟丝子　山药各四两　牛膝　附子　萆薢　鹿茸各二两　巴戟　茴香各一两

【用法】上为细末，以酒煮面糊为丸，如梧桐子

大。每服五十丸，空心温酒或盐汤送下。

【功用】补肾虚。

伸煮散

【来源】《普济方》卷三十。

【组成】丹参　牛膝　葛根　杜仲　干地黄　甘草　猪苓各二两半　茯苓　远志　子芩各一两十八铢　五加皮　石膏各三两　羚羊角　生姜　橘皮各二两　淡竹茹鸭卵大

【用法】上为粗散。以水三升，煮两方寸匕，帛裹之。用时约取八合为一服，日二服。

【主治】肾劳热妄怒，腰脊不可俯仰屈伸。

紫石丸

【来源】《普济方》卷三十二。

【组成】紫石英一两（细研，水飞过）　肉苁蓉二两（酒浸一宿，去皮，炙令干）　白石英一两（细研，水飞过）　磁石二两（醋淬七遍，细研，水飞过）　鹿茸（去毛，酥炙干）　菟丝子二两（浸三日，晒干为末）　人参一两（去芦）　黄耆一两　钟乳粉二两　熟地黄二两　巴戟一两半　白茯苓一两　补骨脂一两（炒）　覆盆子一两　附子二两（炮，去皮脐）　杜仲一两（去皮，炒）　天门冬一两（去心）　当归二两　五味子一两　石斛二两　桂心一两　柏子仁一两　蛇床子一两　棘刺一两　牛膝二两（去心）　续断一两　腽肭脐一两（酒浸）

【用法】上为末，炼蜜为丸，如梧桐子大。每服三十丸，渐加至五十丸，空心及晚食前以温酒送下。

【功用】补益气力，令人健。

【主治】肾脏虚损，羸瘦，饮食不进，肌肤骨痿无力，腰脚疼痛。

坎离丸

【来源】《普济方》卷四十二。

【组成】知母一两　黄柏　黄连各等分

【用法】上为末，水为丸，如梧桐子大。每服五十丸，食前温水送下。

【功用】滋肾水，益元气，补下元不足，去膀胱积热。

增损肾气丸

【来源】《普济方》卷二五〇引泗州杨吉老方。

【组成】干地黄二两　薯蓣　泽泻各四两　茯苓　牡丹皮　附子（炮，去皮脐）　桂心（去皮）各一两　山茱萸五两

【用法】上为细末，炼蜜为丸，如梧桐子大。每服十丸，空心、食前温酒送下。

【主治】填精补髓止渴。

世传方地黄丸

【来源】《保婴撮要》卷四。

【别名】世传地黄丸（《医部全录》卷四一三）。

【组成】鹿茸五钱　泽泻　茯苓　山茱萸　熟地黄　牡丹皮　牛膝各一两

【用法】上为末，蜜为丸，如梧桐子大。每服二十丸，盐汤送下。

【主治】肾虚，目睛多白。

加味虎潜丸

【来源】《古今医统大全》卷八十四。

【组成】人参　黄耆（蜜炙）　白芍药（煨）　当归（酒洗）　山药各一两　锁阳（酥炙）　虎骨（酥炙）　龟版（酥炙）　菟丝子（制如法）　破故纸（炒）　杜仲（姜汁炒断丝）　五味子各七钱半　牛膝（酒浸）二两

【用法】上为细末，炼蜜和猪脊髓为丸，如梧桐子大。每服七十丸，空心盐点汤送下。

【功用】健筋骨，补肾壮精。

【主治】肾脉虚数，精神短少，腰膝无力。

麋骨酒

【来源】《本草纲目》卷二十五。

【组成】麋骨

【用法】煮汁，用曲、米如常酿酒饮之。久服令人肥白。

【主治】阴虚肾弱。

补肾养脾丸

【来源】《仁术便览》卷三。

【组成】人参　黄耆　白术各二两　熟地（酒洗）四两　当归二两　知母（酒炒）二两　苁蓉（酒洗）三两　黄柏（酒炒）一两　桂七钱半　白茯二两　杜仲（炒）一两半　山药二两　故纸五钱　白芍（炒）一两　牛膝一两半　五味子一两　沉香七钱半　甘草五钱

【用法】上为末，炼蜜为丸，如梧桐子大。每服七八十丸，空心盐汤送下。

【功用】补肾养脾，益气血，长精神。

【主治】

1.《仁术便览》：肾经虚损，腰脚无力，脾土虚弱，饮食少进。

2.《东医宝鉴》引《北窗方》：虚劳诸证。

【宜忌】忌三白。

补肾茯苓丸

【来源】《遵生八笺》卷五。

【组成】茯苓一两　防风六钱　白术一两　细辛三钱　山药一两　泽泻四钱　附子（炮，便制）紫菀各五钱　独活五钱　芍药一两　丹参五钱　桂五钱　干姜三钱　牛膝五钱　山茱萸肉五钱　黄耆一两　苦参三钱

【用法】上为末，炼蜜为丸，如梧桐子大。每服七丸，一日二次。

【主治】肾虚冷，五脏内伤，头重足浮，皮肤燥痒，腰脊疼痛，心胃咳逆，口干舌燥，痰涎流溢，恶梦遗精，尿血滴沥，小便偏急，阴囊湿痒，喘逆上壅，转侧不得，心常惊悸，目视茫茫，饮食无味，日渐羸瘦。

左归丸

【来源】《景岳全书》卷五十一。

【组成】大怀熟八两　山药（炒）四两　枸杞四两　山茱萸肉四两　川牛膝（酒洗，蒸熟）三两（精滑者不用）　菟丝子（制）四两　鹿胶（敲碎，炒珠）四两　龟胶（切碎，炒珠）四两（无火者不必用）

【用法】上先将熟地蒸烂杵膏，炼蜜为丸，如梧桐子大。每服百余丸，食前用滚汤或淡盐汤送下。

【功用】

1.《景岳全书》：壮水之主，培左肾之元阴。

2.《方剂学》：填补肝肾真阴。

【主治】真阴肾水不足，不能滋养营卫，渐至衰弱，或虚热往来，自汗盗汗；或神不守舍，血不归原；或虚损伤阴；或遗淋不禁；或气虚昏运；或眼花耳聋；或口燥舌干；或腰酸腿软，凡精髓内亏，津液枯涸之证。

【方论】

1.《何氏虚劳心传》：以纯补犹嫌不足，若加苓、泽渗利，未免减去补力，奏功为难，故群队补阴药中更加龟、鹿二胶，取其为血气之属，补之效捷耳。

2.《医略六书·杂病证治》：肾脏虚衰，真水不足，故见虚烦虚躁血气痿弱之证。熟地补阴滋肾，萸肉秘气涩精，枸杞填精补髓，山药补脾益阴，菟丝补肾脏以强阴，龟胶强肾水以退热，牛膝引药下行兼利二便也。然甘平之剂，不得阳生之力，而真阴之枯槁者，何以遽能充足乎？故少佐鹿胶以壮肾命精血，则真阴无不沛然矣，何虚躁虚烦之足患哉？其所去所加恰当。

3.《医学举要》：左归宗钱仲阳六味丸，减去丹皮者，以丹皮过于动汗，阴虚必多自汗、盗汗也；减去茯苓、泽泻者，意在峻补，不宜于淡渗也。方用熟地之补肾为君；山药之补脾，山茱之补肝为臣；配以枸杞补精，川膝补血，菟丝补肾中之气，鹿胶、龟胶补督任之元。虽曰左归，其实三阴并补，水火交济之方也。

4.《顾松园医镜》：此方壮水之主，以培左肾之元阴。凡精气大损，年力俱衰，真阴内乏，不能滋溉荣卫，渐至衰羸，即从纯补犹嫌不足，若加苓、泽渗利，未免减去补力，奏功为难，故群队补阴药中，更加龟、鹿二胶，取其为血气之属，补之效捷耳。景岳云：余及中年，方悟补阴之理，因推广其义而制左归丸、左归饮，但用六味之义，而不用六味之方，活人应手之效，不能尽述。凡五液皆主肾，故凡属阴分之药，亦无不能走肾，有谓必须引导者，皆属不明耳。

5.《方剂学》：方中重用熟地滋肾以填真阴；枸杞益精明目；山茱萸涩精敛汗；龟、鹿二胶，

为血肉有情之品，鹿胶偏于补阳，龟胶偏于滋肾，两胶合力，沟通任督二脉，益精填髓，有补阴中包含阳中求阴之义。菟丝子配牛膝，强腰膝，健筋骨，山药滋益脾肾。共收滋肾填阴，育阴潜阳之效。

【实验】

1. 延缓衰老作用 《中药药理与临床》（2003，1：1）：以自然衰老大鼠为动物模型，采用原位杂交法，观察本方对大鼠海马各分区（DG、CA1、CA2、CA3）海马糖皮质激素受体（GR）mRNA表达变化。结果：老年大鼠海马各分区GRmRNA表达均明显减弱，而左归丸能不同程度地提高老年大鼠海马DG、CA1和CA3分区低下的GRmRNA的表达。结论：左归丸通过提高GRmRNA表达，进而改善海马对下丘脑－垂体－肾上腺轴的抑制性调控作用，以延缓机体衰老。

2. 恢复损伤骨髓造血功能 《河北中医》（2009，5：759）：实验结果表明：左归丸可能通过促进G0期造血干细胞进入细胞周期，进行增殖；加速骨髓细胞修复受损的DNA，通过G_1/S和S期监测点；抑制造血细胞的凋亡等机制，从而促进损伤骨髓造血功能恢复。

【验案】

1. 疟疾 《扫叶庄医案》：脉左数搏，是先天真阴难允，则生内热，疟热再伤其阴，与滋养甘药填阴，左归丸去杞子、牛膝，加天冬、女贞。

2. 腰肌劳损 《江苏中医杂志》（1982，1：35）：王某某，男，42岁。患腰肌劳损，腰痛已2年，经用封闭、推拿、针灸等治疗效果不显。病人腰脊酸痛，并伴见头晕、失眠、咽干、遗精等证，诊脉弦细，两尺尤弱，苔薄中裂，舌质较红，由肾水不足，精髓内亏，治宜育阴补肾为主，拟予左归丸加味：鹿角片12g，熟地12g，炙龟甲12g，杞子12g，净萸肉12g，菟丝子12g，淮山药12g，淮牛膝9g，川石斛9g，川杜仲9g，桑寄生9g。服药13剂，腰痛大减，睡眠转佳，眩晕、咽干等症相继消失。后以青娥丸调治善后。

3. 老年性痴呆 《江苏中医》（1994，11：479）：用左归丸加味（熟地、龟甲、山萸肉、枸杞子、首乌、山药、牛膝、菟丝子、鹿角胶、赤芍、丹参、菖蒲、远志），治疗老年性痴呆属肝肾阴虚者31例。结果：总有效率为73.9%。

左归饮

【来源】《景岳全书》卷五十一。

【组成】熟地二三钱或加至一二两　山药二钱　枸杞二钱　炙甘草一钱　茯苓一钱半　山茱萸一二钱（畏酸者少用之）

【用法】水二钟，煎七分，空腹服。

【功用】

1.《景岳全书》：壮水。

2.《方剂学》：养阴补肾。

【主治】

1.《景岳全书》：命门之阴衰阳胜者。

2.《会约医镜》：阴衰阳胜，身热烦渴，脉虚气弱。

3.《医方简义》：肾虚腰痛，偏坠遗精。

4.《方剂学》：真阴不足，症见腰酸遗泄，盗汗，口燥咽干，口渴欲饮，舌光红，脉细数。

【加减】如肺热而烦者，加麦冬二钱；血滞者，加丹皮二钱；心热而躁者，加玄参二钱；脾热易饥者，加芍药二钱；肾热骨蒸多汗者，加地骨皮二钱；血热妄动者，加生地二三钱；阴虚不宁者，加女贞子二钱；上实下虚者，加牛膝二钱以导之；血虚而燥者，加当归二钱。

【方论】

1.《成方切用》：按六味乃虚中挟湿热而滞者宜之，若纯虚者，无取泽泻之泄，丹皮之凉，也宜以此甘纯之剂平补之。

2.《血证论》：《难经》谓左肾属水，右肾属火，景岳此方，取其滋水，故名左归，方取枣皮酸以入肝，使子不盗母之气；枸杞赤以入心，使火不为水之仇；使熟地一味，滋肾之水阴；使茯苓一味，利肾之水质；有形之水质不去，无形之水阴亦不生也。然肾水实仰给于胃，故用甘草、山药，从中宫以输水于肾，景岳方多驳杂，此亦未可厚非。

3.《王旭高医书六种》：此方壮水之正法，不用苦寒泻火，独任甘温补阴，可师。左归是育阴以涵阳，不是壮水以制火；右归是扶阳以配阴，不是益火以消水，与古方知柏八味、附桂八味盖有间矣。虽壮水益火，所用相同，而绾照阴阳，尤为熨贴。改饮为丸，皆除甘草，强精益髓，并入鹿胶，补下治下，不欲留中，加味去味，取舍有法。非达道者，其孰能之。按肾有两枚，左阴右阳，故有左归、右归之名。

4.《中风斠诠》：方亦六味之变，以杞子、炙草易丹皮、泽泻。滋养肝肾之阴，诚在六味之上，而无渗泄伤津之虑，此景岳之见到处。然尚欠灵活，以少气分之药故也。其左归丸方，则即此六物去甘草、茯苓，而加牛膝、菟丝、龟鹿二胶，尤其滞矣。

5.《医略六书·杂病证治》：肾虚无火，纯自精血不足。此方乃精不足者，补之以味焉。熟地补阴滋肾，萸肉秘气涩精，枸杞填精髓，炙草益脾元，山药补脾益阴，茯苓渗湿以清精府也。此壮骨补精之剂，为肾虚精乏之专方。

6.《方剂学》：方中重用熟地为主，甘温滋肾以填真阴；辅以山茱萸、枸杞子养肝血，合主药以加强滋肾阴而养肝血之效；佐以茯苓、炙甘草益气健脾，山药益阴健脾滋肾。合而有滋肾养肝益脾之效。

【实验】抗衰老作用　《辽宁中医药大学学报》（2006，2：40）：实验比较左归饮对不同月龄大鼠免疫功能的影响。结果显示：衰老大鼠胸腺体重指数及血清白细胞介素-2、白细胞介素-4明显下降，白细胞介素-6水平升高，并且变化与月龄有关；左归饮对15月龄大鼠的免疫调节效果较好。提示左归饮具有一定抗衰老作用，其最佳适应期为老年前期。

【验案】

1. 虚劳　《张聿青医案》：今稍一感触，即觉伤风，表气不固已甚，肺在上主气之出，肾在下主气之纳，肾虚封藏不固，则肾气不能仰吸肺气下行，气少归纳，所以体稍运动，即觉气急，素有之痰饮，为冲阳挟之而上，咽痒咳嗽，甚至见红。特是肾之阴虚，与肾之阳虚，皆令气不收藏，左脉弦大，且有数意，断无命阳不振，寒饮上泛，而脉不沉郁，转见弦大之理，所以脉大而左部为甚，以肝肾之脉，皆居于左，其为肾阴虚不能收摄无疑，况所吐之痰，牵丝不断，并非水饮，饮之所以为痰者，热炼之也，仲景小青龙汤、真武汤为痰饮之要方。汤曰青龙，为其行水也，真武水神名，为其治水也，足见饮即水类，与痰浊绝不相同。下虚如此，断勿存观望之心，而使根蒂日近空乏，用介宾先生左归饮法。紫口蛤壳、生地炭、怀山药、长牛膝、萸肉、白茯苓、车前子。

2. 眩晕《湖北中医杂志》（1980，1：22）：某女，40岁，家庭妇女，1953年秋末，在月经期间入河水中洗衣被，从而发病。开始时，恶寒发热，月经亦止而停潮。经治疗未效，三日后其寒热自罢，旋即转为头目眩晕，不能起床，目合不语，时而睁眼暂视周围而遂闭合，目光如常，脉细沉涩。乃正虚血瘀，风木上扰。治宜滋水涵木，以祛瘀息风，方用左归饮加味：熟地15g，山药12g，枣皮12g，茯苓12g，枸杞12g，炙草9g，车前子9g，五味子6g，水煎服。病人服药1剂后即大便下血而诸证遂失，神清人慧，其病告愈，继之服完第2剂，以巩固疗效。

3. 白细胞减少症　《湖南中医杂志》（1998，1：28）：以本方加味：熟地20g，山茱萸、淮山药、枸杞子、首乌各15g，茯苓、菟丝子各12g，女贞子、炙甘草各10g，治疗白细胞减少症20例，结果：痊愈11例，好转7例，无效2例，总有效率为90%；对照组17例用维生素B_4、鲨肝醇治疗，治愈5例，好转4例，无效8例，总有效率为52.94%；两组间有明显差异，$P<0.05$。

伐肝补脾汤

【来源】《赤水玄珠全集》卷三。

【组成】黄连一钱二分　芍药　柴胡各一钱　青皮八分　白术一钱半　人参八分　白茯苓一钱　甘草（炙）五分

【用法】水煎，食前服。

【主治】脾胃气弱，木乘土位而口酸者。

加减柴胡汤

【来源】《简明医彀》卷五。

【组成】柴胡　黄芩　半夏　麦冬　黄连　青皮　胆草　当归　骨皮　白芍药各等分

【用法】水煎服。

【主治】口苦及口酸。

温冬饮

【来源】《石室秘录》卷四。

【组成】白术五钱　茯苓三钱　山茱萸二钱　熟地五钱　肉桂三分　生枣仁一钱　枸杞子一钱　菟丝子一钱　薏仁三钱

【用法】水煎服。

【功用】补肾。

增减六君汤

【来源】《辨证录》卷九。

【组成】人参　熟地　白术各五钱　甘草　陈皮　神曲各五分　柴胡一钱　茯苓三钱　肉桂三分

【用法】水煎服。

【主治】肾虚感邪，邪不遽入于肾而舍于肺。

加味金匮肾气汤

【来源】《重订通俗伤寒论》。

【组成】大熟地六钱　淮山药三钱（杵）　丹皮钱半（醋炒）　淡附片钱半　山萸肉二钱　浙茯苓三钱　泽泻钱半　紫瑶桂五分（炼丸吞）　北五味一钱（杵）　莹白童便一杯（分冲）

【主治】伤寒夹阴，误服升散，及温热多服清凉尅伐，以致肾中虚阳上冒，而口鼻失血，气短息促，其足必冷，小便必白，大便或溏或泻者。

【方论】以六味地黄为君，壮水之主，以镇阳光；臣以桂、附益火之源，以消阴翳；佐以五味酸收咸降，引真阳归纳命门；使以童便速降阴火，以清敛血溢。此为滋补真阴，以收纳元阳之良方。

补肾汤

【来源】《脉症正宗》卷一。

【组成】熟地二钱　杜仲一钱　当归八分　白芍八分　芡实一钱　车前八分　山药一钱　木通八分

【用法】水煎服。

【功用】补肾。

温脐丸

【来源】《杂病源流犀烛》卷二十七。

【组成】补骨脂五钱　巴戟　白术　杜仲　乌药　苡仁各一两　菟丝子一两半　苍术　小茴　青盐各四钱

【用法】以神曲糊丸，空心米汤送下。外用填脐散填脐中。

【主治】肾元不足，又为脾湿所困，腹痛连及少腹，脐中常湿，甚则流出黄水，脉尺虚关濡且沉。

潜龙汤

【来源】《医醇剩义》卷二。

【组成】龙齿二钱　龟版八钱　生地五钱　龙骨二钱　知母一钱　黄柏一钱　人参一钱　玄参二钱　蛤粉四钱　肉桂四分

【用法】以鲍鱼一两，切片煎汤，代水煎药服。

【主治】肾火不蛰藏，飞腾于上，口燥咽干，面红目赤，耳流脓血，不闻人声。

菟丝子汤

【来源】《不知医必要》卷三。

【组成】丝饼五钱　淮山（炒）三钱　石莲（去壳，去心）　白茯苓各二钱

【用法】水煎服。

【主治】肾气虚损，目眩耳鸣，四肢倦怠，夜梦精遗。

【加减】小便不禁，加五味子六分。

薯蓣芣苢粥

【来源】《医学衷中参西录》上册。

【组成】生山药一两（轧细）　生车前子四钱

【用法】上同煮，作稠粥服之，一日连服三次。

【功用】利小便，固大便。

【主治】阴虚肾燥，小便不利，大便滑泻；兼治虚劳有痰作嗽。

【方论】山药能固大便，而阴虚小便不利者服之，又能利小便；车前子能利小便，而性兼滋阴，可为补肾药之佐使，又能助山药以止大便，况二药皆汁浆稠粘，同作粥服之，大能留恋肠胃，是以效也。治虚劳痰嗽者，车前宜减半，盖用车前者，以其能利水，即能利痰，且性兼滋阴，于阴虚有痰者尤宜，而仍不敢多用者，恐水道过利，亦能伤阴分也。

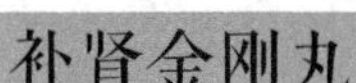

补肾金刚丸

【来源】《全国中药成药处方集》（杭州方）。

【组成】川萆薢　杜仲（盐水炒）　淡苁蓉　菟丝子（酒蒸）各八两　猪腰子三只

【用法】上为细末，酒煮猪腰子，打烂和糊为丸。每服四钱，温酒或淡盐汤送下。

【主治】肾虚精耗，筋骨痿弱，腰膝沉重，痛不可忍，四肢无力，步履艰难。

二、肾实证

肾实证，是指因肾经邪气盛实之病情。《黄帝内经·素问·痿论》："肾热者，色黑而齿槁。"《脉经》："肾实也，苦恍惚，健忘，目视𥉂𥉂，耳聋怅怅，善鸣"，"右手关后尺中阴实者，肾实也。苦骨疼，腰脊痛，内寒热"，"左手尺中神门以后脉阴实者，足少阴经也。病苦膀胱胀闭，少腹与腰脊相引痛"，"右手尺中神门以后脉阴实者，足少阴经也。病苦痹，身热，心痛，脊胁相引痛，足逆热烦。"《备急千金要方·卷十九》："病苦舌燥咽肿，心烦嗌干，胸胁时痛，喘咳汗出，小腹胀满，腰背强急，体重骨热，小便赤黄，好怒好忘，足下热疼，四肢黑，耳聋，名曰肾实热也。""病苦痹，身热心痛，脊胁相引痛，足逆热烦，名曰肾实热也。"《圣济总录》："足少阴肾之经，其气实为有余，则舌燥咽肿，上气嗌干，咳喘汗出，腰背强急，体重内热，小便黄赤，腰脊引痛，足胫肿满。此由足少阴经实，或为邪湿所加，故有是证。"治疗宜驱邪气，调寒热。

大泽泻汤

【来源】《备急千金要方》卷十九，名见《圣济总录》卷五十一。

【组成】柴胡　茯神(《外台秘要》作茯苓)　黄芩　泽泻　升麻　杏仁各一两　磁石四两(碎)　羚羊角一两　地黄　大青　芒消各三两　淡竹叶(切)一升

【用法】上锉。以水一斗，煮取三升，去滓，下芒消，分三服。

【主治】肾热。好怒好忘，耳听无闻，四肢满急，腰背转动强直。

【方论】《千金方衍义》：好怒是龙雷激其壮火，原非肾之本病，故用升麻、柴胡升散上盛之气，芒消、泽泻分利下阻之热，地黄、磁石滋肾水而镇虚阳，茯神、竹叶清心神而愈健忘，杏仁、黄芩泄肺窍而通视听，大青、羚羊清肝热而利腰痛，并起阳事之萎顿也。

泻肾汤

【来源】《备急千金要方》卷十九。

【组成】芒消三两　大黄一升（切，水密器中宿渍）　茯苓　黄芩各三两　生地黄汁　菖蒲各五两　磁石八两（碎如雀头）　玄参　细辛各四两　甘草二两

【用法】上锉。以水九升，煮七味，取二升半，去滓，下大黄纳药汁中更煮，减二三合，去大黄，纳地黄汁微煎一两沸，下芒消，分三服。

【主治】肾实热，小腹胀满，四肢正黑，耳聋，梦，腰脊离解及伏水气急。

【宜忌】《外台秘要》：忌海藻、菘菜、羊肉、饧、生菜、酢物、芜荑。

【方论】《千金方衍义》：泻肾者，泻少阴之旺气，非谓肾脏本实而泻之也。方中大黄、芒消泻三焦之壮热；黄芩、玄参散心包之浮火；地黄、磁石清肾水之真阴；茯苓、甘草防肾水之罅漏；菖蒲通心气而下，细辛通肾气而上，以其襄既济之功。观长沙少阴例中口燥咽干者，大承气汤急下之，斯非救热存阴之明验欤？方中地黄忌铁，磁为铁母，二味并用，非无深意存焉。曷知相畏之性，正取相率之用，以清肾脏伏匿之邪也。至于消黄之用，皆为他脏相移之热而设，若以肾脏本热而用，殊失《备急千金要方》奥旨。

榆皮通滑泄热煎

【来源】《备急千金要方》卷二十。

【别名】榆皮散（《太平圣惠方》卷五十八）、榆皮汤（《普济方》卷二一五）。

【组成】榆白皮　葵子各一升　车前子五升　赤蜜一升　滑石　通草各三两

【用法】上锉。以水三斗，煮取七升，去滓下蜜，更煎取三升，分三服。妇人难产亦同此方。

【主治】

1.《备急千金要方》：肾热，应胞囊涩热，小便黄赤，苦不通；及妇人难产。

2.《太平圣惠方》：肾热脬囊涩，小便色赤如血。

【方论】《千金方衍义》：方中皆属利水伤津之味，惟赤蜜虽能导火，兼可通津。以其专利窍，故产难亦得用之。

泻肾大黄散

【来源】《太平圣惠方》卷七。

【别名】泻肾大黄汤（《圣济总录》卷五十一）、大黄汤（《普济方》卷二十九）。

【组成】川大黄二两（蜜水浸一宿，晒干）　赤茯苓一两　黄芩一两　泽泻一两　菖蒲一两　甘草半两（炙微赤，锉）　磁石二两（捣碎，水淘去赤汁）　五加皮一两　羚羊角屑半两　玄参一两

【用法】上为散。每服五钱，以水一大盏，煎至六分，去滓，入生地黄汁一合，食前分温二服。

【主治】肾脏实热，小腹胀满，足下热疼，耳聋，腰脊离解，梦伏水中。

泻肾玄参散

【来源】《太平圣惠方》卷七。

【别名】泻肾黑参散（《医方类聚》卷十引《神巧万全方》）。

【组成】玄参一两　赤茯苓一两　黄芩一两　泽泻一两　川升麻一两　川芒消一两　磁石二两（捣碎，水淘去赤汁）　羚羊角屑一两　赤芍药一两　杏仁一两（汤浸，去皮尖双仁，麸炒微黄）　甘草一两（炙微赤，锉）

【用法】上为散。每服半两，以水一大盏半，入生地黄汁半两，淡竹叶二七片，煎至八分，去滓，食前分温二服。

【主治】肾脏实热，好忘，耳听无声，四肢满急，腰背动转痛强。

泻肾泽泻散

【来源】《太平圣惠方》卷七。

【组成】泽泻一两　黄芩三分　赤茯苓三分　木通一分（锉）　赤芍药半两　羚羊角屑半两　黄耆三分（锉）　槟榔三分　玄参三分

【用法】上为散。每服四钱，以水一中盏，煎至六分，去滓，食前温服。

【主治】肾脏气实，肩背拘急，小腹胀满，烦热，胸胁时痛，腰脊强直，小便赤黄。

泻肾槟榔散

【来源】《太平圣惠方》卷七。

【组成】槟榔一两　赤茯苓三分　羚羊角屑三分　泽泻三分　柴胡三分（去苗）　赤芍药三分　木通三分（锉）　桃仁三分（汤浸，去皮尖双仁，麸炒微黄）　甘草半两（炙微赤，锉）

【用法】上为粗散。每服四钱，以水一中盏，入生姜、地黄各半两，煎至六分，去滓，食前温服。

【主治】肾脏实热，小腹壅滞，腰脊疼痛，肩背拘急。

泻肾赤茯苓散

【来源】《太平圣惠方》卷七。

【组成】赤茯苓二两　丹参三分　牡丹三分　生干地黄三分　甘草半两（炙微赤，锉）　猪苓三分（去黑皮）　槟榔一两　子芩三分　泽泻三分　五加皮三分　羚羊角屑一两　牛膝三分（去苗）　枳壳一两（麸炒微黄，去白瓤）

【用法】上为散。每服四钱，以水一中盏，煎至六分，去滓，食前温服。

【主治】肾脏实热，腹胁不利，心膈烦满，腰背拘急，足下热痛。

泻肾生干地黄散

【来源】《太平圣惠方》卷七。

【组成】生干地黄一两半　丹参一两　赤茯苓一两　麦门冬一两半（去心）　槟榔一两　羚羊角屑

一两　五加皮一两　枳壳一两（麸炒微黄，去瓤）　牛膝一两（去苗）　前胡一两（去芦头）　黄芩一两　甘草半两（炙微赤，锉）

【用法】上为散。每服四钱，以水一中盏，入淡竹叶二七片，煎至六分，去滓，食前温服。

【主治】肾脏实热，心胸烦闷，腹胁胀满，腰脊强急，四肢不利。

导气丸

【来源】《圣济总录》卷五十一。

【组成】槟榔（生，锉）　牵牛子（炒）各半两　赤茯苓（去黑皮）　半夏（汤洗七遍，焙）各一两

【用法】上为末，生姜自然汁为丸，如梧桐子大。每服三十丸，食后以温酒送下，每日三次。

【主治】肾气盛实，腰脚不能屈伸。

茯苓汤

【来源】《圣济总录》卷五十一。

【组成】赤茯苓（去黑皮）　当归（切，焙）　牛膝（酒浸，切，焙）　羌活（去芦头）　枳壳（去瓤，麸炒）　荆芥穗　槟榔（锉）各一分　木香三铢

【用法】上为粗末。每服三钱匕，水一盏，煎至八分，去滓，空心温服。

【主治】肾脏实热，腰胯强急，面色焦黑，小便赤涩，心胸满闷，两胁胀满。

羚羊角汤

【来源】《圣济总录》卷五十一。

【组成】羚羊角（镑）　赤茯苓（去黑皮）　升麻　槟榔（锉）　泽泻（锉）　甘草（炙，锉）　芍药　木通（锉）　黄芩（去黑心）　杏仁（汤浸，去皮尖双仁，炒）各一两

【用法】上为粗末。每服三钱匕，以水一盏，加淡竹叶十四片，同煎至七分，去滓温服，不拘时候。

【主治】肾脏实热，多怒好忘，肢体烦满，腰腹急重。

清源汤

【来源】《三因极一病证方论》卷八。

【组成】茯苓　黄芩　菖蒲各五两　玄参　细辛各四两　大黄（水浸一宿）　甘草（炙）各二两　磁石八两（煅，醋淬）

【用法】上锉为散，每服四钱，以水一盏，煎至七分，去滓热服。

【主治】肾实热，小腹胀满，四肢正黑，耳聋骨热，小便赤黄，腰脊离解及伏水等。

清膻汤

【来源】《三因极一病证方论》卷八。

【别名】青膻汤（《普济方》卷二十九）。

【组成】榆白皮　冬葵子各五两　石苇四两（去毛）　黄芩　通草　瞿麦各三两

【用法】上为粗末。先以水二盏，入车前叶数片，煎至一盏半，入药末数钱，再煎七分，去滓热服。

【主治】右肾实热，身热，脊胁相引痛，足冷，小便黄赤，如栀子汁，每欲小便，即茎头痛。

玄参汤

【来源】《济生方》卷五。

【组成】生地黄（洗）　玄参　五加皮（去木）　黄芩　赤茯苓（去皮）　通草　石菖蒲　甘草（炙）　羚羊角（镑）　麦门冬（去心）各等分

【用法】上锉。每服四钱，水一盏半，加生姜五片，煎至八分，去滓温服，不拘时候。

【主治】肾脏实热，心胸烦闷，耳听无声，四肢拘急，腰背俯仰强痛。

青原汤

【来源】《普济方》卷二十九。

【组成】茯苓　黄芩　菖蒲各五两　玄参　细辛各四两　大黄（水浸一宿）　甘草（炙）各二两　磁石八两（煅，醋淬）

【用法】上为散，水一盏，煎至七分。每服四钱，去滓热服。

【主治】肾实热，小腹胀满，四肢正黑，耳聋骨热，小便赤黄，腰脊离解。

三、遗　精

遗精，亦称梦遗、滑泄，是指不因性生活而精液频繁遗泄的病证。有梦而遗精者，称为梦遗；无梦而遗精，甚至清醒时精液自出者，称为滑泄。《灵枢经》：“怵惕思虑则伤神，神伤则恐惧，流淫而不止……恐惧而不解则伤精，精伤则骨酸痿厥，精时自下。”认为是遗精的精神因素。《诸病源候论》指出本病的病机有肾气虚弱和见闻感触等，“肾气虚弱，故精溢也。见闻感触，则动肾气，肾藏精，今虚弱不能制于精，故因见闻而精溢出也。”《丹溪心法》认为遗精的病因在肾虚之外还有湿热，“精滑专主湿热，黄柏、知母降火，牡蛎粉、蛤粉燥湿。”《医宗必读》指出五脏之病皆可引起遗精：“苟一脏不得其正，甚则必害心肾之主精者焉。”《景岳全书》比较全面地归纳出遗精之证有九种，并分别提出了治法方药：“梦遗精滑，总皆失精之病。虽其证有不同，而所致之本则一。盖遗精之始，无不病由乎心，正以心为君火，肾为相火，心有所动，肾必应之。故凡以少年多欲之人，或心有妄思，或外有妄遇，以致君火摇于上，相火炽于下，则水不能藏，而精随以泄。

遗精之证有九：凡有所注恋而梦者，此精为神动也，其因在心。有欲事不遂而梦者，此精失其位也，其因在肾。有值劳倦即遗者，此筋力有不胜，肝脾之气弱也。有因用心思索过度辄遗者，此中气有不足，心脾之虚陷也。有因湿热下流，或相火妄动而遗者，此脾肾之火不清也。有无故滑而不禁者，此下元之虚，肺肾之不固也。有素禀不足而精易滑者，此先天元气之单薄也。有久服冷利等剂，以致元阳失守而滑泄者，此误药之所致也。有壮年气盛，久节房欲而遗者，此满而溢者也。凡此之类，是皆遗精之病。然心主神，肺主气，脾主湿，肝主疏泄，肾主闭藏。则凡此诸病，五脏皆有所主，故治此者，亦当各求所因也。至若盛满而溢者，则去者自去，生者自生，势出自然，固无足为意也。”

本病成因多由房室不节，先天不足，用心过度，思欲不遂，饮食不节，湿热侵袭等所致。病位主要在肾和心，并与脾、肝、肺密切相关。发病之机理，主要是君相火旺，扰动精室；湿热痰火下注，扰动精室；劳伤心脾，气不摄精；肾精亏虚，精关不固。临床以不因性生活而精液遗泄，有梦或无梦而遗，每周2次以上，甚者可在清醒时自行流出，常伴有头晕耳鸣，健忘失眠，心悸，腰酸膝软，精神萎靡，或尿时不爽，少腹及阴部作胀不适等症状。其治疗，以分辨虚实为要。实者以清泄为主，心病者兼用安神；虚证以补涩为主，属肾虚不固者，补肾固精；劳伤心脾者，益气摄精；肾阳虚者，温补肾阳；肾阴虚者，滋养肾阴，其中重症病人，宜酌配血肉有情之品以补肾填精。阴虚火旺者，治以滋阴降火。

桂枝甘草龙骨牡蛎汤

【来源】《伤寒论》。

【别名】桂枝龙骨牡蛎汤（《金镜内台方议》卷一）、桂甘龙骨牡蛎汤（《医学入门》卷四）。

【组成】桂枝一两（去皮）　甘草二两（炙）　牡蛎二两（熬）　龙骨二两

【用法】以水五升，煮取二升半，去滓，温服八合，一日三次。

【功用】

1.《伤寒来苏集》：安神救逆。

2.《经方发挥》：潜阳，镇惊，补心，摄精。

【主治】

1.《伤寒论》：火逆下之，因烧针烦躁者。

2.《经方发挥》：心悸，虚烦，脏躁，失眠，遗精，阳萎。

【验案】遗精　《经方发挥》：曹某某，男，20岁，未婚学生。由手淫引起梦遗1年多，起初3~5日遗精1次，以后发展到每日遗精，虽服过不少的滋补固涩药品，效果不佳。伴有头晕眼花，心悸失眠，精神不振，潮热，自汗盗汗，面色苍白，肌肉消瘦，腰腿疼困，乏力等证，脉细缓无力，舌光无苔。予以桂枝甘草龙骨牡蛎汤为主，加减出入，日服1剂，共治疗不到2月，诸证悉愈。观察2年，并未复发。

天雄散

【来源】《金匮要略》卷上。

【组成】天雄三两（炮）　白术八两　桂枝六两　龙骨三两

【用法】上为散。每服半钱匕，酒送下，一日三次。不知，稍增之。

【功用】《金匮要略心典》：补阳摄阴。

【主治】

1.《金匮要略》：虚劳。

2.《本草纲目》：男子失精。

【验案】滑精　《金匮要略今释》引《方函口诀》：一人常苦阴囊冷，精汁时自出，长服此方丸药而愈。

桂枝加龙骨牡蛎汤

【来源】《金匮要略》卷上。

【别名】桂枝龙骨牡蛎汤（原书同卷）、龙骨汤（《外台秘要》卷十六引《小品方》）、桂枝牡蛎汤（《圣济总录》卷九十一）、龙骨牡蛎汤（《广嗣纪要》卷二）。

【组成】桂枝　芍药　生姜各三两　甘草二两　大枣十二枚　龙骨　牡蛎各三两

【用法】以水七升，煮取三升，分三次温服。

【功用】

1.《医宗金鉴》：调阴阳，和营卫，兼固涩精液。

2.《金匮要略方义》：燮理阴阳，调和营卫，交通心肾，固精止遗。

【主治】

1.《金匮要略》：失精家，少腹弦急，阴头寒，目眩（一作目眶痛），发落，脉极虚芤迟，为清谷亡血，失精，脉得诸芤动微紧，男子失精，女子梦交。

2.《金匮要略今释》引《橘窗书影》：遗尿。

3.《金匮要略方义》：自汗盗汗，心悸多梦，不耐寒热，舌淡苔薄，脉来无力者。

【宜忌】《外台秘要》引《小品方》：忌海藻、菘菜、生葱、猪肉、冷水。

【方论】

1.《医门法律》：用桂枝汤调其营卫羁迟；脉道虚衰，加龙骨、牡蛎涩止其清谷、亡血、失精。一方而两扼其要，诚足宝也。

2.《金匮要略论注》：桂枝、芍药，通阳固阴；甘草、姜、枣，和中、上焦之营卫，使阳能生阴，而以安肾宁心之龙骨、牡蛎为辅阴之主。

3.《医方集解》：桂枝、生姜之辛以润之，甘草、大枣之甘以补之，芍药之酸以收之，龙骨、牡蛎之涩以固之。

4.《金匮方衍义》：夫亡血失精，皆虚营内因之证，举世皆用滋补血气之药，而仲景独与桂枝汤，其义何居？盖人身之气血全赖后天水谷以资生，水谷入胃，其表香为荣，浊者为卫，荣卫不荣则上热而血溢，卫气不卫则下寒而精亡，是以调和营卫为主。荣卫和，则三焦各司其职而火自归根，热者不热，寒者不寒，水谷之精微输化，而精血之源有赖矣。以其亡脱既惯，恐下焦虚脱不禁，乃加龙骨牡蛎以固敛之。

5.《金匮要略方义》：此方所治之失精、梦交，乃属阴阳两虚，心肾不交之证，故亦为虚劳之候。阴虚不能涵养其阳，则虚阳上浮而不敛；阳虚不能卫护其阴，则虚阴失其固守而不藏。阳浮于上，阴孤于下，上下相违，阴阳乖戾，故其发病，在上则为虚阳扰动，而见目眩心悸，少寐多梦。在下则为虚寒，而见少腹弦急，阴头寒，下利清谷；精关不固则亡血失精，脉迟微紧，久之则精衰血少，毛枯发落，脉来极虚而芤。在外则营卫不和，而寒热汗出。治当燮理阴阳，调和营卫，交通心肾，固精止遗。方中用桂枝温阳，芍药敛阴，桂芍相合，温阳以配阴，敛阴以涵阳，并兼调和营卫。更加重镇固涩之龙骨、牡蛎，龙骨能潜阳入阴，牡蛎则益阴敛阳，与桂芍相伍，以奏阳固阴守之效。少佐生姜、大枣，以助桂芍之力。使以甘草，调药和中。诸药合用，和中有补，补中有涩，俾其阴平阳秘，心肾相交，标本同治，梦止精蛰，故适用于阴虚阳弱失精梦交之病。

【验案】

1. 遗尿　《金匮要略今释》引《橘窗书影》：幕府集会酒井六三郎，年十八。遗尿数年，百治罔效。余诊之，下元虚寒，小便清冷，且脐下有动，易惊，两足微冷。乃投以桂枝加龙骨牡蛎汤，兼服八味丸，数日而渐减，服经半年而痊愈。桂枝加龙骨牡蛎，本为治失精之方，一老医用此治愈老宫女之屡小遗者；和田东郭用此治愈高槻老臣之溺闭；服诸药不效者，余用此治遗尿，屡屡得效。

2. 遗精 《经方实验录》：邹萍君，年少时染有青年恶习，久养而愈。本冬遗精又作，服西药先两星期甚适，后一星期无效，更一星期服之反剧。精出甚浓，早起脊痛头晕，不胜痛苦，自以为中、西之药乏效。余予桂枝、白芍各三钱，炙草二钱，生姜三大片，加花龙骨六钱、左牡蛎八钱，以上二味打碎，先煎二小时。一剂后，当夜即止遗，虽邹君自惧万分，无损焉。第三日睡前，忘排尿，致又见一次。以后即不复发，原方加减，连进十剂，恙除，精神大振。计服桂枝、芍药各三两，龙骨六两，牡蛎八两矣。

3. 盗汗 《经方实验录》：吴兄凝轩，昔尝患盗汗之恙，医用浮小麦、麻黄根、糯稻根以止其汗。顾汗之止仅止于皮毛之里，而不止于肌肉之间，因是皮肤作痒异常，颇觉不舒。后自检方书，得本汤服之，汗止于不知不觉之间云。

4. 自汗 《岳美中医案》：李某某，40岁，男性。患项部自汗，竟日淋漓不止，频频作拭，颇感苦恼，要求治疗。诊其脉浮缓无力，汗自出。分析病情，项部是太阳经所过，长期汗出，系经气向上冲逆，持久不愈，必致虚弱。因投以张仲景之桂枝龙骨牡蛎汤，和阳降逆，协调营卫，收敛浮越之气。先服4剂，自汗止；再服4剂，以巩固疗效。

5. 女子梦交 《浙江中医杂志》（1984，1：46）：高某某，女，34岁，农民。入夜每与人交，天明始去，已四五年，误为“狐仙”，羞愧难言。初则不以为然，久则心悸胆怯，延期失治，病情日重，避卧于邻家，仍纠缠不散。形体消瘦，困倦乏力，少气懒言，头晕眼花，腰膝酸软，带多清稀，舌质淡红，苔薄白，脉细弱。系阴阳两亏，心肾不交，属梦交症。拟用桂枝加龙骨牡蛎汤：桂枝18克，白芍、龙骨各20克，甘草、生姜各9克，生牡蛎30克，红枣7枚。5剂后，诸症消除，予归脾丸巩固疗效。随访一年未复发。

6. 早泄 《实用中西医结合杂志》（1994，3：169）：用本方治疗早泄46例。伴轻度勃起不全者，加仙灵脾、生黄芪；病程较长者，加萸肉、莲须；尿黄，舌红苔薄黄者，加川柏。每日1剂，水煎服，连服3周。另设对照组37例，用地卡因液外涂等。结果：治疗组痊愈16例，有效25例，总有效率89.1%；对照组分别为5例，10例，40.5%。两组比较差异显著（$P<0.01$）。

7. 尿频症 《浙江中医》（1995，2：51）：用本方合交泰丸治疗尿频症35例。心悸者，加当归、石菖蒲；失眠者，加远志、柏子仁；盗汗者，加五味子、防风。结果：痊愈27例，好转5例。

8. 更年期综合征 《浙江中医》（1995，4：157）：用本方治疗更年期综合征15例。肝阳偏亢者，重用龙骨、牡蛎，加菊花、杞子；肾阴不足者，重用白芍，加生地、山茱萸；肾阳虚衰者，桂枝改为肉桂，加菟丝子；肝气郁结者，加绿萼梅、柴胡；脾胃虚弱者，重用大枣、甘草，加党参、白术、茯苓；心神不宁者，加五味子、石菖蒲；便稀泄泻者，龙骨、牡蛎改为煅用，加炒山药、煨葛根。每日1剂，水煎服，4周为1疗程。结果：经1~2疗程治疗后全部见效，其中治愈11例。

9. 小儿下元虚冷型遗尿 《安徽中医临床杂志》（1999，2：99）：用桂枝加龙骨牡蛎汤化裁，治疗小儿下元虚冷型遗尿104例，7剂为1疗程，治疗1~3个疗程。结果：痊愈83例，好转16例，无效5例，有效率为95.2%。服药期间，未发现有过敏及其他不良反应。

10. 奔豚气 《中国中西医结合消化杂志》（2004，4：239）：用桂枝加龙骨牡蛎汤治疗奔豚气62例，结果治愈14例，有效46例，无效2例，总有效率96.8%。

11. 失眠 《中国中医药信息杂志》（2005，10：71）：用桂枝加龙骨牡蛎汤治疗神经衰弱症100例，平均服药30剂，结果：治愈29例，显效43例，好转18例，无效10例，总有效率90%。

12. 小儿多汗症 《浙江中医杂志》（2007，9：499）：用桂枝加龙骨牡蛎汤治疗小儿多汗症36剂，服药5~10剂，结果：痊愈23例，好转11例，无效2例，总有效率94%。

甘草干姜茯苓白术汤

【来源】《金匮要略》卷中。

【别名】甘姜苓术汤（原书同卷），甘草汤（《外台秘要》卷十七引《古今录验》）、肾着汤（《备急千金要方》卷十九）、除湿汤（《三因极一病证方论》卷九）、苓姜术甘汤（《类聚方》）、茯苓干姜白术甘草汤（《奇正方》）。

【组成】甘草　白术各二两　干姜　茯苓各四两

【用法】以水五升，煮取三升，分温三服。腰中即温。

【功用】

1.《医宗金鉴》：补土制水，散寒渗湿。

2.《血证论》：和脾利水。

3.《谦斋医学讲稿》：温脾化湿。

【主治】

1.《金匮要略》：肾着之病，其人身体重，腰中冷，如坐水中，形如水状，反不渴，小便自利，饮食如故。病属下焦，身劳汗出，衣里冷湿，久久得之。腰以下冷痛，腰重如带五千钱。

2.《金匮要略讲义》：呕吐腹泻，妊娠下肢浮肿，或老年人小便失禁，男女遗尿，妇女年久腰冷带下等，属脾阳不足而有寒湿者。

【宜忌】《外台秘要》：忌海藻、菘菜、桃李、雀肉、酢物。

【验案】滑精　《金匮要略今释》引《古方便览》：一士人，年七十三，平生小便频数，腰冷如坐水中，厚衣覆盖而坐，精液时泄不自禁，诸治并无效，如此已十余年矣。余诊之，心下悸，即与此方而痊愈。

龙骨散

【来源】《医方类聚》卷一三四引《肘后备急方》。

【组成】龙骨大如指（赤理如锦者）　甘草一两　桂心　干姜各二两

方中甘草，《医心方》引《小品方》作熏草。

【用法】上为散。每服方寸匕，酒调下，一日三次。

【主治】男子失精。

三物天雄散

【来源】《外台秘要》卷十六引《范汪方》。

【别名】天雄散（《圣济总录》卷九十一）。

【组成】天雄三两（炮）　白术八分　桂心六分

【用法】上药治下筛。每服半钱匕，一日三次。稍稍增之。

【主治】男子虚，失精。

【宜忌】忌猪肉、冷水、桃、李、雀肉、生葱。

桂心汤

【来源】《外台秘要》卷十六引《范汪方》。

【别名】喜汤。

【组成】桂心　牡蛎（熬）　芍药　龙骨　甘草（炙）各二两　大枣三七枚（一方十枚）　生姜五两

【用法】上锉，以水八升，煎取三升，去滓，温分三服。

【主治】虚喜梦与女邪交接，精为自出。

【宜忌】忌海藻、菘菜、生葱。

熏草汤

【来源】《外台秘要》卷十六引《小品方》。

【组成】熏草　人参　干地黄　白术　芍药各三两　茯神　桂心　甘草（炙）各二两　大枣十二枚（擘）（一方有茯苓三两）

【用法】上切。以水八升，煮取三升，分为二服，每服如人行四五里。

【主治】梦失精。

【宜忌】忌桃、李、雀肉、大酢、海藻、菘菜、生葱。

韭子汤

【来源】《医心方》卷十三引《小品方》。

【组成】韭子一升　龙骨三两　赤石脂三两

【用法】上药以水七升，煮取二升半，分三次服。

【主治】失精。

柏子养心丸

【来源】《古今医统大全》卷七十引《集验方》。

【组成】柏子仁（鲜白不油炽者，以纸包捶去油）白茯神　酸枣仁各二两　五味子半两　当归身　生地黄各二两　甘草　辰砂（细研）　犀角（镑）

各半两

《丸散膏丹集成》有黄耆。

【用法】上为末，炼蜜为丸，如芡实子大，金箔为衣。每服一丸，午后、临卧时津嚼。

【主治】心劳太过，神不守舍，合眼则梦，遗泄不常。

《丸散膏丹集成》：血虚内热，失眠心悸，及妇女经少，瘦损潮热。

龙骨韭子汤

【来源】方出《证类本草》卷十六引《梅师方》，名见《医学实在易》卷七。

【组成】白龙骨四分　韭子五合

【用法】上为散。每服方寸匕，空心酒调下。

【主治】失精，暂睡即泄。

石斛散

【来源】《外台秘要》卷十六引《古今录验》。

【组成】石斛七分　桑螵蛸　紫菀各二分　干漆（熬）　五味子　干地黄　钟乳（研）　远志皮　附子各二分（炮）

【用法】上药治下筛。每服方寸匕，以酒送下，渐渐增至二匕，一日三次。

【主治】男子梦泄精。

【宜忌】忌猪肉、冷水、芜荑。

黄耆汤

【来源】《外台秘要》卷十六引《古今录验》。

【组成】黄耆　当归　甘草（炙）各二两　桂心六两　苁蓉　石斛各三两　干枣一百三十枚　白蜜二升

【用法】上切。以水一斗，煮取四升，纳蜜，煎取三升，分为四服，日三夜一，以食相间。

【主治】虚损失精。

【宜忌】忌海藻、菘菜、生葱。

棘刺丸

【来源】《外台秘要》卷十六引《古今录验》。

【组成】棘刺二两　麦门冬（去心）　萆薢　厚朴（炙）　菟丝子　柏子仁　苁蓉　桂心　石斛　小草　细辛　杜仲　牛膝　防葵　干地黄各一两　石龙芮二两　巴戟天二两　乌头半两（炮，削去皮）

【用法】上为末，以蜜杂鸡子黄各半为丸，如梧桐子大。每服十丸，以饮送下，每日三次。稍增至三十丸，以知为度。

【主治】男子百病，小便过多，失精。

【宜忌】忌食猪肉、冷水、生葱、生菜。

【方论】《千金方衍义》：男子百病，不独指肾虚小便多而言，《本经》棘刺主治与皂刺不甚相远，《别录》治丈夫虚损，阴痿精自出，统领巴戟、苁蓉、菟丝子、牛膝、门冬、地黄、杜仲、小草、萆薢补肾益精，功司开合，足以充其所用，至于乌头、防葵、石龙芮、厚朴等味，非有固结滞气奚以及此。再详葳蕤、柏仁、石斛、细辛、桂心通风利窍之治，则乌头、防葵、石龙芮、厚朴等药可以默悟其微，总在攻补百病之列也。

羊骨汤

【来源】《备急千金要方》卷十九。

【组成】羊骨一具　生地黄　白术各三斤　桂心八两　麦门冬　人参　芍药　生姜　甘草各三两　茯苓四两　厚朴　阿胶　桑白皮各一两　大枣二十枚　饴糖半斤

【用法】上锉。以水五斗煮羊骨，取三斗汁，去骨煮药，取八升，汤成下胶饴令烊，平旦服一升，后且服一升。

【功用】《千金方衍义》：益脾滋肺。

【主治】失精多睡，目𥇍𥇍。

茯神丸

【来源】方出《备急千金要方》卷十九，名见《鸡峰普济方》卷十二。

【组成】人参　麦门冬　赤石脂　远志　续断　鹿茸各一两半　茯苓　龙齿　磁石　苁蓉各二两　丹参　韭子　柏子仁各一两六铢　干地黄三两

《鸡峰普济方》有茯神，无丹参、茯苓。

【用法】上为末，炼蜜为丸，如梧桐子大。每服二十丸，酒送下，一日二次。稍加至三十丸。

【主治】梦中泄精，尿后余沥及尿精。

韭子丸

【来源】《备急千金要方》卷十九。

【组成】韭子一升　甘草　桂心　紫石英　禹余粮　远志　山茱萸　当归　天雄　紫菀　薯蓣　天门冬　细辛　茯苓　菖蒲　僵蚕　人参　杜仲　白术　干姜　川芎　附子　石斛各一两半　苁蓉　黄耆　菟丝子　干地黄　蛇床子各二两　干漆四两　牛髓四两　大枣五十个

【用法】上为末，牛髓合白蜜、枣膏为丸，如梧桐子大。每服十五丸，空腹服，一日二次，可加至二十丸。

【主治】房室过度，精泄自出不禁，腰背不得屈伸，食不生肌，两脚苦弱。

【方论】《千金方衍义》：韭子丸中助阳益气，固精养荣，袪风涤垢利窍之品无不毕具。凡阳衰不能统御阴精者，于中采择数味便足成方，不必固守成法也。世本干胶作干漆，传写之误，万无峻药入于补益剂中，反倍诸味之理，观禁精汤第三方用干胶可以类推。

韭子散

【来源】《备急千金要方》卷十九。

【组成】韭子　麦门冬各一升　菟丝子　车前子各二合　芎藭三两　白龙骨三两

【用法】上为末。每服方寸匕，酒服，一日三次，不知稍增，甚者夜一服。

【主治】小便失精及梦泄精。

【宜忌】《千金方衍义》：此惟房室过劳者为宜，火盛精伤者切禁。

【方论】《千金方衍义》：方中菟丝续绝伤之精，川芎开血室之郁，天冬滋肺肾之津，车前子通气道之癃，龙骨敛浮散之火，韭子摄败伤之髓。

禁精汤

【来源】《备急千金要方》卷十九。

【组成】韭子二升　粳米一合

【用法】上于铜器中熬之，俟米黄黑，趁热以好酒一斗投之，绞取汁七升，每服一升，一日三次。尽二剂。

【主治】失精羸瘦，酸削少气，目视不明，恶闻人声。

【方论】《千金方衍义》：韭子能逐败精，助相火，为房劳不禁之专药；加稻米则充胃气，利膀胱，以予败浊之出路。

猪肚丸

【来源】《备急千金要方》卷二十一。

【别名】黄连猪肚丸（《三因极一病证方论》卷十）、猪肚黄连丸（《太平圣惠方》卷五十三）、猪肚儿丸（《普济方》卷一七六引《如宜方》）。

【组成】猪肚一枚（治如食法）　黄连　粱米各五两　栝楼根　茯神各四两　知母三两　麦门冬二两

《太平圣惠方》有柴胡。

【用法】上为末，纳猪肚中缝塞，安甑中蒸之极烂，接热及药，木臼中捣为丸；若强，与蜜和之为丸，如梧桐子大。随渴即饮服三十丸，加至五十丸，每日二次。

【主治】

1. 《备急千金要方》：消渴。

2. 《中国医学大辞典》：下元虚弱，湿热郁结，强中消渴，小便频数，甚至梦遗白浊，赤白带淋。

金樱子煎

【来源】《证类本草》卷十二引《孙真人食忌》。

【别名】金樱子膏（《明医指掌》卷七）。

【组成】金樱子

【用法】经霜后以竹夹子摘取，于大木臼中转杵却刺，勿损之，擘为两片，去其子，以水淘洗过，烂捣，入大锅，以水煎，不得绝火，煎约水耗半，取出澄滤过，仍重煎似稀饧。每服取一匙，用暖酒一盏调服。

【功用】

1. 《类证本草》引《孙真人食忌》：止小便利，涩精气，久服令人耐寒轻身。

2. 《本草纲目》：活血驻颜。

3.《中医大辞典·方剂分册》：活血、添精、补髓。

4.《北京市中药成方选集》：补肾固精，理脾固肠。

【主治】

1.《证类本草》引《孙真人食忌》：脾泄下痢。

2.《中医大辞典·方剂分册》：肝肾两亏引起的精神衰弱，小便不禁，梦遗滑精。

【方论】《证类本草》引沈存中：金樱子止遗泄，取其温且涩。世之用者，待红熟，取汁熬膏，大误也。红熟则却失本性，今取半黄时采用妙。

归神丹

【来源】《普济方》卷二二四引《孟氏诜诜方》。

【组成】辰朱砂二两（捶作小粒，不可成粗粉） 猪心（大者）一枚（去筋膜，略批开，朱砂布于内，再合）

【用法】猪心用灯心遍缠合用，密以麻线缚定，入银石铛内，用酒同米醋二味各一升同煮令干，即取去灯心，缓缓收下朱砂，微炒干，乳钵内研令极细，将所煮余酒醋打清面糊为丸，如梧桐子大。每服九丸，同北枣煎汤吞下，半空心服。一法加茯苓二两为丸，每服十八丸。

【功用】引神归舍。

【主治】丈夫思虑过多，役损心气，致神不守舍，不能管摄，精气之失无常，精滑冷，遗白浊。

苁蓉丸

【来源】《简易方》引《孟氏诜诜方》（见《医方类聚》卷一四九）。

【组成】熟地黄（净洗，酒浸，蒸二次，焙干）二两 菟丝子（淘去沙土，蒸二次，研烂，焙） 川当归（洗，焙）各一两半 穿心紫巴戟 肉苁蓉（洗，切，焙） 北五味 人参（去芦） 嫩鹿茸（酥炙） 坚白茯苓 龙齿 嫩黄耆（蜜炙） 石莲肉各一两

【用法】上为细末，炼蜜为丸，如梧桐子大。每服五十丸，温酒、米饮任下。

【功用】和阳助阴。

【主治】丈夫禀受气血有偏胜者，气胜血则阳盛阴微，精气易流。

固精丸

【来源】《普济方》卷二一七引《孟氏诜诜方》。

【组成】远志（洗净，去心，焙干）一两 石莲肉一两 晋矾（枯过）一两 桑螵蛸一两（炒） 益智（湘水浸三宿，焙干）一两 真韭子一两（微炒） 菟丝子二两（酒浸三日，干用） 舶上茴香一两（盐炒，去盐不用）

【用法】上为细末，以青盐半两打糊为丸，如梧桐子大。每服五十丸，空心用茯苓汤、黄蜡煎汤或盐汤送下。

【主治】男子精气不固，梦遗白浊，精气自流。

秘真丸

【来源】《普济方》卷二一七引《孟氏诜诜方》。

【组成】白龙骨一两 绵黄耆（生，切，焙干） 白茯苓 大朱砂（另研） 桑螵蛸（炒）各一两 白霜梅肉五钱 家韭子三两（陈酒浸一宿，捣碎，焙干）

【用法】上为末，酒糊为丸，如梧桐子大。每服四十丸，空心以盐汤送下。

【主治】梦遗白浊，真气不固。

韭子丸

【来源】《外台秘要》卷十六引《深师方》。

【组成】韭子五合（熬） 大枣五个 黄耆 人参 甘草（炙） 干姜 当归 龙骨 半夏（洗） 芍药各三两

【用法】上为末，以白蜜枣膏为丸，如梧桐子大。每服十丸，每日三四次。

【主治】虚劳，梦泄精。

【宜忌】忌海藻、菘菜、羊肉、饧。

韭子散

【来源】《外台秘要》卷十六引《深师方》。

【组成】韭子 菟丝子 车前子各一升 附子三枚

（炮）　当归　芎藭　矾石（烧）各三两　桂心一两

【用法】上为末。每服方寸匕，温酒送下，一日三次。亦可炼蜜为丸，如梧桐子大，每服五丸，酒送下。

【主治】虚劳尿精，小便白浊，梦泄。

鹿角汤

【来源】《外台秘要》卷十六引《深师方》。

【组成】鹿角一具（屑）　韭白半斤　生姜一斤　芎藭　茯苓各二两　当归　鹿茸（炙）各二两　白米五合

【用法】上切。先以水五斗煮鹿角，取一斗二升，去滓，纳诸药，煮取四升，分服一升，日三夜一。

【主治】劳梦泄精。

【宜忌】忌酢物。

柴胡发泄汤

【来源】《医心方》卷六引《删繁方》。

【别名】柴胡汤（《圣济总录》卷五十三）。

【组成】柴胡三两　升麻三两　黄芩三两　泽泻四两　细辛三两　枳实三两　淡竹叶（切）一升　栀子仁三两　生地黄（切）一升　芒消三两

【用法】以水九升，煮取三升，去滓，下芒硝，分三服。

【主治】其人所禀偏阳，壮火食气，肝热髓实，勇悍过甚，或热遗精窍，痛楚不宁。

【方论】《千金方衍义》：髓脏有虚无实，有补无泻，而此专用发泄以折强暴之威。升麻、柴胡发之于上，枳实、芒消泄之于下，黄芩、栀子佐升、柴为开发之上使，竹叶、泽泻佐枳、消为分泄之下使，独取地黄保护真阴以制亢阳，细辛引入中精以通疏泄。

肉苁蓉丸

【来源】《太平圣惠方》卷七。

【组成】肉苁蓉二两（酒浸一宿，刮去皴皮，炙令干）　鹿茸二两（去毛，涂酥炙微黄）　白龙骨二两（烧过）　泽泻一两　附子二两（炮裂，去皮脐）　补骨脂一两（微炒）　山茱萸一两　椒红二两（微炒）　菟丝子一两（酒浸三宿，晒干，别研为末）

【用法】上为末，炼蜜为丸，如梧桐子大。每服三十丸，食前，以温酒送下。

【主治】膀胱虚冷，小便滑数，白浊，梦中失精。

鸡肶胵散

【来源】《太平圣惠方》卷七。

【组成】鸡肶胵一两（微炙）　熟干地黄一两　牡蛎一两（烧为粉）　白龙骨一两（烧过）　鹿茸一两（去毛，涂酥炙微黄）　黄耆三分（锉）　赤石脂一两　桑螵蛸三分（微炒）　肉苁蓉一两（酒浸一宿，刮去皴皮，炙令干）

【用法】上为细散，用丹雄鸡肠三具，纳散在肠中，缝系了，于甑内蒸一炊久，取出焙干，为散。每服二钱，食前以温酒调下。

【主治】膀胱虚冷，小便滑数，漏精，白浊如泔。

鹿茸丸

【来源】《太平圣惠方》卷七。

【组成】鹿茸二两（去毛，涂酥炙令微黄）　莨菪子一两（水淘去浮者，水煮令芽出，候干，炒黄黑色）　磁石一两（烧赤，醋淬十遍，细研，水飞过）　附子一两（炮裂，去皮脐）　天雄一两（炮裂，去皮脐）　硫黄一两（细研，水飞过）　蛇床仁一两　韭子一两（微炒）　桂心一两　硇砂一两（细研）　龙骨一两　熟干地黄一两

【用法】上为末，用羊肾一对，去脂膜，研如泥，以酒二升，煎成膏，入诸药末，为丸，如梧桐子大。每服三十丸，空心及晚食前以温酒送下。

【主治】肾脏虚损，阳气萎弱，精泄不禁。

石斛散

【来源】《太平圣惠方》卷十四。

【组成】石斛一两半（去根，锉）　巴戟一两（去心）　桑螵蛸三分（微炒）　菟丝子一两（酒浸三日，晒干，别杵为末）　杜仲三分（去粗皮，炙微黄赤，锉）

【用法】上为细散，入菟丝末和匀。每服二钱，食前温酒调下。

【主治】

1.《太平圣惠方》：伤寒后肾气虚损，小便余沥，及夜梦失精，阴下湿痒。

2.《圣济总录》：阳气虚惫，小便白淫。

3.《普济方》：男子阴衰，腰背痛苦寒。

韭子散

【来源】《太平圣惠方》卷十四。

【组成】韭子三两（微炒） 麦门冬一两半（去心，焙） 鹿茸一两（涂酥炙，去毛） 龙骨一两 菟丝子一两（汤浸三日，晒干，别杵为末） 车前子一两

【用法】上为细散，入菟丝末和匀。每服二钱，食前温酒调下。

【主治】伤寒后肾脏虚损，夜梦失精，及尿后余沥。

韭子散

【来源】《太平圣惠方》卷十四。

【组成】韭子一两（微炒） 麦门冬一两半（去心，焙） 龙骨一两 车前子三分 菟丝子一两（酒浸三日，晒干，别杵为末） 人参一两（去芦头） 泽泻一两 石龙骨三分

【用法】上为细散，入菟丝子末和匀。每服二钱，食前以温酒下。

【主治】伤寒后虚损，夜梦精泄，或因小便亦有精出。

鹿角散

【来源】《太平圣惠方》卷十四。

【组成】鹿角屑一两 芎藭三分 当归一两（锉，微炒） 白茯苓三分 麋角屑一两

【用法】上为粗散。每服三钱，以水一中盏，入薤白三七茎，生姜半分，粳米一百粒，煎至六分，去滓，食前温服。

【主治】伤寒后虚损，夜梦泄精不禁。

羚羊角丸

【来源】《太平圣惠方》卷十四。

【组成】羚羊角屑 犀角屑 石龙芮 桂心 木香各一两 韭子（微炒） 龙骨 朱砂（细研，水飞过） 鹿茸（酒浸，微炙去毛） 泽泻各一两半

【用法】上为末，炼蜜为丸，如梧桐子大。每服三十丸，食前温酒送下。

【主治】伤寒后，夜梦精泄不禁，身体枯燥，瘦瘠骨立者。

熏草散

【来源】《太平圣惠方》卷十四。

【组成】熏草一两 龙骨二两 熟干地黄二两 白术三分 人参（去芦头） 茯神 桂心 甘草（炙微赤，锉） 白芍药各三分

【用法】上为散。每服五钱，以水一大盏，入枣三枚，煎至五分，去滓，食前温服。

【主治】伤寒后虚损，肾气不足，夜梦失精。

补益石斛丸

【来源】《太平圣惠方》卷二十九。

【组成】石斛一两半（去根） 萆薢一两（锉） 远志三分（去心） 覆盆子三分 泽泻一两 白龙骨一两 杜仲一两半（去粗皮，微炙，锉） 防风三分（去芦头） 牛膝一两半（去苗） 石龙芮一两 薯蓣三分 磁石二两（烧，醋淬七遍，捣碎，水飞过） 五味子三分 甘草半两（炙微赤，锉） 黄耆一两（锉） 鹿茸二两（去毛，涂酥炙微黄） 补骨脂一两（微炒） 附子一两（炮裂，去皮脐） 人参一两（去芦头） 车前子一两 桂心一两 白茯苓一两 熟干地黄一两 山茱萸三分 钟乳粉二两 肉苁蓉一两（酒浸一宿，刮去皱皮，炙干） 巴戟一两 菟丝子二两（酒浸三宿，晒干别捣为末） 蛇床子一两

【用法】上为末，炼蜜为丸，如梧桐子大。每服三十丸，食前以温酒送下。

【主治】虚劳肾气不足，阴痿，小便余沥，或精自出，腰脚无力。

韭子丸

【来源】《太平圣惠方》卷二十九。

【组成】韭子三合（微炒） 鹿茸二两（劈破，涂酥炙微黄） 杜仲一两半（去粗皮，微炙） 干姜一两（炮裂，锉） 桑螵蛸二两（微炒） 白龙骨一两 菟丝子二两（酒浸一宿，晒干，别捣为末） 天雄一两（炮裂，去皮脐）

【用法】上为末，炼蜜为丸，如梧桐子大。每服三十丸，食前以温酒送下。

【主治】虚劳，小便白浊，及遗泄不知。

菟丝子散

【来源】《太平圣惠方》卷二十九。

【组成】菟丝子二两（酒浸一宿，晒干，别捣，为末） 韭子二两（微炒） 附子一两（炮裂，去皮脐） 当归一两 芎藭一两 桂心一两 车前子二两 白矾二两（烧，为末）

【用法】上为细散。每服二钱，食前以温酒调下。

【主治】虚劳，小便白浊，及梦遗尿精。

补益覆盆子丸

【来源】《太平圣惠方》卷三十。

【组成】覆盆子四两 菟丝子二两（酒浸三日，晒干，别捣为末） 龙骨一两半 肉苁蓉二两（酒浸一宿，刮去皱皮，炙干） 附子一两（炮裂，去皮脐） 巴戟一两 人参一两半（去芦头） 蛇床子一两 熟干地黄二两 柏子仁一两 鹿茸二两（去毛，涂酥炙令微黄）

【用法】上为末，炼蜜为丸，如梧桐子大。每服三十丸，空心及晚食前以温酒送下。

【主治】虚劳，梦与鬼交，失精，腰膝疼痛。

枸杞子散

【来源】《太平圣惠方》卷三十。

【组成】枸杞子一两 五味子三分 覆盆子三分 白芍药三分 白龙骨一两 麦门冬一两（去心，焙）

【用法】上为细散。每服二钱，以温粥饮调下，不拘时候。

【主治】虚劳，小便精出，口干心烦。

韭子丸

【来源】《太平圣惠方》卷三十。

【组成】韭子三合（微炒） 鹿茸二两（去毛，涂酥炙微黄） 杜仲二两（去皴皮，炙微赤，锉） 干姜二两（炮裂，锉） 桑螵蛸二两（微炒） 白龙骨三两 天雄二两（炮裂，去皮脐） 菟丝子三两（酒浸三日，晒干，别捣为末） 五味子二两 山茱萸二两

【用法】上为末，炼蜜为丸，如梧桐子大。每服三十丸，空心及晚食前以温酒送下。

【主治】虚劳羸瘦，肾虚梦泄不知。

韭子丸

【来源】《太平圣惠方》卷三十。

【组成】韭子一两（微炒） 鹿茸一两半（去毛，涂酥炙微黄） 桑螵蛸一两（微炒） 龙骨一两半 车前子一两 天雄一两（炮裂，去皮脐） 干姜一两（炮裂，锉） 菟丝子二两（酒浸三日，晒干，别研为末）

【用法】上为末，炼蜜为丸，如梧桐子大。每服三十丸，食前以温酒送下。

【主治】虚劳，小便出精。

韭子散

【来源】《太平圣惠方》卷三十。

【组成】韭子二两（微炒）

【用法】上为细散。每服二钱，食前以温酒调下。

【主治】虚劳肾损，梦中泄精。

菟丝子散

【来源】《太平圣惠方》卷三十。

【组成】菟丝子二两（酒浸三日，晒干，别捣为末） 补骨脂一两（微炒） 麦门冬一两半（去心，焙） 车前子一两 龙骨半两

【用法】上为细散。每服二钱，食前以温酒调下。

【主治】虚劳羸损，失精。

鹿茸丸

【来源】《太平圣惠方》卷三十。

【组成】鹿茸三分（去毛，涂酥炙微黄） 韭子一两（微炒） 柏子仁一两 泽泻半两 菟丝子一两（酒浸三日，晒干，别捣为末） 茯神半两 石斛半两（去根，锉） 天门冬二两半（去心，焙） 黄耆一两（锉） 巴戟一两 龙骨三分 石龙芮半两 附子一两（炮裂，去皮脐） 露蜂窠三分（微炒） 麝香半两（细研入）

【用法】上为末，炼蜜为丸，如梧桐子大。每服三十丸，空心及晚食前以温酒送下。

【主治】虚劳，梦与鬼交，精泄不止，四肢羸瘦，少力，心神虚烦。

鹿角胶散

【来源】《太平圣惠方》卷三十。

【组成】鹿角胶一两（研碎，炒令黄燥） 覆盆子一两 车前子一两

【用法】上为细散。每服二钱，食前以温酒调下。

【主治】虚劳梦泄。

熏草散

【来源】《太平圣惠方》卷三十。

【组成】熏草三两 人参二两（去芦头） 龙骨一两 赤石脂一两 熟干地黄二两 白术二两 棘刺一两（微炒） 车前子一两 白芍药二两 茯神一两 桂心一两半 甘草一两（炙微赤，锉）

【用法】上为粗散。每服四钱，以水一中盏，入枣三枚，煎至六分，去滓，食前温服。

【主治】虚劳梦中失精，虚乏少力。

镇精真珠丸

【来源】《太平圣惠方》卷三十。

【别名】真珠丸（《证治准绳·类方》卷六）。

【组成】真珠六两（以牡蛎六两加水同煮一日，去牡蛎）

【用法】上为细末，于乳钵内入水研三五日后，宽着水飞过，候干，用蒸饼和丸，如梧桐子大。每服二十丸，食前温酒送下。

【主治】虚劳梦泄。

药　饼

【来源】《太平圣惠方》卷九十七。

【组成】附子一两（炮裂，去皮脐） 神曲三两（微炒） 干姜一两（炮裂，锉） 肉苁蓉一两半（酒浸一宿，刮去皱皮，炙干） 桂心一两 五味子一两 菟丝子一两（酒浸三日，晒干捣末） 羊髓三两 大枣二十个（煮去皮核） 汉椒半两（去目及闭口者，微炒去汗） 酥二两 蜜四两 白面一升 黄牛乳一升半

【用法】上为细散，入面与酥蜜髓乳相和，入枣瓤熟溲于盆中，盖覆勿令通气风，半日久，即将出，更溲令熟，擀作糊饼大，面上以筯子琢之，即入鏊鏉中，上下以煿令熟。每日空腹食一次。入酵和面更佳。

【功用】暖腰肾，壮阳道。

【主治】五劳七伤，下焦虚冷，小便遗精。

雀儿药粥

【来源】《太平圣惠方》卷九十七。

【组成】雀儿十枚（剥去皮毛，剥碎） 菟丝子一两（酒浸三日，晒干，别捣为末） 覆子一合 五味子一两 枸杞子一两 粳米二合 酒二合

【用法】上为末。将雀肉先以酒炒，入水三大盏，次入米煮粥，欲熟，下药末五钱，搅转，入五味调和令匀，更煮熟空心食之。

【功用】《药粥疗法》：壮阳气，补精血，益肝肾，暖腰膝。

【主治】

1. 《太平圣惠方》：下元虚损，阳气衰弱，筋骨不健。

2. 《药粥疗法》：肾气不足所致的阳虚羸弱，阴痿（即性功能减退），早泄，遗精，腰膝酸痛或冷痛，头晕眼花，视物不清，耳鸣耳聋，小便淋沥不爽，遗尿多尿，妇女带下。

【宜忌】《药粥疗法》：发热病人和性功能亢进者忌服。

固真散

【来源】《普济方》卷二一七引《太平圣惠方》。
【组成】白龙骨一两　韭子一合
【用法】上为末。每服二钱许，酒调，空心服。
【功用】涩精固气，暖下元。
【主治】才卧着即泄精。

四精丸

【来源】《医方大成》卷四引《经验方》。
【组成】茯苓　秋石各四两　莲肉（去壳皮心）　水鸡头（粉红花在上结子垂下）各二两
【用法】上为末，以蒸枣肉为丸，如梧桐子大。每服三十丸，盐酒、盐汤送下。
【功用】《医方类聚》引《经验良方》：补益精髓，驻颜悦色。
【主治】

1.《医方大成》引《经验方》：思虑色欲过多，损伤心气，遗精，小便频数。

2.《万氏家抄方》：肾虚盗汗腰痛。

固精丸

【来源】《丹溪心法附余》卷十一引《经验方》。
【组成】白茯苓（去皮）　秋石各四两　石莲肉（去壳皮，炒）　水鸡头（粉红花在上结子垂下）各二两
【用法】上为末，以蒸枣肉杵和丸，如梧桐子大。每服三十丸，盐汤送下；温盐酒下亦可。
【主治】思虑色欲过度，损伤心气，遗精盗汗，小便频数。

水陆丹

【来源】《证类本草》卷十二引《本草图经》。
【别名】水陆二仙丹（《洪氏集验方》卷三）、经验水陆二仙丹（《景岳全书》卷五十九）。
【组成】金樱子　鸡头实
【用法】煮金樱子作煎，鸡头实捣烂晒干，再治下筛，为丸服之。

《洪氏集验方》：鸡头去外皮取实，连壳杂捣令碎，晒干为末；复取糖樱子，去外刺并其中子，捣碎，入甑中蒸令熟，却用所蒸汤淋三两过，取所淋糖樱汁入银铫，慢火熬成稀膏，用以和鸡头末为丸，如梧桐子大。每服五十丸，盐汤送下。

《普济方》引《仁存方》：金樱膏同酒糊和芡粉为丸，如梧桐子大。每服三十丸，食前酒送下。一方用妇人乳汁为丸妙。
【功用】

1.《证类本草》引《本草图经》：益气补真。

2.《洪氏集验方》：固真元，悦泽颜色。
【主治】

1.《普济方》引《仁存方》：白浊。

2.《古今医统大全》引《录验》：精脱，肾虚梦遗。
【宜忌】《洪氏集验方》：此药稍闭，当以车前子末解之。
【方论】《医方考》：金樱膏濡润而味涩，故能滋少阴而固其滑泄；芡实粉枯涩而味甘，故能固精浊而防其滑泄。金樱生于陆，芡实生于水，故曰水陆二仙。

茯苓散

【来源】《苏沈良方》卷六。
【组成】坚白茯苓
【用法】上为末。每服五钱，空心、食前、临卧温水调下，一日四五次。
【功用】《普济方》：大补益，缩小便。
【主治】

1.《苏沈良方》：梦中遗泄。

2.《普济方》：肾气不能摄精，心不能摄念，或梦而泄者，或不梦而泄者。

安肾丸

【来源】《太平惠民和济局方》卷五（绍兴续添方）。
【组成】肉桂（去粗皮，不见火）　川乌（炮，去皮脐）各十六两　桃仁（麸炒）　白蒺藜（炒去刺）　巴戟（去心）　山药　茯苓（去皮）　肉苁蓉（酒浸，炙）　石斛（去根，炙）　萆薢　白术　破故纸各四十八两

【用法】上为末，炼蜜为丸，如梧桐子大。每服三十丸，空心、食前以温酒或盐汤送下；小肠气，炒茴香盐酒下。

【功用】补元阳，益肾气。

【主治】

1.《太平惠民和济局方》（绍兴续添方）：肾经久积阴寒，膀胱虚冷，下元衰惫，耳重唇焦，腰腿肿疼，脐腹撮痛，两胁刺胀，小腹坚疼，下部湿痒，夜梦遗精，恍惚多惊，皮肤干燥，面无光泽，口淡无味，不思饮食，大便溏泄，小便滑数，精神不爽，事多健忘。

2.《证治要诀类方》：牙宣。

3.《保命歌括》：肾虚寒湿脚气，及肾虚不足，膀胱虚冷，致成水疝。

4.《医宗必读》：肾虚咳逆烦冤。

5.《证治汇补》：肾虚水涸，气孤阳浮致喘者。

张走马玉霜丸

【来源】《太平惠民和济局方》卷五（吴直阁增诸家名方）。

【别名】玉霜丸（《普济方》卷二一九）。

【组成】大川乌（用蚌粉半斤同炒，候裂，去蚌粉不用）　川楝子（麸炒）各八两　破故纸（炒）　巴戟（去心）各四两　茴香（焙）六两

【用法】上为细末，用酒打面糊为丸，如梧桐子大。每服三五十丸，空心、食前用酒或盐汤送下。

【功用】精元秘固，内施不泄，留浊去清，精神安健。

【主治】男子元阳虚损、五脏气衰，夜梦遗泄，小便白浊，脐下冷疼，阳事不兴，久无子息，渐致瘦弱，变成肾劳，眼昏耳鸣，腰膝酸疼，夜多盗汗。妇人宫脏冷，月水不调，赤白带漏，久无子息，面生䵟黯，发退不生，肌肉干黄，容无光泽。

妙香散

【来源】《太平惠民和济局方》卷五（绍兴续添方）。

【别名】辰砂妙香散（《仁斋直指方论》卷十六）。

【组成】麝香（别研）一钱　木香（煨）二两半　山药（姜汁炙）　茯神（去皮、木）　茯苓（去皮，不焙）　黄耆　远志（去心，炒）各一两　人参　桔梗　甘草（炙）各半两　辰砂（别研）三钱

【用法】上为细末。每服二钱，温酒调下，不拘时候。

【功用】补益气血，安神镇心。

【主治】

1.《太平惠民和济局方》：男子、妇人心气不足，志意不定，惊悸恐怖，悲忧惨戚，虚烦少睡，喜怒不常，夜多盗汗，饮食无味，头目昏眩。

2.《世医得效方》：梦中遗精。

秘传玉锁丹

【来源】《太平惠民和济局方》卷五（续添诸局经验秘方）。

【别名】玉锁丹（《普济方》卷二十九引《仁存方》）。

【组成】茯苓（去皮）四两　龙骨二两　五倍子六两

【用法】上为末，水为丸。每服四十丸，空心以盐汤送下，一日三次。

本方改为散剂，名"玉锁散"（《不知医必要》卷二）。

【主治】心气不足，思虑太过，肾经虚损，真阳不固，漩有遗沥，小便白浊如膏，梦寐频泄，甚则身体拘倦，骨节痠疼，饮食不进，面色黧黑，容枯肌瘦，唇口干燥，虚烦盗汗，举动力乏。

鹿茸大补汤

【来源】《太平惠民和济局方》卷五（淳祐新添方）。

【组成】鹿茸（制）　黄耆（蜜炙）　当归（酒浸）　白茯苓（去皮）　苁蓉（酒浸）　杜仲（炒去丝）各二两　人参　白芍药　肉桂　石斛（酒浸，蒸，焙）　附子（炮）　五味子　半夏　白术（煨）各一两半　甘草半两　熟干地黄（酒蒸，焙）三两

【用法】上锉。每服四钱，加生姜三片，大枣一个，水一盏，煎七分，空心热服。

【主治】

1.《太平惠民和济局方》：男子、妇人诸虚不

足，产后血气耗伤，一切虚损。

2.《杂病源流犀烛》：遗泄。

清心莲子饮

【来源】《太平惠民和济局方》卷五。

【别名】莲子清心饮（《医方集解》）。

【组成】黄芩　麦门冬（去心）　地骨皮　车前子　甘草（炙）各半两　石莲肉（去心）　白茯苓　黄耆（蜜炙）　人参各七两半

【用法】上锉散。每服三钱，加麦门冬十粒，水一盏半，煎取八分，去滓，水中沉冷，空心，食前服。

【功用】

1.《太平惠民和济局方》：清心养神，秘精补虚，滋润肠胃，调顺血气。

2.《方剂学》：益气阴，清心火，止淋浊。

【主治】

1.《太平惠民和济局方》：心中蓄积，时常烦躁，因而思虑劳力，忧愁抑郁，是致小便白浊，或有沙膜，夜梦走泄，遗沥涩痛，便赤如血；或因酒色过度，上盛下虚，心火炎上，肺金受克，口舌干燥，渐成消渴，睡卧不安，四肢倦怠，男子五淋，妇人带下赤白；及病后气不收敛，阳浮于外，五心烦热。

2.《校注妇人良方》：热在气分，口干，小便白浊，夜间安静，尽则发热，口舌生疮，口苦咽干，烦躁作渴，小便赤涩，下淋不止，或茎中作痛。

3.《保婴撮要》：心肾虚热，便痛，发热口干，小便白浊，夜则安，昼则发。

4.《外科正宗》心经蕴热，小便赤涩，玉茎肿痛，或茎窍作痛；及上盛下虚，心火炎上，口苦咽干，烦躁作渴。

5.《玉案》：上盛下虚，心肾不交，血虚内热，淋涩作痛。

【加减】发热加柴胡、薄荷煎。

【方论】

1.《医方考》：遇劳即发者，名曰劳淋。此以体弱，故不任劳。然五藏各有劳，劳者动也，动而生阳，故令内热；内热移于膀胱，故令淋闭。是方也，石莲肉泻火于心，麦门冬清热于肺，黄芩泻火于肝，地骨皮退热于肾，黄芪、人参、茯苓、甘草泻火于脾，皆所以疗五藏之劳热也；惟车前子之滑，乃以治淋去着云尔！

2.《医方集解》：此手、足少阴，足少阳，太阴药也。参、芪、甘草，所以补阳虚而泻火，助气化而达州都，地骨退肝肾之虚热，柴胡散肝胆之火邪，黄芩、麦冬，清热于心肺上焦，茯苓、车前，利湿于膀胱下部，中以石莲清心火而交心肾，则诸证悉退也。

3.《冯氏锦囊秘录》：心脏主火，火者元气之贼，势不两立者也。小肠与心为表里，心火妄动，小便必涩，故以门冬、石莲宁其天君，毋使有自焚之忧；黄芩、茯苓清其至高，毋使有销铄之患；参、芪之用，助气化以达州者；车前之功，开决渎以供受盛；甘草一味，可上可下，调和诸药。若小便既通，则心清而诸火自息，竟宜治本，不必兼标矣。

4.《医林纂要探源》：此方以清心火，而无泻心火之药，以心自火生，可安之，而无可泻也。火伤气，参、芪、甘草以补之；火铄金，黄芪、麦冬以保之；火逼水，地骨、车前以清之，皆止火之为害，而非治火。惟莲肉、茯苓乃所以清火，而敛而安之。盖心君不妄，则火静而阴阳自平。

5.《医方论》：柴胡散肝胆之阳邪，木不助火，则心气亦安，又有参芪足以制之。故虽发热烦渴而不相妨也。

6.《医方概要》：治上盛下虚，心火上炎，口苦咽干，心烦发渴，及膀胱气虚湿热，阴茎肿痛，或茎窍涩滞，小便赤或白浊，妇人积热血崩，白淫带下，产后口渴。柴胡、黄芪、人参补上焦而泻虚火，麦冬、地骨清肺肾，赤苓、车前渗伏热，佐以石莲、甘草为主枢，则上之燥烦，中之消渴，下之崩淋，皆可平矣。名为清心，实清肺肾固涩之方也。

【验案】

1. 糖尿病　《日本东洋医学杂志》（1994，5：183）：以本方治疗非胰岛素依赖型糖尿病 18 例，其中中药组 12 例，对照组 6 例。结果：给药组糖耐量改善 4 例（22.2%），轻度改善 4 例（22.2%），不变 4 例（22.2%）；非给药组 6 例（33.3%）均未改善，两组间有明显的差异（$P<0.01$）。

2. 慢性肾盂肾炎　《实用中西医结合杂志》

(1994，9：520)：用本方加味：党参、黄芪、石莲肉、麦冬、地骨皮、茯苓、柴胡、黄芩、车前子、黄柏、肉桂、枸杞子、丹参、甘草，治疗慢性肾盂肾炎36例。结果：显效16例，有效18例，总有效率为94.4%。

3. 难治性声带结节 《中国中西医结合杂志》(1995，7：505)：用清心莲子饮（党参、黄芪各15g，麦冬、莲子、茯苓、黄芩、地骨皮各12g，炙甘草10g，车前子15g）为基本方，声带结节较坚实而气血瘀滞者，加三棱、莪术各10g；舌苔厚腻而痰湿凝聚者，加苍术、苡仁各10g；治疗难治性声带结节7例。结果：治愈2例，好转5例。

4. 前列腺炎 《福建中医药》(1997，2：34)：以本方加减，治疗慢性非细菌性前列腺炎42例。结果：治愈14例，有效23例，无效5例，总有效率88%。

麝香鹿茸丸

【来源】《太平惠民和济局方》卷五。

【组成】鹿茸（火燎去毛，酒浸，炙）七十两 熟干地黄（净洗，酒浸，蒸，焙）十斤 附子（炮，去皮脐）一百四十个 牛膝（去苗、酒浸一宿，焙）一斤四两 杜仲（去粗皮，炒去丝）三斤半 五味子二斤 山药四斤 肉苁蓉（酒浸一宿）三斤

【用法】上为末，炼蜜为丸，加梧桐子大，每一斤丸子，用麝香末一钱为衣。每服二十丸，食前用温酒送下；盐汤亦得。

【功用】益真气，补虚惫。

【主治】

1.《太平惠民和济局方》：治下焦伤竭，脐腹绞痛，两胁胀满，饮食减少，肢节烦痛，手足麻痹，腰腿沉重，行步艰难，目视茫茫，夜梦鬼交，遗泄失精，神情不爽，阳事不举，小便滑数，气虚肠鸣，大便自利，虚烦盗汗，津液内燥。

2.《医方类聚》：劳损虚冷，精血不足。房劳伤肾腰痛。

西川石刻安肾丸

【来源】《玉机微义》卷十九引《太平惠民和济局方》。

【别名】西蜀石刻安肾丸（《古今医统大全》卷四十八）。

【组成】青盐四两 鹿茸（炙） 柏子仁（净） 石斛 附子 川乌（炮） 巴戟（去心） 肉桂 菟丝子 苁蓉 韭子 葫芦巴 杜仲 破故纸（炒） 石枣 远志 赤石脂 茯苓 茯神 茴香（炒）各一两 苍术 川楝子 川椒 山药各四两

【用法】上为末，山药酒糊为丸，如梧桐子大。每服七八十丸，空心盐汤送下。

【主治】真气虚惫，脚膝弱缓，夜梦遗精，小便滑数而清。

固阳丸

【来源】《证治要诀类方》卷四引《太平惠民和济局方》。

【别名】固阳丹（《御药院方》卷六）。

【组成】附子（炮）一两 川乌（炮）七钱 白龙骨（煅） 补骨脂 川楝子 茴香各六钱

【用法】上为末，酒糊为丸，如梧桐子大。每服十丸，空心酒送下。

【功用】《御药院方》：养气守神，固精壮阳，大补真气。

【主治】色欲过度，下元虚惫，滑泄无禁。

八味丸

【来源】《寿亲养老新书》卷四。

【组成】川巴戟一两半（酒浸，去心，用荔枝肉一两，同炒赤色，去荔枝肉不要） 高良姜一两（锉碎，用麦门冬一两半，去心，同炒赤色为度，去门冬） 川楝子二两（去核，用降真香一两，锉碎同炒，油出为度，去降真香） 吴茱萸一两半（去梗，用青盐一两，同炒后，茱萸炮，同用） 胡芦巴一两（用全蝎十四个，同炒后，胡芦巴炮，去全蝎不用） 山药一两半（用熟地黄同炒焦色，去地黄不用） 茯苓一两（用川椒一两，同炒赤色，去椒不用） 香附子一两半（去毛，用牡丹皮一两，同炒焦色，去牡丹皮不用）

【用法】上为细末，盐煮，面糊为丸，如梧桐子大。每服四五十丸，空心、食前盐汤送下；温酒

亦得。

【功用】老人常服延寿延年，温平补肝肾，清上实下，分清浊二气，补暖丹田。

【主治】积年冷病，累岁沉疴，遗精白浊，赤白带下。

金樱子丸

【来源】《寿亲养老新书》卷四。

【别名】金樱子煎（《普济方》卷三十三）、金樱丸（《医学入门》卷八）。

【组成】金樱子一升（捶碎，入好酒二升，银器内熬之，候酒干至一升以下，去滓，再熬成膏） 桑白皮一两（炒） 鸡头粉半两（夏采，晒干） 桑螵蛸一分（酥炙） 白龙骨半两（烧赤，为末） 莲花须二分

【用法】上为末，入前膏子为丸，如梧桐子大。每服三十丸，空心盐汤温酒送下。如丸不就，即用酒、面糊为之。

【功用】补肾秘精，止遗泄，去白浊，牢关键。

固阳丹

【来源】《证类本草》卷六引《经验后方》。

【组成】菟丝子二两（酒浸十日，水淘，焙干为末） 杜仲一两（蜜炙，捣）

【用法】上药用薯蓣末酒煮糊为丸，如梧桐子大。每服五十丸，空心酒送下。

【主治】

1. 《证类本草》引《经验后方》：腰膝积冷，痛或顽麻无力。

2. 《普济方》：梦泄。

五味子丸

【来源】《普济方》卷二十九引《护命》。

【组成】五味子 龙骨 牡蛎（火煅） 牛膝（酒浸，切，焙） 桂（去粗皮） 山茱萸 萆薢 白茯苓（去黑皮） 巴戟天（去心） 山芋 石斛（去根，锉） 续断 附子（炮裂，去皮脐）各半两 吴茱萸（汤洗，焙干，炒）一分

【用法】上为末，炼蜜为丸，如梧桐子大。每服四十丸，空心、日午、夜卧盐汤送下。见效即住药。

【主治】肾脏虚惫，房色过度，阳气亏乏，关键不牢，真元失禁，精自流出。

香甲丸

【来源】《普济方》卷二二九引《护命》。

【组成】川楝子十个（炒） 葫芦巴一分 上茴香一两 附子一个（炮，去皮脐） 柴胡半两 宣连半两 鳖甲二两（醋炙令黄）

【用法】上为末，煮面糊为丸，如梧桐子大。每服五丸，茶、酒任下。

【主治】男子热劳，四肢无力，手足浑身壮热，不思饮食，口苦舌干，夜梦鬼交，多饶惊魇。

麋角散

【来源】《圣济总录》卷十八。

【组成】麋角半斤（先用桑柴灰二斗煎汤淋，取汁三斗，次截麋角入灰汁中慢火煮，尽汁为度，候干，取四两用） 芦荟 赤箭 蝎梢（酒炒） 麝香（研） 附子（炮裂，去皮脐）各半两 干姜（炮）一分

【用法】上为散。每用五钱匕，入好腊茶末七钱匕和匀。凡患此疾，鼻梁未倒，语声未转，精气滑泄者，取药末一钱匕，用荆芥、薄荷汤如茶点热服；觉药力紧，每点入盐少许，要出汗即热服，厚衣覆出汗，慎外风。

【主治】大风恶疾，滑泄精气。

山芋丸

【来源】《圣济总录》卷五十一。

【组成】山芋 车前子 韭子（炒令熟） 菟丝子（酒浸一宿，别捣，焙） 附子（炮裂，去皮脐） 白龙骨 山茱萸 五味子 牡丹皮 白茯苓（去黑皮） 石斛（去根）各一两半 牛膝（酒浸，切，焙） 桂（去粗皮）各一两 熟干地黄（焙）五两 肉苁蓉（去皴皮，酒浸，切，焙）二两

【用法】上为末，炼蜜为丸，如梧桐子大。每服四十丸，空心暖酒送下。

【主治】肾脏风冷气，胸中聚痰，夜梦泄精，腰膝

无力，小便频数。

韭子散

【来源】《圣济总录》卷五十一。

【组成】韭子（醋煮，炒香）二两　附子（炮裂，去皮脐）　桑螵蛸（锉，炒）　泽泻各三分　蜀椒（去目及合口者，炒出汗）各三分　赤石脂（研）　龙骨（捶碎）各一两　甘草（炙，锉）一分

【用法】上为散。每服三钱匕，空心温酒调下，一日二次。

【主治】肾脏虚冷遗泄。

鹿茸丸

【来源】《圣济总录》卷五十一。

【别名】内补鹿茸丸（原书卷九十二）。

【组成】鹿茸（去毛，酥炙）三两　菟丝子（酒浸，别捣）　紫菀（去苗土）　蛇床子　黄耆（蜜炙，锉）　桂（去皮）　白蒺藜（炒，去角）　白茯苓（去黑皮）　肉苁蓉（酒浸，去皴皮，切，焙）　阳起石（研）　桑螵蛸（烧灰存性）　附子（炮裂，去皮脐）各一两

【用法】上为末，炼蜜为丸，如梧桐子大。每服二十丸，温酒或盐汤送下，空心、午前各一服。

【主治】男子肾脏虚惫，遗泄不时，黑瘦。

鹿茸丸

【来源】《圣济总录》卷五十三。

【组成】鹿茸（去毛，酥炙）　肉苁蓉（酒浸，切，焙）　石斛（去根）　茴香子（炒）各一两　龙骨（煅）　钟乳粉各半两

【用法】上为末，酒煮面糊为丸，如梧桐子大。每服三十丸，空心食前温酒送下。

【主治】膀胱虚，小便冷滑，少腹虚胀，腰背相引疼痛，遗精。

补益干地黄丸

【来源】《圣济总录》卷八十六。

【组成】熟干地黄三两　鹿茸（去毛，酥炙）　远志（去心）　山茱萸各一两半　蛇床子半两　菟丝子（酒浸，别捣）二两

【用法】上为末，炼蜜为丸，如梧桐子大。每服三十丸，食前酒送下。

【主治】肾劳，精气滑泄。

补骨脂散

【来源】《圣济总录》卷九十一。

【组成】补骨脂（炒）一两　茴香子（舶上者，炒）三分

【用法】上为散。每服二钱匕，空心、食前温酒或盐汤调下。

本方改为丸剂，名“破故纸丸”（《魏氏家藏方》卷六）。

【主治】

1.《圣济总录》：虚劳肾气衰惫，梦寐失精，兼治肾虚腰痛。

2.《魏氏家藏方》：肾气虚冷，小便无度。

补益附子丸

【来源】《圣济总录》卷九十一。

【组成】附子（炮裂，去皮脐）　龙骨　牛膝（酒浸，切，焙）　肉苁蓉（酒浸，切，焙）　巴戟天（去心）各等分

【用法】上为末，炼蜜为丸，如梧桐子大。每服二十丸，空心、日午温酒盐汤任下。以知为度。

【主治】虚劳漏精。

固气不二丸

【来源】《圣济总录》卷九十一。

【组成】干柿（切，焙）　鸡头舌（焙干，鸡头纂上尖也）　金樱子（焙干，状似黄蔷薇子）　莲花蕊（焙干）各等分

【用法】上为末，以乌鸡子汁和丸，如梧桐子大。每服十丸，温酒送下。

【主治】虚劳，元藏衰弱，精气滑泄，或梦中遗沥。

金锁丸

【来源】《圣济总录》卷九十一。

【组成】巴戟天（去心）二两　龙骨　山茱萸各一两　韭子（炒）四两

【用法】上为末。炼蜜为丸，如梧桐子大。每服二十丸至三十丸，空心温酒送下。

【功用】补骨髓，去肾邪。

【主治】虚劳失精。

益气散

【来源】《圣济总录》卷九十一。

【组成】附子二两（大者。炮裂，去皮脐，切片，如纸厚，用生姜四两取汁，以慢火煮附子令汁尽，焙干）　缩砂（去皮）半两（微炒）　肉豆蔻（去皮）一分　蜀椒（去目并闭口，炒去汗）一分　茴香子半钱（微炒）

【用法】上为散。每服三钱，用羯羊子肝二枚（去筋膜，切作片），入葱白、盐、醋各少许，拌药令匀，用竹杖子串于猛火上炙，令香熟就热吃，空心以温酒一盏送下。

【主治】脾肾虚劳，滑泄不止，饮食不进，肌体羸瘦。

硇砂丸

【来源】《圣济总录》卷九十一。

【组成】硇砂一两（细研，汤浸滤清）　附子五两（炮裂，去皮脐，为末）　生姜一斤半（取汁入前二味慢火煎熬成煎）　肉苁蓉（酒浸）二两　远志（去心）　沉香（锉）　山茱萸　巴戟天（去心）　鹿茸（酒炙，去毛）　石斛（去根）各一两　茴香子（炒）　石亭脂（别研）各半两

【用法】除煎外，上为末，用前煎为丸，如梧桐子大。每服三十丸，温酒送下，加至四十丸。

【主治】肾脏虚惫，小便遗精，阴痿湿痒，茎中痛。

五味子丸

【来源】《圣济总录》卷九十二。

【组成】五味子　石龙芮（炒）　乌头（炮裂，去皮脐）　石斛（去根）　萆薢　菟丝子（酒浸，别捣）　防风（去叉）　棘刺　小草　山芋　牛膝（去苗，酒浸，切，焙）　枸杞根（锉）　细辛（去苗叶）各一两　桂（去粗皮）　萎蕤　麦门冬（去心，焙）　干姜（炮）　厚朴（去粗皮，姜汁炙，锉）各半两

【用法】上为末，炼蜜为丸，如梧桐子大。每服三十丸，空心温酒送下。夜卧再服。渐加至五十丸。

【主治】虚劳，小便白浊，少腹拘急，梦寐失精，阴下湿痒。

阳起石丸

【来源】《圣济总录》卷九十二。

【组成】阳起石（煅，研）一两　白芷（末）　黄蜡各半两　生砒（研）一分

【用法】将三味为细末，以黄蜡为丸，如梧桐子大。每服三丸，空心冷盐汤或冷酒任下；微温亦可。

【主治】下元虚惫，耳焦面黑，遗泄白淫，手足冷，肌瘦。

【宜忌】服药后，忌热食少时。

矾附丸

【来源】《圣济总录》卷九十二。

【组成】附子（炮裂，去皮脐，重七钱者）一枚　矾石（熬令汁枯）半两

【用法】上为末。水煮面糊为丸，如梧桐子大。每服十丸至二十丸，空心、夜卧茶清送下。

【主治】白淫过甚。

金锁丸

【来源】《圣济总录》卷九十一。

【组成】巴戟天（去心）二两　龙骨　山茱萸各一两　韭子（炒）四两

【用法】上为末。炼蜜为丸，如梧桐子大。每服二十丸至三十丸，空心温酒送下。

【功用】补骨髓，去肾邪。

【主治】虚劳失精。

威喜丸

【来源】《圣济总录》卷九十二。

【别名】感喜丸（《丹溪心法》卷三），补虚威喜丸（《全国中药成药处方集》杭州方）。

【组成】白茯苓四两（去黑皮，锉作大块，与猪苓一分，瓷器内同煮三二十沸，取茯苓再细锉，猪苓不用） 黄蜡四两

【用法】上先捣茯苓为末，炼黄蜡为丸，如小弹子大。每服一丸，细嚼干咽下。小便清为度。

【功用】《成方便读》：调理阴阳，固虚降浊。

【主治】

1.《圣济总录》：精气不固，小便白淫，及有余沥，或梦寐遗泄，妇人血海久冷，白带白漏，日久无子。

2.《三因极一病证方论》：两耳虚鸣，口干。

3.《医学入门》：肾有邪湿，精气不固。

4.《张氏医通》：溲溺如泔，涩痛梦泄，便浊属火郁者。

5.《绛雪园古方选注》：肺虚痰火久嗽。

【宜忌】

1.《局方·续添诸局经验秘方》：忌米醋，只吃糠醋，切忌使性气。

2.《普济方》：忌腥气。

3.《绛雪园古方选注》：尤忌怒气劳力。

【方论】

1.《绛雪园古方选注》：《抱朴子》云，茯苓千万岁，其上生小木，状似莲花，名威喜芝。今以名方者，须择云茯苓之年深质结者，制以猪苓导之，下出前阴；蜡淡归阳，不能入阴，须用黄蜡性味缓涩，有续绝补髓之功，专调斫丧之阳，分理溃乱之精，故治元阳虚惫而为遗浊带下者。若治肺虚痰火久嗽，茯苓不必结，而猪苓亦可不用矣。

2.《成方便读》：诸症皆从虚而不固中来，治之者似宜纯用敛涩之剂，然淫浊带下，皆属离位之精，则又宜分消导浊。茯苓、黄蜡二味，一通一涩，交相互用，性皆甘淡，得天地之至味，故能调理阴阳，固虚降浊，以奏全功耳。

秘真丸

【来源】《圣济总录》卷九十二。

【别名】秘精丸（《是斋百一选方》卷十五）、秘元丹（《御药院方》卷六）、秘精丹（《普济方》卷二一七）、秘真丹（《证治汇补》卷八）。

【组成】龙骨（研）一两 诃梨勒（炮，取皮）五枚 缩砂仁（去皮）半两 丹砂（研）一两（留一分为衣）

【用法】上为末，煮糯米粥为丸，如绿豆大，以丹砂为衣。每日空心热酒送下一丸，夜卧冷水送下三丸；或太秘欲通，用葱汤点茶服之。

【功用】

1.《御药院方》：助阳消阴，正气温中。

2.《明医指掌》：固精止尿。

3.《医宗必读》：固精安肾。

4.《医略六书》：镇坠固涩。

【主治】

1.《圣济总录》：小便白淫不止。

2.《宣明论方》：白淫，小便不止，精气不固，及有余沥，或梦寐阴人通泄。

菟丝子丸

【来源】《圣济总录》卷九十二。

【组成】菟丝子（酒浸一宿，捣末） 麦门冬（去心，焙） 萆薢 厚朴（去粗皮，姜汁炙） 柏子仁（研） 肉苁蓉（酒浸，切，焙） 桂（去粗皮） 石斛（去根） 远志（去心） 细辛（去苗叶） 杜仲（去粗皮炙，锉） 牛膝（酒浸，切，焙） 防风（去叉）各一两 棘刺二两 石龙芮三两 乌头（炮裂，去皮脐）半两

【用法】上为末，以鸡子黄和丸，如梧桐子大。每服三十丸，空心、日午米饮送下。

【主治】虚劳，小便白浊，失精。

茯苓散

【来源】《圣济总录》卷九十五。

【组成】赤茯苓（去黑皮）三两

【用法】上为散。每服二钱匕，冷水调下。如男子小便中有余沥、漏精、梦泄，用温酒调下，空心服妙。

【主治】饮水过多，心闷着热，小便不通，男子小便中有余沥，漏精，梦泄。

半夏丸

【来源】《圣济总录》卷一八五。

【组成】半夏二两（汤洗七遍，入猪苓四两，锉，同炒令猪苓紫色，去猪苓，用半夏）

【用法】上为末，酒面糊为丸，如梧桐子大。每服十五丸，空心温粥饮送下。

【功用】除痰，利胸膈。

【主治】梦泄。

补骨脂丸

【来源】《圣济总录》卷一八五。

【组成】补骨脂（炒）四两　龙骨　山茱萸　巴戟天（去心）各一两

【用法】上为末，炼蜜为丸，如梧桐子大。每服三十丸，空心盐汤或酒送下。

【主治】梦泄。

补虚固精丸

【来源】《圣济总录》卷一八五。

【组成】补骨脂（炒末）半两　莲子心（末）　安息香各一分（将安息香汤化为水，三味用无灰酒一升熬膏）　丹砂（研）　沉香（末）　山茱萸（末）　矾蝴蝶（枯如粉）各半两

【用法】上为细末，与前膏为丸，如梧桐子大。每服十丸，空心、食前煎桃仁酒下。

【功用】补虚固精。

韭子丸

【来源】《圣济总录》卷一八五。

【组成】韭子（微炒）　巴戟天（去心）　桑螵蛸（锉，炒）　菟丝子（酒浸，别捣）　牛膝（酒浸，焙）　牡蛎（左顾者，火煅）　熟干地黄各一两　干姜（炮）半两

【用法】上为末，醋煮面糊为丸，如梧桐子大。每服二十丸，空心盐汤送下。

【功用】秘精，补肾元，强志，解虚烦。

韭子丸

【来源】《圣济总录》卷一八五。

【组成】韭子七升（净拣）

【用法】上以醋汤煮千百沸，取出焙干，旋炒令作油麻香，为末，炼蜜为丸，如梧桐子大。每服二十丸，加至三十丸，空心温酒送下。

【主治】肾脏虚冷，腰胯酸疼，腿膝冷痹，夜多小便，梦寐遗泄，日渐羸瘦，面无颜色；女人恶露，赤白带下。

神效散

【来源】《圣济总录》卷一八五。

【组成】白茯苓（去黑皮）一两　猪苓（去黑皮）二钱

【用法】上药水煎合宜，去猪苓，将茯苓焙干，为散。每服一钱匕，温酒调下，空心、夜卧各一服。

【主治】梦泄。

黄甘丸

【来源】《圣济总录》卷一八五。

【别名】清心丸（《普济方》卷二一七）。

【组成】黄柏（去粗皮）　甘草各等分

【用法】上并生为末，炼蜜为丸，如梧桐子大。每服二十丸，空心夜卧温热水或麦门冬汤送下。

【主治】因多饮，积热自戕，致梦泄。

清心丸

【来源】《圣济总录》卷一八五。

【组成】黄柏（去粗皮，锉）一两

【用法】上为末，入龙脑一钱匕，同研匀，炼蜜为丸，如梧桐子大。每服十丸至十五丸，浓煎麦门冬汤送下。

【主治】

1.《圣济总录》：热盛梦泄，心忪恍惚，膈壅舌干。

2.《济阳纲目》：经络中火邪，口疮咽燥。

煨肾附子散

【来源】《圣济总录》卷一八五。

【组成】豮猪肾一只　附子（末）一钱

【用法】上将猪肾批开，入附子末，湿纸裹，煨熟，空心稍热服之，即饮酒一盏送下。

【主治】肾脏虚惫，遗精盗汗，梦交。

桑螵蛸散

【来源】《本草衍义》卷十七。

【组成】桑螵蛸　远志　石菖蒲　人参　茯神　当归　龙骨　龟甲（醋炙）各一两

【用法】上为末。每服二钱，夜卧时以人参汤调下。

【主治】小便数，如稠米泔，色亦白，心神恍惚，瘦瘁食减，或男女虚损，阴萎梦遗。

地黄丸

【来源】《小儿药证直诀》卷下。

【别名】补肾地黄丸（《幼幼新书》卷六引《集验方》）、补肝肾地黄丸（《奇效良方》卷六十四）、六味地黄丸（《正体类要》卷下）、六味丸（《校注妇人良方》卷二十四）。

【组成】熟地黄八钱　山萸肉　干山药各四钱　泽泻　牡丹皮　白茯苓（去皮）各三钱

【用法】上为末，炼蜜为丸，如梧桐子大。每服三丸，空心温水化下。

【功用】

1. 《小儿药证直诀》：补肾，补肝。

2. 《校注妇人良方》：壮水制火。

3. 《保婴撮要》：滋肾水，生肝木。

4. 《东医宝鉴·内景篇》：专补肾水，能生精补精，滋阴。

【主治】

1. 《小儿药证直诀》：肾怯失音，囟开不合，神不足，目中白睛多，面色白。

2. 《医方集解》：肝肾不足，真阴亏损，精血枯竭，憔悴羸弱，腰痛足酸，自汗盗汗，水泛为痰，发热咳嗽，头晕目眩，耳鸣耳聋，遗精便血，消渴淋沥，失血失音，舌燥喉痛，虚火牙痛，足跟作痛，下部疮疡。

【宜忌】

1. 《审视瑶函》：忌萝卜。

2. 《寿世保元》：忌铁器，忌三白。

3. 《医方发挥》：本方熟地滋腻滞脾，有碍消化，故脾虚食少及便溏者慎用。

4. 《中医方剂选讲》：阴盛阳衰，手足厥冷，感冒头痛，高热，寒热往来者不宜用。又南方夏季暑热湿气较盛时，宜少服用。

导赤散

【来源】《小儿药证直诀》卷下。

【别名】导赤汤（《外科证治全书》卷五）。

【组成】生地黄　甘草（生）　木通各等分（一本不用甘草，用黄芩）

【用法】上为末。每服三钱，水一盏，入竹叶同煎至五分，食后温服。

【功用】《方剂学》：清热利水。

【主治】心热目内赤，目直视而搐，目连眨而搐；视其睡，口中气温，或合面睡，及上窜咬牙。

【验案】梦遗　《金匮翼》：娄全善云，一壮年梦遗白浊，与涩精药益甚，改用导赤散大剂服之，遗浊皆止。

百补构精丸

【来源】《中藏经》引葛玄真人方。

【别名】百补交精丸（《奇效良方》卷三十四）。

【组成】熟地黄四两　山药二两　五味子六两　苁蓉三两（酒浸一宿）　牛膝二两（酒浸）　山茱萸一两　泽泻一两　茯苓一两（去皮）　远志一两（去心）　巴戟天一两（去心）　赤石脂一两　石膏一两　柏子仁一两（炒）　杜仲三两（去皮，锉碎，慢火炒令丝断）

【用法】上为末，炼蜜为丸，如梧桐子大。每服二十丸，空心调酒送下。男子、妇人皆可服。

【主治】《奇效良方》：梦泄，精滑不禁。

涩精金锁丹

【来源】《中藏经》卷下。

【组成】韭子一斤（酒浸三宿，滤出焙干，杵为末）

【用法】上用酒糊为丸，如梧桐子大，朱砂为衣。每服二十丸，空心酒送下。

【功用】涩精。

葛玄真人百补构精丸

【来源】《中藏经》卷下。

【别名】葛玄真人百补交精丸（《普济方》卷二一七）。

【组成】熟地黄四两　山药二两　五味子六两　苁蓉三两（酒浸一宿）　牛膝二两（酒浸）　山茱萸一两　泽泻一两　茯苓一两（去皮）　远志一两（去心）　巴戟天一两（去心）　赤石脂一两　石膏一两　柏子仁一两（炒）　杜仲三两（去皮，锉碎，慢火炒令丝断）

【用法】上为末，炼蜜为丸，如梧桐子大。每服二十丸，空心时温酒送下。

【主治】

1.《普济方》：诸虚。

2.《古今医统大全》：梦泄精滑不禁。

无名丹

【来源】《鸡峰普济方》卷七。

【组成】茅山苍术一斤　川乌头一两　龙骨　破故纸各二两　川楝子　茴香各三两

方中苍术，《普济方》引《卫生家宝》作“白术”。

【用法】上为细末，酒煮面糊为丸，如梧桐子大，以朱砂为衣。多可百丸，少止三十丸。空心、食前温酒或米饮、盐汤送下。欲得药力，冷酒送下五十丸。

【功用】补气守神，涩精，固阳道。

玉关丸

【来源】《鸡峰普济方》卷七。

【别名】趁邪丹。

【组成】山茱萸　补骨脂　龙骨　牡蛎　白茯苓　青盐各等分

【用法】上为细末，炼蜜为丸，如梧桐子大。每服三十丸，空心煎车前子叶汤送下。

【主治】男子妇人关键不牢，精源失禁，神志恐怯。

固真丹

【来源】《鸡峰普济方》卷七。

【组成】天雄（长者）一对　鸡头壳五十个　覆盆子半升　龙骨（白者）四两　家韭子半升　莲花蕊（七月七日采者，窨干）四两

【用法】以水七升，煮陕西白蒺藜二升，耗至五升，去蒺藜子，将所煎汁再入银锅内熬如饧状，又入白沙蜜四两，同熬数沸，将此膏子同和上药末，看稀稠得所，丸如梧桐子大。每服三四十丸，空心温酒送下。服至百日，精气固密，神彩倍常。

【功用】固真壮阳气。

【主治】梦遗妄泄，虚损真耗等疾。

【宜忌】忌葵菜、车前子等。

韭子鹿茸丸

【来源】《鸡峰普济方》卷九。

【组成】鹿茸三分　韭子　柏子仁　菟丝子　黄耆　巴戟　附子各一两　泽泻　茯神　石斛　石龙芮　麝香各半两　天门冬一两半　龙骨　露蜂窠各三分

【用法】上为细末，炼蜜为丸，如梧桐子大。每服三十丸，空心及晚食前以温酒送下。

【主治】虚劳，梦与鬼交，精泄不止，四肢羸瘦少力，心神虚烦。

棘刺丸

【来源】《鸡峰普济方》卷九。

【组成】棘刺　萎蕤　石斛　牛膝　厚朴　龙齿　远志各一两　干姜三分　乌头　甘草　防风　细辛各半两　菟丝子二两　薯蓣　石龙芮　枸杞子　巴戟　桂心各三分　萆薢　天门冬各一两半

【用法】上为细末，炼蜜为丸，如梧桐子大。每服三十丸，食前温酒送下。

【主治】虚劳肾气不足，梦泄。

酒煎附子煎

【来源】《鸡峰普济方》卷十二。

【组成】大赭石一斤　荜茇　胡椒　附子各二两

【用法】上为细末。酒煮面糊为丸，如皂子大。每服二丸，空心米饮送下。

【主治】心腹积聚，风寒邪气，冷癖在胁，咳逆上气，喘嗽寒痰，痃癖痼冷，筋骨无力，百节痠疼，虚劳损败，阴汗泄精，腰肾久冷，心腹疼痛，下痢肠骨，呼吸少气，瘦悴异形，全不思食，身体大虚，五脏百病。

金锁丹

【来源】《普济本事方》卷三。

【别名】茴香丸（原书同卷）、锁金丹（《普济方》卷二一七）。

【组成】舶上茴香（炒）　胡芦巴　破故纸（炒香）　白龙骨各一两　木香一两半　胡桃肉三七个（研）　羊石子三对（破开，盐半两擦，炙熟，研如泥）

【用法】上为细末。下二味同研成膏，和酒浸蒸饼杵熟为丸，如梧桐子大。每服三五十丸，空心温酒送下。

【主治】遗精梦漏，关锁不固。

【方论】《本事方释义》：舶上茴香气味辛温入足少阴、厥阴；胡芦巴气味辛温，入足少阴；破故纸气味辛大温，入足太阴，兼入命门；白龙骨气味凉涩，入手足少阴、厥阴；木香气味辛温，入足太阴；胡桃肉气味温涩，入足少阳；羊石子气味辛甘、微咸，入足少阴；酒浸酒送，欲其入里也。此治遗精梦漏，关锁不固，以补肾之品，佐以辛香固涩，则下焦有恃，鲜不中病矣。

猪苓丸

【来源】《普济本事方》卷三。

【别名】固真丹（《济生方》卷四引袁氏方）、半夏丸（《丹溪心法》卷三）、半苓丸（《东医宝鉴·内景篇》卷一）。

【组成】半夏一两（破如豆大）　木猪苓四两

【用法】先将一半猪苓炒半夏黄色，不令焦，地上出火毒半日，取半夏为末，糊为丸，如梧桐子大，候干，再用上猪苓末二两，炒微裂，同用不泄砂瓶养之。每服三四十丸，空心温酒盐汤送下；常服，于申、未间，冷酒送下。

【功用】《国医宗旨》：开郁滞。

【主治】

1.《普济本事方》：梦遗。

2.《济生方》：年壮气盛，情欲动心，所愿不得，意淫于外，梦遗白浊。

3.《古今医统大全》引《纲目》：湿郁热滞精滑。

4.《景岳全书》：小水频数。

5.《医方集解》：痰饮迷心。

6.《张氏医通》：便浊涩痛。

【方论】

1.《普济本事方》：半夏有利性，而猪苓导水，盖导肾气使通之意。

2.《本事方释义》：木猪苓气味苦微寒，入足太阳；半夏气味辛温，入足阳明；送药以酒盐汤者，欲药性之下行也。

【验案】梦遗　《赤水玄珠全集》：一中年梦遗，医或与涩药反甚，连遗数夜。愚先与神芎丸大下之，却再制以猪苓丸服之，皆得安全。

交感丹

【来源】《洪氏集验方》卷一引铁瓮申先生方。

【别名】七情交感丹（《不居集》上集卷十八）。

【组成】茯神四两　香附子一斤（去毛，用新水浸一夕，炒令黄色）

【用法】上为末，炼蜜为丸，如弹子大。每服一丸，侵晨以降气汤嚼下。

【主治】

1.《洪氏集验方》引铁瓮申先生方：中年精耗神衰，中焦隔绝，荣卫不和，上则心多惊悸，中则寒痞饮食减少，下则虚冷遗泄，甚至于阴痿不与，脏气滑泄。

2.《鲁府禁方》：一切公私拂情，名利失志，抑郁烦恼，七情所伤，不思饮食，面黄形羸，胸膈痞闷，疼痛。

秘精丸

【来源】《洪氏集验方》卷四。

【组成】大附子（炮裂，去皮脐） 龙骨（煅通赤） 牛膝（酒浸一宿，焙） 肉苁蓉（酒浸一宿，焙） 巴戟（去心） 菟丝子（酒浸三宿）各等分

【用法】上为末，炼蜜为丸，如梧桐子大。每服三五十丸，空心以温酒或盐汤送下；甚者日再服。

【功用】补益。

【主治】

1.《洪氏集验方》：漏精，小便如米泔。

2.《续易简》：元气不固，遗精梦泄。

大建中汤

【来源】《宣明论方》卷一。

【别名】大建中黄耆汤（《普济方》卷二一七引《究原方》）、黄耆建中汤（《普济方》卷二一八）。

【组成】黄耆 远志（去心） 当归 泽泻各三两 芍药 人参 龙骨 甘草（炙）各二两

【用法】上为末。每服三钱，水一盏，加生姜五片，煎至八分，去滓温服，不拘时候。

【主治】

1.《宣明论方》：蛊病，小腹急痛，便溺失精，溲而出白液。

2.《普济方》引《十便良方》：思虑太过，心气耗弱，阳气流散，精神不收，阴无所使，热自腹中，或从背膂，渐渐蒸热，日间小剧，至夜渐退，或寐而汗出，小便或赤或白或浊，甚则频数尿精，夜梦鬼交，日渐羸瘦。

3.《普济方》引《究原方》：虚热盗汗，四肢倦怠，百节烦疼，口苦舌涩，心怔短气。

水中金丹

【来源】《宣明论方》卷十二。

【组成】阳起石（研） 木香 乳香（研） 青盐各一分 茴香（炒） 骨碎补（炒） 杜仲各半两（去皮，生姜炙丝尽） 白龙骨一两（紧者，捶碎，绢袋盛，入豆蒸熟，取出焙干，研） 黄戌肾一对（酒一升，煮熟，切作片子，焙） 白茯苓一两（与肾为末）

【用法】上为细末，酒面糊为丸，如皂子大。每服二丸，空心温酒送下。

【主治】元脏气虚不足，梦寐阴人，走失精气。

【宜忌】忌房室。

金锁丹

【来源】《宣明论方》卷十二。

【组成】龙骨（水飞）一两 菟丝子一两 破故纸 韭子 泽泻 牡蛎各半两 麝香少许

【用法】上为末，酒面糊为丸，如梧桐子大。每服三十丸，空心、食前温酒送下，一日三次。

【主治】男子本脏虚冷，夜梦鬼交者。

镇心丹

【来源】《三因极一病证方论》卷九。

【组成】光明辰砂（研） 白矾（煅汁尽）各等分

【用法】上为末，水泛为丸，如芡实大。每服一丸，煎人参汤食后送服。

【主治】心气不足，惊悸自汗，烦闷短气，喜怒悲忧，悉不自知，亡魂失魄，状若神灵所扰；及男子遗泄，女子带下。

玄菟丹

【来源】《三因极一病证方论》卷十。

【别名】玄菟煎（《易简方论》）、茯菟丹（《仁斋直指方论》卷十七）、茯菟丸（《丹溪心法》卷三）。

【组成】菟丝子（酒浸通软，乘湿研，焙干，别取末）十两 白茯苓 干莲肉各三两 五味子（酒浸，别为末）七两

【用法】上为末，别碾干山药末六两，将所浸酒余者，添酒煮糊，搜和得所，捣数千杵，丸如梧桐子大。每服五十丸，空心、食前米汤送下。

【功用】常服禁精，止白浊，延年。

【主治】

1.《三因极一病证方论》：三消渴利，白浊。

2.《医方大成》：肾水枯竭，心火上炎，津液不生，消渴诸证。

3.《济阳纲目》：肾气虚损，目眩耳鸣，四肢

倦怠，遗精尿血，心腹胀满，脚膝酸痿，股内湿痒，小便滑数，水道涩痛，时有遗沥等证。

4.《证治宝鉴》：下焦虚而不能摄水，以致小便多而有降无升。

【宜忌】《易简方论》：须是戒酒，并火上炙煿之物。

张真君茯苓丸

【来源】《三因极一病证方论》卷十二。

【组成】赤茯苓　白茯苓各等分

【用法】上为末，以新汲水挼洗，澄去新沫，控干，别取地黄汁，同与好酒银石器内熬成膏，搜和为丸，如弹子大。空心盐酒嚼下。

【功用】常服轻身延年。

【主治】心肾气虚，神志不守，小便淋涩，或不禁，及遗泄白浊。

家韭子丸

【来源】《三因极一病证方论》卷十二。

【别名】韭子丸（《明医指掌》卷七）。

【组成】家韭子六两（炒）　鹿茸四两（酥炙）　苁蓉（酒浸）　牛膝（酒浸）　熟地黄　当归各二两　巴戟（去心）　菟丝子（酒浸）各一两半　杜仲（去皮，锉制，炒断丝）　石斛（去苗）　桂心　干姜（炮）各一两

【用法】上为末，酒糊为丸，如梧桐子大。每服五十丸，加至百丸，空心、食前、盐汤温酒送下。小儿遗尿，别作一等小丸服。

【功用】补养元气，进美饮食。

【主治】少长遗尿；男子虚剧，阳气衰败，小便白浊，夜梦泄精。

远志丸

【来源】《三因极一病证方论》卷十三。

【组成】远志（去心，炒）　山药（炒）　熟地黄　天门冬（去心）　龙齿（水飞）各六两　麦门冬（去心）　五味子　车前子（炒）　白茯苓　茯神（去木）　地骨皮　桂心各五两

【用法】上为末，炼蜜为丸，如梧桐子大。每服三十丸至五十丸，空心温酒、米汤任下。

【主治】心肾气不足，惊悸健忘，梦寐不安，遗精，面少色，足胫酸疼。

张走马家秘真丹

【来源】《三因极一病证方论》卷十三。

【组成】草乌头（或用川乌，用牡蛎粉炒乌头一两，令裂去皮脐，牡蛎不用）　五倍子半两

【用法】上为末，糯米糊为丸，如梧桐子大。每服三五十丸，空腹盐汤送下。

【主治】房室过度，或用意思维，精泄自出，腰背酸弱，不能屈伸，食不生肌，两脚痟痛，不能步履。

宣和赐耆丝丸

【来源】《三因极一病证方论》卷十三。

【别名】耆丝丸（《普济方》卷二一七）。

【组成】当归（酒浸，焙，轧）半斤　菟丝子（酒浸，去土，乘湿研破，焙干秤）一斤　薏苡仁　茯神（去木）　石莲肉（去皮）　鹿角霜　熟地黄各四两

【用法】上为末。用耆二斤，捶碎，水六升，浸一宿，次早挼洗味淡，去滓，于银石器中熬汁成膏，搜和得所，捣数千杵，为丸如梧桐子大。每服五十丸，加至百丸，空心、食前用米汤、温酒任下，常服。

【功用】守中安神，禁固精血，益气驻颜，延年不老。

【主治】少年色欲过度，精血耗竭，心肾气惫，遗泄白浊，腰背疼痛，面色黧黑，耳聋目昏，口干脚弱，消渴便利，梦与鬼交，阳事不举。

莲子丹

【来源】《三因极一病证方论》卷十三。

【组成】新莲肉四两（去心皮）　白龙骨一两（醋煮）　甘草一分

【用法】上为末。车前草汁，入面少许，煮糊为丸，如绿豆大。每服三五十丸，盐汤，酒任下。

【主治】真气虚惫，口苦舌干，心常惨戚，夜多异

梦，昼少精神，或梦鬼交通，遗泄白浊，小便余沥，阳事不举，目暗耳鸣，面色黧黑。

秘真丹

【来源】《三因极一病证方论》卷十三。

【组成】草乌头（或用川乌） 牡蛎粉（炒乌头一两，令裂，去皮脐，牡蛎不用） 五倍子半两

【用法】上为末，糯米糊为丸，如梧桐子大。每服三五十丸，空腹以盐汤送下。

【主治】房室过度，或用意思维，精泄自出，腰背酸弱，不能屈伸，食不生肌，两脚痟痛，不能步履。

锁阳丹

【来源】《三因极一病证方论》卷十三。

【组成】桑螵蛸三两（瓦上焙燥） 龙骨一两（别研） 白茯苓一两

【用法】上为末，面糊为丸，如梧桐子大。每服七十丸，食前煎茯苓盐汤送下。

【主治】脱精，泄不禁。

菊花丸

【来源】《三因极一病证方论》卷十六。

【组成】甘菊花 枸杞子 肉苁蓉（酒浸，洗，切） 巴戟（去心）各等分

【用法】上为末，炼蜜为丸，如梧桐子大。每服三五十丸，米汤送下。

【主治】脾肺气虚，忧思过度，荣卫枯耗，唇裂，沉紧，或口吻生疮，容色枯瘁，男子失精，女子血衰。

破故纸散

【来源】《普济方》卷三十三引《三因极一病证方论》。

【组成】破故纸 青盐（同炒香）各等分

【用法】上为末。每服二钱，用米饮调下。

【主治】丈夫元气虚惫，精气不固，余沥常流，小便白浊，梦寐频泄，及妇人血海久冷，白带、白浊、白淫，下部常湿，小便如米泔，或无子息。

水仙丹

【来源】《杨氏家藏方》卷九。

【组成】朱砂不拘多少（细研，水飞过，候干） 木通（令为细末）一两 白及一两（锉，用麻油一小盏同入铫子内煎，令药焦黑色为度，去药，更煎油良久，以木箸点油向冷水中，成花子不散，是成。如未，更煎良久。倾入盏内收之）

【用法】上药将煎来油和研细朱砂、木通末，看多少和如软面剂相似，用浓皂角水洗药剂数遍，令油尽，却以清水浸之。每日旋丸如梧桐子大。每服三丸至七丸，空心新水送下。其浸药水一日一换。

【主治】水火不足，精神恍惚，怔忪健忘，遗精白浊，小便淋沥，消渴，吐血、衄血、溺血，及虚烦发热。

玉锁丹

【来源】《杨氏家藏方》卷九。

【组成】鸡头肉末 莲花蕊末 龙骨（别研） 乌梅肉（焙干，取末）各一两

【用法】煮山药糊为丸，如鸡头子大。每服一丸，空心温酒、盐汤任下。

【功用】《御药院方》：涩精养气壮阳。

【主治】梦遗漏精。

附子鹿角霜丸

【来源】《杨氏家藏方》卷九。

【组成】鹿角霜二十两（为末） 杜仲（去粗皮，锉细，用生姜汁制，炒令断丝，为末） 青盐（研） 山药（为末） 附子（炮，去皮脐，为末） 阳起石（火煅醋淬七次，为末） 鹿角胶各二两

【用法】用好酒二升，慢火熬，先下鹿角胶，次逐味下，不住手搅，可丸即丸，如梧桐子大。每服五十丸，空心食前温酒、盐汤任下。

【功用】涩精养神，益阴助阳。

【主治】小便频数，遗泄诸疾。

固本丹

【来源】《杨氏家藏方》卷九。

【组成】牡蛎（白者，生为细末，用好醋和为丸，入火烧令通赤，放冷）四两　白石脂二两　硫黄一两半　阳起石一两

【用法】上为细末，熟汤为丸，如梧桐子大，阴干；入盒子内，以赤石脂封口，外用盐泥固济，候干；煅令火焰绝，埋黄土内，出火毒三时辰取出。每服十五至三十丸，空心温酒或米饮送下。

【主治】男子虚损衰弱，夜梦颠倒，遗精失溺，小便白浊；妇人血海久冷，崩中带下，久无子息。

茯苓散

【来源】《杨氏家藏方》卷九。

【组成】白茯苓（去皮）二两　缩砂仁一两

【用法】上为细末，入盐二钱，用精羊肉批作大片，掺药在上，炙熟。空心食之，然后饮酒一二盏。

【主治】梦中虚滑遗精。

茯神丹

【来源】《杨氏家藏方》卷九。

【组成】朱砂半两（光明成颗块者）　豮猪心一枚

【用法】上将朱砂入在猪心内，却用麻皮缚定，汤煮一伏时取出，将朱砂细研，不用猪心，别研茯神末，糊为丸，如梧桐子大。每服五丸，空心、食前煎人参酸枣仁汤送下。

【主治】小便白浊，梦遗漏精，日久不愈。

韭子丸

【来源】《杨氏家藏方》卷九。

【组成】鹿茸　茴香（炒）　补骨脂（微炒）各一两半　远志（去心）　龙骨（轻紧者，淬七遍）　葫芦巴（微炒）　附子（炮，去皮脐）　韭子（炒香熟）　金铃子（去核，麸炒）各一两　麝香一钱（别研）

【用法】上为细末，将麝香同研匀，酒煮面糊为丸，如梧桐子大。每服五十丸，空心、食前煎人参、白茯苓汤送下，一日三次。

【主治】水火不足，气不升降，夜梦遗泄，精滑不禁。

香茸丸

【来源】《杨氏家藏方》卷九。

【组成】鹿茸（火燎去毛，酥涂炙）　麋茸（火燎去毛，酥涂炙）各二两　沉香　五味子　白茯苓　白龙骨（火煅）　肉苁蓉（酒浸一宿，切，焙干）各一两　麝香半两（别研）

【用法】上为细末，用熟干地黄三两（焙干，为细末），同酒二升熬成膏，加诸药为丸，如梧桐子大。每服五十丸，空心、食前温酒、盐汤任下。

【功用】滋补精血，益养真元。

【主治】下焦伤竭，脐腹绞痛，饮食减少，目视䀮䀮，夜梦鬼交，遗泄失精，肌肉消瘦。

桑螵蛸丸

【来源】《杨氏家藏方》卷九。

【组成】附子（炮，去皮脐）　五味子　龙骨各半两　桑螵蛸七枚（切细，炒）

【用法】上为细末，醋糊为丸，如梧桐子大。每服三十丸，空心温酒、盐汤任下。

【主治】下焦虚冷，精滑不固，遗沥不断。

菟丝子丸

【来源】《杨氏家藏方》卷九。

【组成】鹿角霜　菟丝子（酒浸一宿，别捣，焙干）　熟干地黄（洗，焙）　柏子仁（别研）各五两

【用法】上为细末，炼蜜为丸，如梧桐子大。每服五十丸，空心温酒送下。元气虚冷，久服此药，觉小便少，以车前子半两，略炒过为末。每服二钱，水一盏，煎至六分，温服。

【功用】轻身，驻颜，益寿。

【主治】精血不足，筋骨无力，怔忪盗汗，梦遗失精。

麋角既济丸

【来源】《杨氏家藏方》卷九。

【别名】麋茸角既济丸（《普济方》卷二一七）。

【组成】麋角一具（净水浸三日，刮去粗皮，镑为屑，盛在瓷瓶内，银瓶尤佳，以牛乳浸一日，乳耗更添，直候不耗，于角屑上乳深二指以来；用大麦只看瓶器大小，临时安顿甑内，约厚三寸，上置瓶，更用大麦周延填实，唯露瓶口，不住火蒸一伏时，如锅内水耗，旋添汤，直候角屑蒸得细腻如面相似，即住火，取出细研，别用下项药） 龙骨　山药　人参（去芦头）　远志（去心）　山茱萸　石菖蒲　赤石脂　朱砂（别研）　五味子　全蝎（艾叶炒，去毒）各二两　巴戟（去心）　附子（炮，去皮脐）　补骨脂（炒）　菟丝子（酒浸一宿，焙）　天雄（炮，去皮脐）　各三两　柏子仁（别研）　熟干地黄（洗，焙）　肉苁蓉（酒浸一宿，切，焙）各四两

【用法】上为细末，以麋角膏子和匀为丸，如梧桐子大。每服一百丸，空心温酒送下。

【功用】常服能使火不上炎而神自清，水不下渗而精自固，壮阳固气，益血驻颜。

【主治】水火不济，精神恍惚，梦寐纷纭，阳道不兴，耳内虚鸣，小便白浊，遗沥失精。

大莲心散

【来源】《普济方》卷十六引《卫生家宝》。

【组成】石莲肉并心三两　赤茯苓一两　细辛半两　远志一两（并苗梗，浸，去心）　桔梗一两（炒）　人参半两　白术一两　甘草三钱（炙）　白芷半两　麦门冬一两半　青皮三钱　川芎半两

【用法】上为细末。每服三钱，水一盏，加生姜三片，大枣一个，煎至七分，空心食前服。

【主治】心气不足，白浊，遗精。

凉补风

【来源】《普济方》卷十七引《卫生家宝》。

【组成】肉苁蓉（薄切，用酒浸一宿，火焙干）　泽泻（切，焙干）　石菖蒲　菟丝子（用酒浸一宿，研烂，焙干）　黄耆（火炙，细锉为末）　川楝子（细锉）　山茱萸各半两　熟干地黄一两（净洗，焙干，为末）

【用法】上为细末，炼蜜为丸，如梧桐子大。每服三十丸，食前空心以盐酒、盐汤任下；如五淋病，用豆淋酒送服。

【功用】凉心膈，补元阳。

【主治】心经积热，思虑过多，一切漏精白浊，久则饮食减少，转成劳伤；五淋病。

王荆公妙香散

【来源】《普济方》卷二一七引《卫生家宝》。

【组成】白茯苓　茯神　远志（去心）各五钱　人参　益智（去皮）　五色龙骨各一两　朱砂一分（研）　甘草一分（炙）

【用法】上为末。每服二钱，空心，温酒调下。

【功用】安神秘精，定心气。

【主治】《医钞类编》：精滑梦遗。

既济丹

【来源】《普济方》卷二一七引《卫生家宝》。

【组成】天门冬（去心）　麦门冬（去心，焙干）　泽泻　桑螵蛸（蜜炙）　海螵蛸（蜜炙）　牡蛎（煅）　龙骨　黄连（去须）　远志（去心）　肶胵（炒）各一两

【用法】上为末，炼蜜为丸，如梧桐子大，朱砂为衣。每服三十丸，空心、食前灯心或枣汤送下，一日三次。

【主治】水火不济，肾虚不能摄精，心有所感，白浊遗精，虚败不禁，腰脚无力，日渐羸弱。

驻精丸

【来源】《普济方》卷二一八引《卫生家宝》。

【组成】白龙骨　石莲肉（捶碎，和壳用）各等分

【用法】上焙为末，酒糊为丸，如梧桐子大。每服三十丸，米饮、温酒、盐汤任下，空心、日午、晚服。

【功用】镇心安魂，涩肠胃，益气力，止泄泻。常服养神益力，轻身耐老，除百病。

【主治】泄泻，及夜梦邪交，小便白浊。

菟丝丸

【来源】《普济方》卷二二二引《卫生家宝方》。

【组成】菟丝子二两（酒浸一宿，炒干，为末） 远志一两（去心，焙干） 干山药半两 韭子半两 牛膝半两（去芦头） 白茯苓半两 肉苁蓉半两 龙骨半两（火中煅过）

【用法】上为末，炼蜜为丸，如梧桐子大。每服二十丸，空心酒、盐汤任下，一日三次。

【功用】固元益精。

鹿角霜丸

【来源】《普济方》卷二二二引《卫生家宝》。

【组成】鹿角霜二两 白茯苓一两 山药一两 远志半两（去心） 附子一个（炮，去皮尖）

【用法】上为细末，酒糊为丸，如梧桐子大。每服三十丸或四十丸，用米饮、温酒任下，空心食前服。

【主治】精气虚滑，真气不接。

五味子丸

【来源】《普济方》卷二三三引《卫生家宝》。

【组成】五味子二两 续断二两 地黄一两 鹿茸一两（切片，酥炙） 附子一两（炮，去皮脐）

【用法】上为末，酒糊为丸，如梧桐子大。每服二十丸，盐汤送下。

【主治】

1.《普济方》引《卫生家宝》：虚劳羸瘦，短气，夜梦鬼交，骨肉烦痛，腰背酸痛，动辄微喘。

2.《普济方》引《指南方》：房劳过度，精泄不禁。

麋角鹿茸丸

【来源】《是斋百一选方》卷四。

【组成】麋角饼子 鹿角霜各半斤 鹿茸 九节菖蒲 钟乳 覆盆子 石斛 蛇床子（酒煮，炒香） 当归（洗） 肉桂（去皮） 金铃子（去核，酒浸） 山药 泽泻 柏子仁（研细，另入） 续断 附子（炮，去皮，以地黄汁煮，焙干） 山茱萸（取皮） 萆薢（去须，蜜水涂，炙）各二两 杜仲三两（麸炒丝断） 天雄（去皮） 白茯苓 五味子（净洗） 人参（去芦） 槟榔 胡芦巴（酒浸，焙） 麝香（别研） 细辛各一两 破故纸（酒浸，炒香） 远志（去心） 天门冬（去心） 牛膝（酒浸） 胡桃（去皮，研，另入） 巴戟（酒浸，炒） 苁蓉（洗，酒浸，焙干） 熟干地黄（净洗，焙） 茴香（炒） 菟丝子（酒浸，蒸三次，研）各四两 防风一两

方中麋角饼子，原作“鹿角饼子”，据《奇效良方》改。鹿茸原脱，据《奇效良方》补。

【用法】上为末，用酒煮面糊为丸，如梧桐子大。每服三十丸四十丸，渐加至五六十丸，空心温酒或盐汤吞下。

【功用】久服益脾元，壮肾气，助真阳，补虚损，散寒湿，养气滋血。

【主治】真阳不足，脾肾虚寒，下焦伤惫，脐腹疼痛，两胁胀满，手足麻痹，目视茫茫，遗泄失精，精神不爽，阳事虚弱，小便滑数，气虚肠鸣，大便自利，耳内常聋。

神仙固真丹

【来源】《是斋百一选方》卷十五。

【组成】禹余粮 石中黄 赤石脂 紫石英 石燕子各一两（炭火煅通红，以米醋三升淬尽为度） 龙骨（瓦上火煅） 牡蛎（盐泥固济，火煅令白）各一两

【用法】上为末，将白茯苓四两、人参二两、青盐一两为末，入无灰酒适量打糊拌和众药为丸，如鸡头子大，以朱砂为衣。每服二至三丸，食前、空心、临卧酒或盐汤送下。

【主治】遗泄不禁。

九仙丹

【来源】《魏氏家藏方》卷二。

【组成】菟丝子（水淘净，酒浸一宿，研烂成饼，焙，为末） 益智仁（炒，不去壳） 石莲子（去壳心） 北五味子（酒浸） 香附子（炒，去毛） 韭子（洗净，晒干，酒浸） 金铃子（酒浸，蒸，去皮核，炒赤） 车前子（水淘净，焙干） 覆盆

子（洗净，酒浸，去蒂，炒）各等分。

【用法】上为细末，酒糊为丸，如梧桐子大。每服百丸，空心、食前温酒送下。

【功用】安心志，固精气。

金锁散

【来源】《魏氏家藏方》卷二。

【组成】鹿角霜一两半　白龙骨三分（米醋浸令黄赤色）　白茯苓（去皮）　益智仁各一两　菟丝子（淘净，酒浸，研成饼）　车前子（洗净）一分　牡蛎粉半两

【用法】上为末。每服三钱，用舶上茴香三十粒炒赤色香熟，入酒一盏，煎四五沸，放温调药服，不拘时候。

【功用】益血养气。

【主治】遗精，白浊。

益心丹

【来源】《魏氏家藏方》卷二。

【组成】黄耆（蜜炙）　茯神（去木）　人参（去芦）　远志（水煮，去心）　熟干地黄各一两（洗）　北五味子二两　龙齿（煅，别研）　柏子仁各半两（别研）

【用法】上为细末，炼蜜为丸，如梧桐子大。每服三十丸，白汤送下，不拘时候。

【主治】心气不足，梦中遗泄。

三白丸

【来源】《魏氏家藏方》卷四。

【别名】素丹。

【组成】龙骨（煅，别研）　牡蛎粉各一两　鹿角霜二两

【用法】上为细末，滴水为丸，如梧桐子大，以滑石为衣。每服十丸，加至十五丸，盐汤吞下，空心服。

【主治】小便滑数，遗精，白浊，盗汗。

金锁丹

【来源】《魏氏家藏方》卷四。

【组成】鹿茸（去毛，酥炙）　桑螵蛸（炒）　白茯苓（去皮）　益智仁　石菖蒲（九节者，炒）　舶上茴香（拣净，炒）　钟乳粉　五色龙骨（煅，别研）各一两　阳起石（煅）　青盐各半两（并别研）

【用法】上为细末，枣肉为丸，如梧桐子大，每服四十丸，枣汤送下，日午、临卧服。

【主治】下弱胞寒，小便白浊，或如米泔，或若凝脂，梦漏精滑，关锁不固，腰痛气短。

神仙既济丹

【来源】《魏氏家藏方》卷六。

【组成】人参（去芦）　石菖蒲（米泔浸一宿）　鹿茸（去毛，酥炙）　柏子仁　远志（去心）　菟丝子（淘净，酒浸，研成饼）　巴戟（去心）　鹿角胶（酒化旋入）　牛膝（酒浸一宿，去芦）　白茯苓（去皮）　当归（酒浸一宿，去芦）　五味子（去枝）　诃子（炮，去核）　金樱子　生干地黄（洗净）各一两　鹿角霜四两

【用法】上为细末，酒糊为丸，如梧桐子大，朱砂、麝香为衣。每服三十丸，空心、食前温酒送下。

【功用】令心肾之气互相交养，气血荣盛，精固神全，久服精神健壮，轻身延年。

【主治】日以事物交战，损心劳神，神动气散，兼饮食过度，嗜欲无节，亏损精神，气动神疲，阴阳交错，水火不济，精神恍惚，肢体烦疼，夜梦阴交，遗精白浊，以致气衰血弱。

既济丸

【来源】《魏氏家藏方》卷六。

【组成】磁石（火煅，醋淬七次）　破故纸（炒）各二两　鹿茸（去毛，酥炙）　当归（酒浸，去芦）　附子（炮，去皮脐）　莲子肉（去心）各一两　沉香三分（不见火）　续断一两半（酒浸）　乳香（别研）　酸枣仁（去壳，炒，别研）　木香（湿纸裹，煨）　石菖蒲（去毛，酒浸）　朱砂（别研）　柏子仁（别研）各半两

【用法】上为细末，炼蜜为丸，如梧桐子大。每服四十丸，空心食前温酒、盐汤、米饮任下。

【主治】心肾气虚，客热上燥，神水下泄，阴阳不和，清浊相干，下元虚惫，腰脚疼重，心神不宁，水脏滑泄，饮食不进。

菟丝子丸

【来源】《魏氏家藏方》卷十。
【组成】鹿角霜　菟丝子（浸，研成饼）
【用法】上为细末，酒面糊为丸，如梧桐子大。每服二十丸，渐加至三四十丸，食前温酒醋汤送下。
【主治】妇人本虚经弱，阴阳不升降，小便泔白溺出无度，男子精滑不固。

锁阳丹

【来源】《医方类聚》卷一三四引《经验良方》。
【组成】白茯苓　木馒头和皮子（切，炒）各等分
【用法】上为末。每服二钱，空心米饮送下。
【主治】阳脱，精泄不禁。

参苓丸

【来源】《普济方》卷三十三引《经验良方》。
【组成】藕节　皂角肉各一两　人参　白茯苓各半两　石莲肉一两
【用法】上为末，用黄蜡酒糊为丸，如梧桐子大，煅土朱为衣。每服三十丸，温酒送下。
【主治】泄精无常。

续断丸

【来源】《普济方》卷三十三引《经验良方》。
【组成】川续断　独活　柏子仁各二两　谷精草二两半　莲花蕊半两　鸡子七个（用白）　术二两
【用法】上为末，用鸡子打和药末，次用酒糊为丸。每服五六十丸，空心温酒送下。
【主治】遗精白浊。

锁精丹

【来源】《续易简》卷三。
【别名】锁阳丹（《普济方》）。
【组成】龙骨一两　莲心二百个　半夏　木猪苓各二两
【用法】将龙骨、莲心为末，半夏用汤浸，以竹刀分四方界之，不可令断开，木猪苓如半夏切了捶扁，同半夏炒黄色，拣半夏研为末，入龙骨、莲心内，将粟米糊为丸，如梧桐子大，外别研木猪苓为末，养此丸子。每服三十丸，空心、食前盐汤送下。
【主治】肾虚遗泄。

龙胆泻肝汤

【来源】《兰室秘藏》卷下。
【别名】七味龙胆泻肝汤（《景岳全书》卷五十七）、龙胆汤（《幼幼集成》卷四）。
【组成】柴胡梢　泽泻各一钱　车前子　木通各五分　生地黄　当归梢　草龙胆各三分
【用法】上锉，如麻豆大，都作一服。用水三盏，煎至一盏，去滓，空心稍热服，便以美膳压之。
【主治】

1.《兰室秘藏》：阴部时复热痒及臊臭。

2.《景岳全书》：肝火内炙，上为喉口热疮，下为小便涩痛者。

3.《济阳纲目》：阴囊肿痛，或溃烂作痛，或睾丸悬挂，及一切湿痒臊臭者。

4.《医碥》：肝经湿热，甚者茎中作痛，或挺纵不收，白物如精，随尿而下，此筋疝也。

【方论】此药柴胡入肝为引；用泽泻、车前子、木通淡渗之味利小便，亦除臊气，是病在下者，引而竭之；生地黄、草龙胆之苦寒泻酒湿热，更兼车前子之类以撤肝中邪气；肝主血，用当归以滋肝中血不足也。

三才封髓丹

【来源】《医学发明》卷七。
【组成】天门冬（去心）　熟地黄　人参（去芦）各半两　黄柏三两　缩砂仁一两半　甘草七钱半（炙）
【用法】上为细末，水糊为丸，如梧桐子大。空心服五十丸，用苁蓉半两，切作片子，酒一大盏，浸一宿，次日煎三四沸，去滓，送下前丸。

【功用】

1.《医学发明》：降心火，益肾水。

2.《卫生宝鉴》：滋阴养血，润补下燥。

【主治】

1.《症因脉治》：肾虚舌音不清。肾经咳嗽，真阴涸竭。

2.《医方论》：梦遗走泄。

【验案】

1. 遗精 《陕西中医》（1995，2：57）：李氏用本方加减治疗遗精32例。药用：生地、熟地、党参、天冬、沙苑子、芡实、炒杜仲、煅龙牡、黄柏、砂仁、甘草，久病肝肾阴虚者加首乌、女贞子、白芍；口苦、小便热赤者加猪苓、萆薢；少腹及阴部作胀者，加赤芍、川楝子，每日1剂，水煎服，连服14天为1疗程。结果：痊愈27例，好转3例，总有效率为94%。

2. 牙痛 《现代中西医结合杂志》（2008，8：1199）：用三才封髓丹治疗虚火牙痛96例，结果：临床治愈85例（89%），显效8例（8%），有效3例（3%），总有效率100%。治愈时间1～14天，平均6天，服中药1剂痊愈9例，2剂16例，3～4剂31例，5～6剂28例，7～14剂12例，平均4.1剂。

玉兰丸

【来源】《济生方》卷一。

【组成】辰砂一两 鹿茸二两（作片，酥炙） 当归（酒浸，焙） 附子（七钱重者）四个（生，去皮脐，各切下项，挖空心，中安辰砂在内，以前项子盖定，用线扎） 木瓜大者两个（去皮瓤，切开项，入辰砂、附子四个在内，以木瓜原项子盖之，线扎定，蒸烂讫，取出。附子切作片，焙干，为末；辰砂细研，水飞；木瓜研如膏。宣木瓜为妙） 柏子仁（炒，别研） 沉香（别研） 巴戟（去心） 黄耆（去芦，蜜炙） 肉苁蓉（酒浸） 茯神（去心） 川牛膝（去芦，酒浸） 石斛（去根，酒浸）各一两 杜仲（去粗皮，酒浸） 菟丝子（水淘净，酒浸，焙，别研） 五味子各一两半 远志（去心，炒）二两

【用法】上为细末，用木瓜膏杵和，入少酒糊为丸，如梧桐子大。每服七十丸，空心米饮、温酒、盐汤任下。

【功用】闭精，补益。

【主治】诸虚不足，膀胱、肾经痼败，阴阳不交，致生膏淋、白浊、遗精之患。

白　丸

【来源】《济生方》卷一。

【组成】阳起石（煅，研令极细） 钟乳粉各等分

【用法】上为细末，酒煮附子糊为丸，如梧桐子大。每服五十丸，空心米饮送下。

【主治】元气虚寒，精滑不禁，大肠溏泄，手足厥冷。

固精丸

【来源】《济生方》卷四。

【组成】肉苁蓉（酒浸，切薄片） 阳起石（火煅，研极细） 鹿茸（燎去毛，酥炙） 赤石脂（火煅七次） 川巴戟（捶去心） 韭子（炒） 白茯苓（去皮） 鹿角霜 龙骨（生用） 附子（炮，去皮脐）各等分

《绛雪园古方选注》有五味子。

【用法】上为细末，酒糊为丸，如梧桐子大。每服七十丸，空心盐酒、盐汤任下。

【主治】嗜欲过度，劳伤肾经，精元不固，梦遗白浊。

【方论】《绛雪园古方选注》：夫房劳过度，则精竭阳虚，阳虚则无气以制其精，故寐则阳陷而精道不禁，随触随泄，不必梦而遗也，与走阳不甚相远。治之必须提阳固气，乃克有济，独用补涩无益也。鹿茸通督脉之气舍，鹿角霜通督脉之精室，阳起石提陷下之真阳，韭菜子去淫欲之邪火，肉苁蓉暖肾中真阳，五味子摄肾中真阴，巴戟入阴，附子走阳，引领真阳运行阳道，不使虚火陷入于阴，白茯苓淡渗经气，使诸药归就肾经，用石脂、龙骨拦截精窍之气而成封固之功。

磁石丸

【来源】《普济方》卷三十三引《济生方》。

【组成】磁石（醋煅）二两 肉苁蓉（酒浸） 鹿

茸（酒浸） 续断（酒浸） 杜仲（炒去丝） 柏子仁（炒，研） 赤石脂（火煅） 熟地（酒蒸） 山茱萸（取肉） 菟丝子（酒浸） 巴戟（去心） 韭子（炒）各一两

【用法】上为末，酒糊为丸，如梧桐子大。每服七十丸，空心温酒、盐汤任下。

【主治】精虚极，惊悸羸瘦，梦中遗泄，尿后便遗白浊，甚则阴痿，小腹里急。

凝真丹

【来源】《简易》引《诜诜书》（见《医方类聚》卷一四九）。

【组成】益智仁二两

【用法】治上丹不凝结，用饼饽药，搜面裹煨，令面焦，去面，为细末，每用少许搐鼻中。久用，清涕自止。治中丹不凝结，酸醋浸益智仁三宿，焙干，为细末，醋煮面糊为丸，如梧桐子大。每服三十丸至五十丸，盐汤送下。治下丹不凝结，以盐水浸益智仁三宿，焙干，为细末，盐煮面糊为丸，如梧桐子大。每服三十丸至五十丸，空心盐汤送下，不可用酒服，恐散真气。

【主治】丈夫三丹不凝结，致真气不固，精清精滑，饮食不美，四肢怠惰，昏困嗜卧。上丹不凝结，则常多感冒，鼻流清涕，头目昏疼。中丹不凝结，则发热自汗，心悸惊，恍惚健忘，不能饮食。下丹不凝结，则真气不固，梦遗白浊，胸中短气，面黄体虚，形瘦瘁，情思不乐，饮食减少，惊悸恍惚。

还少丹

【来源】《仁斋直指方论》卷九。

【组成】山药（炮） 牛膝（酒浸，焙） 白茯苓 山茱萸 舶上茴香（炒）各一两半 续断 菟丝子（洗，酒浸，烂研，焙） 杜仲（去粗皮，姜汁涂炙，截，炒） 巴戟（去心） 苁蓉（酒浸，焙） 北五味子 枳实 远志（姜汁，取肉，焙） 熟地黄各一两

【用法】上为末，炼蜜为丸，如梧桐子大。每服三十丸，盐汤送下。

【功用】补虚劳，益心肾，生精血。

【主治】心虚肾冷，漏精白浊，梦遗。

秘传大补元丸

【来源】《仁斋直指方论·附遗》卷九。

【组成】黄柏（蜜炒褐色） 知母（乳汁浸，炒） 龟版（酥炙）各三两 淮熟地黄（酒洗）五两 牛膝（酒洗） 麦门冬（去心） 肉苁蓉（酒洗） 虎胫骨（好酒炙） 淮山药 茯神（去心） 黄耆（蜜炙）各一两半 杜仲（去粗皮，好酒炒断丝） 枸杞子（甘州者佳） 何首乌（篾刮去皮） 人参（去芦）各二两 当归身（酒洗） 天门冬（去心） 五味子（去枝核） 淮生地黄（酒洗）各一两 白芍药（酒炒）二两（冬月只用一两） 紫河车一具（一名混沌皮，即今之胞衣，取初产者为佳。如无初产者，或壮盛妇人胎者亦可。取一具，用线吊于急流水中漂一昼夜，去其污浊血丝，取起，再用净米泔水一碗许，于小罐内微火煮一沸，取出勿令泄气，再用小篮一个，四周用纸密糊，将河车安于篮内，用慢火烘干，为末）。

【用法】上为极细末，入猪脊髓三条，炼蜜为丸，如梧桐子大。每服八十丸，空心以淡盐汤送下；寒月用温酒送下。

【主治】男妇诸虚百损，五劳七伤，形体羸乏，腰背疼痛，遗精带浊。

【加减】梦遗白浊，加牡蛎一两，白术、山茱萸各一两五钱，茯苓二两；冬加干姜五钱（炒黑色）。

约精丸

【来源】《仁斋直指方论》卷十。

【组成】白龙骨二两（研细） 新韭子（冬霜后采者）一斤（好酒浸一宿，次日捣细）

【用法】上为末，酒调糯米糊为丸，如梧桐子大，每服三十丸，空心盐汤送下。

【主治】小便中泄精不止。

远志丸

【来源】《仁斋直指方论》卷十。

【组成】远志（水浸取肉，姜淹焙干） 山药（炒熟） 地黄（洗，晒） 天门冬（去心） 龙齿

（研细）各一两半　白茯苓　茯神（去木）　地骨皮各一两二钱半　辣桂六钱一字

【用法】上为末，炼蜜为丸，如梧桐子大。每服五十丸，食前粳米汤送下。

【主治】心气不足，遗精白浊。

牡蛎丸

【来源】《仁斋直指方论》卷十。

【组成】圆白半夏一两（稗洗十次，每个作两片，以木猪苓去皮二两为粗末，同半夏慢火炒黄，放地出火毒一宿，不用木猪苓）　煅过厚牡蛎粉一两

【用法】同为末，以山药糊为丸，如梧桐子大。留木猪苓养药，瓷器密收。每服三十丸，茯苓煎汤送下。

【主治】精气不禁，白浊，梦遗。

固精丸

【来源】《仁斋直指方论·附遗》卷十。

【别名】宁神固精丸（《寿世保元》卷五）。

【组成】知母（炒）　黄柏（酒炒）各一两　牡蛎（煅）　龙骨（煅）　芡实　莲蕊　茯苓　远志（去心）　山茱萸肉各三钱

【用法】上为末，煮山药糊丸，如梧桐子大，朱砂为衣。每服五十丸。

【主治】心神不安，肾虚自泄精。

金樱子丸

【来源】《仁斋直指方论》卷十。

【组成】真龙骨　厚牡蛎（煅）　桑螵蛸各一两

【用法】上以雄黑豆一盏淘湿，将前三件置豆上蒸半日，去豆，焙三件为末，入白茯苓一两（末），金樱子四十九枚，去刺并瓤蒂，洗净捶碎，瓷器内入水一盏，煮浓汁滤清，调茯苓末为糊丸，如梧桐子大。每服三十丸，食前用益智五枚（连壳捶碎），北五味子十粒，缩砂仁三个煎汤送下。

【主治】诸虚，漏精白浊。

茯苓丸

【来源】《仁斋直指方论》卷十。

【组成】白茯苓

【用法】上为末，山药作糊为丸。每服四钱，空心米汤或酒送下，临卧又服。或只为末散，熟水调下四钱亦可。

【主治】心虚梦泄。

炼盐散

【来源】方出《仁斋直指方论》卷十，名见《袖珍方》卷三。

【组成】雪白盐（入瓷瓶内筑十分实，以瓦盖顶，黄泥涂封，火煅一日，取出放阴地上一夜，用密器收）　白茯苓　山药（炒）各一两

【用法】上为末，入盐一两研和；用沸汤浸枣取肉，研，夹炼蜜再为丸，如梧桐子大。每服三十丸，空心枣汤送下。

【主治】

1.《仁斋直指方论》：漏精白浊。

2.《医方类聚》引《寿域神方》：思虑太过，心肾虚损，真阳不固，溺有余沥，小便白浊，梦寐频泄。

秘传金锁思仙丹

【来源】《仁斋直指方论·附遗》卷十。

【别名】金锁思仙丹（《古今医统大全》卷七十引万氏方）。

【组成】莲花蕊十两（忌硫黄、蒜）　石莲子十两（取净粉用）　鸡头实十两（取其实并中，捣烂晒干，再捣筛，取净粉）

【用法】上以金樱子三斤，取霜后半黄者，木臼中转杵，却刺勿损，擘为两片，去水淘净，烂捣，入大锅，以水煎，不绝火，约水耗半取出，滤过重煎，如稀饧；市肆干者焙之，用水浸转，去子，煎令如法，入前药末为丸，如梧桐子大。每服三十丸，空心以盐汤送下。

【主治】男子嗜欲过多，精气不固。

鹿角散

【来源】《仁斋直指方论》卷十。

【组成】鹿角屑　鹿茸（去皮，酥炙）各一两　白

茯苓三分　人参　白茯神　桑螵蛸（蒸，焙）　芎藭　当归　故纸（炒）　龙骨（别研）　新韭子（酒浸一宿，焙）各半两　柏子仁（去壳）　甘草（炙）各一分

【用法】上为末。每服三钱半，加生姜五片，大枣三枚，粳米一百粒，水煎，食前服。

【主治】脏腑久虚，梦泄。

鹿茸益精丸

【来源】《仁斋直指方论》卷十。

【组成】鹿茸（去皮，酥炙微黄）　桑螵蛸（瓦上焙）　肉苁蓉　当归　巴戟（去心）　菟丝子（酒浸软，研）　杜仲（截碎，姜汁淹，炒断丝）　川楝子（蒸，去皮取肉，焙）　益智仁　禹余粮（煅红，醋淬，以碎为度）各三分　韭子（微炒）　故纸（炒）　山茱萸　赤石脂　龙骨（别研）各二分　滴乳香一分

【用法】上为细末，酒调糯米糊为丸，如梧桐子大。每服七十丸，食前白茯苓煎汤送下。

【主治】

1.《仁斋直指方论》：心虚肾冷，漏精白浊。

2.《杂病源流犀烛》：遗泄伤阳者。

秘传龙骨锁精丹

【来源】《仁斋直指方论·附遗》卷十。

【组成】白龙骨（煅）二两半　牡蛎（煅）二两　知母五钱　黄柏六钱　猪苓五钱　人参（去芦）一两　远志（甘草汤煮，去心）一两半

【用法】上为细末，酒糊为丸，如梧桐子大。每服四五十丸，空心以盐酒或盐汤送下。

【主治】梦遗滑精。

仙茅丸

【来源】《类编朱氏集验方》卷八。

【组成】仙茅（糯米泔浸一二日，一日一换，取尽赤汁，日干，磨为细末）四两　白茯苓（去皮）　半夏（汤泡七次）各二两　茴香（盐炒，去盐）一两半

【用法】上为细末，酒糊为丸，如梧桐子大。任意服。

【主治】固精，暖水脏。

既济固真丹

【来源】《类编朱氏集验方》卷八。

【组成】北五味子　白茯苓　附子　沉香　龙骨　苁蓉（酒浸一宿，如无以鹿茸酥炙代之）各一两　益智仁　柏子仁（去壳，炒）　补骨脂（炒）　酸枣仁（去壳，炒）　金铃子（去核，炒）　红椒（去目）　当归（酒浸）　川巴戟（去心）各半两　菟丝子（酒浸，合研）一两半

【用法】上为细末，酒糊为丸，如梧桐子大，以辰砂末三钱为衣。每服五十至七十丸，空心盐、酒任下。

【功用】壮阳固气，温脾益血。

【主治】水火不济，精神恍惚，头目昏暗，阳道痿弱，阴湿多汗，遗沥失精，脾胃虚怯，心肾不宁。

益中丹

【来源】《类编朱氏集验方》卷八。

【组成】鹿茸（蜜炙）　丁香　木香　茴香（炒）　山药　黄耆（蜜炙）　木通（油炒）　官桂（去皮）　干姜（炮）　青盐　石斛　天雄（炮）　附子（炮）　鹅管石（火煅，酒淬）　阳起石（火煅，酒淬）　肉豆蔻　川牛膝（酒浸，焙）　破故纸（炒）　葫芦巴（炒）　菟丝子（酒浸，焙）　金铃子（去核）　覆盆子　熟地黄（酒浸，焙）　荜澄茄　马兰花（醋炒）　肉苁蓉（酒浸，焙）　韭子（酒浸，焙）各二钱半　沉香　人参各一钱一字　麝香三字。

【用法】上为细末，酒煮面糊为丸，如梧桐子大。每服三十丸，加至五十丸，空心温酒送下。

【功用】益真气，补虚惫。

【主治】下焦伤竭，脐腹绞痛，两胁胀满，饮食减少，肢节烦疼，手足麻痹，腰腿沉重，行步艰难，目视茫茫，夜梦鬼交，遗泄失精，神气不爽，阳事不举，小便滑数，气虚肠鸣，大便自利，虚烦盗汗，津液内躁。

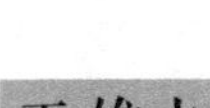

天雄丸

【来源】《御药院方》卷六。

【组成】蛤蚧一对　朱砂二钱　沉香三钱　丁香三钱　阳起石三钱　钟乳粉半钱　木香二钱半　紫梢花半两　晚蚕蛾一两半　牡蛎粉二钱半　天雄一个　桂二钱半　石燕子一对（炭火烧，淬醋七次）　鹿茸半两（酥炙）　白术二钱半　苁蓉半两（酒浸三日，焙干）　菟丝子三钱（酒浸，焙干）　龙骨二钱半　海马一对　乳香三钱

【用法】上为细末，炼蜜为丸，如弹子大。每服一丸，空心细嚼，好酒煎木通，入麝香少许送下，不得过三服。

【主治】真气不足，阳气衰惫，失精腰痛，脐腹痃急，及阳事不兴，男子本气脱者。

木猪苓丸

【来源】《御药院方》卷六。

【组成】半夏五两（大者切作四块，中者三块，小者不须）　木猪苓八两（劈作块子，同上）

【用法】上同入无油器中，慢火炒，候半夏紫色则止，拣出木猪苓不用，只取半夏杵细末，以陈粟米饭为丸，如梧桐子大，晒药丸子微干；却将木猪苓杵碎为粗末，与前药丸子入铫子内再同炒，候丸子药干，筛去木猪苓不用。每服五十丸，空心温粟米饮送下。

【功用】补虚。

【主治】梦泄精滑不禁。

乌金散

【来源】《御药院方》卷六。

【组成】九肋鳖甲不拘多少（去裙襕，净洗过，烧存性）

【用法】上为细末。每服一字，用清酒小半盏，童便半小盏，陈葱白七八寸同煎至七分，去葱白和滓，日西时温服之，须臾得粘臭汗为度。次日只进白粟米粥，忌食他物。

【主治】梦泄，精滑不禁。

秘真丸

【来源】《御药院方》卷六。

【组成】莲花蕊一两　白茯苓（去皮）一两　缩砂仁半两　益智仁一两　黄柏二两　甘草（炙）二两　半夏　木猪苓（去皮）二钱半

【用法】上为细末，水浸蒸饼为丸，如梧桐子大。每服四五十丸，空心以温酒送下。

【功用】秘固真元，降心火，益肾水。

【主治】肾水真阴本虚，心火狂阳过甚，心有所欲，速于感动，应之于肾，疾于施泄。

猪肚丸

【来源】《御药院方》卷六。

【别名】经验猪肚丸（《古今医统大全》卷七十）、积肥丸（《摄生众妙方》卷五）、参术丸（《仙拈集》卷二）。

【组成】白术四两　牡蛎（烧）四两　苦参三两

【用法】上为细末，以猪肚一个煮熟，锉研成膏，为丸如梧桐子大。每服三四十丸，米饮送下，一日三次。瘦者服即肥。

【功用】

1.《古今医统大全》：进饮食，健肢体。

2.《仙拈集》：固精养血。

【主治】

1.《御药院方》：男子肌瘦气弱，咳嗽，渐成劳瘵。

2.《饲鹤亭集方》：膏粱湿热，酿于脾胃，留伏阴中，男子便数梦遗，妇女淋带秽浊。

【宜忌】《集验良方拔萃》：忌食猪肝、羊血、番茄。

黄连清心饮

【来源】《内经拾遗方论》卷二。

【别名】黄连清心汤（《古今医鉴》卷八）。

【组成】黄连　生地（酒洗）　归身（酒洗）　甘草（炙）　茯神（去木）　酸枣仁　远志（去骨）　人参（去芦）　石莲肉（去壳）

《观聚方要补》有川楝子。

【用法】水二钟，煎八分，食后服。

【主治】

1.《内经拾遗方论》：白淫。

2.《医学入门》：心有所慕而遗者。

3.《杂病源流犀烛》：精滑。

补真玉露丸

【来源】《卫生宝鉴》卷十五。

【组成】白茯苓（去皮） 白龙骨（水飞） 韭子（酒浸） 菟丝（酒浸）各等分（火日修合）

【用法】上为末，醋糊为丸，如梧桐子大。每服五十丸，空心、食前温酒或盐汤送下，待少时，以饭羹压之。

【主治】阳虚阴盛，精脱淫乐胫酸。

金箔丸

【来源】《卫生宝鉴》卷十五。

【别名】金锁丸（《古今医统大全》卷七十）。

【组成】韭子（炒） 原蚕蛾 破故纸（炒） 牛膝（酒浸） 肉苁蓉 山茱萸 龙骨 菟丝子 桑螵蛸各一两

【用法】上为末，炼蜜为丸，如梧桐子大。每服三十丸，空心、食前温酒送下。

【主治】下焦虚，小便白淫，夜多异梦，遗泄。

大凤髓丹

【来源】《医垒元戎》卷十。

【组成】黄柏（炒）二两 缩砂一两 甘草半两 半夏（炒） 木猪苓 茯苓 莲花蕊 益智仁各二钱五分

【用法】酒糊为丸，如梧桐子大。每服三十丸，早晨温酒送下。

【功用】固真元，降心火，益肾水。

【主治】心火狂阳太盛，肾水真阴虚损，夜梦遗精。

小凤髓丹

【来源】《医垒元戎》卷十。

【别名】养真丹。

【组成】甘草半两 黄柏（炒）二两

【用法】《赤水玄珠全集》：上为末，神曲糊为丸，如梧桐子大。每服七十丸。

【功用】《赤水玄珠全集》：泻心包络相火，益肾水。

【主治】《赤水玄珠全集》：梦遗。

正凤髓丹

【来源】《医垒元戎》卷十。

【别名】封髓丹（《古今名医方论》卷四）、凤髓丹（《医钞类编》卷十四）。

【组成】黄柏（炒）二两 缩砂一两 甘草半两

【用法】酒糊为丸，如梧桐子大。每服三十丸，早晨温酒送下。

《古今名医方论》：蜜糊为丸。每服三钱。

【功用】泻相火，益肾水。

【主治】

1.《赤水玄珠全集》：心火太盛，阳狂不已。

2.《医钞类编》：火强久旷，梦遗胃弱，不宜苦寒者。

【方论】《古今名医方论》：方用黄柏为君以坚肾，肾职得坚，则阴水不虞其泛溢，寒能清肃，则龙火不至于奋扬，水火交摄，精安其位；佐以甘草，以甘能缓急，泻诸火与肝火之内烦，且能使水土合为一家，以妙封藏之固；缩砂以其味辛性温，善能入肾，通三焦，达津液，能纳五脏六腑之精而归于肾，肾家之气纳。肾中之髓自藏矣。此有取于封髓之意也。

龙骨丸

【来源】《云岐子脉决》。

【组成】龙骨 苦楝子各二两

【用法】上为末，醋糊为丸，如梧桐子大。每服三五十丸，空心温酒送下。

【主治】失精，脉涩者。

姜附赤石脂朱砂丹

【来源】《此事难知》。

【别名】朱砂丹（原书同卷）、姜附赤石脂丸

（《赤水玄珠全集》卷十三）。
【组成】附子半两　生干姜半两（不炮）　朱砂一两（另研）　赤石脂一两半（水飞）
【用法】上为细末，酒糊为丸，如黑豆大。每服十五至二三十丸，米饮送下；茯苓汤送下尤妙。
【主治】小便数而不禁，怔忡多忘，魇梦不已，下元虚冷，遗尿，精滑，或阳虚精漏不止，或肾气虚寒，脾泄肾泄。

固真丸

【来源】《此事难知》卷下。
【组成】牡蛎不以多少（砂锅子内煅，醋淬七遍）
【用法】上为末，醋糊为丸，如梧桐子大。每服五十丸，空心盐汤送下。
【主治】精滑久不愈。

固真丹

【来源】《杂类名方》。
【组成】沉香　丁香　木香　茴香（炒）　人参　当归（微炒）　滑石各半两　乳香（另研）五钱　没药（另研）五钱　干胭脂（另研，一半为衣）　琥珀（另研）五钱　川山甲（蛤粉炒）五钱　全蝎（微炒）五钱　代赭石（水飞）五钱　干莲心（微炒）二钱半　木通（头末）五钱　灯草三钱　桑螵蛸（炒，或炙酥）二钱半　麝香（另研）二钱半　血竭（另研）五钱（以上同川山甲捣）腽肭脐一对（酒浸，炙酥）　蛤蚧一对（去头足，炙酥）　火并草（酒蜜洒，九蒸九晒）　晚蚕蛾　蜻蜓各五钱

方中干胭脂用量原缺。《奇效良方》有山药、破故纸、地龙、茯神，无代赭石、火并草、晚蚕蛾、蜻蜓。
【用法】上为细末，于辰火日合，醋浸蒸饼为丸，如樱桃大。每服二三丸，空心温酒送下，服讫干物压之。
【功用】实骨髓，养精神，永保遐龄。
【主治】《奇效良方》：水火不济，心有所感，白浊遗精，虚败不禁。
【宜忌】忌猪、羊血，蒜，骑马。

肾浊秘精丸

【来源】《普济方》卷三十三引《医方集成》。
【别名】附子丸。
【组成】大附子（炮，去皮脐）　龙骨（煅）　苁蓉（酒浸）　巴戟（去心）各一两
【用法】上为末，炼蜜为丸，如梧桐子大。每服三十丸，空心盐汤送下。
【主治】元气不固，遗精梦泄。

五福延龄丹

【来源】《医方类聚》卷一五三引《经验秘方》。
【组成】沉香三钱　木香三钱　五味子二两（微炒）　菟丝子三两（酒浸）　苁蓉四两　天门冬二两　巴戟（去心）二两　杜仲三两（炒）　山药二两　鹿茸（酥炙）　车前子（炒）　石菖蒲　泽泻　生地黄（洗，焙）　熟地黄（洗，焙）　枸杞　人参　山茱萸（去黑仁）　远志　赤石脂　白茯苓　覆盆子　杏仁（去皮，炒，另研）　柏子仁（微炒）　当归（酒浸，焙干）　牛膝（酒浸）　川楝子各一两　川椒七钱半（去目）
【用法】上为细末，炼蜜为丸，如梧桐子大。每服三五十丸，空心温酒送下。
【功用】延年益寿。
【主治】男女五劳七伤，颜枯骨疲，日渐羸弱，妇人久不成胎，男子未老阳事不举，精神怯弱，未及七旬，发鬓俱白，行步艰难，左瘫右痪。

博金散

【来源】《医方类聚》卷一四一引《经验秘方》。
【组成】人参一两（去芦）　白茯苓二两（去皮）　络石二两　龙骨一两（略煅）
【用法】上为细末。每服三钱，空心米饮汤送服，临卧再服。
【主治】

1. 《医方类聚》引《经验秘方》：脱肛自泄。
2. 《普济方》引《仁存方》：因于酒色，土邪干水，心肾不济，虚热便浊。
3. 《古今医统大全》：气虚精脱自遗。

二圣散

【来源】《瑞竹堂经验方》卷一。

【组成】莲子心一撮　辰砂一分

【用法】上为细末。每服二钱，空心白汤调下。

【主治】失精漏泄，久虚。

鸡清丸

【来源】《瑞竹堂经验方》卷一。

【组成】川独活　谷精草　续断　茵陈

【用法】上为细末，鸡清为丸，如梧桐子大。每服五十丸，空心温酒送下，干物压之。

【主治】男子精滑，下元虚冷，及疝气证，妇人经脉不调。

通治还少丹

【来源】《瑞竹堂经验方》卷一。

【组成】山药（炮）　牛膝（去苗，焙）　山茱萸（水洗，去核）　白茯苓　舶上茴香（炒）各一两半　菟丝子（酒浸，焙，研）　续断（去芦）各一两

【用法】上为末，炼蜜为丸，如梧桐子大。每服三十丸，盐汤送下。

【主治】心肾俱虚，漏精白浊。

锁精丸

【来源】《瑞竹堂经验方》卷一。

【组成】川独活　川续断　谷精草　石莲肉　生鸡头（去壳）　莲心　干菱米　川楝子（酥炒）　金樱子　紧龙骨（五色）　白茯苓　木猪苓　小茴香　藕节各等分

【用法】上为细末，鸡清为丸，如梧桐子大。每服四五十丸，空心盐汤送下，干物压之。

【主治】精滑不禁。

加减太乙金锁丹

【来源】《普济方》卷二二二引《瑞竹堂经验方》。

【组成】莲花蕊四两（未开者，阴干，秤）　五色龙骨五两（细研）　覆盆子五两　鼓子花三两（五月五日采）　鸡头子一百颗（生，取肉做饼子，晒干）

【用法】上为细末，取金樱子二百枚，去毛，木臼内捣烂，水七升，煎取浓汁一升，去渣和药，再入臼内，杵一千杵，为丸如梧桐子大，每服三十丸，空心盐酒送下。

【功用】秘精，益髓。

【主治】梦遗不禁，小便白浊，日渐羸瘦。

【宜忌】忌葵菜。

金锁丸

【来源】《普济方》卷二一七引《瑞竹堂经验方》。

【别名】金锁丹（《普济方》卷一八〇引《郑氏家传渴浊方》）、金锁匙丹（《古今医统大全》卷七十引《医林方》）、金锁子丸（《普济方》卷三十三）。

【组成】茯神二钱　远志（去心）三钱　五色龙骨三钱（煅红）　牡蛎四钱（左顾者，炒赤色）　坚白茯苓三钱

【用法】上为细末，酒糊为丸，如梧桐子大。每服三四十丸，空心盐汤或酒送下。

【主治】男子滑精，遗泄；妇人鬼交，小便白浊。

子午丸

【来源】《世医得效方》卷七。

【组成】榧子（去壳）二两　莲肉（去心）　枸杞子　白龙骨　川巴戟（去心）　破故纸（炒）　真琥珀（另研）　苦楮实（去壳）　白矾（枯）　赤茯苓（去皮）　白茯苓（去皮）　莲花须（盐蒸）　芡实　白牡蛎（煅）　文蛤各一两

【用法】上为末，酒蒸肉苁蓉一斤二两，烂研为丸，如梧桐子大，朱砂一两半重，细研为衣。浓煎萆解汤空心送下。

【主治】

1. 《世医得效方》：心肾俱虚，梦寐惊悸，体常自汗，烦闷短气，悲忧不乐，消渴引饮，漩下赤白，停凝浊甚，四肢无力，眼昏，形容瘦悴，耳鸣头晕，恶风怯冷。

2. 《古今医统大全》：滑精。

【宜忌】忌劳力房事。

仙方固真丹

【来源】《世医得效方》卷七。

【别名】固真丸（《普济方》卷三十三）。

【组成】禹馀粮　石中黄　赤石脂　紫石英　石燕子各一两（炭火煅通红，米醋三升，淬干为度）　白茯苓四两　人参二两　青盐一两

【用法】上以白茯苓四两、人参二两、青盐一两同为末，入无灰酒约量多少打糊，拌和众药为丸，以朱砂为衣，如小指头大。每服二丸至三丸，温酒或盐汤下，空心、临卧服。

【主治】精泄不禁。

青盐丸

【来源】《世医得效方》卷八。

【组成】黑牵牛二两（炒，别研，取头末）　山药（去皮）　杜仲（炒断丝）　川乌（炮，去皮脐）　川楝子（去核）　茴香（炒）　红椒皮（炒）　青盐（别入）　破故纸（炒）　陈皮（去白）　苍术（切，炒黄色）　附子（炮，去皮脐）各等分

【用法】上为末，入青盐同酒糊为丸，如梧桐子大。每服三十丸，空腹盐汤送下。

【功用】补虚益肾气，明目。

【主治】腰疼，及精滑漩多，四体困乏。

大补丸

【来源】《丹溪心法》卷三。

【别名】大补阴丸（《医学正传》卷三）、补阴丸（《本草纲目》卷四十五）。

【组成】黄柏（炒褐色）　知母（酒浸，炒）各四两　熟地黄（酒蒸）　龟版（酥炙）各六两

【用法】上为末，猪脊髓、蜜为丸。每服七十丸，空心盐白汤送下。

【功用】降阴火，补肾水。

【主治】

1.《摄生众妙方》：遗精，尿血。

2.《明医指掌》：肾虚腰痛。

3.《医方集解》：水亏火炎，耳鸣耳聋，咳逆虚热，肾脉洪大，不能受峻补者。

4.《张氏医通》：阴虚燥热。

5.《会约医镜》：肾水亏败，小便淋浊如膏，阴火上炎，左尺空虚者。

6.《中医方剂学》：肝肾阴虚，虚火上炎。骨蒸潮热，盗汗遗精，咳嗽咯血，心烦易怒，足膝疼热或酸软，舌红少苔，尺脉数而有力。

7.《医方发挥》：甲状腺功能亢进、肾结核、骨结核、糖尿病等属阴虚火旺者。

【宜忌】

1.《删补名医方论》：虽有是证，若食少便溏，则为胃虚，不可轻用。

2.《医方论》：此治阴火炽盛以致厥逆者则可，至内伤虚热，断不可用。

【方论】

1.《医方集解》：此足少阴药也，四者皆滋补肾阴之药，补水即所以降火，所谓壮水之主，以制阳光是也。加脊髓者，取其能通肾命，以骨入骨，以髓补髓是也。

2.《绛雪园古方选注》：丹溪补阴立法，义专重于黄柏，主治肾虚劳热，水亏火炎，以之治虚火呃逆，亦为至当。第肝肾之气，在下相凌，左肾属水，不能自逆，而右肾为相火所寓，相火炎上，挟其冲气，乃能逆上为呃。主之以黄柏，从其性以折右肾之相火，知母滋肾水之化源，熟地固肾中之元气，龟甲潜通其脉，伏藏冲任之气，使水不妄动。

3.《删补名医方论》：是方能骤补真阴，承制相火，较之六味功效尤捷。盖因此时以六味补水，水不能遽生，以生脉保肺，金不免犹燥，惟急以黄柏之苦以坚肾，则能全破伤之金。若不顾其本，则病去犹恐复来，故又以熟地、龟甲大补其阴，是谓培其本，清其源矣。

4.《血证论》：苦寒之品，能大伐生气，亦能大培生气，盖因虚火旺者，非此不足以泻火滋阴。夫人之生气根于肾，此气全赖水阴含之，若水阴不足，则阳气亢烈，烦逆痿热。方用知、柏折其亢，龟甲潜其阳，熟地滋其阴，阴足阳秘，而生气不泄矣。

5.《成方便读》：治肾水亏极，相火独旺，而为梦遗、骨蒸、痨瘵等证。夫相火之有余，皆由肾水之不足，故以熟地大滋肾水为君。然火有余则少火化为壮火，壮火食气，若仅以滋水配阳之法，何足以导其猖獗之势，故必须黄柏、知母之

苦寒入肾，能直清下焦之火者以折服之。龟为北方之神，其性善藏，取其甘寒益肾，介类潜阳之意，则龙雷之火自能潜藏勿用。猪为水畜，用骨髓者，取其能通肾命，以有形之精髓而补之也。蜜为丸者，欲其入下焦，续以奏功也。

6.《时方歌括》：知、柏寒能除热，苦能降火，苦者必燥，故用猪脊髓以润之，熟地以滋之，此治阴虚发热之恒法也。然除热只用凉药，犹非探源之治。方中以龟甲为主，是介以潜阳法。丹溪此方，较之六味地黄丸之力更优。李士材、薛立斋、张景岳辈以苦寒而置之，犹未参透造化阴阳之妙也。

7.《历代名医良方注释》：查此丸并无补药，而方名大补者，乃平火、敛火、镇火、摄火，以救真阴，立方颇有深意，如虚劳阴气渐竭，燥火燔灼，烦躁身热，汗出不止，阴愈伤而热愈炽，热愈炽而阴愈伤，病理生理，适得其反，不至津竭髓枯，以至于死亡不止，此际用六味等补水，水不能遽生，以生脉等保津，津不能终保，惟以此方黄柏、知母大苦大寒，又益之以地黄之滋育，龟甲之镇降，以急平其火，急敛其火，急镇其火，去一分火热，即保一分阴液，留一分阴液，即保一分元气，此关不透，虚劳遇此等症，不可得而救药矣。本方妙在猪脊髓和炼蜜为丸，既合脏器疗法，又苦而回甘，此外尚有大补阴煎，为丸为煎，各有缓急适应之妙。

8.《医方发挥》：肝肾阴虚，阴虚火旺。根据阴常不足，阳常有余的理论，而立滋阴降火之法。本方以滋阴药与泻火药两组配合，用滋阴以培其本；降火以清其源。双管齐下，既培本又清源，治本与治标兼顾。方中重用熟地、龟甲。《药品化义》说：熟地，藉酒蒸熟，味苦化甘，性凉变温，专入肝脏补血。因肝苦急，用甘缓之，兼主温胆，能益心血，更补肾水；安五脏，和血脉，润肌肤，养心神，宁魂魄，滋补真阴，封填骨髓，为圣药也。《本草通玄》说：龟甲咸平，肾经药也，大有补水制火之功；故能强筋骨，益心智，止咳嗽，截久疟，去瘀血，止新血。二药合用滋阴填精，滋水以制火；使阴盛阳自潜，水充火自熄，这是培本的一面；配以黄柏、知母。朱丹溪说：黄柏，走至阴，有泻火补阴之功，非阴中之火，不可用也，得知母滋阴降火，得苍术除湿清热。《药品化义》：黄柏，味苦入骨，是以降火能自顶至踵，沦肤彻髓，无不周到，专泻肾与膀胱之火。《本草纲目》云：知母之辛苦寒凉，下则润肾燥而滋阴，上则清肺金而泻火，乃二降气分药也；黄柏则是肾经血分药，故二药必相须而行，昔人譬之虾与水母，必相依附；二药合用，清泄相火，降火以保真阴，使火降而不耗阴，这是清源的一面。四药合用以滋阴清热，填精保阴，更以猪脊髓、蜂蜜，血肉甘润之品，以补津液，既能滋补精髓，又能制约知、柏之枯燥，诸药共用，滋阴精、补气血而泄相火，是滋阴降火的典型方剂。

【实验】

1. 对空肠弯曲杆菌致敏小鼠的免疫调节作用 《中草药》（2005，3：413）：实验显示：大补阴丸可明显减轻空肠弯曲杆菌 CJ－S131 致敏小鼠肝脏自身免疫性炎症反应，而且可降低血清中抗双链 DNA 抗体、抗单链 DNA 抗体水平。表明大补阴丸对 CJ－S131 所致自身免疫反应有改善作用。

2. 对实验性甲亢大鼠胸腺病理改变的影响 《世界中西医结合杂志》（2008，6：322）：试验用左甲状腺素钠（优甲乐）灌服造成大鼠甲亢模型，观察大补阴丸（汤剂）不同剂量内服对大鼠胸腺病理改变的影响。结果：大补阴丸低、中剂量组和西药组胸腺厚度明显增加，细胞数目增多，密度增大，网状细胞散在、成熟，小血管丰富充血，可见胸腺小体，其中大补阴丸高剂量组胸腺组织结构同正常组基本相同。结论：大补阴丸能改善甲亢大鼠胸腺病理改变。

【验案】

1. 女性更年期综合征 《中国中药杂志》（2004，4：374）：用大补阴丸治疗女性更年期综合征 60 例，对照组 30 例用更年安片治疗。结果：治疗组临床治愈 10 例，显效 29 例，有效 18 例，无效 3 例；总有效率 95%；对照组临床治愈 2 例，显效 9 例，有效 14 例，无效 5 例，总有效率 83.3%，治疗组疗效优于对照组（$P<0.05$）。

2. 女童单纯性乳房早发育 《中国药业》（2008，16：66）：用大补阴丸治疗女童单纯性乳房早发育 43 例，结果：1 个月和 2 个月后治疗组乳房肿块消退率为 88.37% 和 95.35%。

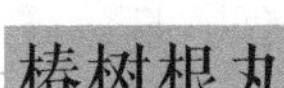

椿树根丸

【来源】《金匮钩玄》卷一。

【组成】青黛　海石　黄柏

本方名“椿树根丸”，但方中“无椿树根”，疑脱。

【主治】梦遗；带下。

螵蛸丸

【来源】《古今医统大全》卷七十引《医林》。

【组成】桑螵蛸七个（炒）　附子（炮，去皮脐）　五味子　龙骨各半两

【用法】上为细末，糯米糊为丸，如梧桐子大。每服五十丸，空心盐酒送下。

【主治】下焦虚冷，精滑不固，遗溺不断。

坎离丹

【来源】《医方类聚》卷一五二引《澹寮方》。

【别名】坎离丸（《普济方》卷三十三引《仁存方》）。

【组成】辰砂一两（细研）　酸枣仁一两（净，酒浸，去壳，细研）　附子一枚（端正者，炮，去皮脐）　乳香半两（细研）

【用法】研附子为末，入辰、酸、乳三件和匀，炼蜜为丸，如鸡头子大。每服一粒，空心温酒吞下。须是腊日合，瓷器收。

【功用】既济水火，滋补心肾。

【主治】白浊，梦遗。

四白头

【来源】《普济方》卷三十三引《仁存方》。

【别名】玉华白丹。

【组成】焰硝二两（研细）　白矾三两（研细）　石膏四两（研细）　砒霜一两（研细）

【用法】用一火鼎子，先以火炙，用生姜自然汁涂内外数遍，炙干，先下砒末半两，次以砒末半两，和焰硝末一两按实；又以焰硝末一两，和矾末按实；又以白矾末一两半，和石膏二两按实，却以石膏末二两紧按在上，用圆瓦片盖合口上，围簇炭五斤，发顶火煅烟尽为度，去火候冷，取药刮净，研如细粉，再加好白石脂（煅）一两，研细，和前药滴水为丸，如鸡头子大，候干；再入新锅内，用瓦盖定置砖上，簇炭一斤，一煅通红为度，用钤钤出，倾丹在厚瓷盆内，乘热搅动，候丹冷，出火毒。每服三粒，用冷水吞下，以干物压之。

【功用】壮胃，清上实下。

【主治】虚寒，饮食作痰喘嗽；妇人白带，男子白浊遗精。

【宜忌】忌热物。

诃子丸

【来源】《普济方》卷三十三引《海岱居士秘方》。

【组成】诃子　龙骨各一两

【用法】上为末，滴水为丸，如小指头顶大，朱砂为衣。每服一丸，早晨空心葱汤送下。

【主治】肾虚脱精。

沉香保生丸

【来源】《普济方》卷二一七引《德生堂方》。

【组成】沉香　母丁香　巴戟（去心，酒浸）　莲蕊　木香　莲心　菟丝子（酒浸）　葫芦巴（酒浸）　八角茴香（盐炒）　肉苁蓉（酒浸）　韭子（酒浸）　红花各一两　雄蚕蛾一两二钱　川椒一两（净）　仙灵脾一两（醋炒）　川山甲（炮）二两二钱半　水蛭（糯米炒）五钱　青盐五钱　细墨五钱（烧去油）　益智仁七钱半　牛膝（酒浸）一两　麝香一钱半　蛤蚧一对（别研，去虫，生用）　川楝子一两（炒，以上为末）　川楝子四两（捶碎）　知母一两二钱　破故纸一两二钱　甘草二两　五味子二钱

【用法】后五味为末，用水一斗熬成浓膏，和前药末面糊为丸，如梧桐子大。每服五十丸，空心以酒或盐汤送下，干物压之。

【功用】固精气，益精髓，驻颜色，安魂定魄，延年不老，长壮阳事，暖子宫下元。

【主治】男子精气不固，余涩常流，小便血浊，梦中频数泄出，口干耳鸣，腰膝痛，阴囊湿痒，阳事不举，小便如泔，及妇人血海久冷，胎气不盛，赤白带，漏下。

金锁补真丹

【来源】《普济方》卷二一八引《德生堂方》。

【组成】川续断　川独活　谷精草　黄精草各五分　莲花蕊一两（干用）　鸡头粉一两（煮熟用）　鹿角霜一两　金樱子五两（去皮尖）

【用法】上为细末，次将金樱子捶碎，用水三升，煮至一升，去滓，银石器内用慢火熬至三合成膏，和匀，将药末为丸，如弹子大。每服止一丸，空心温酒送下。服数日，自然益气补丹田，精神加倍。若欲药行，早晨另丸药五十丸，如梧桐子大，温酒送下，应验。

【功用】升降阴阳，壮理元气，益气，补丹田，振奋精神，大能秘精。

【主治】梦遗白浊。

固真丹

【来源】《医学纲目》卷二十九引罗天益方。

【组成】晚蚕蛾一两　肉苁蓉　白茯苓　益智各一两　龙骨半两（另研）

方中龙骨用量、炮制原缺，据《证治准绳·类方》补。

【用法】鹿角胶酒浸化开，和上药为丸，如梧桐子大。每服三粒，空心温酒送下，干物压之。

【主治】梦遗。

北庭丸

【来源】《普济方》卷二十九。

【组成】北庭半两（飞过，煎成霜）　附子一两（研为末）

【用法】上药以生薯蓣于砂盆内研，调前药为丸，如梧桐子大。仍用禹余粮、盐等分，入瓶内固济，煅通赤，放冷研细。以末一钱，空心汤点下十五丸。

【主治】凡梦鬼交者，盖由肾气虚，为客邪所乘，入于脏则喜梦，肾既虚不能制于精，因梦感而动泄，久不止，则令人枯瘁不泽，少力。

瓜蒌丸

【来源】《普济方》卷三十三。

【组成】瓜蒌根　泽泻　土瓜根各二两

【用法】上为末，以牛膝和丸，如梧桐子大。每次服三十丸，食前服。

【主治】男子尿精。

牡蛎丸

【来源】《普济方》卷三十三引《卫生家宝》。

【组成】石亭脂（研，生用）　牡蛎（用醋浸少时，生用）　青盐　龙骨（真者，饭上蒸一次）各等分

【用法】上为末，以青盐打糊为丸，如梧桐子大。每服三十丸，空心盐汤盐酒送下。见效即住服。

【主治】中年以后，肾气虚冷，梦遗泄精，小便白浊。

【加减】中年以下，去石亭脂。

斩梦丹

【来源】《普济方》卷三十三。

【组成】知母一两　黄柏一两（去皮）　滑石三两

【用法】上为末，白水为丸。空心温酒盐汤送下。

【主治】梦泄遗精。

金锁丹

【来源】《普济方》卷三十三引《千金良方》。

【组成】肉苁蓉五两（酒浸三日成膏）　巴戟二两　破故纸四两　附子三两（炮，去皮脐）　胡桃三十个（同苁蓉研）

【用法】上为末。同前苁蓉膏为丸，如梧桐子大。每服五十丸，酒送下。

【功用】《臞仙活人心方》：闭精。

【主治】肾冷及精滑，小便频数。

茯苓散

【来源】《普济方》卷三十三。

【别名】锁阳丹。

【组成】茯苓　猪苓　木馒头（去皮子）各等分（一方不用猪苓）

【用法】上为末。每服二钱，用米饮调下。

【主治】泄精，膀胱疾。

莲肉丸

【来源】《普济方》卷三十三引《海上良方》。
【组成】莲肉（去心） 白茯苓各等分
【用法】上为末。空心白汤调下。
【主治】梦泄白浊。

益阳丹

【来源】《普济方》卷三十三引《诜诜方》
【组成】丁香二钱 木香三钱 木通二钱（去皮） 远志一两 石莲肉半两 麦门冬半两（去心） 白茯苓半两 龙骨（煅）一两 半夏半两（切作小粒，用大猪苓半两同炒色黄，去猪苓） 茴香半两（用斑蝥十四个，去翅足，同炒黄色，去斑蝥）。
【用法】上为末，同酒煮山药入砂盆内杵千下，丸如梧桐子大。每服四十丸，空心盐酒或盐汤送下。
【主治】丈夫心肾不交，阳气萎弱，才交即泄，梦遗白浊。

鹿茸散

【来源】《普济方》卷三十三。
【组成】鹿角屑一两 鹿茸（酥炙）一两 白茯苓三钱 人参一两 桑螵蛸（细研）一两 芎藭一两 当归一两 破故纸（炒） 龙骨各半两 柏子仁（去壳） 甘草（炙）各一两 榧子（酒浸一宿）半两
【用法】上为末。每服三钱半，加生姜五片，大枣三枚，粳米一百粒，水煎，食前服。
【主治】脏腑久虚，梦泄。

三搏丸

【来源】《普济方》卷一八〇引《郑氏家传渴浊方》。
【组成】人参 五味子 黄耆各一两（蜜炒） 白矾 龙骨 五倍子 罂粟壳 川楝子（炒） 茴香 牡蛎（煅） 熟地黄 泽泻 牡丹皮 木鳖子各半两
【用法】上为末，炼蜜为丸。每服三十丸，盐汤或酒任下。
【主治】遗精，白浊。

支感丹

【来源】《普济方》卷一八〇引《郑氏家传渴浊方》。
【组成】菟丝子（酒炙） 白茯苓各五钱 秋石一两
【用法】上为末，百沸汤一盏，井花水一盏，为阴阳水，煮糊为丸。盐、酒汤送下。
【主治】白浊，遗精。

白羊肾丸

【来源】《普济方》卷一八〇引《郑氏家传渴浊方》。
【组成】半夏 猪苓二两
方中半夏用量原缺。
【用法】上将半夏净洗，猪苓同炒。色褐为度。却用半夏为末，酒煮羊内外肾烂研，同杵为丸。却以猪苓为末，入瓷瓶内养。每服五七十丸，温水或猪苓煎温汤空心送下。
【功用】除浊。
【主治】
1.《普济方》引《郑氏家传渴浊方》：小便白浊。
2.《丹溪心法附余》：遗精。

补骨脂丸

【来源】《普济方》卷一八〇引《郑氏家传渴浊方》。
【组成】益智仁二两（去壳，青盐五钱炒） 川巴戟一两（去心） 补骨脂一两（净洗） 龙骨一两（火煅）
【用法】上为末，羯羊肾子去膜并硬心子，细切，入瓦盆内，煮烂如泥，量入药末为丸，如梧桐子大。每服一百丸，盐米汤送下。
【主治】梦遗。

麦门冬散

【来源】《普济方》卷二一七。

【组成】韭子二升　麦门冬三合　菟丝子三两　车前子　泽泻各六分

【用法】上药治下筛。每服方寸匕，酒调下，日三夜一服。

【主治】小便失禁，及梦失精。

肾浊秘精丸

【来源】《普济方》卷二一七。

【组成】石莲肉（去皮）　鹿角霜　熟地黄各四两　黄耆二斤（捶碎）

【用法】上前三药为末，将黄耆以水六升浸一宿，次早挼洗味淡，去滓，于银石器中熬汁成膏，搅和前药末为丸，如梧桐子大。每服五十至百丸，空心食前以米汤、温酒任下。

【功用】守中安神，禁固精血，益气驻颜色，延年不老。

【主治】元气不固，夜梦遗精梦泄。

枸杞丸

【来源】《普济方》卷二一七。

【别名】枸杞子丸（《古今医统大全》卷七十）。

【组成】枸杞子（冬采者佳）　黄精各等分

方中二药用量原缺，据《古今医统大全》补。

【用法】上为细末，相和捣成块，捏作饼子，干复捣末，炼蜜为丸，如梧桐子大。每服五十丸，空心温酒送下。

【功用】补精气。

【主治】《古今医统大全》：肾虚精滑。

榑金散

【来源】《普济方》卷二一七。

【组成】人参一两　白茯苓二两　络石二两　龙骨一两（煅）

【用法】上为末。每服二钱，空心、临卧米饮调下。

【主治】

1.《普济方》：脱精自泄。

2.《奇效良方》：便浊。皆缘心肾水火不济，或因酒色，遂至以甚，谓之土淫。

神仙巨胜子丸

【来源】《普济方》卷二二二。

【别名】巨胜子丸（《北京市中药成方选集》）。

【组成】熟地黄　生地黄　何首乌各四两　牛膝（酒浸三日）　官桂（研）　枸杞子　肉苁蓉（酒浸三日）　菟丝子（酒浸三日）　人参　天门冬（酒浸三日）　茯苓（去皮）　巨胜子（焙，去皮）　天雄（去皮脐）　覆盆子（炒）　山药　楮实　川续断　柏子仁　酸枣仁　破故纸（炒）　巴戟（去心）　五味子　广木香　韭子　鸡头实　莲蕊　莲肉各一两

《古今医统大全》有甘菊花八钱；《北京市中药成方选集》无天雄、胡桃，有香附、菊花。

【用法】上为细末，加胡桃十个研细，春、夏炼蜜为丸，秋、冬枣肉为丸，如梧桐子大。每服二十丸，渐加至三十丸，空心以温酒或盐汤送下，每日二次。服一月元气充足，六十日白发变黑，一百日容颜改变，目明可黑处穿针，冬月单衣不寒。

【功用】安魂定魄，改易容颜，通神仙，延寿命，补髓驻精，益气，治虚弱，展筋骨，润肌肤，头白再黑，齿落更生，耳聋复聪，目视有光，心力无倦，行疾如飞，寒暑俱不能侵，能除诸病。

【主治】《北京市中药成方选集》：气虚血亏，肾寒精冷，遗精白浊，腰腿无力。

【加减】如无天雄，可以附子（去皮脐）代之；久服，去天雄，用鹿茸。

驻年方

【来源】《普济方》卷二二三引本草方。

【组成】鸡头实

【用法】上做粉食之。

【功用】延年益气，悦心明目，补添筋骨。

【主治】一切遗精、滑精。

【宜忌】禁食芸苔、羊血。

平补固真丹

【来源】《本草纲目》卷十二引《乾坤生意》。

【组成】金州苍术（刮净）一斤（分作四分：一分川椒一两炒，一分破故纸一两炒，一分茴香、食

盐各一两炒，一分川楝肉一两炒，取净术为末）白茯苓末二两　酒洗当归（末）二两

【用法】酒煮面糊为丸，如梧桐子大。每服五十丸，空心盐、酒送下。

【主治】元脏久虚，遗精白浊；妇人赤白带下，崩漏。

郁金黄连丸

【来源】《袖珍方》卷二引《秘方》。

【组成】郁金　黄连各一两　黄芩　琥珀（研）大黄（酒浸）各二两　滑石　白茯苓各四两　黑牵牛（炒，取末）三两

【用法】上为末，水为丸，如梧桐子大。每服五十丸，空心沸汤送下。

【主治】心火炎上，肾水不升，致使水火不得相济，故火独炎上，水流下淋，膀胱受心火所炽而脬囊中积热，或癃闭不通，或遗泄不禁，或白浊如泔水，或膏淋如脓，或如栀子汁，或如沙石米粒，或如粉糊相似者，俱热证。

【加减】如用消导饮食，降心火，可加沉香五钱。

玉露丸

【来源】《臞仙活人心方》。

【组成】白龙骨（粘舌者，九蒸，久晒，为末）菟丝子（酒浸，焙干用，别研）　韭子（新瓦上微炒）各三两

【用法】上为细末，炼蜜为丸，如梧桐子大。每服十丸，食前与金锁丹相间服。

【功用】助元阳，闭精气，补脑髓，固真不泄。

【主治】遗精。

【宜忌】初服忌房事。

精天下第一下部药

【来源】《臞仙活人心方》卷下。

【组成】灵砂（水飞过）　龙骨（火煅，飞，酒煮，焙干）各二两　缩砂仁　诃子（用小者，热灰煨，取肉）各半两

【用法】上为末，米糊为丸，如绿豆大。每服十五丸至三十丸，空心温酒送下，临卧熟汤送下。

【功用】助阳补精。

【主治】夜遗梦泄。

刺猬皮散

【来源】方出《本草纲目》卷五十一引《寿域方》，名见《医林改错》卷下。

【组成】猬皮（烧灰）

【用法】每服二钱，酒下。

【主治】

1.《本草纲目》引《寿域方》：五色痢疾。

2.《医林改错》：有梦或无梦遗精，无问虚实。

加味补阴丸

【来源】《伤寒全生集》卷四。

【组成】熟地　生地　麦冬　五味　当归　川芎　白术　黄耆　黄柏　知母　白芍　山药　砂仁　茯神

【用法】炼蜜为丸。盐汤送下。

【主治】伤寒愈后，心血不足，阴虚发热，四肢无力，倦怠，眼昏耳聋，神气不宁，或夜梦遗精，或作寒热盗汗，饮食无味，不生肌肉，身体羸瘦，面色青黄。

【加减】冬月，加干姜；梦遗，加牡蛎、蛤粉、琐阳；腰腿骨酸无力，加虎胫骨、败龟版、杜仲。

内固丸

【来源】《奇效良方》卷三十四。

【组成】天雄　龙骨　鹿茸　牡蛎　韭子各半两

【用法】上为细末，酒煮面糊为丸，如梧桐子大。每服三十丸，空心冷酒送下，临卧时再服。

【功用】涩精健阳。

玉锁丸

【来源】《奇效良方》卷三十四。

【组成】败荷叶（晒干，不见火）二两　白茯苓　牡蛎（左顾者，煅过）各一两　龙骨（用五色真者，另研）三钱

【用法】上为细末，研匀，以败蜡熔和为丸，如梧桐子大。如无败蜡，以蜡糊代之。每服三五十丸，空心用麦门冬汤送下，一日二次。如觉阳道衰微，小便清，梦遗止，即住服。惟修真养性之士宜服之。如欲阳道如故，即以麝香酒解之。

【功用】大衰痿阳道，止妄心。

【主治】梦遗失精，小便白浊。

【宜忌】忌酒，并热面、动风等物。

固气丸

【来源】《奇效良方》卷三十四。

【组成】天雄　菟丝子　五味子　龙骨各一两半　桑螵蛸　山茱萸　干姜　巴戟各一两　韭子二两（一方有木贼一两半）

【用法】上为细末，炼蜜为丸，如梧桐子大。每服三四十丸，空心温酒送下。

【主治】清精自下。

【加减】干姜减半亦可。

金锁玉关丸

【来源】《奇效良方》卷三十四。

【组成】鸡头肉　莲子肉　莲花蕊　藕节　白茯苓　白茯神　干山药各二两

【用法】上为细末。金樱子二斤，去毛刺，捶碎，水一斗，熬至八分，去滓，再熬成膏，仍用少许面糊同和为丸，如梧桐子大。每服五七十丸，不拘时候，温米饮送下。

【主治】遗精白浊，心虚不宁。

柏子仁丸

【来源】《奇效良方》卷三十四。

【组成】柏子仁　枸杞子（炒）各一两　地肤子一两半　韭子三两（须十月霜后采者，酒浸，晒干，微炒）

【用法】上为细末，以煮枣肉为丸，如梧桐子大。每服三十丸，空心及晚食前以粥饮送下。

【主治】虚劳梦泄。

莲肉散

【来源】《奇效良方》卷三十四。

【别名】石莲散（《医学入门》卷七）。

【组成】莲肉　益智仁　龙骨（五色者）各等分

【用法】上为细末。每服二钱，空心用清米饮调下。

【主治】小便白浊，梦遗泄精。

益智子汤

【来源】《奇效良方》卷三十四。

【组成】益智仁二十四枚

【用法】上为末，水一中盏，加盐少许，同煎服。

【功用】益气安神，补不足，安三焦，调诸气。

【主治】遗精虚漏，小便余沥，夜多小便。

桑螵蛸散

【来源】《奇效良方》卷三十四。

【组成】桑螵蛸一两（微炒）　韭子二两（微炒）

【用法】上为细末。每服二钱，空心温酒调下，晚食前再服。

【主治】虚劳梦泄。

秘传补阴汤

【来源】《松崖医径》卷下。

【组成】黄柏　知母　当归　熟地黄　人参　白术　白芍药　山栀仁　黄耆　莲肉　陈皮　白茯苓

【用法】上切细。用水二盏，加生姜一片，大枣二枚，煎一盏，去滓服；若作丸剂，加樗根白皮为细末，炼蜜为丸，如梧桐子大。每服五七十丸，空心淡盐汤送下。

【主治】便浊遗精及女人白带。

九龙丹

【来源】《医学正传》卷六引丹溪方。

【别名】九龙丸（《古今医统大全》卷七十）。

【组成】枸杞子　金樱子　山果子（又名山楂）　莲肉　佛座顺（莲花心也）　熟地黄　芡实　白茯

苓　川归各等分

方中山果子，《古今医统大全》作山茱萸肉。

【用法】上为末，酒面糊为丸，如梧桐子大。每服五十丸，或酒或盐汤送下。如精滑便浊者，服二、三日，溺清如水，饮食倍常，行步轻健。妇人厌产者，二三服便住孕。如仍欲产，服通利之药。

【主治】

1.《医学正传》：精滑。

2.《增补内经拾遗》：白淫。

3.《张氏医通》：斫伤太过，败精失道，滑泄不禁。

【方论】《医方考》：精浊者，宜滋肾清心，健脾固脱。是方也，枸杞、熟地、当归，味厚者也，可以滋阴，滋阴则是以制阳光；金樱、莲须、芡实，味涩者也，可以固脱，固脱则无遗失；石莲肉苦寒，可以清心，心清则淫火不炽；白茯苓甘平，可以益土，益土则制肾邪；而山楂肉者，又所以消阴分之障碍也。

治浊固本丸

【来源】《医学正传》卷六引东垣方。

【组成】莲花须　黄连（炒）各二两　白茯苓　砂仁　益智　半夏（汤泡七次，去皮脐）　黄柏（炒）各一两　甘草（炙）三两　猪苓二两五钱

【用法】上为末，蒸饼为丸。每服五十丸，空心以温酒送下。

【功用】《全国中药成药处方集》：固本兼利湿热。

【主治】

1.《医学正传》引东垣方：便浊遗精。

2.《医方考》：胃中湿热，渗入膀胱，浊下不禁。

3.《全国中药成药处方集》：湿热精浊，小便频数，白浊不止。

【方论】

1.《医方考》：半夏所以燥胃中之湿；茯苓、猪苓所以渗胃中之湿；甘草、砂仁、益智，香甘益脾之品也，益脾亦所以制湿；而黄连、黄柏之苦，所以治湿热；莲花须之涩，所以止其滑泄耳。名之曰固本者，胃气为本之谓也。

2.《医方集解》：此足少阴、太阳、太阴药也。精浊多由湿热与痰，黄连泻心火，黄柏泻肾火，所以清热；二苓所以利湿；半夏所以除痰；湿热多由于郁滞，砂仁、益智辛温利气，又能固肾强脾，既以散留滞之气，且少济连、柏之寒；甘草利中而补土；惟莲须之涩，则所以固其脱也。

3.《医方论》：寓涩于利，用意甚佳。湿热不去则浊无止时，徒用涩药反致败精塞窍矣。

定志珍珠粉丸

【来源】《医学正传》卷六引丹溪方。

【别名】定志真蛤粉丸（《医学入门万病衡要》卷六）。

【组成】人参　白茯苓各三两　远志（去心）　石菖蒲各二两　海蛤粉　黄柏（炒焦色）各三两　樗根皮二两　青黛二两

【用法】上为细末，面糊为丸，如梧桐子大，青黛为衣。每服五十丸，空心姜盐汤下。

【功用】《医学入门万病衡要》：补益心气，滋阴降火。

【主治】

1.《医学正传》引丹溪方：心虚梦泄，赤白浊。

2.《医学入门万病衡要》：心气亏败，相火妄乘，致精走泄。

秘真丹

【来源】《医学正传》卷六。

【别名】经验秘真丹（《古今医统大全》卷七十）、秘真丸（《不居集》上集卷十九）。

【组成】菟丝子（酒浸，炒）　韭子（炒）　柏子仁各一两　龙骨（煅）　牡蛎（煅，醋淬）　山茱萸（去核取肉）　赤石脂（煅）各五钱　补骨脂一两（炒）　远志（去心）　巴戟天（去心）　覆盆子　枸杞子　黄柏（盐酒炒黑色）　山药各七钱五分　芡实（去壳）　杜仲（姜汁炒丝断）各一两　金樱子（半青黄者，去刺核取肉，焙干）二两　干姜（炒黑色）一两　鹿角胶一两五钱（炒成珠）

【用法】上为细末，炼蜜为丸，如梧桐子大。每服一百丸，空心姜盐汤送下。

【主治】好色肾虚，遗精梦泄，白淫白浊。

济川饮

【来源】《医学集成》卷三。

【组成】熟地八钱　人参四钱　茯神　山药　杜仲　枸杞各三钱　枣仁二钱　五味一钱半

【用法】煨姜、灯心为引，水煎，用金樱膏冲服。

【主治】遗精，无梦亦遗，心肾虚弱者。

润木汤

【来源】《医学集成》卷三。

【组成】当归　白芍各一两　焦术　茯苓各五钱　金樱　菊花各三钱　炒栀一钱　五味　甘草各五分

【主治】肝燥梦遗。

清火汤

【来源】《医学集成》卷三。

【组成】山药　芡实　麦冬各一两　元参　生地各五钱　丹参三钱　莲心二钱　天冬一钱　五味五分

【主治】因心包火动遗精。

添精丹

【来源】《医学集成》卷三。

【组成】熟地　山药　芡实　麦冬各五钱　五味五分

【主治】肾虚梦遗。

断遗丹

【来源】《医学集成》卷三。

【组成】人参一两　山药　芡实　麦冬各五钱　五味一钱

【主治】心虚梦遗。

玉环丹

【来源】《万氏家抄方》卷二。

【组成】龙骨　莲花蕊　芡实（去壳）　黄柏（盐、酒炒）　石菖蒲　牡蛎（左顾者）　五味子各一两

【用法】上为细末；金樱子竹刀刮去刺，擘开去子，蒸浓汁打糊为丸，如梧桐子大。每服五六十丸，盐汤送下。

【功用】涩精固阳。

【主治】遗精，白浊。

固精丸

【来源】《万氏家抄方》卷二。

【组成】莲须八两　覆盆子　菟丝子（酒浸，捣成膏）　破故纸（炒）　山茱萸（去核）各四两　芡实五百个　沙苑蒺藜半两（酒浸）　龙骨二两（火煅醋淬七次）

【用法】上为细末，蜜为丸，如梧桐子大。每服百丸，空心盐汤送下。

【主治】遗精梦泄。

樗树根丸

【来源】《万氏家抄方》卷二。

【别名】樗根皮丸（《东医宝鉴·内景篇》卷一引《医学入门》）。

【组成】椿根白皮（炒）

【用法】上为末，酒糊为丸服。或用八物汤加青黛、海石、黄柏煎汤吞服。

【主治】房劳内伤，气血两虚，不能固守，精滑不时，或作梦遗。

秋石四精丸

【来源】《万氏家抄方》卷三。

【别名】秋石固真丸（《医学入门》卷七）。

【组成】秋石　莲肉　茯苓　芡实各二两

【用法】上为末，枣肉十二两为丸，如梧桐子大。每服五六十丸，温酒送下。

【主治】

1.《万氏家抄方》：肾虚盗汗，腰痛。

2.《医学入门》：思虑色欲过度，损伤心气，遗精盗汗，小便频数，肾虚腰痛。

大造丸

【来源】《扶寿精方》。

【别名】河车大造丸（《不居集》上集卷二）。

【组成】紫河车一具（米泔水洗净，新瓦上焙干。用须首生者佳。或云砂锅随水煮干，捣烂） 败龟版（年久者，童便浸三日，酥炙黄）二两 黄柏（去粗皮，盐酒浸，炒褐色）一两五钱 杜仲（酥炙，去丝）一两五钱 牛膝（去苗，酒浸，晒干）一两二钱 怀生地黄二两五钱（肥大沉水者，纳入砂仁末六钱，白茯苓一块重二两，稀绢包，同入银罐内，好酒煮七次，去茯苓不用） 天门冬（去心）一两二钱 麦门冬（去心）一两二钱 人参一两

【用法】上除地黄另用石木舂一日，余共为末，和地黄膏，再加酒米糊为丸，如小豆大。每服八九十丸，空心、临卧盐汤、沸汤、姜汤任下；寒月好酒下。

【主治】

1.《扶寿精方》：男子阳萎遗精，妇人带下，素无孕育；大病后久不能作声，足痿不任地者。

2.《医方集解》：虚损劳伤，咳嗽潮热。

【加减】夏月，加五味子七钱；妇人，加当归二两，去龟版；男子遗精，妇人带下，并加牡蛎（煅粉）两半。

【方论】《医方集解》：此手太阴、足少阴药也。河车本血气所生，大补气血为君；败龟版阴气最全，黄柏禀阴气最厚，滋阴补水为臣。杜仲润肾补腰，腰者肾之府；牛膝强筋壮骨，地黄养阴退热，制以茯苓、砂仁，入少阴而益肾精；二冬降火清金，合之人参、五味，能生脉而补肺气。大要以金水为生化之源，合补之以成大造之功也。

【验案】

1. 阳萎、足痿 《本草纲目》引《诸证辨疑》：一人病弱，阳事大萎，服此二料，体貌顿异，连生四子。一人病痿，足不任地者半年，服此后能远行。一妇年六十已衰惫，服此寿至九十，犹强健。

2. 老年肾咳 《浙江中医学院学报》（1993，1：23）：应用本方加减：紫河车 10g，龟版（先煎）10g，炒知母 9g，杜仲 10g，熟地 20g，当归 10g，天冬 10g，麦冬 10g，茯苓 10g，山药 10g，五味子 10g，北沙参 15g。偏阳虚加炙桂枝 6g，自汗加浮小麦 30g。水煎服。治疗老年肾咳 47 例，男 23 例，女 24 例；年龄 61 ~ 70 岁 16 例，71 ~ 80 岁 15 例，81 ~ 90 岁 13 例，91 ~ 95 岁 3 例。病程短者 3 月，长者一年续咳嗽 2 ~ 3 月，达八年之久。结果：药后咳嗽停止，其他症状消失，或明显减轻为显效，共 32 例；咳嗽次数减少一半，程度较前减轻，其他症状亦改善为有效，共 11 例；咳嗽次数减少不足一半，程度未减，其他伴随症状继续存在为无效，共 4 例，服药最长 54 剂，最短 17 剂。总有效率为 91.5% 。

千金种子丹

【来源】《扶寿精方》。

【组成】沙苑蒺藜四两（净末如蚕种，同州者佳，再以重罗罗，二两极细末，二两精末，用水一大碗，熬膏伺候） 莲须（极细末）四两（金色者固精，红色者败精） 山茱萸（极细末三两，须得一斤，用鲜红有肉者佳，去核取肉，为细末） 覆盆子（南者佳，去核取极细末）二两 鸡头实五百个（去壳，如大小不等，取极细末四两） 龙骨五钱（五色者佳，火煅。煅法：以小砂锅，将龙骨入锅内，以火连砂锅煅红，去火毒方用）

【用法】上用伏蜜一斤炼，以纸粘去浮沫数次，无沫，滴水中成珠者伺候，只用四两；将前六味，重罗过，先以蒺藜膏和作一块，再入炼蜜四两，入石臼内捣千余下方可，丸如黄豆样大。每服三十丸，空心盐汤送下。

【功用】延年益寿。

【主治】虚损梦遗，白浊。

【宜忌】忌欲事二十日。

辰砂既济丸

【来源】《扶寿精方》。

【组成】人参 当归（酒洗） 黄耆（盐水洗，炒） 白山药 牡蛎（酒浸一宿，煅） 锁阳 甘枸杞（蜜拌） 熟地黄（酒洗）四两 知母（去毛，酒洗，略炒） 败龟版（酒浸一宿，酥炙）各二两 牛膝（酒洗）一两半 破故纸一两二钱 黄柏（酒炒）六钱

方中人参、当归、黄耆、白山药、牡蛎、锁阳、甘枸杞用量原缺。

【用法】上为末，用白术八两，水八碗，煎至一

半，取滓再益水煎，漉净，合煎至二碗成膏为丸，如梧桐子大，辰砂研细为衣。每服七十丸，空心淡盐汤或酒送下，干物压之。

【功用】《万病回春》：大补元气，涩精固阳。

【主治】

1.《扶寿精方》：梦遗。

2.《万病回春》：元阳虚惫，精气不固，夜梦遗精。

秘方千金种子丹

【来源】《扶寿精方》。

【别名】秘传千金种子方（《仁术便览》卷三）、种子丹（《叶氏女科证治》卷四）。

【组成】沙苑蒺藜四两（净末，如蚕种，同州者佳，再以重罗罗，二两极细末，二两粗末，用水一大碗，熬膏） 莲须（极细末）四两（金色者固精，红色者败精） 山茱萸（极细末）三两（须得一斤，用鲜红有肉者佳，去核取肉，为细末） 覆盆子（南者佳，去核，取极细末）二两 鸡头实五百个（去核，如大小不一等，取极细末四两） 龙骨五钱（五色者佳，火煅。煅法，以小砂锅将龙骨入锅内，以火连砂锅煅红，去火毒）

【用法】上用伏蜜一斤炼，以纸粘去浮沫数次，无沫，滴水中成珠者伺候。只用四两，将前六味重罗过，先以蒺藜膏和作一块，炼蜜四两为丸，如黄豆大。每服三十丸，空心盐汤送下。

【功用】延年益寿，令人多子。

【主治】虚损，梦遗，白浊。

【宜忌】忌欲事二十日。

蒸脐方

【来源】《扶寿精方》。

【组成】荞麦（以水和为一圈，径寸余，脐大者，经二寸） 乳香 没药 虾鼠粪（即一头尖） 青盐 两头尖 川续断各二钱 麝香一分

【用法】上各为末，入荞麦圈内，置脐上，上覆槐皮（去粗，半分厚），加豆大艾炷，灸至腹内微作声为度，不可令内痛，痛则反损真气，槐皮觉焦即更新者，每年中秋日蒸一次。若患风气有郁热在腠理者，加女子月信拌药则易汗，汗出而疾随愈。

【功用】却疾延年。

【主治】上部火或腹心宿疾，妇人月信不调，赤白带下，男子遗精白浊，或风热郁于腠理。

古庵心肾丸

【来源】《丹溪心法附余》卷十九。

【组成】熟地 生苄（俱怀庆者，酒浸，竹刀切） 山药 茯神（去木）各三两 山茱萸肉（酒浸，去核） 枸杞子（甘州者，酒洗） 龟版（去裙，醋炙） 牛膝（去芦）各一两 鹿茸（火去毛，醋炙）一两 当归（去芦、酒洗） 泽泻（去毛） 黄柏（炒褐色）各一两五钱 辰砂（为衣） 黄连（去毛，酒洗）各一两 生甘草半两 牡丹皮（去心）一两

方中丹皮用量原缺，据《医学入门》补。

【用法】上为细末，炼蜜为丸，如梧桐子大，辰砂为衣。每服五十丸，渐加至一百丸。空心温酒或淡盐汤任下。

【功用】补血生精，宁神降火。

【主治】肾水亏乏，心火上炎，发白无子及惊悸怔忡，遗精盗汗，目暗耳鸣，腰痛足痿。

九子丸

【来源】《活人心统》卷下。

【组成】菟丝子（酒煮） 枸杞子 韭子（炒） 车前子 酸枣仁 覆盆子 益智子（去壳，盐炒） 鸡头子 柏子（去壳）各一两

【用法】上为末，炼蜜为丸，如梧桐子大。每服七十丸，莲子汤送下。

【功用】益阳补肾。

【主治】男子诸虚，心气不足，遗精梦泄。

芡实丸

【来源】《活人心统》卷下。

【组成】鸡头肉五百个 莲花须一两 山萸肉一两 白蒺藜五两 五花龙骨五钱 覆盆子二两

【用法】上为末，炼蜜为丸，如梧桐子大。每服六十丸，莲子去心，煎汤送下。

【主治】梦泄及阳虚未交先泄者。

秘精丸

【来源】《活人心统》卷下。

【组成】五花龙骨一两　远志（去心）一两

【用法】上为末，炼蜜为丸，如梧桐子大，辰砂三钱为衣。每服七十丸，早晨以莲子汤送下。

【主治】用心过度而致梦泄。

天王补心丹

【来源】《校注妇人良方》卷六。

【组成】人参（去芦）　茯苓　玄参　丹参　桔梗　远志各五钱　当归（酒浸）　五味　麦门冬（去心）　天门冬　柏子仁　酸枣仁（炒）各一两　生地黄四两

【用法】上为末，炼蜜为丸，如梧桐子大，用朱砂为衣。每服二三十丸，临卧竹叶煎汤送下。

【功用】宁心保神，益血固精，壮力强志，令人不忘；清三焦，化痰涎，祛烦热，除惊悸，疗咽干，育养心神。

【主治】

1.《校注妇人良方》：妇人热劳，心经血虚，心神烦躁，颊赤头痛，眼涩唇干，口舌生疮，神思昏倦，四肢壮热，食饮无味，肢体酸疼，心忪盗汗，肌肤日瘦，或寒热往来。

2.《医方考》：过劳伤心，忽忽喜忘，大便难，或时溏利，口内生疮者。

3.《证治宝鉴》：颤振，脉数而无力。

4.《江苏中医》（1958，2：32）：心肾不交，水火不济之遗泄，性功能失常。

【宜忌】

1.《校注妇人良方》：方内天、麦门冬，玄参，生地虽能降火，生血化痰，然其性沉寒，损伤脾胃，克伐生气，若人饮食少思，大便不实者，不宜用。

2.《摄生秘剖》：忌胡荽、大蒜、萝卜，鱼腥、烧酒。

龟鹿二仙胶

【来源】《医便》卷一。

【别名】龟鹿二仙膏（《摄生秘剖》卷四）、二仙胶（《杂病源流犀烛》卷八）、龟鹿二胶（《全国中药成药处方集》沈阳方）。

【组成】鹿角（用新鲜麋鹿杀角，解的不用，马鹿角不用；去角脑梢骨二寸绝断，劈开，净用）十斤　龟版（去弦，洗净）五斤（捶碎）　人参十五两　枸杞子三十两

【用法】前三味袋盛，放长流水内浸三日，用铅坛一只，如无铅坛，底下放铅一大片亦可，将角并版放入坛内，用水浸高三五寸，黄蜡三两封口，放大锅内，桑柴火煮七昼夜，煮时坛内一日添热水一次，勿令沸起，锅内一日夜添水五次；候角酥取出，洗，滤净取滓，其滓即鹿角霜、龟版霜也。将清汁另放，外用人参、枸杞子用铜锅以水三十六碗，熬至药面无水，以新布绞取清汁，将滓石臼水捶捣细，用水二十四碗又熬如前；又滤又捣又熬，如此三次，以滓无味为度。将前龟、鹿汁并参、杞汁和入锅内，文火熬至滴水成珠不散，乃成胶也。候至初十日起，日晒夜露至十七日，七日夜满，采日精月华之气，如本月阴雨缺几日，下月补晒如数，放阴凉处风干。每服初一钱五分，十日加五分，加至三钱止，空心酒化下。常服乃可。

【功用】

1.《医便》：延龄育子。

2.《增补内经拾遗》：坚筋壮骨，填精补髓。

3.《摄生秘剖》：大补精髓，益气养神。

4.《医方集解》：补气血。

【主治】

1.《医便》：男妇真元虚损，久不孕育；男子酒色过度，消铄真阴，妇人七情伤损血气，诸虚百损，五劳七伤。

2.《医方考》：精极，梦泄遗精，瘦削少气，目视不明。

玄及膏

【来源】《摄生秘剖》卷四。

【组成】北五味子一斤（水浸一宿，去核）　白蜜三斤

【用法】五味子入砂锅，加河水煎之取汁，又将滓再煎，以无味为度，入蜜微火熬成膏，空心白汤

下二三匙。
【功用】强阴壮阳。
【主治】火嗽，梦遗精滑。
【方论】北方之令主闭藏，神气虚怯则不能收固。五味子味酸，酸者束而收敛，能固耗散之精，有金水相生之妙，况酸味正入厥阴，厥阴偏善疏泄，乃围魏救赵之法也。一物单行，功专力锐，更无监制，故为效神速。

百花如意酣春酝

【来源】《摄生秘剖》卷四。
【组成】角沉香一两　玫瑰花一两　蔷薇露一两　梅花蕊一两　桃花瓣一两　韭菜花一两　核桃肉八两　白酒浆五斤　好烧酒五斤
【用法】前七味用一绢袋盛之，悬于坛中，再入二酒，封固窨月余。随意饮之。
【功用】益肾、固精、坚阳。

固精益肾暖脐膏

【来源】《摄生秘剖》卷四。
【组成】韭菜子一两　蛇床子一两　大附子一两　肉桂一两　川椒三两　真麻油二斤　抚丹（飞净者）十二两　倭硫黄一两（研）　母丁香一钱（研）　麝香三钱（研）　独蒜一枚（捣烂）
【用法】将上药前五味用香油浸半月，入锅内熬至枯黑，滤去滓，入丹再熬，滴水成珠，捻软硬得中即成膏矣。每用大红缎摊如酒杯口大，将倭硫、丁、麝末以蒜捣烂为丸，如豌豆大，安于膏药内贴之。
【主治】男子精寒，阳事痿弱，举而不坚，坚而不久，白浊遗精；妇人禀受气弱，胎脏虚损，子宫冷惫，血寒痼冷，难成子息，带下崩漏等症。

金枣丹

【来源】《摄生众妙方》卷一。
【组成】广木香一两（为末）　哈芙蓉五钱（为末）　肉豆蔻一两（每个用面和，包如弹子样，灰火炮，面熟为度，折出皮面，取出前裹，擂为末用）　枣肉一斤（先用温水淘洗，蒸熟，去皮核）
【用法】将枣肉和前三味合作一处，捣烂为丸，每丸以人大小用之。瘴疟，冷气攻心，烧酒送下；赤白痢疾，水泻，米汤送下；咳嗽，噙化；风虫牙，塞在患齿牙缝中；梦遗精水，酒送下。
【主治】瘴疟，冷气攻心，赤白痢疾，水泻，咳嗽，风虫牙，梦遗精水。

加味坎离丸

【来源】《摄生众妙方》卷二。
【组成】人参二两　五味子（去梗）一两　麦门冬二两　牛膝（酒浸）二两　黄耆（蜜炙）一两　菟丝子（酒浸，成饼用）二两　小茴香（盐炒）二两　当归（酒浸）二两　白茯苓（去皮）二两　木香一两　川椒（去目合口，微炒）　黄柏（酒浸，炒）四两　天门冬（去心）五两　肉苁蓉（酒浸）二两　山茱萸（去核）二两　杜仲（炒断去丝）二两　巴戟（去皮，酒浸）二两
【用法】上为细末，秋、冬酒糊为丸，春、夏蜜为丸，如梧桐子大。每服五七十丸，空心盐汤或好酒任下。
【功用】下滋肾水，上降心火，中补脾土，除风，添精补髓，强阴壮阳，杀九虫，通九窍，补五脏，益精气，止梦遗，身轻体健，延年增寿。
【主治】酒色过度，劳心费力，精耗神衰，心血少而火不能下降，肾气衰而水不能上升，脾土无所滋养，渐至饮食少进，头目昏花，耳作蝉声，脚力酸软，肌肤黄瘦，遍身疼痛，吐痰咳嗽，胃脘停积，梦遗盗汗，泄泻，手足厥冷。

当归地黄膏

【来源】《摄生众妙方》卷二。
【组成】当归一斤　生地黄一斤
【用法】俱用竹刀切碎，入瓷锅中，水浮于药一手背，文武火煎。凡煎膏，只要用慢性人不疾不徐，不令焦与泛溢。凡盛膏须用净瓷瓶，每三四日在饭锅上蒸一次，使不生白花。凡服膏须自以意消息之。自觉因言因怒与劳伤气，精神短少，言语不接续，便服人参膏；若觉脾胃不和，饮食无味，便服白术膏；或血少生疮疡，肌肤燥痒，自汗遗精，便多服当归膏，平时二件间用，若嫌苦，入

炼蜜一二匙。

【功用】补养。

【主治】血少生疮疡，肤燥痒，自汗遗精。

补损百验丹

【来源】《摄生众妙方》卷二。

【组成】菟丝子一斤（拣净，以无灰腊酒浸一日一夜，次早去酒，以小甑蒸之，晒至暮，又换酒浸，蒸晒九次，然后在星月下碾为细末） 生地黄半斤（无灰酒浸三日三夜，再换酒洗净，放在瓷钵内捣至极烂用）

【用法】上为细丸。每服八九十丸，空心、食前用无灰酒或米汤、淡盐汤送下。

【主治】诸虚遗精白浊，血少无精神，四肢倦怠，脾胃不佳，大肠不实，虚寒虚眩，头眩目花。

秘传十子丸

【来源】《摄生众妙方》卷二。

【组成】覆盆子 枸杞子 槐角子（和何首乌蒸七次） 桑椹子 冬青子（共蒸）各八两 没石子 蛇床子 菟丝子（酒蒸，捣烂） 五味子（炒干） 柏子仁（捣烂）各四两

【用法】上为末，为丸。每服五六十丸，空心以淡盐汤送下。以干物压之。

【功用】添精补髓，调和阴阳。

【主治】男子肾精不坚，女子肝血不足，及五劳七伤，心神恍惚，梦遗鬼交，五痔七疝，诸般损疾。

五味膏

【来源】《摄生众妙方》卷七。

【别名】五味子膏（《济阳纲目》卷五十六）。

【组成】北五味子一斤（洗净，水浸一宿）

【用法】以手拔去核，再用温水将核洗取，余味通置砂锅内，用布滤过，入好冬蜜二斤，炭火慢熬成膏，待数日后，略去火性。每服一、二茶匙，空心白滚汤调服，火候难于适中，先将砂锅称定斤两，然后称五味汁并蜜，大约煮至二斤四两为度。

【主治】遗精。

金樱丸

【来源】《摄生众妙方》卷七。

【别名】经验金樱丸（《景岳全书》卷五十九）。

【组成】金樱子 鸡头实各一两 莲花蕊 龙骨（煅）各半两

【用法】上为末，面糊为丸，如梧桐子大。每服七八十丸，空心盐酒送下。

【主治】精滑梦遗，及小便后遗沥。

五子衍宗丸

【来源】《摄生众妙方》卷十一。

【组成】甘州枸杞子八两 菟丝子八两（酒蒸，捣饼） 辽五味子二两（研碎） 覆盆子四两（酒洗，去目） 车前子二两（扬净）

【用法】上各药俱择道地精新者，焙、晒干，共为细末，炼蜜为丸，如梧桐子大。每服空心九十丸，上床时五十丸，白沸汤或盐汤送下，冬月用温酒送下。修合日，春取丙丁己午，夏取戊己辰戌丑未，秋取壬癸亥子，冬取甲乙寅卯。

【功用】男服此药，填精补髓，疏利肾气，种子。

【主治】《中国药典》：肾虚腰痛，尿后余沥，遗精早泄，阳萎不育。

兜肚方

【来源】《摄生众妙方》卷十一。

【组成】白檀香一两 零陵香五钱 马蹄香五钱 香白芷五钱 马兜铃五钱 木鳖子八钱 羚羊角一两 甘松 升麻各五钱 丁皮七钱 血竭五钱 麝香九分

【用法】上为末，用蕲艾絮绵装白绫兜肚内，做成三个兜肚。初服者，用三日后一解，至第五日复服，至一月后常服。

【主治】痞积，遗精，白浊，妇人赤白带下，及妇人经脉不调，久不受孕。

【宜忌】有孕妇人不可服。

雀卵菟丝丸

【来源】《古今医统大全》卷四十八。

【别名】雀卵丸（《医学入门》卷七）、雀卵菟丝子丸（《墨宝斋集验方》卷上）。
【组成】菟丝子二斤（重汤酒煮三日夜干，用石臼拌捣为泥块作饼子，炕干，为细末，酒糊为丸，作饼子晒干） 雀卵一百枚（去黄，用白菟丝净末一斤）
【用法】上药炼蜜为丸，如梧桐子大。空心酒送下七十丸。久服有益无损。
【功用】助阳固精。

定志珍珠丸

【来源】《古今医统大全》卷七十引丹溪方。
【组成】人参 白茯苓 海蛤粉 黄柏（炒焦色）各三两 樗根皮二两 远志 石菖蒲 青黛各一两半
【用法】上为末，面糊为丸，青黛为衣，如梧桐子大。每服五十丸，空心盐汤送下。
【主治】心虚梦泄。

珍珠粉丸

【来源】《古今医统大全》卷七十引丹溪方。
【组成】黄柏 真蛤粉各一斤 珍珠二两 樗根白皮一斤
【用法】上为末，滴水为丸，如梧桐子大。每服一百丸，空心温酒送下。
【主治】精滑白浊。

韭子丸

【来源】《古今医统大全》卷七十。
【组成】韭子（炒） 车前子 菟丝子（酒煮另捣） 天雄（制） 龙骨各一两 鹿茸（去毛，酥炙） 桑螵蛸（炒） 干姜（炮）各三分
【用法】上为细末，炼蜜为丸，如梧桐子大。每服二十丸，空心黄耆汤送下。
【主治】虚劳寒脱漏精。

壮阳暖下药饼

【来源】《古今医统大全》卷八十七。
【组成】附子一两（炮，去皮脐） 神曲三两 干姜三两（炮） 大枣三十枚（去皮核） 桂心 五味子 菟丝子（酒浸一宿，晒干，为末） 肉苁蓉各一两（酒浸一宿，刮去粗皮，炙干） 蜀椒半两（去目及合口者，微炒黄色） 羊髓三两 酥二两 蜜四两 黄牛乳一升半 白面一升（一方入酵醋）
【用法】上为细末，入面，用酥、髓、蜜、乳相和，入大枣，熟，搜于盆中盖覆，勿令通风，半日顷即取出，再搜令熟，擀作胡饼，面上以箸琢，入炉鏊中，上下以火煿熟。每日空腹食一枚。
【主治】五劳七伤，遗精数溺。

金樱煎丸

【来源】《医便》卷三。
【组成】芡实粉四两 白莲花须（末，开者佳）二两 白茯苓二两（去皮心） 龙骨（煅）五钱 秋石（真者）一两
【用法】上为末，听用。外采经霜后金樱子不拘多少，去子并刺，石臼内捣烂，入砂锅内用水煎，不得断火，煎约水耗半，取出澄滤过。仍煎似稀饧，和药末为丸，如梧桐子大。每服七八十丸，空心盐酒送下。余膏每用一匙，空心热酒调服。
【主治】梦遗精滑，及小便后遗沥或赤白浊。

固精丸

【来源】《慎斋遗书》卷九。
【组成】鱼胞（炒焦黄色） 归身 沙蒺藜（炒）各一两
【用法】蜜为丸，白滚汤送下。
【主治】遗精白浊。

温脐兜肚方

【来源】《医学入门》卷一。
【组成】白檀香 羚羊角各一两 零陵香 沉香 白芷 马兜铃 木鳖子 甘松 升麻 血竭各五钱 丁香皮七钱 麝香九分
【用法】上为末，分作三份。每用一份，以熟艾絮绵装白绫兜肚内，初服者每三日后一解，至第五日又服，一月后常服之。

【主治】男子痞积，遗精白浊；妇人赤白带下，经脉不调，久不受孕。

龙虎济阴丹

【来源】《医学入门》卷七。
【组成】黄柏半斤　知母三两　龟版四两　熟地　陈皮　白芍各二两　锁阳一两半　虎骨一两　龙骨五钱
【用法】上为末，蜜和猪脊髓为丸，如梧桐子大。每服五六十丸，空心盐汤送下，干物压之。
【主治】遗精。
【加减】冬，加干姜五钱。

坎离丸

【来源】《医学入门》卷七。
【组成】黄柏　知母各等分（用童便九蒸九晒九露）
【用法】上为末，以地黄煎膏为丸；脾弱者山药糊丸服。
【主治】阴火遗精，盗汗，潮热，咳嗽。

枸杞汤

【来源】《医学入门》卷七。
【组成】枸杞子　肉苁蓉　茯苓各一钱　五味子七分　人参　黄耆　山栀仁　熟地　石枣肉　甘草各五分　生姜一片　灯心一握。
【用法】早空心温服。
【主治】肾虚精滑。

神芎汤

【来源】《医学入门》卷七。
【组成】升麻　川芎　人参　枸杞子　甘草　远志　黄耆　当归　地骨皮　破故纸　杜仲　白术各四分　生姜一片　莲肉七枚
【用法】水煎温服。如无莲肉，莲花须亦可。
【功用】补肾，引肾水归源。
【主治】遗精经久，肾虚下陷，玉门不闭，不时漏精。

真珠粉丸

【来源】《医学入门》卷七。
【组成】蛤粉　黄柏各等分
【用法】水为丸。酒送下。
【功用】滋阴降火。
【主治】遗精白浊。
【加减】或加樗皮、青黛、滑石、知母尤妙。

徐氏硫苓丸

【来源】《医学入门》卷七。
【组成】矾制硫黄一两　白茯苓二两　知母　黄柏（各童便浸）各五钱
【用法】上为末，黄蜡一两半溶化为丸，如梧桐子大。每服五十丸，以盐汤送下。
【主治】上热下冷，梦遗。

硫苓丸

【来源】《医学入门》卷七。
【组成】矾制硫黄一两　白茯苓二两　知母　黄柏（各用童便浸）各五钱
【用法】上为末，用黄蜡一两半溶化和丸，如梧桐子大。每服五十丸，盐汤送下。
【主治】上热下寒，梦遗。

腽肭补天丸

【来源】《医学入门》卷七。
【组成】腽肭脐　人参　白茯苓（姜汁煮）　当归　川芎　枸杞　小茴香各一两半　白术二两半　粉草（蜜炙）　木香　茯神各一两　白芍　黄耆　熟地黄　杜仲　牛膝　故纸　川楝　远志各二两　胡桃肉三两　沉香五钱
【用法】上为末，用制腽肭酒煮面糊为丸，如梧桐子大。每服六十丸，空心盐酒送下。
【主治】男妇亡阳失阴，诸虚百损，阴痿遗精，健忘白带，子宫虚冷。
【加减】男，加知、柏；女，加附子。

滋阴降火汤

【来源】《医学入门》卷八。

【组成】当归　生地　白芍　白术各一钱　麦门冬　甘草各五分　知母　黄柏　远志　陈皮　川芎各六分

【用法】加生姜，水煎，温服。

【功用】养血降火。

【主治】潮咳汗血，遗精无泄者。

【加减】如有痰，加瓜蒌仁、贝母；咳嗽，加五味子、阿胶；梦遗，加芡实，石莲肉；有热，加秦艽、地骨皮；吐血，咯血，加茜草根、藕汁、玄参；气虚血少，加参，耆；久病者，去川芎。

三神汤

【来源】《古今医鉴》卷八。

【组成】苍术七钱　川萆薢七钱　小茴香一两

【用法】上锉。加生姜三片煎，入盐一捻同服。

【主治】遗精白浊。

加味二陈汤

【来源】《古今医鉴》卷八。

【组成】陈皮一钱　半夏一钱半（姜泡）　茯苓一钱半（盐水炒）　白术一钱　桔梗一钱　石菖蒲七分　黄柏二分　知母三分　栀子（炒黑）一钱半　升麻一钱（酒炒）　柴胡一钱（酒炒）　甘草一钱

【用法】上锉一剂。加生姜，水煎服。

【主治】遗精。

百粉丸

【来源】《古今医鉴》卷八。

【组成】黄柏（童便炒）　知母（童便炒）　蛤粉（略炒）　牡蛎（火煅）　山药（酒炒）

【用法】上为末，捣烂饭为丸，如梧桐子大。每服五七十丸，空心盐汤、温酒任下。

【主治】肾虚火动遗精。

定心丸

【来源】《古今医鉴》卷八。

【组成】人参　白术　茯苓　枳实（面炒）　石莲肉（去心）　陈皮　韭子（炒）各一两　半夏　远志（去骨）　酸枣仁各五钱　牡蛎（煨）三钱　甘草（炙）一钱半

【用法】上为末，神曲糊为丸，如梧桐子大。每服五十丸，空心盐汤送下。

【主治】妄想太过，遗精。

【加减】久则加干姜（炒黑）三钱，樗根白皮五钱。

保精汤

【来源】《古今医鉴》卷八。

【组成】当归（酒洗）　川芎　白芍（酒炒）　生地（姜汁炒）　黄柏（酒炒）　知母（蜜炒）　黄连（姜汁炒）　栀子（童便炒）　沙参　麦门冬（去心）　干姜（炒黑减半）　牡蛎（火煅）　山茱萸（酒蒸去核）各等分

【用法】上锉一剂。水煎，空心温服。

【主治】阴虚火动，夜梦遗精，虚劳发热。

樗根白皮丸

【来源】《古今医鉴》卷八。

【别名】樗白皮丸（《国医宗旨》卷三）。

【组成】白术　枳实（面炒）　茯苓　柴胡　升麻各二钱　黄柏（盐水炒）　知母（盐水炒）　牡蛎（煅）各三钱　韭子（炒）一两　芍药（炒）五钱　樗根白皮七钱

【用法】上为末，神曲糊丸。每服五十丸，空心盐汤送下。

【主治】湿热伤脾，遗精久不止。

奇效丸

【来源】方出《本草纲目》卷十六引丹溪方，名见《汉药神效方》。

【组成】牡蛎粉

【用法】醋糊为丸，如梧桐子大。每服三十丸，米饮送下，一日两次。
【主治】梦遗，便溏。

秋石交感丹

【来源】《本草纲目》卷五十二引《郑氏家传方》。
【组成】秋石一两　白茯苓五钱　菟丝子（炒）五钱
【用法】上为末，用百沸汤一盏，井华水一盏，煮糊为丸，如梧桐子大。每服一百丸，盐汤送下。
【主治】白浊遗精。

养血填精汤

【来源】《点点经》卷一。
【组成】枸杞　全归　茯苓　芡实　菟丝各一钱半　条参（蜜炙）　大云各二钱　熟地　川芎　白芍　仙茅各一钱　甘草三分
【用法】加金樱子（打碎）五个为引，水煎服。
【主治】酒疾伤害膀胱，遗精渗精，腰脊痛胀，浊红浊白等。

珍珠粉丸

【来源】《云岐子保命集》卷下。
【别名】珍珠母丸（《医略六书》卷二十五）。
【组成】黄柏一斤（新瓦上烧令通赤为度）　真蛤粉一斤
【用法】上为末，滴水为丸，如梧桐子大。每服一百丸，空心温酒送下。
【主治】

1.《云岐子保命集》：白淫梦泄遗精及滑出而不收。

2.《医略六书》：阴虚白浊，脉涩数者。

【方论】阳盛乘阴，故精泄也。黄柏降火，蛤粉咸而补肾阴也，兼治思想所愿不得。

金锁秘精丹

【来源】《保命歌括》卷三十四。
【组成】莲肉（去心）　芡实（去壳）各四两　真桑螵蛸（炙）一两
【用法】上为细末；取金樱子（黄熟者）一斗，轻杵去外刺，又剜去内子，于木臼杵烂，以水一斗，煮耗五升，用布滤去滓，再熬成膏，和药杵千余下为丸，如梧桐子大。每服五十丸，空心盐汤送下。更以猪腰子一枚，煨熟压之，以助药力。宜用此方以塞其流，兼用补肾地黄丸以固其源。夜则侧卧，伸下一足，屈上足，以挽上足之膝，一手掩其脐，一手握固攀起其茎，勿挨肉，甚妙。
【主治】下元虚损，酒色放恣而遗精者，如瓶之破损而渗漏水出也。

四制黄柏丸

【来源】《赤水玄珠全集》卷一。
【组成】黄柏（去粗皮，净）四斤（一斤以好酒浸，一斤米泔水浸，一斤蜜糖水浸）
【用法】上俱用瓷器浸之，三味俱要没二指为度，冬月浸七日，夏浸三日，春秋五日，滤出晒干，仍存余汁待后用；再将黄柏一斤切作五寸长，用真酥油半斤，以瓷碗盛之，先将铜铫将水熬滚，再将酥油连碗入水溶化，将黄柏以微火炒热，用棕刷蘸酥徐徐刷上，且刷且炙，各使透彻，切忌焦黑，炙毕放于冷地上，以瓷碗复之二日，去火毒。并前共为细末，以前存原汁和为丸；如汁不敷，再加蜜酒兑匀和之为丸，如梧桐子大，每服五七十丸，空心及临卧酒吞下，徐以干物压之。
【功用】滋肾降火化痰。
【主治】吐血，遗精。
【加减】如相火周身疼痛，减黄柏二斤，加犀角一两为末，入前丸中。

固精丸

【来源】《赤水玄珠全集》卷十。
【组成】莲蕊四两（拣净，用新者）　山茱萸肉四两（用肥者，酒浸，去核）　覆盆子四两（酒浸，蒸，去蒂瓤）　菟丝子一两（酒浸一宿，蒸半日，捣烂，晒干）　芡实五百枚（去壳）　破故纸五钱（炒微香）　白蒺藜五钱（去角刺，微炒）　五味子（拣红润者）五钱
【用法】上为细末，炼蜜舂千余下为丸，如梧桐子大。每服五十丸，空心温酒、白汤任下。

【功用】益阴固精，壮阳补肾，常服能生子。

五福延寿丹

【来源】《仁术便览》卷三。

【组成】五味子六两　肉苁蓉四两（酒浸，焙）　牛膝三两（酒浸）　菟丝子（酒浸，炒）二两　杜仲（姜炒断丝）三两　天冬（去心）二两　广木香一两　巴戟（去心）二两　山药二两　鹿茸（酥油炙透）一两　车前子（炒）二两　菖蒲（焙）一两　泽泻（去毛）一两　生地一两（酒洗）　熟地一两（酒制）　人参（去芦）一两　乳香一两（另研）　没药五钱（另研）　枸杞子一两　大茴（炒）二两　覆盆子一两　赤石脂（煅）一两　地骨皮二两　杏仁（去皮尖）一两　山茱萸（去核）二两　柏子仁一两　川椒（去目，合口炒）七钱　川楝肉（炒）一两　远志（去心）一两　龙骨（煅）五钱　白茯苓（去皮）一两　当归（酒洗）一两

【用法】上为细末，炼蜜为丸，如梧桐子大。每服三十丸，空心盐汤或盐酒送下。

【主治】男子女人诸虚百损，五劳七伤，未及半百而须发早白，行路艰难，形容羸瘦，眼目昏花，远年近日咳嗽，吐痰见血，夜梦遗精，并妇人久不生育。

秃鸡丸

【来源】《仁术便览》卷三。

【组成】菟丝子（酒煮）一两　蛇床子（酒洗）二两　五味子一两　肉苁蓉（酒浸，焙）二两　莲蕊（金色者）二两　山药（酒浸，焙）二两　远志（甘草水浸，去心）一两　真沉香五钱　广木香五钱　益智仁一两

【用法】上为末，炼蜜为丸，如梧桐子大。每服三十丸，空心盐汤送下，以干物压之。

【功用】男子补精壮阳。

蛤粉丸

【来源】《医学六要·治法汇》卷六。

【组成】黄柏（炒）　知母　蛤粉各一斤

【用法】上为末，粥为丸，青黛为衣。

【主治】虚热遗滑。

健步虎潜丸

【来源】《万病回春》卷二。

【组成】黄耆（盐水炒）　当归（酒洗）　枸杞子（酒洗）　龟版（酥炙）各一两　知母（人乳汁、盐、酒炒）　牛膝（去芦，酒洗）　白术（去芦）　白芍（盐、酒炒）　生地黄　熟地黄　虎胫骨（酥炙）　杜仲（姜、酒炒）　人参（去芦）各二两　破故纸（盐、酒炒）一两　麦门冬（水泡，去心）一两　白茯神（去皮木）　木瓜　石菖蒲（去毛）　酸枣仁　远志（甘草水泡，去心）　薏苡仁（炒）　羌活（酒洗）　独活（酒洗）　防风（酒洗）各一两　黄柏（人乳汁、盐、酒炒）二两　五味子　沉香　大附子（童便浸透，面裹煨，去皮脐，切四片，又将童便浸，煮干）各五钱

【用法】上为末，炼蜜和猪脊髓五条为丸，如梧桐子大。每服一百丸，温汤或酒送下。

【功用】

1.《鳞爪集》：祛风活血，壮阳益精。

2.《全国中药成药处方集》（沈阳方）：强筋壮骨，补肾填精，燥湿利下。

【主治】

1.《万病回春》：中风瘫痪，手足不能动，舌强謇于言。

2.《鳞爪集》：老年衰迈或壮年病后，筋骨无力，步行艰难，腿膝疼痛麻。

3.《全国中药成药处方集》（沈阳方）：筋骨痿弱，腰腿酸痛，四肢无力，阴虚盗汗，遗精白浊，肾虚脚气，一切肝肾不足。

归元散

【来源】《万病回春》卷四。

【组成】人参（去芦）　白术（去芦）　茯苓（去皮）　远志（去心）　酸枣仁（炒）　麦门冬（去心）　黄柏（童便炒）　知母（童便炒）　芡实　莲花须　枸杞子　陈皮　川芎各等分　升麻减半　甘草减半

【用法】上锉一剂。加莲肉三个，枣子一枚，水

煎，空心服。
【功用】升提肾气以归原。
【主治】梦遗日久，气下陷者。

固精丸

【来源】《万病回春》卷四。
【组成】当归（酒洗） 熟地黄 山药（炒） 人参（去芦） 白术（去芦） 茯苓（去皮） 锁阳 牡蛎 蛤粉 黄柏（酒炒） 知母（酒炒） 杜仲（酒和姜汁炒） 椿根皮 破故纸（酒炒）各一两
《简明医彀》有金樱子，无当归。
【用法】上为细末，炼蜜为丸，辰砂为衣，如梧桐子大。每服五十丸，空心酒吞下。
【功用】《简明医彀》：扶元益肾秘精。
【主治】阴虚火动而遗精。

保生丹

【来源】《万病回春》卷四。
【组成】嫩乌药 益智仁 朱砂（另研，水飞过，留一半为衣）各一两 干山药二两
【用法】上药各为末，将山药打糊为丸，如不成，再加些酒糊为丸，如梧桐子大。每服百丸，空心淡盐汤送下。
【主治】夜梦遗精，旬无虚夕，或经宿而再者。

养心汤

【来源】《万病回春》卷四。
【组成】辰砂（另研末，调入服） 远志（去心） 酸枣仁 石莲肉 芡实 莲心 天门冬 桔梗（去芦） 麦门冬（去心） 车前子 龙骨各等分 甘草减半
【用法】上锉一剂。加灯心二十寸，水煎服。
【功用】滋阴降火。
【主治】阴虚火动而遗精者。

清心汤

【来源】《万病回春》卷四。
【组成】黄连 生地黄 当归 石莲肉 远志（甘草水泡，去心） 茯神（去皮木） 酸枣仁（炒） 人参（去芦）各等分 甘草减半
【用法】上锉一剂。水煎服。
【主治】梦遗。

万补丸

【来源】《鲁府禁方》卷一。
【组成】苍术八两 厚朴（去皮） 陈皮各五两 甘草 小茴（略炒）各三两
【用法】上为末，听用；用牙猪肚一个，莲肉末半斤，将猪肚擦洗极净，入莲肉末于中，线扎住，用猪腰二个同煮，用童便煮极烂为度，取出捣如泥，和前药再捣极匀为丸，如梧桐子大。每服七八十丸，姜汤送下；白水亦可。
【主治】脾胃不和，溏泄晨泄，一切脾气不足；男子遗精，女人赤白带下。

石莲散

【来源】《鲁府禁方》卷二。
【组成】莲蕊 石莲肉 芡实 人参 麦门冬 茯神 远志 甘草
【用法】上锉。水煎，空心服。
【主治】遗精。

神龙丹

【来源】《鲁府禁方》卷二。
【组成】文蛤（炒）二钱 白龙骨（煅）三钱 白茯神（去皮木）五钱
【用法】上为细末，醋糊为丸，如梧桐子大。每服三十丸，空心温水送下。
【主治】遗精。

滋补丹

【来源】《鲁府禁方》卷二。
【别名】滋补丸（《寿世保元》卷五）。
【组成】人参 白术 茯苓（去皮） 当归（酒洗） 川芎 熟地 白芍（酒炒） 枸杞子 杜仲（去皮，酒炒） 牛膝（去芦，酒洗） 天门冬（去

心） 麦门冬（去心） 破故纸（炒） 远志（甘草水泡） 牡蛎（煅） 龙骨（煅） 金樱子（去毛） 莲蕊 甘草各等分

【用法】上为末，干山药末打糊为丸，如梧桐子大。每服百丸，空心酒下。

【主治】夜梦遗精，或滑虚损。

佛座须丸

【来源】《痘疹传心录》卷十八。

【组成】茯苓一两 黄柏四两 砂仁 远志 猪苓 茱萸肉 莲须 菟丝子各七钱五分 甘草八分

【用法】上为末，山药糊丸，如梧桐子大。每服三钱，空心白汤送下。

【主治】梦遗。

真珠丸

【来源】《痘疹传心录》卷十八。

【组成】真珠一钱（另研） 玉蛤蜊壳四两（煅） 黄柏（末）四两（盐水炒） 知母四两（盐水炒）

【用法】上为末，炼蜜为丸，如梧桐子大，青黛为衣。每用二钱，空心盐汤送下。

【主治】遗精，白浊。

五子益肾补元丸

【来源】《增补内经拾遗》卷四。

【组成】生地八两（掐开内红紫色者佳，酒洗净，以竹刀切片，用少壮乳汁一钟，无灰酒一钟，拌匀，浸一日，入砂锅微炒，不住手，将半燥时，取起，日晒夜烘干） 白茯苓四两（坚白、云南者佳，去皮，同地黄为末，绢包之，藏于糯米饭内蒸一熟，如此制配，引地黄入黄庭宫而用之也） 山茱萸（红润者佳，洗净去核用肉）五两 泽泻（不蛀、色白者佳，去毛根）三两（同山茱萸为末，绢包，饭上蒸一熟，如此制配，引山茱入丹田，则泽泻不为渗矣） 干山药（怀庆者）五两 牡丹皮（壮厚片不枯腐者）四两（温水洗净，即时乘湿拌山药末，绢包，砂锅上白汤蒸一熟，晒干为末，引山药入心包络而生精血也） 柏子仁三两（微炒，另研） 覆盆子（水洗净）二两（炒） 楮实子三两（淘净，炒） 枸杞子（甘州者佳，去梗蒂，取净末）四两 菟丝子四两（淘净，用青盐二钱，煎汤煮熟，杵烂炒干）

【用法】上各为细末，用真蜡蜜二十两，炼将熟，以浮小麦拣净，取粉四两，芡实子粉四两。少壮妇乳汁三盏，入水二钟打匀，复炼极熟，和前末入石臼内杵为丸，如梧桐子大，晒干。每日一百丸，空心用淡盐汤送下，随即纳风干甘栗子一二枚，或煮熟莲肉十余粒，或煮熟龙眼之类，以助药力归于下元也。

【功用】益肾精，补元气。

【主治】肾精亏损，失精。

全鹿丸

【来源】《增补内经拾遗》卷四。

【组成】雄鹿（最小）一只 秋石二斤 五味子三斤（酒洗，晒干，净末一斤） 车前子二斤（水淘，晒干，净末一斤） 金樱子三斤（酒洗，晒干，净末一斤） 菟丝子七斤（酒浸，晒干，如七次后取末五斤） 黄柏七斤（去粗皮，牛乳浸透，晒干，取净末五斤）

【用法】黄柏并四子各为细末，和合一处，却将雄鹿取血，拌药如弹子，晒干，复为末；将鹿去毛秽，其角煮膏，枯骨为霜，其骨煮粉，皮、肉、五脏俱熬膏，然后以秋石化开，和前药末为膏，少加炼蜜为丸，如梧桐子大。每服五十丸，空心淡盐汤送下；温酒亦可。

【功用】益血气，补劳伤，固精髓，壮筋骨。

【方论】飞霞子曰：鹿则全体大补是也。壶隐子曰：黄柏二制，米泔水浸，生姜汁炒，则治上焦；单制蜜炙则治中焦，不制则治下焦也。独此又用牛乳，亦走下焦。

壶隐子双鹿丸

【来源】《增补内经拾遗》卷四。

【组成】雄麋一只 雌鹿一只 枸杞子十六斤 当归（合用酒浸） 川芎（不得见火） 白芍（炮） 生地（酒煮捣膏） 人参 白术（东壁土炒） 白茯苓（去皮） 甘草（蜜炙）各三斤

【用法】上药各为细末，各另收贮；取雄麋宰血，和四君如弹子；雌鹿宰血，和四物如弹子，晒干，复为末；二鹿各去毛秽，二脑二髓和地黄膏，再捣如泥；二骨酥炙，各磨为粉；二肉二皮二杂，各炼为膏；麋角煮为霜，角汁熬为胶，和前药末为丸，如不成丸，少加炼蜜，如梧桐子大。每服五十丸，加至一百丸，空心温酒送下；盐汤亦得。药性回润，仍须常晒。

【主治】肾精亏，失精。

【方论】麋能补阳，鹿能补阴，气血两虚，麋鹿兼用，故曰双鹿。惟此方不寒不热，大都用雄麋四君以补气；雌鹿四物以补血；枸杞者，取其能壮筋骨，坚精髓，延龄益寿，返老还童耳。

茯神汤

【来源】《证治准绳·类方》卷六。

【组成】茯神（去皮）一钱半　远志（去心）　酸枣仁（炒）各一钱二分　石菖蒲　人参　白茯苓各一钱　黄连　生地黄各八分　当归一钱（酒洗）　甘草四分

【用法】水二钟，加莲子七枚，捶碎，煎八分，食前服。

【主治】欲心太炽，思想太过，梦泄不禁，夜卧不安，心惊。

聚精丸

【来源】《证治准绳·女科》卷四。

【组成】黄鱼鳔胶一斤（白净者，切碎，用蛤粉炒成珠，以无声为度）　沙苑蒺藜八两（马乳浸两宿，隔汤蒸一炷香久，取起焙干）

【用法】上为末，炼蜜为丸，如梧桐子大。每服八十丸，空心温酒、白汤任下，男子服。

【功用】养精种子。

【主治】《医略六书》：肾气虚衰，失于封藏，精滑不固，脉涩，不胜腻补者。

【宜忌】忌食鱼及牛肉。

【方论】《医略六书》：鳔胶膏液之属，大滋肾脏脂膏，而脏腑咸受；其益沙藜秘涩之属，大封精气蛰藏，而诸窍无不秘密矣。炼蜜以润之，使肾脏内充则精气自固，而蓄泄有权，精滑有不止者乎？此聚精摄液之剂，洵为肾虚封藏不固之专方。

加味补阴丸

【来源】《证治准绳·伤寒》卷七。

【组成】黄柏（盐酒拌炒）四两　熟地黄　知母（盐酒拌炒）　败龟版（醋炙）各二两　虎胫骨　锁阳（醋炙）　白芍药（酒炒）　当归（酒浸）　川牛膝（酒洗）　杜仲（醋炙去丝）　砂仁各一两

【用法】上为末，炼蜜入猪脊髓五条，共捣和成，石臼内杵千余下为丸，如梧桐子大。每服五十丸，空心淡盐酒或盐汤送下。

【主治】病后阴虚，精血不足，四肢少力，心神不宁，夜梦遗精，或虚热盗汗，饮食进少，不为肌肉，身体羸弱，面色青黄而无血色。

【加减】若冬月天寒，加干姜（炮）五钱。

滋阴补肾丸

【来源】《证治准绳·伤寒》卷七。

【组成】熟地黄（酒蒸）　生地黄（酒浸）　白术各二两　人参　麦门冬（去心）　五味子　当归（酒浸）　白芍药（酒炒）　川芎　黄耆（盐水炙）　山药　蛤粉（另研极细）　茯神（去皮木）　砂仁各一两　知母（炒）一两半　黄柏（炒）二两

【用法】上为细末，炼蜜和成于石臼内杵千余下，丸如梧桐子大。每服五十丸，空心淡盐汤送下。

【功用】滋肾水，制虚火。

【主治】病后阴虚，精血不足，四肢少力，心神不宁，夜梦遗精，或虚热盗汗，饮食进少，不为肌肉，身体羸弱，面色青黄而无血色。

芡实丸

【来源】《国医宗旨》卷三。

【组成】芡实（蒸，去皮）　莲花须各二两　茯神（去木）　山茱萸肉　北五味子　甘州枸杞　熟地黄（酒蒸）　韭子（炒）　肉苁蓉（酒浸）　川牛膝（去芦，酒浸）

【用法】上为末，酒煮山药糊为丸，每服七十丸，空心盐汤送下。

【主治】梦遗。

仙茅丸

【来源】《墨宝斋集验方》卷上。

【组成】半夏曲一两　鹿角胶四两　人参（去芦）一两　黄耆（蜜水炒）二两　甘枸杞二两（去梗）山萸肉二两　陈皮一两（去白）　白术三两（酒洗，炒）　白茯苓一两五钱（炒）　川归身二两（酒洗）　甘草七钱　薏苡三两（炒）　仙茅（用川中制过者，不可见铁）一斤

【用法】上为末，用炼蜜二斤四两为丸。日服三次，每六七十丸，盐、酒送下。

【主治】补心神，固肾精。

【宜忌】忌牛、羊肉。

启阳固精丸

【来源】《墨宝斋集验方》卷上。

【组成】人参一两　大附子一枚（甘草水浸，夏半日，冬一日。更以甘草水拌面裹煨熟，去皮脐，切片，烘干）　川芎一两　菟丝子八两（酒煮，捣为饼）　破故纸四两（炒）　官桂二两（去皮）　山药四两（炒）　小茴香四两（炒）　巴戟天二两（去心）　锁阳二两（火烘）　杜仲三两（姜汁炒）黄耆二两（酒炒，去头）

【用法】上为末，炼蜜为丸，如梧桐子大。每服一百丸，空心酒送下。

【功用】启阳固精。

【主治】《医学启蒙》：耗伤劳神太过，心肾不交，阳萎不固不举。

固精丸

【来源】《墨宝斋集验方》卷上。

【组成】川黄柏一斤

【用法】上药选肉厚皮薄者，去皮劈成条子，将水酒浸稍透，取起咀成片，用牡蛎半斤，要青色不枯者，火烧，一红取起，为细末，与黄柏各匀作四次，柔火炒茶褐色，不可焦，筛去牡蛎，独用黄柏为末，炼蜜为丸，如梧桐子大。每服三钱，空心用盐滚水服下。服后手摩胸膈，徐行一二百步，即食水煮饭压之。服之先自觉精欲泄，必待其泄去方可服药。

【主治】梦遗。

【宜忌】戒暴怒，少劳顿，忌食椒、蒜辛热之物及房事。

【加减】心有妄想不宁者，加朱砂为衣。

滋阴百补固精治病膏

【来源】《墨宝斋集验方》卷上。

【组成】香油一斤四两　苍耳草一两　谷精草五钱　天门冬　麦门冬　蛇床子　远志（去心）　菟丝子　生地黄　熟地黄　牛膝（去芦）　肉豆蔻　虎骨　续断　鹿茸　紫稍花各一两　木鳖子（去壳）　肉苁蓉　官桂　大附子各六钱　黄丹八两　柏油二两　硫黄　赤石脂（煅）　龙骨（煅）　木香各二钱　阳起石四钱　乳香　没药　丁香　沉香各四钱　麝香一钱　黄蜡六钱

【用法】先将苍耳草入香油中熬数滚，再下谷精草以后之十四味药，熬得药黑色，又下木鳖子等四味药，少熬，待药俱焦黑枯，滤去药，将油又熬滚，方下黄丹、柏油二味，用槐条不住手搅，滴水成珠，方将硫黄以后十味药为细末投入，搅匀，又下黄蜡，倾在罐内，封固好，井水中浸七日，每个膏药用红缎一方，药三钱，贴在脐上，再用两个贴在两腰眼，只用一钱一个。男子贴在丹田脐下，妇人贴在脐上下。

【主治】男子精冷寒，阳不举，梦泄遗精，小肠疝气；女人血崩，赤白带下，经水不调，脏寒。

闭精散

【来源】《杏苑生春》卷七。

【组成】黄耆　远志　人参　当归各一钱　泽泻　白芍药　甘草（炙）　龙骨各七分

【用法】上锉。水煎，空心温服。

【主治】小腹急痛，便溺失精，溲出白液。

鹿茸内补丸

【来源】《杏苑生春》卷七。

【组成】鹿茸　菟丝子　蒺藜　紫菀　肉苁蓉　官桂　黑附子（炮）　阳起石　黄耆　蛇床子　桑螵蛸各等分

【用法】上为细末，炼蜜为丸，如梧桐子大。每服五十丸，食前温酒送下。

【主治】劳伤思想，阴阳气虚，遗精，白淫。

养心益肾百补丹

【来源】《宋氏女科》。

【组成】淮生地八两（酒蒸，另杵为膏） 枸杞子四两（酒浸） 山药四两 丹皮三两（去木） 茯苓三两（乳蒸） 山萸肉四两（酒蒸） 柏子仁二两（炒） 覆盆二两 泽泻二两（去毛） 五味子二两 菟丝子三两（水洗净，酒蒸烂，研饼，焙干，又研细末）

【用法】上为末，用蜜八两，鹿角胶一两，先溶入蜜，浮小麦粉四两，芡实粉四两，水调，亦入胶蜜同炼熟，和诸药，杵千余下为丸，如梧桐子大。每日空心服百丸，淡盐汤送下。

【功用】补益元气，培填虚损。

【主治】真精内乏，以致胃气怯弱，下焦虚惫，及梦泄自汗，头晕目黑，耳鸣，四肢无力者。

十全大补汤

【来源】《寿世保元》卷四。

【组成】人参二钱 白术一钱五分 白茯苓三钱 当归二钱 川芎一钱五分 白芍二钱 熟地黄三钱 黄耆二钱 肉桂五分 麦门冬二钱 五味子三分 甘草（炙）八分

【用法】上锉一剂。加生姜、枣子，水煎，温服。

【主治】元气素弱，或因起居失宜，或因用心太过，或因饮食劳倦，致遗精白浊，盗汗自汗，或内热晡热，潮热发热，或口干作渴，喉痛舌裂，或胸乳膨胀，或胁肋作痛，或头颈时痛，或眩晕眼花，或心神不宁，寤而不寐，或小便赤淋，茎中作痛，或便溺余沥，脐腹阴冷，或形容不充，肢体畏寒，或鼻气急促，更有一切热症，皆是无根虚火。

神仙粥

【来源】《寿世保元》卷四。

【组成】山药（蒸熟，去皮）一斤 鸡头实半斤（煮熟去壳，捣为末） 粳米半升

【用法】上以慢火煮成粥。空心食之。食后用好热酒饮一二杯更妙。

【功用】补虚劳，益气强志，壮元阳，止泄精。

【主治】劳瘵泄精。

【加减】加韭子末二三两尤妙。

玉堂丸

【来源】《寿世保元》卷五。

【组成】莲须（色黄者佳）一斤 石莲肉（净肉）一斤 芡实（净肉）二两 麦冬（去心）四两

【用法】用公猪肚一个，加入莲肉（带心皮）一斤，入砂锅内，水煮烂去肚，将莲肉晒干，同前药为细末，炼蜜为丸，如梧桐子大。每服百丸，空心莲须煎汤送下。

【主治】嗜欲无度，梦遗精滑，日夜长流，百方罔效，病将垂危者。

定志丸

【来源】《寿世保元》卷五。

【组成】远志（甘草水浸，去心） 石菖蒲各二两 人参一两 白茯神（去木）二两 黄柏（酒炒）二两 蛤粉（炒）一两

【用法】上为末，炼蜜为丸，如梧桐子大，朱砂为衣。每服三十丸，空腹米汤送下。

【主治】白浊经年不愈，或时梦遗，形体瘦弱。

养心滋肾丸

【来源】《寿世保元》卷五。

【组成】人参一两 芡实（去壳）一两 酸枣仁（炒）二两 天冬（去心）二两 远志（甘草水泡，去心）一两 当归（酒洗）一两 莲蕊一两 柏子仁（去油，炒）一两 石菖蒲（去毛）六钱 熟地黄（酒蒸）二两 五味子一两 麦冬（去心）二两 知母（去毛，酒炒）二两 白芍（盐酒炒）一两五钱 白茯神（去皮木）一两 莲肉（去心皮）一两 牡蛎（火煅）一两 怀山药（炒）三两 生地黄（酒洗）二两 黄柏（去皮，盐水炒）二两

【用法】上为细末，炼蜜为丸，如梧桐子大。每服七十丸，空心盐汤送下。

【功用】养元气，生心血，健脾胃，滋肾水，止盗汗，除遗精，降相火，壮元阳。

【主治】遗精。

益智固真汤

【来源】《寿世保元》卷五。

【组成】黄耆（蜜炒）一钱五分　人参三钱　白术（酒炒，去芦）一钱　白芍（酒炒）一钱　白茯神（去皮木）一钱　五味子十二粒（夏用十六粒）当归身（酒炒）一钱　麦冬（去心）一钱　巴戟肉三钱　益智仁（去壳）一钱　酸枣仁（炒）一钱　山药一钱　泽泻一钱　升麻五分　黄连（酒炒）一钱五分　黄芩一钱　黄柏（酒炒）七钱　知母一钱　莲花蕊一钱　生甘草梢一钱五分

【用法】上锉，分作二剂。水煎，空心服。

【功用】补心宁神，滋阴固本。

【主治】遗精。

乾坤一气膏

【来源】《外科正宗》卷四。

【别名】一气膏〔《全国中药成药处方集》（吉林方）〕。

【组成】当归　白附子　赤芍　白芍　白芷　生地　熟地　川山甲　木鳖肉　巴豆仁　蓖麻仁　三棱　蓬术　五灵脂　续断　肉桂　玄参各一两　乳香　没药各一两二钱　麝香三钱　真阿魏二两（切薄片听用）

【用法】上锉。用香油五斤，存下四味，余皆入油浸，春三、夏五、秋七、冬十，期毕，桑柴火熬至药枯，细绢滤清；每净油一斤，入飞丹十二两，将油入锅内，下丹，槐枝搅搂，其膏候成，端下锅来，用木盆坐稳，渐下阿魏片，泛化已尽，方下乳、没、麝香，再搅匀，乘热倾入瓷罐内，分三处盛之，临用汤中顿化。痞病红缎摊贴，余病绫绢俱可摊之，有肿者对患贴之。男子遗精、妇人白带，俱贴丹田；诸风瘫痪，贴肾俞穴并效。

【功用】《全国中药成药处方集》（吉林方）：活血杀菌，驱风散寒，渗湿除痰，暖宫调经。

【主治】痞疾，诸风瘫痪，湿痰流注，各种恶疮，百般怪症。男子夜梦遗精，妇人赤白带下。男女精寒血冷，久无嗣息者。

造化争雄膏

【来源】《疡科选粹》卷八。

【别名】五养保真膏。

【组成】炼松香（用小竹甑一个，用粗麻布一层，用明肥松香放其上，安水锅上蒸之，俟松香溶化，淋下清净者，初倾入冷水中，又以别水煮二三滚，又倾入水中，如此数次后，复用酒如前煮之，俟其不苦不涩为度；二次炼，不用铁锅尤妙）　飞黄丹（用好酒，入水中淘去底下砂石，取净，候干，炒之）　真麻油三斤　粉甘草四两（先熬数沸，后下药）　官桂（去粗皮）　远志（油浸一宿，去心，焙干，为末）六钱　菟丝子（淘去沙，酒煮极烂，捣成饼，为末）六钱　川牛膝（去芦，酒浸一宿，晒干，为末）　鹿茸（去毛，酥炙黄）　虎骨（酥炙黄）　蛇床子（拣净，酒浸一宿，焙干）　锁阳（酥炙）　厚朴（去皮）　淮生地（酒浸一宿，焙干）　淮熟地（酒浸一宿，焙干）　玄参（去芦头）天门冬（去心）　麦门冬（去心）　防风（去芦）茅香（拣净）　赤芍药（酒浸洗）　白赤芍（酒浸洗）　当归（酒洗）　白芷　北五味子　谷精草　杜仲（去皮，锉，盐酒炒去丝）　荜茇　南木香　车前子　紫梢花　川续断　良姜各六钱　黄蜂　穿山甲（锉，以灶灰炒，为末）二钱　地龙（去土，炙）四钱　骨碎补二钱　蓖麻子　杏仁（去皮尖）四钱　大附子二个（重二两，面裹火煨，去皮脐）　木鳖子（去壳）四十个（研，纸裹压去油）　肉苁蓉（红色者，酒浸，去甲，焙）七钱　桑、槐、桃、李嫩枝各七寸　（一方有红蜻蜓十只）

【用法】上药各依法制度完备，锉，入油内，用铜锅桑柴火慢煎候枯黑，取起，滤以生绢，去滓，锅亦拭净，其药油亦须滴水成珠为度，每药油一斤，用飞过黄丹八两，徐徐加入，慢火煎熬，用桑、槐、柳枝不住手搅，勿使沉底，候青烟起，膏已成，看老嫩得中住火，入炼过松香半斤，黄蜡六两，此亦以一斤油为率，搅匀放冷，膏凝结后，连锅覆泥土三日，取起，用别锅烧滚水，顿

药锅在上，隔汤泡融，以桑、槐、柳枝不住手搅三五百遍，去火毒，入后药：麝香、蟾酥、霞片（疑鸦片）、阳起石（云头者）、白占各六钱，丁香、乳香、广木香、雄黄、龙骨、沉香、晚蚕蛾、倭硫黄、赤石脂、桑螵蛸、血竭、没药各四钱，黄耆（去皮头，蜜炙；为末）三钱。上件须选真正道地者，各制度过，为极细末，起手先熬药油，以上药渐投入药面中搅极匀和，即投膏入冷水中，捏成五钱一饼。如遇用时，入热水泡软，以手掌大紵系一方，摊药在上，不用火烘。贴之。

【功用】养精神，益气血，存真固精，龟健不困，肾海常盈，返老还童。

【主治】咳嗽吐痰，色欲过度，腰胯疼痛，两腿酸辛，行步艰难，下元不固，胞冷精寒，小便频数，遗精白浊，吐血鼻衄；妇人下寒，赤白带下，子宫冷痛，久不胎孕；恶毒痈疽顽疮，一切无名疔肿。

消息向导丸

【来源】《疡科选粹》卷八。

【组成】肉桂　蛇床子　川乌　马蔺花　良姜各五钱　丁香　韶脑　木鳖子（去壳）各二钱五分

【用法】上为极细末，炼蜜为丸，如弹子大，黄丹为衣。每用一丸，以生姜汁化开，先将腰眼温水洗净后，将此药涂腰眼上，令人以手搓磨往来千遍，药尽方止，然后贴造化争雄膏。即用兜肚护住，初贴时忌七日，不得行房事，如入房，再用三钱贴脐上，又服中和丸一丸，然后行房，纵泄亦不多；如种子者，候女人经后一、三、五日将腰肾上膏药俱揭去，早上用车前子为末一钱，温汤调服，至晚交合，方得全泄成孕。

【主治】腰胯疼痛，两足痠辛，下元不固，胞冷精寒，小便频数，遗精白浊，及妇人下寒，赤白带下，子宫冷痛，久不孕。

补肾固精方

【来源】《先醒斋医学广笔记》卷二。

【组成】北五味

【用法】上为细末。每服方寸匕，以好酒送下。

【功用】补肾固精。

左归饮

【来源】《景岳全书》卷五十一。

【组成】熟地二三钱或加至一二两　山药二钱　枸杞二钱　炙甘草一钱　茯苓一钱半　山茱萸一二钱（畏酸者少用之）

【用法】水二钟，煎七分，空腹服。

【功用】

1.《景岳全书》：壮水。

2.《方剂学》：养阴补肾。

【主治】

1.《景岳全书》：命门之阴衰阳胜者。

2.《会约医镜》：阴衰阳胜，身热烦渴，脉虚气弱。

3.《医方简义》：肾虚腰痛，偏坠遗精。

4.《方剂学》：真阴不足，症见腰酸遗泄，盗汗，口燥咽干，口渴欲饮，舌光红，脉细数。

归肾丸

【来源】《景岳全书》卷五十一。

【组成】熟地八两　山药四两　山茱萸肉四两　茯苓四两　当归三两　枸杞四两　杜仲（盐水炒）四两　菟丝子（制）四两

【用法】炼蜜同熟地膏为丸，如梧桐子大。每服百余丸，饥时或滚水，或淡盐汤送下。

【主治】肾水真阴不足，精衰血少，腰酸脚软，形容憔悴，遗泄阳衰。

【验案】慢性肾炎　《上海中医药杂志》（1995，3：8）：以归肾丸加味治疗慢性肾炎32例。结果：完全缓解13例，占40.6%；基本缓解6例，占18.8%；好转8例，占25%；无效5例，占15.6%。总有效率为84.4%。

苓术菟丝丸

【来源】《景岳全书》卷五十一。

【组成】白茯苓　白术（米泔洗，炒）　莲肉（去心）各四两　五味二两（酒蒸）　山药（炒）二两　杜仲（酒炒）三两　炙甘草五钱　菟丝子（用好水淘净，入陈酒浸一日，文火煮极烂，捣为饼，焙干，为末）十两

【用法】上用山药末，以陈酒煮糊为丸，如梧桐子大。每服百余丸，空心滚白汤或酒送下。

【主治】脾肾虚损，不能收摄，以致梦遗、精滑、困倦。

【加减】如气虚神倦，不能收摄者，加人参三四两。

固阴煎

【来源】《景岳全书》卷五十一。

【组成】人参适量　熟地三五钱　山药（炒）二钱　山茱萸一钱半　远志七分（炒）　炙甘草一二钱　五味十四粒　菟丝子（炒香）二三钱

【用法】水二钟，煎至七分，食远温服。

【主治】

1.《景岳全书》：阴虚滑泄，带浊淋遗，及经水因虚不固，肝肾并亏等证。

2.《竹林女科》：肝肾血虚，胎动不安；产后冲任损伤，恶露不止。

3.《会约医镜》：妇人阴挺，属阴虚滑脱，以致下坠者。

【加减】如虚滑遗甚者，加金樱子肉二三钱，或醋炒文蛤二钱，或乌梅肉二个；阴虚微热，而经血不固者，加川续断二钱；下焦阳气不足，而兼腹痛溏泄者，加补骨脂、吴茱萸适量；肝肾血虚，小腹疼痛而血不归经者，加当归二三钱；脾虚多湿，或兼呕恶者，加白术一二钱；气陷不固者，加炒升麻一钱；兼心虚不眠，或多汗者，加枣仁二钱（炒用）。

【方论】《证因方论集要》：人参、熟地两补气血，山萸涩精固气，山药理脾固肾，远志交通心肾，炙甘草补卫和阴，菟丝强阴益精，五味酸敛肾气，阴虚精脱者，补以固阴也。

固真丸

【来源】《景岳全书》卷五十一。

【组成】菟丝子一斤（淘洗净，用好酒浸三日，煮极熟，捣膏，晒干，或用净白布包蒸亦佳）　牡蛎（煅）四两　金樱子（去子，蒸熟）四两　茯苓（酒拌，蒸，晒）四两

【用法】蜜丸。每服三钱，空心好酒送下，或盐汤亦可。

【主治】梦遗精滑。

【方论】《成方便读》：此方之菟丝子大补肾中精气，蒸腾肾水，使之上升而不下降；牡蛎、金樱涩以固之；茯苓通以利之。以蜜丸者，取其甘缓协和之意，使通塞之剂，各得其平耳。

秘元煎

【来源】《景岳全书》卷五十一。

【组成】远志八分（炒）　山药二钱（炒）　芡实二钱（炒）　枣仁（炒，捣碎）二钱　白术（炒）茯苓各一钱半　炙甘草一钱　人参一二钱　五味子十四粒（畏酸者去之）　金樱子（去核）二钱

【用法】水二钟，煎七分，食远服。

【主治】

1.《景岳全书》：遗精带浊，久遗无火，不痛而滑者。

2.《证治宝鉴》：肝肾虚而精滑者。

3.《会约医镜》：脾土虚陷，不能统摄荣血，而为漏为数。

【加减】有火觉热者，加苦参一二钱；气大虚者，加黄耆一二三钱。

菟丝煎

【来源】《景岳全书》卷五十一。

【组成】人参二三钱　山药（炒）二钱　当归一钱半　菟丝子（制，炒）四五钱　枣仁（炒）　茯苓各一钱半　炙甘草一钱　远志（制）四分　鹿角霜（末）

【用法】上药用水一钟半，煎成，加鹿角霜末四五匙调，食前服。

【主治】心脾气弱，思虑劳倦，遗精。

蟠桃果

【来源】《景岳全书》卷五十一。

【组成】芡实一斤（炒）　莲肉（去心）一斤　胶枣肉一斤　熟地一斤　胡桃肉（去皮）二斤

【用法】以猪腰六个，掺大茴香蒸极熟，去筋膜，同前药捣成饼。每日服二个，空心、食前用滚白

汤或好酒一二钟送下。

【功用】补脾滋肾。

【主治】遗精虚弱。

【加减】凡人参、制附子，俱可随意加用。

地黄膏

【来源】《济阳纲目》卷六十四。

【组成】生地黄（酒洗净）一斤

【用法】上用水五六碗，入铜砂锅内慢火煮干三分之二，用布绞去汁，将滓捣烂，又用水三碗再熬减大半，又以布绞净。如此三次，将汁通和一处，入好蜜以甘苦得中为度，用文武火熬至滴水不散，似稀糊样，取起置冷地上一夜，出火毒，以瓷罐收贮。或加当归等分。

【主治】血虚生疮，肌肤燥痒，自汗，遗精便多，妇人乳少。

金锁丹

【来源】《简明医彀》卷四。

【组成】黄柏（盐水炒） 知母（炒）各一两 牡蛎（火煅，醋淬） 赤石脂 龙骨（三味另研） 莲芯 芡实 茯苓 远志 山萸肉各三钱 朱砂二钱

【用法】上为末，山药末调糊为丸，如梧桐子大，朱砂为衣，每服六十丸，空心酒送下。

【主治】肾虚精滑，心神不安。

贴脐膏

【来源】《膏药方集》引《外科活人定本》。

【组成】大川芎 当归 白芍 地黄 人参 牡丹皮 白术 白苓 黄耆 厚桂 泽泻各二钱 大附子 知母各四钱 黄柏三钱 干姜 北细辛 胡芦巴 白芷 远志 巴戟 菟丝子 蛇床子 故纸 苁蓉 锁阳 木鳖子 蓖麻子 龙骨 石枣 山药 杏仁各四钱

【用法】水煎去滓，至大半干入油四两，桃、柳枝搅不住手，搅至水干，入密陀僧极细末一两半，成膏后入龙骨一钱五分，麝香一分，樟脑一钱五分，摊用。

【主治】男子遗精、白浊，女人赤白带、崩漏。

生精种子奇方

【来源】《妙一斋医学正印种子篇》卷上。

【别名】生精种子丸。

【组成】沙苑蒺藜八两（微焙，四两为末入药，四两为膏入蜜） 川续断（酒蒸）二两 菟丝子三两（酒煮见丝） 山茱萸（生用） 芡实粉（生用） 莲须（生用）各四两 覆盆子（生用） 甘枸杞子各二两

【用法】上为末，以蒺藜膏同炼蜜为丸，如梧桐子大。每服四五钱，空腹淡盐汤送下。

【主治】梦遗滑泄，真精亏损，以致无子。

【宜忌】有火者相宜。

熏脐延龄种子方

【来源】《妙一斋医学正印种子篇》卷上。

【组成】五灵脂二钱 川续断二钱 两头尖二钱 乳香二钱 没药二钱 青盐二钱 麝香一分 红铅一分

【用法】上为末。每年中秋日，令人食饱仰卧，用莜麦面汤和，搓成条，圈于脐上，径过寸许，如脐大者，再阔之，以前药末实其中，用槐树皮一块，削去粗皮，只用半分厚，覆圈药之上。如豆大艾壮灸之，但觉脐内微温即好，槐皮觉焦，即换新者。不可令痛，痛则反泄真气。灸至行年岁数为止。灸之觉饥，再食再灸，或至冷汗如雨，或腹内作声作痛，大便有涎沫等物出为验。只服米汤稠粥，白肉好酒，以助药力。

【功用】能令百脉和畅，毛窍皆通。上至泥丸，下达涌泉，撤脏腑之停邪，驱三焦之宿疾。

【主治】男子下元虚损，遗精腰软，阳事不举，中年无子者；女子月信不调，赤白带下，子宫寒冷，久不成胎者。

抽胎换骨丹

【来源】《丹台玉案》卷四。

【组成】真川椒二斤（拣去合口者并子，新瓦上焙干） 牛膝一斤八两（酒浸，焙干） 怀生地 怀

熟地各四两

【用法】上为末，不犯铁器，炼蜜为丸，如梧桐子大。每日服三十丸，空心温酒送下；服至五十丸止，不可过多。

【功用】补元气，固精壮肾。

【主治】虚劳梦寐遗精，并虚寒等症。

清离固精丸

【来源】《丹台玉案》卷四。

【组成】黄连（酒炒） 萆薢 人参各一两 鹿角霜三两 知母（青盐水炒） 秋石 牡蛎（煅过） 茯神（去心） 远志（去心） 石莲肉（炒） 白术各一两五钱（土炒）

【用法】上为末，以荷叶煎汤为丸。每服三钱，空心盐汤送下。

【主治】梦遗日久，精神倦怠，面色痿黄，饮食减少，腰酸背胀，久不育子。

四妙丸

【来源】《丹台玉案》卷五。

【组成】韭菜子（炒） 菟丝子各四两 牡蛎（煅，人乳淬） 龙骨（煅）各二两

【用法】上为末，荷叶煎汤为丸。每服三钱，空心盐汤送下。

【主治】精不固。

倍苓丸

【来源】方出《医宗必读》卷九，名见《会约医镜》卷十三。

【组成】五倍子二两 茯苓四两

【用法】为丸服。

【主治】肾虚不固之遗精。

【方论】《会约医镜》：凡用秘涩药能通而后能秘，此方茯苓倍于五倍，能泻能收，是以尽其妙也。

都气丸

【来源】《症因脉治》卷三。

【组成】六味地黄丸加五味子

【用法】本方改为饮剂，名“都气饮”（《盘珠集》卷下）。

【功用】

1. 《医方集解》：益肺之源，以生肾水。

2. 《中药成方配本》：补肾纳气。

【主治】

1. 《症因脉治》：肺虚身肿，肺气不能收摄，泻利喘咳，面色惨白，小便清利，大便时溏。

2. 《张氏医通》：肾水不固，咳嗽精滑。

【验案】遗精 《静香楼医案》：遗精伤肾，气不收摄，入夜卧著，气冲上膈，腹胀，呼吸不通，竟夕危坐，足跗浮肿清冷，小便渐少，此本实先拔，枝将败矣，难治之证也。都气丸加牛膝、肉桂。

归养心脾汤

【来源】《理虚元鉴》卷下。

【组成】人参 黄耆 白术 芡实 北五味 甘草 生地 枣仁 茯神 当归身 山药

【主治】梦遗滑精。

【加减】遗甚，加萸肉、莲须；思虑过度，加莲肉；不禁，加石莲、金樱膏；足痿，加牛膝、杜仲、龟版胶。

【方论】参固气，气固则精有摄而不遗；生地滋阴，阴滋则火有制而不浮越；当归养血，芡实固肾，茯神、枣仁安神宁志，耆、术、药、草补气调中。气旺神昌，则精固而病自愈。

养心固本丸

【来源】《理虚元鉴》卷下。

【组成】玄武胶（红曲炒珠） 鹿角胶（红曲炒珠） 萸肉 杞子 人参 黄耆 石莲肉（加肉桂一钱同煮一日，去肉桂） 白术 甘草 枣仁 地黄 淮牛膝

【用法】炼蜜为丸服。

【功用】收功固本。

【主治】梦泄滑精，体倦骨痿，健忘怔忡，久而成劳者。

养心固肾汤

【来源】《理虚元鉴》卷下。

【组成】生地　当归　茯神　山药　芡实　萸肉　陈皮　甘草　五味　石莲肉

【用法】河水煎，空心服。

【主治】漏精。

桑螵蛸散

【来源】《理虚元鉴》卷下。

【组成】桑螵蛸（焙）

【用法】上为末。每服一钱，酒浆调服。

【主治】遗精，漏下不止。

茯神汤

【来源】《证治宝鉴》卷七。

【组成】茯神　远志　枣仁　石菖蒲　人参　茯苓　黄连　生地　当归　甘草　莲子

【主治】遗精。

固真汤

【来源】《医宗说约》卷三。

【组成】莲蕊　石莲　芡实　枣仁　远志　茯神　天冬　麦冬　桔梗　车前　龙骨各等分　甘草减半

【用法】上加灯心，水煎，调辰砂末服。

【主治】无梦而遗之滑精。

龙骨丸

【来源】《医家心法》。

【组成】龙骨（煅）　苁蓉（酒洗，去鳞膜）　补骨脂（盐水炒）　二蚕砂各二两二钱　五味子一两

【用法】上为末，蜜为丸，如梧桐子大。每服三十丸。

【主治】肾气不足，不能上交心火者。

龙脑丸

【来源】《太平圣惠方》卷二十五。

【组成】龙脑一分（细研）　麝香一分（细研）　朱砂半两（细研）　天南星一分（炮裂）　白附子一分（炮裂）　半夏一分（汤洗七遍，去滑）　甘草一分（炙微赤，锉）　附子半两（炮裂，去皮脐）　川乌头一分（炮裂，去皮脐）

【用法】上为末，以糯米粥为丸，如绿豆大。每服三丸，以温酒送下。

【主治】一切风。

固本锁精丸

【来源】《何氏济生论》卷五。

【组成】山药　枸杞　黄耆　石莲　知母（盐炒）　黄柏（盐炒）　五味　沙苑蒺藜　菟丝　茯苓　蛤粉（煅，研）　人参二两五钱　锁阳（酥炙）一两

方中蛤粉前诸药用量原缺。

【用法】白术膏为丸，如梧桐子大。每服八九十丸，盐水送下。

【功用】益气固阳。

【主治】男子阴虚盗汗，遗精。

清神益火汤

【来源】《何氏济生论》卷五。

【组成】麦冬一钱　枣仁八分　山药八分　当归　黄连　骨皮　柴胡　白芍各八分　柏仁七枚　陈皮　茯神　元参　白术各五分　五味七粒　龙眼肉七枚　远志六分　甘草三分

【用法】水煎，食远服。

【主治】脾虚火盛，梦遗滑精。

龟龄集

【来源】《何氏济生论》卷七。

【别名】鹤龄丹（《年氏集验良方》卷二）。

【组成】振山威（即茄茸）一两五钱（砂罐内煮一昼夜，取出，埋土中一宿，晒干为末）　水陆使者（即穿山甲）一两（火酒煮软，酥油搽，炙黄色，为末）　金笋（即熟地）六钱（酒内浸一宿，瓦焙）　玉枝八钱（即生地，人乳浸一宿，晒干）　阴飞郎（即石燕子，坚固者）一对（好酒浸一宿，烧红，投姜汁内浸透）　劈天龙（即苁蓉，酒浸一宿，麸炒为末）九钱　九阳公（即附子，重一两四五钱者为佳，蜜水浸三炷香，白水煮三炷香，焙干为末）三钱　昆山雪（即雀脑，要雄者）十枚（加白硫一分，搅匀摊纸上，晒，为末）　赤羽

娘（即红蜻蜓）十对（五月五日取，去翅足） 重阳英（即白菊花，九月九日取，酒浸一宿，为末）一钱五分 寿春紫（即锁阳，黑而实，酒浸一宿，新瓦焙，为末）四钱 宿砂蜜（即砂仁，去皮，为末）四钱 海上主人（即甘草，炙老黄色，为末）三钱 太乙丹（此药无考。用枸杞子，蜜酒浸，晒；为末）五钱 朝云兽（即海马）一对（酥油入铜锅内煎黄色，为末） 补骨先生（即故纸，米泔浸）四钱 乾坤髓（即辰砂，荞麦面色包煨，去面，研）二钱五分 旱珍珠（即白凤仙子，八月半取井水浸一宿，瓦焙）二钱五分 通天柱杖（即牛膝，酒浸一宿，焙）四钱 飞仙四钱（即紫梢花，酒浸一宿，瓦上隔纸焙）先登（即青盐，河水略洗）四钱 吐蕃丝（即细辛，醋浸一宿，晒）一钱 仙人仗（即地骨皮，蜜水浸一宿，晒）四钱 玉丝皮（即杜仲，麸炒去丝，童便浸一宿）二钱 风流带（即淫羊藿，人乳拌炒）三钱 王孙草（即当归，酒浸一宿，焙）五钱 如字香（即小丁香，花椒水煮一炷香）二钱五分 云门令使（即天门冬，酒浸半日，焙）八钱

《集验良方》有人参无生地。

【用法】上为极细末，通和一处，装瓷罐内，沙泥封口，重汤煮三炷香，取出，开口露一宿，捏作一块，入金盒内，如无金，以银代之，重十六两，盐泥封口，外用纸筋泥再封包成圆球，晒干，用铁鼎罐一个，将球入中间以铁线十字拴紧，悬于罐中，将黑铅化开，倾入鼎内，以满为率，冷定，再用一缸，贮桑柴灰半缸，安罐在中，以半截埋灰内，其上半截旁以炭堑烧着，每辰、戌二时换炭堑一次，炭堑用炭屑碾细如粉，入熟红枣肉同打，重一两六钱，长五寸，再用水一碗，不时向鼎内滴水，以声为验，如有声而水即干，则火逼略远指许，如无声而水不干，则火逼略近指许，如法制三十五日足，可将铅打开，倾盒于地冷定，开盒，其药必紫黑色，清香扑鼻，须入瓷罐收贮，蜡封口，勿泄气。每服五厘，渐加至二三分，置手心内舐入口，黄酒送下。浑身燥热，百窍通畅，丹田微痒，痿阳立兴。

【功用】益精神虚，坚齿黑发，明目。

【主治】

1.《何氏济生论》：阳萎泄遗，不育。

2.《集验良方》：命门火衰，精寒肾冷，久无子嗣，五劳七伤。

远志丸

【来源】《医林绳墨大全》卷六。

【组成】远志（去心，姜汁淹） 酸枣仁（炒） 黄耆 石菖蒲各五钱 茯神（去皮木） 茯苓 人参 龙齿各一两 麦门冬 五味子各二钱半

【用法】炼蜜为丸，如梧桐子大，朱砂为衣。每服七十丸，食后、临卧熟水送下。

【主治】梦遗精滑，由心火旺而肾水衰者。

金锁固精丸

【来源】《医方集解》。

【组成】沙苑蒺藜（炒） 芡实（蒸） 莲须各二两 龙骨（酥炙） 牡蛎（盐水煮一日一夜，煅粉）各一两

【用法】莲子粉糊为丸。盐汤送下。

【功用】补肾益精，固涩滑脱，交通心肾。

【主治】

1.《医方集解》：火炎上而水趋下，心肾不交之精滑不禁。

2.《中国医学大辞典》：真元亏损，心肾不交，梦遗滑精，盗汗虚烦，腰痛耳鸣，四肢无力。

【宜忌】《方剂学》：本方多为收敛之品，偏于固涩。如属心、肝火旺或下焦湿热所扰以致遗精者，禁用本方。

【方论】

1.《医方集解》：此足少阴药也。蒺藜补肾益精，莲子交通心肾，牡蛎清热补水，芡实固肾补脾，合之莲须、龙骨，皆涩精秘气之品，以止滑脱也。

2.《成方便读》：夫遗精一证，不过分其有火无火，虚实两端而已。其有梦者，责相火之强，当清心肝之火，病自可已；无梦者，全属肾虚不固，又当专用补涩以固其脱。既属虚滑之证，则无火可清，无瘀可导，故以潼沙苑补摄肾精，益其不足。牡蛎固下潜阳，龙骨安魂平木，二味皆有涩可固脱之能；芡实益脾而止浊，莲肉入肾以交心，复用其须者，有赖其止涩之功，而为治虚

滑遗精者设也。

3.《汤头歌诀详解》：金锁固精丸，顾名思义，功能固秘精关，治疗肾虚精关不固所引起的遗精诸症。方中沙苑蒺藜补肾益精，莲子交通心肾，牡蛎、龙骨安神，涩精秘气。芡实固肾补脾，与龙、牡同用，为固精止遗的要药。本方汇集益肾收涩诸品，是治疗肾虚遗精及滑精的名方，用之得当，确有良效。

4.《古今名方发微》：遗精一证，原因颇多，然与肝肾二脏，有着密切关系，因肾主藏精，肝司疏泄，肾之阳虚则精关不固而滑脱，肝之阳强则相火内炽而遗泄。大抵有梦而遗，多为相火内炽，火扰精泄；无梦而遗，多属肾关不固，心肾不交。前者治宜滋阴降火，后者宜用本方以固涩。方用沙苑蒺藜补肾益精止遗，《本经逢源》谓其性降而补，益肾，治腰痛，为泄精虚劳要药，最能固精。龙骨、牡蛎、莲须涩精止遗，芡实健脾涩精。又遗精与心神之关系亦甚密切，劳心过度，心神不宁，心肾不交，亦可导致失精之证。《证治要诀》说：用心过度，心不摄肾，以致失精。莲子既能宁心益肾，又能涩精止遗，用于本证，颇为合适。诸药合用，既能补肾，又可涩精，为标本兼顾而偏于治标的一首方剂，临床用于肾关不固之失精证，疗效颇佳。陈修园贬斥本方是汇集药品，毫无意义，显然出于偏见。

【实验】对大鼠阿霉素肾病的治疗作用 《中国中西医结合肾病杂志》(2006，7：409)：实验表明：金锁固精丸加味方对阿霉素肾病具有良好的降低尿蛋白、调节血脂、升高血清总蛋白和白蛋白，以及改善肾组织病理变化等作用。

【验案】

1. 重症肌无力 《新中医》(1973，5：30)：病人吴某，45岁，患重症肌无力，右眼上睑完全下垂，四肢无力，咀嚼困难，呼吸喘息气短。诊前曾给新斯的明0.5cm肌内注射，上述肌无力症状在10分钟内消失，不久即如故。根据中医辨证，病人有遗精、腰酸痛、腿冷、舌质红、少苔等肾阴虚表现，故改用金锁固精丸（成药）治疗。每次服12g，每日3次，淡盐水送下。2周后病情明显好转，共服金锁固精丸36瓶，病获痊愈，观察6年未见复发。

2. 带下病 《河南中医》(1995，5：301)：以本方加减：沙苑子、芡实、莲须、莲子、煅龙骨、煅牡蛎、椿根皮、乌贼骨、茯苓为基本方，脾虚气弱者，加党参、淮山药；脾肾虚亏者，加杜仲、巴戟天；湿热下注者，加墓头回、黄柏；常规煎服，治疗带下病36例。结果：治愈（治疗5天内带下量减少，色、质、量正常，症状消失，跟踪3个月未复发者）29例；显效（治疗5天带下量减，症状改善者）5例；无效（治疗5天带下量未减，症状无改善者）2例。

遗忘双痊丹

【来源】《石室秘录》卷一。

【组成】人参三两　莲须二两　芡实三两　山药四两　麦冬三两　五味子一两　生枣仁三两　远志一两　菖蒲一两　当归三两　柏子仁（去油）一两　熟地五两　山茱萸三两

【用法】上为末，炼蜜为丸。每服五钱，早、晚用白滚水送下。半料两症俱痊。

【主治】遗精、健忘。

益心止遗丸

【来源】《石室秘录》卷二。

【组成】熟地一斤　山药一斤　芡实一斤　生枣仁五两　巴戟天二两　麦冬三两　北五味三两　莲子半斤（同心用）

【用法】上药各为末，炼蜜为丸。每服一两，白滚汤送下。

【主治】遗精。

心肾同补丹

【来源】《石室秘录》卷三。

【组成】人参三两　白术五两　远志一两　炒枣仁三两　熟地五两　山茱萸三两　麦冬三两　北五味一两　芡实五两　山药三两　菖蒲一两　柏子仁三两（去油）　茯神三两　砂仁三钱　橘红一两

【用法】上药各为末，炼蜜为丸。每服五钱，白滚水送下。

【主治】惊惕不安；梦遗精泄。

【方论】此丸之妙，乃治肾之药少于治心。盖心主宁静，肾气自安；肾气既安，何至心动？此治心正所以治肾，而治肾正所以治心也。

引阴夺命丹

【来源】《辨证录》卷六。

【组成】熟地八两　人参一两　北五味子三钱　沙参三两　肉桂一钱

【用法】水煎服。连服四剂后，将前药减十分之七，每日一剂，服一月平复。

【主治】作意交感，阴精大泄不止，其阴翘然不倒，精尽继之以血者。

【方论】方用熟地、沙参以大补其肾中之阴，用人参以急固其未脱之阳，用五味子以敛其耗散之气，用肉桂于纯阴之中，则引入于孤阳之内，令其已离者重合，已失者重归也。

芍药润燥丹

【来源】《辨证录》卷八。

【组成】白芍　山药各一两　炒栀子三钱　芡实一两

【用法】水煎服。

【主治】怒气伤肝，忽然梦遗，久而不止，凡增烦恼，泻精更多，其症两胁多闷，火易上升于头目，饮食倦怠，发躁发胀。

充脊汤

【来源】《辨证录》卷八。

【组成】山茱萸　熟地　山药　芡实各一两　北五味三钱　金樱子　白术各三钱

【用法】水煎服。

【主治】至夜脊心自觉如火之热，因而梦遗。

交济汤

【来源】《辨证录》卷八。

【组成】人参五钱　熟地一两　山茱萸五钱　麦门一两　柏子仁三钱　龙骨（醋淬）二钱　黄连五分　肉桂五分　当归五钱　黄耆五钱

【用法】水煎服。

【功用】心肾两补。

【主治】闻妇女之声而淫精自出，亦脱症之渐也。

两宁汤

【来源】《辨证录》卷八。

【组成】熟地二两　麦冬二两　黄连一钱　肉桂三分　山药一两　芡实一两

【用法】水煎服。

【主治】素常纵欲，劳心思虑，心肾不交，梦遗不止，口渴饮水，多饮又复不爽，卧不安枕，易惊易惧，舌上生疮，脚心冰冷，腰酸若空，脚颤难立，骨蒸潮热，神昏魂越。

两益止遗汤

【来源】《辨证录》卷八。

【组成】人参一两　熟地二两　山药一两　芡实一两　白术一两　生枣仁一两　黄连五分　肉桂五分

【用法】水煎服。二剂遗即止，服二月诸症全愈。

【主治】素常纵欲，又加劳心思虑终宵，仍然交合，以致梦遗不止。其症口渴引水，多饮又复不爽，卧不安枕，易惊易惧，舌上生疮，脚心冰冷，腰酸若空，脚颤难立，骨蒸潮热，神昏魂越。

【方论】此方乃心肾交合之圣剂，心肾交则二火自平，正不必单止其遗也，况止遗必用涩药，内火煽动，愈涩而火愈起矣。

养儒汤

【来源】《辨证录》卷八。

【组成】熟地一两　金樱子　芡实　山药　玄参　麦冬各五钱　牡蛎末三钱　北五味五分

【用法】水煎服。

【功用】安心补肾。

【主治】梦遗症，久则玉茎着被，精随外泄，不着则否，饮食减少，倦怠困顿。

绝梦丹

【来源】《辨证录》卷八。

【组成】人参三钱　麦冬五钱　茯神三钱　白术三钱　熟地一两　芡实五钱　山药五钱　北五味一

钱　玄参一两　菟丝子三钱　丹参三钱　当归三钱　莲子心三钱　炒枣仁三钱　陈皮三分　沙参三钱

【用法】水煎服。

【主治】人有专攻书史，诵读不辍，至四鼓不寝，肾火随心火之奔越，遂成梦遗之症，久则玉茎着被，精随外泄，不著则否，饮食减少，倦怠困顿。

莲心清火汤

【来源】《辨证录》卷八。

【组成】玄参　生地各五钱　丹参三钱　山药　芡实各一两　莲子心二钱　麦冬一两　北五味五分　天冬一钱

【用法】水煎服。

【主治】心气素虚，心包之火大动之，梦遗，阳痿不振，易举易泄，日日梦遗，后且不必梦亦遗，面黄体瘦，自汗夜热。

挽流汤

【来源】《辨证录》卷八。

【组成】熟地二两　山药一两　白术一两　泽泻三钱　玄参一两　北五味二钱　山茱萸五钱

【用法】水煎服。十剂热解，二十剂遗绝。

【主治】肾水干涸，火炎于上，至夜脊心自觉如火之热，梦遗。

润木安魂汤

【来源】《辨证录》卷八。

【组成】当归一两　白芍一两　甘菊花三钱　北五味五分　茯苓五钱　白术五钱　炒栀子一钱　金樱子三钱　甘草五分

【用法】水煎服。

【主治】肝血燥，怒气伤肝，忽然梦遗，久而不止，凡增烦恼，泄精更多，两胁多闷，火易上升于头目，饮食倦怠，发躁发胀。

益肺丹

【来源】《辨证录》卷八。

【组成】人参三钱　白术三钱　当归三钱　麦冬五钱　北五味三分　柴胡五分　荆芥五分　山药三钱　芡实三钱

【用法】水煎服。四剂而脾胃元气开，又四剂而咳嗽之病止，又服四剂痠疼之疾解，又四剂潮热汗出之症痊，再服十剂气旺而各恙俱愈。

【主治】多言伤气，咳嗽吐痰，久则气怯，肺中生热，短气嗜卧，不进饮食，骨脊拘急，疼痛发痠，梦遗精滑，潮热汗出，脚膝无力。

断遗神丹

【来源】《辨证录》卷八。

【组成】人参一两　山药五钱　芡实五钱　麦冬五钱　北五味一钱

【用法】水煎服。

【主治】心虚，用心过度，心动不宁，以致梦遗，口渴舌干，面红颧赤，眼闭即遗，一夜有遗数次者，疲倦困顿。

葆精丸

【来源】《辨证录》卷八。

【组成】人参五两　白术　黄耆各一斤　山药　熟地　芡实各一斤　北五味三两　远志四两　炒枣仁　山萸肉　巴戟天　菟丝子　麦冬各八两　龙骨三两（醋淬）　金樱子四两

【用法】上为末，炼蜜为丸。每次六钱，早晚白滚水吞服。一料痊愈。

【主治】心中水火虚极而动，肾中水火随心君之动而外泄，闻妇女之声，淫精即出。

强心汤

【来源】《辨证录》卷八。

【组成】人参一两　茯神五钱　当归五钱　麦冬三钱　巴戟天五钱　山药五钱　芡实五钱　玄参五钱　北五味五分　莲子心三分

【用法】水煎服。

【功用】补心经之衰，泻心包之火。

【主治】梦遗。因心气素虚，心包之火大动，致梦遗，阳痿不振，易举易泄，日日梦遗，后且不必梦亦遗，面黄体瘦，自汗夜热。

静心汤

【来源】《辨证录》卷八。

【组成】人参三钱　白术五钱　茯神五钱　炒枣仁　山药各一两　芡实一两　甘草五分　当归三钱　北五味十粒　麦冬五钱

【用法】水煎服。二剂遗止，十剂永不再遗。

【功用】大补心气之虚。

【主治】男子用心过度，心虚，心动不宁，心火上炎，水火相隔，肾关大开，以致梦遗。其症口渴舌干，面红颧赤，眼闭即遗，一夜有遗数次者，疲倦困顿。

熟地添精丹

【来源】《辨证录》卷八。

【组成】熟地二两　麦冬　山药　芡实各一两　北五味一钱

【用法】水煎服。

【主治】梦遗。

济火延嗣丹

【来源】《辨证录》卷十。

【组成】人参三两　黄耆半斤　巴戟天半斤　五味子三两　黄连八钱　肉桂二两　当归三两　白术五两　龙骨一两（煅）　山茱萸四两　山药四两　柏子仁二两　远志二两　牡蛎一两（煅）　金樱子二两　芡实四两　鹿茸一具

【用法】上药各为末，炼蜜为丸。每日一两，白滚水送下，不拘时候。

【功用】济火延嗣，心肾两补，延年益寿。

【主治】男子滑精。

【宜忌】服此药，必须坚守三月不战，否则亦不过期月之壮，种子于目前也。

金樱膏

【来源】《李氏医鉴》卷七。

【组成】金樱子（取牛黄者，熬膏一斤，熟则全甘而失涩性）　芡实一斤（蒸熟为粉）

【用法】和丸。盐酒送下。

【主治】梦遗失精。

鹿茸丸

【来源】《冯氏锦囊·杂症》卷十四。

【组成】熟地（酒煨）五两　山茱肉（去核，酒拌蒸，炒）三两　茄茸一具（去毛骨，酥炙）　山药三两（炒黄）　五味子二两（蜜酒拌蒸，晒干，炒）

【用法】上为末，炼蜜为丸。每服四五钱，早、晚、食前白汤送服。

【主治】精滑无度，阴窍漏气。

金锁玉关丸

【来源】《张氏医通》卷十四。

【组成】芡实　莲肉（去心）　藕节粉　白茯苓　干山药各等分　石菖蒲　五味子减半

方中白茯苓，《杂病证治》作“茯神”，并用生地汤送下。

【用法】上为末。金樱子熬蜜代蜜，捣二千下，丸如梧桐子大。每服五十丸，饥时以醇酒、米汤任下。

【功用】《医略六书》：实脾涩精。

【主治】心肾不交，遗精白浊。

【方论】《医略六书》：脾阴大亏，不能交媾水火，故心肾不交，无以统摄精舍而遗精。芡实实脾涩肾，莲肉清心醒脾，山药补脾阴以益肾，藕节凉心血以宁神，菖蒲通窍以慧神志，茯神渗湿以清精府，五味收敛津液而止遗精；更以金樱涩之，生地滋之，使心肾两交，则玉关自固，而精舍无漏泄之患，何遗精之有？此实脾涩精之剂，为心肾不交遗精之专方。

经进萃仙丸

【来源】《张氏医通》卷十四。

【组成】沙苑蒺藜八两（淘净，隔纸微焙，取细末四两入药，留粗末四两同金樱子熬膏）　山茱萸（酒蒸，去核取净）四两　芡实四两（同枸杞捣）

白莲蕊四两（酒洗，晒干，如无，莲须代之） 枸杞子四两 菟丝子（酒浸，蒸烂，捣焙）二两 川续断（去芦，酒净）二两 覆盆子（去蒂，酒浸，九蒸九晒，取净）二两 金樱子（去净毛子）二两

【用法】上为细末，以所留蒺藜粗末同金樱子熬膏，入前细末拌匀，再加炼白蜜为丸，如梧桐子大。每服八十丸，渐加至百丸，空腹淡盐汤送下。

【主治】遗精。

凤髓丹

【来源】《嵩崖尊生全书》卷十三。

【组成】黄柏二钱 砂仁一钱 甘草五分 猪苓 茯苓 黄连 白芷 益智仁各二分半 芡实

方中芡实用量原缺。

【用法】打糊为丸服。

【主治】忽心有所动，寐即遗精。

固本丸

【来源】《嵩崖尊生全书》卷十三。

【组成】山药 枸杞 五味 山萸 琐阳 酒柏 酒知母各一两 人参 黄耆 石莲 蛤粉各一两二钱 白术二两

【用法】山药打糊为丸。

【主治】虚损遗精。

固本丸

【来源】《嵩崖尊生全书》卷十三。

【组成】山药 枸杞 黄耆 石莲肉 知母 黄柏（各盐酒炒） 北五味 沙苑蒺藜 酒菟丝 茯苓各二两 蛤粉二两半 人参一两五钱 琐阳（浸洗，酥炙）一两

【用法】白术膏为丸。盐汤送下。

【主治】阴虚盗汗，遗精。

金樱丸

【来源】《嵩崖尊生全书》卷十三。

【组成】枸杞 金樱 莲须 芡实 莲肉 山萸各一两 当归 熟地 茯苓各一两

【用法】酒糊为丸服。

【主治】久遗精滑。

保生丹

【来源】《嵩崖尊生全书》卷十三。

【组成】枸杞八钱 熟地 柏仁 莲蕊（酒煮）各四钱 菟丝子 芡实各四钱 龙骨（煅）一钱

【用法】金樱汤和蜜为丸。如欲泄，饮车前汤半盏即泄。

【主治】梦遗。

真珠粉丸

【来源】《嵩崖尊生全书》卷十三。

【组成】盐柏 知母 牡蛎 蛤粉

【用法】米糊为丸服。

【主治】年壮久无欲事，满泄。

真珠粉丸

【来源】《嵩崖尊生全书》卷十三。

【组成】黄柏一两 冰片一钱

【用法】炼蜜为丸。每服十丸，麦冬汤送下。

【主治】年壮久无欲事，满泄。

滋任益阴煎

【来源】《重订通俗伤寒论》。

【组成】炙龟版四钱（杵） 春砂仁三分（拌捣大熟地四钱） 猪脊髓一条（洗切） 生川柏六分（蜜炙） 白知母二钱（盐水炒） 炙甘草六分 白果十粒（盐炒）

【功用】清肝滋任。

【主治】肝阳下逼任脉，男子遗精，妇女带多，以及胎漏小产等症。

【方论】任阴不固，冲阳不潜，故以龟版滋潜肝阳，熟地滋养任阴为君；臣以知、柏，直清肝肾，治冲任之源以封髓；佐以脊髓、炙草填髓和中；使以白果敛精止带。此为清肝滋任，封固精髓之良方。

固精丸

【来源】《良朋汇集》卷二。

【组成】真龙骨（火煅） 石莲子（去心）各二两 木通 五味子各三钱 石榴皮（炒）一两五钱 蒺藜 韭菜子 防风各五钱 枯矾 莲须各一两

【用法】上为细末，米饭为丸。每服二钱，早、晚白滚水送下。临卧时细带系紧大腿上，早起解去。

【主治】梦遗白浊。

保命胜金丹

【来源】《良朋汇集》卷四。

【组成】南香附一斤（第一次用童便浸，二次酒浸，三次盐水浸，四次醋浸。每次按春五、夏三、秋七、冬十日，取起晒干） 官拣参 川当归 赤芍药 白芍药 香白芷 川芎 延胡索 远志（去心） 白术各一两五钱 桂心 白茯苓 牡丹皮 川牛膝各二两五钱 大熟地四两五钱（酒洗，蒸） 白薇四两（去芦） 大甘草七钱五分 藁本三两

【用法】上除香附另制外，十七味俱用煮酒亦按春五、夏三、秋七、冬十日浸过，晒干为末听用。后加赤石脂、白石脂各一两，此二味用好醋浸三日，入火煅红，再淬入醋内，如此七次，焙干为末，和入药内。滴乳香、明没药各二两，真琥珀五钱，朱砂五钱（飞过），上四味用酒煮过，研成膏，和入前药内，炼蜜为丸，如弹子大，以金箔为衣，晒干，入瓷罐收贮，封固听用。凡男妇遇诸证，取药一丸，放在瓷碗内，加煮酒半碗蒸服；若女人胎前产后月子诸病，用滚水小半碗，将药用手捺碎，入碗内泡开，上用碟盖，如水冷，将碗放在锅内慢火煮热，取出碗，以银匙研细服之；如月子病，用些许醋滴在药碗内服之，若碗内药末净，再用酒涤之饮尽，令其半醉，服后稍坐片时，待身觉困倦，可卧，用衣被盖暖，使汗出通身畅快，百病退消；如女人经至而腹痛者，服此一丸，下月即不作痛；如行经前依法连服三日，任其久不生育，老必能成孕。经后第三日服药交媾，一定生男，六日行事，则生女矣。

【功用】活经益精，补虚种子。

【主治】男妇诸虚百损。女子胎前产后，血枯经闭，崩漏，赤白带下；男子遗精白浊，腰疼腿酸，精寒阳痿，咳嗽痰喘，耳鸣眼花。

【宜忌】赤白石脂、真琥珀、乳香、没药、朱砂，此六味女人可用，男人不可用。

聚仙丸

【来源】《良朋汇集》卷五。

【组成】沙苑蒺藜一斤（先去刺，为末，取净末四两，余滓用水泡三五日，取他汁浆，入锅内熬膏听用） 莲蕊须四两（黄色者） 芡实四两 枸杞二两 菟丝子饼二两 山萸肉（新者）四两 覆盆子（去蒂，酒拌蒸）二两 川续断（酒泡一宿，焙干）二两 金樱子（去外刺内瓤）三两 真龙骨（五色者，火煅，童便浸七次）五钱

【用法】上为细末，合一处，同前蒺藜膏，为丸如梧桐子大。每服三钱，盐汤、黄酒任下；求速效者，日进二服。

【主治】遗精。

【加减】求种子者，龙骨倍量，加金樱子熬二两。

小儿转灵丹

【来源】《灵药秘方》卷下。

【组成】制灵砂 芦荟各一两 制朱砂 洛阳花各五钱

【用法】上为细末，炼蜜为丸，如绿豆大，金箔为衣。每服三丸，男子遗精白浊，每清晨用灯心莲肉汤送下；小儿急惊，木研细末，姜汁竹茹汤调匀化下，以痰降为度；小儿急慢惊，人参、白术、当归、陈胆星、半夏、竹沥、姜汁化下；老人中风，防风通圣散煎汤送下，如类中虚症，独参汤送下；结胸，大、小柴胡汤送下；伤寒有汗者，桂枝汤送下；阴证，附子、人参、肉桂、炮姜汤送下；痰嗽，半夏、茯苓汤送下；痰喘，当归、竹沥汤送下，虚喘加人参；脚气，防风、当归、木瓜、牛膝、羌活、秦艽汤送下；麻木不仁，黄耆、天麻汤送下；诸般疼痛，乳香、没药汤送下；黄疸，炒山栀、茵陈汤送下；诸虫积，桃仁、楝树根（朝南者）煎汤送下；耳病耳聋耳痛，黄柏、生地、石菖蒲汤送下；口破及痛烂等证，山豆根、黄芩、骨皮汤送下；三焦烦热作渴，人参、白术、

麦冬、知母汤送下；赤淋白带，二陈汤送下；诸般肿毒，人参、麝香汤送下；癫症，蜈蚣、乳香、没药汤送下；中风不语，握拳咬牙，闭目不省人事者，人参、黄耆、白术、附子各五分，川乌四分，甘草少许，竹沥、姜汁三匙，大枣二个煎汤灌之，俟苏醒后再用竹沥、姜汁汤送下；中风不醒，服前药后更进三丸，再用顺气散数剂，相其虚实调理。

【主治】遗精白浊，小儿急慢惊风，老人中风，伤寒有汗，结胸，阴症，痰嗽痰喘，脚气麻木不仁，诸般疼痛，黄疸，虫积，耳聋耳痛，口破痛烂，三焦烦热作渴，赤淋白带，诸般肿痛，癫症，痢疾，疟疾。

十补丸

【来源】《医学心悟》卷三。

【组成】黄耆　白术各二两　茯苓　山药各一两五钱　人参一两　大熟地三两　当归　白芍各一两　山萸肉　杜仲　续断各二两　枣仁二两　远志一两　北五味　龙骨　牡蛎各七钱五分

【用法】金樱膏为丸。每服四钱，开水送下。或用石斛四两熬膏和炼蜜为丸。每早开水送下四钱。

【主治】

1.《医学心语》：体虚遗精。

2.《笔花医镜》：血气大亏，健忘，心肾不交者。

秘精丸

【来源】《医学心悟》卷三。

【组成】白术　山药　茯苓　茯神　莲子肉（去心，蒸）各二两　芡实四两　莲花须　牡蛎各一两五钱　黄柏五钱　车前子三两

【用法】上为末，金樱膏为丸，如梧桐子大。每服七八十丸，开水送下。

【功用】

1.《医学心悟》：理脾导湿。

2.《笔花医镜》：固精。

【主治】相火湿热，梦遗精滑，尿浊。

【加减】气虚，加人参一两。

清心丸

【来源】《医学心悟》卷四。

【组成】生地（酒洗）四两　丹参二两　黄柏五钱　牡蛎　山药　枣仁（炒）　茯苓　茯神　麦冬各一两五钱　北五味　车前子　远志各一两

【用法】上用金樱膏为丸。每服三钱，开水送下。

【功用】清心火，泻相火，安神定志，止梦泄。

【主治】遗精。

交泰丸

【来源】《惠直堂方》卷一。

【组成】文蛤八两（饭上蒸）　熟地（九蒸晒）　五味子　远志肉（甘草煮）　牛膝（酒洗，去头尾）　蛇床子（去土，酒浸，炒）　茯神　柏子仁（炒去油）　菟丝子（酒煮）　肉苁蓉（酒洗，去鳞甲）　青盐各四两　狗脑骨一个（煅存性）

【用法】上为末，酒糊为丸，如梧桐子大，朱砂为衣。每服五七十丸，淡盐汤或酒送下，随吃干物压之。

【功用】保神守中，降心火，益肾水。

【主治】五脏真气不足，下元冷惫，二气不调，荣卫不和，男子绝阳无嗣，女子绝阴不育，及面色黧黑，神志昏愦，寤寐恍惚，自汗盗汗，烦劳多倦，遗精梦泄，淋浊如膏，大便滑泄，膀胱邪热，下寒上热。

安心绝梦汤

【来源】《惠直堂方》卷二。

【组成】人参一钱五分　麦冬三钱　茯神　白术　菟丝子各一钱五分　熟地五钱　玄参五钱　芡实　山药各二钱五分　五味五分　丹参　莲子心　枣仁　沙参　归身各一钱五分　陈皮二分

【用法】水煎服。

【主治】劳心过度而梦遗者。

荆公散

【来源】《惠直堂方》卷二。

【组成】黄耆二两　山药二两　远志一两（去心）　茯苓　茯神各一两　桔梗　炙甘草各三钱　麝香

一分　木香二分五厘　砂仁二钱

【用法】上为末。每服二钱，酒送下。

【主治】梦遗失精，及惊悸郁结。

【加减】有力者，去黄耆，加人参一两。

梦遗方

【来源】《惠直堂方》卷二。

【组成】黄柏三两　熟地　麦冬　枸杞　萸肉　天冬各一两五钱　鱼鳔三两（炒）　莲须　五味各八钱　车前五钱

【用法】上为末，炼蜜为丸或金樱膏为丸，如梧桐子大。空心清汤送下三钱。药完病愈。

【主治】梦遗。

培土养阴汤

【来源】《不居集》上集卷十。

【组成】制首乌三钱　丹参　扁豆　谷芽各一钱　白芍　车前各八分　莲肉一钱五分　猪腰一具

【主治】虚劳，食少痰多，阴分不足，自汗盗汗，遗精，不任熟地、山萸等药者。

【加减】阳经火甚，痰嗽喘急者，加保金汤；心脾气虚失血者，加苡仁、藕节二三钱；积瘀胸膈胀满者，加白茅根一钱；血中气滞者，加降香八分；气血大虚弱者，加人参、燕窝各三钱；尾闾骨痛者，加鹿角霜一钱；泄泻不止者，加脐带；汗多者，加桑叶一钱；嗽不止者，加枇杷叶、佛耳草七八分；遗精者，加芡实、莲须各一钱。

【方论】形不足者，温之以气；精不足者，补之以味。今虚劳之人，温气则火生，补精则濡泄，虽六味、四物、生脉皆非所宜也。以制首乌为君，固精养血，有地黄之功，而无地黄之滞；以猪腰为臣，补肾生精，有生血之功，而无败胃之虞；扁豆、谷芽补脾阴而不燥肺金，丹参、莲肉交通心肾而不耗阴血，白芍酸收以缓肝，车前利小便而不走精气，扶脾保肺，平补肝肾，食少不凝痰多，亦宜此温气补味之变方也。

资成汤

【来源】《不居集》上集卷十。

【组成】人参　白芍　扁豆　山药　茯神各一钱　丹参八分　橘红六分　甘草五分　莲肉一钱五分　檀香三分

【用法】上用雄健无病猪肚一具，酒洗磨净，取清汤煎药。或为丸亦可。

【主治】虚劳遗精盗汗，食少泄泻，血不归经，女子崩漏不止，虚劳不任耆、术、归、地者。

【加减】虚热者，加丹皮、地骨皮；惊恐不寐，怔忡多汗者，加枣仁；火灼肺金，干枯多嗽者，加百合；便血失血者，加地榆、续断；小便不利者，加车前子；痰多者，加贝母。

【方论】方用人参大补元气，以猪肚大健脾胃，茯神、丹参滋养心阴，扁豆、山药培补脾元，白芍缓肝，甘草补土，佐以莲肉合丹参交通心肾，加以檀香、陈皮芳香醒脾。合而用之，则脾胃之气上行心肺，下通肝肾，一滋心阴，一理脾元，壮子益母也。

白华玉丹

【来源】《不居集》上集卷十九。

【组成】钟乳粉一两（炼）　白石脂五钱（煨红，水飞）　阳起石五钱（煅，酒淬，干）　牡蛎七钱（韭汁盐泥固济，火烧，取白）

【用法】上为极细末，和作一处，研一二日，以糯米粉煮粥为丸，如芡实大，入地坑出火毒一宿。每服一丸，空心人参汤送下。

【功用】清上实下，助养本元。

【主治】遗精，白浊。

茯苓汤

【来源】《不居集》上集卷十九。

【组成】茯苓　白术（炒）各五钱

【用法】水煎服。

【主治】欲火甚梦遗。

保精汤

【来源】《不居集》上集卷十九。

【组成】芡实　山药各一两　莲肉　茯神各五钱　枣仁二钱　人参一钱

【用法】《吴山散记》：水煎服。先将药汤饮之，后加白糖五钱拌匀，连滓同服。
【主治】梦遗精滑。

固精丸

【来源】方出《外科全生集》卷二，名见《仙拈集》卷二。
【组成】六味汤去泽泻加龙骨三钱（研细，水飞）莲须一两　芡实二两　线胶四两（同牡蛎粉炒成珠）
【用法】上为末，蜜为丸。每日早、晚各服四钱，鹿含草煎汤送下。
【主治】梦遗。

龙骨远志丸

【来源】《医宗金鉴》卷四十一。
【用法】《医学集成》：蜜为丸，朱砂为衣。
【组成】龙骨　朱砂　远志　茯神　茯苓　石菖蒲　人参
【主治】心肾虚弱，不梦而遗。

加减清心莲子饮

【来源】《医方一盘珠》卷四。
【组成】川连（酒炒）三分　生地　当归各二钱　志肉　茯神　枣仁　石莲肉各一钱　黄柏　麦冬　甘草各八分
【用法】灯心为引。
【主治】遗精，白浊，小便痛。

交感汤

【来源】《医碥》卷七。
【组成】茯神四两　香附一斤　甘草少许
【用法】上为末。热汤调服。
【功用】益气清神，降火升水。
【主治】心肾不交，遗泄。

文蛤津脐膏

【来源】方出《种福堂公选良方》卷二，名见《医学实在易》卷七。
【组成】文蛤
【用法】上为细末，以女儿津调，贴脐内。
【主治】遗精。

龙莲芡实丸

【来源】方出《种福堂公选良方》卷二，名见《医学实在易》卷七。
【组成】龙骨　莲须　芡实　乌梅肉各等分
【用法】上为末，用山药为丸，如小豆大。每服三十丸，空心米饮送下。
【主治】精气虚，滑遗不禁。

思仙丹

【来源】《种福堂公选良方》卷二。
【组成】莲须十两　石莲肉十两（去内青翳并外皮）　芡实十两（去壳）
【用法】上为末，再以金樱子三斤（去毛子，水淘净），入大锅内，水煎，滤过再煎，加饴糖和前药为丸，如梧桐子大。每服七八十丸。
【主治】

1. 《种福堂公选良方》：阴虚火动，梦遗。
2. 《医级》：嗜欲太过，精血不固，多热。

将军蛋

【来源】《种福堂公选良方》卷二。
【组成】生大黄三分　生鸡子一个
【用法】将鸡子顶尖上敲损一孔，入大黄末在内，纸糊煮熟。空心食之。
【主治】赤白浊；梦遗。

蚕沙黄柏汤

【来源】方出《种福堂公选良方》卷二，名见《医学实在易》卷七。
【组成】生蚕沙（研末）一两　生黄柏（末）一钱
【用法】每服三钱，空心开水调下。六七服即愈。
【主治】遗精白浊，有湿热者。

灵雪丹

【来源】《四圣心源》卷四。

【组成】甘草 薄荷 甘遂 潮脑 阳起石 紫苏叶各三钱

【用法】共研，碗盛，纸糊口，用细锥纸上密刺小孔，另用碟覆碗上，碗边宽实余半指，黑豆面固济，沙锅底铺粗沙，加水，坐碗沙上，出水一寸。炭火煮五香，水耗，常添热水，待水冷取出，入麝香少许，研细，蟾酥少许，人乳浸化。葱涕、官粉、炼蜜为丸，如绿豆大，瓷瓶封收。津水研半丸，掌上涂玉尘头，约一两时，尘顶苏麻，便是药力透彻。若遗泄不止，势在危急，先炼此药，封之日落，研涂，一夜不走，肾精保固，徐用汤、丸。

【功用】秘精不泄。

【主治】遗精。

培元固本丸

【来源】《活人方》卷二。

【组成】人参五两 麦冬四两 五味子二两 肉苁蓉二两（制净，晒干） 熟地八两 山茱一两 山药一两 茯苓三两 丹皮三两 泽泻三两

【用法】炼蜜为丸。每服三五钱，早空心滚汤送下。

【主治】朝凉暮热，烦嗽痰红，神驰不寐，盗汗遗精，肌消色萎，肌瘘体弱，饮食不甘，脾胃虚泄，遂成虚损痨瘵之症。

兜涩固精丸

【来源】《活人方》卷四。

【组成】白术四两 人参二两五钱 茯苓二两五钱 半夏二两 远志肉一两 肉果（面煨）一两 补骨脂（盐水炒）一两 赤石脂（醋煅）一两 五味子（焙）五钱 益智仁（盐炒）五钱

【用法】上为末，炒莲肉粉糊为丸，如梧桐子大。每服三钱，早晨空心米汤送下。

【主治】脾肺肾元气虚寒，素有湿痰积饮，留滞肠胃，上则呕吐冷涎，恶心痞满，下则滑泄不禁，昼夜无度，久则胃弱而食减，脾虚而不运，男兼滑精，女兼淋带。

固精丸

【来源】《活人方》卷七。

【组成】山萸肉（连核）四两 莲须二两五钱 茯神二两 山药二两 黄柏一两五钱 远志一两 五味子一两

【用法】金樱子熬膏代蜜为丸。每服三钱，早空心百滚汤送下。

【功用】补心气以安神，益肾气以宁志，培土防水，酸涩固精，苦以泻火。

【主治】心肾不交，火炎水陷，淫梦遗精，日久不固，遂传虚损瘵怯之症。

【加减】心气虚者，兼服宁志丸；心血虚者，兼服安神丸，或服坎离丸。

梦遗神应膏

【来源】《活人方》卷七。

【组成】荔枝草（醋煅，末）一两 三角尖（醋煅，末）一两 益母草（醋煅，末）一两 清风藤（醋煅，末）一两 五味子（醋煅，末）一两 玄精石（醋煅，末）一两 粟壳一两 诃子肉一两 龙骨一两 牡蛎一两

【用法】除玄精、龙骨、牡蛎外，先将七味用麻油二斤熬枯，漉去滓，再熬至滴水不散，方搅入炒黑铅粉十二两，停火候冷，徐徐调入前三种末，摊粗皮上，用狗皮亦可。外贴。内服益志固精丸。

【功用】收敛固摄。

【主治】因劳烦过度，思虑无穷，谋为不遂，淫欲任意，致伤神动气，神气不守，则精无统摄，遂有淫梦自遗，白淫白浊，五淋滑脱；及妇人带下。

止消丸

【来源】《仙拈集》卷二。

【组成】菟丝子（酒浸，焙干）十两 茯苓 莲肉各三两 五味子一两

【用法】上为末。另研干山药末六两，将酒煮糊为丸，如梧桐子大。每服五十丸，空心米汤送下。

【主治】三消，并遗精白浊。

宁神丹

【来源】《仙拈集》卷二。
【组成】莲须　石莲肉各一斤　芡实十二两　麦冬四两
【用法】用公猪肚一个，入家莲肉一斤，放砂锅内，水煮烂，去肚，将莲肉晒干，同前药为细末，炼蜜为丸，如梧桐子大。每服一百丸，空心莲须汤送下。
【功用】壮阳固精。

安神汤

【来源】《仙拈集》卷二。
【组成】人参　石莲肉　莲须　麦冬　茯神　远志　甘草　芡实
【用法】水煎，温服。
【主治】遗精。

茯莲煎

【来源】《仙拈集》卷二。
【组成】莲肉　白茯苓各等分
【用法】上为末，白汤调服。
【主治】白浊，遗精。

韭龙散

【来源】《仙拈集》卷二。
【组成】韭菜子（炒）二两　白龙骨四钱
【用法】上为末。每服二钱，空心黄酒下。
【主治】失精，暂睡即泄。

锁阳固精丸

【来源】《仙拈集》卷三引高仲白方。
【组成】沙苑蒺藜八两　山萸　芡实　莲须各四两　覆盆子　菟丝子　枸杞　续断各三两
【用法】上为末，炼蜜为丸，如梧桐子大，每服三钱，空心淡盐汤送下。
【主治】肾虚梦遗。

金锁固阳膏

【来源】《经验广集》卷三。
【组成】葱子　韭子各二两　附子　肉桂　丝瓜仁各一两
【用法】麻油一斤熬枯，去滓，后下硫黄四两，松香二两，龙骨（煨）二钱，麝香三分，为末，入油搅匀，瓷罐封固，狗皮摊贴。俟交合久，去膏即泄成孕。
【功用】保身求嗣，却病延年。
【主治】《理瀹骈文》：遗精。

煨脐种子方

【来源】《经验广集》卷三。
【组成】韭菜子　蛇床子　附子　肉桂各一两　川椒三两
【用法】上以麻油二斤，飞丹十三两，将药熬枯去滓，熬至滴水成珠，摊如酒杯大，贴之。又用硫黄一两，丁香一钱，麝香三分研末，捣独蒜为丸，如豌豆大，每用一丸，安于脐内，用膏盖之。
【主治】男子精寒痿弱，白浊遗精；女人子宫虚冷，赤白带下。

回生丸

【来源】《方症会要》卷一。
【组成】熟地四两　山药三两　知母　丹皮各一两五钱　枸杞　茯神　泽泻　黄柏　山萸　杜仲各二两
【主治】肺嗽，喉痹，潮热盗汗，梦遗。

太乙保安膏

【来源】《同寿录》卷四。
【组成】羌活　僵蚕　草乌各一两五钱　独活　川乌　麻黄　桂枝　乌药　防风　当归　良姜　荆芥　小枫藤各三两　闹羊花四两
【用法】上各锉片，用麻油十斤，将药同煎，上药枯焦为度，取起候冷，滤去药滓，将油再熬滴水成珠，入飞净东丹六斤，搅匀收成膏，贮瓷瓶内，摊用。五劳七伤，遍身筋骨疼痛，腰脚软弱，贴两膏肓穴，两肾俞穴，两三里穴；痰喘气急，咳嗽，贴肺俞穴、华盖穴、膻中穴；左瘫右痪，手足麻木，贴两肩井穴，两曲池穴；男子遗精白浊，女子赤白带下，月经不调，崩漏，贴两阴交穴、关元穴；赤白痢疾，贴丹田穴；疟疾，男贴左臂，女贴右臂；腰疼，贴命门穴；小肠疝气，贴膀胱穴；偏正头风，贴风门穴；心气疼痛，贴中脘穴；走气，贴两章门穴；寒湿脚气，贴两三里穴；风气痛，贴痛处。凡一切无名肿毒，瘰疬臁疮，杨梅顽疮，跌打损伤，痞块等症，不必寻穴，贴本病患处即愈。

【主治】五劳七伤，筋骨疼痛，腰脚软弱；男子遗精白浊；女子赤白带下，月经不调，崩漏；痰喘咳嗽，痢疾疟疾，寒湿脚气，偏正头风，小肠疝气；以及无名肿毒，瘰疬臁疮，跌打损伤等。

接气沐龙汤

【来源】《本草纲目拾遗》卷八。

【组成】紫梢花　甘草　甘遂　良姜　文蛤　母丁香　巴戟天　川乌　附子　吴茱萸　川椒　细辛　淫羊藿　蚊床子　楝树子　甘松各一两　锁阳　苁蓉　官桂　羊皮　红蔗皮　满山红　罂粟壳(水泡,去筋)各二两　红豆七十粒(须择酒药内所用辣者)　白颈蚯蚓七条(炙)　倭铅八两(切薄片)

【用法】上匀七剂。每日一剂，瓦锅内煎汤，先薰，后洗，以冷为度，晚重温药汤再洗。

【主治】阳衰久痿，滑精。

【宜忌】七日内禁房事。

六子丸

【来源】《杂病源流犀烛》卷十八。

【组成】生菟丝子粉　蛇床子　覆盆子　沙苑子　家韭子　五味子

【用法】鳇鱼胶为丸服。

【主治】知识太早，精血未满而泄，关键不摄，始而精腐变浊，久则元精滑溢，口咸气胀。

海参粥

【来源】《老老恒言》卷五。

【组成】海参适量

【用法】先将海参煮烂，细切，入米，加五味。

【功用】

1.《老老恒言》：温下元，滋肾补阴。

2.《药粥疗法》：补肾，益精，养血。

【主治】

1.《老老恒言》：痿。

2.《药粥疗法》：精血亏损，体质虚弱，性功能减退，遗精，肾虚尿频。

龙齿丸

【来源】《杂病源流犀烛》卷八。

【组成】茯神　远志　人参　龙齿　菖蒲　知母　黄柏

【用法】《丸散膏丹集成》：研为细末，水泛为丸，如梧桐子大。每服三五十丸，熟汤送下。

【主治】精浊。

茯神远志丸

【来源】《杂病源流犀烛》卷九。

【组成】人参　龙齿　茯神　远志　菖蒲　知母　黄柏

【主治】阴阳俱虚之遗泄。

大凤髓丹

【来源】《杂病源流犀烛》卷十八。

【别名】封髓丹。

【组成】炒黄柏二两　砂仁（盐水炒）一两　甘草五钱　熟半夏　猪苓　茯苓　红莲须　益智仁各二钱五分

【用法】上为极细末，用盐水为丸，如梧桐子大。每服五十丸或七十丸，空心糯米饮吞下。

【主治】心火，色欲伤，遗泄。

升阳顺气汤

【来源】《杂病源流犀烛》卷十八。

【组成】黄耆二钱　人参　半夏各一钱　神曲七分半　当归　草蔻仁　陈皮　丹皮　升麻　柴胡各

五分　黄柏　炙草各二分半　姜三片

【主治】脱营失精。饮食无味，神倦肌瘦。

阳起石丸

【来源】《杂病源流犀烛》卷十八。

【组成】阳起石（煅）　钟乳粉各等分

【用法】酒煮附子末、面糊为丸。每服五十丸，空心米饮送下。以愈为度。

【主治】元气虚寒，精滑不禁，大腑溏泄，手足厥冷。

补心丹

【来源】《杂病源流犀烛》卷十八。

【别名】补心丸（《全国中药成药处方集》武汉方）。

【组成】人参　丹参　元参　天冬　麦冬　生地　茯神　远志　枣仁　当归　朱砂　菖蒲　桔梗　柏子仁　五味子

【用法】《医方简义》：炼蜜为丸，如梧桐子大，辰砂为衣。

【主治】

1.《杂病源流犀烛》：读书夜坐，阳气上升，充塞上窍，痰多鼻塞，能食，上盛下衰，寐则阳直降而精下注，有梦而泄。其或真阴损伤，而五志中阳火上燔为喉咙痛，下坠为遗，精髓日耗，骨痿无力，日延枯槁，宜早服补心丹，晚服桑螵蛸散。

2.《医方简义》：癫症与怔忡症。

3.《全国中药成药处方集》：神经衰弱，心血不足，心跳气短，失眠健忘，神志不宁，口燥咽干。

猪肾丸

【来源】《杂病源流犀烛》卷十八。

【组成】猪肾一枚（去膜）

【用法】上入附子末一钱，湿纸包，煨熟。空心食之，饮酒一杯，不过三五服。

【主治】肾阳虚微，精关滑泄，自汗盗汗，夜多梦与鬼交。

清肾汤

【来源】《杂病源流犀烛》卷十八。

【组成】焦黄柏　生地　天门冬　茯苓　煅牡蛎　炒山药

【主治】肾中有火，精得热而妄行，频频精泄，心嘈不寐。

潜阳填髓丸

【来源】《杂病源流犀烛》卷十八。

【组成】熟地黄八两　石斛膏　线胶各四两　莲子　芡实各三两　麦门冬　茯神　五味子　沙苑蒺藜各二两　远志一两

【用法】上为细末，金樱膏为丸服。

【主治】肾脏精气亏，相火易动难制，致梦遗精浊，烦劳即发，频年不愈。

正元丹

【来源】《医级》卷八。

【组成】故纸一两（酒浸）　苁蓉（酒洗）　巴戟　芦巴各一斤　文蛤八两　茯苓六两　龙骨　朱砂各二两

【用法】上为末，蜜为丸。每服三十丸，空心温酒送下。

【主治】真气不足，遗精盗汗，目暗耳鸣，吸吸短气，四肢瘦损。

补天丸

【来源】《医级》卷八。

【组成】紫河车（初胎者一具，米泔洗净，入砂锅内，用水一碗煮沸，候冷取起，放小竹篮中，用纸密糊烘干）黄柏（蜜炒）　知母（乳炒）　龟版（酥炙）三两　熟地五两（煮）　牛膝（酒洗）　苁蓉（酒洗）　麦冬　山药　虎胫骨（酥炙）茯神各一两半　杜仲　首乌　人参　白芍　生地　天冬　当归　五味各三两　枸杞二两

方中黄柏、知母用量原缺。

【用法】上为末，猪脊髓三条，蒸熟，炼蜜为丸。每服七八十丸，空心淡盐汤送下。

【主治】男妇虚损劳伤，形体羸乏，腰背疼痛，遗精带浊。

【加减】冬，加干姜。

固真丹

【来源】《医级》卷八。

【组成】菟丝　茯苓各四两　牡蛎（煅）　龙骨（煅）　桑螵蛸（炙）　白石脂（飞）　金樱（去毛子）　芡实　莲须各一两　五味子一两

【用法】上为末，山药糊作丸。每晨、晚服三钱，开水送下。

【主治】遗精，久浊，精隧不固，或膀胱不约，小水频多。

固真秘元煎

【来源】《医级》卷九。

【组成】人参一钱　菟丝三钱　龙齿一钱　五味五分　茯苓一钱半　芡实　金樱子二钱　桑螵蛸　车前各一钱五分

方中芡实用量原缺。

【主治】久带、久淋、梦与鬼交，并治男子梦遗精滑。

朗明汤

【来源】《名家方选》。

【组成】枳实　厚朴各一分　牡蛎　白术各七分　栀子　黄连　竹茹　石膏各三分　甘草二分

【用法】水煎，顿服。

【主治】遗精久不止，盗汗，五心烦热。

拯肾汤

【来源】《会约医镜》卷二。

【组成】熟地四钱　枣皮　山药　枸杞　杜仲（盐水炒）　巴戟（去心）各一钱半　茯苓一钱　五味三分　补骨脂（盐水炒）一钱

【用法】空心服。服之而效可照分量加二十倍，再加菟丝子酒蒸四两，青盐五钱，炼蜜为丸，每服七八钱，空心淡盐汤送下。

【主治】肾阴虚，神昏身倦，或遗精白浊，玉茎隐痛。

培补保元丸

【来源】《会约医镜》卷二。

【组成】本支地八两（拣六七钱重一支者，有小直纹而无横纹，其色不纯黑，内有菊花黄心为佳，略洗，用玄砂仁四钱微炒研末，同米酒入砂锅内，以纸湿封数层，久蒸取出晒干，加酒再蒸，如是者九次，切勿用砂锅煮熟，以真汁耗也，最忌铁器。有谓用姜汁蒸者，姜入脾经，切不可依）　枣皮四两（下部滑遗者加一两，酒蒸）　淮山药（炒）四两　白云苓四两（去皮）　粉丹皮一两六钱（酒浸，如血虚热燥者，加五六钱）　建泽泻一两二钱（淡盐水浸，如小便短涩，加五六钱）　当归三两（酒蒸）　白芍二两半（煨，酒炒）　杜仲三两（盐水炒）　甘枸杞三两（酒蒸）　菟丝子四两（淘净泥沙，酒蒸，晒干研末）　北五味一两半（微炒）

【用法】先将地黄、枣皮、枸杞、当归共捣成膏，然后将余药研末，加炼蜜一斤多为丸，如梧桐子大。每服一百丸，早晨用淡盐水送下。

【主治】一切体弱脉虚，肾亏神倦，及失血，咳嗽，梦遗火炎，小便短赤，喉舌干燥。

【宜忌】立夏便服，交秋忌用。少年体弱者宜服。人于少年时，每年制服一料，可免内伤阴虚之病。若有是症，更宜多服，不可忽视延挨。

【加减】如血虚发热者，加上阿胶三两（蛤粉炒成珠），即失血者亦用，或多用；如咳嗽有痰者，加川贝母四两（糯米拌炒），麦冬三两（去心酒蒸）；如下部虚滑，加莲须三两，牡蛎（煅，净粉，醋炒）四两；如肾中之阳虚，加补骨脂（盐炒）三两；如乏嗣者，加胡桃肉四两。此方或少加熟附子一两以助各药之力。如中年右尺脉虚，属命门火衰，及肾中之阳不足而乏嗣者，俱宜加肉桂三两，制附子三四两，补骨脂、胡桃肉各四两，更效。

心肾交补丸

【来源】《会约医镜》卷七。

【组成】熟地八两　枣皮四两　淮药四两　茯苓三两　枣仁（炒）三两　杜仲（盐炒）三两　北五味一两半　当归三两　远志二两

【用法】炼蜜为丸。淡盐水送下；心虚有火，灯心草煎服；心肺热，用麦冬；胆虚心烦，用枣仁炒，研末，竹叶汤送下。

【主治】心肾两虚，神志恍惚，梦遗膝软，夜卧不宁。

【加减】右尺脉弱，阴中无阳，加肉桂二三两；精血干涸，加枸杞四两。

加味地黄丸

【来源】《会约医镜》卷九。

【组成】怀庆元支地黄八两（加元砂仁微炒，三钱，研末，与米酒同蒸同晒九次，勿少）　淮山药四两　枣皮三两（去核，酒蒸）　白茯苓（去皮）四两　粉丹皮一两七钱　建泽泻（淡盐水浸，晒）一两三四钱　甘枸杞（去梗）三两（酒蒸）　菟丝子（淘尽泥砂）三两（酒浸，蒸，晒干）　真阿胶（蛤粉炒成珠）三两　麦冬（去心，酒蒸）二两　杜仲（淡盐水炒断丝）三两　北五味（微炒）七八钱

【用法】先将地黄、枣皮、枸杞、麦冬于石臼内捣成膏，然后将余药磨成细末，合前膏加炼蜜捣匀为丸。每晨服七八钱，用淡盐水送下。凡一切虚弱之人，每年夏季制服一料，可以扶体，免阴虚火炎之病，但须间服温脾汤，更妙。

【功用】平补肝肾，养肺清热。

【主治】阴虚失血，胸背痛，小便赤，遗精潮热，咳嗽气喘。

【宜忌】忌铁与三白。

【加减】若精滑者，枣皮可加至四五两；若血虚有热者，粉丹皮可加至二两四五钱；小便短者，建泽泻用一两八钱。

滋阴汤

【来源】《会约医镜》卷九。

【组成】熟地二钱　山药一钱五分　麦冬（去心，微炒）八分　当归（酒洗，去尾）一钱三分　白芍（酒炒）一钱　甘草（炙）六分　阿胶（蛤粉炒）一钱　茯苓一钱　杜仲（淡盐水炒）一钱　丹参一钱三分

【用法】水煎，早、晚服。

【主治】肝肾虚弱，不时失血，背痛咽干，咳嗽便短，倦怠遗精。

【加减】咽干而五心热者，加元参一钱二分；骨蒸多汗者，加地骨皮一钱三分；血热妄动者，加生地一钱五分，青蒿一钱；阴虚不宁者，加女贞子一钱五分；咳嗽有痰者，加款冬花一钱，川贝母（微炒，研末）一钱；血来盛者，童便一杯，藕节汁或丝，茅根汁合服。服之而顺，可以多服，但中时必须以温脾汤以佐之。

黄耆汤

【来源】《会约医镜》卷十一。

【组成】黄耆（蜜炒）　熟地各一钱半　茯苓　天冬　肉桂各一钱　小麦（炒）　当归　甘草（炙）各八分　五味子三分

【用法】加生姜五分，水煎出，用龙骨细研末一钱，合服。

【主治】房劳过甚，致阴阳两虚而遗精者。

【加减】如有汗者，加净麻黄根（蜜炒）一钱；如汗冷者，加附子七八分；如发热自汗，或口渴者，加石斛二钱。

保元汤

【来源】《会约医镜》卷十二。

【组成】熟地三五钱　枣皮二钱　山药一钱半　菟丝子（炒香，捣碎）二三钱　五味三分　益智仁（酒炒）一钱　附子一钱半　肉桂一二钱

【用法】水煎，空心服。

【功用】补阴固涩。

【主治】肾虚无火而下焦滑遗者。

【加减】虚滑遗甚者，加金樱子（净肉）二钱，或加乌梅二个；兼大便溏泄，加骨脂、吴茱萸之属。

千金固肾丸

【来源】《会约医镜》卷十三。

【组成】熟地八两　枣皮四两　茯苓三两　志肉二

两　龙骨（煅）二两　巴戟三两（去心）　苁蓉三两（酒浸）　莲蕊二两　牡蛎（煅）三两　胡桃三两　韭子（微炒）一两半　石莲子一两半　菟丝子五两　肉桂二两　补骨脂（酒炒）三两　杜仲（盐炒）三两

【用法】上为末，用山药（研末）六两，开水泡糊为丸。每服五六钱，加至七八钱，空心淡盐汤送下。

【主治】心肾不交，梦遗精滑。

固精丸

【来源】《会约医镜》卷十三。

【组成】牡蛎（煅）四两　菟丝子（淘净，酒蒸）六两　韭子（炒）二两　龙骨（煅）四两　北五味（微炒）二两　白茯苓四两　桑螵蛸（酒炙）三两　白石脂（煅）四两　山茱萸四两　杜仲（盐炒）三两

【用法】上为细末，山药研糊为丸。空心盐汤送下。

【主治】下元虚损，精滑将脱者。

金锁丹

【来源】《会约医镜》卷十三。

【组成】莲芯六两　芡实（炒）十两　石莲子四两或二两　金樱膏二斤

【用法】上为末，以金樱膏为丸。空心淡盐汤送下。

【功用】固精益寿。

【主治】嗜欲太过，精滑不固。

【宜忌】忌葵菜、车前子。

茯神汤

【来源】《会约医镜》卷十三。

【组成】石菖蒲（炒）八分　山药一钱二分　茯神一钱五分　远志（去心）八分　枣仁一钱　茯苓一钱　生地一钱　当归一钱二分　甘草四分　莲子七粒（捶碎，去心）　黄连八分

【用法】水煎，食前服。

【主治】欲火太炽，相火甚而梦遗心悸。

秘元汤

【来源】《会约医镜》卷十三。

【组成】志肉八分（炒）　山药二钱（炒）　芡实二钱（炒）　枣仁（炒，捣碎）一钱半　白术（土炒）茯苓各一钱半　甘草（炙）一钱　五味子十四粒（微炒，捣）

【用法】水煎。食远服。

【功用】培补心脾，固肾。

【主治】思虑劳倦而遗。久遗无火，不痛而遗滑者。

【加减】有火觉热，加苦参一二钱；气大虚，加黄耆（蜜炙）一二三钱。

茯苓菟丝丸

【来源】《风痨臌膈》。

【组成】白茯苓　白术（米泔浸）　莲肉各四两　五味子（酒煎）二两　山药二两　杜仲（酒煎）三两　炙草七钱　菟丝子十一两（用洁水淘净，入陈酒浸一日，文火煮烂极，打为饼，焙干为末）

【用法】用山药末以陈酒煮，面糊为丸，如梧桐子大。每服一百余丸，空心滚白汤送下。

【主治】脾肾虚损，不能收摄，以致梦遗精滑、困倦。

天根月窟膏

【来源】《温病条辨》卷五。

【组成】鹿茸一斤　乌骨鸡一对　鲍鱼二斤　鹿角胶一斤　鸡子黄十六枚　海参二斤　龟版二斤　羊腰子十六枚　桑螵蛸一斤　乌贼骨一斤　茯苓二斤　牡蛎二斤　洋参三斤　菟丝子一斤　龙骨二斤　莲子三斤　桂圆肉一斤　熟地四斤　沙苑蒺藜二斤　白芍二斤　芡实二斤　归身一斤　小茴香一斤　补骨脂二斤　枸杞子二斤　肉苁蓉二斤　萸肉一斤　紫石英一斤　生杜仲一斤　牛膝一斤　萆薢一斤　白蜜三斤

【用法】上药用铜锅四口，以有情归有情者二，无情归无情者二，文火次第煎炼取汁；另入一净锅内，细炼九昼夜成膏，后下胶、蜜，以方中有粉无汁之茯苓、莲子、芡实、牡蛎、龙骨、鹿茸、

白芍、乌贼骨八味为极细末，和前膏为丸，如梧桐子大。每服三钱，一日三次。

【功用】阴阳两补，通守兼施。

【主治】下焦阴阳两伤，八脉告损，急不能复，胃气尚健，无湿热证者；男子遗精滑泄，精寒无子，腰膝腹痛之属肾虚者；老年体瘦，痱中，头晕耳鸣，左肢麻痹，缓纵不收，属下焦阴阳两虚者；妇人产后下亏，淋带瘕，胞宫虚寒无子，数数殒胎，或少年生育过多，年老腰膝尻胯酸痛者。

【宜忌】胃弱不能传化重浊之药者，有湿热者，单属下焦阴虚者不宜此方。

益气培元饮

【来源】《古方汇精》卷一。

【组成】大熟地　制杜仲各三钱　丹皮八分　茯苓一钱二分　淮山药二钱　建泽泻五分　柴胡六分　当归　山萸肉　枸杞子　炒白芍各一钱五分　甘草梢一钱

【用法】加姜皮半分，南枣三个，水煎服。

【主治】遗精白浊，溺下砂淋，茎中痒痛，腰膝酸痛诸证。

神效方

【来源】《外科集腋》卷八。

【组成】真龙骨一两（火酒煮）　生牡蛎　韭子（炒）　生菟丝各一合

【用法】上为极细末。每服二钱，空心火酒送下。

【主治】无梦滑精，及久遗虚寒。

五倍子丸

【来源】《医学从众录》卷三。

【组成】五倍子（青盐煮，晒，焙）　茯苓各二两

【用法】蜜为丸，如梧桐子大。每服二钱，空心盐汤送下，或以药汁送下，一日二次。

【主治】遗精。

温胆汤

【来源】《笔花医镜》卷二。

【组成】制半夏一钱五分　枳实八分　陈皮　茯苓各一钱半　人参一钱　熟地　炒枣仁各三钱　远志一钱　五味子一钱　甘草（炙）五分

【用法】上加生姜三片、大枣一枚，水煎服。

【主治】胆气虚寒，梦遗滑精。

补天串

【来源】《串雅补》卷二。

【组成】象牙屑二钱　桑螵蛸一钱

【用法】上为末，作一服。

【主治】梦遗。

草仙丸

【来源】《医钞类编》卷十四。

【组成】沙苑蒺藜四两（酒炒）　枣皮　芡实　莲须　枸杞各二两　菟丝　续断　覆盆子　金樱子（去核）各一两

【用法】上为细末，炼蜜为丸。

【主治】精滑不痛。

加减六味丸

【来源】《外科证治全书》。

【组成】六味地黄丸去泽泻、茯苓，加莲须、龙骨、线胶各一两。

【主治】肾虚梦遗，关元不闭。

润燥涩精汤

【来源】《证因方论集要》卷二。

【组成】熟地　白芍（炒）　菟丝子　龙骨　山药　麦冬　玉竹　龟版胶

【主治】遗精，不时悬饥，畏闻人声，烦躁昏倦，溺时作痛。

【方论】熟地以滋肾阴，山药以补脾阴，麦冬以养肺阴，白芍以敛肝阴，菟丝温阴中之阳，玉竹润气分之燥，龙骨性涩以固精窍，龟胶质厚以遏阴火。

苓术菟丝丸

【来源】《类证治裁》卷八。

【组成】茯苓　白术　莲子各四两　五味二两　山药　杜仲各三两　菟丝子十两　炙草一两

【用法】炼蜜为丸服。

【主治】精滑。

苋甲二仙种子膏

【来源】《良方集腋》卷上。

【组成】活甲鱼一个重二斤四两准　好黄丹二斤　红苋菜二斤四两（连根带叶，晒干、切）　真麻油五斤　新鲜桃条　柳条　桑条　榆条　槐条各十寸（切碎）

【用法】先将油入锅内，次入活甲鱼并苋菜、桃柳等条，用文武火将甲鱼等熬焦，去滓存油，再入黄丹，熬成膏，即倾入凉水内，浸三昼夜，再熔再倾，如此五次。用时摊布上，贴两腰左右穴并肚脐，贴至一月即可见效。百日即可种子。

【主治】肾冷精寒，遗精白浊，一切下部虚损艰于得子以及妇女经水不调，赤白带下。

猪肚丸

【来源】《集验良方拔萃》卷二。

【组成】炒麦冬一两　北沙参二两　芡实四两　生白术五两　金樱子一两　杜仲三两　金毛狗脊二两　续断二两　黑脂麻五两　沙苑蒺藜　黑发灰各二两

【用法】上为末，以雄猪肚一具洗净，煮极烂，为丸如梧桐子大。为丸时如燥，稍加熟蜜；若湿重，加山药粉。每服三钱，早、晚米汤送下。

【主治】遗精梦泄，不思饮食，肢瘦气弱，咳嗽，渐成劳损。

【宜忌】忌食猪肝、羊血、番茄。

加减地黄丸

【来源】《验方新编》卷六。

【组成】熟地六两　山萸肉　真山药各四两　芡实　丹皮　云苓各二两　莲须一两　龙骨（生，研，水飞净）三钱　鱼鳔四两（蛤粉炒成珠）

【用法】上为末，炼蜜为丸，如梧桐子大。每服三四钱，早、晚熟汤送下。

【主治】遗精。

七制香附丸

【来源】《验方新编》卷十一。

【组成】香附一斤（洗净，一制淘米水泡一夜，石上擦去毛，晒干；二制陈酒泡一夜，晒干；三制童便、四制盐水、五制牛乳、六制小扁黑豆煮水，俱照前；七制真茯神六两去皮、去木心）

【用法】上为末，炼蜜为丸，如弹子大。每早空腹服一丸。

【主治】心血亏虚，火不下降，水不上升，以致心肾不交，夜梦遗精，百药不效者。

约精丸

【来源】《医方易简》卷九。

【组成】黄连　生地　归身　炙甘草　酸枣仁（去壳净炒，研）　茯神　远志肉　人参　石莲子肉各等分

【用法】上蜜丸，如梧桐子大。每早、晚各服二钱，淡盐汤送下。

【主治】梦遗，诸药不效者。

红缎膏

【来源】《理瀹骈文》。

【组成】川椒三两　韭子　蛇床子　附子　肉桂各一两　独蒜一斤

【用法】真香油二斤浸药熬，黄丹收膏。再用倭硫黄六钱、母丁香五钱、麝香一钱、独蒜丸如豆大，朱砂为衣；或用硫黄、丁香、胡椒、杏仁、麝、枣肉为丸；或用胡椒、硫黄、黄蜡为丸，每用一丸纳脐眼上，外贴本膏。

【主治】男子精寒，萎弱，白浊，遗精；女子子宫虚冷，赤白带下。亦治寒泻。

固精保元膏

【来源】《理瀹骈文》。

【组成】党参　黄耆　当归各五钱　甘草　五味子　远志　苍术　白芷　白及　红花　紫梢花各三钱　肉桂二钱　附子一钱

【用法】上以麻油二斤，熬黄丹收，鹿角胶一两，乳香、丁香各二钱，麝香一钱，加芙蓉膏二钱搅匀。贴脐上及丹田。

【功用】固精保元，暖肾补腰膝，去寒湿，久贴暖子宫。

【主治】一切腹痛，痞疾，梦遗，五淋，滑淋，白浊，妇人赤白带下，经水不调；又治色欲过度之阳痿。

【加减】阳痿，加阳起石二钱。

养心安神膏

【来源】《理瀹骈文》。

【组成】牛心一个　牛胆一个（用小磨麻油三斤浸熬听用）　川黄连三两　大麦冬　丹参　玄参　苦参　郁金　胆南星　黄芩　丹皮　天冬　生地各二两　潞党参　熟地　生黄耆　上于术　酒白芍　当归　贝母　半夏　苦桔梗　广陈皮　川芎　柏子仁　连翘　熟枣仁　钗石斛　远志肉（炒黑）　天花粉　蒲黄　金铃子　地骨皮　淮山药　五味子　枳壳　黄柏　知母　黑山栀　生甘草　木通　泽泻　车前子　红花　官桂　木鳖仁　羚羊角　镑犀角各一两　生龟版　生龙齿　生龙骨　生牡蛎各二两　生姜　竹茹　九节菖蒲各二两　槐枝　柳枝　竹叶　桑枝各八两　百合　鲜菊花（连根叶）各四两　凤仙草一株

【用法】上药共用油十六斤，分熬去滓，合牛心油并熬，丹收，再入寒水石、金陀僧各四两，芒消、朱砂、青黛各二两，明矾、赤石脂、赭石（煅）各一两，牛胶四两（酒蒸化，如清阳膏下法），收膏，贴膻中穴。

【主治】心虚有痰火不能安神，亦治胆虚。凡年老心怯，病后神不归舍，及少年相火旺，心肾不交，怔忡梦遗，亦有因惊而不能寐者。

硫黄补火丸

【来源】《理瀹骈文》。

【组成】硫黄六钱　母丁香五钱　麝一钱

【用法】上研末，独头蒜为丸，如豆大，朱砂为衣。每次一丸，纳脐眼中，上贴红缎膏。

【主治】男子精寒痿弱，白浊遗精；女子宫寒虚冷，赤白带下；寒泄。

锁精丸

【来源】《理瀹骈文》。

【组成】山药　杞子　五味　萸肉　锁阳　黄柏　知母　党参　黄耆　石莲　海蛤粉各一两　白术二两

【用法】熬膏服。

本方方名，据剂型，当作“锁精膏”。

【主治】遗症，多由思想或伤阴，或伤阳，或两伤。

锁精丸

【来源】《理瀹骈文》。

【组成】菟丝子四两　牡蛎（煅）　金樱子（蒸）　茯苓（酒蒸）各一两

【用法】熬膏服。

本方方名，据剂型，当作“锁精膏”。

【主治】遗症，多由思虑，或伤阴，或伤阳，或两伤。

滋阴壮水膏

【来源】《理瀹骈文》。

【组成】元参四两　生地　天冬各三两　丹参　熟地　萸肉　黄柏　知母　麦冬　当归　白芍　丹皮　地骨皮各二两　党参　白术　生黄耆　川芎　柴胡　连翘　桑白皮　杜仲（炒断丝）　熟牛膝　南薄荷　川郁金　羌活　防风　香附　蒲黄　秦艽　枳壳　杏仁　贝母　青皮　橘皮　半夏　胆星　黑荆穗　桔梗　天花粉　远志肉（炒）　女贞子　柏子仁　熟枣仁　紫苑　菟丝饼　钗石斛　淮山药　续断　巴戟天　黑山栀　茜草　红花

黄芩 黄连 泽泻 车前子 木通 生甘遂 红芽大戟 生大黄 五味子（炒） 五倍子 金樱子 炒延胡 炒灵脂 生甘草 木鳖仁 蓖麻仁 炮山甲 羚羊角 镑犀角 生龙骨 生牡蛎 吴萸各一两 飞滑石四两 生姜 干姜（炒）各一两 葱白 韭白 大蒜头各二两 槐枝 柳枝 桑枝 枸杞根 冬青枝各八两 凤仙草 旱莲草 益母草各一株 冬霜叶 白菊花 侧柏叶各四两 菖蒲 小茴香 川椒各一两 发团二两

【用法】生龟版一个（腹黑者佳，黄色及汤版不可用），用小磨麻油三斤，浸熬去滓听用；将飞滑石前七十五味与后二十味共用油二十四斤，分熬去滓；合龟版油并熬丹收，再加铅粉（炒）一斤，生石膏四两，青黛、轻粉各一两，灵磁石（醋煅）二两，官桂、砂仁、木香各一两，牛胶四两（酒蒸化，如清阳膏下法），朱砂五钱，收膏备用。上贴心背，中贴脐眼，下贴丹田。阴无骤补之法，膏以久贴见效。

【主治】男子阴虚火旺，午后发热，咳嗽痰血，或郁热衄血，吐血，或涎唾带血，或心烦口干，惊悸喘息，眼花耳鸣，两颧发赤，喉舌生疮，盗汗梦遗，腰痛脊酸足痿；妇人骨蒸潮热，或经水不调，或少腹热痛，及一切阴虚有火之症。

固精丸

【来源】《引经证医》卷四。

【组成】大熟地 牡蛎块 茯苓 潼沙苑 龙骨 杜仲 文蛤 莲须 金樱子 紫衣胡桃

【主治】下元不足，无梦而遗，不能正卧。

远志饮

【来源】《不知医必要》卷三。

【组成】高丽参（去芦，米炒）二钱 淮山（炒）三钱 龙齿（煅）一钱五分 石菖蒲一钱 正茯神（朱砂末拌）一钱五分 远志（去心）五分

【主治】心肾不足，恍惚不足，梦遗泄精。

芡实杞子汤

【来源】《不知医必要》卷三。

【组成】熟地三钱 淮山（炒）二钱 杞子 石莲仁（去心，杵） 芡实（杵）各一钱五分 莲须 牡蛎（煅）各一钱 白茯苓一钱五分 茯神一钱

【用法】水煎好，另以椿根、萹蓄煎汁入药，再煎服。

【主治】精浊。

【加减】如热，加黄连六分；寒，加益智仁一钱五分；滞，加乌药一钱五分。

补心神效丸

【来源】《不知医必要》卷三。

【组成】党参（去芦，米炒） 淮山（炒） 茯神各六钱 远志（去心）一钱五分 熟地四钱 枣仁（炒，即杵）三钱 北味二钱

【用法】加另研柏子仁末三钱，炼蜜为丸，如绿豆大，朱砂为衣。每服三钱，党参、龙骨煎汤送下。

【主治】心神不安，夜梦遗泄。

金樱子丸

【来源】《不知医必要》卷三。

【组成】丝饼五钱 茯苓（酒拌，蒸，晒）三钱 牡蛎（煅）一钱五分 金樱子（去毛，去核，蒸熟）二钱

【用法】上为末，炼蜜为丸，如绿豆大。每服三钱，酒送下，或淡盐汤送下。

【功用】补涩。

【主治】遗泄精滑。

参桂汤

【来源】《不知医必要》卷三。

【组成】高丽参（去芦，米炒） 萸肉各一钱五分 淮山（炒） 茯苓各二钱 菟丝饼三钱 肉桂（去皮，另燉）四分

【主治】误服或久服寒药而遗泄者。

茯神汤

【来源】《不知医必要》卷三。

【组成】党参（去芦）一钱五分 茯神二钱 生地

当归　菖蒲各一钱　远志（去心）五分　黄连三分　炙草四分

【用法】加去心莲子七粒，水煎服。

【主治】欲心太炽而梦遗者。

菟丝丸

【来源】《不知医必要》卷三。

【组成】菟丝子饼二两五钱　石莲仁（去心）六钱　白茯苓一两五钱

【用法】上为末，以酒为丸，如绿豆大。每服二钱，淡盐汤送下。

【主治】思虑太过，心肾虚损，真元不固，小便白浊，梦寐频泄，尿有余沥。

潜阳汤

【来源】《医方简义》卷四。

【组成】熟地四钱　茯神　山药　泽泻各三钱　丹皮二钱　萸肉一钱　炙龟版　炙鳖甲　生牡蛎各五钱　莲须一钱　琥珀八分

【用法】水煎服。

【主治】阴火内炽，自遗虚证。

坎离既济汤

【来源】《医家四要》卷二。

【组成】黄柏　知母　生地

【功用】泻命门火。

【主治】阳事易举，精浊不止；或壮年久旷而精溢出者。

加味八味汤

【来源】《揣摩有得集》。

【组成】熟地三钱　山药三钱（炒）　山茱肉一钱半　丹皮一钱　云苓二钱　泽泻一钱　巴戟三钱（去心，盐水炒）　菟丝子一钱半　远志一钱半（去心，盐水炒）　韭子一钱（炒）　茵陈五分　附子五分　上元桂五分（去皮，研）　芡实五钱（炒）

【用法】竹叶、灯心为引，水煎服。

【主治】肾虚受寒，而带虚火，一切遗精，白浊。

五气朝元丹

【来源】《青囊秘传》。

【组成】雄黄三两　雌黄三两　硫黄五钱　乌玄参四钱　青铅二两

【用法】用直口香炉一个，外用细泥和铁花、头发调匀泥炉，用铜丝扎紧，以泥不燥裂为度，约厚至半寸。先将乌玄参、青铅放勺内烊化，篾丝作圈，置于地上，将药味倾入，作饼两块，先放一块于香炉内，次将前三味放上，再盖饼一块于上，用铁打灯盏仰盖之，用盐泥封固，用文武火煅一日，盏内以水汲之，则丹飞升于盖盏底内，以刀刮下听用。男子病症药引：左瘫右痪，黄酒；中风不语，南星；半身不遂，黄酒；腿痛难行，木瓜；腰痛挫气，肉苁蓉；虚弱痨症，人参、杏仁；五淋常流，赤苓；胃气疼痛，艾醋；遗精梦泄，龙骨；脾胃两伤，陈皮；下部痿软，归尾、牛膝；肛门虫积，槟榔；各种痧症，川椒；咳嗽吐血，青韭菜、地栗汁；水肿、膨胀，芫花；胸腹胀满，木瓜；手足浮肿，苍术；噎膈反胃，靛缸水；少腹偏坠，葫芦巴；阳事不举，枸杞子。妇人病症药引：经候不调，当归；久无孕育，益母；崩漏带下，赤石脂；流白不止，白薇；口眼歪斜，天麻；经闭不通，红花、桃仁；癥瘕血块，莪术；阴寒肚痛，生姜、黄酒；夜间不寐，枣仁；下元虚冷，艾汤、百香汤；小肠疼痛，小茴香；咳嗽吐血，蒺藜；痢下赤白，粟壳；午后发热，黑栀；麻木不仁，黄酒；四肢木硬，黄酒；心神恍惚，枣仁、赤苓；心血不足，茯神；左瘫右痪，黄酒。上将药丹研末，黑枣为丸，如梧桐子大。每服五分，轻者三分，照症用引，慎勿错误。

【主治】半身不遂，腰疼腿痛，痨症，五淋，胃气疼痛，遗精梦泄，肛门虫积，胸腹胀满，手足浮肿，咳嗽吐血，各种痧症，癥瘕血块，痢下赤白，经候不调，崩漏带下。

布膏药

【来源】《青囊秘传》。

【组成】生地　当归　首乌　川芎　川断　红花

加皮　川草乌　茅术　良姜　官桂　香附　乌药　枳壳　陈皮　柴胡　白芷　羌活　独活　灵仙　麻黄　莪术　三棱　寄奴　荆芥　防风　赤芍　青皮　桃红　川军　牙皂　藁本　连翘　南星　山柰　姜半夏　海风藤　甘松各三钱　（以下细料方）麝香一钱　附子二钱　冰片五分　洋樟三钱　木香三钱　肉桂一钱　乳没药　细辛　阿魏　八角茴香各三钱（共研末）

【用法】麻油四斤，入药煎枯，下净血余三两，溶化，再下飞广丹三十两，熬膏。再下后细料药，搅匀用之。筋骨疼痛，腰腿酸软，四肢无力，贴两膏肓及肾俞；男子艰嗣，梦遗精滑，贴命门；妇女漏下半产，白带，贴子宫穴；左瘫右痪，手足麻木，贴肩井、曲池、环跳；跌打损伤，贴痛处；鹤膝风，贴膝眼；赤白痢疾，贴丹田；漏肩风，贴肩井；胁肋气痛，贴期门、章门；大、小疟疾，贴肺俞；心腹痛、呕吐，贴中脘；癥瘕痞癖，贴痛处、气海；哮喘、咳嗽，贴肺俞、中脘；木肾疝气，贴丹田、肾俞；瘀血作痛，贴丹田、气海；腰背疼痛、偏正头风，贴太阳、风门。

【主治】男子艰嗣，梦遗精滑，妇人半产漏下，白带及跌打损伤，遍身筋骨疼痛，腰脚酸痛，足膝无力，左瘫右痪，水泻痢疾，手足麻痹，腰胁气痛，哮喘咳嗽，癥瘕痞癖，心腹肚痛，呕吐，木肾疝气，偏正头风，漏肩鹤膝，疟疾，瘀血作痛。

石刻安肾丸

【来源】《饲鹤亭集方》。

【组成】鹿茸一两　赤石脂三两　山药四两　戟肉　肉果　补骨脂　苁蓉　柏子仁　菟丝子　茯苓　远志　萸肉　茅术　附子　石斛　川乌　小茴　川椒　韭菜子各二两　青盐四钱

【用法】山药末糊为丸。每服三钱，淡盐汤送下。

【主治】真气虚惫，梦遗滑精，便溏溲数，腰膝软弱，恶寒畏冷，诸阳不足。

百补养原丸

【来源】《饲鹤亭集方》。

【组成】党参四两　熟地八两　焦冬术　茯苓　杜仲　杞子　芡实　牡蛎各三两　龙骨　归身　白芍各二两　肉桂心　制附子　橘红　制半夏　川贝　炙甘草各一两　砂仁五钱

【用法】上为末，用大土皮三两，酒、姜汁拌和，炼蜜为丸服。

【功用】培元养气，添精补神。

【主治】戒烟断瘾之后，本元不复，所致遗精腰痠，食少神倦。

杜煎鹿角胶

【来源】《饲鹤亭集方》。

【组成】鹿角五十两　黄精　熟地各八两　杞子　樱子　天冬各四两　麦冬　牛膝　楮实　菟丝子　桂圆肉各二两

【用法】煎胶。

【主治】四肢酸痛，头晕眼花，崩带遗精，一切元阳虚损劳伤。

遗精丸

【来源】《内外验方秘传》卷下。

【组成】熟地炭三两　白芍二两　沙蒺藜二两　制首乌二两　杜仲一两　旱莲草二两　党参三两　山药二两　丹参二两　金樱子三两（去毛）　五倍子二两（去毛）　桑螵蛸二两　莲须二两　赤石脂八钱　明矾四两　牡蛎粉二两　乌贼骨二两　煅龙骨二两　韭菜子二两

【用法】上为末，以芡实粉四两打糊为丸。每服三钱，淡盐汤送下。

【主治】男子遗精。

玉池汤

【来源】《医学摘粹》。

【组成】桂枝三钱　茯苓三钱　甘草二钱　芍药三钱　龙骨二钱　牡蛎三钱　附子三钱　砂仁一钱（炒研，去皮）

【用法】水煎大半杯，温服。

【主治】遗精。

【加减】湿旺木郁而生下热，倍茯苓、白芍，加泽泻、丹皮。

鬼仙丹

【来源】《疑难急症简方》卷三。
【组成】莲须　芡实　石莲子各十两（研末）　金樱子三斤
【用法】上将金樱子熬成膏，搅上三味末为丸。每服三五十丸，空心盐水送下。
【主治】男子嗜欲太过，精血不固而多热。

蛤苓丹

【来源】《疑难急症简方》卷三。
【组成】茯苓　车前子　文蛤　白莲蕊各等分
【用法】上为末，糯米糊为丸。每服二三钱，空心开水送下。
【主治】遗精白浊，久不能止者。

加味三才封髓丹

【来源】方出《柳选四家医案》，名见《中医症状鉴别诊断学》。
【组成】天冬　生地　党参　黄柏　炙草　砂仁　龙胆草　山栀　柴胡
【主治】肝经湿热下流阴器，疏泄失常，封藏不固，以致遗精、早泄，胫酸，耳鸣，口苦，心烦，尿黄，便干，苔黄，脉浮大弦数者。

加减金锁固精汤

【来源】《医学探骊集》卷五。
【组成】紫蔻二钱　金樱子三钱　海金砂三钱　焦术四钱　龙骨三钱　牡蛎三钱　罂粟壳四钱　五倍子二钱　竹叶一钱
【用法】水煎，温服。
【主治】遗精，脉象微细而数。
【方论】此方只用金锁固精汤中龙骨、牡蛎二味，其余皆系固肾涩精之品，用紫蔻、焦术健脾助胃，用竹叶下行，稍缓其收敛之力，服之而精固矣。

梦遗方

【来源】《千金珍秘方选》。
【组成】净山萸肉（为末）　鳗鱼三五条（一斤重者，去头尾，煮烂去骨）
【用法】捣鳗鱼成泥，绞汁，入萸肉末为丸，如梧桐子大，候半干，辰砂为衣。空心淡盐汤送下二钱。后即不遗，一月除根。
【主治】梦遗。

秘真丸

【来源】《医学衷中参西录》上册。
【组成】五倍子一两（去净虫粪）　粉甘草八钱
【用法】上为细末。每服一钱，竹叶煎汤送下，日再服。
【主治】诸淋证已愈，因淋久气化不固，遗精白浊。

清肾汤

【来源】《医学衷中参西录》上册。
【组成】知母四钱　黄柏四钱　生龙骨四钱（捣细）　生牡蛎（炒，捣）三钱　海螵蛸（捣细）三钱　茜草二钱　生杭芍四钱　生山药四钱　泽泻一钱半
【主治】小便频数疼涩，遗精白浊，脉洪滑有力，确系实热者。
【验案】

1. 遗精　一叟，年七十余，遗精白浊，小便频数，微觉疼涩。诊其六脉平和，两尺重按有力，知其年虽高，而肾经确有实热。投以此汤，五剂全愈。

2. 血精症　《湖北中医杂志》(1995，6：16)：以清肾汤加女贞子、旱莲草、土茯苓为基本方，湿热重者，加龙胆草、大黄；兼心脾两虚者，加黄芪、白术。水煎服，日服一剂，每剂煎二次。辅以坐浴每日1～2次，每次20分钟，水温42～43℃。治疗血精症34例。结果：治愈（精液正常，肉眼所见为灰白色或乳白色，临床症状完全消失，显微镜下精液中无红细胞）30例；好转（精液肉眼所见红色、粉红色或血丝等消失，未见红细胞，临床症状基本消失，显微镜下精液中红细胞 <5 个/高倍视野）4例。多数病人于服药3～10天见效。病程短、年龄轻者疗效快；病程长，

40岁以上者疗效慢。其中服药3～7天见效者19例，8～14天见效者10例，14天以上见效者5例。

3. 慢性前列腺炎 《浙江中医学院学报》（1996，4：29）：用本方加味：知母、黄柏、茜草、白芍、龙骨、牡蛎、海螵蛸、山药、泽泻，并随症加减，治疗慢性前列腺炎22例。结果：痊愈16例，显效5例，有效1例，疗程最短20天，最长46天，平均33天。

澄化汤

【来源】《医学衷中参西录》上册。

【组成】生山药一两　生龙骨（捣细）六钱　牡蛎（捣细）六钱　牛蒡子（炒，捣）三钱　生杭芍四钱　粉甘草一钱半　生车前子（布包）三钱

【主治】小便频数，遗精白浊，或兼疼涩，其脉弦数无力，或咳嗽，或自汗，或阴虚作热。

水陆二仙丸

【来源】《中国医学大辞典》。

【组成】巴戟天　肉桂　没药　葫芦巴　琥珀　茴香　川杜仲　川萆薢　黑丑　补骨脂各一两

【用法】上为细末，酒糊为丸。每服三钱，温酒送下。

【主治】肾水不足，相火内动，男子遗精白浊，妇人赤白带下。

补阳固带长生延寿丹

【来源】《中国医学大辞典》引彭祖方。

【组成】人参　附子　胡椒各七钱　夜明砂　五灵脂　没药　虎骨　蛇骨　龙骨　白附子　朱砂　麝香各五钱　青盐　茴香各四钱　丁香　雄黄　乳香　木香各三钱

【用法】上为末，另用白面作条，圈于脐上，将前药分为三分，内取一分，先填麝香末五分入脐孔内，乃将一分药入面圈内，按药令紧，中插数孔，外用槐皮一片盖于药上，以艾火灸之，时时增减，壮其热气，或自上而下、自下而上，一身热透，病人必倦沉如醉，灸至骨髓，风寒暑湿，五劳七伤，皆尽拔除。苟不汗，则病未除，再于三五日后又灸，至汗出为度。灸至一百二十壮，疾必痊。

【功用】常服除百病，益气延年。

【主治】劳嗽、久嗽、久喘、吐血、寒劳，遗精白浊，阳事不举，下元极弱，精神失常，痰膈等疾。妇人赤白带下，久无生育，子宫极冷。

【宜忌】慎风寒，戒生冷、油腻。

【备考】妇人灸脐，去麝香，加韶脑一钱。

鱼鳔丸

【来源】《中国医学大辞典》。

【组成】鱼鳔胶　花龙骨各四两　枸杞子　杜仲各三两　牛膝　全当归　破故纸　茯苓各二两

【用法】上为细末，炼蜜为丸，如梧桐子大。每服三钱，空腹时淡盐汤送下。

【功用】强筋壮骨，健脚力，益精髓。

【主治】腰肾亏虚，阴痿、梦遗。

保元丸

【来源】《中国医学大辞典》。

【组成】龙骨　牡蛎（煅）各二两　沙苑蒺藜　酸枣仁　菟丝子　芡实　白茯苓　山药各三两　莲须八两　覆盆子　山茱萸肉各四两

【用法】上为细末，炼蜜为丸。每服三钱，盐汤送下。

【主治】阴虚遗精，白浊阳痿，面黄耳鸣。

真人萃仙丸

【来源】《中国医学大辞典》。

【组成】蒺藜（炒）八两　茯苓　牡蛎　莲须　枣仁　芡实　菟丝子　山药（人乳汁制）各二两　龙骨一两　山茱萸肉四两

【用法】上为细末，金樱膏四两和炼蜜为丸。每服三钱，淡盐汤送下。

【主治】肾水亏损，元气不足，神思恍惚，夜梦遗泄，腰腿痠软。

海参丸

【来源】《中国医学大辞典》。

【组成】海参一斤　全当归（酒炒）　巴戟肉　牛膝（盐水炒）　破故纸　龟版　鹿角胶（烊化）　枸杞子各四两　羊肾（去筋，生打）十对　杜仲（盐水炒）　菟丝子各八两　胡桃肉一百个　猪脊髓十条（去筋）

【用法】上为细末，鹿角胶为丸。每服四钱，温酒送下。

【功用】补气，壮阳，益肾，强筋骨，健步；久服填髓种子，乌须黑发，延年益寿。

【主治】腰痛，梦遗泄精。

萃仙丸

【来源】《中国医学大辞典》。

【组成】何首乌（制）　枸杞子　芡实　莲须各四两　白茯苓　核桃肉　龙骨　山药　沙苑蒺藜　破故纸　菟丝子　韭子　覆盆子　建莲肉各二两　人参一两　鱼鳔胶　银杏肉　续断肉各三两

【用法】上为细末，蜜水为丸，如梧桐子大。每服三钱，盐汤送下。

【功用】补精，益髓，添血，强腰。

【主治】真元不足，肾气虚弱，命门火衰，目昏盗汗，梦遗失精。

金锁固精丸

【来源】《鳞爪集》卷二。

【组成】琐阳八两　苁蓉八两　莲须八两　芡实八两　鹿角霜八两　龙骨四两　巴戟八两　茯苓八两　牡蛎四两

【用法】上为细末，水泛为丸。每服四钱，空心淡盐汤送下。

【主治】心肾不交，气血两损，以致精关不固，无梦频遗，腰痛耳鸣，四肢困倦，虚烦盗汗，睡卧不安，遗泄等症。

【宜忌】忌烧酒、萝卜，并房室劳役等事。巴戟、鹿角霜，相火易动者不宜，是有梦者弗服为是。

种子兜肚丸

【来源】《内外科百病验方大全》。

【组成】附子一个（重二两，切片，烧酒煎过，晒干）　大茴（炒）　小茴（炒）　丁香　五味子各一两　升麻　木香　甘草　甘遂各四钱　沉香一钱

【用法】上为末，用新蕲艾四两，搓融晒干，将前药放在艾中间，用线密缝兜肚，置丹田上，外用手帕包固，昼夜缚定，不可换动，一二月后则去之。或加麝香二三分更妙。

【功用】调经种子。

【主治】赤白带下，腰腿酸痛，子宫寒；男子肚腹畏寒、遗精、白浊、偏坠、疝气，一切下部虚寒。

心肾两交汤

【来源】《医学碎金录》。

【组成】熟地　麦冬各一两　山药　芡实各五钱　川连五分　肉桂三分

【主治】劳心过度而遗精。

加减六味地黄丸

【来源】《医学碎金录》引《家庭常识》。

【组成】熟地六两　山药四两　茯苓　丹皮各二两　莲须一两　龙骨三两（生研，水飞）　芡实二两　萸肉　鱼鳔胶（蛤粉炒成珠）各四两

【用法】上为末，炼蜜为丸。早、晚各服三钱。

【主治】遗精，体虚不甚者。

【方论】此方系六味地黄丸去泽泻，加龙骨、芡实、莲须、鱼鳔胶组成。方中熟地、萸肉、山药、鱼鳔、芡实为强壮药；龙骨、茯苓、丹皮为镇静药；莲须、芡实、龙骨为制泌药，合而为强壮镇静制泌之复方。

加减补天大造丸

【来源】《医学碎金录》。

【组成】鹿茸一两半　枸杞子四两　潞党参二两　紫河车一个（甘草水洗，焙）　远志一两　炒枣仁二两　茯神三两（人乳蒸）　熟地六两　萸肉　山药　杜仲各三两　五味子一两　龙骨二两

【用法】上药各为末，以龟版胶二两，化水为丸。每服二钱，一日三次。

【功用】滋补强壮。

【主治】五脏虚损，阳萎，滑精。

九子还阳丹

【来源】《北京市中药成方选集》。

【组成】熟地十六两　白芍六两　黄连四两　甘草八两　泽泻六两　杜仲炭八两　川贝四两　苁蓉（炙）六两　牡蛎（煅）八两　玉竹六两　砂仁四两　五味子（炙）四两　山萸肉（炙）八两　茯苓六两　黄耆（炙）六两　菟丝子六两　知母六两　檀香八两　远志（炙）六两　当归（酒炙）八两　人参（去芦）四两　枣仁（炒）六两　牛膝六两　丹皮六两　龙骨（煅）六两　丹参六两　芡实（炒）六两　枸杞子四两　乳香（炙）八两　山药八两　麦冬四两　木香一两　鳖甲（炙）六两　续断六两　肉桂（去粗皮）四两

【用法】上为细末，过罗，炼蜜为丸，重二钱二分，朱砂为衣。每服二丸，日服二次，温开水送下。

【功用】补肾固精，散寒止痛。

【主治】身体衰弱，梦遗滑精，偏坠疝气，腰酸腿软。

全生至宝丹

【来源】《北京市中药成方选集》。

【组成】人参（去芦）五两　黄毛鹿茸（去毛）一两　白术（炒）二两　当归四两　白芍一两五钱　橘皮七钱　首乌（炙）六两　黄耆一两二钱　茯苓二两　麦冬三两　山药二两　远志肉（炙）一两　杜仲炭一两五钱　巴戟肉（炙）二两　木瓜七钱　补骨脂（炒）一两五钱　牛膝一两五钱　五味子（炙）一两　熟地十两　山萸肉（炙）二两　杞子二两　川芎一两五钱　甘草三钱　二仙胶二两

【用法】上为细粉，过罗，炼蜜为丸，重三钱，蜡皮封固。每服一丸，一日二次，温开水送下。

【功用】补气养血，滋阴益肾。

【主治】男子肾亏遗精，腰酸腿痛，妇女产后血气不足，精神衰弱。

龟龄集

【来源】《北京市中药成方选集》。

【组成】黄毛鹿茸（去毛）二两　补骨脂（黄酒制）三钱　石燕（鲜姜炙）四钱　急性子（水煮）二钱五分　细辛（醋炙）一钱五分　生地八钱　杜仲炭二钱　青盐四钱　丁香（用生川椒二分炒，去川椒）二钱五分　蚕蛾（去足翅）二钱　蜻蜓（去足翅）四钱　熟地六钱　苁蓉（酒制）九钱　地骨皮（蜜炙）四钱　附子（炙）五钱　天冬（用黄酒一钱炙）三钱　山参（去芦）一两　甘草（炙）一钱　山甲（炒珠）八钱　枸杞子三钱（一钱蜜炙）　淫羊藿（羊油制）二钱　锁阳三钱　牛膝（用黄酒三钱制）四钱　砂仁四钱　麻雀脑三钱　菟丝子（用黄酒二钱制）三钱　对海马（用苏合油三钱制）九钱　硫黄三分　镜面砂二钱五分

【用法】将麻雀脑、硫黄二味装入猪大肠内，用清水煮之，煮至麻雀脑和硫黄溶合一起时倒出，去猪大肠，晒干，再合以上药为粗末，装入银桶内蒸之。蒸至三尽夜，将药倒出，晾干装瓶，每瓶装一钱。每服一钱，温开水送下。

【功用】滋阴补肾，助阳添精。

【主治】

1.《北京市中药成方选集》：肾亏气虚，精神衰弱，阳萎不兴，阴寒腹痛。

2.《全国中药成药处方集》（天津方）：阳虚气弱，盗汗遗精，筋骨无力，行步艰难，头昏眼花，神经衰弱，妇女气虚血寒，赤白带下。

【宜忌】忌生冷。

龟鹿二仙胶

【来源】《北京市中药成方选集》。

【别名】龟鹿胶［《全国中药成药处方集》（北京方）］。

【组成】鹿角八百两　龟版八百两　冰糖八十两　黄酒四十八两　香油二十四两

【用法】上先将鹿角锯成三四寸段，浸泡四天取出，另将龟版浸泡七天，换清水刷洗，取出，连同糖、酒煎制成胶后，装槽散热凝固，出槽切成小块长方形，每服二至三钱，黄酒炖化服之；或白开水亦可。

【功用】补气补血，强壮身体。

【主治】气虚血亏，骨蒸潮热，夜梦遗精，精神

疲倦。

龟鹿滋肾丸

【来源】《北京市中药成方选集》。

【组成】熟地八两　茯苓四两　阳春砂六钱　苁蓉（炙）二两　补骨脂（炙）一两　菟丝子一两　泽泻三两　当归五两　白术（炒）三两　远志肉（炙）一两　杞子四两　覆盆子三两　芡实（炒）四两　山药四两　莲子肉五两　丹皮三两　山萸肉（炙）三两　牛膝二两　杜仲炭四两　枣仁（炒）二两　人参（去芦）八两　鹿茸（去毛）三两　龟版胶三两　鹿角胶三两

【用法】上为细末，炼蜜为小丸。每服二钱，温开水送下，一日二次。

【功用】滋阴补肾，添精益髓。

【主治】肾气虚弱，阳痿精冷，夜寐多梦，遗精盗汗。

固本膏

【来源】《北京市中药成方选集》。

【组成】羊腰子一对　附子一两二钱　海马三个　鹿角（镑）一两二钱　芙蓉叶二两　石脂一两　雄黄面一两　阳起石五钱　小茴香二两五钱　苁蓉二两五钱　官桂二两五钱　补骨脂二两五钱　大茴香二两五钱　生地二两五钱　熟地二两五钱　天麻二两五钱　紫梢花二两五钱　牛膝二两五钱　续断二两五钱　甘草二两五钱　蛇床子二两五钱　菟丝子二两五钱　冬虫草五钱　杜仲二两五钱

【用法】上药碎断，用香油二百四十两炸枯，过滤去滓，炼至滴水成珠，入黄丹九十两，搅匀成膏，取出入水中出火毒后，加热溶化，再兑鹿茸粉一两三钱，搅匀摊贴，每张油重五钱，布光。外贴肾俞、肚脐。

【功用】滋补散寒，固精止痛。

【主治】男子气虚，梦遗滑精，腰痠腿痛；妇女血寒，腹痛白带。

【宜忌】孕妇忌贴。

金锁固精丸

【来源】《北京市中药成方选集》。

【组成】熟地四两　山药二两　茯苓二两　丹皮一两五钱　菟丝子二两　山萸肉（炙）一两五钱　莲子一两　芡实（炒）二两　牡蛎（煅）八钱　龙骨（煅）八钱　补骨脂（炙）二两　沙苑子二两　巴戟肉（炙）三两　杜仲炭（炒）二两　人参（去芦）一两　龟版胶一两　鹿茸（去毛）一两五钱　泽泻一两五钱

【用法】上为细末，炼蜜为小丸，七厘重，每盒八十粒。每服四十粒，一日二次，温开水送下。

【功用】滋阴益气，补肾固精。

【主治】肾虚气亏，夜梦遗精，精神疲倦，阴虚盗汗。

封髓丹

【来源】《北京市中药成方选集》。

【组成】黄柏三两　甘草（炙）七钱　砂仁一两　苁蓉（炙）五钱　莲须五钱　芡实（炒）五钱

【用法】共研为细粉，过罗，用冷水泛为小丸，每十六两丸药，用朱砂五钱，滑石三两为衣，闯亮。每服三钱，日服二次，温开水送下。

【功用】滋阴降火，固精封髓。

【主治】肾气虚弱，相火妄动，梦遗滑精，阳关不守。

益寿比天膏

【来源】《北京市中药成方选集》。

【组成】牛膝二两五钱　生地二两五钱　杜仲二两五钱　木鳖子二两五钱　虎骨（生）二两五钱　巴戟二两五钱　续断二两五钱　苁蓉二两五钱　生山甲二两五钱　山萸肉二两五钱　远志二两五钱　熟地二两五钱　补骨脂二两五钱　肉果二两五钱　官桂二两五钱　菟丝子二两五钱　紫梢花二两五钱　蛇床子二两五钱　天麻子二两五钱　川楝子二两五钱　甘草五两　海胆一两二钱五分　桑枝七寸　槐枝七寸

【用法】上药酌予碎断，用香油二百四十两炸枯，去滓过滤，炼至滴水成珠，入黄丹一百两搅匀成膏，取出放入冷水中去火毒后加热溶化，再兑入细料面（雄黄五钱，龙骨五钱，石脂五钱，母丁香一两，沉香一两，木香一两，乳香一两，没药一两，阳起石一两，芙蓉叶一两，鹿茸二两二钱，共研细粉过罗）三两，搅匀摊贴，每张油重五钱，布光。贴脐部，肾俞。

【功用】暖丹田，滋肾水，培元补气。

【主治】气虚血亏，梦遗滑精，肾寒精冷，腰疼腹痛。

益寿固元膏

【来源】《北京市中药成方选集》。

【组成】熟地九两　杜仲三两　枣仁一两八钱　五味子三两　虎骨六两　远志一两八钱　吴萸三两　首乌三两　麦冬三两　茜草一两八钱　地骨皮三两　淫羊藿三两　艾叶二两四钱　黄耆三两　补骨脂三两　枸杞子三两　巴戟三两　附子三两六钱　肉苁蓉三两　当归九两　牛膝一两八钱　覆盆子三两　龟版六两　狗脊三两

【用法】上药酌予碎断，用香油四百两炸枯，过滤去滓，炼至滴水成珠，入黄丹一百七十六两，搅匀成膏，取出放入冷水中去火毒后加热溶化。摊时每十六两膏药加入细料面（赤石脂二钱，硫黄一钱，狗肾二钱，乳香二钱，没药二钱，公丁香一钱，阳起石二钱，共为细粉。贴时加入细料：肉桂四两，冰片二钱，麝香一钱，丁香五钱，共为细粉）二钱，每张油重五钱。微火化开，男子贴肾俞穴，女子贴脐部。

【功用】补肾散寒，固精止痛。

【主治】男子气虚，梦遗滑精，偏坠疝气。妇女血寒腹痛，白带，腰腿疼痛。

【宜忌】孕妇忌贴。

萃仙丹

【来源】《北京市中药成方选集》。

【组成】沙苑子八十两　山萸肉（炙）四十两　巴戟肉（炙）四十两　续断四十两　芡实（炒）四十两　苁蓉（炙）四十两　锁阳四十两　杜仲炭四十两　莲须四十两　龙骨（煅）二十两　覆盆子四十两　沉香五两　杞子四十两　金樱子肉四十两　菟丝子四十两

【用法】上为细末，炼蜜为丸，每丸重三钱。每服一丸，温开水送下，一日二次。

【功用】滋补肾水，添精益髓。

【主治】肾寒精冷，气血不足，腰痛腿酸，遗精盗汗。

猪肚丸

【来源】《北京市中药成方选集》。

【组成】猪肚（去油洗净）一个　白术（炒）五两　牡蛎（煅）五两　芡实（炒）五两　莲须五两　龙骨（煅）五两　苦参五两

【用法】上为粗末；将猪肚煮烂，晒干，共为细末，水为丸。每服二至三钱，一日二次，温开水送下。

【功用】理脾补气，固精。

【主治】脾虚气亏，梦遗滑精，不思饮食，肌肉羸瘦。

锁阳固精丸

【来源】《北京市中药成方选集》。

【组成】鹿角霜二十两　龙骨（煅）二十两　牡蛎（煅）二十两　芡实（炒）二十两　韭菜子二十两　锁阳二十两　菟丝子二十两　莲子肉二十两　牛膝二十两　补骨脂（盐水炒）二十五两　青盐二十五两　杜仲（炒）二十五两　苁蓉（炙）二十五两　大茴香二十五两　莲须二十五两　巴戟天（炙）三十两　熟地五十六两　山药五十六两　山茱萸（炙）十七两　茯苓十一两　丹皮十一两　泽泻十一两　知母四两　黄柏四两

【用法】将鹿角霜等二十二味为粗末，与熟地、山萸同串晒干，共为细末，过罗，炼蜜为丸，重三钱。每服一丸，淡盐汤或温开水送下，一日二次。

【功用】温肾固精。

【主治】梦遗滑精，目眩耳鸣，腰膝痠痛，四肢无力。

毓麟固本膏

【来源】《北京市中药成方选集》。

【组成】杜仲三两　小茴香三两　川附片二两　牛膝三两　续断三两　甘草三两　大茴香三两　天麻子三两　紫梢花三两　补骨脂三两　肉苁蓉三两　熟地三两　木香一两　生龙骨一两　锁阳五钱

【用法】上药酌于碎断，用香油二百四十两炸枯，去滓过滤，炼至滴水成珠，入黄丹一百两，搅匀成膏，取出放入水中，出火毒后加热溶化，另兑：沉香五钱，乳香一两，没药一两，鹿茸（去毛）六钱，母丁香一两，海马四两，计六味，重八两一钱，共研为细粉过罗，每二百四十两膏油，兑以上细粉搅匀摊膏，大张油重六钱，中张油重四钱，布光。男子贴肾俞穴，妇人贴脐上。
【功用】补肾固精，散寒止痛。
【主治】肾虚体弱，梦遗滑精，偏坠疝气，腰酸腿软，妇女痛经，带下。

五淋白浊丸

【来源】《全国中药成药处方集》（吉林方）。
【组成】公英　地丁　瞿麦　萹蓄　木通　泽泻　金砂　灯心　竹叶　甘草　猪苓　土苓各六钱七分　萝茶　滑石　赤苓各一两三钱四分　赤芍　蝉退各三钱四分　车前　凤眼草　石韦　通草各一两　山栀　贡桂各二钱
【用法】上为细末，水泛为小丸，滑石为衣。每服二钱，白水送下，一日二次，早、晚用之。
【功用】搜毒，止淋，消浊，利下，祛炎，镇痛。
【主治】五淋白浊，女子赤白带下，横痃，下疳，膀胱发热，梦遗滑精，便溺不清，尿管混血，花柳诸症。
【宜忌】服后忌饮茶水，孕妇忌用。

再造膏

【来源】《全国中药成药处方集》（天津方）。
【组成】细辛一两五钱　生黄耆二两三钱　生杜仲一两五钱　羌活八钱　茯苓　怀牛膝　防风各一两五钱　甘草一两二钱　生白芍一两五钱　川芎一两五钱　人参（去芦）一两五钱
【用法】以上药料用香油十五斤，炸枯去滓滤净，炼至滴水成珠，再入章丹九十两搅匀成膏。每膏药油十五斤兑肉桂面一两二钱，麝香一钱五分，搅匀。每大张净油八钱，每小张净油五钱。男子贴气海穴（即肚腹），女子贴关元穴（即脐下），腰腿疼痛贴患处。
【功用】补气固精，养血散寒。
【主治】男子遗精，妇女血寒，赤白带下，腰酸腿疼，身体瘦弱。
【宜忌】孕妇忌用。

补天丹

【来源】《全国中药成药处方集》（沈阳方）。
【组成】杜仲二两　贡白术二两半　白芍　故纸　熟地　远志各二两　当归　枸杞各一两五钱　核桃仁三两　牛膝二两　黄耆二两　海狗肾一具　川楝子二两　川芎　人参各一两五钱　沉香五钱　木香一两　小茴一两五钱　甘草　茯神各一两
【用法】上为极细末，炼蜜为丸，二钱重。每服一丸，盐汤送下。
【功用】补肾固精，强心安神。
【主治】肾虚阴痿，早泄遗精，腰腿酸痛，盗汗自汗，疝气腹疼，四肢厥冷，劳伤虚损，怔忡健忘，神经衰弱，形容焦悴，淋漓白浊，肾囊凉湿。
【宜忌】忌生冷。

补天丹

【来源】《全国中药成药处方集》（抚顺方）。
【组成】驴肾二两　制耆五两　柏仁一两半　杜仲三两　白术五两　川附子一两半　萸肉二两　五味子一两半　白参　白芍各三两　云苓二两半　龙骨二两　故纸　菟丝子各三两　杞子四两　砂仁六钱　巴戟四两半　熟地四两　当归三两　覆盆子一两半　鹿胶三两
【用法】上为细末，炼蜜为丸，重二钱。每服二钱，早、晚食前各服一次，白水或淡盐汤送下。
【功用】添精壮阳，补气生血，强壮。
【主治】生殖器衰弱，肾虚滑精，阳痿不举，见色早泄，精液清冷，及气血衰弱，瘦弱难支，食少便溏，气息微弱，动则作喘，腰酸腿软，健忘怔忡，自汗晕眩，寐而不实。
【宜忌】火盛者勿服。

固本膏

【来源】《全国中药成药处方集》（天津方）。
【组成】生杜仲　甘草　紫梢花　生茴香　熟地各

二两二钱　生附子一两一钱　怀牛膝　大茴香各二两二钱　冬虫草九钱　菟丝子　生地　生故纸各二两二钱　海马一钱　续断　天麻　蛇床子　苁蓉各二两二钱　羊腰子一对

【用法】上药用香油十五斤，炸枯去滓，滤净，炼至滴水成珠，再入漳丹九十两搅匀成膏；每十五斤膏药油兑：雄黄面、乳香面各四钱，母丁香面一两，肉桂面二两二钱，广木香面五钱，生龙骨面六钱，没药面四钱，阳起石面二钱，生赤石脂面四钱，搅匀；所制膏药，每大张净油一两，小张净油半两。外贴，男子贴肾俞穴，妇女贴脐上。

【功用】滋补散寒，固精止痛。

【主治】身体虚弱，梦遗滑精，偏坠疝气，腰痠腿软，妇女经痛带下，腹疼腹胀。

【宜忌】孕妇忌贴。

金不换膏

【来源】《全国中药成药处方集》（沈阳方）。

【组成】栀子　防风　良姜　海风藤　灵仙　牛膝　熟地　桃仁　柴胡　白鲜皮　全虫　枳壳　白芷　甘草　黄连　细辛　白芍　玄参　猪苓　前胡　麻黄　桔梗　僵蚕　升麻　地丁　大黄　木通　橘皮　川乌　生地　香附　双花　知母　薄荷　当归　杜仲　白术　泽泻　青皮　黄柏　杏仁　黄芩　穿山甲　蒺藜　天麻　苦参　乌药　羌活　半夏　茵陈　浙贝　加皮　续断　山药　桑皮　白及　苍术　独活　荆芥　芫花　藁本　连翘　远志　草乌　坤草　五倍子　天南星　何首乌　大风子各一两

【用法】香油十斤熬枯去滓，滴水成珠时再入黄丹五斤，乳香、没药、血竭、轻粉、樟脑、龙骨、海螵蛸、赤石脂各一两，梅片五钱，麝香五钱，为细末，另兑搅匀。随证按穴摊贴之。

【功用】舒筋通络，驱风散寒，调经止痛。

【主治】腰痛瘫痿，关节疼痛，麻痹不仁，心腹诸痛，男子遗精，女子带下，虚冷泄泻，月经崩漏，疟疾，疝气，偏正头痛，寒湿脚气。

金锁玉关丸

【来源】《全国中药成药处方集》（昆明方）。

【组成】芡实　龙骨　莲须各三两　龟版八两　炙远志三两　淮山药六两　茯苓三两　锁阳八两　牡蛎三两　砂仁二两　黄柏（盐炒）　知母各三两　五味菖蒲　石莲子各一两

【用法】上为末，炼蜜为丸。每服一丸，水丸每服二钱半，用开水，早、晚各服一次。

【主治】梦遗滑精，虚烦耳鸣。

【宜忌】感冒忌服。

金樱子煎膏

【来源】《全国中药成药处方集》（青岛方）。

【组成】金樱子十斤（去毛刺）

【用法】煎膏，滴纸不散，加沙苑蒺藜膏一斤，再加蜜成膏。

【功用】补益。

【主治】遗精滑泄。

济阴丹

【来源】《全国中药成药处方集》（沈阳方）。

【组成】龙骨一两　黄柏（盐酒炒）三两　当归（酒）一两　熟地二两　锁阳（酒）一两　白芍（酒）一两五钱　牛膝三两　虎胫骨（酥炙）一两　知母（盐炒）二两　陈皮（酒）七钱五分　败龟版（酥制）三两

【用法】上为极细末，羊肉二斤酒煮，捣膏为小丸。每服二钱，淡盐汤送下。

【功用】补肾，养血，生精。

【主治】肾虚精亏，房劳过度，遗精，失眠健忘，筋骨痿弱，骨蒸劳热，腰膝酸软，手足发冷。

既济丸

【来源】《全国中药成药处方集》（武汉方）。

【组成】熟地　生地　山萸肉　天冬　麦冬　白芍各四两（炒）　五味子　当归身　黄柏各三两（盐水炒）　党参四两　苁蓉　枸杞子　茯苓　茯神　丹皮　泽泻　枣仁　远志各三两

【用法】上药干燥，混合碾细，按净粉量加炼蜜45%～50%迭成小丸，每钱不得少于二十丸。每服三钱，温开水送下。

【主治】口燥舌干，骨蒸发热，五心烦躁，自汗盗汗，夜梦遗精等症。

乾坤丹

【来源】《全国中药成药处方集》（吉林方）。
【别名】乾坤种子丹。
【组成】当归二两七钱　山萸　鹿胶各二两　枸杞　远志　蛇床　酒芍　茯苓各一两三钱四分　母丁香　川附子各六钱七分　香附一两七钱　龙骨一两　陈皮一两七钱　牡蛎一两　木瓜　杜仲　泽泻　淮牛膝各一两
【用法】上为细末，炼蜜为丸。每服二钱，用黄酒送下。
【功用】补肾壮阳，调经种子。
【主治】男子肾亏，阳萎遗精，梦遗白浊；女子月经不调，赤白带下，子宫寒冷。

鹿茸丸

【来源】《全国中药成药处方集》（昆明方）。
【组成】洋参一两　鹿茸一两　熟地二两　大云一两五钱　当归二两　黄耆二两　枣仁八钱　淮药一两　于术三两　枸杞三两　巴戟二两　菟丝一两五钱　枣皮八钱　天雄二两　杜仲二两　茯苓一两　远志八钱　淮膝五钱　五味一两　菖蒲五钱　车前四钱　大枣一两　川姜六钱　泽泻四钱　朱砂二两　甘草一两
【用法】上为末，炼蜜为丸，外装蜡壳封固。每服一丸，幼童减半，早、晚用开水各服一次。
【主治】病后体虚，心脏衰弱，怔忡惊悸，遗精，妇人带下。
【宜忌】感冒及一切热症忌服；忌酸冷食物。

锁阳丸

【来源】《全国中药成药处方集》（抚顺方）。
【组成】芡实　桑螵蛸　牡蛎　锁阳　云苓　莲须　龙骨　丹皮　鹿角霜　山药　山萸　泽泻各四两　柏子仁一两
【用法】上为细末，炼蜜为丸，二钱重。每服一丸，白水送下，一日三次。
【功用】涩精补肾。
【主治】心肾两虚，肾气不固，精自滑脱，心动自流，精冷精薄；妇女白带，腰酸体软，头晕目眩，耳鸣心跳；老人小儿遗尿。
【宜忌】忌辛辣物。

锁阳丸

【来源】《全国中药成药处方集》（哈尔滨方）。
【别名】固精丸。
【组成】锁阳四两　龙骨　牡蛎各三两　芡实　桑螵蛸各二两半　熟地六两　山萸肉四两　山药二两　茯苓三两　泽泻　丹皮各二两　莲须　枣仁　远志各三两　柏子仁二两
【用法】上为细末，炼蜜为丸，如梧桐子大。每服二钱，白水送下，一日三次。
【功用】涩精补肾，温脬缩泉。
【主治】滑精，遗尿。

锁阳固精丸

【来源】《全国中药成药处方集》（北京方）。
【别名】锁阳固精丹（原书沈阳方）。
【组成】当归　熟地　山药　人参（去芦）　白术　茯苓　锁阳　牡蛎　蛤壳　黄柏　知母　杜仲　椿根皮　补骨脂各一两
【用法】上为细末，炼蜜为小丸。每服三钱，淡盐汤或温开水送下，一日二次。
【功用】

1.《全国中药成药处方集》（北京方）：补虚固精。

2.《全国中药成药处方集》（沈阳方）：滋补肾气。

【主治】

1.《全国中药成药处方集》（北京方）：梦遗滑精，目眩耳鸣，腰膝酸痛，四肢无力。

2.《全国中药成药处方集》（沈阳方）：盗汗虚烦，神经衰弱。

【宜忌】忌色欲，及食刺激性食品。

锁阳固精丸

【来源】《全国中药成药处方集》（天津方）。

【组成】黄柏　知母各一两　煅牡蛎　芡实（麸炒）　莲须各三钱　煅龙骨二钱　锁阳三钱　山萸肉（酒制）五钱　茯苓（去皮）　远志肉（甘草水制）各三钱

【用法】上为细末，炼蜜为丸，三钱重，蜡皮或蜡纸筒封固。每服一丸，淡盐水送下。

【功用】补虚固精。

【主治】男子身体虚弱，梦遗滑精，虚烦心跳，目眩耳鸣，腰膝痠痛，四肢无力。

锁阳固精丸

【来源】《全国中药成药处方集》（南昌方）。

【组成】芡实　莲须　山茱萸　桑螵蛸　龙骨　泽泻　牡蛎　丹皮　柏子仁　锁阳　鹿角霜　茯苓　怀山药各四两

【用法】上为细末，炼蜜为丸，如梧桐子大。每服三钱，温开水送下，一日二次。

【主治】梦遗滑精，腰膝痠痛。

锁阳固精丸

【来源】《全国中药成药处方集》（大同方）。

【组成】党参一两　肉桂　炙黄耆各二两　破故纸四两　杜仲三两　小茴香四两　巴戟二两　山药四两　锁阳二两　菟丝子八两　枸杞三两　核桃仁四两　龙骨　牡蛎各一两

【用法】上为细末，炼蜜为丸。每服三钱。

【功用】滋阴补肾，涩精壮阳。

锁阳固精丸

【来源】《全国中药成药处方集》（禹县方）。

【组成】熟地八两　山萸肉四两　川黄柏三两　山药　菟丝子各四两　建泽泻　锁阳　枸杞子　白茯苓各三两　莲须二两　巴戟天　牡丹皮各三两　枣仁二两　故纸三两

【用法】上为细末，炼蜜为丸，如梧桐子大。每服二钱，白开水送下。

【主治】真元不固，夜梦遗精，盗汗虚烦，阴囊湿汗。

【宜忌】火热症忌用。

锁阳固精丸

【来源】《全国中药成药处方集》（济南方）。

【组成】芡实米　巴戟天　茯苓　锁阳　肉苁蓉　鹿角霜　莲须　龙骨（生）　牡蛎（生）　韭子各一两

【用法】上为细末，炼蜜为丸，如梧桐子大。每服三钱，白开水送下。

【主治】梦遗滑精，腰膝酸痛。

【宜忌】忌生冷食物。

增精补肾丸

【来源】《全国中药成药处方集》（沈阳方）。

【组成】菟丝子二两　五味子五钱　枸杞　石斛　熟地黄　复盆子　楮实子　苁蓉　车前子　沉香各一两　青盐五钱

【用法】上为极细末，炼蜜为丸，二钱重。每服一丸，淡盐汤送下。

【功用】助肾增精，强壮滋补。

【主治】肾亏阳痿，梦遗滑精，头晕腰痠，筋骨无力，四肢倦怠等虚损证。

【宜忌】忌食生冷。

震灵丹

【来源】《天津市中成药规范》。

【组成】人参　蛇床子　覆盆子　炒枣仁各十两　生地黄　茯苓（去皮）各五斤　制远志　枸杞子各一斤四两　当归　麦门冬　元参　菟丝子（盐水炒）　补骨脂（盐水炒）各二斤八两

【用法】上为末，冷开水泛为小丸，用桃胶二钱化水，生赭石粉一两三钱，滑石粉七钱，上衣闯亮。每服一钱五分，温开水送下，一日二次。

【功用】补气和血，培元养心。

【主治】肾脏衰弱，梦遗滑精，伤脑健忘，头晕失眠。

补肾强身片

【来源】《上海市药品标准》。

【组成】淫羊藿　菟丝子　金樱子　制狗脊　女

贞子

【用法】制成片剂。每服五片。一日二三次。

【功用】补肾强身，收敛固涩。

【主治】腰酸足软，头晕眼花，耳鸣心悸，阳萎遗精。

一味秘精汤

【来源】《慈禧光绪医方选议》。

【组成】分心木五钱（洗净）

【用法】用水一茶钟半，煎至大半茶钟。临睡以前服之。

【功用】固肾涩精。

【主治】遗精，滑泄。

益阴固本丸

【来源】《慈禧光绪医方选议》。

【组成】熟地八钱　丹皮三钱　山萸肉四钱　淮山药四钱　云苓五钱　泽泻三钱　金樱子五钱　菟丝子五钱

【用法】上为细末，炼蜜为丸，如绿豆大。每服二钱，米汤送下。

【功用】固精。

【主治】肾阴亏损，虚火上炎，阳萎，遗精、滑精，目眩。

益阴固本丸

【来源】《慈禧光绪医方选议》。

【组成】熟地四两　山萸肉二两　丹皮二两　茯苓四两　白术二两（土炒）　菟丝子二两　黄连五分　肉桂三分　芡实二两　金石斛五钱　牡蛎八钱（煅）　莲须二两　杭芍五钱　淮山药四两（炒）　麦冬八钱（去心）

【用法】上为细末，炼蜜为丸，如绿豆大。每服三钱，淡盐汤送下。

【功用】滋补肾阴，收涩固精，交通心肾，兼顺中州。

【主治】时常滑精，心烦躁汗，夜寐不实，气短懒言，饮食减少。

【方论】本方亦宗六味地黄汤，去泽泻之通利，重在滋补肾阴，并仿金锁固精丸意小有加减，旨在收涩固精，合交泰丸以交通心肾，治其怔忡，另加健脾之品兼顾中州。

益肾固精丸

【来源】《慈禧光绪医方选议》。

【组成】炙龟版六钱　生牡蛎四钱　鹿角胶三钱（蛤粉炒）　蛤蚧尾一对　大熟地三钱　炒杭芍二钱　益智子二钱（盐水炒）　菟丝饼四钱　云茯苓三钱　炒山药二钱　山萸肉二钱　牡丹皮三钱　五味子一钱　金樱肉二钱　石莲肉三钱　建泽泻二钱

【用法】上为细末，饴糖为丸，如绿豆大。每晚服二钱，白开水送下。

【功用】补肾，养肝，理脾。

【主治】遗精。

【方论】本方即龟鹿二仙胶、七味都气丸、茯菟丹合成补肾固涩之品而成。本方药味似嫌滋腻，以饴糖为丸，补中健脾，构思精巧。

益肾固精丸

【来源】《慈禧光绪医方选议》。

【组成】大熟地八两　山萸肉四两　淮山药四两　牡丹皮四两　云茯苓四两　龙骨三钱（生研，水飞）　莲须一两　芡实二两（炒）　线胶四两

【用法】用牡蛎熟粉炒线胶成珠后，去牡蛎、磨粉，再同以上各药共研细末，炼蜜为丸，如绿豆大。每服四钱，早、晚用鹿含草煎汤送下。

【功用】补肾固精。

【主治】遗精。

滋阴益肾暖精丸

【来源】《慈禧光绪医方选议》。

【组成】原生地一两（干）　山萸肉四钱　淮山药六钱（炒）　盐杜仲六钱　沙苑蒺藜六钱　白茯苓六钱　骨碎补四钱　韭菜子四钱（炒）　当归身六钱　炒杭芍四钱　金毛狗脊四钱（去毛，炙）　益智仁三钱　怀牛膝四钱　石莲蕊五钱　穞豆皮六钱　广缩砂一钱五分

【用法】上共研极细末，枣泥糊为丸，如小绿豆大。每早、晚各服二钱，淡盐汤送下。

【主治】遗精，阴囊湿冷，精少而清。

金樱子粥

【来源】《药粥疗法》引《饮食辨录》。

【组成】金樱子 10～15 克　粳米（或糯米）1～2 两

【用法】先煎金樱子，取浓汁，去滓，用粳米或糯米煮粥。每天分二次温服，以 2～3 天为一疗程。

【功用】收涩、固精、止泻。

【主治】滑精遗精，遗尿，小便频数；脾虚久泻，妇女带下病，子宫脱垂等。

【宜忌】感冒期间以及发热的病人不宜食用。

【方论】金樱子味酸涩，性平无毒，入肾、膀胱、大肠经。《蜀本草》说能治脾泄，下痢，止小便利，涩精气。《滇南本草》：治日久下痢，血崩带下，涩精遗泄。中医认为，脾气虚则久泻不止，膀胱虚寒则小便不禁，肾气虚则精滑自遗，金樱子入三经而收敛虚脱之气，所以治疗上述病症有很好的效果。

菟丝子粥

【来源】《药粥疗法》。

【组成】菟丝子 30～60 克（新鲜者可用 60～120 克）　粳米二两　白糖适量

【用法】先将菟丝子洗净后捣碎，或用新鲜菟丝子捣烂，加水煎取汁，去清后，入米煮粥，粥将成时加入白糖，稍煮即可。分早、晚二次服食。七至十天为一疗程。

【功用】补肾益精，养肝明目。

【主治】肝肾不足所致的腰膝酸痛，腿脚软弱无力，阳痿，遗精，早泄，小便频数，尿有余沥，头晕眼花，视物不清，耳鸣耳聋；妇人带下病，习惯性流产。

止遗汤

【来源】《临证医案医方》。

【组成】莲须 6 克　芡实 15 克　益智仁 9 克　盐知母　黄柏各 6 克　菟丝子 12 克　茯神 9 克　龙骨 12 克　牡蛎 30 克　沙苑蒺藜　首乌各 9 克　枸杞子 12 克　金樱子 9 克

【用法】水煎服。

【功用】清热安神，固肾收涩。

【主治】梦遗，腰酸痛，脉细数，舌质红。

【方论】方中莲须、芡实、益智仁、首乌、杞子、菟丝子、沙苑蒺藜、金樱子益肾固精；知母、黄柏清下焦虚火；茯神安神；龙骨、牡蛎收涩固肾。

固真丸

【来源】《辽宁中医杂志》（1988，6：43）。

【组成】菟丝子　煅牡蛎　龙骨　金樱子　茯神　锁阳　芡实　远志　炒枣仁　枸杞　甘草

【用法】阴虚火旺加生地、知母、黄柏；肾失封藏属阳虚加鹿角胶、肉桂、附子等；偏阴虚加生地、山萸肉；湿热内蕴加胆草、车前子。水煎服，每日 1 剂，1 周为 1 个疗程。

【主治】遗精。

【验案】遗精　《辽宁中医杂志》（1988，6：43）：治疗遗精 50 例，年龄 20～30 岁 19 例，31～40 岁 23 例，41～50 岁 6 例，50 岁以上 2 例；其中梦遗 43 例，滑精 7 例；病程最短 4 个月，最长 3 年。结果：经治疗后随访 3 年以上未见复发者 19 例，随访 2 年以上未见复发 26 例，无效 4 例。

秘精汤

【来源】《内蒙古中医药》（1990，3：9）。

【组成】金樱子 31g　煅龙牡 21g　锁阳 31g　芡实 31g　沙苑蒺藜 31g　莲须 31g　知母 15g　黄柏 15g

【用法】水煎服，每日 1 剂。

【主治】青少年遗精。

【验案】青少年遗精　《内蒙古中医药》（1990，3：9）：治疗青少年遗精 120 例，年龄 14～25 岁；病程 1 年以上者 54 例，1 年以内者 66 例；每月遗精 4～6 次者 62 例，6～10 次者 38 例，滑精者 15 例。疗效标准：服药后症状得止且 3 个月内不再出现者为有效，服药 3 个月以上仍有遗者为无效。结果：服药 6～10 剂而止者 57 例，11～15 剂而止者 43

例，16～20剂而止者8例，无效12例。

加味酸枣仁汤

【来源】《实用中医内科杂志》（1992，3：143）。

【组成】炒枣仁30g　茯苓15g　知母　黄柏各9g　川芎　炙甘草各6g

【用法】水煎服，每晚1剂。10日为1疗程，间隔2～3天，观察1～3个疗程。

【主治】梦遗。

【加减】心火过亢加黄连、栀子；肝气郁结加柴胡、香附；肾阴亏虚加山茱萸、龟版；下焦湿热加滑石、木通。

【验案】梦遗　《实用中医内科杂志》（1992，3：143）：治疗梦遗28例，年龄最小17岁，最大39岁；病程1年以上者4例，不足1年者24例。结果：治愈（遗精消失，停药后观察3个月未复发者）25例，占89.3%；好转（遗精次数减少，临床症状减轻或频发遗精消失后，停药即复发者）3例，占10.7%。

健脾固精汤

【来源】《云南中医杂志》（1992，6：7）。

【组成】黄芪　党参　淮山药各30g　龙骨　牡蛎各24g　白术　茯苓各20g　陈皮　柴胡　升麻　甘草各6g　大枣12g

【用法】水煎服，2日1剂，10剂为1疗程。

【主治】遗精。

【加减】若肾虚滑精明显者加金樱子30g，炒芡实20g。

【验案】遗精　《云南中医杂志》（1992，6：7）：治疗遗精31例，年龄最大45岁，最小18岁；病程0.5～3年；每周遗精均在2次以上。结果：治愈23例（74.2%），好转6例（19.4%）；无效2例（6.4%）；总有效率为93.5%。

葆真固精汤

【来源】《陕西中医》（1993，10：453）。

【组成】煅龙骨30g　石莲子　潼蒺藜　韭菜子　莲须　五味子　石榴皮　木通　防风各10g　枯矾3g　锁阳10g

【用法】每日1剂，水煎服，18天为1疗程。

【主治】遗精。

【验案】遗精　《陕西中医》（1993，10：453）：治疗遗精38例，年龄在16岁以上；病程1个月至10年。结果：治愈37例，服药6～24剂；无效1例；总有效率为97%。

二参汤

【来源】《首批国家级名老中医效验秘方精选》。

【组成】元参30克　沙参30克　寸冬15克　锁阳15克

【用法】每日1剂，水煎服。

【主治】遗精日久，阴精亏损。

【加减】梦遗者加黄柏6～10克；滑精者加肉桂3～6克。

【验案】高某，36岁。1986年10月就诊，患遗精病年余，遗时无梦，严重时白天也遗，不能自控，甚为苦恼。身体消瘦，面颊凹陷，精神不振，站立行走哈腰头倾，一派虚象；脉沉细数，苔薄舌质微红。基础方加肉桂6克。3剂显效，10余剂基本痊愈，食欲渐增，体力有所恢复。

化瘀赞育汤

【来源】《首批国家级名老中医效验秘方精选》。

【组成】柴胡9克　熟地30克　紫石英30克　红花9克　桃红9克　赤芍9克　川芎9克　当归9克　枳壳5克　桔梗5克　牛膝5克

【用法】每日一剂，水煎服。

【功用】疏肝益肾，活血化瘀。

【主治】遗精、早泄、阳痿、不射精、睾丸胀痛肿块，阴囊萎缩等男科疾病。对专服补肾药，实其所实之久治不愈病人尤宜。

【加减】早泄或梦遗者，去紫石英、牛膝，加黄柏9克，知母9克；阳痿，加蛇床子9克，韭菜子9克；不射精，加炮山甲9克，王不留行9克；睾丸胀痛，加橘核6克，川楝子9克，小茴香6克；睾丸肿块，加三棱、莪术、海藻、昆布各9克。

【验案】季某，男，40岁。结婚10余年不育，阳事举而不坚，梦遗频发。多处求治，迭投温补肾阳之品，终无效果。头晕疲乏，口苦胸闷，心烦易怒，入夜多梦。舌红而紫，苔薄黄腻，脉沉弦。肝郁化火，与瘀交结经脉，肾经开合失司。治以化瘀赞育汤加减：柴胡4.5克，盐水炒知柏各9克，桃仁9克，红花9克，赤芍9克，当归9克，桔梗4.5克，枳壳4.5克，生地12克，川芎4.5克，生甘草4.5克。服药10剂，梦遗已止，心烦亦减，阳事已能正常勃起。原方去黄柏、知母，加蛇床子9克，韭菜子9克，服药三周，诸症悉平，妻子随即怀孕。

丹栀逍遥散

【来源】《首批国家级名老中医效验秘方精选》。

【组成】柴胡10克　白芍12克　当归10克　茯苓15克　白术10克　薄荷6克　丹皮6克　栀仁（炒）6克　黄柏（盐制）3克　生姜10克　红枣10克　甘草6克

【用法】上药煎15～20分钟取汁，约300毫升。日服2次。

【主治】失精。

龙胆泻肝汤

【来源】《首批国家级名老中医效验秘方精选》。

【组成】龙胆草9克　生山栀10克　木通6克　大生地15克　泽泻10克　六一散（包）15克　生军9克

【用法】每日1剂，水煎服。

【主治】遗精。

【验案】张某，男，31岁，遗精月余，始则每周1～2次，近来频作，增至2～3次。自购金锁固精丸内服，症情有增无减，心情畏惧苦恼，夜寐欠酣，多梦纷纭，口苦且饱，阴茎隐痛，小溲黄赤，大便燥结，三四日一行，腹部稍胀，脉象弦细稍数，舌苔薄稍腻，舌质红。证属肝经湿热，下扰精室，治予疏泻肝经湿热法，拟龙胆泻肝汤加减：龙胆草9克，生山栀9克，淡黄芩9克，软柴胡6克，赤茯苓10克，木通6克，大生地15克，泽泻10克，六一散（包）15克，生军9克。服上方3剂，腑气已畅，阴茎痛止，遗精1次，舌苔转薄，再予上方去生军、六一散，加白莲须9克，车前子12克，续服4剂，遗精未作，给服知柏地黄丸以善后巩固。

龙牡百合梦遗灵

【来源】《首批国家级名老中医效验秘方精选》。

【组成】龙齿　牡蛎　山药　朱茯神各30克　莲子　芡实　五味子　金樱子　补骨脂各15克　百合70克　生地50克　炒枣仁25克　元参20克　党参25克　山萸肉35克

【用法】每日1剂，早、晚水煎服，另嘱加服神衰果素片：每次3片，每天3次，饭后服，每晚9克。服安定丸（瓦房店精神病院自制）。肾阳虚者加肉桂、附子、小茴、鹿角胶；阴虚火旺者加黄连、黄芩、寸冬、地骨皮；气虚者加黄芪、白术；血虚者加当归、熟地。

【主治】七情致病，思想无穷，入梦魅境，梦幻呓语，空幻如顾，意淫于外，空幻色欲，梦遗精枯，面黄肌瘦，神志恍惚。思虑伤神，恐怖伤肾，食欲不振，心慌气短，倦怠乏力，腰腿酸软，舌淡尖红，苔薄黄，脉沉细稍弦。

【加减】肾阳虚者，加肉桂、附子、小茴、鹿角胶；阴虚火旺者，加黄连、黄芩、寸冬、地骨皮；气虚者，加黄芪、白术；血虚者，加当归、熟地。

【验案】治疗7例，中断治疗1例，治愈6例。治愈率85.71%。

壮肾龙药物腰带

【来源】《首批国家级名老中医效验秘方精选》。

【组成】淫羊藿36克　龙骨45克　补骨脂30克　潼沙苑70克　阳起石　五味子各20克

【用法】将上药加工成粉状，装入特制带状布袋内，束于腰部双肾区处（每日不少于12小时）。束10日更换1次，30日为1疗程。每疗程间隔10日再行下1疗程，一般用1～3个疗程，肾区热敷可加快和提高疗效。

【主治】肾虚所引起的遗精。

【验案】治疗病人129例，治愈（症状消失，停止治疗3个月未复发）80例（62.0%）；好转（症状明显改善，清醒时不遗，偶有梦或无梦而遗）35例（27.1%）；有效率89.1%。

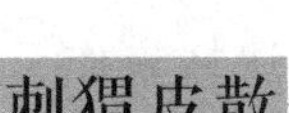

刺猬皮散

【来源】《首批国家级名老中医效验秘方精选》。

【组成】刺猬皮 100 克

【用法】将刺猬皮焙干研细末，分为 7 包，每日 1 包，甜酒汁兑服。

【主治】肾虚精关不固引起的遗精。

【验案】治疗病人 11 例，均获痊愈。

下消丸

【来源】《部颁标准》。

【组成】莲子 120g　山药（麸炒）120g　制何首乌 120g　地骨皮 60g　龙骨（煅）60g　金樱子 60g　远志（甘草制）30g　茯苓 120g　芡实 120g　莲须 60g　菟丝子 60g　酸枣仁 60g　诃子（煨）60g　泽泻（炒）45g

【用法】制成水蜜丸，密封。口服，每次 6～9g，1 日 2 次。

【功用】固肾，涩精，化浊。

【主治】遗精，精浊，遗尿，尿频。

龙蛾酒

【来源】《部颁标准》。

【组成】雄蚕蛾（干）50g　刺五加 50g　菟丝子（酒制）35g　淫羊藿 40g　熟地黄（盐制）20g　补骨脂（盐制）20g

【用法】制成酒剂，密封，置阴凉处。口服，每次 30～40ml，1 日 2 次。

【功用】壮阳补肾，益精髓。

【主治】肾虚阳痿，梦遗滑泄，小便频数，腰酸背痛，足膝无力等症。

龙虱补肾酒

【来源】《部颁标准》。

【组成】龙虱 100g　肉苁蓉 1.56g　覆盆子 1.56g　党参（饭制）1.56g　莲须 2.31g　枸杞子 3g　杜仲 2.31g　沙苑子 1.13g　白术 0.81g　楮实子 1.56g　黄精 1.13g　黄芪（炙）1.56g　牛膝 1.56g　菟丝子 2.31g　芡实 9.37g　制何首乌 2.31g　甘草（炙）0.63g　熟地黄 3.56g　大枣 20g　淫羊藿 4.69g　葫芦巴 1.13g

【用法】制成酒剂，密封。口服，每次 30～60ml，1 日 2 次。

【功用】益肾固精。

【主治】肾脏亏损，身体虚弱，夜多小便，午夜梦精。

【宜忌】外感发热、喉痛眼红等病人勿服。

百补酒

【来源】《部颁标准》。

【组成】鹿角（镑）120g　知母 40g　党参 30g　山药（炒）24g　黄芪（炙）24g　茯苓 24g　芡实 24g　枸杞子 24g　菟丝子 24g　金樱子肉 24g　熟地黄 24g　牛膝 18g　天冬 24g　麦冬 12g　楮实子 24g　黄柏 12g　山茱萸（去核）6g　五味子 6g　龙眼肉 6g

【用法】制成酒剂，密封，置阴凉处。口服，每次 30～60ml，1 日 2 次。

【功用】补气血，益肝肾，填精髓。

【主治】身体虚弱，腰膝无力，头昏目眩，遗精多汗。

壮元补身酒

【来源】《部颁标准》。

【组成】地黄 80g　山茱萸 40g　山药 40g　枸杞子 80g　菟丝子 40g　女贞子 40g　肉苁蓉 80g　续断（盐炒）40g　狗肾 10g　白芍 20g

【用法】制成酒剂，密封，置阴凉处。口服，每次 30～50ml，1 日 1～2 次。

【功用】养阴助阳，益肾填精。

【主治】肾精不足，遗精，阳痿，早泄，妇女白带，月经量少。

安肾丸

【来源】《部颁标准》。

【组成】巴戟天（甘草炙）96g　肉苁蓉（酒炙）96g　补骨脂（盐炙）96g　川乌（甘草银花炙）48g　肉桂 48g　白术（麸炒）96g　山药 96g　茯

苓96g　蒺藜（盐炙）96g　粉萆薢96g　石斛96g　桃仁96g

【用法】水泛为丸，每100丸重6g，密闭，防潮。口服，每次6g，1日3次。

【功用】补肾散寒。

【主治】肾不纳气，湿寒侵袭引起的梦遗滑精，肾囊湿冷，遗淋白浊，脐腹作痛，精神倦怠，健忘失眠，腰腿酸痛，头晕耳鸣，二便不利。

还原固精丸

【来源】《部颁标准》。

【组成】熟地黄180g　山药（炒）120g　牡丹皮120g　茯苓90g　龙骨（煅）90g　芡实60g　黄柏（盐炒）90g　金樱子120g　山茱萸180g　牡蛎（煅）60g　莲须60g　远志60g　知母（盐炒）60g　锁阳（蒸制）90g

【用法】水泛为丸，每瓶装60g，密封。口服，每次6g，1日3次。

【功用】滋阴，补肾，涩精。

【主治】肾阴虚损，梦遗滑精，妇女带下等症。

沙苑子颗粒

【来源】《部颁标准》。

【组成】沙苑子

【用法】制成冲剂，每袋装10g，密闭，防潮，避热。开水冲服，每次1袋，1日2次。

【功用】温补肝肾，固精，缩尿，明目。

【主治】肾虚腰痛，遗精早泄，白浊带下，小便余沥，眩晕头昏。

补肾养血丸

【来源】《部颁标准》。

【组成】何首乌80g　当归20g　黑豆40g　牛膝（盐制）20g　茯苓20g　菟丝子20g　补骨脂（盐制）10g　枸杞子20g

【用法】制成大蜜丸或水蜜丸，大蜜丸每丸重9g，密封。口服，大蜜丸每次1丸，水蜜丸每次6g，1日2～3次。

【功用】补肝肾，益精血。

【主治】身体虚弱，血气不足，遗精，须发早白。

固精补肾丸

【来源】《部颁标准》。

【组成】熟地黄27g　山茱萸13g　枸杞子27g　五味子6g　覆盆子13g　石菖蒲6g　楮实子13g　山药27g　金樱子11g　茯苓18g　牛膝7g　小茴香13g　杜仲27g　巴戟天27g　肉苁蓉27g　远志9g　菟丝子18g　甘草11g

【用法】水泛为丸，密闭。口服，每次6～10丸，1日2～3次。

【功用】温补脾肾。

【主治】脾肾虚寒，食减神疲，腰酸体倦，早泄梦遗。

金樱子膏

【来源】《部颁标准》。

【组成】金樱子1000g

【用法】制成膏剂，密封，防热。口服，每次9～15g，1日2次。

本方制成冲剂，名“金樱子冲剂”。制成糖浆，名“金樱子糖浆”。

【功用】补肾固精。

【主治】肾虚所致遗精、遗尿、白带过多。

参茸酒

【来源】《部颁标准》。

【组成】菟丝子6g　牛膝4g　熟地黄4g　肉苁蓉4g　鹿茸2g　人参2g　附子（制）2g　黄芪2g　五味子2g　茯苓2g　山药2g　当归2g　龙骨2g　远志（制）2g　红曲1g

【用法】制成酒剂，每瓶250ml或500ml，密封，置阴凉处。口服，每次10～15ml，1日2次。

【功用】滋补强壮，助气固精。

【主治】气血亏损，腰酸腿痛，手足寒冷，梦遗滑精，妇女血亏，血寒，带下淋漓，四肢无力，行步艰难。

【宜忌】孕妇忌服。

茯菟丸

【来源】《部颁标准》。

【组成】茯苓 300g　五味子（制）600g　山药 600g　菟丝子（炒）1000g　莲子 300g

【用法】制成糊丸，密闭，防潮。饭前用淡盐汤或温开水送服，每次 6～9g，1 日 2 次。

【功用】固肾，涩精止带。

【主治】遗精尿浊，妇女白带。

健神片

【来源】《部颁标准》。

【组成】墨旱莲 72g　鸡血藤 108g　金樱子 72g　艾叶 72g　桑椹 54g　菟丝子 36g　仙鹤草 72g　牡蛎（煅）108g　狗脊（制）54g　女贞子（制）108g　甘草 18g　合欢皮 36g　首乌藤 54g　五味子（制）54g

【用法】制成糖衣片，密封。口服，每次 3～4 片，1 日 3 次。

【功用】固肾涩精。

【主治】带下遗精，四肢酸软。

黄明胶

【来源】《部颁标准》。

【组成】牛皮

【用法】制成固体胶，每块 31.25g，密闭，置阴凉干燥处。口服，每次 10g，1 日 1～2 次，用绍酒或水炖化服；入汤剂，打碎以煎好的药汁溶化后服。

【功用】滋阴润燥，养血止血。

【主治】体虚便秘，肾虚遗精，吐血、呕血，胎漏，崩漏。

锁精丸

【来源】《部颁标准》。

【组成】人参 120g　黄芪（蜜炙）180g　肉桂 120g　山茱萸（酒炙）180g　地黄 360g　山药 180g　泽泻 120g　牡丹皮 120g　牡蛎（煅）240g　龙骨（煅）240g　柏子仁 120g　酸枣仁（炒）120g　茯神 120g　远志（甘草炙）120g　五味子（醋炙）120g

【用法】制成大蜜丸，每丸重 6g，密封。口服，每次 1 丸，1 日 2 次。

【功用】补养心脾，益肾固精。

【主治】早泄遗精，自汗盗汗，失眠多梦，腰膝酸软，肢体瘦弱。

四、血　精

血精，是指男方性交时射出含有带血的精液。轻者排出的精液淡红色，严重时精液内可见有鲜红血丝；有时可表现排精疼痛，精液量减等症状。多见于青壮年病人。

本病成因多为恣情纵欲，房事不节及手淫频繁，耗伤肾精，以致肾阴不足；或热病后期，余热伤及肾阴；或过服温燥助热之品，劫伤肾阴，阴不制阳，虚热内生，热入精室，灼伤血络；或嗜酒过度、偏嗜辛辣肥甘厚味，聚湿生热，湿热蕴结而下注，伤及精室血络，则血随精溢。治疗多以养阴补气，清热祛湿，活血祛瘀为基础。

良验益真散

【来源】《元和纪用经》。

【组成】黄耆（陇西者）二两半　桂心半两

【用法】上为末。每服方寸匕，空心、食前酒饮调下，一日三次。

【主治】精败血出。

黄耆散

【来源】《医方类聚》卷一三四引《隐居效验方》。

【组成】黄耆十分　桂心二分

【用法】上为散。酒服方寸匕，日三次。

【主治】男子精血出。

三仙膏

【来源】《辨证录》卷六。
【组成】熟地五两　人参二两　丹皮一两
【用法】水煎服。
【主治】血精。

引阴夺命丹

【来源】《辨证录》卷六。
【组成】熟地八两　人参一两　北五味子三钱　沙参三两　肉桂一钱
【用法】水煎服。连服四剂后，将前药减十分之七，每日一剂，服一月平复。
【主治】作意交感，阴精大泄不止，其阴翘然不倒，精尽继之以血者。
【方论】方用熟地、沙参以大补其肾中之阴，用人参以急固其未脱之阳，用五味子以敛其耗散之气，用肉桂于纯阴之中，则引入于孤阳之内，令其已离者重合，已失者重归也。

清精理血汤

【来源】《江苏中医》（1991，8：18）。
【组成】白花蛇舌草30g　银花　萆薢　连翘　生地榆　茜草各15g　虎杖　金钱草　白茅根各20g　车前子　赤芍　丹皮　知母　黄柏各12g　三七粉（冲服）　生甘草梢各10g
【用法】每日1剂，水煎服。20剂为1个疗程，连服3个疗程，无效者停药。
【主治】血精。
【验案】血精　《江苏中医》（1991，8：18）：治疗血精27例，年龄最小21岁，最大54岁；病程最短20天，最长2年。结果：痊愈（诸症消失，精液常规检查连续2次以上红细胞阴性者）21例，有效（临床症状大部分消失，肉眼血精颜色明显变淡或每高倍镜红细胞数量明显减少者）6例；有效率为100%。平均治疗时间为30天左右。

血精解毒饮

【来源】《首批国家级名老中医效验秘方精选》。
【组成】地锦草　鹿衔草各30克　石韦　马鞭草各40克　土茯苓20克
【用法】每日1剂，水煎2次，煎开后各15分钟取汁；混合，分2次口服。
【主治】血精症。
【宜忌】在治疗过程中，严禁房事。
【验案】用本法治疗血精症16例。结果：治愈15例，显著好转1例（服药4剂，血精明显减少，后中断治疗），有效率100%。治疗时间多在1～2周内。

萆解解毒利湿汤

【来源】《首批国家级名老中医效验秘方精选》。
【组成】萆解20克　土茯苓　白术　石菖蒲　石韦　败酱草　冬葵子各15克　黄柏　莲子心　车前子各12克
【用法】每日1剂，水煎，早晚2次服。另加500毫升水煎后，局部外敷，1日2次。用大黄炭4克，琥珀4克，阿胶2克，研细末，早晚白水送服，10天为1疗程。
【主治】血精。
【加减】腰疼甚者，加续断、狗脊、杜仲各15克；不寐，加酸枣仁、柏子仁各15克；阳痿，加蜈蚣2条；遗精，加锁阳、芡实各12克；前列腺质地硬者，加山甲、三棱、莪术各12克。
【验案】按上述方法治疗血精24例，用药3个疗程。结果：痊愈12例，占50%；好转（症状消失，肉眼不见血精）8例，占33.33%；无效4例，占16.67%；总有效率83.33%。

黄连阿胶汤

【来源】《首批国家级名老中医效验秘方精选》。
【组成】黄连20克　黄芩10克　阿胶（烊）30克　鸡子黄2枚　白芍15克　生栀20克　金樱子20克
【用法】水煎服。
【功用】清心降火。

【主治】前列腺炎（血精）。

【验案】向某，男，24岁，工人，1981年7月15日初诊。主诉：排血精5年余，性交后出血半月余。病人婚前手淫频繁，常于手淫排精时可见精后带血少量，未经治疗。婚后交媾，常可精血混杂，甚者血液从尿道口沁沁而出，曾于某院诊断有前列腺炎，精神神经功用失调等病，经治疗（用药不详）好转。后上症反复发作，经久不愈。昨晚交媾后约出血15毫升之多，故急来我院门诊求治。体查：病人除上症外，伴有精神不振，体倦无力，阳强易举，心烦多梦，头晕耳鸣，腰膝酸困，手足心发热，小便短黄有灼热感等症，舌质红少苔，脉细数有力。此乃肾阴亏损，心火亢盛，水火不济所致之血精证。治以滋阴降火，引血归经，安神固精，拟黄连阿胶治之。服药5剂后，精神转佳，阳事似平，手足心发热等症明显好转。20剂后上症全部消失，遂以知柏地黄丸善后。迄今4年来未见复发，并生一健儿。

蒲灰散

【来源】《首批国家级名老中医效验秘方精选》。

【组成】生蒲黄70克　滑石粉30克　栀子（炒）30克　当归30克　生地30克　木通30克　赤茯苓30克　生甘草30克

【用法】上药共为细末，每次15克，水煎煮沸后连渣服之，1日3次。

【主治】湿热下注，热瘀互结所致的血精症。

【加减】尿急尿频、尿意不尽等尿道刺激征缓解后，即去赤芍、当归、生地、赤茯苓、木通、甘草，仅用蒲黄、滑石粉、栀子（炒）三味，按原比例配制，服法同上。

【验案】治疗血精病人13例，用药7～20天，尿急尿频、尿意不尽等尿道刺激征消失；尿液转清，精液清稀如常，治愈率100%。

五、早　泄

早泄，指性交时泄精过早甚至未交而精液已出。《辨证录》："男子有滑精之极，一到妇女之门，即便泄精，欲勉强图欢不可得，且泄精甚薄。"《沈氏尊生书》称之谓"未交即泄，或乍交即泄"；《竹林女科证治》："男子玉茎包皮柔嫩，少一挨即痒不可当，故每次交合，阳精已泄，阴精未流，名曰鸡精。"本病成因多由阴虚阳亢，阴阳两虚，心肾两虚等因所致。肾阴不足，相火亢盛者，伴见阴茎易举，或举而不坚，心烦口干，脉细数，治宜滋阴降火。阴阳两虚者，兼见畏寒肢冷，舌淡脉沉，治宜兼温肾阳。心肾两虚者，兼见腰腿酸软，心悸失眠，治宜补益心肾。

苁蓉丸

【来源】《简易方》引《孟氏诜诜方》（见《医方类聚》卷一四九）。

【组成】熟地黄（净洗，酒浸，蒸二次，焙干）二两　菟丝子（淘去沙土，蒸二次，研烂，焙）　川当归（洗，焙）各一两半　穿心紫巴戟　肉苁蓉（洗，切，焙）　北五味　人参（去芦）　嫩鹿茸（酥炙）　坚白茯苓　龙齿　嫩黄耆（蜜炙）　石莲肉各一两

【用法】上为细末，炼蜜为丸，如梧桐子大。每服五十丸，温酒、米饮任下。

【功用】和阳助阴。

【主治】丈夫禀受气血有偏胜者，气胜血则阳盛阴微，精气易流。

芡实丸

【来源】《活人心统》卷下。

【组成】鸡头肉五百个　莲花须一两　山萸肉一两　白蒺藜五两　五花龙骨五钱　覆盆子二两

【用法】上为末，炼蜜为丸，如梧桐子大。每服六十丸，莲子去心，煎汤送下。

【主治】梦泄及阳虚未交先泄者。

菟丝地萸汤

【来源】《辨证录》卷八。

【组成】熟地一两　山茱萸五钱　菟丝子一两　巴戟天五钱

【用法】水煎服。

【主治】过于好色，入房屡战，以博欢趣，则鼓勇而斗，不易泄精，渐则阳事不刚，易于走泄，于是骨软筋麻，饮食加少，畏寒。

旺土丹

【来源】《辨证录》卷九。

【组成】人参六两　白术　黄耆各一斤　巴戟天一斤　茯苓五两　山萸肉半斤　菟丝子八两　肉豆蔻二两　北五味一两　肉桂三两　破故纸四两　杜仲八两　山药八两　芡实八两　神曲三两

【用法】上为末，炼蜜为丸。每服五钱，白滚水送下。服一月，阳事改观，而精亦不薄冷矣。

【功用】补先天命门之火及后天脾胃之土。

【主治】脾胃阳气不旺，命门火衰，精薄，精冷，虽亦能交接，然半途而废，或临门即泄。

补天育麟丹

【来源】《辨证录》卷十。

【组成】鹿茸一具　人参十两　山茱萸　熟地　肉苁蓉　巴戟天各六两　炒白术　炙黄耆　淫羊藿　山药　芡实各八两　当归　蛇床子　菟丝子各四两　柏子仁　肉桂各三两　麦冬五两　北五味　锁阳各二两　人胞一个（火焙）　海狗肾一根　蛤蚧二条　黄连一两　砂仁五钱

【用法】上各为末，炼蜜为丸。每服五钱，早、晚各一次，连服二月。无海狗肾，可用大海马二个代之；不用蛇床子，可用附子七钱（甘草三钱，煮汤泡浸制）代之。

【功用】补心火。

【主治】心肾两虚，入房早泄。

壮阳汤

【来源】《叶氏女科证治》卷四。

【组成】蛇床子　地骨皮各等分

【用法】煎汤熏洗，并用手擦，但洗时必令其举。一日熏洗数次。若手重擦破，不必惊骇，过一二日即可复旧。

【主治】鸡精。男子玉茎包皮柔嫩，少一挨即痒不可当，每次交合，阳精已泄，阴精未流。

补天丹

【来源】《全国中药成药处方集》（沈阳方）。

【组成】杜仲二两　贡白术二两半　白芍　故纸　熟地　远志各二两　当归　枸杞各一两五钱　核桃仁三两　牛膝二两　黄耆二两　海狗肾一具　川楝子二两　川芎　人参各一两五钱　沉香五钱　木香一两　小茴一两五钱　甘草　茯神各一两

【用法】上为极细末，炼蜜为丸，二钱重。每服一丸，盐汤送下。

【功用】补肾固精，强心安神。

【主治】肾虚阴痿，早泄遗精，腰腿酸痛，盗汗自汗，疝气腹疼，四肢厥冷，劳伤虚损，怔忡健忘，神经衰弱，形容焦悴，淋漓白浊，肾囊凉湿。

【宜忌】忌生冷。

补天丹

【来源】《全国中药成药处方集》（抚顺方）。

【组成】驴肾二两　制耆五两　柏仁一两半　杜仲三两　白术五两　川附子一两半　萸肉二两　五味子一两半　白参　白芍各三两　云苓二两半　龙骨二两　故纸　菟丝子各三两　杞子四两　砂仁六钱　巴戟四两半　熟地四两　当归三两　覆盆子一两半　鹿胶三两

【用法】上为细末，炼蜜为丸，重二钱。每服二钱，早、晚食前各服一次，白水或淡盐汤送下。

【功用】添精壮阳，补气生血，强壮。

【主治】生殖器衰弱，肾虚滑精，阳痿不举，见色早泄，精液清冷，及气血衰弱，瘦弱难支，食少便溏，气息微弱，动则作喘，腰酸腿软，健忘怔忡，自汗晕眩，寐而不实。

【宜忌】火盛者勿服。

六、阳 痿

阳痿，亦称阴痿，是指成年男子阴茎痿弱不起，临房举而不坚，或坚而不能持久的一种病症。《黄帝内经》称阳痿为“阴痿”、“阴器不用”、“筋痿”，《素问·阴阳应象大论》：“年六十，阴痿，气大衰，九窍不利，下虚上实，涕泣俱出矣”。《灵枢经·经筋》：“足厥阴之筋，其病阴器不用，伤于内则不起，伤于寒则阴缩入，伤于热则纵挺不收。”《素问·痿论》：“思想无穷，所愿不得，意淫于外，入房太甚，宗筋弛纵，发为筋痿。”归纳阳痿的病因为“气大衰而不起不用”、“热则纵挺不收”、“思想无穷，所愿不得”和“入房太甚”，认识到气衰、邪热、情志和房劳可引起本病。《诸病源候论·虚劳阴痿候》：“劳伤于肾，肾虚不能荣于阴器，故痿弱也。”认为本病由劳伤及肾虚引起。《景岳全书·阳痿》：“凡男子阳痿不起，多由命门火衰，精气虚冷。或以七情劳倦，损伤生阳之气，多致此证；亦有湿热炽盛，以致宗筋弛缓，而为痿弱者。”较全面论述了本病病因病机和治疗。

本病成因多为命门火衰，或心脾受损，或恐惧伤肾，或肝郁不舒，或湿热下注等致宗筋失养弛纵而发。尤以房劳太过，频犯手淫为多见。病位在肾，并与脾、胃、肝关系密切。临床表现以阴茎痿弱不起，临房举而不坚，或坚而不能持久为主，常与遗精、早泄并见。常伴有神疲乏力，腰酸膝软，头晕耳鸣，畏寒肢冷，阴囊阴茎冷缩，或局部冷湿，精液清稀冰冷，或会阴部坠胀疼痛，小便不畅，滴沥不尽，或小便清白，频多等症。其治疗，属虚者宜补，属实者宜泻，有火者宜清，无火者宜温。命门火衰者，真阳既虚，真阴多损，应温肾壮阳，滋肾填精，忌纯用刚热燥涩之剂，宜选用血肉有情温润之品；心脾受损者，补益心脾；恐惧伤肾者，益肾宁神；肝郁不舒者，疏肝解郁；湿热下注者，苦寒坚阴，清热利湿，即《素问·脏气法时论篇》所谓“肾欲坚，急食苦以坚之”的原则。

肉苁蓉丸

【来源】《医心方》卷二十八引《范汪方》。

【组成】肉苁蓉　菟丝子　蛇床子　五味子　远志　续断　杜仲各四分

【用法】上药治下筛，炼蜜为丸，如梧桐子大。平旦服五丸，一日二次。

【功用】补精，益气力，令人好颜色。

【主治】男子五劳七伤，阳痿不起，积有十年痒湿，小便淋沥，溺时赤时黄。

【加减】阴弱，加蛇床子；不怒，加远志；少精，加五味子；欲令洪大，加苁蓉；腰痛，加杜仲；欲长，加续断；所加者倍之。

雄鹅散

【来源】《外台秘要》卷十七引《经心录》。

【组成】雄鹅十分（熬）　石斛三分　巴戟天二分　天雄二分（炮）　五味子二分　蛇床子二分　薯蓣二分　菟丝子二分　牛膝二分　远志二分（去心）　苁蓉五分

【用法】上为散。以酒服方寸匕，亦可丸服，一日三次。

【主治】阴痿。十年阳不起，皆系少小房多损阳。

【宜忌】忌猪肉、冷水。

干地黄散

【来源】方出《备急千金要方》卷十九，名见《圣济总录》卷五十一。

【组成】生干地黄五斤　苁蓉　白术　巴戟天　麦门冬　茯苓　甘草　牛膝　五味子　杜仲各八两　车前子　干姜各五两

【用法】上药治下筛。每服方寸匕，食后酒磅下，一日三次。

【主治】肾气虚寒，阴痿，腰脊痛，身重缓弱，言音混浊，阳气顿绝。

【方论】《千金方衍义》：此以肾气不能流布中外而

腰痛身重，阴痿阳绝，故用地黄、牛膝、五味滋阴，苁蓉、巴戟、杜仲助阳，干姜、白术、甘草固本，麦冬、茯苓、车前治标，滋培气化以资通调之力。

天雄散

【来源】《备急千金要方》卷二十。

【组成】天雄　五味子　远志各一两　苁蓉十分　蛇床子　菟丝子各六两

【用法】上药治下筛。每服方寸匕，酒送下，一日三次。常服勿止。

【主治】五劳七伤，阴萎不起，衰损。

石硫黄散

【来源】《备急千金要方》卷二十。

【组成】石硫黄　白石英　鹿茸　远志　天雄　僵蚕　女萎　蛇床子　五味子　白马茎　菟丝子各等分

【用法】上药治下筛。每服方寸匕，酒送下，一日三次。

【功用】补虚损，益房事。

【宜忌】无房禁服。

白马茎丸

【来源】《备急千金要方》卷二十。

【组成】白马茎　赤石脂　石韦　天雄　远志　山茱萸　菖蒲　蛇床子　薯蓣　杜仲　肉苁蓉　柏子仁　石斛　续断　牛膝　栝楼根　细辛　防风各八分

【用法】上为末，白蜜为丸，如梧桐子大。每服四丸，酒送下，一日二次。七日知，加至二十丸，一月百病愈。

【主治】空房独怒，见敌不兴，口干汗出，失精，囊下湿痒，尿有余沥，卵偏大引疼，膝冷胫酸，目中䀮䀮，少腹急，腰脊强。

杜仲散

【来源】《备急千金要方》卷二十。

【组成】杜仲　蛇床子　五味子　干地黄各六分　木防己五分　菟丝子十分　苁蓉八分　巴戟天七分　远志八分

【用法】上药治下筛。每服方寸匕，食前用酒送下，一日三次。长服不绝佳。

【功用】益气补虚。

【主治】男子羸瘦，短气，五脏痿损，腰痛不能房室。

硫黄散

【来源】《普济方》卷三十二引《备急千金要方》。

【组成】硫黄（细研，飞过）　白石英（细研，飞过）　白马茎（涂酥炙）　鹿茸（去毛，涂酥炙）　远志（去心）各二两　菟丝子（酒浸三宿，焙，为末）　天雄（炮，去皮脐）各一两　雄蚕蛾（炒）一两　女莓二两　蛇床子一两　五味子一两半　石南一两半

【用法】上为散。每服二钱，空心及晚食前用温酒调服。

【功用】益肾助阳。

【主治】肾脏虚乏，阳气痿弱，腰脚无力。

落肾散

【来源】《外台秘要》卷十七引《崔氏方》。

【别名】肾著散。

【组成】羊肾一双（作脯炙燥）　磁石六分（研）　天门冬五分（去心）　人参二分　防风三分　天雄三分（炮）　龙骨五分　茯苓一分　续断七分　肉苁蓉五分　玄参三分　干地黄四分　桑白皮三分　白胶五分（炙）　干漆五分（熬）

【用法】上为末。每服二方寸匕，空腹以大麦饮送服，一日五六次。

【主治】腰背痛，少腹挛急，尿难，自汗出，耳聋，阴痿，脚冷。

【宜忌】忌鲤鱼、猪肉、冷水、芜荑、酢等物。

阳起石丸

【来源】《普济方》卷二二四引《孟氏诜诜方》。

【组成】远志（洗，取肉）半两　阳起石（煅）

沉香（不见火） 北五味 嫩鹿茸 酸枣仁（皮） 桑螵蛸（微炒） 白龙骨 白茯苓 钟乳粉各一两 天雄一两（姜汁制，去脐） 菟丝子二两

【用法】上为末，炼蜜为丸，如梧桐子大。每服四十丸至五十丸，炒茴香、白茯苓煎汤吞下。

【功用】助阴壮阳。

【主治】丈夫阴阳衰微，阳事不举，才交即泄，寒精自流，胸中短气，阴汗盗汗，冷痛或痒而生疮，出黄浓水。

【加减】若强壮人服，觉火热，去天雄，加肉苁蓉。

钟乳酒

【来源】《外台秘要》卷十七引《广济方》。

【组成】钟乳三两（研，绢袋盛） 附子二两（炮） 甘草二两（炙） 当归二两 石斛二两 前胡二两 薯蓣三两 五味子三两 人参二两 生姜屑二两 牡蛎二两（熬） 桂心一两 菟丝子五合 枳实二两 干地黄五两

【用法】上切，以绢袋盛，清酒二斗渍之。春、夏三日，秋、冬七日，量性饮之。效。

【主治】阴痿不起，滴沥精清。

【宜忌】忌食海藻、菘菜、猪肉、冷水、生葱、芜荑、生冷粘食等。

远志丸

【来源】《外台秘要》卷十七引《备急方》。

【组成】续断二两 薯蓣二两 远志二两（去心） 蛇床子二两 肉苁蓉二两

【用法】上为末，以雀卵为丸，如小豆大。每服七丸至十丸，以酒送下。百日知之。

【主治】男子萎弱。

兴阳丹

【来源】方出《证类本草》卷十一引《食医心鉴》，名见《普济方》卷二一九。

【组成】栗当二斤（一名列当）

【用法】上为末。以酒一斗浸经宿。遂性饮之。

【功用】兴阳事。

五加酒

【来源】《医心方》卷十三引《大清经》。

【组成】五加一升（切，盛绢袋，常用雄不用雌，五叶者雄，三叶者雌，雄者味甘，雌者味苦，夏用茎叶，冬用根皮）

【用法】以酒一斗渍，春、秋七日，夏五日，冬十日。去滓温服，任意勿醉。

【功用】补中益精，坚筋骨，强志意。久服轻身耐老，耳目聪明，落齿更生，白发更黑，颜色悦泽。

【主治】五劳七伤，心痛，血气乏竭。男子阴痿不起，囊下恒湿，小便余沥而阴痒，及腰脊痛，两脚疼痹，五缓六急，虚羸。妇人产后余疾百病。

鹿角散

【来源】《医心方》卷二十八引《洞玄子方》。

【组成】鹿角 柏子仁 菟丝子 蛇床子 车前子 远志 五味子 苁蓉各四分

【用法】上为散。每服五分匕，食后服，一日三次。不知，更加方寸匕。

【主治】男子五劳七伤，阳痿不起，精自引出，小便余沥，腰背疼冷。

秃鸡散

【来源】《医心方》卷二十八引《洞玄子方》。

【组成】肉苁蓉三分 五味子三分 菟丝子三分 远志三分 蛇床子四分

【用法】上为散。每服方寸匕，空腹酒下，每日二次。或以白蜜和丸，如梧桐子大。每服五丸，日二次，以知为度。

本方改为丸剂，名“秃鸡丸”（原书同卷）。

【主治】男子五劳七伤，阴痿不起，为事不能。

天雄散

【来源】《太平圣惠方》卷七。

【组成】天雄一两（炮裂，去皮脐） 蛇床子一两 远志一两（去心） 菟丝子一两（酒浸三日，曝干，别杵为末） 肉苁蓉一两（酒浸一日，刮去皴皮，炙干） 五味子一两 麋茸一两（去毛，涂

酥，炙微黄） 巴戟一两 杜仲一两（去粗皮，炙微黄，锉）

【用法】上为细散。每服二钱，食前以温酒调下。

【主治】肾脏虚损，膝无力，阳气萎弱。

天雄散

【来源】《太平圣惠方》卷七。

【组成】天雄二两（炮裂，去皮脐） 远志一两（去心） 续断一两 蛇床仁一两 桂心一两 菟丝子三两（酒浸三宿，曝干，别杵末） 肉苁蓉一两（酒浸，去皴皮，微炙） 雄蚕蛾一两（微炒） 石龙芮一两

【用法】上为细散。每服三钱，食前以温酒调下。

【主治】肾脏虚损，阳气萎弱。

肉苁蓉散

【来源】《太平圣惠方》卷七。

【组成】肉苁蓉二两（酒浸一日，刮去皴皮，炙干） 菟丝子一两半（酒浸三宿，晒干，别捣） 钟乳粉二两 蛇床子一两 远志一两（去心） 续断一两 天雄一两（炮裂，去皮脐） 鹿茸二两（去毛，涂酥炙微黄） 石龙芮一两

【用法】上为细散。每服二钱，食前以温酒调下。

【主治】肾脏虚损，精气衰竭，阳道萎弱。

阳起石丸

【来源】《太平圣惠方》卷七。

【组成】阳起石一两（酒煮半日） 白矾灰一两 钟乳粉一两 硫黄一两 龙脑一两 伏火硇砂一两 伏火砒霜半两

【用法】上为末，用软粳米饭为丸，如梧桐子大。每服十丸，食前以温酒送下，每日二次。

【主治】肾脏虚损，阳气萎弱。

莨菪子丸

【来源】《太平圣惠方》卷七。

【组成】莨菪子一两半（水淘去浮者，水煮芽出，焙干，炒令黄黑色，别杵为末） 蛇床子一两 菟丝子一两（酒浸三日，晒干，别杵为末） 附子一两（炮裂，去皮脐） 蜀茶半两 硇砂半两（细研） 黄（雄）雀粪一两

【用法】上为末，先取莨菪子、雄雀粪、硇砂三味，用白蜜四两，同以浆水三升煮，勿住手搅，煎如饧，即入诸药末为丸，如梧桐子大。每服十丸，空心及晚食前盐汤送下。

【主治】肾脏虚损，阳气萎弱，手足不和。

夏季补肾肾沥汤

【来源】《太平圣惠方》卷七。

【组成】附子一两（炮裂，去皮脐） 桂心一两半 白茯苓一两 石南三分 山茱萸三分 石斛三分（去根，锉） 人参一两（去芦头） 杜仲三分（去粗皮，炙微黄，锉） 当归一两（锉，微炒） 五味子一两 熟干地黄二两 泽泻一两 肉苁蓉一两（酒浸一宿，刮去皴皮，炙令干） 磁石二两（捣碎，水淘去赤汁，以帛绢包之）

【用法】上为粗散。每服五钱，水一大盏，以羊肾一对，切去脂膜，入生姜半分、大枣三个，每与磁石包子同煎至五分，去滓，食前温服。

【功用】补肾。

【主治】肾虚。

菟丝子丸

【来源】《太平圣惠方》卷七。

【组成】菟丝子二两（酒浸三宿，晒干，为末） 肉苁蓉一两（酒浸一宿，刮去皱皮，炙干） 鹿茸一两（去毛，涂酥，炙令微黄） 蛇床子一两 钟乳粉一两 牡蛎一两（烧，为粉） 天雄一两（炮裂，去皮脐） 远志一两（去心） 桂心一两 五味子一两 杜仲一两（去粗皮，炙微黄，锉） 车前子一两 石斛一两半（去根，锉） 雄蚕蛾一两（微炒） 石龙芮一两 雄鸡一两（微炙） 腽肭脐一两（酒洗，微黄）

【用法】上为末，炼蜜为丸，如梧桐子大。每服三十丸，食前温酒送下。

【主治】肾脏虚损，肌体羸瘦，腰脚无力，志意昏沉，阳气痿弱，小便滑数。

鹿茸丸

【来源】《太平圣惠方》卷七。

【组成】鹿茸二两（去毛，涂酥炙令微黄） 莨菪子一两（水淘去浮者，水煮令芽出，候干，炒黄黑色） 磁石一两（烧赤，醋淬十遍，细研，水飞过） 附子一两（炮裂，去皮脐） 天雄一两（炮裂，去皮脐） 硫黄一两（细研，水飞过） 蛇床仁一两 韭子一两（微炒） 桂心一两 硇砂一两（细研） 龙骨一两 熟干地黄一两

【用法】上为末，用羊肾一对，去脂膜，研如泥，以酒二升，煎成膏，入诸药末，为丸，如梧桐子大。每服三十丸，空心及晚食前以温酒送下。

【主治】肾脏虚损，阳气萎弱，精泄不禁。

鹿茸散

【来源】《太平圣惠方》卷七。

【组成】鹿茸二两半（去毛，涂酥炙令微黄） 菟丝子二两半（酒浸三日，晒干，别杵为末） 雄蚕蛾二两（微炒） 阳起石二两半（酒浸，煮半日，细研） 石南一两 远志二两（去心） 桂心二两 附子二两（炮裂，去皮脐） 桑螵蛸二两（微炒） 腽肭脐一两（酒洗，微炙） 蛇床仁二两 肉苁蓉一两（酒浸一宿，刮去皴皮，炙干） 钟乳粉二两半

【用法】上为细散。每服三钱，空心及晚食前以温酒送下。

【主治】肾脏虚损，阳气乏弱。

鹿茸散

【来源】方出《太平圣惠方》卷七，名见《普济方》卷三十二。

【组成】鹿茸一两（去毛，涂酥炙微黄） 巴戟一两 天雄二两（炮裂，去皮脐） 五味子一两 蛇床子一两 石斛一两（去根，锉） 肉苁蓉一两（酒浸一日，刮去皴皮，炙干） 菟丝子一两（酒浸三日，晒干，别杵为末） 牛膝一两（去苗） 远志一两（去心） 雄蚕蛾半两（微炒） 石龙芮三分

【用法】上为散。每服二钱，食前以温酒调下。

【主治】肾脏虚损，精气不足，腰脚酸疼，羸瘦无力，阳道萎弱。

桑螵蛸散

【来源】《太平圣惠方》卷十四。

【组成】桑螵蛸（微炒） 韭子（微炒） 菟丝子（酒浸三日，晒干，别杵为末） 牡蛎（烧为粉） 车前子各一两 麦门冬一两半（去心，焙）

【用法】上为细散，入菟丝子末和匀。每服二钱，食前以温酒调下。

【主治】伤寒后，虚损乏力，阴萎，夜梦失精。

仙灵脾浸酒

【来源】《太平圣惠方》卷二十一。

【别名】仙灵脾酒（《古今医统大全》卷八）、仙灵酒（《寿世保元》卷二）。

【组成】仙灵脾一斤（好者）

【用法】上细锉，以生绢袋盛，于不津器中，用无灰酒二斗浸之，以厚纸重重密封，不得通气，春、夏三日，秋、冬五日后，旋开取。每日随性暖饮之，常令醺醺，不得大醉。若酒尽，再合服之。

《证类本草》引《食医心镜》：淫羊藿一斤，酒一斗，浸经三日，饮之佳。益丈夫，兴阳，理腿膝冷。

【功用】《寿世保元》：补腰膝，强心力。

【主治】

1. 《太平圣惠方》：偏风，手足不遂，皮肤不仁。

2. 《寿世保元》：一切冷风劳气，丈夫绝阳不起，女子绝阴无子，老人昏耄健忘。

【宜忌】合时切忌鸡、犬见。

肉苁蓉丸

【来源】《太平圣惠方》卷二十六。

【组成】肉苁蓉三两（酒浸一宿，刮去皱皮炙干） 赤石脂三分 石韦三分（拭去毛） 天雄一两（炮裂，去皮脐） 远志三分（去心） 石菖蒲三分 薯蓣二两 杜仲一两（去粗皮，炙微黄，锉） 山茱萸一两 白马茎一两（炙黄） 石斛一两（去

根，锉） 柏子仁三分 续断一两 牛膝一两（去苗） 蛇床子三分 石南一两 细辛三分 防风三分（去芦头） 菟丝子一两半（酒浸三宿，别捣为末） 熟干地黄一两半

【用法】上为末，炼蜜为丸，如梧桐子大。每服三十丸，空腹及晚食前以温酒送下。

【主治】五劳六极七伤，阴萎内虚，口干汗出，失精，阴下湿痒，小便赤黄，阴中疼痛，卵偏大，小腹里急，腰脊俯仰苦难，胜胫痠疼，目视目䀮䀮，腹胁胀满，膀胱久冷，致生百疾。

补益石斛丸

【来源】《太平圣惠方》卷二十九。

【组成】石斛一两半（去根） 萆薢一两（锉） 远志三分（去心） 覆盆子三分 泽泻一两 白龙骨一两 杜仲一两半（去粗皮，微炙，锉） 防风三分（去芦头） 牛膝一两半（去苗） 石龙芮一两 薯蓣三分 磁石二两（烧，醋淬七遍，捣碎，水飞过） 五味子三分 甘草半两（炙微赤，锉） 黄耆一两（锉） 鹿茸二两（去毛，涂酥炙微黄） 补骨脂一两（微炒） 附子一两（炮裂，去皮脐） 人参一两（去芦头） 车前子一两 桂心一两 白茯苓一两 熟干地黄一两 山茱萸三分 钟乳粉二两 肉苁蓉一两（酒浸一宿，刮去皱皮，炙干） 巴戟一两 菟丝子二两（酒浸三宿，晒干别捣为末） 蛇床子一两

【用法】上为末，炼蜜为丸，如梧桐子大。每服三十丸，食前以温酒送下。

【主治】虚劳肾气不足，阴痿，小便余沥，或精自出，腰脚无力。

天雄丸

【来源】《太平圣惠方》卷三十。

【组成】天雄二两（炮裂，去皮脐） 覆盆子一两 鹿茸一两（去毛，涂酥，炙微黄） 巴戟一两 菟丝子二两（酒浸三日，曝干，别捣为末） 五味子一两 肉苁蓉二两（酒浸一宿，刮去皱皮，炙干） 牛膝一两半（去苗） 桂心一两 石龙芮一两 石南一两 熟干地黄二两

【用法】上为末，炼蜜为丸，如梧桐子大。每服三十丸，食前以温酒送下。

【主治】虚劳羸弱，阳气不足，阳痿，小便数。

天雄丸

【来源】《太平圣惠方》卷三十。

【组成】天雄一两（炮裂，去皮脐） 蛇床子三分 细辛半两 川大黄（锉碎，微炒）半两 杜仲三分（去粗皮，炙微黄，锉） 柏子仁三分 白茯苓三分 防风半两（去芦头） 萆薢三分（锉） 菖蒲三分 泽泻三分 栝楼三分 桂心三分 薯蓣三分 远志半两（去心） 川椒半两（去目及闭口者，微炒去汗） 牛膝三分（去苗） 石韦半两（去毛） 山茱萸三分 白术三分

【用法】上为末，炼蜜为丸，如梧桐子大。每服三十丸，食前以温酒送下。

【主治】虚劳，阴萎湿痒，搔之汁出生疮，小便淋沥，或赤黄，茎中痛；甚者失精尿血，目视目䀮䀮，得风泪出，脚弱不能久立。

天雄散

【来源】《太平圣惠方》卷三十。

【组成】天雄一两（炮裂，去皮脐） 五味子半两 薯蓣三分 熟干地黄三分 巴戟一两 续断三分 蛇床子一两 远志三分（去心） 桂心三分

【用法】上为细散。每服二钱，食前以温酒调下。

【主治】虚劳阳气不足，阴气萎弱，囊下湿痒，小便余沥。

【宜忌】忌生冷、油腻。

石斛丸

【来源】《太平圣惠方》卷三十。

【组成】石斛一两半（去根，锉） 巴戟二两 杜仲一两半（去粗皮，炙微黄，锉） 牛膝一两（去苗） 桑螵蛸一两（微炒） 鹿茸一两半（去毛，涂酥炙微黄） 补骨脂一两（微炒） 龙骨一两

【用法】上为末，炼蜜为丸，如梧桐子大。每服三十丸，食前以温酒送下。

【主治】虚劳肾气衰弱，阴痿失精，腰膝无力。

牡蒙散

【来源】《太平圣惠方》卷三十。

【组成】牡蒙一两　菟丝子二两（酒浸二日，晒干，别捣为末）　柏子仁一两　肉苁蓉二两（酒浸一宿，去皴皮，炙干）

【用法】上为细散。每服一钱，食前以温酒调下。

【主治】虚劳，阴下湿痒，生疮及萎弱。

补益地黄丸

【来源】《太平圣惠方》卷三十。

【组成】熟干地黄一两　五味子一两　鹿角屑一两（微炒）　远志一两（去心）　桂心一两　巴戟一两　天门冬一两半（去心，焙）　菟丝子一两（酒浸三日，晒干，别捣为末）　石龙芮一两　肉苁蓉一两（酒浸一宿，刮去皱皮炙干）

【用法】上为末，炼蜜为丸，如梧桐子大，每服三十丸，食前以温酒送下。

【主治】虚劳精少，阳事衰弱。

钟乳丸

【来源】《太平圣惠方》卷三十。

【组成】钟乳粉三两　蛇床子三分　石斛一两（去根，锉）　菟丝子三两（酒浸三日，晒干，别捣为末）　桂心三分　肉苁蓉一两（酒浸一宿，刮去皱皮，炙干）

【用法】上为末，炼蜜为丸，如梧桐子大。每服三十丸，食前以温酒送下。

【主治】虚劳衰弱，绝阳阴痿，膝冷。

鹿茸散

【来源】《太平圣惠方》卷五十八。

【组成】鹿茸二两（去毛，涂酥炙令微黄）　羊踯躅一两（酒拌，炒令干）　韭子一两（微炒）　附子一两（炮裂，去皮脐）　桂心一两　泽泻一两

【用法】上为散。每服二钱，食前以粥饮调下。

【主治】小便不禁，阴痿脚弱。

三石浸酒

【来源】《太平圣惠方》卷九十五。

【组成】磁石八两　白石英十两（细研）　阳起石六两

【用法】上件药，并捣碎，以水淘清后，用生绢袋盛，以酒一斗浸。经五日后，任意暖服。其酒旋取旋添。

【主治】肾气虚损。

三石水煮粥

【来源】《太平圣惠方》卷九十七。

【组成】紫石英四两　白石英四两　磁石八两（捶碎，淘去赤汁）

【用法】上药捶碎，布裹。以水五大盏，煮取二盏，去石，下米三合，作粥食之。其石每日煎用之，经三个月即换之。

【主治】阴萎，囊下湿，或有疮，虚乏无力。

三石猪肾羹

【来源】《太平圣惠方》卷九十七。

【组成】紫石英　白石英　磁石（捶碎，淘去赤汁）各三两（捶碎布裹）　猪肾二对（去脂膜，切）　肉苁蓉二两（酒浸一宿，刮去皱皮，切）　枸杞叶半斤（切）

【用法】先以水五大盏，煮石取二盏半，去石，著猪肾、苁蓉、枸杞、盐、酱、五味末等，作羹，空腹食之。

【主治】肾气不足，阳道衰弱。

牛肾粥

【来源】《太平圣惠方》卷九十七。

【组成】牛肾一枚（去筋膜，细切）　阳起石四两（布裹）　粳米二合

【用法】以水五大盏，煮阳起石，取二盏，去石，下米及肾，著五味、葱白等，煮作粥。空腹食之。

【主治】五劳七伤，阴痿气乏。

石英水煮粥

【来源】《太平圣惠方》卷九十七。

【别名】石英水粥（《古今医统大全》卷八十七）。

【组成】白石英二十两　磁石二十两（并捶碎）

【用法】以水二斗，器中浸，于露地安置，夜即揭盖，令得星月气。每日取水作羹粥，及煎茶汤吃。用却一升，即添一升。

【功用】久服气力强盛，颜如童子。

【主治】肾气虚损，阴萎，周痹风湿，肢节中痛，不可持物。

茴香角子

【来源】《太平圣惠方》卷九十七。

【组成】茴香子　木香　巴戟　附子（炮裂，去皮脐）　汉椒（去目及闭口者，微炒，去汗）　山茱萸各一两　猪猪肾一对（去脂膜，细切）

【用法】上为末。每对猪肾，用药末二钱，入盐溲面，像肝角子样修制，灰火内煨令熟，空腹薄茶送下。

【主治】五劳七伤，阴萎气乏。

雀儿药粥

【来源】《太平圣惠方》卷九十七。

【组成】雀儿十枚（剥去皮毛，剥碎）　菟丝子一两（酒浸三日，晒干，别捣为末）　覆子一合　五味子一两　枸杞子一两　粳米二合　酒二合

【用法】上为末。将雀肉先以酒炒，入水三大盏，次入米煮粥，欲熟，下药末五钱，搅转，入五味调和令匀，更煮熟空心食之。

【功用】《药粥疗法》：壮阳气，补精血，益肝肾，暖腰膝。

【主治】

1.《太平圣惠方》：下元虚损，阳气衰弱，筋骨不健。

2.《药粥疗法》：肾气不足所致的阳虚羸弱，阴痿（即性功能减退），早泄，遗精，腰膝酸痛或冷痛，头晕眼花，视物不清，耳鸣耳聋，小便淋沥不爽，遗尿多尿，妇女带下。

【宜忌】《药粥疗法》：发热病人和性功能亢进者忌服。

天雄沉香煎丸

【来源】《博济方》卷一。

【组成】天雄四两（生用，锉碎）　防风二两（生用）　紧小黑豆二两（净拭，生用）　汉椒四两　草乌头四两（生用）　附子四两（生用）　牛膝二两　沉香　天麻各二两（生用）　丁香　木香　羌活　干姜各一两　官桂三两（去皮）　肉苁蓉三两（酒浸，去土，炙熟）　紫巴戟二两（去心）

【用法】上药先将前九味以无灰酒一斗于银锅内慢火煨，不得令大沸，酒尽为度，焙令干，再与后七味同杵为末，炼蜜为丸，如梧桐子大。每日二十丸，加至三十丸，空心温酒送下。

【功用】明耳目，雄气海，驻颜色。

【主治】下元积冷伤惫，阳事不能，筋骨无力，或成下坠，及小肠气痛，并肾藏风毒攻注，脾胃不和，腰脚沉重。

张走马玉霜丸

【来源】《太平惠民和济局方》卷五（吴直阁增诸家名方）。

【别名】玉霜丸（《普济方》卷二一九）。

【组成】大川乌（用蚌粉半斤同炒，候裂，去蚌粉不用）　川楝子（麸炒）各八两　破故纸（炒）　巴戟（去心）各四两　茴香（焙）六两

【用法】上为细末，用酒打面糊为丸，如梧桐子大。每服三五十丸，空心、食前用酒或盐汤送下。

【功用】精元秘固，内施不泄，留浊去清，精神安健。

【主治】男子元阳虚损，五脏气衰，夜梦遗泄，小便白浊，脐下冷疼，阳事不兴，久无子息，渐致瘦弱，变成肾劳，眼昏耳鸣，腰膝酸疼，夜多盗汗。妇人宫脏冷，月水不调，赤白带漏，久无子息，面生皯黯，发退不生，肌肉干黄，容无光泽。

麝香鹿茸丸

【来源】《太平惠民和济局方》卷五。

【组成】鹿茸（火燎去毛，酒浸，炙）七十两　熟

干地黄（净洗，酒浸，蒸，焙）十斤　附子（炮，去皮脐）一百四十个　牛膝（去苗、酒浸一宿，焙）一斤四两　杜仲（去粗皮，炒去丝）三斤半　五味子二斤　山药四斤　肉苁蓉（酒浸一宿）三斤

【用法】上为末，炼蜜为丸，加梧桐子大，每一斤丸子，用麝香末一钱为衣。每服二十丸，食前用温酒送下；盐汤亦得。

【功用】益真气，补虚惫。

【主治】

1.《太平惠民和济局方》：治下焦伤竭，脐腹绞痛，两胁胀满，饮食减少，肢节烦痛，手足麻痹，腰腿沉重，行步艰难，目视茫茫，夜梦鬼交，遗泄失精，神情不爽，阳事不举，小便滑数，气虚肠鸣，大便自利，虚烦盗汗，津液内燥。

2.《医方类聚》：劳损虚冷，精血不足。房劳伤肾腰痛。

苁蓉羊肉粥

【来源】方出《证类本草》卷七引《药性论》，名见《药粥疗法》。

【组成】肉苁蓉四两（水煮令烂，薄切，细研）　精羊肉（分为四度）

【用法】上药以米煮粥，入五味。空心服之。

【功用】《药粥疗法》：补肾助阳，健脾养胃，润肠通便。

【主治】

1.《证类本草》引《药性论》：精败面黑，劳伤。

2.《药粥疗法》：肾阳虚衰所致的阳萎、遗精、早泄，女子不孕，腰膝冷痛，小便频数，夜间多尿、遗尿，以及平素体质羸弱，劳倦内伤，恶寒怕冷，四肢欠温，脾胃虚寒，脘腹隐痛，老人阳虚便秘。

【宜忌】《药粥疗法》：苁蓉羊肉粥属温热性药粥方，适用于冬季服食，以5～7天为一疗程，夏季不宜服食。凡大便溏薄，性功能亢进的人，也不宜选用。

五味子丸

【来源】《普济方》卷三十一引《护命》。

【组成】五味子　续断　牛膝（酒浸，切，焙）　附子（炮裂，去皮脐）　桂（去粗皮）　杜仲（去粗皮，炙，锉）　茴香子（炒）　白茯苓（去黑皮）　芎藭　当归（切，焙）　山芋　槟榔（锉，一方无槟榔，用木瓜）　吴茱萸（汤洗，焙炒）　细辛（去苗叶）　青橘皮（汤浸去白，焙）各一两（一方用川椒）

【用法】上为末，酒煮面糊为丸，如梧桐子大。每服二十丸至三十丸，空心盐汤送下。

【主治】肾脏虚冷，腹胁疼痛，胀满非时，足冷阴萎，行步无力。

益智丸

【来源】《普济方》卷四十一引《护命》。

【组成】益智子（去皮）　萆薢　狗脊（去毛）　芎藭　巴戟天（去心）　干木瓜　续断　牛膝（酒浸，切，焙）各半两　附子（炮裂，去皮脐，大者）一枚

【用法】上为末，炼蜜为丸，如梧桐子大。每服四十丸，空心盐汤送下。

【主治】小肠虚寒，小便后余沥，阴萎不起。

菟丝子丸

【来源】《普济方》卷二十九引《杨子建护命方》。

【组成】菟丝子（酒浸，别捣）　萆薢各半两　补骨脂（炒）　防风（去叉）　硫黄各一分　续断一两　巴戟天（去心）一两　细辛（去苗叶）二铢　蜀椒（去目并闭口者，炒出汗）二两

【用法】上为末，炼蜜为丸，如梧桐子大。每服三十丸，空心盐汤送下。

【主治】肾脏虚冷，阳道痿弱，呕逆多唾，体瘦精神不爽，不思饮食，腰脚沉重，脐腹急痛，小便频数。

滋阴百补丸

【来源】《类证活人书》卷三。

【组成】熟地五两　杜仲三两　牛膝三两　枸杞子三两　当归二两五钱　茯苓二两五钱　山萸肉二两五钱　鹿角胶二两五钱　人参二两　黄耆二两

白术二两　白芍二两　肉苁蓉二两　龟版胶二两　锁阳一两五钱　知母一两五钱　黄柏一两五钱　肉桂一两

【用法】共研细末，炼蜜为丸。每服四五钱，早晨空心白汤吞服。

【主治】脏腑不和，营卫不调，精神不足，气血不充，以致形衰色萎，骨软筋枯，腰膝酸痛，步力艰难，饮食减少，嗜卧懒言，皮寒内热，精寒阳痿。

胡芦巴丸

【来源】《圣济总录》卷五十一。

【组成】胡芦巴（微炒）　巴戟天（紫者，去心，炒）　肉苁蓉（酒浸，切，焙）各二两　楝实（去皮，醋浸一宿，焙）　桂（去粗皮）　补骨脂（炒）　蛇床子（酒浸一宿，焙）　牛膝（酒浸一宿，切，焙）各一两　蓬莪术（醋浸一宿，煨，锉）三分　附子（炮裂，去皮脐）　茴香子（炒）各一两半

【用法】上为末，炼蜜为丸，如小豆大。常服二十丸，空心炒盐生姜汤送下；酒下亦得。

【主治】肾气虚损，阳气痿弱。

干地黄丸

【来源】《圣济总录》卷五十二。

【组成】熟干地黄三两半白茯苓（去黑皮）　肉苁蓉（酒浸，去皱皮，切，焙）各一两　远志（去心）　牛膝（酒浸，切，焙）　山芋　山茱萸　蛇床子（微炒）　续断　黄耆（炙，锉）　覆盆子（去萼）　石斛（去根）　巴戟天（去心）　泽泻　附子（炮裂，去皮脐）各一两半　菟丝子（酒浸，别捣）　桂（去粗皮）　牡丹皮　杜仲（去皱皮，锉，炒）　人参　鹿茸（去毛，酥炙）各一两一分

【用法】上为末，炼蜜为丸，如梧桐子大。每服三十丸，空腹温酒送下，一日三次。加至四十丸。

【主治】肾脏虚损，腰重不举，阳气痿弱，肢体瘦瘁。

五味子丸

【来源】《圣济总录》卷五十二。

【组成】五味子　菟丝子（酒浸，别捣）　鹿茸（去毛，酥炙）　巴戟天（去心）　肉苁蓉（酒浸，去皴皮，切，焙）　杜仲（去粗皮，炙，锉）各一两

【用法】上为末，炼蜜为丸，如梧桐子大。每服二十丸，空心温酒或盐汤送下。

【主治】肾脏虚损，精气衰竭，阳道痿弱，腰膝无力。

助阳丸

【来源】《圣济总录》卷五十二。

【组成】鹿茸（去毛，酥炙）　菟丝子（酒浸，别捣）　原蚕蛾（炒）　钟乳粉　附子（炮裂，去皮脐）　肉苁蓉（酒浸，去皱皮，切，焙）　黄耆（锉，炒）　人参各一两

【用法】上为末，炼蜜为丸，如梧桐子大。每服二十丸，空心温酒或盐汤送下。

【主治】肾脏虚损，阳气痿弱，肢体无力，志意不爽，小便滑数。

菟丝子丸

【来源】《圣济总录》卷八十六。

【组成】菟丝子（酒浸，别捣）　牡蒙　柏子仁（微炒，别研）　蛇床子（炒）　肉苁蓉（酒浸，切，焙）各一两

【用法】上为末，炼蜜为丸，如梧桐子大。每服二十丸，空腹温酒送下，日午再服。

【主治】肾劳。囊湿生疮，阴痿失精，小便频数。

硇砂丸

【来源】《圣济总录》卷九十一。

【组成】硇砂一两（细研，汤浸滤清）　附子五两（炮裂，去皮脐，为末）　生姜一斤半（取汁入前二味慢火煎熬成煎）　肉苁蓉（酒浸）二两　远志（去心）　沉香（锉）　山茱萸　巴戟天（去心）　鹿茸（酒炙，去毛）　石斛（去根）各一两　茴香子（炒）　石亭脂（别研）各半两

【用法】除煎外，上为末，用前煎为丸，如梧桐子大。每服三十丸，温酒送下，加至四十丸。

【主治】肾脏虚惫，小便遗精，阴痿湿痒，茎中痛。

巴戟丸

【来源】《圣济总录》卷九十二。

【组成】巴戟天（去心）一两半　肉苁蓉（酒浸，去皴皮，切，焙）二两　牛膝（去苗，同苁蓉酒浸）山芋各一两　杜仲（去粗皮，炙，锉）一两半　续断　蛇床子各一两　菟丝子（酒浸，焙，别捣）一两一分　白茯苓（去黑皮）一两　山茱萸　五味子各一两一分　远志（去心）一两

【用法】上为末，炼蜜为丸，如梧桐子大。每服三十丸，空心温酒送下，日晚再服。

【功用】

1.《圣济总录》：服药五十日后，筋骨健壮，百日后面如童颜，久服令人精满充溢。

2.《御药院方》：令人多子。

【主治】

1.《圣济总录》：虚劳，肾气衰弱，小便白浊，阴囊湿痒，羸瘦多忘，面无颜色。

2.《御药院方》：男子阳道衰弱。

【加减】如精涩，更加柏子仁三分，如精虚，加五味子一两半，阳弱加续断一两半。

【备考】《御药院方》有益智仁一两。

益精鹿茸散

【来源】《圣济总录》卷一八五。

【组成】鹿茸（去毛，酥炙）

【用法】上为散。每服一钱匕，渐至二钱匕。浓煎苁蓉酒七分一盏，放温，入少盐空心调下。如欲为丸，即以鹿茸（去毛，酥炙）一两　肉苁蓉（酒浸一宿，焙干）　蛇床子（洗，焙干）各一分，同为末，炼蜜为丸，如梧桐子大。每服二十丸至三十丸，温酒或盐汤送下。

【主治】欲事过度，肾久虚，精气耗惫，精少，腰脚瘦重，神色昏黯，耳鸣焦枯，阳道萎弱。

紫梢花散

【来源】《圣济总录》卷一八五。

【组成】紫梢花　桂（去粗皮）　附子（炮裂，去脐白）　马蔺花　牡蛎粉　蛇床子　五加皮　地骨皮　蜀椒（去目，炒去汗）　白矾灰　防风（去杈）各等分

【用法】上为末。每用一匙，水一升半，煎至七八合，服仙灵脾酒后，更用此小浴药淋浴。乘热先熏，通手浴之。

【功用】壮阳气。

麝茸续断散

【来源】《鸡峰普济方》卷七。

【组成】肉苁蓉　钟乳粉　鹿茸各三两　远志　续断　天雄　石龙芮　蛇床子各一两　菟丝子一两半

本方名麝茸续断散，但方中无麝香，疑脱。

【用法】上为细末，每服二钱，食前温酒调下。

【主治】肾气虚衰，阳道不振。

钟乳姜蓣汤

【来源】《鸡峰普济方》卷十二。

【组成】苁蓉　钟乳　蛇床子　远志　续断　薯蓣　鹿茸各三两

本方方名，据方中用药，当作“钟乳薯蓣汤”。

【用法】上为细末。每服方寸匕，酒送下，一日一次，倍蛇床子、远志、鹿茸、钟乳尤效。

【主治】阴痿，精薄而冷。

煨肾丸

【来源】《鸡峰普济方》卷十二。

【组成】附子　葫芦巴　破故纸　茴香各一两（炒香熟）

【用法】上为细末，烂研羊腰子为丸，如梧桐子大。每服三五十丸，空心温酒送下，食前亦得。

【主治】阳气衰弱，腰痛，脉冷，精滑，阴痿，脐腹绞刺，减食力劣。

五服丹

【来源】《扁鹊心书·神方》。

【组成】雄黄　雌黄　硫黄　辰砂　阳起石各五两

【用法】上为粗末，入阳城罐，先用蜜拌，安砂在底，次以瞿麦末、草乌末、菠棱末各五钱，以鸡子清五钱拌匀，盖在砂上，以罐盖盖住，铁丝扎好，盐泥封固，阴干，掘地作坑，下埋五分，上露五分，烈火煅一日夜，寒炉取出，研细醋打半夏糊为丸，如芡实大，滑石为衣，以发光彩，银器收贮。每服三四十丸，空心米饮送下。

【功用】补肾壮阳，健筋骨，延年益寿。

【主治】阳痿。

宣和赐耆丝丸

【来源】《三因极一病证方论》卷十三。

【别名】耆丝丸（《普济方》卷二一七）。

【组成】当归（酒浸，焙，轧）半斤　菟丝子（酒浸，去土，乘湿研破，焙干秤）一斤　薏苡仁　茯神（去木）　石莲肉（去皮）　鹿角霜　熟地黄各四两

【用法】上为末。用耆二斤，捶碎，水六升，浸一宿，次早挼洗味淡，去滓，于银石器中熬汁成膏，搜和得所，捣数千杵，为丸如梧桐子大。每服五十丸，加至百丸，空心、食前用米汤、温酒任下，常服。

【功用】守中安神，禁固精血，益气驻颜，延年不老。

【主治】少年色欲过度，精血耗竭，心肾气惫，遗泄白浊，腰背疼痛，面色黧黑，耳聋目昏，口干脚弱，消渴便利，梦与鬼交，阳事不举。

莲子丹

【来源】《三因极一病证方论》卷十三。

【组成】新莲肉四两（去心皮）　白龙骨一两（醋煮）　甘草一分

【用法】上为末。车前草汁，入面少许，煮糊为丸，如绿豆大。每服三五十丸，盐汤、酒任下。

【主治】真气虚惫，口苦舌干，心常惨戚，夜多异梦，昼少精神，或梦鬼交通，遗泄白浊，小便余沥，阳事不举，目暗耳鸣，面色黧黑。

世宝丸

【来源】《杨氏家藏方》卷九。

【组成】附子（炮，去皮脐）　牛膝（酒浸一宿，焙）　肉桂（去粗皮）　白茯苓（去皮）　椒红　五味子　茴香（炒）　枳壳（汤浸去瓤，麸炒）　人参（去芦头）　熟干地黄（洗，焙）各一两半

【用法】上为细末；次用精羯羊肉四两（细切），肉苁蓉（洗净）二两（细切），羊脂二两（细切），黄蜡二两（细切），杏仁（去皮尖）二两（炒，切），乌梅肉一两，葱白三两，上七味，用酒五升，同入银器中，慢火煮令肉烂，研成膏，入前药末一处捣和为丸，如梧桐子大。每服三十丸，加至四五十丸，空心、食前温酒或盐汤送下；肺痿咯血，煎糯米、阿胶汤送下。

【功用】补益元气，轻健腰脚，实骨髓，耐风寒，滋养气血。

【主治】下元虚损，久积寒冷，目晕耳鸣，形体羸弱，阴痿自汗，遗沥泄精；及肺痿喘嗽咯唾有血，怯风畏寒，手足多冷，一切虚劳气劣。

神效地黄散

【来源】《普济方》卷三十二引《杨氏家藏方》。

【组成】地黄五两　丁香一两　苁蓉二两（酒浸）　蛇床子二两　枣子三两　黄精二两半　菟丝子　木香半两　远志二两　白茯苓二两　蛤蚧三两（一对）　人参一两　川楝子一两（炒）　青盐一两（炒）　茴香二两三钱

【用法】上为末，炼蜜为丸，如梧桐子大。每服空心温酒送下。服七日见效。

【主治】男子肾脏虚损，阳事不举。

麋角鹿茸丸

【来源】《是斋百一选方》卷四。

【组成】麋角饼子　鹿角霜各半斤　鹿茸　九节菖蒲　钟乳　覆盆子　石斛　蛇床子（酒煮，炒香）　当归（洗）　肉桂（去皮）　金铃子（去核，酒浸）　山药　泽泻　柏子仁（研细，另入）　续断　附子（炮，去皮，以地黄汁煮，焙干）　山茱萸（取皮）　萆薢（去须，蜜水涂，炙）各二两　杜仲三两（麸炒丝断）　天雄（去皮）　白茯苓　五味子（净洗）　人参（去芦）　槟榔　胡芦巴（酒浸，焙）　麝香（别研）　细辛各一两　破故纸

（酒浸，炒香） 远志（去心） 天门冬（去心） 牛膝（酒浸） 胡桃（去皮，研，另入） 巴戟（酒浸，炒） 苁蓉（洗，酒浸，焙干） 熟干地黄（净洗，焙） 茴香（炒） 菟丝子（酒浸，蒸三次，研）各四两 防风一两

方中麋角饼子，原作“鹿角饼子”，据《奇效良方》改。鹿茸原脱，据《奇效良方》补。

【用法】上为末，用酒煮面糊为丸，如梧桐子大。每服三十丸四十丸，渐加至五六十丸，空心温酒或盐汤吞下。

【功用】久服益脾元，壮肾气，助真阳，补虚损，散寒湿，养气滋血。

【主治】真阳不足，脾肾虚寒，下焦伤惫，脐腹疼痛，两胁胀满，手足麻痹，目视茫茫，遗泄失精，精神不爽，阳事虚弱，小便滑数，气虚肠鸣，大便自利，耳内常聋。

小补心丹

【来源】《魏氏家藏方》卷六引朱季封方。

【组成】鹿茸一两（炙去毛，酒浸，炙） 伏火朱砂（别研） 伏火灵砂（别研） 当归（去芦）各二钱半 阳起石（酒煮，别研） 附子（炮，去皮脐） 钟乳粉各半两

【用法】上为细末，酒煮肉苁蓉，烂研成膏，搜和为丸，如梧桐子大。每服三四十丸，空心枣汤送下。

【功用】暖养心肾。

固真汤

【来源】《兰室秘藏》卷下。

【别名】正元汤。

【组成】升麻 羌活 柴胡各一钱 炙甘草 草龙胆 泽泻各一钱五分 黄柏 知母各二钱

《普济方》有苍术；《证治宝鉴》有汉防己。

【用法】上锉，如麻豆大，分作二服。水二盏，煎至一盏，去滓，空心稍热服，以早饭压之。

【主治】两丸冷，前阴痿弱，阴汗如水，小便后有余滴，尻臀并前阴冷，恶寒而喜热，膝下亦冷。

清魂汤

【来源】《兰室秘藏》卷下。

【别名】柴胡胜湿汤（原书同卷）、青红汤（《普济方》卷三〇一）。

【组成】柴胡 生甘草 酒黄柏各二钱 升麻 泽泻各一钱五分 当归梢 羌活 麻黄根 汉防己 草龙胆 茯苓各一钱 红花少许 五味子二十个

【用法】上锉如麻豆大，分作二服。以水二盏，煎至一盏，去滓，食前稍热服。

【主治】两外肾冷，两髀阴汗，前阴痿，阴囊湿痒臊气。

【宜忌】忌酒、湿面、房事。

沉香磁石丸

【来源】《医方类聚》卷一〇九引《济生方》。

【组成】沉香半两（别研） 磁石（火煅，醋淬七次，细研，水飞） 葫芦巴（炒） 川巴戟（去心） 阳起石（火煅，研） 附子（炮，去皮脐） 椒红（炒） 山茱萸（取肉） 山药（炒）各一两 青盐（别研） 甘菊花（去枝萼） 蔓荆子各半两

【用法】上为细末，酒煮米糊为丸，如梧桐子大。每服七十丸，空心以盐汤送下。

【功用】《慈禧光绪医方选议》：温肾壮阳。

【主治】

1.《济生方》：上盛下虚，头目眩晕，耳鸣耳聋。

2.《慈禧光绪医方选议》：阳虚肾弱，精冷囊湿，阳萎滑泄。

干荷叶散

【来源】《普济方》卷三〇一引《仁斋直指方论》。

【别名】干荷散（《御药院方》卷六）。

【组成】干荷叶 牡蛎粉 蛇床子 浮萍草各等分

【用法】上为细末，用罗筛。每次用两匙，水一碗，同煎三五沸，滤去滓，淋汁洗。避风冷。

【主治】阴囊肿痛，湿润瘙痒，及阴萎弱。

益中丹

【来源】《类编朱氏集验方》卷八。

【组成】鹿茸（蜜炙） 丁香 木香 茴香（炒） 山药 黄耆（蜜炙） 木通（油炒） 官桂（去皮） 干姜（炮） 青盐 石斛 天雄（炮） 附子（炮） 鹅管石（火煅，酒淬） 阳起石（火煅，酒淬） 肉豆蔻 川牛膝（酒浸，焙） 破故纸（炒） 葫芦巴（炒） 菟丝子（酒浸，焙） 金铃子（去核） 覆盆子 熟地黄（酒浸，焙） 荜澄茄 马兰花（醋炒） 肉苁蓉（酒浸，焙） 韭子（酒浸，焙）各二钱半 沉香 人参各一钱一字 麝香三字。

【用法】上为细末，酒煮面糊为丸，如梧桐子大。每服三十丸，加至五十丸，空心温酒送下。

【功用】益真气，补虚惫。

【主治】下焦伤竭，脐腹酸痛，两胁胀满，饮食减少，肢节烦疼，手足麻痹，腰腿沉重，行步艰难，目视茫茫，夜梦鬼交，遗泄失精，神气不爽，阳事不举，小便滑数，气虚肠鸣，大便自利，虚烦盗汗，津液内躁。

铁瓮申先生交感丹

【来源】《御药院方》卷三。

【组成】茯神四两 香附子一斤（去毛，用新水浸一夕，炒令黄色）

【用法】上为末，炼蜜为丸，如弹子大。每服一丸，侵晨以降气汤嚼下。

【主治】心血少而火不能下降于肾，肾气惫而水不能上升至心，中焦隔绝，荣卫不和，上则心多惊悸，中则寒痞，饮食减少，下则虚冷遗泄，甚至于阴痿不兴，脏气滑泄。

九子丸

【来源】《御药院方》卷六。

【组成】鹿茸一两（去毛，炙令黄色） 肉苁蓉四两（酒浸三宿，切，焙干） 远志一两（去心） 续断一两（捶碎，去筋丝，酒浸一宿） 蛇床子一两（微炒） 巴戟一两（去心） 茴香子一两（舶上者，微炒） 车前子一两

【用法】上为细末，用鹿角脊髓五条，去血脉筋膜，以无灰酒一升，煮熬成膏；更研烂，用炼蜜少许和丸，如梧桐子大。每服五十丸，空心温酒送下。

【功用】补阴血，补阳气，壮精神，倍气力，强阳补肾，益精气，壮筋骨。

【主治】男子腰肾虚冷，膝脚少力，夜多异梦，精道自出，阳事不兴；女子失血，绝阴不产；老人失溺。

天雄丸

【来源】《御药院方》卷六。

【组成】蛤蚧一对 朱砂二钱 沉香三钱 丁香三钱 阳起石三钱 钟乳粉半钱 木香二钱半 紫梢花半两 晚蚕蛾一两半 牡蛎粉二钱半 天雄一个 桂二钱半 石燕子一对（炭火烧，淬醋七次） 鹿茸半两（酥炙） 白术二钱半 苁蓉半两（酒浸三日，焙干） 菟丝子三钱（酒浸，焙干） 龙骨二钱半 海马一对 乳香三钱

【用法】上为细末，炼蜜为丸，如弹子大。每服一丸，空心细嚼，好酒煎木通，入麝香少许送下，不得过三服。

【主治】真气不足，阳气衰惫，失精腰痛，脐腹痃急，及阳事不兴，男子本气脱者。

太一守中丹

【来源】《御药院方》卷六。

【别名】太乙守中丹（《普济方》卷二一八）。

【组成】熟干地黄 天门冬（去心） 远志（去心） 白茯苓（去皮） 萆薢 实子 木香各一两 人参 地骨皮 牛膝（焙） 地肤子（炒香）各二两

【用法】上为细末，炼蜜为丸，如梧桐子大。每服五十丸，温酒送下，空心食前服；或用温水下亦得，加至八十丸。

【功用】补虚损。

【主治】阴气不足，虚热内生，阴萎不振。

助神丸

【来源】《御药院方》卷六。

【组成】何首乌（用千里水淘粱米泔浸软，用竹刀去皮，晒干，雌雄各半同称，赤者为雄，白者为

雌）三十两　生地黄（投于水中，拣沉底者，于柳木甑中铺匀，瓦釜中用千里水，木甑安于釜上，桑柴火蒸，蒸得气通透，日中晒干，用生地黄自然汁洒匀，再晒干，如此蒸晒九返，晒干）十两　当归（净洗，去芦头，焙干）七两　穿心巴戟七两（酒浸，焙干）　五味子（去枝，炒焙干）七两

【用法】上五味同于木杵臼中为细末，用地黄自然汁于银石器中熬成膏，为丸如梧桐子大，用瓷器贮放。每服七十丸，空心、食前各进一服，用温酒与地黄煎各半相和送下。

【功用】滋阴助阳，益血气，黑髭鬓，润泽皮肤，荣养肌肉，明目，壮筋骨，益精补髓。

【主治】阴器不能运用。

【宜忌】畏芜荑、忌猪羊血。

【加减】如小便浑浊，加泽泻七两；如大便秘涩，加柏子仁七两；如气不顺，加木香七两。

养真丹

【来源】《御药院方》卷六。

【别名】养真丸（《普济方》卷二一九）。

【组成】补骨脂（炒）　益智仁　晚蚕蛾（微炒）　没药（研）　丁香　青盐（研）　川山甲（炙）各半两　茴香　白术　乳香（研）　南青皮各三钱　沉香（锉）　香附子（炒）　姜黄　薯蓣　木香　甘草（炙）　巴戟（去心）各一两　川楝子（去皮及子，麸炒黄色）一钱　牛膝（酒浸一宿）七钱　苁蓉（酒浸一宿）七钱　檀香七钱　苍术三两（酒浸二宿）　蛤蚧一对　缩砂仁半两

【用法】上为细末，酒浸面糊为丸，如梧桐子大。每服四十丸，空心及食前温酒送下，一日二次。

【主治】阴衰消小，痿弱不举。

神效丸

【来源】《御药院方》卷六。

【组成】原蚕蛾（取未连者，不以多少，去头足毛羽）一两

【用法】上为细末，炼蜜为丸，如梧桐子大。每服七丸至十丸，临卧温菖蒲酒送下。

【主治】男子肾气衰弱，阴痿，阳事不举。

紫芝丹

【来源】《御药院方》卷六。

【组成】紫芝半两　朱砂二两　白石英二两　石决明一两　黄连半两　黄芩半两　茯苓半两　白矾瓜瓣半两

【用法】上为细末，炼蜜为丸，如梧桐子大。每服十丸，食前以温酒送下。

【功用】降心火，益肾水，秘真气，健阳事。

丁香石燕子散

【来源】《御药院方》卷八。

【组成】丁香二钱　石燕子一对（烧七遍，醋淬）　海马一对（刀上火煿香）　舶上茴香（生用，另研）半两　白矾（水飞）　龙骨（烧红）各半两

【用法】上为末。每用一钱，擦左右牙后，用温酒送下，临卧时用。

【主治】肾经不足，齿断不固，或动摇不牢，或髭鬓斑白，或阳事不举。

桂香膏

【来源】《御药院方》卷八。

【组成】桂（去粗皮）　牡蛎（烧）　蛇床子（炒）各半两　细辛（去土）　零陵香各一钱半　胡椒四十九粒　麝香（另研）一钱

【用法】上为细末。临时每用一钱，津唾调涂上。

【主治】阳痿。

梅觉春丸

【来源】《御药院方》卷八。

【组成】丁香　木香　朱砂（研）各一钱　黑附子一个（重半两者，剜去中心成空瓮子。上将丁香、木香、朱砂等三味同为细末，倾在附子瓮儿内，以荞麦面和如饼剂，裹却，用生萝卜一个，径四寸，劈作两半，中间剜得可容上件药置之于内，以竹签子签定，用六一泥固了，约厚半指许，于净地剜一坑子，深五寸许，用炭火烧红，去了炭火及灰，令坑内净，用好醋一盏泼在坑子，泣定，将药安在坑内，四畔用炭火一斤铺盖煅之，一时

辰为度，去火，用新盆合定，令冷，与后药一处为末） 舶上茴香（炒） 天台乌药 白茯苓（去皮）各一钱 地龙（去土）一字

【用法】上为细末，酒煮面糊为丸，如绿豆大。每服二十丸，空心乳汤酒送下。

【主治】阳事痿弱。

蛇床子散

【来源】《御药院方》卷八。

【组成】蛇床子 细辛 藁本 吴茱萸 小椒 枯矾 紫稍花各半两

【用法】上为细末。每用药末半两，加水三碗，煎至两碗，临卧稍热淋渫。

【主治】阴萎，阳事不举。

旋生春散

【来源】《御药院方》卷八。

【组成】朱砂一分 紫矿二钱 丁香一钱 木香 没食子（和皮） 川楝子（锉） 川茴香（炒） 阳起石（煅） 广零陵香 乳香 漏兰（炮，去皮） 麝香 没药各一钱 蛤蚧一对（酥炙）

【用法】上为细末。每服一大钱，食前温酒调下。先服梅觉春丸，相随服散子药，十日见效。亦不可久服，待药力败再服之。初服此药权忌房事，恐走药力。可量药力欲尽，再接引服之。虽年老之人与少壮无异。

【功用】壮阳。

【主治】阳痿。

淋浴九仙散

【来源】《御药院方》卷八。

【组成】附子（炮裂，去皮脐） 蛇床子（去土） 石菖蒲 紫稍花 远志（去心） 雄蚕蛾各一两 浮萍草二两 丁香半两 韶脑半两（另研）

【用法】上为粗末。每用水二碗，药末一两，葱白一茎（细切），煎至一碗半，乘热淋洗，拭干，仍避风冷。十年痿者十次见效。

【功用】助阳退阴。

【主治】阴痿，阳事不举。

五精丸

【来源】《医方大成》卷四引《澹寮方》。

【组成】秋石（刚健者） 鹿角霜 茯苓 阳起石 山药各等分

【用法】上为末，酒糊为丸，如梧桐子大。空心服五十粒。需要常近火边，使干燥，庶几服之无恋膈之患。

【功用】大补元气。

【主治】

1.《医方大成》：肾虚痿弱。

2.《东医宝鉴·外形篇》：阴痿。

枸杞羊肾粥

【来源】《饮膳正要》卷二。

【组成】枸杞叶一斤 羊肾一对（细切） 葱白一茎 羊肉半斤（炒）

【用法】上四味拌匀，入五味，煮成汁，下米熬成粥，空腹食之。

《药粥疗法》：将新鲜羊肾剖开，洗净，去内膜，细切；再把羊肉洗净，切碎。用枸杞叶煎汁，去滓，同羊肾、羊肉、葱白、粳米一起煮粥，待粥成后，加入细盐少许，稍煮即可。

【功用】《药粥疗法》：益肾阴，补肾气，壮元阳。

【主治】

1.《饮膳正要》：阳气衰败，腰脚疼痛，五劳七伤。

2.《药粥疗法》：肾虚劳损，阳气衰败，腰脊疼痛，腿脚痿弱，头晕脑鸣，听力减退或耳聋，阳痿，尿频或遗尿。

【宜忌】《药粥疗法》：以冬季食用为好，对阳盛发热，或性功能亢进者，不可选用。

巨胜子丸

【来源】《丹溪心法》卷三。

【组成】熟地黄四两 生地黄 首乌 牛膝（酒浸） 天门（去心） 枸杞 苁蓉 菟丝 巨胜子 茯苓 柏子仁 天雄（炮） 酸枣仁 破故纸（炒） 巴戟（去心） 五味 覆盆子 山药 楮实 续断各一两 韭子 鸡头实 川椒 莲蕊 胡芦

巴各五钱　木香一钱半

【用法】上为末，炼蜜为丸服。

【功用】补损。

【主治】《摄生众妙方》：右尺命脉虚微欲脱，阳痿不举，阳脱之证。

沉香保生丸

【来源】《普济方》卷二一七引《德生堂方》。

【组成】沉香　母丁香　巴戟（去心，酒浸）　莲蕊　木香　莲心　菟丝子（酒浸）　葫芦巴（酒浸）　八角茴香（盐炒）　肉苁蓉（酒浸）　韭子（酒浸）　红花各一两　雄蚕蛾一两二钱　川椒一两（净）　仙灵脾一两（醋炒）　川山甲（炮）二两二钱半　水蛭（糯米炒）五钱　青盐五钱　细墨五钱（烧去油）　益智仁七钱半　牛膝（酒浸）一两　麝香一钱半　蛤蚧一对（别研，去虫，生用）　川楝子一两（炒，以上为末）　川楝子四两（捶碎）　知母一两二钱　破故纸一两二钱　甘草二两　五味子二钱

【用法】后五味为末，用水一斗熬成浓膏，和前药末面糊为丸，如梧桐子大。每服五十丸，空心以酒或盐汤送下，干物压之。

【功用】固精气，益精髓，驻颜色，安魂定魄，延年不老，长壮阳事，暖子宫下元。

【主治】男子精气不固，余沥常流，小便血浊，梦中频数泄出，口干耳鸣，腰膝痛，阴囊湿痒，阳事不举，小便如泔，及妇人血海久冷，胎气不盛，赤白带，漏下。

干地黄丸

【来源】《普济方》卷三十一。

【组成】枸杞叶上虫窠子

【用法】晒干为末，干地黄为丸服。

【功用】益精气，益阳事。

【主治】肾家风。

益阳丹

【来源】《普济方》卷三十三引《诜诜方》。

【组成】丁香二钱　木香三钱　木通二钱（去皮）　远志一两　石莲肉半两　麦门冬半两（去心）　白茯苓半两　龙骨（煅）一两　半夏半两（切作小粒，用大猪苓半两同炒色黄，去猪苓）　茴香半两（用斑蝥十四个，去翅足，同炒黄色，去斑蝥）

【用法】上为末，同酒煮山药入砂盆内杵千下，丸如梧桐子大。每服四十丸，空心盐酒或盐汤送下。

【主治】丈夫心肾不交，阳气萎弱，才交即泄，梦遗白浊。

巴戟丸

【来源】《普济方》卷一五四。

【组成】干漆（熬烟绝）　巴戟天（去心）　杜仲　牛膝各十二分　桂心　狗脊　独活各八分　五加皮　山茱萸　干薯蓣各十分　防风六分　附子四分

【用法】炼蜜为丸，如梧桐子大。每服二十丸，空心酒送下。再加减，以止为度。

【主治】诸腰痛，或肾虚冷，腰疼痛，阴痿。

虾米散

【来源】《普济方》卷二一九。

【组成】虾米一斤（去皮壳，用青盐酒炒干香熟为度）　真蛤蚧（青盐酒炙脆为度）一对　茴香（青盐酒炒）四两　净川椒四两（同上制，不可过）

【用法】上药须用浑浊煮酒二升，带浮蛆醪酒最佳，搅入青盐制用，先制蛤蚧、椒皮、茴香，干却制虾米，以酒浸为度，候已熟，取前三味同和匀，用南木香粗末同和，乘热收入瓷器内，四围封固，候冷取用。每服一勺，空心盐酒细嚼下。

【功用】起阳补肾。

鹿茸酒

【来源】《普济方》卷二一九。

【组成】好鹿茸五钱或一两（去皮，切片）　干山药一两（为末）

【用法】上以生薄绢裹，用好酒一瓶，浸七日后，开瓶饮酒，一日三盏为度。酒尽再浸。

【主治】虚弱，阳事不举，面色不明，小便频数，饮食不思。

沉香如意丸

【来源】《普济方》卷二二二。

【组成】沉香　檀香　丁香　木香　全蝎　茴香　青盐各三分　木通　山药　穿山甲（炙）　韭子（酒浸）　莲花蕊　五味子　白茯苓　陈皮　鹿茸（炙）　山茱萸各五钱　小茴香　川楝子（去皮）　葫芦巴　破故纸（羊肠煮）各一两半　巨胜子（炮）　菟丝子（酒浸）　肉苁蓉（酒浸）　知母　远志（酒浸）各一两

【用法】上为细末，酒糊为丸，如梧桐子大。每服二十丸，空心以温酒送下，干物压之。

【功用】补虚壮阳，暖水脏，益精髓。

【主治】脐腹痛，小便滑，房室不举。

保身丹

【来源】《扶寿精方》引《医林集要》。

【组成】白槟榔　车前子　大麻子（略炒）一两（砖微磨去壳，另研）　郁李仁（汤泡去皮）　菟丝子（酒浸二宿，蒸，捣，晒，去皮，再酒蒸）　牛膝（酒浸二宿）　山茱萸（酒洗取肉）　山药各二两　大黄（酒拌，蒸黑色）五两　枳壳　独活各一两

方中白槟榔、车前子用量原缺。

【用法】上为细末，炼蜜为丸，如梧桐子大。每日早、晚服二十丸，米汤、茶、酒任下。药后如泄，以羊肚、肺煮羹补之。

【功用】搜风顺气。

【主治】三十六种风，七十二般气，上热下冷，腰膝酸疼，手足倦怠，喜睡恶食，颜枯肌馁，赤黄疮毒，气块下注，肠风痔漏，语颤言謇，左瘫右痪，憎寒毛竦，久疟吐泻，洞痢，男子阳痿，女人无嗣，七癥八瘕。

【加减】风盛，加防风二两；气盛，加广木香五钱。

登仙膏

【来源】《万氏家抄方》卷四。

【组成】麻油一斤四两　甘草二两　芝麻四两　天门冬（酒浸，去心）　麦门冬（酒浸，去心）　远志（酒浸，去心）　生地（酒洗）　熟地（酒蒸）　牛膝（去芦，酒浸）　蛇床子（酒洗）　虎骨（酥炙）　菟丝子（酒浸）　鹿茸（酥炙）　肉苁蓉（酒洗，去甲膜）　川续断　紫稍花　木鳖子（去壳）　杏仁（去皮尖）　谷精草　官桂（去皮）各三钱　松香八两　倭流黄　雄黄　龙骨　赤石脂各（末）二钱　乳香　没药　木香　母丁香各（末）三钱　蟾酥　麝香　阳起石各二钱　黄占一两

【用法】麻油熬，下诸药：第一下芝麻；第二下甘草；第三下天门冬、麦冬、远志、生地、熟地、牛膝、蛇床子、虎骨、菟丝子、鹿茸、肉苁蓉、川续断、紫稍花、木鳖子、杏仁、谷精草、官桂；第四下松香，槐柳枝不住手搅，滴水不散；第五下倭流黄、雄黄、龙骨、赤石脂（再上火熬一时）；第六下乳香、没药、木香、母丁香（再熬，提锅离火放温）；第七下蟾酥、麝香、阳起石（滴水不散）；第八下黄占。用瓷罐盛之，以蜡封口，入井中浸三日，去火毒，用红绢摊。贴脐上。

【主治】腰痛，下元虚损，五劳七伤，半身不遂，膀胱疝气，下焦冷气，小肠偏坠；二三十年脚腿疼麻，阳事不举，妇人白带、血淋、阴痛，血崩。

十精丸

【来源】《万氏家抄方》卷五。

【组成】枸杞子　甘菊花　菟丝子（酒煮，捣成饼）各二两　山茱萸　天门冬　白茯苓各三两　官桂　淮熟地（用生者，酒蒸九次）四两　肉苁蓉（酒浸一宿）　汉椒（去目）各一两

【用法】上为末，炼蜜为丸，如梧桐子大。每服三十丸，空心盐、酒送下。

【主治】精寒阳痿。

鹿角胶丸

【来源】《万氏家抄方》卷五。

【组成】鹿角十斤（截半寸长，浸七日，用淫羊藿一斤，当归四两，黄蜡二两，如法熬，去滓成胶，角焙燥成霜，听用）　鹿角胶一斤　鹿角霜半斤　天门冬（去心）　麦门冬（去心）　黄柏（盐、酒炒褐色）　知母（酒洗，去毛）　虎胫骨（酥炙）

龟版（水浸，刮去浮壳，酥炙） 枸杞子 山药 肉苁蓉（酒洗，去浮甲白膜） 茯苓（去皮） 山茱萸（净肉） 破故纸（炒） 生地（酒蒸九次） 当归（酒洗）各四两 菟丝子（酒煮，捣成饼，焙干）六两 白芍（酒炒） 牛膝（去芦，酒洗） 杜仲（姜汁炒去丝） 人参（去芦） 白术各三两 五味子 酸枣仁（炒） 远志（甘草汤浸，去骨）各二两 川椒一两（去目，焙去汗）

【用法】上为末，炼蜜为丸，鹿角胶为丸，如梧桐子大。每服一百丸，空心盐汤或酒送下。

【主治】精寒阳痿，无子。

大造丸

【来源】《扶寿精方》。

【别名】河车大造丸（《不居集》上集卷二）。

【组成】紫河车一具（米泔水洗净，新瓦上焙干。用须首生者佳。或云砂锅随水煮干，捣烂） 败龟版（年久者，童便浸三日，酥炙黄）二两 黄柏（去粗皮，盐酒浸，炒褐色）一两五钱 杜仲（酥炙，去丝）一两五钱 牛膝（去苗，酒浸，晒干）一两二钱 怀生地黄二两五钱（肥大沉水者，纳入砂仁末六钱，白茯苓一块重二两，稀绢包，同入银罐内，好酒煮七次，去茯苓不用） 天门冬（去心）一两二钱 麦门冬（去心）一两二钱 人参一两

【用法】上除地黄另用石木舂一日，余共为末，和地黄膏，再加酒米糊为丸，如小豆大。每服八九十丸，空心、临卧盐汤、沸汤、姜汤任下；寒月好酒下。

【主治】

1. 《扶寿精方》：男子阳痿遗精，妇人带下，素无孕育；大病后久不能作声，足痿不任地者。

2. 《医方集解》：虚损劳伤，咳嗽潮热。

【加减】夏月，加五味子七钱；妇人，加当归二两，去龟版；男子遗精，妇人带下，并加牡蛎（煅粉）两半。

【方论】《医方集解》：此手太阴、足少阴药也。河车本血气所生，大补气血为君；败龟版阴气最全，黄柏禀阴气最厚，滋阴补水为臣。杜仲润肾补腰，腰者肾之府；牛膝强筋壮骨，地黄养阴退热，制以茯苓、砂仁，入少阴而益肾精；二冬降火清金，合之人参、五味，能生脉而补肺气。大要以金水为生化之源，合补之以成大造之功也。

【验案】

1. 阳痿、足痿 《本草纲目》引《诸证辨疑》：一人病弱，阳事大萎，服此二料，体貌顿异，连生四子。一人病痿，足不任地者半年，服此后能远行。

2. 补虚益寿 《本草纲目》引《诸证辨疑》：一妇年六十已衰惫，服此寿至九十，犹强健。

紫霞丹

【来源】《扶寿精方》。

【组成】肉苁蓉（酒洗，去甲并内白膜，晒干）七钱 白茯苓（坚白无筋者，去皮） 生地黄（酒浸，蒸，晒）各三钱 鹿茸（慢火酥炙三次，另研） 雄雀脑七个 雌雄乌鸡肝二具（慢火瓦上焙） 雄鸡肾二付（酒沃，慢火炙干，另研）

【用法】上为细末，先将葱白十两，净苎麻叶包裹，外用绵纸三四层，水湿固之，火上煨熟，取起捣烂，合前药末杵千余下，为丸如梧桐子大，晒干。以鸡子十二枚，每头开一小孔，去清黄净，盛丸在内，以纸壳封其孔，另将鸡子四枚同前十二枚作一窝，与一伏鸡抱至四枚小鸡出为度，贮瓷器内，用麝少许，铺器内底，盖固封养七日方服。每服十丸，空心盐酒汤送下，干物压之，久久精自不泄。欲生子，以青黛、甘草、陈壁土调水饮之。

【功用】固阳注颜，益精填髓，起痿延年。

壮阳丹

【来源】《广嗣纪要》卷四。

【组成】熟地黄四两 巴戟（去心） 破故纸（炒）各二两 仙灵脾一两 桑螵蛸（真者，盐焙） 阳起石（煅，别研，水飞）各半两

【用法】上六味，合阴之数，研末，炼蜜为丸，如梧桐子大。每服三十丸，空心温酒送下。

【主治】男子阴萎无子。

【宜忌】不可恃此自恣也。

螽斯丸

【来源】《广嗣纪要》卷四。

【组成】当归　牛膝　续断　巴戟　苁蓉　杜仲（姜汁炒）　菟丝（酒蒸）　枸杞子　山萸肉　芡实　山药　柏子仁各一两　熟地黄二两　益智（去壳）　破故纸（黑麻油炒）　五味子各半两

【用法】上各为末，炼蜜为丸，如梧桐子大。每服五十丸，空心、食前酒送下。

【主治】阴痿不起，其精易泄者。

固精益肾暖脐膏

【来源】《摄生秘剖》卷四。

【组成】韭菜子一两　蛇床子一两　大附子一两　肉桂一两　川椒三两　真麻油二斤　抚丹（飞净者）十二两　倭硫黄一两（研）　母丁香一钱（研）　麝香三钱（研）　独蒜一枚（捣烂）

【用法】将上药前五味用香油浸半月，入锅内熬至枯黑，滤去滓，入丹再熬，滴水成珠，捻软硬得中即成膏矣。每用大红缎摊如酒杯口大，将倭硫、丁、麝末以蒜捣烂为丸，如豌豆大，安于膏药内贴之。

【主治】男子精寒，阳事痿弱，举而不坚，坚而不久，白浊遗精；妇人禀受气弱，胎脏虚损，子宫冷惫，血寒痼冷，难成子息，带下崩漏等症。

五子衍宗丸

【来源】《摄生众妙方》卷十一。

【组成】甘州枸杞子八两　菟丝子八两（酒蒸，捣饼）　辽五味子二两（研碎）　覆盆子四两（酒洗，去目）　车前子二两（扬净）

【用法】上各药俱择道地精新者，焙、晒干，共为细末，炼蜜为丸，如梧桐子大。每服空心九十丸，上床时五十丸，白沸汤或盐汤送下，冬月用温酒送下。修合日，春取丙丁巳午，夏取戊己辰戌丑未，秋取壬癸亥子，冬取甲乙寅卯。

【功用】男服此药，填精补髓，疏利肾气，种子。

【主治】《中国药典》：肾虚腰痛，尿后余沥，遗精早泄，阳痿不育。

【实验】

1. 能提高雄性小鼠的生育能力　《中药药理与临床》（1992，3：4）：实验表明：五子衍宗丸灌胃能提高未成年雄性大鼠的血清睾酮含量、精子数及精子活力，能使去势大鼠包皮腺及附性器官（前列腺和精囊）重量增加，能增加棉籽油负大鼠的精子数及精子活力，能提高雄性小鼠的生育能力。

2. 性激素样效果　《上海中医杂志》（1992，7：26）：实验表明：五子衍宗丸有类似性激素和促性腺激素的效果，能使睾丸组织曲细精管间质细胞得到改善和恢复，增强了生精和分泌激素能力，促进造精，使曲细精管腔内成熟精子明显增多。

3. 降糖作用　《新中医》（1992，11：52）：实验表明：五子衍宗丸对糖尿病大鼠有较好的降糖作用，对糖尿病伴有高脂血症大鼠有显著的降脂效果，能加速大鼠肝糖原的合成，对糖尿病大鼠的多尿、多饮、多食和体重减轻，似有缓解趋势，其降糖作用与优降糖相类似。

4. 抗衰老及促进学习记忆　《中医杂志》（1993，6：347）：实验表明：五子衍宗液可以显著改善老年男性肾虚病人脑功能，提高其瞬时记忆及逻辑故事分节记忆，延长单腿闭目直立时间，减轻手颤及肾虚程度。

5. 长期毒性研究　《湖南中医药导报》（2001，6：333）：应用成药五子衍宗丸不同剂量灌服大鼠，观察动物的一般情况、血常规及肝肾功能等。结果：各项指标均未见明显异常改变，表明五子衍宗丸临床应用是安全的。

6. 补肾益精作用　《中医研究》（2003，5：19）：实验显示：五子衍宗浓缩丸能明显缩短大鼠阴茎勃起的潜伏期，延长勃起持续时间，增加包皮腺、精液囊－前列腺及提肛肌的重量，增加小鼠精子数目，提高精子活动能力及血清睾酮含量，且呈一定的量效关系。提示五子衍宗浓缩丸有明显的补肾益精作用，并在一定程度上优于原剂型水蜜丸。

【验案】复发性口腔溃疡　《河北中医》（1999，4：227）：应用五子衍宗丸治疗复发性口腔溃疡50例，结果：治愈38例，占76%；有效8例，占16%；无效4例，占8%。总有效率92%。

全鹿丸

【来源】《古今医统大全》卷四十八。

【别名】百补全鹿丸（《饲鹤亭集方》）、大补全鹿丸（《全国中药成药处方集》杭州方）。

【组成】中鹿一只（不拘牝牡，缚死，去毛，肚杂洗净；鹿肉煮熟，横切片，焙干为末；取皮同杂入原汤煮膏，和药末为丸；骨用酥炙，为末，和肉末、药末一处，和膏捣；不成丸，加炼蜜） 人参 黄耆 白术 茯苓 当归 川芎 生地黄 熟地黄 天门冬 麦门冬 陈皮 炙甘草 破故纸 川续断 杜仲 川牛膝 枸杞子 巴戟天 胡芦巴 干山药 芡实子 菟丝子 五味子 覆盆子 楮实子 锁阳 肉苁蓉 秋石各一斤 川椒 小茴香 青盐 沉香各半斤

【用法】上各精制为末，称分两和匀一处，候鹿制膏成，就和为丸，梧桐子大，焙干；用生黄绢作小袋五十条，每条约盛一斤，悬置透风处。用尽一袋，又取一袋。霉伏天须要火烘一二次为妙。每服八九十丸，空心临卧时，姜汤、盐汤、沸汤任下，冬月温酒送下。

【功用】

1.《鲁府禁方》：还精填髓，补益元阳，滋生血脉，壮健脾胃，安五脏，和六脉，添智慧，驻容颜。

2.《中国医学大辞典》：通脉和血，利节健步，壮阳种子，延年益寿。

【主治】

1.《古今医统大全》：诸虚百损，五劳七伤。

2.《中国医学大辞典》：头眩耳聋，脊背瘦软，瘕疝腹痛，精寒阳痿，肌肤甲错，筋挛骨痿，步履艰难，妇女虚羸痨瘵，骨蒸发热，阴寒腹痛，崩漏经阻，赤白带下，大肠脱肛。

【宜忌】

1.《时方歌括》：肥厚痰多之人，内蕴湿热者，若服此丸，即犯膏粱无厌，发痈疽之戒也。

2.《全国中药成药处方集》：体实而发炎者忌服。风寒感冒忌服。忌生冷食物。

雀卵菟丝丸

【来源】《古今医统大全》卷四十八。

【别名】雀卵丸（《医学入门》卷七）、雀卵菟丝子丸（《墨宝斋集验方》卷上）。

【组成】菟丝子二斤（重汤酒煮三日夜干，用石臼拌捣为泥块作饼子，炕干，为细末，酒糊为丸，作饼子晒干） 雀卵一百枚（去黄，用白和菟丝净末一斤）

【用法】上药炼蜜为丸，如梧桐子大。空心酒送下七十丸。久服有益无损。

【功用】助阳固精。

端效丸

【来源】《古今医统大全》卷八十四。

【组成】菟丝子（酒制） 枸杞子 破故纸（酒洗，微炒） 韭子（炒） 茴香（盐炒） 川山甲（炮） 金墨（烧烟尽） 远志（去心） 连花蕊 红花 莲肉（去皮心） 母丁香 芡实子 牛膝（酒洗） 木香各一两 巴戟（酒洗，去心） 益智仁 川楝肉 青盐 沉香各五钱

【用法】上为末，酒糊为丸，如梧桐子大。每服五十丸，空心酒送下；不饮酒者，盐汤送下，食干物压之。

【功用】壮阳益气，补髓添精。

【主治】元气不足，肾虚阳脱，易萎易泄，尺脉俱微。

加减内固丸

【来源】《医学入门》卷七。

【组成】石斛 胡芦巴各二两 巴戟 苁蓉 山茱萸 菟丝子各三两 故纸二两半 小茴一两 附子五钱

《杂病源流犀烛》有山药三两。

【用法】上为末，炼蜜为丸，如梧桐子大。每服五十丸，空心温酒、盐汤任下。

【主治】命门火衰，肾寒阴痿，元阳虚惫，阴沉于下，阳浮于上，水火不能既济。

壮阳丹

【来源】《医学入门》卷七。

【组成】仙茅 蛇床子 五味子 白茯苓 苁蓉

山药　杜仲各一两　韭子　故纸　巴戟　熟地　山茱萸　菟丝子各二两　海狗肾一枚　紫梢花一两

【用法】用雄鸡肝二副，捣成一块，阴干，为末；用雄鸡肝肾、雄鳖肝肾各一副，以盐、酒、花椒末蒸熟捣烂，和入前药，再用酒煮山药糊为丸，如梧桐子大。每服百丸，空心以盐汤送下。

【功用】壮阳补肾。

【加减】阳痿精冷者，加桂、附、石燕。

腽肭补天丸

【来源】《医学入门》卷七。

【组成】腽肭脐　人参　白茯苓（姜汁煮）　当归　川芎　枸杞　小茴香各一两半　白术二两半　粉草（蜜炙）　木香　茯神各一两　白芍　黄耆　熟地黄　杜仲　牛膝　故纸　川楝　远志各二两　胡桃肉三两　沉香五钱

【用法】上为末，用制腽肭酒煮面糊为丸，如梧桐子大。每服六十丸，空心盐酒送下。

【主治】男妇亡阳失阴，诸虚百损，阴痿遗精，健忘白带，子宫虚冷。

【加减】男，加知、柏；女，加附子。

苁蓉散

【来源】《医学入门》卷八。

【组成】肉苁蓉　白术　巴戟　麦门冬　茯苓　甘草　牛膝　五味子　杜仲各八钱　车前子　干姜各五钱　生地半斤

【用法】上为末。每服二钱，食前酒调下，一日三次。

【主治】肾气虚寒阴痿，腰脊痛，身重胫弱，言音混浊，阳气顿绝。

仙茅酒

【来源】《本草纲目》卷二十五。

【组成】仙茅（九蒸九晒）

【用法】浸酒饮。

【主治】精气虚寒，阳痿膝弱，腰痛痹缓，诸虚之病。

麻雀粥

【来源】方出《本草纲目》卷四十八引《食治方》，名见《长寿药粥谱》。

【组成】雀儿五只（如常治）　粟米一合　葱白三茎

【用法】先炒雀熟，入酒一合，煮少时，入水二盏半，下葱、米，作粥食。

【功用】

1.《本草纲目》：补益老人。

2.《长寿药粥谱》：壮阳暖肾益精。

【主治】

1.《本草纲目》引《食治方》：老人脏腑虚损羸瘦，阳气乏弱。

2.《长寿药粥谱》：中老年人阳虚羸弱，阳痿，肾虚多尿，腰酸怕冷等证。

壮阳丹

【来源】《赤水玄珠全集》卷十。

【组成】肉苁蓉（酒浸一宿）　五味子　蛇床子　远志　莲蕊　菟丝子（酒浸一宿，蒸半日，捣烂晒，另研为末）　益智仁各一两　山药二两　沉香五钱

【用法】上为细末，炼蜜为丸，如梧桐子大。每服五十丸，空心以温酒送下。宜二三日用一服；或与固精丸间服。

【功用】强壮阳道，固暖精血。

加味六子丸

【来源】《仁术便览》卷三。

【组成】菟丝子（酒煮）一两五钱　五味子五钱　枸杞（甘州产）二两　车前子二两　白蒺藜（炒去刺）二两　黄耆（蜜炒）一两　覆盆子一两五钱　破故纸（青盐炒）二两　麦冬（去心）二两　苁蓉（酒洗，去甲）二两三钱　大甘草五钱　牛膝（去苗）二两　山茱萸（去核）一两　杜仲（炒去丝）一两五钱　熟地黄（酒洗）一两　牡蛎（盐泥固煅）一两

【用法】上为细末，捣饭为丸，如梧桐子大。空心盐汤送下，午间、临卧温酒送下。

【主治】男子阳痿，及妇人久不孕育。

【加减】夏，加黄柏（炒）二两；冬，加干姜（炒）五钱。

秃鸡丸

【来源】《仁术便览》卷三。

【组成】菟丝子（酒煮）一两　蛇床子（酒洗）二两　五味子一两　肉苁蓉（酒浸，焙）二两　莲蕊（金色者）二两　山药（酒浸，焙）二两　远志（甘草水浸，去心）一两　真沉香五钱　广木香五钱　益智仁一两

【用法】上为末，炼蜜为丸，如梧桐子大。每服三十丸，空心盐汤送下，以干物压之。

【功用】男子补精壮阳。

草灵丹

【来源】《仁术便览》卷三。

【组成】茴香三两　川椒（去目）四两　甘草二两　熟地二两　山药二两　川乌一两　枸杞子一两半　苍术一两

【用法】上炼蜜为丸，如梧桐子大。每服五十丸，空心盐汤送下，干物压。

【主治】中年后阴痿，腰膝痿痹，不能运用。

壮精固本丸

【来源】《医学六要·治法汇》卷六。

【组成】枸杞子二两　地黄四两　砂仁五钱（酒蒸九次）　锁阳　人参各二两　白茯苓一两半　菟丝子二两　沙苑蒺藜二两　归身一两　鹿角胶一两半　天门冬　麦门冬各一两　山药二两　五味子一两半　山茱萸二两　泽泻一两半

【用法】上为末，炼蜜为丸，如梧桐子大。每服一百丸，空心以白汤送下。

【功用】《医部全录》：填精起痿。

【主治】阳痿。

九仙灵应散

【来源】《万病回春》卷四。

【别名】九品扶阳散（《妙一斋医学正印种子篇》卷上）。

【组成】黑附子　蛇床子　紫梢花　远志　菖蒲　海漂蛸　木鳖子　丁香各二钱　潮脑一钱五分

【用法】上为末。每用五钱，水三碗，煎至一碗半，温洗阴囊并湿处，日洗二次。留水温洗，多洗更好。

【主治】男子阴湿，阳痿。

仙茅酒

【来源】《万病回春》卷四。

【组成】仙茅（出四川，用米泔水浸去赤水尽，日晒）　淫羊霍（洗尽）四两　南五加皮四两（酒洗净）

【用法】上锉，用黄绢袋盛，悬入无灰酒一中坛内，三七日后取。早、晚饮一二杯。

【主治】男子虚损，阳痿不举。

益寿比天膏

【来源】《万病回春》卷四。

【组成】附子（去皮脐）　牛膝（去芦）　虎胫骨（酥炙）　蛇床子　菟丝子　川续断　远志肉　肉苁蓉　天门冬（去心）　麦门冬（去心）　杏仁　生地　熟地　官桂　川楝子（去核）　山茱萸（去核）　巴戟（去心）　破故纸　杜仲（去皮）　木鳖子（去壳）　肉豆蔻　紫梢花　谷精草　川山甲　大麻子（去壳）　鹿茸各一两　甘草二两（净末，看众药蕉枯方下）　桑槐　柳枝各七寸

【用法】上锉细。用真香油一斤四两浸一昼夜，慢火熬至黑色；用飞过好黄丹八两，黄香四两入内，柳棍搅不住手；再下雄黄、倭硫、龙骨、赤石脂各二两，将铜匙挑药滴水成珠，不散为度；又下母丁香、沉香、木香、乳香、没药、阳起石、煅蟾酥、哑芙蓉各二钱，麝香一钱为末，共搅入内；又下黄蜡五钱。将膏贮瓷罐内，封口严密，入水中浸五日去火毒，每一个贴六十日方换。

【功用】添精补髓，保固真精；善助元阳，滋润皮肤，壮筋骨，理腰膝，通二十四道血脉，坚固身体，返老还童。

【主治】下元虚冷，五劳七伤，半身不遂，或下部虚冷，膀胱病症，脚膝痠麻，阳事不举。赤白带

下，沙淋血崩，疮疖。

回阳无价至宝丹

【来源】《遵生八笺》（纭玄雪居本）卷十七。
【别名】壮阳无价至宝丹（原书巴蜀本）。
【组成】川楝子（取肉）　乌药各二两　川牛膝　熟地黄　蛇床子　茯神　穿山甲　肉苁蓉　巴戟　五味子　人参　泽泻　大茴香　槟榔各一两　乳香三钱　沉檀香各五钱　凤眼草二钱　鹿茸　仙灵脾　甘草　破故纸　菟丝子　葫芦巴　莲心各五钱
【用法】上为细末，炼蜜为丸，如梧桐子大。每服三十丸，空心以好酒送下。
【主治】五劳七伤，四肢无力，下元虚冷，夜梦遗精，阳痿。

蒸脐秘妙方

【来源】《遵生八笺》卷十八。
【组成】麝香五钱　丁香三钱　青盐四钱　乳香三钱　木香三钱　雄黄三钱　五灵脂五钱　小茴香五钱　没药　虎骨　蛇骨　龙骨　朱砂各五钱　人参　大附子　胡椒各七钱　白附子五钱　夜明砂五钱
【用法】上为末，听用。每用看人脐孔深浅先将麝香填一二厘入脐中，次将药填实，上用荞麦面和匀作箍，照脐眼大小圈转按实在脐四围，再将药填其中令铺着实，次用银簪脚插脐中药上数孔，次盖槐皮一片如钱大，皮上以蕲艾壮灸烧至一百二十壮，如汗不出，再灸，灸后保养月余。一年蒸脐四次。
【功用】除百病。
【主治】久嗽久喘，吐血寒劳，遗精白浊，阳事不起，下元冷弱，久无子嗣，以及妇人赤白带下，并治痰火等疾。
【宜忌】灸后不见风寒、油腻、生冷一月。
【加减】妇人不用麝香。

乌须大补丹

【来源】《鲁府禁方》卷二。
【组成】何首乌一斤（铜刀切碎，黑豆三升，水泡，入甑内，与首乌层层铺盖，蒸一炷香尽，取出晒干，如此三次，听用）　熟地　牛膝　故纸　当归　萆薢　苁蓉各二两　琐阳　覆盆子　桑椹子　柏子仁　酸枣仁　没石子　川椒　小茴香　茯苓各一两　巴戟　百药煎　槐角子各五钱　青盐　甘草各三钱
【用法】上为末，石臼内不犯铁器，蜂蜜一碗，头生儿乳汁一碗，二味和匀，铜镟盛之，重汤煮三炷香，取出冷定，和药捣千下，不可间断一时。至二十日，须发从根发黑。
【功用】乌须发，壮阳事。
【宜忌】忌猪、羊、萝卜、豆腐。

秃鸡丸

【来源】《鲁府禁方》卷三。
【组成】肉苁蓉（酒洗）一两　远志（去心）一两　甘草（水泡）　蛇床子一两（盐、酒炒）　山药一两　木香一两　菟丝子（酒制）三两　细辛一两　五味子一两　莲蕊一两　沉香一两　益智仁一两半（炒）　木鳖一双（去壳）

方中甘草用量原缺。
【用法】上为细末，炼蜜为丸，如梧桐子大。每服五十丸，空心温酒送下。
【功用】大壮阳道。
【主治】男子阳道痿软，久无子息。
【宜忌】无妻不可服。

葆真丸

【来源】《证治准绳·女科》卷四。
【组成】鹿角胶半斤（锉作豆大，就用鹿角霜拌炒成珠，研细）　杜仲（去粗皮，切碎，用生姜汁一两同蜜少许拌炒断丝）三两　干山药　白茯苓（去粗皮，人乳拌，晒干，凡五七次）　熟地黄各二两　菟丝子（酒蒸，捣，焙）　山茱萸肉各一两半　北五味子　川牛膝（去芦，酒蒸）　益智仁（去壳）　远志（泔煮，去骨）　小茴香（青盐三钱同炒）　川楝子（去皮核，取净肉，酥炙）　川巴戟（酒浸，去心）各一两　破故纸　胡芦巴（同故纸入羊肠内煮，焙干）各一两　柏子仁（去壳，

另研如泥）半两　川山甲（酥炙）　沉香各三钱　全蝎（去毒）一钱半

【用法】上为极细末，以好嫩肉苁蓉四两（酒洗净，去鳞甲、皮垢，开心，如有黄白膜亦去之，取净二两），好酒煮成膏，同炼蜜和药末，捣千余下，为丸如梧桐子大。每服五十丸，淡秋石汤、温酒任下，以干物压之。渐加至百丸。服七日，四肢光泽，唇脸赤色，手足温和，面目滋润。

【功用】补十二经络，起阴发阳，能令阳气入胸，安魂定魄，开三焦积聚，消五谷进食，强阴益子精，安五脏，除心中伏热，强筋骨，轻身明目，去冷除风。

【主治】九丑之疾。茎弱而不振，振而不丰，丰而不循，循而不实，实而不坚，坚而不久，久而无精，精而无子，及治五劳七伤，无于嗣者。

启阳固精丸

【来源】《墨宝斋集验方》卷上。

【组成】人参一两　大附子一枚（甘草水浸，夏半日，冬一日。更以甘草水拌面裹煨熟，去皮脐，切片，烘干）　川芎一两　菟丝子八两（酒煮，捣为饼）　破故纸四两（炒）　官桂二两（去皮）　山药四两（炒）　小茴香四两（炒）　巴戟天二两（去心）　锁阳二两（火烘）　杜仲三两（姜汁炒）　黄耆二两（酒炒，去头）

【用法】上为末，炼蜜为丸，如梧桐子大。每服一百丸，空心酒送下。

【功用】启阳固精。

【主治】《医学启蒙》：耗伤劳神太过，心肾不交，阳痿不固不举。

固精煮酒

【来源】《墨宝斋集验方》卷上。

【别名】固精酒（《惠直堂方》卷一）。

【组成】甘枸杞四两　川归二两（酒洗净）　怀地黄六两

【用法】上锉，以绢袋盛。入坛内，用好头生酒五六大壶，煮二炷香为度。取起出火性，七日后饮之。每日空心及将晚时饮三五杯。不可多饮。

【功用】助阳坚举，久服多子。

滋阴百补固精治病膏

【来源】《墨宝斋集验方》卷上。

【组成】香油一斤四两　苍耳草一两　谷精草五钱　天门冬　麦门冬　蛇床子　远志（去心）　菟丝子　生地黄　熟地黄　牛膝（去芦）　肉豆蔻　虎骨　续断　鹿茸　紫梢花各一两　木鳖子（去壳）　肉苁蓉　官桂　大附子各六钱　黄丹八两　柏油二两　硫黄　赤石脂（煅）　龙骨（煅）　木香各二钱　阳起石四钱　乳香　没药　丁香　沉香各四钱　麝香一钱　黄蜡六钱

【用法】先将苍耳草入香油中熬数滚，再下谷精草以后之十四味药，熬得药黑色，又下木鳖子等四味药，少熬，待药俱焦黑枯，滤去药，将油又熬滚，方下黄丹、柏油二味，用槐条不住手搅，滴水成珠，方将硫黄以后十味药为细末投入，搅匀，又下黄蜡，倾在罐内，封固好，井水中浸七日，每个膏药用红缎一方，药三钱，贴在脐上，再用两个贴在两腰眼，只用一钱一个。男子贴在丹田脐下，妇人贴在脐上下。

【主治】男子精冷寒，阳不举，梦泄遗精，小肠疝气；女人血崩，赤白带下，经水不调，脏寒。

固阳丹

【来源】《杏苑生春》卷五。

【组成】远志　蛇床子（酒浸，微炒）　鹿茸各一钱五分　晚蚕蛾二钱　紫梢花　续断各一钱　海马二对　黑丑（头末）三钱　麝香二钱五分　穿山甲五片　木香　乳香各二钱五分　川茴香三钱

【用法】上为末，酒煮面糊为丸，如梧桐子大。每服五十丸，空心酒送下。

【主治】肾经虚惫，精液衰少，不能上济心火，火亦不能下养，以致阳事不举。

八仙长寿丸

【来源】《寿世保元》卷四。

【组成】大怀生地黄（酒拌，入砂锅内蒸一日黑，掐断，慢火焙干）八两　山茱萸（酒拌蒸，去核）四两　白茯神（去皮木筋膜）　牡丹皮（去骨）各三两　辽五味子（去梗）二两　麦门冬（水润，

去心）二两　干山药　益智仁（去壳，盐水炒）各二两

【用法】上为细末，炼蜜为丸，如梧桐子大。空心温酒调下；或炒盐汤调服；夏、秋滚汤调服。

【主治】年高之人阴虚，筋骨柔弱无力，面无光泽或暗淡，食少痰多，或喘或咳，或便溺数涩，阳痿，足膝无力；肾气久虚，形体瘦弱无力，憔悴盗汗，发热作渴；虚火牙齿痛浮、耳聩及肾虚耳鸣。

【宜忌】忌铁器。

【加减】腰痛，加木瓜、续断、鹿茸、当归；消渴，加五味子、麦门冬各二两；老人下元冷，胞转不得小便，膨急切痛，四五日困笃欲死者，用泽泻，去益智；诸淋沥，数起不通，倍茯苓，用泽泻，去益智；夜多小便，加益智一两，减茯苓一半。治耳聩及肾虚耳鸣，另用全蝎四十九枚，炒微黄色，为末，每服三钱，酒调送下，早晨空心服。

无价宝膏

【来源】《疡科选粹》卷八。

【组成】甘草一两　远志　牛膝（去芦）　肉苁蓉（去鳞）　虎骨（酥炙）　川续断（去芦）　蛇床子（拣净）　鹿茸（酥炙）　天门冬（去心）　生地黄　熟地黄　肉豆蔻（面煨）　川楝子（炒黑色）　麦门冬（去心）　紫梢花　木鳖子（去壳）　杏仁（去皮尖）　官桂（去皮）　大附子（去皮）　谷精草各五钱　菟丝子　金墨鸦鸽油各五钱

【用法】上药用真香油一斤四两煎至黑色，去滓再煎至滴水成珠为度；下飞过黄丹八两，用柳条不住手频搅，不散为度；再下雄黄、龙骨、硫黄、赤石脂，再熬一次；又下乳香、没药、麝香、木香、阿芙蓉、海马二对、石燕子二对、沉香三钱、阳起石、蟾酥、丁香各二钱，上为细末，方入膏内，搅匀出火，入瓷器盛之。或緞皮摊贴，小腹用三个，五日一换，共九日。时常饮酒，引谷道肾经气通，再用钱大一个贴脐。

雄黄、龙骨、硫黄、赤石脂、乳香、没药、麝香、木香、阿芙蓉等药用量原缺。

【功用】补助真阳，返老还童。

【主治】高年阳痿。

通真延龄丹

【来源】《先醒斋医学广笔记》卷二。

【别名】通真延龄种子丹、腽肭脐丸（《妙一斋医学正印种子篇》卷上）。

【组成】五味子三斤　山茱萸二斤　菟丝子二斤　砂仁一斤　车前子一斤　巴戟天一斤　甘菊花二斤　枸杞子三斤　生地黄三斤　熟地黄三斤　狗肾四斤　怀山药二斤　天门冬一斤　麦门冬三斤　柏子仁二斤　鹿角霜二斤　鹿角胶四斤　人参二斤　黄柏一斤半　杜仲一斤半　肉苁蓉三斤　覆盆子一斤　没食子一斤　紫河车十具　何首乌四斤　牛膝三斤　补骨脂一斤　胡桃肉二斤　鹿茸一斤　沙苑蒺藜四斤（二斤炒磨，二斤磨粉打糊）

方中狗肾，《妙一斋医学正印种子篇》用海狗内、外肾各一副。如无即本地黑狗或黄狗内、外肾各一副酥制。

【用法】上为末，同柏子仁、胡桃肉泥、蒺藜糊、酒化鹿角胶炼蜜为丸，如梧桐子大。每服五钱，空心、饥时各一服，龙眼汤吞下。

《妙一斋医学正印种子篇》：龙眼汤、淡盐汤、寒天好酒任下。

【主治】《妙一斋医学正印种子篇》：阳痿无火。

【宜忌】有火者不可服。

一炁丹

【来源】《景岳全书》卷五十一。

【组成】人参　制附子各等分

【用法】炼蜜为丸，如绿豆大。每用滚白汤送下三五分或一钱。

【主治】脾肾虚寒，不时易泻，腹痛，阳痿，怯寒。

【方论】此即参附汤之变方也。

大营煎

【来源】《景岳全书》卷五十一。

【别名】大荣煎（《会约医镜》卷十四）。

【组成】当归二三钱（或五钱）　熟地三五七钱　枸杞二钱　炙甘草一二钱　杜仲二钱　牛膝一钱半　肉桂一二钱

【用法】水二钟，煎七分，食远温服。

【主治】

1.《景岳全书》：真阴精血亏损，及妇人经迟血少，腰膝筋骨疼痛；或气血虚寒，心腹疼痛等证。

2.《通俗内科学》：阴萎。

【加减】如寒滞在经，气血不能流通，筋骨疼痛之甚者，必加制附子一二钱；如带浊腹痛者，加故纸一钱（炒用）；如气虚者，加人参、白术；中气虚寒呕恶者，加炒焦干姜一二钱。

右归丸

【来源】《景岳全书》卷五十一。

【组成】大怀熟地八两　山药（炒）四两　山茱萸（微炒）三两　枸杞（微炒）四两　鹿角胶（炒珠）四两　菟丝子（制）四两　杜仲（姜汤炒）四两　当归三两（便溏勿用）　肉桂二两（渐可加至四两）　制附子二两（渐可加至五六两）

【用法】上先将熟地蒸烂杵膏，加炼蜜为丸，如梧桐子大。每服百余丸，食前用滚汤或淡盐汤送下。或丸如弹子大，每嚼服二三丸，以滚白汤送下。

【功用】

1.《景岳全书》：益火之原，以培右肾之元阳。

2.《方剂学》：温补肾阳，填精止遗。

【主治】

1.《景岳全书》：元阳不足，或先天禀衰，或劳伤过度，以致命门火衰不能生土，而为脾胃虚寒，饮食少进；或呕恶膨胀；或翻胃噎膈；或怯寒畏冷；或脐腹多痛；或大便不实，泻痢频作；或小水自遗，虚淋寒疝；或寒侵溪谷，而肢节痹痛；或寒在下焦而水邪浮肿。总之，真阳不足者，必神疲气怯，或心跳不宁，或四肢不收，或眼见邪祟，或阳衰无子等症。

2.《会约医镜》：阳亏精滑，阳痿精冷。

【加减】如阳衰气虚，必加人参以为之主，或二三两，或五六两，随人虚实以为增减；如阳虚精滑，或带浊便溏，加补骨脂（酒炒）三两；如飧泄肾泄不止，加北五味子三两，肉豆蔻三两（面炒，去油用）；如饮食减少，或不易化，或呕恶吞酸，皆脾胃虚寒之证，加干姜三四两（炒黄用）；如腹痛不止，加吴茱萸二两（汤泡半日，炒用）；如腰膝酸痛，加胡桃肉（连皮）四两；如阴虚阳痿，加巴戟肉四两，肉苁蓉三两，或加黄狗外肾一二付，以酒煮烂捣入之。

【方论】

1.《医略六书·杂病证治》：肾脏阳衰，火反发越于上，遂成上热下寒之证，故宜引火归原法。熟地补肾脏，萸肉涩精气，山药补脾，当归补血，杜仲强腰膝，菟丝补肾脏，鹿角胶温补精血以壮阳，枸杞子甘滋精髓以填肾也。附子、肉桂补火回阳，专以引火归原，而虚阳无不敛藏于肾命，安有阳衰火发之患哉？此补肾回阳之剂，为阳虚火发之专方。

2.《医学举要》：仲景肾气丸，意在水中补火，故以群队阴药中加桂、附。而景岳右归峻补真阳，方中惟肉桂、附子、熟地、山药、山茱与肾气丸同，而亦减去丹皮之辛，泽泻、茯苓之淡渗。枸杞、菟丝、鹿胶三味，与左归丸同；去龟胶、牛膝之阴柔，加杜仲、当归温润之品，补右肾之元阳，即以培脾胃之生气也。

3.《成方切用》：治元阳不足，或先天禀衰，或劳伤过度，以致命门火衰不能生土。而为脾胃虚寒，饮食少进，或呕恶膨胀，或反胃噎膈，或欲寒畏冷，或脐腹疼痛，或大便不实，泻痢频作，或小便自遗。虚淋寒疝，或寒侵溪谷，而肢节痛痹。或寒在下焦，而水邪浮肿。总之真阳不足者，必神疲气怯。或心跳不宁，或四肢不收，或眼见邪祟，或阳衰无子等证。速宜益火之原，以培右肾之元阳，而神气自强矣。八味丸治之不愈者，宜服此，或用右归饮。

4.《方剂学》：本方立法，宜益火之原，以培右肾之元阳。培补肾中元阳，必须阴中求阳，即在培补肾阳中配伍滋阴填精之品，方可具有培补元阳之效。方中桂、附加血肉有情的鹿角胶，均属温补肾阳，填精补髓之类；熟地、山茱萸、山药、菟丝子、枸杞、杜仲，俱为滋阴益肾，养肝补脾而设；更加当归补血养肝。诸药配伍，共具温阳益肾，填精补血，以收培补肾中元阳之效。

【实验】

1. 对肾阳虚小鼠模型肝细胞亚微结构的影响《上海中医药杂志》（1983，11：47）：实验结果提示，大剂量醋酸氢化考的松使小白鼠肝细胞的亚微结构发生显著变化，以右归丸进行实验性治疗后，肝细胞亚微结构接近正常。

2. 对甲减大鼠胸腺胞浆雌二醇受体的作用 《上海中医学院 上海市中医药研究院学报》（1987，1：55）：用他巴唑造成甲减大鼠模型，观察补肾阳方剂右归丸对甲减大鼠胸腺重量、血清雌二醇（E_2）含量及胸腺胞浆 E_2 受体的影响。结果表明，右归丸明显增高甲减动物胸腺重/体重比值（$P<0.05$）及血清 E_2 含量（$P<0.01$），并减少胸腺胞浆 E_2 受体数量。推测其作用机制可能是通过促进下丘脑－垂体－性腺轴的功能；提高甲状腺功能，改善对 E_2 外周代谢的影响或直接作用于胸腺增强功能。

3. 对肾阳虚大鼠中脑中央灰质单位放电的影响 《陕西中医》（1993，11：521）：实验观察本方对肾阳虚大鼠中脑中央灰质（CG）单位自发放电的影响，结果表明，肾阳虚大鼠 CG 极电频率显著提高，而对刺激的反应性降低，用右归丸治疗后，CG 自发放电频率及其对刺激的反应均有恢复趋势。显示右归丸对肾阳虚大鼠脑内儿茶酚胺、性激素和促性腺激素释放激素及内源性阿片肽类的含量和活性具有特异性调节作用。

4. 对小鼠免疫功能的影响 《山东中医药大学学报》（1996，1：43）：刘氏等观察了本方对小鼠免疫功能的影响，结果发现：本方能使正常和免疫抑制小鼠腹腔巨噬细胞吞噬功能、淋巴细胞酸性非特异性酯酶阳性率和血清溶血素半数溶血值显著提高，拮抗氢化考的松所致的小鼠胸腺萎缩，并使红细胞 C3b 受体花环率呈升高趋势，表明右归饮对免疫功能有促进作用。

5. 肾功能保护作用 《中国中西医结合急救杂志》（2006，3：139）：实验观察右归饮对慢性肾衰竭（肾衰）肾阳虚大鼠保护作用的机制，结果显示：右归饮对慢性肾衰大鼠模型有显著的保护作用。

6. 改善甲状腺功能 《中医杂志》（2006，9：698）：实验表明：右归丸能上调甲减大鼠骨骼肌葡萄糖转运蛋白 4 表达水平，促进骨骼肌对葡萄糖的转运，从而改善骨骼肌细胞的能量代谢，这可能是该方能有效治疗甲状腺功能减退症的作用机理之一。

【验案】

1. 白细胞减少症 《河南中医》（1984，2：34）：殷某某：男，50 岁。病人主诉头昏失眠，全身乏力已十年，多次查白细胞均在 4000/mm^3 以下。现症：形体消瘦，面色萎黄，头昏目涩，口干不喜饮，纳谷不馨，食后脘胀，大便时溏，夜寐不实，舌淡，苔薄白，脉沉细，查血白细胞 2500/mm^3。始用归脾汤治疗，腹胀便溏好转，但仍诉头昏乏力，转以肾命火衰，精血不足论治，转方拟右归丸改汤剂煎服，处方：熟地黄 20 克，菟丝子 10 克，怀山药 10 克，枸杞子 10 克，山萸肉 10 克，仙灵脾 10 克，全当归 12 克，鹿角胶（烊冲）6 克，上肉桂 4 克，熟附片 3 克，杜仲 12 克。七付药后，全身感到较前有力，头昏耳鸣减轻，夜寐亦安。惟感口干，时值长夏，故去附子，余药续服，十五剂药以后，二次复查白细胞，先后为 3700/mm^3，4400/mm^3。临床症状逐渐改善而出院。

2. 遗传性小脑型共济失调 《上海中医药杂志》（1984，2：35）：续某某，女，20 岁，患小脑共济失调症已四年，近数月来病情加重。步履蹒跚，左右摇晃，头昏耳鸣，记忆减退，形寒肢冷，腰膝无力，苔薄舌质偏淡，边有齿印，脉细，两尺沉而无力。治以温肾补督，益精养髓，拟景岳右归丸加减：淡附片 6 克，上肉桂 4 克，鹿角霜、杜仲、淮山药、怀牛膝、全当归各 9 克，菟丝子、龟甲、杞子、熟地、制首乌各 12 克，服药二十剂后，病人自觉精神好转，足膝步履较前有力，亦较稳健，惟头晕未已，口渴欲饮，苔薄脉细。前方得手，再加生地 12 克，服药五十剂后病情显著好转。在家人扶持下，每日在病区走廊内行走 90 余圈，每圈约 50 米。单独行走时，步履较前稳健。现随访治疗五个月余，病情稳定，续有进步，已能上下楼梯，单独行走，仍按原意，继续将息调治，以资巩固。

3. 带下 《浙江中医学院学报》（1982，6：27）：陈某某，女，30 岁。腰酸脊痛，带下绵绵，色如蛋清，少腹重胀，头昏耳鸣，病经两年未愈。经量少，色淡，无痛经，每日晨起面目浮肿，生育四胎，人流两次，舌淡苔白，脉濡细。肾阳不足，阳虚内寒，带脉失约．任脉不固，治拟调补带任二脉，补摄固带为宜，熟地、淮山、菟丝子、覆盆子各 15 克，杞子、萸肉、鹿角霜、炒杜仲各 12 克，熟附块、肉桂各 3 克，当归、炒白术各 10

克，大枣六枚。服七剂后，带下明显减少，余症减半，苔脉如前，嘱原方续服半月，随访数月未见复发。

4. 男性不育症 《河南中医》(1988，4：31)：应用本方加减：熟地、山药、紫河车粉各30g，山萸肉、枸杞、菟丝子各18g，杜仲、巴戟、鹿角胶、陈皮各15g，海狗肾10g（冲服），水煎服。另外，自备狗、猪、羊等动物睾丸、阴茎、肾脏等不限，将其焙干研细末服用，每次10g，每日2次。共治疗不育11例，结果：全部治愈。

5. 坐骨神经痛 《四川中医》(1985，11：51)：用本方去吴茱萸，加川牛膝、麻黄、炒白芍、甘草为基本方，刺痛明显加丹参、制乳香、没药；麻木重加鸡血藤；夜间痛甚加首乌；夹湿者去枸杞加苍术，纳差便溏加砂仁、山楂；自汗去麻黄加黄芪。治疗坐骨神经痛48例，其中原发性41例，继发性7例。结果：治愈32例，显效12例，无效4例。

6. 肥大性脊椎炎 《湖南中医杂志》(1985，3：27)：用本方减鹿角胶、菟丝子、当归，加威灵仙、枣皮、甘草为基本方，痛甚加乳香、甲珠；寒甚加川乌、草乌；肢体麻木加全蝎或蜈蚣；便秘加熟大黄；气血亏虚加黄芪、当归；寒痰加白芥子或生南星。同时用10%葡萄糖注射液250ml中加川芎嗪注射液120ml静脉滴注，每日1次，10～15天为1疗程，治疗肥大性脊椎炎48例。结果：临床痊愈31例，显效17例。一般于用药后2～3天疼痛减轻，10天左右症状消失。

7. 乳糜尿 《广西中医药》(1984，3：135)：用本方去鹿角胶、菟丝子、枸杞子，加升麻、陈皮、柴胡各5g，白术10g，黄芪、党参各15g，甘草6g，治疗乳糜尿15例。结果：痊愈14例，无效1例（治疗1个月后，乳糜尿试验未转阴性）。

8. 老年甲状腺功能减退症 《山东中医药大学学报》(2006，1：42)：用本方治疗老年甲状腺功能减退症26例。结果：畏寒肢冷治愈8例，好转14例，无效4例，总有效率84.62%。疲乏无力治愈9例，好转13例，无效4例，总有效率84.62%。嗜睡治愈7例，好转14例，无效5例，总有效率80.77%。厌食治愈8例，好转13例，无效5例，总有效率80.77%。

右归饮

【来源】《景岳全书》卷五十一。

【组成】熟地二三钱或加至一二两　山药（炒）二钱　山茱萸一钱　枸杞二钱　甘草（炙）一二钱　杜仲（姜制）二钱　肉桂一二钱　制附子一至三钱

【用法】水二钟，煎七分，空腹温服。

【功用】《方剂学》：温肾填精。

【主治】

1.《景岳全书》：命门之阳衰阴胜者。

2.《会约医镜》：阳虚咳嗽。

3.《医部全录》：产妇虚火不归元而发热者。

4.《医方简义》：肾虚火衰，睾坠而痛。

5.《方剂学》：肾阳不足，气怯神疲，腹痛腰酸，肢冷，舌淡苔白，脉沉细；或阴盛格阳、真寒假热之证。

【加减】如气虚血脱，或厥，或昏，或汗，或运，或虚，或短气者，必大加人参、白术，随宜用之；如火衰不能生土，为呕哕吞酸者，加炮干姜二三钱；如阳衰中寒，泄泻腹痛，加人参、肉豆蔻，随宜用之；如小腹多痛者，加吴茱萸五七分；如淋带不止，加破故纸一钱；如血少血滞，腰膝软痛者，加当归二三钱。

【方论】

1.《医略六书·杂病证治》：肾脏阳虚，不能吸火归原，卒然厥逆倒仆，故曰非风。熟地、萸肉补阴秘气，枸杞、山药补脾填精，炙草、杜仲缓中强肾，附子、肉桂补火温脏也。使脏暖水充，则火自归原，而非风之证自除矣。

2.《医方概要》：此从肾气汤变化而来。山萸及熟地温补肝肾之阴，枸杞、杜仲滋养肝肾之精，而联着筋骨，炙草纯甘壮水，调和诸药，山药健脾化痰，附、桂助肾命之阳，偏于温补命火，故曰右归，从右命左肾之说也。去附、桂、杜仲之温，加龟甲、麦冬之助阴，以滋真水之虚衰，即命左归。

3.《方剂学》：方用熟地为主，甘温滋肾以填精，此本阴阳互根，于阴中求阳之意；附子、肉桂温补肾阳而祛寒，山萸肉、枸杞养肝血，助主药以滋肾养肝，山药、甘草补中养脾，杜仲补肝肾，壮筋骨，以上诸药共为辅佐药。各药合用，有温肾填精的作用。

【验案】

1. 肾虚眩晕 《新医药学杂志》(1979，6：24)：鄢某某，女，56岁，小学教师。患高血压(180～190/90～100mmHg)已多年，经常头昏目眩，甚则晕倒，梦多睡差，腰膝酸冷，多尿，大便时溏，脸面时红，经用平肝潜阳等法治之无效，来我科就医。诊得其脉沉细，两尺弱，舌淡而润。脉症合参，此为肾阳不足，治用右归饮加减。处方：萸肉10g，杜仲10g，熟地12g，淮山药10g，枸杞子15g，桂皮4g，附片（先煎）6g，磁石12g，钩藤12g。复诊：服五剂后，眩晕、腰酸等均大减，血压降至140/80mmHg，尿正常，便溏，多梦等如前，脉沉细。肾阳渐复，治守前方除钩藤，加沙苑子15g，菟丝子10g，朱茯苓12g，珍珠母12g，继服六剂，血压稳定正常。

2. 精子缺乏症 《浙江中医杂志》(1983，11：497)：运用右归饮加味：有遗精史及早泄者，加韭菜籽、金樱子、龙骨、牡蛎；大便频溏者，加补骨脂、炒白术、党参、干姜；举而不坚者，加淮牛膝、巴戟天、续断。每日1剂，连服3周后，除每晚续服汤剂外，早晨及中午吞服右归丸（鹿角胶改为鹿茸，并加人参），每次9g。结果：除1例服药近3个月，因工作调动结果不详外，其余5例病人的爱人均受孕，其中服药2个月及4个月者各1例，3个月者3例。

3. 妊娠高血压综合征 《山东中医杂志》(1988，4：33)：应用本方为基本方，纳差加白术、砂仁、焦山楂；恶心呕吐加陈皮、竹茹；水肿严重加车前子、桑白皮、赤小豆、泽泻、大腹皮；内热盛加红藤、黄芩、板蓝根；治疗妊娠高血压综合征8例，结果全部治愈。

赞育丹

【来源】《景岳全书》卷五十一。

【组成】熟地八两（蒸捣） 白术（用冬术）八两 当归 枸杞各六两 杜仲（酒炒） 仙茅（酒蒸一日） 巴戟肉（甘草汤炒） 山茱萸 淫羊藿（羊脂拌炒） 肉苁蓉（酒洗，去甲） 韭子（炒黄）各四两 蛇床子（微炒） 附子（制） 肉桂各二两

【用法】炼蜜为丸服。或加人参、鹿茸亦妙。

【主治】阳痿精衰，虚寒无子。

保养元气膏

【来源】《景岳全书》卷六十四引邵真人方。

【组成】麻油一斤四两（加甘草二两，先熬六七滚，然后下诸药） 生地黄 熟地黄（俱酒洗） 麦门冬 肉苁蓉（酒洗） 远志肉 蛇床子（酒浸） 菟丝子（酒浸） 牛膝（酒洗） 鹿茸 川续断 虎骨 紫梢花 木鳖子 谷精草 大附子 肉桂各五钱

【用法】上熬成，以煮过松香四两，飞丹半斤收之。次下龙骨、倭硫黄、赤石脂各二钱，又次下阳起石三钱，麝香五分，蟾酥、鸦片各一钱，又次下黄占五两，上煎成，入井中浸三四日。每用膏七八钱，红绢摊贴脐上或腰眼间，每贴五六十日再换。

【功用】助元阳，补精髓，周血脉，镇玉池，养龟存精；妇人经净之时，去膏而泄，则可成孕。

【主治】腰膝疼痛，五劳七伤，诸虚百损，半身不遂，膀胱疝气，带浊淫淋，阴痿不举。

五粉糕

【来源】《妙一斋医学正印种子篇》卷上。

【组成】芡实（去壳） 白茯苓（去皮） 干山药 莲肉（去皮心） 薏苡仁（净）各四两

【用法】上加粳米一升，糯米一升，共磨为粉，入白糖霜，如平常蒸糕法蒸熟烘干，空心或饥时将滚汤泡服；或干服亦可。

【主治】肠风下血，面色萎黄，腰痛腿酸，四肢乏力，阳事痿缩，数年不举，无子。

仙茅酒

【来源】《妙一斋医学正印种子篇》卷上。

【组成】仙茅四两（米泔浸去赤水，晒干） 淫羊藿四两（洗净） 五加皮四两 龙眼肉百枚（去核）

【用法】上药用无灰好酒十八斤，浸三七日取服。兼服葆真丸，殊有奇效。

【主治】男子虚损，阳痿不举。

壮阳种子丹

【来源】《妙一斋医学正印种子篇》卷上。

【别名】壮阳种子丸（《回生集》卷上）。

【组成】熟地　枸杞子各一两半　牛膝（俱酒洗）　远志肉（甘草汤煮）　怀山药（炒）　山茱萸肉　巴戟（去骨，酒蒸）　白茯苓　五味子　石菖蒲　楮实子　肉苁蓉（酒洗，去鳞甲，去心中白膜）　杜仲（盐酒炒）　茴香（盐水炒）

【用法】上为末，炼蜜和枣肉为丸，空心温酒、淡盐汤任下。

【主治】尺脉微弱，阳痿不举，虚寒无火者。

【加减】冬，加肉桂五钱（童便拌晒三次）。

补骨脂丸

【来源】《妙一斋医学正印种子篇》卷上。

【组成】真合州补骨脂（沉实者）一斤（以食盐四两，入滚汤，乘热浸一宿，晒干；次用杜仲去皮酒炒去丝四两，煎浓汤浸一宿，晒干，次用厚黄柏去皮蜜炙四两，煎浓汤浸一宿，晒干）　鱼胶半斤（剪碎，炒成珠）

【用法】将补骨脂炒香，同鱼胶珠磨细末，将胡桃肉去皮半斤，捣如泥，咸锡盆蒸之，取油和末，炼蜜为丸，如梧桐子大。每服三钱，空心白汤或淡盐汤任下，或饥时更一服尤妙。

【主治】精寒精清，及老年人阳虚无火。

【宜忌】有火者忌之。

右归饮

【来源】《医家心法》。

【组成】熟地六两六钱　山药　山萸肉　菟丝各二两二钱　补骨脂　桂心　附子　甘草（炙）各一两一钱　北五味八钱八分

【主治】命门虚寒，腹痛泄泻胀满，阳痿精寒，不能生子，两膝酸疼，脚软无力，眼目昏花，八味九治之不效者。

万灵至宝仙酒

【来源】《医部全录》卷三三三引《身经通考》。

【组成】淫羊藿（酒洗净，剪碎）十两　列当（如无，以肉苁蓉代之）　仙茅（糯米泔浸一宿，竹刀削去粗皮黑顶）各四两　雄黄（研）　黄柏（去粗皮）　知母（去尾）各二两　当归（酒洗，浸）八两

【用法】上锉，无灰酒十五斤，装入瓶内封固，桑柴文武火悬煮三小时，埋地内三昼夜，去火毒取出，待七日将药捞出，晒干为细末，糯米粉打糊为丸，如梧桐子大。酒药同服，仍以干物压之。此酒用银壶或瓷壶重汤煮热服。酒后不可妄泻，待时而动，少则三月，多则半年，精泻胞成，屡试屡验。

【功用】生精益肾，助阳补阴。

【主治】肾阴阳亏虚，阳痿不举，妇人赤白带下，月水不调，肚冷脐痛，不孕。

【宜忌】忌牛肉、铁器。宜阴脏人。

龟龄集

【来源】《何氏济生论》卷七。

【别名】鹤龄丹（《年氏集验良方》卷二）。

【组成】振山威（即茄茸）一两五钱（砂罐内煮一昼夜，取出，埋土中一宿，晒干为末）　水陆使者（即穿山甲）一两（火酒煮软，酥油搽，炙黄色，为末）　金笋（即熟地）六钱（酒内浸一宿，瓦焙）　玉枝八钱（即生地，人乳浸一宿，晒干）　阴飞郎（即石燕子，坚固者）一对（好酒浸一宿，烧红，投姜汁内浸透）　劈天龙（即苁蓉，酒浸一宿，麸炒为末）九钱　九阳公（即附子，重一两四五钱者为佳，蜜水浸三炷香，白水煮三炷香，焙干为末）三钱　昆山雪（即雀脑，要雄者）十枚（加白硫一分，搅匀摊纸上，晒，为末）　赤羽娘（即红蜻蜓）十对（五月五日取，去翅足）　重阳英（即白菊花，九月九日取，酒浸一宿，为末）一钱五分　寿春紫（即锁阳，黑而实，酒浸一宿，新瓦焙，为末）四钱　宿砂蜜（即砂仁，去皮，为末）四钱　海上主人（即甘草，炙老黄色，为末）三钱　太乙丹（此药无考。用枸杞子，蜜酒浸，晒；为末）五钱　朝云兽（即海马）一对

（酥油入铜锅内煎黄色，为末） 补骨先生（即故纸，米泔浸）四钱 乾坤髓（即辰砂，荞麦面色，煨，去面，研）二钱五分 旱珍珠（即白凤仙子，八月半取井水浸一宿，瓦焙）二钱五分 通天柱杖（即牛膝，酒浸一宿，焙）四钱 飞仙四钱（即紫梢花，酒浸一宿，瓦上隔纸焙） 先登（即青盐，河水略洗）四钱 吐蕃丝（即细辛，醋浸一宿，晒）一钱 仙人仗（即地骨皮，蜜水浸一宿，晒）四钱 玉丝皮（即杜仲，麸炒去丝，童便浸一宿）二钱 风流带（即淫羊藿，人乳拌炒）三钱 王孙草（即当归，酒浸一宿，焙）五钱 如字香（即小丁香，花椒水煮一炷香）二钱五分 云门令使（即天门冬，酒浸半日，焙）八钱

《集验良方》有人参无生地。

【用法】上为极细末，通和一处，装瓷罐内，沙泥封口，重汤煮三炷香，取出，开口露一宿，捏作一块，入金盒内，如无金，以银代之，重十六两，盐泥封口，外用纸筋泥再封包成圆球，晒干，用铁鼎罐一个，将球入中间以铁线十字拴紧，悬于罐中，将黑铅化开，倾入鼎内，以满为率，冷定，再用一缸，贮桑柴灰半缸，安罐在中，以半截埋灰内，其上半截旁以炭墼烧着，每辰、戌二时换炭墼一次，炭墼用炭屑碾细如粉，入熟大枣肉同打，重一两六钱，长五寸，再用水一碗，不时向鼎内滴水，以声为验，如有声而水即干，则火逼略远指许，如无声而水不干，则火逼略近指许，如法制三十五日足，可将铅打开，倾盒于地冷定，开盒，其药必紫黑色，清香扑鼻，须入瓷罐收贮，蜡封口，勿泄气。每服五厘，渐加至二三分，置手心内舐入口，黄酒送下。浑身燥热，百窍通畅，丹田微痒，痿阳立兴。

【功用】益精神虚，坚齿黑发，明目。

【主治】

1.《何氏济生论》：阳痿泄遗，不育。

2.《集验良方》：命门火衰，精寒肾冷，久无子嗣，五劳七伤。

制虾方

【来源】《何氏济生论》卷七。

【组成】晚蚕蛾二十对 母丁香五钱 淫羊霍一两 肭脐一具（如无，黄狗肾代之）

【用法】上以淡虾米四两，烧酒三斤，同药煮一炷香，取出收瓷器内，勿泄气。用时酒服二个，茶解。

【功用】补内尺，滋左尺。

起阳至神丹

【来源】《石室秘录》卷三。

【组成】熟地半两 山茱萸四钱 远志一钱 巴戟天一钱 肉苁蓉一钱 肉桂二钱 人参三钱 枸杞子三钱 茯神三钱 杜仲一钱 白术五钱

【用法】水煎服。

【主治】过于琢削，日泄其肾中之水，而肾中之火亦日消亡，致痿而不振者。

【方论】此方用热药于补水之中，则火起而不愁炎烧之祸，自然煮汤可饮，煮米可餐。断不致焦釜沸干，或虞爆碎也，此皆男治之法也。

强阳神丹

【来源】《石室秘录》卷三。

【组成】熟地一斤 肉桂三两 覆盆子三两 黄耆二斤 巴戟天六两 柏子仁三两（去油） 麦冬三两 当归六两 白术八两

【用法】上为末，炼蜜为丸。每服一两，白滚汤送下。

【主治】阳倒不举。

天一汤

【来源】《辨证录》卷六。

【组成】地骨皮 玄参 芡实各五钱 山药 牛膝 丹皮各三钱 熟地一两 肉桂一钱

【用法】水煎服。

【主治】燥证。阴已萎弱，见色不举，强勉入房，耗竭其精，大小便牵痛，数至圊而不得便，愈便则愈痛，愈痛则愈便。

润涸汤

【来源】《辨证录》卷六。

【组成】熟地二两 白术一两 巴戟天一两

【用法】水煎服。
【功用】大补肾水，兼补肾火。
【主治】阴已痿弱，肾水燥，见色不举，若勉强入房，耗竭其精，则大小便牵痛，数至圊而不得便，愈便则愈痛，愈痛则愈便。
【方论】此方用熟地以滋肾中之真阴，巴戟天以补肾中之真阳，虽补阳而仍是补阴之剂，则阳生而阴长，不至有强阳之害，二者补肾内之水火，而不为之通达于其间，则肾气未必遽入于大小之肠也。加入白术以利其腰脐之气，则前后二阴，无不通达，何至有干燥之苦，数圊而不得便哉。

菟丝地萸汤

【来源】《辨证录》卷八。
【组成】熟地一两　山茱萸五钱　菟丝子一两　巴戟天五钱
【用法】水煎服。
【主治】过于好色，入房屡战，以博欢趣，则鼓勇而斗，不易泄精，渐则阳事不刚，易于走泄，于是骨软筋麻，饮食加少，畏寒。

强心汤

【来源】《辨证录》卷八。
【组成】人参一两　茯神五钱　当归五钱　麦冬三钱　巴戟天五钱　山药五钱　芡实五钱　玄参五钱　北五味五分　莲子心三分
【用法】水煎服。
【功用】补心经之衰，泻心包之火。
【主治】梦遗。因心气素虚，心包之火大动，致梦遗，阳痿不振，易举易泄，日日梦遗，后且不必梦亦遗，面黄体瘦，自汗夜热。

壮火丹

【来源】《辨证录》卷九。
【组成】人参五两　巴戟天八两　白术（炒）　熟地各一斤　山茱萸八两　肉苁蓉　枸杞各八两　附子一个（用甘草三钱煎汁泡过，切片，炒熟）　肉桂三两　破故纸（炒）　茯苓各四两　北五味一两　炒枣仁三两　柏子仁二两　山药　芡实各五两　龙骨（醋淬，为末）一两
【用法】上各为末，炼蜜为丸。服二月，坚而且久。
【主治】命门火微，无风而寒，未秋而冷，遇严冬冰雪，虽披重裘，其身不温，一遇交感，数合之后，即望门而流。

扶命生火丹

【来源】《辨证录》卷九。
【组成】人参六两　巴戟天一斤　山茱萸一斤　熟地二斤　附子二个　肉桂六两　黄耆二斤　鹿茸二个　龙骨（醋焠）一两　生枣仁三两　白术一斤　北五味四两　肉苁蓉八两　杜仲六两
【用法】上药各为细末，炼蜜为丸。每日早、晚各服五钱。服三月，自然坚而且久。
【功用】补命门之火。
【主治】阴痿。人有天分最薄，无风而寒，未秋而冷，遇严冬冰雪，虽披重裘，其身不温，一遇交感，数合之后，即望门而流，此命门之火太微也。
【方论】此方填精者，补水以补火也。何加入气分之药？不知气旺而精始生，使但补火而不补气，则无根之火，止能博旦夕之欢，不能邀久长之乐。惟气旺则精更旺，精旺则火既有根，自能生生于不已。况气乃无形之象，以无形之气补无形之火，则更为相宜，所以精又易生，火亦易长耳。

启阳娱心丹

【来源】《辨证录》卷九。
【组成】人参二两　远志四两　茯神五两　菖蒲一两　甘草　橘红　砂仁　柴胡各一两　菟丝子　白术各八两　生枣仁　当归各四两　白芍　山药各六两　神曲三两
【用法】上为末，炼蜜为丸。每日服五钱，白开水送下。服一月，阳不闭塞矣。
【主治】抑郁忧闷，心包闭塞，阳痿不振，举而不刚。

济阳丸

【来源】《辨证录》卷九。

【组成】人参六两　黄耆半斤　鹿茸一个（酒浸，切片，又切作小块，粉炒）　龟膏半斤　人胞一个（火焙）　麦冬四两　北五味一两　炒枣仁三两　远志二两　巴戟天半斤　肉桂三两　白术八两　菟丝子一斤　半夏一两　砂仁五钱　黄连八钱　神曲一两

【用法】上药各为末，炼蜜为丸。每日五钱，白滚水送下。

【主治】阴痿。

宣志汤

【来源】《辨证录》卷九。

【组成】茯苓五钱　菖蒲一钱　甘草一钱　白术三钱　生枣仁五钱　远志一钱　柴胡一钱　当归三钱　人参一钱　山药五钱　巴戟天三钱

【用法】水煎服。

【主治】年少之时因事体未遂，抑郁忧闷，遂至阳痿不振，举而不刚。

起阴汤

【来源】《辨证录》卷九。

【组成】人参五钱　白术一两　巴戟天一两　黄耆五钱　北五味子一钱　熟地二两　肉桂一钱　远志一钱　柏子仁一钱　山茱萸三钱

【用法】水煎服。连服四剂而阳举矣，再服四剂而阳旺矣，再服四剂必能久战不败；苟长服至三月，如另换一人，不啻重坚一番骨，再造一人身也。

【功用】大补心肾之气。

【主治】心气不足之阴痿。交感之时，忽然阴痿不举。

辅相振阳丸

【来源】《辨证录》卷九。

【组成】人参五两　巴戟天十两　炒枣仁　麦冬各五两　菟丝子十两　远志　柏子仁　肉桂各二两　茯神　枸杞各三两　黄耆八两　当归　仙茅各四两　白术六两　人胞一个　陈皮五钱　阳起石（火煅，醋淬）一两

【用法】上为末，炼蜜为丸。每日早、晚各服四钱，滚水下。三月阳事振兴。

【主治】中年之时，心包火气大衰，阳事不举者。

救相汤

【来源】《辨证录》卷九。

【组成】人参一两　巴戟天一两　肉桂三钱　炒枣仁五钱　远志二钱　茯神一钱　良姜一钱　附子一钱　柏子仁二钱　黄耆五钱　当归三钱　菟丝子二钱

【用法】水煎服。

【主治】中年阳事不举。

夺天丹

【来源】《辨证录》卷十。

【组成】龙骨二两（酒浸三日，然后用醋浸三日，火烧七次，用前酒、醋汁七次淬之）　驴肾内外各一具（酒煮三炷香，将龙骨研末拌入驴肾内，再煮三炷香）　人参三两　当归三两　白芍三两　补骨脂二两　菟丝子二两　杜仲三两　白术五两　鹿茸一具（酒浸透，切片，又切小块）　山药末炒　五味子一两　熟地三两　山茱萸三两　黄耆五两　附子一两　茯苓二两　柏子仁一两　砂仁五钱　地龙十条

【用法】上药各为细末，将驴肾汁同捣，如汁干，可加蜜同捣为丸。每服五钱，早、晚用热酒送下。

【主治】男子天生阳物细小而不得子者。

【宜忌】坚忍房事者两月，少亦必七七日。

助气仙丹

【来源】《辨证录》卷十。

【组成】人参五钱　黄芪一两　当归三钱　茯苓二钱　白术一两　破故纸三钱　杜仲五钱　山药三钱

【用法】水煎服。

【功用】补气壮阳。

【主治】阳气大虚，男子交感而先痿，阳事不坚，精难射远。

【方论】此方补气，绝不补阴，以病成于阳衰，则阴气必旺；若兼去滋阴，则阳气无偏胜之快矣。方又不去助火，盖气盛则火自生；若兼去补火，

则阳过于胜，而火炎复恐有亢烈之忧，反不种子矣，此立方之所以妙也。

展阳神丹

【来源】《辨证录》卷十。

【组成】人参六两　白芍　当归　杜仲　麦冬　巴戟天各六两　白术　熟地　菟丝子各五两　肉桂　牛膝　柏子仁　破故纸各三两　龙骨二两（醋焠）　琐阳二两　蛇床子四两　覆盆子　淫羊藿各四两　驴鞭一具　人胞一个　蚯蚓十条　海马二对　附子一个　肉苁蓉一枝　鹿茸一具（照常制）

【用法】上药各为末，炼蜜为丸。每日五钱，酒送下。但必须保养三月始验，否则无功。

【主治】男子天生阳物细小，而不得子者。

大造固真膏

【来源】《冯氏锦囊·杂证》卷十四。

【别名】大造固真丹（《类证治裁》卷七）。

【组成】补骨脂六两（盐、酒浸一宿，炒香）　胡桃仁（酒蒸，去皮，另研）三两　山药四两（炒黄）　山茱萸（去核，酒蒸，焙）三两　菟丝子（酒洗，晒干，炒燥，另磨细末，不出气）四两　小茴香一两五钱（焙）　肉苁蓉（酒洗，去鳞甲，焙）二两　巴戟天（酒洗，去心，焙）二两　鹿茸（去毛骨，酥炙）二两　五味子一两五钱（蜜酒拌蒸、晒干，焙）　人参二两（铿片，隔纸焙）　地黄十二两（酒煮，去滓，熬膏）　枸杞子六两（水煮，去滓，熬膏三两）　于白术（米泔水浸一宿，铿片，晒干，人乳拌蒸，炒黄，水煮，去滓，熬成膏）三两　紫河车一具（酒洗，酒煨，去筋膜，熬成膏）

【用法】前药各制度，共为细末，用后四膏和剂，如干，加炼老蜜少许，杵千下为丸，如梧桐子大。每早、晚食前各服三钱，白汤、温酒任下。

【功用】填补精血，壮固元阳。

【主治】阳痿。

合欢保元膏

【来源】《冯氏锦囊·杂证》卷十四。

【组成】人参一两　当归身一两二钱　白术一两五钱　枸杞子一两　大附子半只　川椒三钱

【用法】水煎成膏，入麝二分，藏锡盒中。津化用之。

【主治】阳痿。

种子金丹

【来源】《冯氏锦囊·杂症》卷十四。

【组成】川附子一只　草乌一两　川乌一两　母丁香一两　紫梢花一两　官桂一两　雄黄五钱　蟾酥一两　良姜五钱　五倍子五钱　倭硫七钱五分　黄柏一两　牡蛎一两　蛇床子二两　苏合油一两

【用法】上为末，白术煎膏，溶化蟾酥为锭。梦遗，水磨涂脐中；种子，酒磨润阳，午前用之，临事洗去。

【功用】种子。

【主治】阳痿遗精，不育。

固本种子丸

【来源】《救产全书》。

【组成】大怀熟地八两（酒煮，晒，杵膏）　补骨脂八两（青盐二两化，酒炒，去衣）　透明鱼胶八两（醋煅牡蛎粉炒成珠）　山萸肉四两　白茯苓三两（人乳拌，晒）　枸杞四两　怀山药四两　辽五味三两　牛膝肉三两　杜仲三两（刮去皮，盐水炒）　泽泻三两（去毛）　菟丝子二两（酒煮）　牡丹皮三两　厚肉桂一两（去皮，不见火）

【用法】上为细末，炼蜜为丸，如桐子大。先服三钱，后渐加至五钱止，男用每早空心白滚汤服。

【功用】种子。

【加减】如阳痿，加真川大附子一两（童便浸制）；如本虚，加头胎紫河车一具（河水洗，银针挑去血筋，酒蒸烂，捣膏）。

壮阳膏

【来源】《良朋汇集》卷二。

【组成】甘遂一钱　甘草二钱五分　大附子三钱（烧酒泡透，晒干）　阿芙蓉（乳汁泡开）　母丁香　蟾酥各三钱　麝香三分

【用法】上为末，用多年娄葱汁二碗煎成膏，将药入膏内搅匀，装瓷罐内。用时摊贴脐上。
【主治】阳痿。

封脐固阳膏

【来源】《良朋汇集》卷二。
【组成】大附子（姜汁制，阴干）一两　蟾酥四钱　麝香五钱　升硫一钱六分
【用法】上为末，用淫羊藿二两，白酒二碗，入羊藿熬，煎好时去藿不用，将酒熬成膏，和药末为二十四丸，瓷罐盛。每用一丸，放脐中，不拘甚膏药封之。
【主治】阳痿。

三仙延寿酒

【来源】《奇方类编》卷下。
【别名】三仙酒（《种福堂公选良方》卷二）。
【组成】上好堆花烧酒一坛　圆眼肉一斤　桂花四两　白糖八两
【用法】封固经年，愈久愈妙。
【功用】补益。
【主治】《串雅外编》：肾虚精冷。
【宜忌】饮不可过多。

太乙种子丸

【来源】《奇方类编》卷下。
【组成】鱼鳔（炒成珠）四两　真桑螵蛸四两（炒黄）　韭子（炒）二两　莲须二两　熟地二两（焙）　杜仲二两（姜炒）　牛膝二两（酒浸）　枸杞子二两　沙蒺藜（炒）二两　人参二两　菟丝子二两（酒煮）　天冬二两　龟版二两（炙）　鹿茸二两（炙）　破故纸二两（酒浸，炒）　肉苁蓉二两（酒洗，去鳞甲）　白茯苓二两　远志肉（去骨，甘草水泡）二两　当归二两（酒洗）　青盐（泡）五钱
【用法】炼蜜为丸，如梧桐子大。每服二钱，空心白汤送下。
【主治】阳痿不起，精少无子。

敷阳固精丸

【来源】《奇方类编》卷下。
【组成】人参二两　黄耆（酒炒）二两　官桂二两　熟附子一个　川芎一两　杜仲一两（姜炒）　山药（炒）四两　破故纸（炒）四两　小茴香（炒）四两　菟丝子八两（酒煮）　巴戟二两（去心，酒浸）　锁阳二两（酒煮）
【用法】上为末，炼蜜为丸，如梧桐子大。每服三钱，空心隘汤送下。
【主治】阳痿不举，肾虚不固，心肾不交。

延龄丹

【来源】《年氏集验良方》卷二。
【别名】乌龙丸。
【组成】乌龙（即黑犬骨也，自脑骨至尾一条，全用好醋浸一宿，煮醋干，再用酥炙，为末，听用）鹿茸（酥炙）八钱　巴戟（酒浸）一两　沉香一两　石莲子（去壳心）一两　远志肉（炒）五钱　大茴香五钱　石燕子（雌雄各三对，烧红投姜汁内七次）　故纸（炒）五钱（以上为末听用）　何首乌（黑豆蒸九次）四两　熟地（酒洗）一两　床子（炒）二两　芡实肉二两　归身（酒洗）一两　川芎一两　白芍（酒炒）二两　生地一两（酒洗）　天冬　麦冬　马蔺花　冬青子各一两　楮实子（酒洗）一两　母丁香二十个　枸杞子四两　金樱子一斤（去瓤核）
【用法】上药除药末外，共水一斗，煎至一升，去滓，取起晾冷，和入药内；又用黄雀四十九个，好酒煮烂，捣匀，同药末、乌龙骨为丸，如梧桐子大。每服三钱。
【主治】阳痿。

龙虎小还丹

【来源】《惠直堂方》卷一。
【组成】鹿角胶　虎掌（酒炙，虎胫尤妙）　川萆薢（酒洗）　肉苁蓉各四两　熟地八两（牛膝三两拌蒸）　金钗石斛一斤　川续断　破故纸（研碎，拌胡桃肉蒸，炒）　龟版（酥炙）　茯苓（人乳拌蒸）　山萸肉　山药各四两　天冬（去心）三两

巴戟肉三两　沉香五钱　枸杞六两

【用法】上为末，将石斛用酒、水煎膏，入鹿角胶调化，加神曲六两，为糊为丸，如梧桐子大。每服百丸，早晚淡盐汤或酒送下。

【功用】种子延年。

【主治】一切手足拘挛，血气凝滞，阳事不举，齿豁目昏，心神散乱。

【加减】如精薄，加龟胶四两；如男妇同服，加当归四两。

十全大补丸

【来源】《活人方》卷二。

【组成】人参二两　黄耆三两　白术二两　茯苓一两五钱　肉桂一两　附子五钱　沉香五钱　川芎一两　熟地二两　当归身一两五钱

【用法】炼蜜为丸。每次用白米汤吞三钱。

【主治】三焦元气虚弱，内外真阳不足，外则恶风怯寒，面白神枯；内则心虚胆怯，意兴不扬，阳痿脾寒，奔豚疝气。

回阳固精丸

【来源】《仙拈集》卷三。

【组成】人参　黄耆　肉桂　巴戟　锁阳各二两　山药　故纸　小茴香各四两　菟丝八两　川芎　杜仲各一两　附子一个

【用法】上为末，炼蜜为丸，如梧桐子大。每服三钱，白汤送下。

【主治】阳痿不举，心肾不交。

寒谷春生丹

【来源】《大生要旨》。

【组成】熟地八两　冬白术　当归　枸杞各六两　杜仲（酒炒）　仙茅（酒浸一日）　巴戟肉（甘草汤泡）　山萸肉　淫羊藿（羊脂拌炒）　韭子（炒黄）　肉苁蓉（酒洗，去甲）各四两　蛇床子（微炒）　附子（制）　肉桂各二两

【用法】上为末，炼蜜为丸。每服七十丸，淡盐汤或温酒送下。或加人参、鹿茸更炒。

【主治】虚寒年迈，阳痿精衰无子。

回春酒

【来源】《同寿录》卷一。

【组成】人参一两（切片）　荔枝肉（去核）二斤

【用法】用上好烧酒五斤，将上药入袋内，浸三日可服，每日早晚饮一二杯。

【功用】助阳道，益精神。

【主治】老年阳痿。

延龄广嗣酒

【来源】《同寿录》卷一。

【组成】头红花半斤（入袋候用）　淫羊藿（去边茎，净洗）一斤（用羯羊油拌，入袋候用）　羯羊油（臊而肥者，用腰眼油一斤，切碎入锅内熬化候冷，拌淫羊藿）　厚杜仲二两（童便浸一日，用麸炒去丝）　天冬（去心）一两（酒浸软，晒干）　肉苁蓉一两（河水洗净，浸去鳞甲，晒干）　人参一两　砂仁五钱（姜汁拌炒）　破故纸一两（酒浸一宿，微火焙干）　川牛膝（去芦）一两（酒浸，晒干）　白豆蔻（去皮）五钱　真川附子一两（童便浸透，蜜水煮三炷香，晒干）　真川椒（有小卵者真，去子，焙干）　甘枸杞子四两　甘草（去皮）五钱（蜜炙）　地骨皮一两（蜜水浸一宿，晒干）　生地二两（乳浸，焙干）　熟地三两（九蒸九晒，焙干）　当归二两（酒洗，晒干）　白茯苓二两（牛乳浸透，晒干）　甘菊花一两（童便浸，晒干）　五加皮四两　白术四两（米泔水浸，土炒）　苍术四两（米泔水浸，晒干）　母丁香五钱（不见火）　广木香五钱（不见火）　沉香五钱（不见火）白芍一两（酒炒）　麦冬（去心）一两（炒）

【用法】上药各为细末。入上好面曲内，拌匀，用元占米四斗，淘净，再浸一宿，如造酒法蒸透，取出候冷；用淘米第三次之极清米泔水二十斤，入锅内，加葱白一斤，切寸许长，入浆内滚三沸，去葱白，只用净浆，候冷和入蒸熟之米饭内，然后拌上好细曲米四斤，粗曲米二斤，并药末一总和匀；将羊油所拌淫羊藿，同头红花二味，各入绢袋内，先置缸底，方将曲药拌匀米饭，拍实，上用干烧酒十斤盖之，春发三日，夏一日，秋二日，冬四日后，再加烧酒八十斤，将缸口封固，

过二七日开看，木扒打转三四百下；如喜用甜者，加红枣三斤，同糯米三斤，煮成粥倾入，又从底打起，二三百下；再过二七日，即成功矣。将酒榨清，入坛内封固，重汤煮三炷香，埋土内三日。每日随量饮之。如做二酒，再用米二斗，面曲六斤，蒸法如前，下缸再入烧酒四十斤，封三七日榨出。如三次酒，只入烧酒四十斤，不用米曲矣。头酒系上好者，二酒三酒，可串和匀，入瓶封固，日常慢慢饮之，亦妙。

【功用】补气血，壮筋骨，和脾胃，宽胸膈，进饮食，去痰涎，行滞气，消宿食，避寒邪风湿，壮阳种子，延年益寿。

【主治】一切腰腿酸痛，半身不遂，肾精虚滑，小便急数，阳痿艰嗣，女人子宫寒冷，赤白带下，胎前产后诸疾。

健阳酒

【来源】《同寿录》卷一。

【组成】当归　枸杞子　破故纸各三钱

【用法】共入好烧酒二斤内，隔汤煮一炷香，取起宿一夜；无灰好酒浸蒸亦可。次日尽量饮。

【功用】壮阳助神，暖精髓，健筋骨。

神机万灵膏

【来源】《同寿录》卷四。

【组成】真麻油四斤　槐　柳　桃　榴　椿　杏　楮树枝各二枝　两头尖　白芷　赤芍　大黄　川连　人参　穿山甲　白芍　草乌　苦参　川芎　当归各二两　杏仁　生地　川椒　胎发　槐子　黄柏（去皮）各一两　熟地一两　巴豆（去皮壳）一百二十粒　木鳖子（去皮壳）五十个　蓖麻子仁一百二十个（去皮壳）

【用法】上锉，入油锅内浸，春五日，夏三日，秋七日，冬十日，浸足，然后入铜锅熬煎，以药枯焦为度，起锅候冷，生绢滤去滓净，再将药油入锅熬煎，用槐柳枝不住手搅，加入黄丹（水飞净，火焙七次，燥者）二斤，于油内慢火熬，滴水成珠为度，再加入净明黄松香十二两，研末搅匀，取起锅片时，减火性，乃下真阿魏一两（试法：将阿魏搽在铜器上，次日看铜色变白者真），沉香、丁香、麝香、广木香、血竭各一两，又乳香、没药各三两（出汗），共研极细末，入油内搅极匀，用凉水一大桶，将药投入水中，一日一换，浸七日夜，拔去火性，收入瓷瓶内。用时取少许，隔汤炖化，量大小摊贴。五劳七伤，贴肺俞、肩井并三里、曲池穴，火烘双手熨百余下；肩背腰膝两足寒湿疼痛，脚气穿心疼痛，贴患处；男子阳痿不起，阴痿瘦弱，遗精白浊，元气虚冷，女人子宫冷闭，赤白带下，贴两阴交穴、关元穴；男女赤白痢疾，贴丹田穴，膏内加入捣细木鳖一个；男女痞块，先用面作圈围痞处，圈内入皮消一两，用重纸盖，上以熨斗盛火熨之，令纸热透进，然后去消并面圈，将膏贴患处，火烘双手熨百余下，令汗出，膏内加捣细木鳖一个；左瘫右痪，加捣细木鳖一个，贴丹田穴，仍服此药三丸，好酒送下；偏正头风，头痛，贴脐内；舌胀，贴心中肺俞并心坎下三寸；酒后呕吐，酒积、转食、暗风，贴肺俞兼心坎下二寸许；风寒、风热咳嗽、痨病，贴肺俞穴；胸膈不利，气喘不息，贴肺俞穴；妇女月经不通，贴陶康二穴骨上；胎不安，先将此膏贴脐内，再用一膏加入捣细木鳖一个，贴丹田穴；春三月患伤寒，或已过日期，用此膏贴脐上心坎下，如未过日期，用此膏二两半，贴脐中，手熨令汗出；夏三月伤寒，走黄结胸，用此膏二两，贴心坎下；秋三月伤寒，兼赤白痢，用此膏二两，贴脐中；冬三月伤寒，兼赤白痢，用此膏二两半，贴脐中；打扑血凝，贴疼处，手熨热即止；犬咬及蛇、蝎伤，贴伤处，不必熨；痈疽，发背、疔疮，一切无名肿毒，初起一二日内，贴患处，手熨出汗即消，若四五日肿硬有脓，亦以此贴之，易于出脓收口；干湿疥癣、瘙痒、风疹，贴脐中，手熨出汗即安；癞疮肿痛，膏内加捣细木鳖一个，贴脐中，手熨出汗即愈；凡疮疖，随大小贴之；小儿癖疾，以此贴患处，手熨觉腹热即止，或贴脐上亦可；此膏能治万病，皆对患处及脐中贴之，无不应验，贴后火烘双手熨百余下更妙。

【主治】五劳七伤；肩背腰膝两足寒湿疼痛，脚气穿心疼痛；男子阳痿不起，阴痿瘦弱，遗精白浊，元气虚冷，女人子宫冷闭，赤白带下；赤白痢疾；痞块；左瘫右痪；偏正头风、头痛；舌胀；酒后呕吐，酒积，转食，暗风；风寒、风热咳嗽，痨

病；胸膈不利，气喘不息；妇女月经不通；胎不安；伤寒，走黄结胸，兼赤白痢；打扑血凝；犬咬及蛇蝎伤；痈疽、发背、疔疮，一切无名肿毒初起；干湿疥癣，瘙痒，风疹；癞疮肿痛；疮疖；小儿癖疾等。

接气沐龙汤

【来源】《本草纲目拾遗》卷八。

【组成】紫梢花　甘草　甘遂　良姜　文蛤　母丁香　巴戟天　川乌　附子　吴茱萸　川椒　细辛　淫羊藿　蚊床子　楝树子　甘松各一两　锁阳　苁蓉　官桂　羊皮　红蔗皮　满山红　罂粟壳（水泡，去筋）各二两　红豆七十粒（须择酒药内所用辣者）　白颈蚯蚓七条（炙）　倭铅八两（切薄片）

【用法】上匀七剂。每日一剂，瓦锅内煎汤，先熏，后洗，以冷为度，晚重温药汤再洗。

【主治】阳衰久痿，滑精。

【宜忌】七日内禁房事。

壮阳丸

【来源】《女科切要》卷三。

【组成】肉苁蓉　仙茅　蛇床子　山药　五味子　补骨脂　茯神　紫梢花　杜仲　韭菜子　雄鸡肝　鳖肝　海狗肾（如无，以黄狗肾代之）

【用法】上为末，先将鸡肝、鳖肝用盐、酒、椒蒸熟，捣烂，和前药晒干；再将前末药磨细，用酒拌山药末醋调糊为丸。每服一百丸，空心淡盐汤送下。

【主治】阳痿，气馁不振，及老年无子。

【加减】如阳痿精冷，加肉桂、附子、石燕各一两。

海参粥

【来源】《老老恒言》卷五。

【组成】海参适量

【用法】先将海参煮烂，细切，入米，加五味。

【功用】

1.《老老恒言》：温下元，滋肾补阴。

2.《药粥疗法》：补肾，益精，养血。

【主治】

1.《老老恒言》：痿。

2.《药粥疗法》：精血亏损，体质虚弱，性功能减退，遗精，肾虚尿频。

达郁汤

【来源】《杂病源流犀烛》卷十八。

【组成】升麻　柴胡　川芎　香附　桑皮　橘叶　白蒺藜

【主治】木郁呕酸，及阴痿不起者。

芙蓉海马丹

【来源】《医级》卷九。

【组成】熟地三两（煮，捣）　山药（炒）　枸杞（炒）各一两半　萸肉（炒）二两　茴香（炒）　巴戟（酒炒）　苁蓉（洗，蒸）　淫羊藿（焙）　茯神（人乳拌，蒸）　续断（酒炒）　杜仲（盐水炒）　故纸（炒）各一两　胡桃肉二两　桂心（研）五钱　海马一对（切，焙）　阿芙蓉三钱（须去泥，清膏）　蛤蚧一对（去头足，清水浸五宿，逐日换水，拭去浮鳞，炙黄）

【用法】上为末，先将熟地、苁蓉、胡桃三味捣膏令匀，然后用鹿胶八两溶化，入诸末，捣为丸，如梧桐子大。每日早、晚各服三钱，用开水送下。

【主治】阳痿精衰，不能生育，或精滑不摄，不能交接。

【宜忌】服药静养，不妄作强劳，待时交接，再迟速得宜。妇有病者，宜先调理之。

菟丝丸

【来源】《竹林女科》卷四。

【组成】菟丝子（酒浸，蒸）

【用法】上为末，雀卵清为丸，如梧桐子大。每服七十丸，空心温酒送下。若年至五十而阳痿者，菟丝子一斤，加天雄四两，面裹，煨熟，去皮脐，童便制，为末，同丸服之，尤效。

【主治】阳痿，精冷难嗣。

加味七福饮

【来源】《会约医镜》卷十一。

【组成】人参随便　熟地　当归各二三钱　白术　枸杞各一钱半　甘草（炙）　肉桂　附子　枣皮各一钱　枣仁二钱　远志六分

【用法】空心温服。

【主治】阳痿，忧思恐惧太过者。

【加减】如梦遗虚滑，加牡蛎、莲须、龙骨之属。

火门串

【来源】《串雅补》卷二。

【组成】蛤粉一钱　熟大黄三分　木通一钱　丁香一对

【用法】上为末。作一服。

【主治】泄泻，红白痢疾。

长春至宝丹

【来源】年氏《集验良方》卷二。

【组成】鹿茄茸（炙）四两　蚕蛾（炒）四两　鹿角胶（牡蛎粉炒成珠）四两　巨胜子（炒）四两　人参四两　哺退鸡蛋七个（炙黄）　枸杞子（酒蒸）　当归（酒洗）　肉苁蓉（酒洗）　楮实子（去毛）杜仲（姜汁炒）　牛膝（酒洗）　金樱子（炒）　巴戟（酒浸）　锁阳（酥炙）　葱子　韭子（炒）　故纸（炒）各四两　熟地八两　鸽子蛋五个（蒸熟入药）　何首乌一斤（九次煎蒸，去筋）

【用法】上为粗末，将鸽蛋捣烂，入药拌匀，晒干为末，蜜和后臼中杵千余下为丸，如梧桐子大。每服三钱。

【功用】健脾开胃，进食止泻，强筋壮骨，增精补髓，乌须黑发，明目聪耳，活血养筋，助阳种子。

【主治】命门火衰，阳痿精冷。

暖脐膏

【来源】年氏《集验良方》卷二。

【组成】韭子一两　蛇床子一两　附子一两　川椒三两　肉桂一两　独蒜一斤

【用法】上用香油二斤浸十日，加丹熬膏。

【主治】脾气不实，五劳七伤，命门火衰，阳痿精冷。

七制固脂丸

【来源】《验方新编》卷十一。

【组成】固脂十斤（一制淘米水浸一夜，晒七日；二制用黄柏二斤，熬浓汁，泡一夜，晒七日；三制杜仲、四制生盐、五制鱼膘、六制核桃肉，俱照前；七制黑枣、糯米共煮粥，将固脂磨细末，和匀，捣融）。

【用法】为丸，如梧桐子大。每早空心服一钱，淡盐水送下。每服至一月后，加三分，加至二钱为止。若阴虚水亏者，早服此药，晚服六味地黄丸。半年后方效。

【功用】补火壮阳，固精种子，保真元，壮筋骨，健脾胃，长精神，除疾病。

【主治】命门火亏，下元虚损，耳聋眼花，腰痛腿软，肾冷精流，阳痿不举，小便过多，筋骨疼痛，肚腹畏寒，脾胃虚弱，饮食难消，夜多盗汗，精神疲倦，时爱躺卧。

【宜忌】忌食羊肉、油菜（又名芸苔）、菜油。忌铁器。

红缎膏

【来源】《理瀹骈文》。

【组成】川椒三两　韭子　蛇床子　附子　肉桂各一两　独蒜一斤

【用法】真香油二斤浸药熬，黄丹收膏。再用倭硫黄六钱，母丁香五钱，麝香一钱，独蒜丸如豆大，朱砂为衣；或用硫黄、丁香、胡椒、杏仁、麝、枣肉为丸；或用胡椒、硫黄、黄蜡为丸，每用一丸纳脐眼上，外贴本膏。

【主治】男子精寒，萎弱，白浊，遗精；女子子宫虚冷，赤白带下。亦治寒泻。

固精保元膏

【来源】《理瀹骈文》。

【组成】党参　黄耆　当归各五钱　甘草　五味子　远志　苍术　白芷　白及　红花　紫梢花各三钱

肉桂二钱　附子一钱

【用法】上以麻油二斤，熬黄丹收，鹿角胶一两，乳香、丁香各二钱，麝香一钱，加芙蓉膏二钱搅匀。贴脐上及丹田。

【功用】固精保元，暖肾补腰膝，去寒湿，久贴暖子宫。

【主治】一切腹痛，痞疾，梦遗，五淋，滑淋，白浊，妇人赤白带下，经水不调；又治色欲过度之阳痿。

【加减】阳痿，加阳起石二钱。

离济膏

【来源】《理瀹骈文》。

【别名】扶阳益火膏、温肾固真膏（原书同页）。

【组成】生鹿角屑一斤（鹿茸更佳）　高丽参四两（用油三、四斤先熬枯去渣听用，或用黄丹收亦可。此即参茸膏影子）　生附子四两　川乌　天雄各三两　白附子　益智仁　茅山术　桂枝　生半夏　补骨脂　吴茱萸　巴戟天　胡芦巴　肉苁蓉各二两　党参　白术　黄耆　熟地　川芎　酒当归　酒白芍　山萸肉　淮山药　仙茅　蛇床子　菟丝饼　陈皮　南星　北细辛　覆盆子　羌活　独活　香白芷　防风　草乌　肉蔻仁　草蔻仁　远志肉　荜澄茄　炙甘草　砂仁　厚朴（制）　杏仁　香附　乌药　良姜　黑丑（盐水炒黑）　杜仲（炒）　续断　牛膝（炒）　延胡索（炒）　灵脂（炒）　秦皮（炒）　五味子　五倍子　诃子肉　草果仁　大茴　红花　川萆薢　车前子　金毛狗脊　金樱子　甘遂　黄连　黄芩　木鳖仁　蓖麻仁　龙骨　牡蛎　山甲各一两　炒蚕砂三两　发团一两六钱　生姜　大蒜头　川椒　韭子　葱子　棉花子　核桃仁（连皮）　干艾各四两　凤仙（全株）　干姜　炮姜　白芥子　胡椒　石菖蒲　木瓜　乌梅各一两　槐枝　柳枝　桑枝各八两　茴香二两

【用法】上共用油二十四斤，分熬，再合鹿角油并熬丹收。再入净松香、陀僧、赤脂各四两，阳起石（煅）二两，雄黄、枯矾、木香、檀香、丁香、官桂、乳香（制）、没药（制）各一两，牛胶四两酒蒸化，如清阳膏下法（一加倭硫磺用浮萍煮过者）。贴心、脐、对脐、脐下。

【功用】扶阳益火，温肾固真。

【主治】元阳衰耗，火不生土，胃冷成膈；或脾寒便溏，泄泻浮肿作胀；或肾气虚寒，腰脊重痛，腹脐腿足常冷；或肾气衰败，茎痿精寒；或精滑，随触随泄；或夜多漩溺，甚则脬冷，遗尿不禁，或冷淋，或寒疝，或脱精脱神之症。妇人子宫冷，或大崩不止，身冷气微阳欲脱者；或冲任虚寒，带下纯白者；或久带下脐腹冷痛，腰以下如坐冰雪中，三阳真气俱衰者。小儿慢脾风。

振阳丹

【来源】《医方简义》卷四。

【组成】振阳汤加海狗肾一具（即腽肭脐，煅燥）

【用法】上为末，炼蜜为丸，如弹子大。每服一丸，淡盐汤送下。

【主治】阳痿。

振阳汤

【来源】《医方简义》卷四。

【组成】鹿角霜二钱　淡苁蓉三钱　怀牛膝三钱　枸杞子三钱　远志肉六分　菟丝子三钱　茯神二钱　破故纸（炒）三钱　杜仲（炒）三钱　豨莶草二钱　大枣五枚

【主治】阳痿。

【加减】如禀赋不足者，加人参二钱；如色伤肾阳，相火不足，加肉桂五分，川柏、知母各五分；如高年阳衰者，加黄耆三钱、木香五分。

夺天造化丸

【来源】《饲鹤亭集方》。

【组成】针砂（煅）　大麦粉各三两　红花　木香　泽泻　当归　赤芍　生地　牛膝　苏子　麦冬　川贝　陈皮　枳壳　香附　山楂　神曲　青皮　丹皮　地骨皮　五加皮　秦艽　川芎　乌药　玄胡　木通各一两

【用法】上为末，泛丸。每服三钱，开水送下。

【功用】《中药成药配本》：调理气血。

【主治】五劳七伤，九种心痛，诸般饱胀，胸膈肚痛，虚浮肿胀，内伤脱力，跌打损伤，行走气喘，遍身疼痛，精滑阳痿，肠红痞塞，面黄腰痛，妇

女砂淋，白浊淫带，经水不调，产后恶露不尽，小儿疳膨食积。

延龄广嗣丸

【来源】《饲鹤亭集方》。

【组成】杞子四两　线鱼胶四两　菟丝子六两　制首乌一两　茯苓一两　楮实子一两

【用法】水为丸。每服四钱，淡盐汤送下。

【功用】培养固本，益髓添精，兴阳种子，长春广嗣。

【主治】男子下元虚损，久无子嗣，阳痿不兴，兴而不固。肾寒精冷，先天禀受不足，少年斫丧过度。

茸桂百补丸

【来源】《饲鹤亭集方》。

【组成】鹿茸　肉桂各三两　党参　首乌丝子　杜仲各四两　熟地八两　川断　於术　茯苓　萸肉　泽泻　牛膝　归身　白芍　楮实子　戟肉　苁蓉各三两　杞子　淡附子各二两　甘草一两五钱

【用法】蜜丸。

【功用】添精补髓，悦颜多嗣。

【主治】元阳不振，督肾虚损，脾胃虚弱，阳痿精冷，筋骨酸软，血脉不充者。

秘方种子丹

【来源】《饲鹤亭集方》。

【组成】熟地　淡苁蓉　陈萸肉　童木通各二两四钱　飞龙骨　煅牡蛎　威灵仙　菟丝子　全当归　大茴香　巴戟肉　远志肉　荜澄茄　母丁香　干漆　车前子各二两　茯苓　广木香　桑螵蛸　蛇床子各一两四钱　全蝎（去尾）　灯心各五钱　革薢四钱　贡沉香三钱　马蔺花八分　蜘蛛十四个

【用法】上为末，炼蜜为丸，如绿豆大。每服三四钱，开水送下。

【功用】补气益血，添精壮阳。

【主治】命门火弱，阳痿不兴，下元虚寒，精冷无子。

补阳固带长生延寿丹

【来源】《中国医学大辞典》引彭祖方。

【组成】人参　附子　胡椒各七钱　夜明砂　五灵脂　没药　虎骨　蛇骨　龙骨　白附子　朱砂　麝香各五钱　青盐　茴香各四钱　丁香　雄黄　乳香　木香各三钱

【用法】上为末，另用白面作条，圈于脐上，将前药分为三分，内取一分，先填麝香末五分入脐孔内，乃将一分药入面圈内，按药令紧，中插数孔，外用槐皮一片盖于药上，以艾火灸之，时时增减，壮其热气，或自上而下、自下而上，一身热透，病人必倦沉如醉，灸至骨髓，风寒暑湿，五劳七伤，皆尽拔除。苟不汗，则病未除，再于三五日后又灸，至汗出为度。灸至一百二十壮，疾必痊。

【功用】常服除百病，益气延年。

【主治】劳嗽、久嗽、久喘、吐血、寒劳，遗精白浊，阳事不举，下元极弱，精神失常，痰膈等疾。妇人赤白带下，久无生育，子宫极冷。

【宜忌】慎风寒，戒生冷、油腻。

【加减】妇人灸脐，去麝香，加韶脑一钱。

鱼鳔丸

【来源】《中国医学大辞典》。

【组成】鱼鳔胶　花龙骨各四两　枸杞子　杜仲各三两　牛膝　全当归　破故纸　茯苓各二两

【用法】上为细末，炼蜜为丸，如梧桐子大。每服三钱，空腹时淡盐汤送下。

【功用】强筋壮骨，健脚力，益精髓。

【主治】腰肾亏虚，阴痿、梦遗。

保元丸

【来源】《中国医学大辞典》。

【组成】龙骨　牡蛎（煅）各二两　沙苑蒺藜　酸枣仁　菟丝子　芡实　白茯苓　山药各三两　莲须八两　覆盆子　山茱萸肉各四两

【用法】上为细末，炼蜜为丸。每服三钱，盐汤送下。

【主治】阴虚遗精，白浊阳痿，面黄耳鸣。

右归饮

【来源】《性病》。

【组成】大熟地二两　菟丝子二钱　上玉桂（研末，冲）　生五味八分（捣碎）　鹿茸二钱　锁阳三钱　熟附片四钱　果杞三钱（酒炒）　川椒七分（去闭口，炒）　淮牛膝二钱　淮山药五钱　固脂二钱（核桃肉拌炒）

【用法】水煎服。

【主治】命门火衰，精气虚寒，阳物不举，或下部极冷者。

九制硫黄丸

【来源】《内外科百病验方大全》。

【组成】硫黄　豆腐　萝卜　浮萍　绿豆　石菖蒲　松柏叶　藕（或梨）　猪大肠　地黄　全归　天冬　麦冬　川芎　陈皮　枸杞　杜仲　茯苓　炙草　前胡　防风　泽泻　蛇床子　五加皮

【用法】用老白豆腐，每硫黄一斤，豆腐一斤（或黑豆煮亦可），将硫黄研末，用砂净锅，以竹篱夹锅底，篱上盖豆腐一层，铺硫黄一层，迭迭铺好，入水煮至豆腐黑黄为度，用清水漂净腐渣，再煮三次；二制用大生萝卜挖空，一硫二卜，将硫黄末入内盖紧，缚好，慢火煮至萝卜黑烂为度，清水漂净，复煮二次，或萝卜切片拌亦可；三制将紫背鲜浮萍洗净，一硫三萍，拌硫黄末，煮至硫、萍烂为度，但煮根须叶最多，清水漂净，或打烂取汁，拌煮亦可；四制用新绿豆拣淘洗净，一硫二豆，以取末拌，煮至豆烂为度，清水漂净；五制用石菖蒲，洗净，切小段，拌硫黄末，入水煮烂为度，取汁拌煮更妙；六制松柏叶各半，洗净，去枝用叶，剪碎拌硫黄，煮至叶烂为度，清水漂净；七制或藕或梨，或藕、梨各半，切片，同硫黄煮至藕、梨烂为度；八制肥壮猪大肠，洗净气味，将硫黄末研细漂净，装入大肠，两头扎紧，勿令走漏，煮至大肠熟烂为度，用清水漂过液，澄出阴干；九制地黄二两，全归、天冬、麦冬各一两，川芎、陈皮、枸杞、杜仲、茯苓、炙草、前胡、防风、泽泻、蛇床子、五加皮各五钱，每硫黄一斤，用药一料，照硫黄递加，用清水煎浓，将硫末投入，煎至药汁干，起出阴干，用糯米煮粥，拌为丸，如绿豆大，阴干，用瓷瓶收贮。每早用盐汤送服：一日用三分，第二日用四分，三日用六分，四日八分，五日一钱，每日递加，至二钱为度。如恐服久发毒，病愈则止，自无妨碍。

【功用】补先天本元，健脾胃，壮筋骨。

【主治】耳聋眼花，齿落发白，阳痿。

【宜忌】忌一切牲畜血及细辛。

加减补天大造丸

【来源】《医学碎金录》。

【组成】鹿茸一两半　枸杞子四两　潞党参二两　紫河车一个（甘草水洗，焙）　远志一两　炒枣仁二两　茯神三两（人乳蒸）　熟地六两　萸肉　山药　杜仲各三两　五味子一两　龙骨二两

【用法】上药各为末，以龟版胶二两，化水为丸。每服二钱，一日三次。

【功用】滋补强壮。

【主治】五脏虚损，阳痿，滑精。

三肾丸

【来源】《北京市中药成方选集》。

【组成】人参（去芦）十六两　当归一百六十两　鹿鞭子（代睾丸）五条　枸杞子八十两　白术（炒）一百六十两　川芎十六两　驴鞭子（代睾丸）五条　杜仲炭一百六十两　茯苓一百六十两　生地一百六十两　狗鞭（代睾丸）三十条　续断一百六十两　甘草十六两　白芍八十两　鹿茸（去毛）六十四两　川牛膝一百六十两　葫芦巴（炒）一百六十两　巴戟肉（炙）八十两　补骨脂（炒）八十两　锁阳一百六十两　冬虫夏草四十八两　青盐六十四两　小茴香（盐炒）一百六十两　菟丝子一百六十两　韭菜子一百六十两　肉苁蓉（炙）一百六十两　五味子（炙）十六两

【用法】以上除三鞭外，重二千六百四十两，用黄酒一千六百两下罐蒸（包括三鞭），蒸后晒干。共研为细末，过罗，炼蜜为丸，重三钱。每服一丸，日服二次，温开水送下。

【功用】滋阴益气，补肾壮阳。

【主治】肾水亏损，阳痿不举，命门火衰，精神疲倦。

千金封脐膏

【来源】《北京市中药成方选集》。

【组成】锁阳一两　川花椒一两　川附子一两　吴茱萸一两　韭菜子一两　紫梢花一两　白芷一两　生地一两　当归一两　熟地一两　天冬一两　麦冬一两　鹿茸（去毛）一两　杜仲一两五钱　海蛆五钱

【用法】上药酌予碎断，用香油一百二十八两炸枯，去滓过滤，炼至滴水成珠，入黄丹四十八两成膏，取出浸入水中，去火毒后加热溶化。每料兑入肉桂三钱，肉果五钱，没药三钱，乳香三钱，母丁香二钱五分，牡蛎（煅）一两，麝香一钱五分，沉香二钱五分，上药搅匀摊贴，每张油重：大者七钱，小者三钱五分，用红布光。微火烤化，贴脐下。

【功用】补肾散寒止痛。

【主治】诸虚不足，阳痿腰痛，遗精盗汗，虚寒腹痛。

比天保贞膏

【来源】《北京市中药成方选集》。

【组成】蛇床子十两　川楝子十两　熟地十两　生地十两　生杏仁十两　官桂十两　川断十两　川附片十两　牛膝十两　菟丝子十两　木鳖子十两　谷精草十两　紫梢花十两　天冬十两　麦冬十两　肉果十两　苁蓉十两　甘草六十四两　虎骨十六两

【用法】上药酌予碎断，用香油六百四十两炸枯，过滤去滓。加章丹三百三十六两，松香三百三十六两，鹿胶十六两，熬成膏，再兑：麝香二两，冰片六十四两，硫黄面十两，赤石脂十两，龙骨面十两，阳起石面十两，蟾酥面十两，母丁香十两，乳香面十两，没药面十两，木香面十两，沉香面十两，雄黄面十两，摊成外用膏药，每张重五钱。用时贴脐腹部或肾俞穴。

【功用】滋阴补气，暖肾散寒。

【主治】男子气虚肾寒，阳事不兴，久无子嗣。妇女气虚血亏，行经腹痛，久不孕育。

【宜忌】孕妇忌服。

龟龄集

【来源】《北京市中药成方选集》。

【组成】黄毛鹿茸（去毛）二两　补骨脂（黄酒制）三钱　石燕（鲜姜炙）四钱　急性子（水煮）二钱五分　细辛（醋炙）一钱五分　生地八钱　杜仲炭二钱　青盐四钱　丁香（用生川椒二分炒，去川椒）二钱五分　蚕蛾（去足翅）二钱　蜻蜓（去足翅）四钱　熟地六钱　苁蓉（酒制）九钱　地骨皮（蜜炙）四钱　附子（炙）五钱　天冬（用黄酒一钱炙）三钱　山参（去芦）一两　甘草（炙）一钱　山甲（炒珠）八钱　枸杞子三钱（一钱蜜炙）　淫羊藿（羊油制）二钱　锁阳三钱　牛膝（用黄酒三钱制）四钱　砂仁四钱　麻雀脑三钱　菟丝子（用黄酒二钱制）三钱　对海马（用苏合油三钱制）九钱　硫黄三分　镜面砂二钱五分

【用法】将麻雀脑、硫黄二味装入猪大肠内，用清水煮之，煮至麻雀脑和硫黄溶合一起时倒出，去猪大肠，晒干，再合以上药为粗末，装入银桶内蒸之。蒸至三尽夜，将药倒出，晾干装瓶，每瓶装一钱。每服一钱，温开水送下。

【功用】滋阴补肾，助阳添精。

【主治】

1. 《北京市中药成方选集》：肾亏气虚，精神衰弱，阳痿不兴，阴寒腹痛。

2. 《全国中药成药处方集》（天津方）：阳虚气弱，盗汗遗精，筋骨无力，行步艰难，头昏眼花，神经衰弱，妇女气虚血寒，赤白带下。

【宜忌】忌生冷。

【验案】

1. 滑胎　《新中医》（1983，10：32）：丁某某，女，38岁。经后三日少腹冷痛下坠，历十年余，屡妊屡坠。缘禀赋素弱，妊二月，强力持重，以致坠胎，始而汛水递少，紫黑质薄，经期少腹间有冷痛，血去痛不蠲反益甚，痛时气力全无，腰膝掣痛，四末不温，须以红糖水冲服肉桂末尚可缓解，前已滑四胎。舌淡，苔薄白，脉沉而细。良由肾虚阳衰，冲任虚损，寒滞血脉，精血亏少，龟龄集以黄酒三钟冲服，腹痛止。继之日服二分，以盐水送服。至四月，已孕，未再坠胎，后生男孩。现生两男。

2. 白崩 《新中医》(1983, 10: 33): 师某某, 女, 47岁。白带终日不止, 已一载余, 近半月, 白带如崩, 站立即觉滑脱而下, 脐腹冷痛, 头脑空痛, 腰酸痛如折。医予抗生素, 更甚, 投桂枝茯苓丸、完带汤乏效。余望其舌淡苔白, 闻其语声低微, 带下清稀, 脉沉微涩, 尺部尤甚, 知其白物下多已久, 脾肾阳虚, 气血日衰, 任脉不固, 带脉失约故也, 遂用龟龄集, 日服一瓶, 分两次以淡盐水送服。连服两日, 白带大减, 脐腹冷痛若失, 腰可俯仰。继日服两次, 每服二分, 未八日, 带止而病愈。

3. 不孕 《新中医》(1983, 10: 30): 董某某, 女, 25岁。月经17岁初潮, 经后少腹隐痛而冷, 时觉畏寒, 腰酸头晕, 带下清稀, 大便常薄, 已婚四载, 迄今未育, 终年求治, 服药不可以计。诊断为子宫发育不全, 略后倾, 慢性盆腔炎。舌淡, 苔薄, 脉沉细而弱。脉证合参, 盖下焦阳气素亏, 月汛虽已初潮, 然肾气未盛, 天癸仍衰, 精亏血少, 血海空虚, 胞宫失去温养。令于经后服龟龄集, 日二分, 以淡盐水送下, 服半月即止, 服至八月, 经未行, 经检查, 已受孕矣。次年六月, 生一女孩。

4. 骨折延迟愈合 《中成药研究》(1991, 5: 21): 应用本方制成散剂, 日服2次, 每次0.6g, 淡盐水或温开水送服。治疗骨折延迟愈合35例, 男27例, 女8例; 年龄20~40岁6例, 41~60岁21例, 61岁以上8例。结果: 35例均达骨折临床愈合标准。最短时间为4周3例, 最长为13周1例, 6~8周15例, 9~10周14例, 11~12周2例。

5. 老年肾虚便秘、泄泻 《山西中医》(1990, 4: 28): 应用本方, 早晚各1次, 每次0.4g, 盐开水送服, 30日为1疗程, 治疗老年肾虚便秘19例, 泄泻16例, 其中五更泄者4例。全部病人均有不同程度的畏寒肢冷, 腰膝酸软, 夜间尿频及不耐疲劳等肾气虚症状。结果: 治疗1疗程后, 泄泻痊愈5例, 好转8例, 无效3例; 便秘痊愈5例, 好转6例, 无效5例; 总有效率77%。

龟鹿滋肾丸

【来源】《北京市中药成方选集》。

【组成】熟地八两 茯苓四两 阳春砂六钱 苁蓉(炙)二两 补骨脂(炙)一两 菟丝子一两 泽泻三两 当归五两 白术(炒)三两 远志肉(炙)一两 杞子四两 覆盆子三两 芡实(炒)四两 山药四两 莲子肉五两 丹皮三两 山萸肉(炙)三两 牛膝二两 杜仲炭四两 枣仁(炒)二两 人参(去芦)八两 鹿茸(去毛)三两 龟版胶三两 鹿角胶三两

【用法】上为细末, 炼蜜为小丸。每服二钱, 温开水送下, 一日二次。

【功用】滋阴补肾, 添精益髓。

【主治】肾气虚弱, 阳痿精冷, 夜寐多梦, 遗精盗汗。

保真种玉丸

【来源】《北京市中药成方选集》。

【组成】鹿茸(去毛)一两二钱 鹿肾二具 海马八具 虎骨(炙)一两 狗肾六具 熟地八钱 肉桂(去粗皮)一两 山药一两二钱 当归一两六钱 杜仲炭一两二钱 白术(炒)一两二钱 牛膝一两二钱 枸杞一两二钱 五味子(炙)一两二钱 茯苓一两二钱 党参(去芦)三两 补骨脂(炒)二两 菟丝子二两 核桃肉二两 小茴香(炒)二两 沙苑子二两 附子八两 苁蓉八两 巴戟肉(炙)八两 龙骨(煅)一两 母丁香三两 黄耆二两 山萸肉(炙)一两二钱 甘草(炙)一两

【用法】上为细末, 炼蜜为丸, 每丸重三钱。每服一丸, 温开水送下, 一日二次。

【功用】滋补腰肾, 添精益髓。

【主治】肾气亏虚, 阳痿不兴, 腰膝无力, 久无子嗣。

鹿茸胶

【来源】《北京市中药成方选集》。

【组成】老鹿茸一百六十两

【用法】上将鹿茸切块, 洗净, 煎七昼夜, 加黄酒三十二两, 冰糖三十二两, 收胶。每服二至三钱, 用黄酒或白水炖化服。

【功用】壮阳补脑, 生精补髓。

【主治】四肢无力，腰膝酸软，肾虚阳痿，妇女崩漏带下。

鹿胎膏

【来源】《北京市中药成方选集》。

【组成】鹿胎一具　党参（去芦）二百四十两　黄耆一百六十两　鹿肉一千六百两　生地八十两　当归八十两　紫河车五具　熟地八十两　升麻二十两　桂元肉四十两

【用法】酌予切碎，水煎三次，分次过滤，去滓，滤液合并，用文火煎熬，浓缩至膏状，以不渗纸为度，另兑鹿角胶一百六十两，蜂蜜一千六百两成膏；装瓶，重二两。每服三至五钱，一日二次，温开水冲服。

【功用】滋阴益肾，补气益血。

【主治】男子肾寒精冷，阳痿不举；妇女子宫虚寒，久不孕育。

三肾丸

【来源】《全国中药成药处方集》（沈阳方）。

【组成】熟地六两　丹皮二两　广砂仁二两　锁阳二两　苁蓉二两　车前二两　茯苓二两　故纸二两　枸杞二肉　川断二两　白术六两　附子五钱　川芎八钱　萸肉一两五钱　怀膝一两五钱　制草一两五钱　山药三两　杜仲二两　泽泻二两　当归二两　羊藿二两　丝瓜二两　白芍一两　肉桂五钱　广木香八钱　首乌二两　黑驴肾一具　黄狗肾一个

【用法】上为极细末，炼蜜为丸，重二钱。每服一丸，淡盐汤送下。

【功用】温暖肾脏，强精壮髓。

【主治】肾脏衰弱，畏寒怕冷，过劳气喘，四肢疲乏，下焦虚寒，腰腿酸痛，生殖功能减退，一切肾病偏于寒凉者。

【宜忌】忌食生冷，禁房事。

延龄广嗣丸

【来源】《全国中药成药处方集》（杭州方）。

【组成】鹿角胶三两　巴戟肉二两　大熟地六两　海马一两　淡苁蓉　杜仲各二两　潞党参四两　五味子一两　怀山药　白茯苓各三两　大茴香　金樱子各一两　胡芦巴四两　淫羊藿二两　贡沉香一两　枸杞子　蛇床子各二两　白檀香　肉桂各一两　菟丝子四两　川楝子二两　山萸肉三两　制附子　制乳香各一两　怀牛膝（盐水炒）二两　补骨脂二两　制没药一两

【用法】上为细末，将胶烊化，酌加炼蜜为丸。每服三钱，淡盐汤送下。

【功用】培元固本，补肾生精，健阳种子，延龄广嗣。

【主治】男子下元虚损，阳痿精冷，久无子嗣，腰背酸痛，一切先天禀受不足，少年斫伤过度之症。

补天丹

【来源】《全国中药成药处方集》（沈阳方）。

【组成】杜仲二两　贡白术二两半　白芍　故纸　熟地　远志各二两　当归　枸杞各一两五钱　核桃仁三两　牛膝二两　黄耆二两　海狗肾一具　川楝子二两　川芎　人参各一两五钱　沉香五钱　木香一两　小茴一两五钱　甘草　茯神各一两

【用法】上为极细末，炼蜜为丸，二钱重。每服一丸，盐汤送下。

【功用】补肾固精，强心安神。

【主治】肾虚阴痿，早泄遗精，腰腿酸痛，盗汗自汗，疝气腹疼，四肢厥冷，劳伤虚损，怔忡健忘，神经衰弱，形容焦悴，淋漓白浊，肾囊凉湿。

【宜忌】忌生冷。

补天丹

【来源】《全国中药成药处方集》（抚顺方）。

【组成】驴肾二两　制耆五两　柏仁一两半　杜仲三两　白术五两　川附子一两半　萸肉二两　五味子一两半　白参　白芍各三两　云苓二两半　龙骨二两　故纸　菟丝子各三两　杞子四两　砂仁六钱　巴戟四两半　熟地四两　当归三两　覆盆子一两半　鹿胶三两

【用法】上为细末，炼蜜为丸，重二钱。每服二钱，早、晚食前各服一次，白水或淡盐汤送下。

【功用】添精壮阳，补气生血，强壮。

【主治】生殖器衰弱，肾虚滑精，阳痿不举，见色早泄，精液清冷，及气血衰弱，瘦弱难支，食少便溏，气息微弱，动则作喘，腰酸腿软，健忘怔忡，自汗晕眩，寐而不实。

【宜忌】火盛者勿服。

保真广嗣丸

【来源】《全国中药成药处方集》（杭州方）。

【组成】潞党参二两　车前子一两五钱　怀牛膝（酒浸）　天门冬各二两　石菖蒲　炒远志各一两　当归（酒洗）二两　五味子一两　山萸肉　怀山药各二两　覆盆子一两五钱　杜仲（姜汁炒）　巴戟肉各二两　赤石脂（另研）一两　地骨皮一两五钱　广木香　大生地　枸杞子各二两　川椒（微炒）一两　泽泻一两五钱　菟丝子（酒炒）　淡苁蓉各四两　大熟地　柏子仁　白茯苓各二两

【用法】上为细末，炼蜜为丸。每服三至四钱，空腹淡盐汤送下；冬月温酒或开水送下。

【功用】补益气血，滋培肝肾。

【主治】男子诸虚羸瘦，精神衰弱，腰膝酸痛，阳痿乏嗣；妇人下元虚冷，久不孕育。

神效补天丹

【来源】《全国中药成药处方集》（吉林、哈尔滨方）。

【组成】制耆五两　巴戟四两半　枸杞　熟地各四两　杜仲　白术　白芍　人参　故纸　菟丝饼各三两　块苓　远志各二两半　边桂　枣仁　萸肉　龙骨　当归各二两　柏仁　五味　附子　复盆子各一两半　鹿胶三钱　黑驴肾一具　砂仁二两

【用法】先将驴肾用滑石烫焦，再合诸药一处碾细，炼蜜为小丸，如梧桐子大，包于纸袋内严封，贮于瓷罐内。每服二钱，早、晚空腹各服一次，白水或淡盐汤送下。

【功用】补气养血，添精壮阳。

【主治】气虚血亏，百病蜂起，瘦弱难支，纳入便溏，气息微弱，动则作喘，腰酸膝软，健忘怔忡，自汗眩晕，寐而不实；并治肾虚阳痿，肾虚滑精，阳痿不举，举而不坚，见色自泄，精汁清冷，缺乏子嗣。

【宜忌】忌食生冷，相火盛者勿服。

神效鹿胎丸

【来源】《全国中药成药处方集》（吉林、哈尔滨方）。

【别名】百补鹿胎丸。

【组成】萸肉　萆薢　熟地　生地　寸冬　五味　小茴　故纸　盆子　鹿胶　杜仲　怀牛膝　青盐　柏仁　归身　巴戟　远志　锁阳　苁蓉　菟丝饼　巨胜　酒母　酒柏　川椒各五钱　仙茅　枸杞　黄精　云苓　人参　山药各一两　首乌二两　鹿胎一具

【用法】将鹿胎洗净晒干，合诸药一处碾细，炼蜜为丸，重二钱一分，大赤金为衣，用棉纸包之，外用蜡皮封固，贮于玻璃瓶或瓷坛中。早晚各服一丸，枣汤为引，或淡盐汤为引。

【功用】补肾填精，调月经，温子宫，益气养血。

【主治】肾虚阳痿，月经不调，子宫寒冷，虚劳。

【宜忌】君相火盛，血热者忌服。

健步虎潜丸

【来源】《全国中药成药处方集》（济南方）。

【组成】虎骨　黄耆（炙）　茯神　当归　木瓜　川羌活　独活　防风　石菖蒲　知母（炒）　薏苡仁（炒）　生地　熟地　白术（土炒）　枸杞　白芍（炒）　怀牛膝　盐黄柏　补骨脂（炒）　杜仲（炒黑）　麦冬　远志各二两（炒）　五味子　沉香　附子（制）各半两　龟版一两半（炙）　人参二两

【用法】上为细末，炼蜜为丸，重三钱。每服一丸，温开水送下。

【主治】筋骨无力，行步艰难，下部虚损，腿酸腰软，四肢无力，阳事痿弱，阴囊湿汗。

乾坤丹

【来源】《全国中药成药处方集》（吉林方）。

【别名】乾坤种子丹。

【组成】当归二两七钱　山萸　鹿胶各二两　枸杞　远志　蛇床　酒芍　茯苓各一两三钱四分　母丁香　川附子各六钱七分　香附一两七钱　龙骨一

两　陈皮一两七钱　牡蛎一两　木瓜　杜仲　泽泻　淮牛膝各一两

【用法】上为细末，炼蜜为丸。每服二钱，用黄酒送下。

【功用】补肾壮阳，调经种子。

【主治】男子肾亏，阳痿遗精，梦遗白浊；女子月经不调，赤白带下，子宫寒冷。

鹿茸膏

【来源】《全国中药成药处方集》（沈阳方）。

【组成】麻油一斤四两　甘草二两　芝麻四两　紫草二钱　天门冬　寸冬　远志　生地　熟地　牛膝　蛇床子　虎骨　菟丝子　鹿茸　苁蓉　川断　紫梢花　木鳖子　杏仁　谷精子　官桂各三钱　黄丹五两　松香八两　硫黄　雄黄　龙骨　赤石脂（各为末）各二钱　乳香　没药　木香　母丁香（各为末）各五钱　蟾酥　麝香　阳起石各二钱　黄片一两

【用法】将甘草入麻油内，熬至六分，下诸药：第一下芝麻；第二下紫草；第三下天门冬、寸冬、官桂等十七味，文武火熬至枯黑色，去滓，下黄丹；第四下松香，使槐柳枝不停搅，滴水不散；第五下硫黄、雄黄、赤石脂，再上火熬半小时；第六下乳香、没药、木香、丁香再熬，离火放温；第七下蟾酥、麝香、阳起石，滴水不散；第八下黄片。用瓷罐盛之，以烛封口，入水浸三日，去火毒，用红绢摊贴之。每日一帖，贴脐上。

【功用】滋补强壮，生精补肾。

【主治】五劳七伤，半身不遂，腹痛疝气，阳痿早泄，妇女白带，腰痛崩漏，虚冷腹痛。

增精补肾丸

【来源】《全国中药成药处方集》（沈阳方）。

【组成】菟丝子二两　五味子五钱　枸杞　石斛　熟地黄　覆盆子　楮实子　苁蓉　车前子　沉香各一两　青盐五钱

【用法】上为极细末，炼蜜为丸，二钱重。每服一丸，淡盐汤送下。

【功用】助肾增精，强壮滋补。

【主治】肾亏阳痿，梦遗滑精，头晕腰痠，筋骨无力，四肢倦怠等虚损证。

【宜忌】忌食生冷。

益阴固本丸

【来源】《慈禧光绪医方选议》。

【组成】熟地八钱　丹皮三钱　山萸肉四钱　淮山药四钱　云苓五钱　泽泻三钱　金樱子五钱　菟丝子五钱

【用法】上为细末，炼蜜为丸，如绿豆大。每服二钱，米汤送下。

【功用】固精。

【主治】肾阴亏损，虚火上炎，阳痿，遗精、滑精，目眩。

益肾灵颗粒

【来源】《中国药典》。

【组成】枸杞子 20g　女贞子 30g　附子（制）2g　芡实（炒）30g　车前子（炒）10g　补骨脂（炒）20g　覆盆子 20g　五味子 5g　桑椹 20g　沙苑子 25g　韭菜子（炒）10g　淫羊藿 15g　金樱子 20g

【用法】上药制成颗粒剂，每袋装 20g。开水冲服，1 次 20g，1 日 3 次。

【功用】益肾壮阳。

【主治】肾亏阳痿，早泄，遗精，少精，死精。

强阳保肾丸

【来源】《中国药典》。

【组成】淫羊藿（羊油炙）36g　阳起石（煅，酒炙）36g　肉苁蓉（酒制）36g　胡芦巴（盐水炙）48g　补骨脂（盐水炙）48g　五味子（醋制）42g　沙苑子 36g　蛇床子 36g　覆盆子 48g　韭菜子 42g　芡实（麸炒）60g　肉桂 24g　小茴香（盐水炙）30g　茯苓 36g　远志（甘草制）36g

【用法】上药制成丸剂，每 100 丸重 6g。口服，每次 6g，1 日 2 次。

【功用】补肾壮阳。

【主治】肾阳不足引起的精神疲倦，阳痿遗精，腰酸腿软，腰腹冷痛。

补肾强身片

【来源】《上海市药品标准》。

【组成】淫羊藿　菟丝子　金樱子　制狗脊　女贞子

【用法】制成片剂，每服五片，一日二三次。

【功用】补肾强身，收敛固涩。

【主治】腰酸足软，头晕眼花，耳鸣心悸，阳痿遗精。

桂浆粥

【来源】《药粥疗法》引《粥谱》。

【组成】肉桂2～3克　粳米50～100克　红糖适量

【用法】将肉桂煎取浓汁去滓，再用粳米煮粥，待粥煮成后，调入桂汁及红糖，同煮为粥。或用肉桂末1～2克，调入粥内同煮服食。

【功用】补阳气，暖脾胃，散寒止痛。

【主治】肾阳不足，畏寒怕冷，四肢发凉，阳痿，小便频数清长，脉搏微弱无力；脾阳不振，脘腹冷痛，饮食减少，大便稀薄，呕吐，肠鸣腹胀，消化不良，以及寒湿腰痛，风寒湿痹，妇人虚寒性痛经。

菟丝子粥

【来源】《药粥疗法》。

【组成】菟丝子30～60克（新鲜者可用60～120克）　粳米二两　白糖适量

【用法】先将菟丝子洗净后捣碎，或用新鲜菟丝子捣烂，加水煎取汁，去清后，入米煮粥，粥将成时加入白糖，稍煮即可。分早、晚二次服食。七至十天为一疗程。

【功用】补肾益精，养肝明目。

【主治】肝肾不足所致的腰膝酸痛，腿脚软弱无力，阳痿，遗精，早泄，小便频数，尿有余沥，头晕眼花，视物不清，耳鸣耳聋；妇人带下病，习惯性流产。

阳春药

【来源】《中西医结合杂志》（1984，2：117）。

【组成】淫羊藿100g　菟丝子200g　制何首乌200g　熟地100g　枸杞子300g　鹿茸10g　黄芪50g　肉苁蓉50g　阳起石100g　水貂鞭胶20g　羊鞭胶50g　广狗肾胶100g

【用法】先将菟丝子、制何首乌、枸杞子用水煎煮2次，每次2小时，滤液合并，浓缩，加入3倍量95%乙醇，沉淀48小时，过滤，回收乙醇，浓缩成膏，再将淫羊藿、黄芪、熟地、阳起石、肉苁蓉水煎煮2次，滤液合并，浓缩成膏状，与以上浸膏混合，低压干燥，研粉，过80目筛，另将余药研粉，过80目筛。与上述药粉混匀，制成颗粒，装胶囊，每粒胶囊含药0.22g，每次服2～3粒，1日3次。1个月为1疗程，服药1～3个疗程，治疗期停用它药。

【主治】阳痿。

【验案】阳痿　《中西医结合杂志》（1984，2：117）：治疗阳痿105例，阳痿病史3个月以上，均为功能性阳痿。年龄26～62岁，病程3个月至15年。结果：痊愈（能进行正常性生活，3个月内无反复）20例；显效（能进行正常性生活，但性感或频度不及病前状况，3个月内基本无反复）20例；好转（能进行性生活，但性欲、性感、频度等不及病前状况）41例；无效（临床症状无改善）24例；总有效率为77.1%。

振痿灵

【来源】《湖北中医杂志》（1990，4：20）。

【组成】蜈蚣15g　仙灵脾15g　仙茅15g　柴胡15g　枳壳15g　香附15g　白蒺藜15g　当归30g　白芍30g　甘草30g　熟地60g　枸杞子60g

【用法】上药干燥后各研细末，和匀过120目筛后，分成40小包。每次1包，开水冲服，1日早晚各1包，20天为1疗程。

【主治】阳痿。

【验案】阳痿　《湖北中医杂志》（1990，4：20）：治疗阳痿39例，均为已婚；年龄22～45岁；病程半年至5年，均在服药1个疗程后停药观察。结果：以临床症状消失，有性欲且较强烈，性生活能正常进行，有快感为临床痊愈，共25例；以临床症状基本消失，有性欲、性生活能正常进行，性快感时有时无为显效，共9例；临床症状减轻，服药期间有性欲，停药后时或有性欲但短暂为好转，共1例；无效4例。

解郁活血汤

【来源】《陕西中医》（1990，6：252）。

【组成】当归12g　柴胡　川芎　红花　桃仁　郁金　菖蒲　牛膝　甘草各10g

【用法】水煎服。

【主治】阳痿。

【加减】肾虚加海狗肾、阳起石、山萸肉各10g；肝经湿热加龙胆草、黄芩各10g。

【验案】阳痿　《陕西中医》（1990，6：252）：治疗阳痿50例，年龄25～50岁；病程0.5～2年以上。结果：治愈42例，有效6例，无效2例，总有效率96%。服药时间7～60天。

龙胆地龙起痿汤

【来源】《中医杂志》（1990，8：562）。

【组成】龙胆草15g　制大黄12g　蜈蚣5条　地龙20g　当归15g　生地12g　柴胡9g　车前子18g　木通10g　泽泻12g　蛇床子12g　云苓30g

【用法】每日1剂，水煎服。

【主治】湿热阳痿。

【验案】湿热阳痿　《中医杂志》（1990，8：562）：治疗湿热阳痿64例。结果：阴茎能勃起且坚而有力，同房能维持5分钟以上即评为近期治愈，共51例（79.68%）；阴茎坚而有力，同房能维持2分以上评为显效，共4例（6.25%）；阴茎能勃起且坚而有力，同房不能维持2分、甚至不能成功评为有效，共4例（6.25%）；治疗2个疗程，阴茎仍不能勃起评为无效，共5例（7.81%）；总有效率达92.19%。

壮阳益肾酒

【来源】《吉林中医》（1991，1：17）。

【组成】蛤蚧1对　海马10g　鹿茸10g　赤参15g　枸杞子50g　淫羊藿30g　五味子30g

【用法】将上药洗净后，放入2.5kg白酒中浸泡7天后即可饮用。每晚睡前饮35g，2个月为1疗程。

【主治】阳痿。

【验案】阳痿　《吉林中医》（1991，1：17）：治疗阳痿107例，年龄21～60岁；病程1～5年以上。结果：用药1个疗程，基本恢复正常者为显效，共54例，占50.5%；用药2个疗程，基本能完成性交过程，较治疗前有明显好转者为有效，共35例，占32.7%；治疗2个疗程以上，无明显好转者为无效，共18例，占16.8%；总有效率为83.2%。

起阴汤

【来源】《实用中医内科杂志》（1991，5：186）。

【组成】红参10g　熟地35g　黄芪25g　白术15g　巴戟天15g　枣皮10g　柏子仁10g　五味子　远志　肉桂各6g　枸杞　乌药各15g

【用法】水煎服，每日1剂，分2次早晚服用，1周1疗程，期间禁房事，心情开朗。

【主治】阳痿。

【验案】阳痿　《实用中医内科杂志》（1991，5：186）：治疗阳痿40例，阴茎不勃起29例，举而不坚11例，均不能完成正常的性生活。其中45～59岁31例，60～66岁9例；病程3周至3年。结果：显效（阴茎勃起有力，性生活正常进行，持续时间10分钟以上）28例，有效（阴茎勃起有力，性生活能正常进行，持续时间10分钟左右）8例，无效（临床症状有所改善，但性生活不能进行）4例。

华神散

【来源】《陕西中医》（1992，10：437）。

【组成】当归　茯苓　白芍各12g　蜈蚣2条　丹参　乳香各9g　柴胡　甘草各6g

【用法】水煎服，每次250ml，每天2次。若兼脾虚，加用人参、白术；兼见阴虚加用山萸、生地；兼有心气虚加用炒枣仁、远志。

【主治】阳痿。

【验案】阳痿　《陕西中医》（1992，10：437）：治疗阳痿130例，年龄均在20岁以上，病程几月至5年以上不等。结果：阴茎易于勃起，且勃起有力，能完成正常性生活，伴随症状消失为痊愈，共78例；阴茎易于勃起，勃起较坚，但偶有勃起

不坚及过快射精为有效，共42例；治疗前后病情无变化，性生活仍不能成功者为无效，共10例；总有效率为92.31%。

仓公春酒

【来源】《山东中医学院学报》（1993，2：23）。

【组成】虾仁　蚕蛹　青葱管　生姜　枸杞

【用法】上药制成酒剂，每次服50ml，早晚2次分服，每2周为1疗程，至少观察1个疗程。

【主治】男性性功能障碍。

【验案】男性性功能障碍　《山东中医学院学报》（1993，2：23）：将病人分为观察组和对照组，观察组（服本方）80例，年龄22～62岁，青壮年以下53例，病程1周至15年。对照组（服S酒）40例，年龄23～56岁；病程1个月至10年。以症状记分法观察疗效，结果：总有效率88.7%。本方对改善性欲、勃起启动时间、持续时间、勃起硬度效果十分突出，观察组72例，服酒后睾酮明显升高，并有较好的增加精子数量，增强精子活动力，提高精子活动率，还促进精液液化的作用。

启阳生育汤

【来源】《山东中医杂志》（1993，2：29）。

【组成】人参6～15g　当归10～24g　熟地15～30g　海龙6～10g　海马6～15g　枸杞15～30g　山萸肉6～10g　炒杜仲10g　菟丝子15～30g　蜈蚣2～3条

【用法】每日1剂，早晚各煎服1次，30天为1疗程。

【主治】阳痿。

【验案】阳痿　《山东中医杂志》（1993，2：29）：治疗阳痿30例，为结婚2年以上不育病人，且以阳痿不能进行性生活为主症，并排除女方及病人性功能不全和其他器质性疾病致不育因素。年龄最大30岁，最小21岁；病程3个月至2年，诊断标准并结合精液检查为依据。结果：经治1～5个疗程后，阳痿消失，性生活基本恢复正常并在1年内使女方怀孕生育者为痊愈，共24例；阳痿有明显好转，性生活未完全恢复正常者为好转，共4例；1～5个疗程后，无任何改善者为无效，共2例。

兴阳丹

【来源】《江西中医药》（1993，3：27）。

【组成】熟地200g　枸杞120g　淫羊藿150g　肉苁蓉（酒浸7日）150g　黄狗肾2条　阳起石100g　蛇床子100g　益智仁100g　巴戟天（酒浸7日）120g　甘草90g

【用法】上药共为细末，过120目筛，炼蜜为丸，每丸重9g。每日3次，每次1丸。空腹淡盐水或温开水送下，1个月为1疗程。服药期间忌烟酒、房事，勿食白萝卜、绿豆及辛辣刺激之品。

【主治】阳痿。

【验案】阳痿　《江西中医药》（1993，3：27）：治疗阳痿38例，年龄23～49岁。结果：阳事能举，性生活恢复正常，自觉症状消失，1年未复发者为治愈，共26例；阳事能举，性生活较正常，自觉症状明显减轻，半年未复发者为好转，共10例；治疗1个月症状无改善者为无效，共2例；总有效率为95%。

化瘀起痿汤

【来源】《首批国家级名老中医效验秘方精选》。

【组成】水蛭3～5克　当归20克　蛇床子15克　淫羊藿　川续断15克　牛膝15克　熟地30克　紫梢花5克　桃仁10克　红花10克（水蛭，紫梢花各研细末吞服）

【用法】每日一剂，水煎服。

【功用】活血化瘀，补肾起痿。

【主治】外伤或手术损伤，或长期手淫，忍精不泄、合之非道等，以至精血瘀滞于宗筋脉络，心肝肾气不达外势，血气精津难以滋荣之阳痿。

【方论】方中水蛭咸平有毒，入肝、膀胱经，功用活血化瘀，通经破滞。《本草经疏》云其治“恶血、瘀血，因而无子者。”故以本品为君药。当归、桃红、红花、牛膝活血化瘀，为臣。蛇床子、淫羊藿、紫梢花、川续断、熟地，补肾壮阳，为佐。当归、熟地滋补阴血，防水蛭，红花活血之品伤及阴血，又为之使。诸药合用，共奏活血化瘀，畅达宗筋，补肾起痿之功。

【验案】刘某，男，26岁，工人。1983年11月24日就诊。病人于年前嬉戏时被同伴捏伤睾丸，当时痛不可忍，而后疼痛渐缓解。伤后约月余，即觉临房阴茎萎缩，有触痛，且少腹时觉掣痛，闷痛，牵及睾丸，疼痛以呈间歇性发作，伴胸闷心烦，龟头凉冷，小便余沥，面色晦暗。舌滞隐青，边尖有瘀斑，苔薄白腻，脉微涩。自述已服金匮肾气丸，海马三肾丸等多种补肾壮阳药物及西药性激素类药物无效。证属血瘀精道。行活血化瘀，通畅精道之法。方用化瘀起痿汤加官桂5克，甘草5克。服药8剂，阴茎稍有勃起，睾丸，少腹疼痛若失，继服前方12剂，阳痿已愈，余症亦消，同房数次均成功。

阳痿冲剂

【来源】《首批国家级名老中医效验秘方精选》。

【组成】白糖500克　熟猪油150克　炒黑糯米1000克　黄精100克　臭牡丹根50克

【用法】将三味药烘干研极细末，再用罗筛筛过，把白糖和熟猪油熔化入药内拌匀、备用。空腹内服，日服3次，每次约50克，用温开水冲服。

【主治】老年阳痿。

【验案】此方仍属彝族祖传秘方验方，用之则灵，经临床实用服用1剂见效，3剂痊愈。

生精助育汤

【来源】《首批国家级名老中医效验秘方精选》。

【组成】熟地黄　菟丝子各20克　淫羊藿　党参　天精子　淮山药各15克　仙茅12克　鹿角胶　紫河车各6克

【用法】每日1剂，水煎服，早晚各1次。20天为1疗程。服药期间节房事，可安排在女方排卵期同床。

【主治】男性不育症。

【加减】肾阴虚加女贞子、桑椹子；肾阳虚加制附子、肉苁蓉；气虚加黄芪；脾肾两虚，便溏泄泻加破故纸、炒白术；睾丸坠痛加川楝子、荔枝核；精液有脓球加金银花、蒲公英；精液不液化加黄柏、知母、土茯等，减鹿角胶、紫河车。

【方论】本方选用熟地黄、紫河车、天精子、鹿角胶等厚味之品，滋肾填精，以充实肾之阴精；用淫羊藿、菟丝子、仙茅温补肾阳，寓阳中求阴之意，使阴得阳助生化无穷；党参、淮山药补气健脾，使水谷之精不断滋生，以补肾精化生之源。诸药合用，共收滋肾化源，生精助育之功。

【验案】共治疗男性不育83例。结果：在治疗期间女方怀孕或精化验各项指标达正常范围为痊愈，共45例，占54.2%；精液常规检查好转或1～2项指标达正常为有效，共33例，占39.8%；经治疗精液化验无好转为无效，共5例，占6%；治疗时间最短20天，最长70天。无精子病人疗效最差。

生精灵药酒

【来源】《首批国家级名老中医效验秘方精选》。

【组成】红参15克　鹿茸15克　蛤蚧1对　韭菜子25克　淫羊藿25克　巴戟25克　生黄芪50克　肉桂10克　60度白酒400毫升。

【用法】每日2～3次，每次10～20毫升。

【主治】阳痿、早泄、无精子。

【验案】曾治疗725例，治愈680例，有效25例。

回春兴阳散

【来源】《首批国家级名老中医效验秘方精选》。

【组成】萸肉40克　熟地40克　杞果40克　石燕40克　白术40克　巴戟天30克　列当25克　五味子25克　茯神25克　山药25克　鹿茸10克　炙海马10克　炙蛤蚧1对　炙蜂房25克　炙蜗牛50个　阳起石50克　仙灵脾30克　全虫25克　蛇床子25克　地龙25克

【用法】将上药共研细末，过120目筛后分成60包，或炼蜜为丸。每服1包或1丸，日服2次，饭前服用，1个月为1个疗程。忌生、冷、烟酒。

【主治】阳痿。

【验案】治疗阳痿297例，治愈274例，占92.25%。

兴阳谐性回春酒

【来源】《首批国家级名老中医效验秘方精选》。

【组成】菟丝子150克　枸杞子100克　蛇床子

100 克　韭菜子 100 克　罂粟壳 73 克　淫羊藿 100 克　肉苁蓉 100 克　蜈蚣 2 条　合欢皮 150 克　石菖蒲 50 克　川椒 30 克　巴戟天 50 克　雄蚕蛾（无蚕蛾可用红蜻蜓代之）30 克　鸡睾丸 500 克　高粱白酒 5 公斤

【用法】 把药物及酒装入搪瓷罐中，放入大锅里隔水炖煮至沸取出，放冷后投入鸡睾丸密封，埋地下 1 尺许，夏春季窖 3 ~ 7 天，秋冬季窖 10 ~ 14 天，取出，过滤压榨药渣取汁，分装瓶内，密封备用。每次空腹服 25 毫升，1 日 3 次。

【主治】 男子阳痿、早泄、性欲淡漠，女子阴冷，性快感高潮障碍，男女不孕不育症等。

【验案】 共治疗 170 例，治愈 145 例，好转 25 例，总有效率为 100% 。如曾治陈某，男，28 岁，婚后 5 年无子女，精质较差，无性欲，阴茎勃起迟缓而不坚，勉强交合则甫门而泄，经服此酒 2 个月后，房事正常，女方受孕。陈某，女，32 岁，婚后 8 年，虽曾生育一男一女，但从未体验过性高潮的快感，对性事产生厌恶情绪，偶尔有之，亦是苦于应付，夫妻因此失睦，经饮用本酒月余，性欲强烈，快感高潮出现，夫妻性生活和谐美满。

阳痿丸

【来源】《首批国家级名老中医效验秘方精选》。

【组成】 制附子　甘草各 10 克　蛇床子　淫羊藿各 15 克　益智仁 10 克　女贞子　旱莲草各 9 克

【用法】 上药共研细末，炼蜜为 12 丸。每次 1 丸，每日 3 次，温开水送服，4 天为 1 疗程。服完 1 疗程后，若需再服，应间隔 6 天，忌连续服用。本方服后有头痛、头晕，轻度恶心等不良反应，一般不需特殊处理。忌空腹服药，服药期间忌性生活。

【主治】 继发性阳痿。

【加减】 若气虚明显者，加黄芪、党参；若腰困明显者，加枸杞、杜仲；若阴虚明显者，加龟胶、鹿胶；若阳虚明显者，加巴戟、菟丝子、阳起石；若小腹冰胀者，加小香、台乌；滑精明显者，加金樱子、覆盆子。

【验案】 治疗阳痿 17 例。结果：痊愈（性功能正常，性生活满意，2 年内无复发）10 例；显效（性功能正常，2 年内有复发，但症状轻微，经上方调理仍可恢复正常，）3 例；有效（性功能正常，2 年内有复发，症状较严重，经药物治疗仍可恢复正常）2 例。其中疗程最短者 15 天，最长者 30 天，服药最少 1 剂，最多 3 剂，总有效率 88% 。

阳痿灵

【来源】《首批国家级名老中医效验秘方精选》。

【组成】 枸杞 50 克　熟地 50 克　麦冬 50 克　淫羊藿 100 克　海狗肾 3 条　海马 20 克　肉苁蓉 50 克　鹿茸 10 克　制附片 12 克　肉桂 15 克　杜仲 30 克　山萸肉 50 克　补骨脂 50 克　巴戟天 50 克　复盆子 30 克　金樱子 30 克　车前子 30 克　阳起石 20 克　蜈蚣 20 条　菖蒲 30 克　远志 30 克　朱砂 30 克　甘草 60 克

【用法】 上药共为细末。1 次 9 克，淡盐开水冲服，1 日 2 次，30 天为 1 疗程。感冒发热火热重者忌服。

【主治】 阳痿、早泄，兼治少精、无精症。

【验案】 临床治疗观察 5000 余例，属肾阴阳两虚或心脾两虚病人有效率达 95% ，治愈率达 90% 。轻症 1 疗程治愈，重症需 2 ~ 3 个疗程治愈。

阳痿验方

【来源】《首批国家级名老中医效验秘方精选》。

【组成】 麻雀 12 只　地龙 40 克　蜈蚣（中等大）20 条　淫羊藿叶（或茎）50 克

【用法】 各药分别研为细末（麻雀去毛及内脏）焙干，然后混匀研末分为 40 包。每次 1 包，米酒适量冲服，每日 2 次。20 天为 1 疗程，忌腥冷等食物。

【主治】 阳痿。

【验案】 运用本方治疗 10 余例阳痿病人，有效率 100%（痊愈率 98% 以上）。

沙苑清补汤

【来源】《首批国家级名老中医效验秘方精选》。

【组成】 沙苑蒺藜 12 克　莲子肉 12 克　芡实 12 克　生龙牡（各）21 克　川黄连 3 克　大生地 6 克　车前子 3 克　麦门冬 9 克　五味子 6 克

【用法】 水煎服。

【功用】平调阴阳，清心补肾。

【主治】阴虚火旺之阳痿。

【方论】方中沙苑蒺藜，味甘性温，最能固精；莲子甘淡而温，能交水火而媾心肾；芡实味涩而固精，补下元益肾精；生地、麦冬、五味子滋补阴精；川连、车前子清心火；龙牡，镇心安神。诸药合用，共奏平调阴阳，清心补肾之功。

【验案】某男，27岁，1979年10月初诊。遗精、阳痿2年，伴头晕、眼花，腰膝酸软，疲倦乏力，诊其人舌红苔薄，脉细。是由生活不节，思虑过度，阴精暗耗，元阳亦伤，终至遗精阳痿。遂予本方，服至4剂，阳事已旺，再予原方巩固而愈。

补肾丸

【来源】《首批国家级名老中医效验秘方精选》。

【组成】蛤蚧一对　熟地　菟丝子　金樱子　巴戟天　淡苁蓉各45克　紫河车30克

【用法】研末为丸。每服6～9克，早晚各一次，温开水送服。

【功用】补肾填精。

【主治】阳虚阳痿、滑精等症。

【方论】方中蛤蚧，血肉有情之品，功擅温补肾阳，为君；淡苁蓉、菟丝子、金樱子、巴戟天滋阴补阳，为臣；紫河车血肉有情之品，大补气血，峻补肾阴，为使。诸药合用，共奏补肾填精之功。

补肾壮阳丸

【来源】《首批国家级名老中医效验秘方精选》。

【组成】熟地50克　山萸肉25克　山药25克　茯苓20克　泽泻20克　丹皮20克　菟丝子25克　肉桂20克　附子20克　狗肾1具　鹿鞭25克　仙灵脾20克　红参25克　仙茅20克　枸杞子20克　知母20克　盐柏20克　肉苁蓉20克　巴戟天20克

【用法】上药共研末，炼蜜为丸，每丸重15克。每服1丸，1日2次。

【功用】滋补肝肾，平调阴阳。

【主治】肾虚、精气不足之阳痿。

【验案】刘某。年已半百，素康健，半年来阳痿不举，性欲减退，曾服海马三肾丸、参茸丸等温补肾阳之剂，无效。观其人面色红润，仅有腰酸，余无他症，脉细滑而有力。当属肾阴不足，湿热下注，宗筋弛纵之症。宜滋补肝肾之阴，并清热利湿。处方：熟地30克，山萸肉15克，茯苓15克，丹皮15克，泽泻15克，山药20克，知母15克，黄柏15克，龙胆草10克，女贞子20克，菟丝子20克，枸杞子20克，仙茅15克，羊藿叶15克。二诊：服药10剂，有性欲要求，阳事稍振，效不更方，原方再进10剂。三诊：阳事勃起，尤以清晨明显，嘱继续服上药10剂。药后房事已基本恢复正常。

附桂汤

【来源】《首批国家级名老中医效验秘方精选》。

【组成】附子（先煎）　肉桂各6克　杜仲　菟丝子（炒）　山药　丹参各15克　山萸肉　仙茅　枸杞子各12克　巴戟天10克　生地20克

【用法】附子先煎1小时，再入余药同煎20～30分钟，取汁200毫升，分早晚2次服。

【主治】肾气匮乏引起的阳痿伴消渴。

【加减】津伤口渴，加麦冬15克；阳事不举，加阳起石（先煎）、牡蛎（先煎）各15克。

【验案】病人梁某，男，46岁。烦渴多饮，多尿，阳痿20余天。经西医诊为精神性多饮症。服谷维素、维生素C等其效不佳，求诊于余。询其病情，在1976年曾患阳痿、早泄，经治疗而愈。此次患症，缘于父母相继病故，悲痛之余，经济拮据，再度出现阳痿、早泄，且伴见烦渴多饮，日趋加重，日进量达2500～3000毫升，甚则达4000毫升以上，旋饮旋排，日达20次左右。自感两目干涩，腰膝酸软，恐惧不安，精神萎靡，四肢肿胀，一股热气由下向上而发，舌质淡、苔微黄干，脉结代。证属肾阳虚弱，气化失司。治以温补肾阳，化气行水。服上方4剂，烦渴多饮，多溲之症锐减，药已中机，步前方加麦冬、阳起石、牡蛎，服20余剂，阳痿亦起而出院，嘱其服金匮肾气丸2个月，1年后随访未见复发。

金水六君煎加味

【来源】《首批国家级名老中医效验秘方精选》。

【组成】法夏10克　陈皮15克　茯苓12克　甘草10克　贝母10克　当归15克　熟地15克　枳壳12克　桔梗12克　蜈蚣1条

【用法】1日1剂，水煎服。忌食糖及油腻等生痰之品。

【主治】阴虚痰泛、阻遏宗筋所致之阳痿。

【加减】舌红少苔者，加龟版10克；口干喜饮者，加花粉20克；阳痿日久不举者，用浙贝母、川贝母各10克。

性灵胶丸

【来源】《首批国家级名老中医效验秘方精选》。

【组成】鹿茸　僵蚕　制附子　柏仁各60克

【用法】共研细末后，装入一号空心胶囊内，紫外线常规消毒备用。每次5粒，黄酒或温开水送下，1日3次。

【主治】性冷淡，阳痿，早泄及各种性功能障碍。

【验案】用本方治疗性功能障碍88例，其中男性66例，女性22例；30岁以下15例，30～50岁者45例，50岁以上者28例。有效率100%。

治阳痿方

【来源】《首批国家级名老中医效验秘方精选》。

【组成】1号方：苡仁20克　龙胆草　山栀子　金钱草　淫羊藿各15克　柴胡　黄芩　黄柏　木通　通草各10克

2号方：破故纸　淫羊藿　菟丝子　枸杞子　益智仁　续断　苡仁各15克　当归　山栀子　黄精　锁阳　五加皮各10克

外洗方：苦参　蛇床子各50克　黄柏　龙胆草　荆芥　海风藤各20克　百部　白鲜皮　夜交藤各15克

【用法】先服1号方1～3剂，不能超服5剂。改服2号方，可长期服用。阴囊发痒及湿疹配合外洗方。

【主治】湿热型阳痿。

【加减】兼挟阴虚者，加女贞子、旱莲草、地骨皮；兼挟阳虚者，加肉桂、海狗肾、小茴香、巴戟天；兼挟瘀热，加丹皮、丹参、赤芍；体形肥胖，加白芥子、山楂、莱菔子；冠心病史，加瓜蒌、丹参、山楂；动脉硬化，加当归、白芍、葛根、麦冬；腰骶痛，加葫芦巴、杜仲。

【验案】治疗阳痿24例。结果：以临床症状消失，能正常性生活为治愈标准。服中药1号方2剂，2号方2剂而愈者8例。服1号方3剂，2号方5剂而愈者10例。服1号方3剂，2号方10剂而愈者4例。增服2号方10剂2例。疗程最短5天，最长45天。其中19例外阴湿疹及发痒配合外熏洗。

珍珠镇缓解痉汤

【来源】《首批国家级名老中医效验秘方精选》。

【组成】珍珠母30克　朱砂（冲）0.1克　琥珀6克　茯苓15克　白芍15克　甘草10克　地龙15克　蜈蚣3条　当归10克　远志10克　菖蒲10克

【用法】水煎，房事前半小时顿服。

【功用】镇心安神，酸甘缓急，解除血管平滑肌的痉挛，改善阴茎的血液供应，增强勃起力度，延长勃起时间。

【主治】阳痿、早泄、不射精、遗精、性恐惧症等。

茸血酒

【来源】《首批国家级名老中医效验秘方精选》。

【组成】鲜茸血500毫升　上好米酒2000毫升

【用法】将鲜茸血溶混于米酒中（无米酒白酒亦可），密封7日后即可服用。每天早晚饭前服10毫升，3个月为1疗程，服药期间禁忌房事。防衰老者可长期服用，加用枸杞更好。

【主治】阳痿。伴见精神萎靡、畏寒肢冷，失眠健忘；防衰老，伴腰困腿软，小便清长。

【验案】任某，男53岁，职工，于1992年12月8日初诊。病人于1990年秋自觉阴茎勃起不坚，渐到阳事不举，伴腰膝萎软，喜居暖室，精神萎靡，身体疲惫。舌苔淡嫩，脉沉尺虚。当即服用茸血药酒。服用两旬余，在夜间睡中可有阴茎勃起，但举而不坚，持续短暂，至1月有半则可举而不痿。服完1个疗程，房事恢复如常，已精力旺盛，已无疲惫感。为巩固疗效，嘱其继续服用1个疗程。

宣通三焦气化汤

【来源】《首批国家级名老中医效验秘方精选》。

【组成】杏仁9～12克　白寇仁7～10克　薏苡仁1～30克　厚朴10～12克　白通草6～10克　半夏6～10克　滑石10～15克　竹叶3～6克

【用法】每日1剂，水煎服。

【主治】阳痿。

【加减】肺壅气喘，虚胖，加麻黄3～6克，葶苈子10～15克；脾虚纳呆，运化失职，加大腹皮20～30克，茯苓15～30克；水道不利，湿热下注者，加泽泻15～24克，茯苓12克，黄柏6～10克；热重于湿，加黄芩6克，公英12～15克；久痿体弱，可佐巴戟天10～15克，仙灵脾10～15克。

【验案】治疗阳痿30例。结果：痊愈（临床症状消失，阴茎举动有力，房事满意者）21例；显效（同房成功，自觉力量不强者）6例；无效（阴茎偶有勃起时，但房事失败或痿而不用）3例。

祛湿振痿汤加减

【来源】《首批国家级名老中医效验秘方精选》。

【组成】柴胡　生地　龙胆草　泽泻　木通　车前子（布包）　当归各15克　苍术　菟丝子各25克　蜈蚣2条　生甘草10克

【用法】每日1剂，水煎，分上下午2次服用。本方可随症加减，忌食酒、肥腻之品。

【主治】温热下注型阳痿。

【验案】临床治此证68例，其中痊愈39例，占57.3%；显效24例，占35.3%；好转3例，占4.4%；无效2例，占2.9%。

振阳灵药酒

【来源】《首批国家级名老中医效验秘方精选》。

【组成】仙灵脾15克　黄芪20克　枸杞果20克　蛇床子15克　阳起石15克　菟丝子15克　益智仁10克　蜈蚣10条　海狗肾1具　黄酒　白酒各500克

【用法】将药物浸入酒中泡10天即可服用。早晚各服1次，每次25克，20天为1疗程。

【主治】阳痿。

【验案】治疗阳痿24例，年龄在25～47岁，病程半年～2年。服药酒1个疗程治愈者6例，2个疗程治愈者12例，3个疗程治愈5例。无效1例。

清心泻肝汤

【来源】《首批国家级名老中医效验秘方精选》。

【组成】细川连1.5克　龙胆草6克　肥知母　盐水炒黄柏各10克　肉桂3克（后下）　朱茯苓　酸枣仁　生地黄　天门冬各15克

【用法】上药煎15～20分钟后取汁，约200毫升，早晚2次分服。并嘱夫妻和谐，相互体贴，加强爱抚，摒除忧虑，调摄情志，身心愉悦，树立必胜之信心。

【主治】阳痿（心肝火旺型）。

【验案】治疗心肝火旺型阳痿病人18例，服药1次阴茎即能勃起，性生活即正常者6例，服药3～6剂阴茎正常勃起者12例，所治病例有效率达100%。

强阳丸

【来源】《首批国家级名老中医效验秘方精选》。

【组成】大熟地240克　当归180克　川芎120克　五味子60克　黄芪180克　补骨脂180克　菟丝子180克　金樱子180克　覆盆子180克　车前子180克　甘杞子180克　蛇床子120克　甜苁蓉180克　陈皮90克　甘草60　黄狗肾180克

【用法】先将黄狗肾切片，文火焙，另研细粉，其余诸药捣碎另研粉，然后将两种药粉混合后再研，过100目筛，水泛为丸，如绿豆大。每服10克，饭前开水送服，1日3次。

【功用】温补肾阳，养血和络，益肝兴阳。

【主治】已婚、未婚之阳痿病，以及肾阳虚滑精、漏精、早泄等症。

疏肝清利汤

【来源】《首批国家级名老中医效验秘方精选》。

【组成】柴胡　枳实　苍术各9克　黄柏　知母各10克　丹参　当归　路路通各12克　牛膝15克

白茅根　薏苡仁各20克　龙胆草18克

【用法】每日1剂，水煎服。

【主治】肝胆郁滞，湿热下注而致阳痿。

【用法】胸脘痞闷，加郁金、佩兰；少腹胀痛，加川楝子、五灵脂；腰部酸软，加桑寄生、川断；遗精早泄，加枣皮、菟丝子、枸杞；失眠多梦，加合欢花、炙远志：湿热偏重，加栀子、滑石；湿甚，加生苍术、薏苡仁。

【验案】治疗阳痿27例。结果：治愈（阴茎勃起正常，同房能成功）16例；好转（阴茎能勃起，但时好时差，同房勉强成功或不能成功）8例；无效（阴茎偶能勃起，但不能同房，经服药40剂病情无明显变化）3例。其中服药10～15剂者10例，16～25剂者13例；30剂以上者4例。

蜈蚣鸽卵

【来源】《首批国家级名老中医效验秘方精选》。

【组成】蜈蚣1条　鸽卵1个

【用法】先将蜈蚣研细末，再将鸽蛋打开，放在碗内同蜈蚣面搅匀，然后放油内煎吃之。1日3次，早、午、晚饭前吃之，15天为1疗程。五代祖传秘方，经验证效果极佳。

【主治】阳痿、早泄。

【方论】世医把蜈蚣多用于治疗蛇咬伤、偏瘫中风以及瘰疬等症。古本草多有不载治阳痿早泄之症。张锡纯《医学衷中参西录》言蜈蚣节节有心脏，此乃物之特异者，极善调理脑之神经，用其所司，大有兴奋性神经之功用。能兴阳事疗阳痿，用之有实验，余重为上品。鸽卵即雀卵同类，善治阳痿早泄，有兴阳固精之功用，又有明目健脑充神之作用。二药同用，可为阴阳双补，大有相助之功。

蜈蚣疏郁汤

【来源】《首批国家级名老中医效验秘方精选》。

【组成】大蜈蚣2条（研末分吞）　地龙10克　海参10克（研末分吞）　蚕蛹15克　柴胡10克　香附10克　王不留行10克　白芍20克　当归15克

【用法】每日一剂，水煎服。

【功用】疏达肝脉，畅行宗筋，展势起痿。

【主治】心情不畅，抑郁不舒，肝失疏泄之阳痿。

【验案】路某，29岁，医生。1979年夏初诊。病阳痿年余，抑郁焦虑，胸闷胁胀，口苦咽干，面色青黄而晦。平素性欲萌动时，偶可举阳，而每临房却从未能兴举。叠进温肾壮阳之品节效，而反增烦躁之症。今投蜈蚣疏郁汤，并配合心理疏导，药进6剂，即觉阳事兴举。嘱暂忌房事，又服6剂，诸症皆愈，同房成功。

蜻蜓展势丹

【来源】《首批国家级名老中医效验秘方精选》。

【组成】大蜻蜓40只　原蚕蛾30只　露蜂房20克（酒润）　丁香10克　木香10克　桂心10克　胡椒5克　生枣仁20克　酒当归20克　炙首乌20克。

【用法】上为细末，炼蜜为丸，如梧桐子大，或为散。每服7～10克，1日2～3次，空腹以黄酒送服。

【功用】峻补肾督，壮阳展势。

【主治】腰膝酸软，畏寒服冷，舌淡苔白，脉沉迟，证属肾督亏虚之阳痿。

【验案】陈某，男，31岁，干部。患阳痿3年余，曾历用甲基睾丸素、绒毛膜促性腺激素等性激素，以及诸多益肾壮阳中药，皆未收效。既往有手淫史，婚后同房常不满意，伴精神紧张，腰酸尿频，瞀闷焦躁，脉略涩。易药以蜻蜓展势丹，服药4日后，即觉阴茎有勃起，半月竞获愈，同房数次均成功。

蜘蜂丸

【来源】《首批国家级名老中医效验秘方精选》。

【组成】花蜘蛛30克（微焙）　炙蜂房60克　熟地黄90克　紫河车　仙灵脾　淡苁蓉各60克

【用法】上为细末，蜜丸如绿豆大。每服6～9克，开水送下，早晚各一次。

【功用】补肾填精，化瘀通窍。

【主治】劳倦伤神，思虑过度，精血暗耗，下元亏损，而致阳事不举者。

双济丸

【来源】《首批国家级名老中医效验秘方精选·续集》。

【组成】党参30克　白术30克　山萸肉30克　仙茅30克　仙灵脾30克　阳起石30克　熟地30克　白芍30克　当归30克　五味子30克　菟丝子30克　诃子肉30克　旱莲草30克　女贞子30克　覆盆子30克　牛膝30克　蛤蚧一对（去头足）

【用法】上药共研细末，炼蜜为丸，每丸重10克。每次二丸，一日二次，白开水送下。

【功用】补肾健脾。

【主治】精神焦虑，失眠健忘，腰膝酸软，脉沉细，苔薄白，证属脾肾两虚之阳痿证。

【方论】肾与脾分别为人之先天后之本，脾的运化有赖于命火的温煦蒸腾；命火的生息有赖于脾气散精的滋养，两者相互资助。本方采用脾肾双补以补肾为主的法则。取其后天济先天，先天助后天，相互资助之效。故名“双济丸”。方中党参、白术健脾助运；当归、白芍补血调心脾；熟地、女贞子、旱莲草、覆盆子、牛膝、山萸肉、菟丝子益肾填精；再取二仙、阳起石、蛤蚧壮阳助命火以为用。为了防止过于温补而兼顾真阴，佐以五味子、诃子肉敛阴摄精，脾肾双补，故而取效甚速。

【验案】侯某，男，27岁。阳痿半年。病人婚后即发现阴茎不能勃起，精神焦虑，神疲健忘，睡眠不佳，腰酸，纳食不香，二便如常。既往无特殊病史。检查外生殖器无异常。舌淡少苔，脉沉细。辨证：命火不足，心脾两虚。治法：补肾健脾，予双济丸，日服二次。服后一个月，性生活逐渐恢复正常，服后三个月，其爱人受孕，足月顺产一子。

振阳起萎汤

【来源】《首批国家级名老中医效验秘方精选·续集》。

【组成】川蜈蚣3条　肉桂4.5克　洋参6克　川芎9克　仙茅15克

【用法】先将蜈蚣，肉桂研末备用。洋参，川芎，仙茅三药合煎，取汁300毫升；合雄鸡烂熟；兑入蜈蚣、肉桂伴匀服，每2～3天服一剂，以临卧时为佳。

【功用】辛温走窜，调畅气血。

【主治】阳痿证。

【加减】腰膝酸软加杜仲、牛膝；头目眩晕加山茱萸、甘杞子；夜寐不宁加酸枣仁、茯神；小便热赤加知母、黄柏；四肢不温加附子、干姜；梦遗失精加芡实、莲须。

【验案】黄某，23岁，未婚。病人少时有手淫史，每次须达射精而后快。初不为意，也无自觉症状。近一年来发现阴茎痿软不举，曾到某医院男科治疗，服过温补肾阳之中药及西药甲基睾丸素片半年，未见获效，婚期又在即，焦虑万分而求治。症见营养中等，眠食如常，唯腰膝酸软，四末不温而已。舌质淡红，苔薄而白，脉沉缓。证属气血凝滞，阴茎失养。治宜辛温走窜，以调畅气血。方用自拟振阳起萎汤加杜仲、牛膝、附子、干姜合雄鸡炖服，每3天服一剂，连服15剂而收全功。已婚，性生活正常，育一女。

一柱天酒

【来源】《部颁标准》。

【组成】蚕蛾（制）4.8g　淫羊藿（羊油炙）4.8g　巴戟天3.6g　熟地黄4.8g　山药2.4g　山茱萸1.8g　枸杞子2.4g　菟丝子（蒸）2.4g　鹿茸2.4g　杜仲（炭）2.4g　当归（炒）1.8g　肉桂1.2g　附子（制）1.2g　蜈蚣（酒制）0.4g　天麻1.2g　人参1.2g　鹿鞭0.4g

【用法】制成酒剂，每瓶装50ml，250ml，500ml 3种规格，密封，置阴凉处。口服，每次20～40ml，早晚各1次。

【功用】温补肾阳，填精补血。

【主治】久病气怯神疲，体寒肢冷，阳痿遗精，阳衰无子，小便自遗，腰膝酸软，下肢浮肿，饮食少进，大便不实。

七鞭回春乐胶囊

【来源】《部颁标准》。

【组成】鹿肾（制）1g　羊肾（制）20g　驴肾（制）2g　刺猬皮（制）20g　貂肾（制）1g　枸

杞子20g　狗肾（制）30g　山药14g　牛肾（制）28g　制何首乌4g　马肾（制）20g

【用法】制成胶囊剂，每粒装0.3g，密封。口服，每次3g，1日2次。

【功用】补肾壮阳。

【主治】肾虚阳痿，滑精早泄，性功能减退。

三鞭胶囊

【来源】《部颁标准》。

【组成】牛鞭250g　羊鞭125g　狗鞭125g　蜈蚣90g　当归30g　白芍300g　天花粉300g　甘草300g

【用法】制成胶囊，每粒装0.3g，密封。口服，每次3粒，1日2次。

【功用】壮腰健肾，养血滋阴。

【主治】阳痿遗清，腰肾酸痛，养血补血。

三肾丸

【来源】《部颁标准》。

【组成】鹿肾（滑石粉烫）45g　狗肾（滑石粉烫）60g　驴肾（滑石粉烫）150g　仙茅540g　附子（制）660g　肉桂660g　淫羊藿（羊油炙）660g　木瓜540g　牡丹皮660g　山药（麸炒）660g　山茱萸660g　白术（土炒）240g　茯苓240g　小茴香（盐炙）1080g　甘草（蜜炙）540g　陈皮540g　楮实子（盐炙）660g　覆盆子1080g　续断240g　当归660g　川芎660g　地黄240g　熟地黄1080g　胡芦巴（盐炙）660g　肉苁蓉540g　锁阳660g　巴戟天540g　补骨脂（盐炙）660g　黄芪（蜜炙）660g　枸杞子660g　天冬660g　麦冬540g　牛膝660g　杜仲（盐炙）660g　菟丝子660g　人参60g　鹿茸（酥油炙）60g　海马（酥油炙）60g　蛤蚧（酥油炙）八对

【用法】制成大蜜丸，每丸重6g。密封。口服，每次1～2丸，1日2次，淡盐水送下。

【功用】补肾益精，温壮元阳。

【方治】肾精亏损，元阳不足所致的阳痿滑精，腰膝酸冷，气短神疲。

【宜忌】服药期间，忌生冷食物，应节制房事。

引阳索

【来源】《部颁标准》。

【组成】淫羊藿浸膏100g　五味子浸膏50g

【用法】制成颗粒，每袋装5g，密封。开水冲服，每次5g，1日3次。

【功用】补肾壮阳，生津。

【主治】阳痿早泄，腰膝酸软，津亏自汗，头目眩晕等症。

巴戟补酒

【来源】《部颁标准》。

【组成】巴戟天10g　何首乌8g　杜仲6g　肉苁蓉4g　续断5g　仙茅3g　金樱子提取液10ml　淫羊藿（叶）6g　覆盆子5g　当归4g　党参2g　熟地黄5g　枸杞子4g　甘草8g　黄芪3g　狗脊4g

【用法】制成补酒，密封，置阴凉处。口服，每次10～20ml，1日3次。

本方制成口服液，名“巴戟口服液”。

【功用】补肾壮腰，固精止遗。

【主治】肾阳不足，命门火衰而致的神疲不振，阳痿不举或早泄，腰膝软弱，亦可用于遗精滑泄，精冷而稀，夜尿频繁。

巴戟补肾丸

【来源】《部颁标准》。

【组成】巴戟肉377g　枸杞子236g　芡实565g　当归190g　制何首乌565g　牛膝190g　山药（蒸晒）377g　泽泻（盐水炒）190g　狗脊（去毛）377g　菟丝子（盐水炒）190g　党参377g　杜仲（盐水炒）94g　甘草（炙）94g　韭菜子47g　肉苁蓉（制）94g　天花粉236g　远志（甘草制）23g　白术（蒸晒）94g　熟地黄190g

【用法】制成小蜜丸或大蜜丸，小蜜丸每瓶装9g，大蜜丸每丸重9g，密封。口服，小蜜丸每次9g，大蜜丸每次1丸，1日2次。

【功用】补肾填精，益气养血。

【主治】肾亏阳痿，头晕目眩，耳鸣，四肢酸软，腰膝酸痛。

【宜忌】肾阴虚病人不宜服。

龙燕补肾酒

【来源】《部颁标准》。

【组成】雄蚕蛾 400g　地龙 140g　海燕 80g　花椒 50g　甜叶菊 10g

【用法】制成酒剂，每瓶 100ml，密封，阴凉处保存。口服，每次 10ml，1 日 2 次（用前振摇），1 个月为 1 个疗程。

【功用】补肝益肾，除湿助阳，温脾助胃，益髓填精。

【主治】肾虚阳痿，性功能减退等症。

生力胶囊

【来源】《部颁标准》。

【组成】人参 140g　肉苁蓉 140g　熟地黄 140g　淫羊藿 85g　枸杞子 140g　荔枝核 60g　沙苑子 85g　丁香 85g　沉香 27g　远志 27g

【用法】制成胶囊，每粒重 0.35g，密封，防潮。口服，每次 2～4 粒，1 日 3 次，空腹服用。

【功用】益气壮阳，填精养阴，安神益智。

【主治】阳痿早泄，性欲减退，遗精，神疲乏力，头昏眩晕，耳鸣，失眠多梦，腰酸膝软等，提高免疫功能。

仙灵脾酒

【来源】《部颁标准》。

【组成】淫羊藿

【用法】制成酒剂，密封，置阴凉处。口服，每次 5～25ml，1 日 1～2 次。

本方制成冲剂，名“仙灵脾冲剂”。

【功用】补肾阳，强筋骨，祛风湿。

【主治】阳痿，腰膝痿弱，四肢麻痹，神疲健忘。

【宜忌】孕妇慎服。

仙茸淫羊口服液

【来源】《部颁标准》。

【组成】鹿茸（去毛）12.5g　仙茅 25g　淫羊藿 50g　八戟天（盐制）25g　肉苁蓉 25g　枸杞子 50g　刺五加浸膏 10g　何首乌（制）50g

【用法】制成口服液，每支装 10ml，密封，置阴凉处。口服，每次 10ml，1 日 2 次。

【功用】补肾壮阳。

【主治】体虚、阳痿肾寒。

宁心补肾丸

【来源】《部颁标准》。

【组成】党参（米汁制）1600g　续断（酒炒）241g　沙苑子（盐蒸）320g　金樱子（去毛、核）241g　芡实（盐制）320g　酸枣仁（炒）241g　莲须（盐炒）320g　龙骨（水飞）241g　何首乌（豆制）320g　核桃仁（去油，盐水制）241g　枸杞子 320g　续断（盐炒）320g　茯苓（炒）160g　补骨脂（盐制）400g　覆盆子（炒）160g　山药（炒）241g　韭菜子（炒）160g　菟丝子（盐水制）241g　牛鞭（炙，蛤粉炒）100g　莲子（炒）241g　砂仁（炒）47.5g

【用法】制成大蜜丸，每丸重 11.3g，密封。口服，每次 1 丸，1 日 2 次。

【功用】宁心补肾，益精止痿。

【主治】肾虚耳鸣，头晕眼花，惊悸不宁，盗汗体倦，遗精，滑精，阳痿不育，腰膝酸软。

【宜忌】感冒发热者忌服。

西汉古酒

【来源】《部颁标准》。

【组成】鹿茸 2g　蛤蚧（酒炙）19.5g　狗鞭（酒炙）9.6g　柏子仁（去油）65g　枸杞子 100g　松子仁 50g　黄精 200g

【用法】制成酒剂，密封，置阴凉处。口服，每次 25～50ml，1 日 2 次。睡前服用效果更佳。

【功用】补肾益精，强筋补髓。

【主治】肾阳虚衰，阳痿，滑精，早泄，腰膝酸软，肢冷乏力，健忘，动则气喘等症。

全鹿大补丸

【来源】《部颁标准》。

【组成】全鹿干 350g（或鲜全鹿肉 100g）　红参 40g　熟地黄 100g　地黄 80g　山茱萸 80g　枸杞子

60g 菟丝子（炒）60g 杜仲（炭）60g 芡实（炒）60g 黄芪60g 川芎50g 山药50g 女贞子40g 肉苁蓉（制）40g 巴戟天（盐制）40g 白术（炒）40g 茯苓40g 补骨脂（盐制）40g 制何首乌40g 白芍（酒炒）40g 当归40g 莲子（炒）40g 麦冬30g 牛膝30g 陈皮30g 大青盐25g 沙苑子25g 菊花25g 砂仁25g 龟版（制）25g 天冬25g 酸枣仁（炒）25g 锁阳25g 花椒25g 甘草（制）15g 五味子8g 胡芦巴（炒）10g 小薯香（盐制）8g 沉香4g

【用法】制成水蜜丸或大蜜丸，大蜜丸重10g，水蜜丸每瓶重6g，水蜜丸密闭，防潮，大蜜丸密封。口服，水蜜丸每次6g，大蜜丸每次1丸，1日2次。

【功用】补血填精，益气固本。

【主治】头眩耳鸣，阳痿不举，神志恍惚，身体衰弱，气血双亏，崩漏带下。

【宜忌】孕妇忌服，有实热者慎用。

壮腰健身丸

【来源】《部颁标准》。

【组成】女贞子（酒蒸）24g 黄精24g 熟地黄36g 金樱子24g 狗脊24g 制何首乌15g 千斤拨30g

【用法】制成小蜜丸或大蜜丸，小蜜丸每17丸重3g，大蜜丸每丸重9g，密封。口服，小蜜丸每次9g，大蜜丸每次1丸，1日2次。

【功用】壮腰健肾。

【主治】腰酸腿软，头晕耳鸣，眼花心悸，阳痿遗精。

壮阳健威丸

【来源】《部颁标准》。

【组成】人参150g 肉苁蓉150g 鹿茸300g 鹿角胶150g 沉香150g 杜仲（盐水炒）150g 茯苓150g 远志（制）75g 肉桂150g 甘草（蜜炙）75g 山药150g 枸杞子150g 锁阳150g 附子（制）75g 制何首乌150g 黄狗肾150g

【用法】制成水蜜丸，每丸重3g，密封。口服，每次1丸，1日1~2次。

【功用】补肾壮阳，生精益髓。

【主治】阳虚畏寒，腰膝酸痛，阳痿。

阳春玉液

【来源】《部颁标准》。

【组成】鹿茸15g 鹿角胶45g 龟甲45g 党参120g 淫羊藿120g 黄芪90g 巴戟天75g 枸杞子60g 天冬45g 蛇床子45g 熟地黄120g

【用法】制成合剂，每瓶10ml，密封，置阴凉干燥处。饭前空腹服，每次10ml，1日3次。

【功用】滋肾壮阳，添精补髓，益气健脾。

【主治】肾虚阳衰引起的性功能减退，阳痿早泄，腰背酸痛，畏寒肢冷，神疲乏力，夜尿多频。

阳春口服液

【来源】《部颁标准》。

【组成】人参250g 鹿茸15g 淫羊藿（炙）500g 山茱萸（酒炙）250g 菟丝子250g 乌鸡（去毛、爪、肠）500g 阳起石15g

【用法】制成口服液，每支10ml，密封，置阴凉处。口服，每次10ml，1日3次（如有少量沉淀，振摇后服用）。

【功用】补肾壮阳，生精益脑。

【主治】肾阳不足，肾精亏损引起的阳痿不举，滑精早泄，失眠健忘，肾虚腰痛。

杞蓉片

【来源】《部颁标准》。

【组成】枸杞子70g 肉苁蓉140g 锁阳210g 蛇床子42g 女贞子56g 五味子42g 金樱子56g 淫羊藿98g 菟丝子84g

【用法】制成糖衣片，密封。口服，每次4~6片，1日3次。

【功用】补肾固精，益智安神。

【主治】肾亏遗精，阳痿早泄，失眠健忘。

还少胶囊

【来源】《部颁标准》。

【组成】熟地黄60g　山药（炒）60g　牛膝40g　枸杞子40g　山茱萸40g　茯苓60g　杜仲（盐制）40g　远志（甘草炙）40g　巴戟天（炒）40g　五味子40g　小茴香（盐制）40g　楮实子40g　肉苁蓉40g　石菖蒲20g　大枣（去核）60g

【用法】制成胶囊，每粒装0.42g，密封。口服，每次5粒，1日2～3次。

【功用】温肾补脾，养血益精。

【主治】脾肾虚损，腰膝酸痛，阳痿遗精，耳鸣目眩，精血亏耗，肌体瘦弱，食欲减退，牙根酸痛。

男宝胶囊

【来源】《部颁标准》。

【组成】鹿茸　海马　阿胶　牡丹皮　黄芪　驴肾　狗肾　人参　当归　杜仲　肉桂　枸杞子　菟丝子　附子　巴戟天　肉苁蓉　熟地黄　茯苓　白术　山茱萸　淫羊藿　补肾脂　覆盆子　葫芦巴　麦冬　锁阳　仙茅　川续断　牛膝　玄参　甘草

【用法】制成胶囊剂，每粒装0.3g。口服，每次2～3粒，1日2次，早晚服。

【功用】壮阳补肾。

【主治】肾阳不足引起的性欲淡漠，阳痿滑泄，腰腿酸痛，肾囊湿冷，精神萎靡，食欲不振等症。

龟鹿二胶丸

【来源】《部颁标准》。

【组成】龟版胶20g　鹿角胶30g　巴戟天（盐炒）80g　补骨脂（盐炒）40g　续断80g　杜仲（盐炒）80g　熟地黄140g　当归80g　白芍80g　枸杞子40g　五味子10g　山药80g　山茱萸103.8g　麦冬40g　芡实120g　肉桂20g　附子（炮附片）40g　牡丹皮103.8g　泽泻（盐浸麸炒）103.8g　茯苓103.8g

【用法】制成水蜜丸或大蜜丸，水蜜丸每10丸重1g，大蜜丸每丸重9g，小蜜丸每10丸重5g，密闭，防潮。口服，水蜜丸每次6g，大蜜丸每次1丸，小蜜丸每次20丸，1日2次。

【功用】温补肾阳，填精改髓。

【主治】肾阳不足，精血亏虚，阳痿早泄，梦遗滑精，腰痛酸软，筋骨无力，眩晕耳鸣，眼目昏花，消渴尿多，神疲羸瘦，肢冷畏寒。

补天灵丸

【来源】《部颁标准》。

【组成】淫羊藿62.5g　狗鞭3.0g　仙茅75g　羊鞭6.5g　韭菜子50g　锁阳75g　驴鞭2g　海龙12.5g　牛鞭36.1g　牛膝50g　鹿茸11g　补骨脂100g　肉桂75g　貂鞭0.3g　枸杞子125g　红参50g　蛇床子75g

【用法】制成糖衣片，密封。口服，每次4片，1日2次。

【功用】补肾壮阳，填精益髓。

【主治】肾阳亏损，阳痿早泄，腰膝酸软，遗精自汗，畏寒肢冷，神疲乏力。

【宜忌】孕妇及阴虚火旺者忌服。

补肾宁片

【来源】《部颁标准》。

【组成】羊鞭2400g　枸杞子440g　淫羊藿640g　肉苁蓉110g　人参10g　海马5g

【用法】制成糖衣片，密闭，防潮。口服，每次3～5片，1日3次，或遵医嘱。

【功用】温肾助阳，益气固本，

【主治】肾阳虚衰所致阳痿，对妇女更年期综合征也有一定疗效。

【宜忌】阴虚内热者慎用。

补肾益精酒

【来源】《部颁标准》。

【组成】干虾仁100g　鹿茸30g　人参40g　海马（或海蛆）30g　当归100g　韭菜子300g　玉竹140g　狗鞭60g　狗脊40g　仙茅100g　阳起石140g　淫羊藿140g　锁阳100g

【用法】制成酒剂，每瓶装15ml或150ml，密封，置阴凉处。口服，每次15～30ml，1日2～3次。

【功用】补肾壮阳，生精益髓。

【主治】阳痿早泄，肾虚精少，头晕眼花，怔忡健忘，腰膝酸软，年老体虚等症。

【宜忌】孕妇及阴虚火旺者忌服。

补肾斑龙片

【来源】《部颁标准》。

【组成】鹿茸50g　酸枣仁（炒）50g　鹿角胶50g　柏子仁霜50g　鹿角霜50g　黄芪50g　人参30g　当归（酒制）10g　淫羊藿（制）50g　附子（制）10g　肉苁蓉50g　熟地黄10g　韭菜子50g

【用法】制成糖衣片，密封。口服，每次4～6片，1日3次。

【功用】补肾壮阳，填精益髓。

【主治】肾虚，阳痿，早泄，遗精，性欲减退等症。

【宜忌】高血压病人忌服。

补肾康乐胶囊

【来源】《部颁标准》。

【组成】淫羊藿117g　制何首乌7g　花生米21g　龟甲（烫）2.5g　山茱萸（制）9g　肉桂1.25g　枸杞7g　狗肾（制）25g　熟地黄5g　黄柏（制）17g　续断1.5g　五味子（制）8g　紫河车83g　杜仲6.5g　人参15g　益智仁（制）2.5g　海马（制）5g

【用法】制成胶囊，每粒装0.25g，密封。淡盐水送服，每次3～4粒，1日3次。

【功用】壮阳益肾，大补气血，添精生髓，强身健脑。

【主治】未老先衰，性功能减退，腰腿酸痛，疲乏无力，失眠健忘，精神恍惚等症。

【宜忌】感冒时停用。

肾宝合剂

【来源】《部颁标准》。

【组成】蛇床子28g　川芎28.3g　菟丝子66g　补骨脂28.5g　茯苓30g　红参20g　小茴香14.4g　五味子36g　金樱子94.6g　白术14.2g　当归46.8g　覆盆子32.9g　制何首乌74.4g　车前子16.5g　熟地黄94g　枸杞子66g　山药46.3g　淫羊藿94.6g　葫芦巴94g　黄芪51.4g　肉苁蓉47.3g　炙甘草14.2g

【用法】制成合剂，每支10ml，每瓶100ml或200ml，密封，置阴凉处。口服，每次10～20ml，1日3次。

本方制成糖浆，名“肾宝糖浆”。

【功用】调和阴阳，温阳补肾，安神固精，扶正固本。

【主治】阳痿遗精，腰腿酸痛，精神不振，夜尿频多，畏寒怕冷；妇女月经过多，白带清稀诸症。

【宜忌】感冒发热期停服。

固本强身胶囊

【来源】《部颁标准》。

【组成】冬虫夏草100g　人参100g　乌鸡（去毛爪肠）300g　花粉200g　淫羊藿120g　枸杞子120g　何首乌60g

【用法】制成胶囊剂，每粒装0.3g，密封。口服，每次2粒，1日2～3次。

【功用】补虚益气，润肺保肝。

【主治】延缓衰老，益脑提神，改善性功能。

金蚧丸

【来源】《部颁标准》。

【组成】金樱子200g　蛤蚧60g　淫羊藿555g　韭菜子60g　山茱萸250g

【用法】制成糖衣片，密封。口服，每次4～6片，1日2～3次。

【功用】补肾壮阳，固精。

【主治】肾阳虚引起的性欲减退，阳痿，遗精早泄，夜尿多，小便余沥，白带过多，腰膝酸软。

鱼鳔补肾丸

【来源】《部颁标准》。

【组成】鱼鳔胶（蛤粉炒）120g　枸杞子120g　莲须120g　肉苁蓉120g　巴戟天（盐炙）120g　杜仲（盐炙）120g　当归120g　菟丝子（盐炙）120g　补骨脂（盐炙）90g　茯苓90g　淫羊藿（羊油炙）120g　肉桂60g　沙苑子（盐炙）90g　牛膝（炒）90g　附片（砂炒）60g

【用法】制成大蜜丸，每丸重9g，密封。口服，每次1丸，1日2次。
【功用】壮阳益精。
【主治】肾阳虚弱，肾精亏损所致的头昏、眼花，耳鸣，腰痛膝软，阳痿，早泄，梦遗滑精，不育，宫冷不孕，面色发黑等症。
【宜忌】伤风感冒忌用。

蚕蛾公补片

【来源】《部颁标准》。
【组成】雄蚕蛾（制）500g　人参 50g　熟地黄 240g　白术（炒）240g　当归 180g　枸杞子 180g　补骨脂（盐制）180g　菟丝子（盐制）120g　蛇床子 120g　仙茅 120g　肉苁蓉 120g　淫羊藿 120g
【用法】制成糖衣片，每片 0.23g（相当于原药材 0.64g），密封，置阴凉处。口服，每次 3～6 片，1日 3 次。
【功用】补肾壮阳，养血填精。
【主治】肾阳虚损，阳痿早泄，宫冷不孕，性功能衰退等症。

参茸丸

【来源】《部颁标准》。
【组成】红参 150g　熟地黄 300g　巴戟天 150g　陈皮 75g　菟丝子（炒）150g　白术（炒）75g　山药 150g　黄芪（制）100g　茯苓 150g　牛膝 100g　肉苁蓉（制）150g　肉桂 100g　当归 150g　枸杞子 100g　鹿茸 75g　小茴香（盐制）75g　白芍（酒炒）75g　甘草（制）50g
【用法】制成大蜜丸，每丸重 10g，密封。口服，每次 1 丸，1 日 2 次。
【功用】滋阴补肾，益精壮阳。
【主治】肾虚肾寒，阳痿早泄，梦遗

参茸鞭丸

【来源】《部颁标准》。
【组成】鹿茸 1250g　巴戟天 200g　菟丝子（炒）900g　阳起石（煅）900g　黑顺片 900g　砂仁 100g　地骨皮 200g　甘草 50g　干家雀 150g　淫羊藿（制）100g　锁阳 150g　大青盐 400g　韭菜子 150g　狗鞭（烫制）1.7g　貂鞭（烫制）1.4g　红参 1000g　补骨脂（盐炒）150g　枸杞子 500g　肉桂 900g　熟地黄 500g　石燕（煅）500g　杜仲秋（炭）100g　公丁香 125g　天冬 200g　海马（制）100g　川牛膝 200g　硫黄（制）15g　驴鞭（烫制）6.7g　牛鞭（烫制）13.3g
【用法】制成包衣水丸，每 10 丸重 2.3g，密闭，防潮。口服，每次 10 丸，淡盐水或白开水送服。久病者连服15 天为1 疗程，停药2 天，再继续第2个疗程，疗效随疗程时间而提高。
【功用】补肾壮阳，细精填髓。
【主治】性欲衰退，肾虚，气弱，阳痿，早泄，遗精及男女一切肾病。
【宜忌】高血压者慎用或遵医嘱，孕妇忌服。

参茸三鞭丸

【来源】《部颁标准》。
【组成】淫羊藿（羊油炙）　补骨脂（盐炙）　阳起石（煅）　覆盆子　金樱子肉　枸杞子　牛膝　鹿茸　鹿鞭　狗鞭　驴鞭　锁阳　韭菜子　菟丝子　续断　熟地黄　大青盐　人参　肉桂　附子（制）　八角茴香　杜仲（炭）　白术（炒）　地黄　川芎　木香
【用法】制成水蜜丸或大蜜丸，大蜜丸每丸重 6g，密封。口服，水蜜丸每次 8g，大蜜丸每次 2 丸，1日 2 次。
【功用】补肾助阳，益气生精。
【主治】肾阳不足，肾阴亏虚引起的阳痿遗精，两目昏暗，精神疲倦，腰膝无力。

参鹿强身丸

【来源】《部颁标准》。
【组成】红参 60g　全鹿干 120g　白术（炒）50g　白芍（炒）60g　肉苁蓉 60g　锁阳 90g　甘草（炙）45g　山药 90g　菟丝子（酒炙）90g　山茱萸（蒸）90g　覆盆子 90g　陈皮 60g　女贞子（蒸）120g
【用法】制成水蜜丸，每 30 丸装约 3g，密闭，防潮。口服，每次 3g，1 日 3 次。

【功用】滋补强身，益肾壮阳。

【主治】身体虚弱，精神不振，肾虚阳痿，腰背酸痛。

参茸三肾胶囊

【来源】《部颁标准》。

【组成】生晒参 30g　黄毛鹿茸 15g　牛肾 60g　驴肾 90g　狗肾 9g

【用法】制成胶囊，每粒装 0.3g，密封。口服，春夏季每次 5 粒，秋冬季每次 10 粒，1 日 2 次。

【功用】益气壮阳。

【主治】肾气不足引起的精神衰弱，阳痿遗精，腰酸腿软，耳鸣自汗，肾囊湿冷。

参茸强肾口服液

【来源】《部颁标准》。

【组成】人参 40g　鹿茸 40g　鹿肾 13.3g　牛肾 13.3g　海狗肾 13.3g　黄芪 120g　当归 40g　肉苁蓉 13.3g　阳起石 40g　枸杞子 240g　杜仲 80g　附片 80g　淫羊藿 160g　韭菜子 40g

【用法】制成合剂，每支 10ml，密封，置阴凉处。口服，每次 10ml，1 日 2 次。

【功用】补肾壮阳，填精益髓。

【主治】肾阳不足，精血亏损而致的肢倦神疲，眩晕健忘，阳痿早泄，不育不孕，腰膝冷痛等症。

健阳片

【来源】《部颁标准》。

【组成】蜈蚣粉 112.5g　淫羊藿提取物粉 112.3g　甘草提取物粉 50.1g　蜂王浆 14.0g

【用法】制成片剂，密封。黄酒或温开水送服，每次 4 片，1 日 2 次，早晚服。

【功用】补肾益精，助阳起痿。

【主治】肾虚阳衰引起的阳痿、早泄等性功能低下症。

【宜忌】忌房事过度和生冷，防止身受寒湿及劳累，肝、肾功能不全者慎用。

益肾灵冲剂

【来源】《部颁标准》。

【组成】枸杞子 20g　女贞子 30g　附子（制）2g　芡实（炒）30g　车前子（炒）10g　补骨脂（炒）20g　覆盆子 20g　五味子 5g　桑椹 20g　沙苑子 25g　韭菜子（炒）10g　淫羊藿 15g　金樱子 20g

【用法】上药制成颗粒剂，每袋装 20g。开水冲服，每次 20g，1 日 3 次。

【功用】益肾壮阳。

【主治】肾亏阳痿，早泄，遗精，少精，死精。

海龙胶

【来源】《部颁标准》。

【组成】海龙 1000g　黄明胶 750g　当归 15g　川芎 10g　肉苁蓉 10g　黄芪 10g　白芍 5g　肉桂 15g　枸杞子 5g　陈皮 5g　甘草 50g

【用法】制成胶剂，每 16 块重 250g，密闭，置阴凉处。每次 6～9g，1 日 1～2 次，烊化兑服。

【功用】温肾壮阳，活血止痛，填精补髓，强壮腰膝。

【主治】腰酸足软，精神萎靡，面色无华，男子阳痿遗精，女子宫冷不孕。

海马三肾丸

【来源】《部颁标准》。

【组成】海狗肾（烫）50g　驴肾（烫）150g　鹿肾（烫）150g　海马（烫）50g　核桃仁 200g　人参 100g　母丁香 50g　韭菜子 50g　枸杞了 50g　仙茅 50g　补骨脂（盐炙）50g　鹿茸 100g　山药（炒）100g　肉桂 50g　山茱萸 100g　肉苁蓉 50g　淫羊藿 50g　八角茴香 50g　蛇床子 50g　小茴香（盐炙）50g　熟地黄 300g　蛤蚧（油炙）15g　附子 100g　紫梢花 50g　覆盆子 50g　巴戟天 50g　菟丝饼 50g　荜澄茄 50g　桑螵蛸 100g

【用法】制成大蜜丸，每丸重 10g，密封，置阴凉处。用淡盐汤送服，每次 1 丸，1 日 3 次。

【功用】补肾壮阳。

【主治】阳痿，遗精，腰痛腿酸。

海马多鞭丸

【来源】《部颁标准》。

【组成】海马350g 蛤蚧40g 韭菜子1000g 锁阳1000g 鹿茸（去毛）1000g 补骨脂（制）700g 小茴香（制）700g 菟丝子（制）700g 沙苑子（制）700g 红参1500g 母丁香1500g 牛膝600g 茯苓600g 山药600g 黄芪500g 当归500g 龙骨（煅）500g 甘草（制）300g 肉桂300g 雀脑45g 五味子600g 枸杞子600g 狗鞭35g 驴鞭900g 牛鞭1000g 貂鞭35g 熟地2500g 附子（制）2500g 肉苁蓉2500g 巴戟天2500g 淫羊藿2500g

【用法】水泛为丸，每丸重0.2g，密闭，防潮。口服，每次2g，1日2次，用黄酒或淡盐开水送服。

【功用】补肾壮阳，添精增髓。

【主治】气血两亏，面黄肌瘦，梦遗滑精，早泄，阳痿不举，腰腿酸痛。

【宜忌】高血压病人慎服，孕妇忌服。

海马巴戟胶囊

【来源】《部颁标准》。

【组成】海马6g 巴戟天18g 鹿茸18g 生晒参30g 补骨脂（盐制）18g 蛇床子30g 淫羊藿（羊脂制）180g 枸杞子30g 韭菜子36g 锁阳30g 哈蟆油6g 山药（炒）36g 麻雀肉36g 黄芪（蜜炙）30g 茯苓30g 甘草12g

【用法】制成胶囊，每粒装0.4g，密封。早饭前及临睡前淡盐水或温开水送服，每次3粒，1日2次。

【功用】温肾壮阳，填精益髓。

【主治】用于气血亏虚，体质虚弱，精力不足，阳痿、早泄等症。

海龙蛤蚧口服液

【来源】《部颁标准》。

【组成】海龙39.1g 蛤蚧0.73g 人参4.68g 羊鞭4.68g 羊外肾4.68g 黄芩4.68g 熟地黄3.1g 菟丝子3.1g 何首乌3.1g 地黄3.1g 陈皮3.1g 当归1.56g 黄芪4.68g 阳起石1.56g 莲须1.56g 甘草1.56g 川芎1.56g 泽泻1.56g 锁阳1.56g 豆寇1.56g 沉香1.56g 鹿茸1.56g 枸杞子1.56g 肉苁蓉0.78g 淫羊藿（羊油炙）1.56g 肉桂1.56g 韭菜子1.56g 蛇床子1.56g 花椒0.31g

【用法】制成口服液剂，每支10ml，密封，置阴凉处。口服，每次10ml，1日2次。

【功用】温肾壮阳，补益精血。

【主治】腰足酸软，面色皖白，阳痿遗精，宫冷不孕，头目眩晕。

【宜忌】伤风感冒，发烧、咽喉痛时忌服。

雪哈灵芝酒

【来源】《部颁标准》。

【组成】哈蟆油2500g 灵芝5000g 狗肾2500g

【用法】制成酒剂，密封，置阴凉处。口服，每次15～25ml，1日2次。

【功用】温肾壮阳。

【主治】阳痿遗精，腰膝酸软，精气不足，头晕失眠。

鹿茸口服液

【来源】《部颁标准》。

【组成】鹿茸（去皮毛）10g

【用法】制成口服液，每支装10ml，密封，置阴凉处。口服，每次10ml，1日2次。

【功用】温肾壮阳，生精养血，补髓健骨。

【主治】阳痿滑精，胃寒无力，血虚眩晕，腰膝痿软，虚寒血崩。

颐和春胶囊

【来源】《部颁标准》。

【组成】人参75g 川牛膝50g 狗肾（制）100g 锁阳100g 鹿茸（去毛）12.5g 淫羊藿200g 鹿鞭（制）3g 沙参100g 冰片2.5g 蛇床子200g 熟地黄100g 韭菜子（炒）125g 覆盆子75g 附子（制）50g 路路通75g

【用法】制成胶囊剂，每粒装0.3g，密封。口服，每次4～5粒，1日2次。

【功用】补肾壮阳，健脑强心。

【主治】肾阳虚引起的阳痿遗精，精冷不孕，腰膝酸软等症。

【宜忌】阴虚发热型、湿热型病人忌服。

锁阳补肾胶囊

【来源】《部颁标准》。

【组成】锁阳 31g　仙茅 31g　巴戟天 31g　当归 31g　蛇床子 31g　肉苁蓉（蒸）31g　韭菜子 47g　五味子（蒸）20g　红参 16g　牛鞭（制）16g　狗肾（制）16g　鹿茸 10g　黑顺片 10g　肉桂 10g　小茴香 10g　阳起石（煅）10g　花椒 10g　菟丝子 31g　杜仲（盐炒）31g　沙苑子（盐炒）31g　党参（蜜炙）31g　山茱萸（蒸）31g　淫羊藿 31g　黄芪（蜜炙）31g　山药 31g　熟地黄 31g　补骨脂（盐炒）20g　枸杞子 20g　覆盆子 20g　远志 20g　莲须 20g　金樱子 20g　泽泻 10g　甘草（蜜炙）10g　茯苓 10g

【用法】制成胶囊，密封，置阴凉干燥处。口服，每次 3～5 粒，1 日 2～3 次。

【功用】补肾壮阳，填精固真。

【主治】肾阳虚或肾阴虚引起的阳痿、遗精、早泄等症。

【宜忌】阴虚火旺者慎用。

蚕龙液

【来源】《部颁标准》。

【组成】雄蚕蛾 25g　刺五加 25g　菟丝子（酒制）17.5g　淫羊藿 20g　熟地黄（盐制）10g　补骨脂（盐制）10g

【用法】制成合剂，密封，置阴凉处。口服，每次 30～40ml，1 日 2 次。

【功用】补肾壮阳，填精益髓。

【主治】肾虚精亏，阳痿早泄，梦遗滑精，腰膝酸痛，小便频数。

滋阴补肾丸

【来源】《部颁标准》。

【组成】生晒参 10g　鹿茸 5g　五味子（制）15g　菟丝子（炒）10g　锁阳 10g　远志 10g　山药 15g　熟地黄 7.5g　地黄 7.5g　黄芪 15g　巴戟天 10g　山茱萸 15g　龙骨（煅）5g　胡芦巴 5g　马钱子（制）5g

【用法】制成丸剂。淡盐水送服，一次 5g，一日 2 次。

【功用】滋阴壮阳，益精填髓。

【主治】用于腰膝酸痛，梦遗滑精，阳痿早泄。

强龙益肾胶囊

【来源】《部颁标准》。

【组成】牡蛎 1500g　龙骨 1500g　花椒目 150g　丁香 50g　黄芪 500g　阳起石 500g　鹿茸 25g　防风 250g　海螵蛸 1500g

【用法】制成胶囊，每粒装 0.4g，密封。口服，每次 2～3 粒，1 日 3 次。

【功用】补肾壮阳，安神定志。

【主治】肾阳不足，阳痿早泄，腰腿酸痛，记忆衰退。

媚灵丸

【来源】《部颁标准》。

【组成】蚕蛾渣 280g　菟丝子 50g　海龙 20g　蛇床子 30g　蚕蛾油 75g

【用法】水泛为丸，甲丸每丸重 0.21g，乙丸每丸重 0.10g，密封，置阴凉干燥处。口服，每次甲丸 2 丸，乙丸 3 丸，1 日 2 次，早晚用淡盐水或白开水送服。

【功用】补肝益肾，壮阳固精，温脾助胃，强筋壮骨。

【主治】阳痿不举，性功能减退，白浊遗精，腰膝酸痛，精神不振，失眠等。

赞化鹿茸丸

【来源】《部颁标准》。

【组成】鹿茸（去毛）67g　当归 54g　酸枣仁（炒）67g　鹿角霜 67g　柏子仁 67g　熟地黄 67g　肉苁蓉 67g　鹿角胶 67g　黄芪 67g　附子（制）14g

【用法】制成大蜜丸，每丸重 9g，密封。口服，每次1丸，1日2次。

【功用】补气养血，扶肾壮阳，调经祛寒。

【主治】诸虚百损，心肾不交，阳痿不举，疝气腹痛，女子带下，胞寒不育，腰腿酸痛。

七、不　育

不育，亦称无子、无嗣，是指夫妇婚后2年或曾有孕育后2年以上，未采取避孕措施而未孕育的病症。本病成因主要责之于肝肾，病情有虚实不同。虚者多为肾阳不足、肾阴虚损、脾肾阳虚、气血两虚，以致精液稀薄量少，早泄阳痿而成；实者多为肝经湿热、肝郁血瘀、痰湿内蕴，耗液伤精，阻塞经脉所致。治疗多以温肾养阴，疏肝解郁，活血化瘀，清热祛湿为基础。

竹皮大丸

【来源】《金匮要略》卷下。

【组成】生竹茹二分　石膏二分　桂枝一分　甘草七分　白薇一分

【用法】上为末，枣肉为丸，如弹子大。每服一丸，以饮送下，日三次夜二次。

【功用】安中益气。

【主治】妇人乳中虚，烦乱呕逆。

【加减】有热者，倍白薇；烦喘者，加柏实一分。

【验案】男性不育　《中医杂志》(1986，6：43)：郭某某，男，26岁。1977年8月10日诊。婚后2年无子，经某医院检查精子成活率为30%～40%，身体健壮，性生活正常，惟自觉有时发热、头晕，舌淡红、苔略黄，脉滑数。此为过服温燥峻补之品，造成精室蕴热，精子被灼，致使精子成活率大降。治用竹皮大丸，连服9剂而获效。

七子散

【来源】《备急千金要方》卷二。

【组成】五味子　牡荆子　菟丝子　车前子　菥蓂子　石斛　薯预　干地黄　杜仲　鹿茸　远志各八铢　附子　蛇床子　川芎各六铢　山茱萸　天雄　人参　茯苓　黄耆　牛膝各三铢　桂心十铢　巴戟天十二铢　苁蓉十铢　钟乳粉八铢（一方加覆盆子八铢）

【用法】上药治下筛。酒服方寸匕，一日二次。不知增至二匕，以知为度。禁如药法。不能酒者，蜜和丸服亦得。

【主治】

1.《备急千金要方》：丈夫风虚目暗，精气衰少，无子。

2.《普济方》：因五劳七伤，虚羸百病所致妇人无子。

【方论】《千金方衍义》：此方专为欲勤精薄，阳气不振者设。参、耆、鹿茸，方中君主，精不足者，补之以味也；钟乳、雄、附，方中主帅，形不足者，温之以气也；参耆温厚，非雄、附不能激之；钟乳慓悍，非鹿茸无以濡之；巴戟、苁蓉、五味、山萸、菟丝、薯预、杜仲、牛膝乃参、耆之匡辅；菥蓂、蛇床、桂心、远志则雄、附之寮佐；然无阴则阳无以化，地黄、川芎不特化气成形，并化胎息蕴毒，制剂之妙，无以喻之。至于牡荆专主风虚，车前职司气化，牡荆势纷，石斛监之，车前力薄，茯苓助之，以其襄既济之功，克绍广嗣之绩，允为欲勤精薄之金铧。

庆云散

【来源】《备急千金要方》卷二。

【组成】覆盆子　五味子各一升　天雄一两　石斛　白术各三两　桑寄生四两　天门冬九两　菟丝子一升　紫石英二两

方中天门冬，《妇人大全良方》作“麦门冬”。

【用法】上药治下筛。每服方寸匕，先食，酒调下，一日三次。

【主治】丈夫阳气不足，不能施化，施化无成。

【方论】《千金方衍义》：庆云者，庆云龙之征兆。紫石英专温荣血，天雄峻暖精气，佐以覆盆、五味、菟丝温补下元，寄生主治腰痛，天冬能强肾气，石斛强阴益精，白术固津气而利腰脐间血；恐英、雄二味之性过烈，乃以天冬、石斛、寄生濡之，覆盆、五味、菟丝辅之，白术培土以发育万物；扶阳施化之功尽矣。若素不耐寒，则去寄生而加细辛，以鼓生阳之气；阳本不衰，当退石斛而进槟榔，以祛浊湿之垢。其法之可重端在乎此。

【加减】素不耐冷者，去寄生，加细辛四两；阳气不少而无子者，去石斛，加槟榔十五枚。

地黄干漆丸

【来源】《医方类聚》卷一四五引《千金月令》。

【组成】肥地黄三十斤（烂捣取汁，向灶釜中微火煎如饧，即下鹿角胶末） 鹿角胶四两（炙令通起，捣为末，余者炒为珠子，捣令尽） 甘草半斤（炙，末） 生干地黄末二斤 干漆末四两（其漆以微火铛中熬令烟尽，即着少酒挹之，又以微火煎之，令干，待冷入之） 乌鸡子十颗（去黄取白用） 覆盆子末四两 萆薢末四分 槟榔末五两 枳壳末四两（去瓤，炒了称，捣末）

【用法】上以微火煎，搅勿住手，渐点清酒二斗令尽，勿令焦，但堪作丸即止，分为十二团，各以蜡纸裹，着瓷瓶中，可一年服之。腊月合和，至二月三月即于烈日中晒之，即不坏。每服二十丸，一日二次。

【功用】久服走及奔马，八十有子息。

【宜忌】忌萝卜、蒜、藕、冬瓜、莲子、贝母、白药。

茯苓丸

【来源】《医方类聚》卷一四五引《千金月令》。

【组成】茯苓二分 菖蒲一分 远志 肉苁蓉 蛇床子 车前子各三分

【用法】上为末，炼蜜为丸，如梧桐子大。每服十丸，空腹酒送下。

【功用】补精有子，强志安心。

【宜忌】忌醋。

三妙种子丸

【来源】《仙拈集》卷三引《良方》。

【组成】沙苑蒺藜（水淘净，晒干，炒） 当归（酒炒）各八两 鱼鳔（蛤粉炒焦）一斤

【用法】上为末，炼蜜为丸，如梧桐子大。每服二钱，空心淡盐汤送下。

【功用】保养，种子。

张走马玉霜丸

【来源】《太平惠民和济局方》卷五（吴直阁增诸家名方）。

【别名】玉霜丸（《普济方》卷二一九）。

【组成】大川乌（用蚌粉半斤同炒，候裂，去蚌粉不用） 川楝子（麸炒）各八两 破故纸（炒） 巴戟（去心）各四两 茴香（焙）六两

【用法】上为细末，用酒打面糊为丸，如梧桐子大。每服三五十丸，空心、食前用酒或盐汤送下。

【功用】精元秘固，内施不泄，留浊去清，精神安健。

【主治】男子元阳虚损、五脏气衰，夜梦遗泄，小便白浊，脐下冷疼，阳事不兴，久无子息，渐致瘦弱，变成肾劳，眼昏耳鸣，腰膝酸疼，夜多盗汗。妇人宫脏冷，月水不调，赤白带漏，久无子息，面生皯黵，发退不生，肌肉干黄，容无光泽。

混元胎丹

【来源】《洪氏集验方》卷一。

【组成】首儿衣（二八月者不用，收时连带中元血。用长流水净洗，控干，入瓷瓶中，下无灰酒三大盏，脑子、麝香随力下之，多至一钱或半字，以纸封瓶口，下用文武火煅，候酒将尽取出，再入酒三盏，依前煅，却用竹篦或金银篦不住搅，以搅烂糜似粥样，待冷，取入砂盆内，细研为粉，别入外料） 人参二两 茯苓二两 乳香半两 朱砂半两（水飞过，晾干，取净） 山药四两（上为细末，入所煮药内，如干，更用原煅酒，旋旋添）

【用法】上拌匀一处，搅搜为丸，如梧桐子大，慢火焙干。每日空心五十粒，加至一百粒，用温酒、盐汤送下。良久，用甜淡饮食饱压，逐日荤味中减少五味。服至五七日，微觉小腹连腰沉重，不须疑虑，乃是药力攻，元气相补助如此。

【功用】补漏壮气，固神益髓，通神明，延寿命。

【主治】久无嗣息者。

麋茸万病丸

【来源】《杨氏家藏方》卷十五。

【组成】熟干地黄（洗，焙） 当归（洗，焙） 麋茸（涂酥炙，为末，勿用鹿茸）各等分

【用法】上为细末，炼蜜为丸，如梧桐子大。每服五十丸，空心、食前米饮或温酒送下。

【功用】补养气血，久服令人有子。

长生丹

【来源】《普济方》卷二一九引《十便良方》。

【组成】大附子半两（取四两，东流水浸，早晚换之，冬三，春、秋五，夏三日，去皮尖，铜刀切，晒干） 清水半夏一两（亦浸，同前法，日足捣碎，日干之）

【用法】上为末，用生面二两，生姜自然汁为丸，如芡实大，阴干，日日转动。每服三丸至九丸，日晚、空心茶、酒任下。

【功用】秘精壮阳。

阳起石丸

【来源】《济生方》卷七。

【组成】阳起石（火煅红，研极细） 鹿茸（酒蒸，焙） 韭子（炒） 菟丝子（水淘净，酒浸，蒸，焙，别研细末） 天雄（炮，去皮） 肉苁蓉（酒浸）各一两 覆盆子（酒浸） 石斛（去根） 桑寄生 沉香（别研） 原蚕蛾（酒炙） 五味子各半两

【用法】上为细末，酒煮糯米糊为丸，如梧桐子大。每服七十丸，空心盐汤、盐酒任下。

【主治】丈夫真精气不浓，不能施化而无子。

二妙种子丸

【来源】《仙拈集》卷三引《简易方》。

【组成】覆盆子（去蒂，炒过，酒蒸） 蛇床子（去壳，取净仁，微炒）各八两

【用法】上为末，炼蜜为丸，如梧桐子大。每服二钱，空心白汤送下。

【功用】种子。

覆盆子丸

【来源】《御药院方》卷六。

【组成】覆盆子（去萼）一两 远志（去心）一两 杜仲（去皮，炒去丝）一两 柏子仁（炒香，另捣之）二两 枸杞子（焙干）二两 地肤子（微焙香）一两 胡桃仁（去皮，另研）二两

【用法】上为细末，将山药末同白面酒糊为丸，如梧桐子大。每服四五十丸，空心温酒送下。

【功用】壮筋骨，益子精，明目，黑髭发。

香艾丸

【来源】《活幼心书》卷下。

【组成】净香附一斤 干艾叶四两

【用法】上瓦器盛之，用醇醋浸经七日，于净锅内用火煮令醋尽，就炒干为细末，仍用醋煮粳米粉为糊，入乳钵和匀，小儿丸如萝卜子大，大人丸如梧桐子大。每服三十至五十丸，或七十丸，汤、酒、米饮随意送下，不拘时候。

【功用】小儿常服，惊积自除，色泽殊异，手足肥健，脾胃调和；兼理男子、妇人诸虚不足，生气血，暖中焦，固养精神，消进饮食；男子服之身体强壮，寒暑耐安；妇人投之百病不生，经脉通顺。

【加减】妇人血气素虚无生育者，加琥珀二两，同作丸服，粒数汤使皆依前法，或用大枣汤送下。

神仙巨胜子丸

【来源】《普济方》卷二二三引《德生堂方》。

【别名】乌金丸（原书卷二二一）、神仙巨胜丸（原书卷二二一）。

【组成】生地黄 熟地黄 何首乌各四两 巨胜子（九蒸九晒）二两 人参 肉苁蓉（酒浸） 牛膝（酒浸） 菟丝子（酒浸） 天门冬（去心，酒浸） 破故纸（酒浸，炒） 巴戟（去心，酒浸） 干山药 五味子 楮实（炙） 覆盆子（净） 鹿茸（嫩红色者，生用） 柏子仁（去壳，另研） 酸枣仁（去壳，另研） 白茯苓 西枸杞各一两 核桃十枚（去壳取仁，另研烂后，入药内再研匀）

【用法】上为细末，用枣一斤，去皮核煮熟研烂，

与药末和匀为丸，如梧桐子大。每服五七十丸，空心以温酒或盐汤送下，服后干物压之，丸数任意加减。

【功用】滋血气，壮元阳，髭发反黑，安魂定魄，改易容颜，通神仙，延寿命，生骨髓，扶虚弱，展筋骨，润肌肤，补益丹田，接养真气，活血荣颜，百病永除，根本坚固，水火既济，常服身体轻健，气力倍加，行走如飞。

【验案】种子延年，昔有一老人，耳聋目昏，年至七十无子，服此药后，齿落更生，发白再黑，二妻生一十三子，寿至一百余岁。

老龙丸

【来源】《普济方》卷二一九引崔磨方。

【别名】苍龙丸（原书同卷）、老奴丸（《奇效良方》卷二十一）。

【组成】母丁香　紫霄花　肉苁容（酒浸）　菟丝子（酒浸）　蛇床子　巴戟　仙灵脾　白茯苓（去皮）　远志（去心）　八角茴香各二两　灯草二钱　毕澄茄　胡桃肉　车前子　萆薢　马蔺花（酒浸）　牡蛎（火烧炒六次）　韭子种　木通（酒浸）各一两　干漆（炒去烟）三两　山茱萸　破故纸（酒浸）　全蝎　桑螵蛸（酒浸）　龙骨各一两半　熟地黄五两　当归五钱　沉香五钱　木香五钱　大蜘蛛七个（一方无桑螵蛸、当归、乳香）

【用法】上为细末，炼蜜为丸，如梧桐子大。每服三十丸，空心温酒送下。

【功用】

1.《普济方》：添精补肾虚，去冷除风湿，扶经更起阳。

2.《饲鹤亭集方》：兴元阳，种子嗣。

【主治】

1.《普济方》：年高气衰虚耗，风湿脚疼痛。

2.《饲鹤亭集方》：下元虚损，精虚无子，及五劳七伤，腰膝酸痛，小肠疝气。

【验案】无子　《普济方》：褚氏无子，得此药修合未服，夫主有老奴七十之上，腰脚疼痛，曲背而行，褚氏以此药服之，其老奴语褚氏曰，自服此药，深有灵验，诸疾悉痊，房事如少壮之人。于是与褚氏通，因后有孕。一日，褚氏服药，其家母视之，切究其由，得其实，因打死此老奴，并折其腿，骨髓皆满，皆此药之效也。

斑龙二至丸

【来源】《万氏家抄方》卷四。

【组成】鹿角（锯成段，长流水浸七日，入砂锅内，用桑柴火煮七日夜，取出，外去粗皮，内去血穰，研为细末）一斤　麋角（制法同前，净末）一斤　生地（酒浸一宿，晒干，为末）四两　黄柏（去皮，切粗片，酒炒老黄色，为末）半斤　熟地（酒浸一宿，晒干，为末）四两　天门冬（酒浸，去心，晒干）四两（为末）　知母（去皮，盐、酒炒老黄色，为末）半斤　麦门冬（酒浸，去心，晒干）四两　当归（酒洗，晒干，为末）二两　白茯苓（去皮，为末，用水淘去筋膜）二两　何首乌（去皮，人乳拌匀，九蒸九晒，为末）二两（勿犯铁器）

方中鹿角、麋角，《扶寿精方》作“鹿角霜”、“鹿角胶”。

【用法】上为细末，炼蜜为丸，如梧桐子大。每服五十丸，空心时黄酒送下，或盐汤亦可。

【功用】

1.《摄生众妙方》：补养。

2.《古今医统大全》：补血，补阳。

【主治】

1.《扶寿精方》：诸虚。

2.《名医类案》：精血欠充，高龄无子。

【验案】高龄无子　《名医类案》：少傅颖阳许相公，年五十八岁，如夫人年近三旬，从来十二年不孕。相公欲其有子，命宿诊视。六脉和缓，两尺大而有力（凡妇人两尺大而有力，皆有子）。告曰：此宜子之象也。尝诊相公，脉沉而缓，知精血欠充实耳。宜服大补精血药。市得麋鹿二角，煎胶，制斑龙二至丸一料。服未周年而孕，次年生公子。

鹿角胶丸

【来源】《万氏家抄方》卷五。

【组成】鹿角十斤（截半寸长，浸七日，用淫羊藿一斤，当归四两，黄蜡二两，如法熬，去滓成胶，角焙燥成霜，听用）　鹿角胶一斤　鹿角霜半斤天门冬（去心） 麦门冬（去心） 黄柏（盐、酒炒褐色） 知母（酒洗，去毛） 虎胫骨（酥炙） 龟版（水浸，刮去浮壳，酥炙） 枸杞子 山药 肉苁蓉（酒洗，去浮甲白膜） 茯苓（去皮） 山茱萸（净肉） 破故纸（炒） 生地（酒蒸九次） 当归（酒洗）各四两 菟丝子（酒煮，捣成饼，焙干）六两 白芍（酒炒） 牛膝（去芦，酒洗） 杜仲（姜汁炒去丝） 人参（去芦） 白术各三两 五味子 酸枣仁（炒） 远志（甘草汤浸，去骨）各二两 川椒一两（去目，焙去汗）

【用法】上为末，炼蜜为丸，鹿角胶为丸，如梧桐子大。每服一百丸，空心盐汤或酒送下。

【主治】精寒阳痿，无子。

神仙通气散

【来源】《广嗣要语》。

【组成】蛤蚧一对（要全者，炙） 母丁香二钱 沉香二钱 胡椒五钱 大茴香五钱 广木香三钱 麝香一钱

【用法】上为细末，用大淡虾米一斤，净取半斤，用好烧酒半杓浸透，滚药末在上，入瓷罐盛之，再加好烧酒入罐浸之，慢火煮六七个时辰，候冷定取出，晒干收贮，勿令出气。行房时用好酒送下二三枚，后用淡醋汤解之。

【功用】广嗣。

七宝美髯丹

【来源】《本草纲目》卷十八引《积善堂方》。

【别名】七珍至宝丹、乌须健阳丹（《扶寿精方》）、美髯丹（《医级》卷八）、七宝美髯丸（《全国中药成药处方集》武汉方）、首乌补益丸（《实用中成药手册》）。

【组成】赤白何首乌 赤白茯苓 牛膝 当归 枸杞子 菟丝子 补骨脂

【用法】上为末，炼蜜为丸，如弹子大，共一百五十丸。每日三丸，侵晨温酒送下，午时姜汤送下，卧时盐汤下；其余并丸如梧桐子大，每日空心酒服一百丸。

【功用】

1.《本草纲目》：乌须发，壮筋骨，固精气，续嗣延年。

2.《中药制剂手册》：滋阴益气，调理荣卫。

3.《上海市中药成药制剂规范》：培补肝肾，益气养血。

【主治】

1.《医方集解》：气血不足，羸弱，周痹，肾虚无子，消渴，淋沥遗精，崩带，痈疮，痔肿。

2.《全国中药成药处方集》（天津方）：女子血亏脱发精神衰弱，男子腰肾不足，筋骨不壮。

3.《中药制剂手册》：由肾水亏损，血气不足引起的须发早白，牙齿动摇。

4.《上海市中药成药制剂规范》：肝肾两亏，腰酸肢软。

【宜忌】

1.《本草纲目》引《积善堂方》：忌诸血、无鳞鱼、萝卜、蒜、葱、铁器。

2.《中国医学大辞典》：忌食糟、醋。

古庵心肾丸

【来源】《丹溪心法附余》卷十九。

【组成】熟地 生地（俱怀庆者，酒浸，竹刀切） 山药 茯神（去木）各三两 山茱萸肉（酒浸，去核） 枸杞子（甘州者，酒洗） 龟版（去裙，醋炙） 牛膝（去芦）各一两 鹿茸（火去毛，醋炙）一两 当归（去芦、酒洗） 泽泻（去毛） 黄柏（炒褐色）各一两五钱 辰砂（为衣） 黄连（去毛，酒洗）各一两 生甘草半两 牡丹皮（去心）一两

方中丹皮用量原缺，据《医学入门》补。

【用法】上为细末，炼蜜为丸，如梧桐子大，辰砂为衣。每服五十丸，渐加至一百丸。空心温酒或淡盐汤任下。

【功用】补血生精，宁神降火。

【主治】《丹溪心法附余》：肾水亏乏，心火上炎，发白无子及惊悸怔忡，遗精盗汗，目暗耳鸣，腰痛足痿。

灵砂丹

【来源】《活人心统》卷下。

【组成】磁石二两（煅七次，醋） 沉香 熟地 茯苓各一两 甘草五钱 阳起石一两（煅） 附子

八钱（炮） 青盐五钱 石斛 麦门冬（去心） 肉苁蓉 葫芦巴各一两 白术八钱 芍药 藁本 续断各一两 远志（去心）一两 灵砂五钱（一方有酒柏七钱）

【用法】上为末，酒为丸，如梧桐子大。每服四十丸，早晨莲子汤送下。

【主治】阳气虚，痰气上攻头脑，精冷无子，眩晕。

血余固本九阳丹

【来源】《广嗣纪要》卷四。

【别名】铁笛丸（《景岳全书》卷六十）。

【组成】血余（选黑者，不拘男女，用皂荚煎汤洗净，清水漂过，入口无油垢气为度，晒干，置大锅内，用红川椒去梗目，与发层铺上，用小锅盖定，盐泥秘塞上，锅底上用重石压之，先用武火煅炼一柱香，后用文火半柱香，以青烟去尽，无气息为度。冷定取出，研末，双绢筛过）一斤 赤白何首乌（先用米泔水浸，竹刀刮去皮）各八两 淮山药（共何首乌去皮，竹刀切成片，用黑豆二升，上下铺盖，蒸熟晒干）八两 赤茯苓（去皮，牛乳浸一日夜）八两 白茯苓（人乳浸一日夜）四两 破故纸（酒拌，沙锅炒以香为度）四两 菟丝子（人乳一碗，酒半碗，浸一夕，饭锅上隔布蒸熟，晒干，微炒，研为末）四两 枸杞子（去蒂梗，酒拌蒸熟）四两 生地黄（酒蒸）半斤 苍术（去皮，为末）半斤 熟地黄（酒蒸）半斤 龟版（酥油炙）半斤 当归（去尾，酒浸）四两 牛膝（酒浸，黑豆蒸）四两

【用法】上药各为末，炼蜜为丸，如梧桐子大。每服五六十丸，药酒送下（药酒方：当归、生地黄、五加皮、川芎、芍药、枸杞子各二两，核桃肉一斤，砂仁五钱 黄柏一两 小红枣二百个，用无灰白酒三十六斤，内分五斤，入药装坛内密封，隔汤煮之，冷定去滓，入前酒密封用）。

【功用】调元固本，种子。

龟鹿二仙胶

【来源】《医便》卷一。

【别名】龟鹿二仙膏（《摄生秘剖》卷四）、二仙胶（《杂病源流犀烛》卷八）、龟鹿二胶（《全国中药成药处方集》沈阳方）、龟鹿二仙丸（《全国中药成药处方集》福州方）。

【组成】鹿角（用新鲜麋鹿杀角，解的不用，马鹿角不用；去角脑梢骨二寸绝断，劈开，净用）十斤 龟版（去弦，洗净）五斤（捶碎） 人参十五两 枸杞子三十两

【用法】前三味袋盛，放长流水内浸三日，用铅坛一只，如无铅坛，底下放铅一大片亦可，将角并版放入坛内，用水浸高三五寸，黄蜡三两封口，放大锅内，桑柴火煮七昼夜，煮时坛内一日添热水一次，勿令沸起，锅内一日夜添水五次；候角酥取出，洗，滤净取滓，其滓即鹿角霜、龟版霜也。将清汁另放，外用人参、枸杞子用铜锅以水三十六碗，熬至药面无水，以新布绞取清汁，将滓石臼水捶捣细，用水二十四碗又熬如前；又滤又捣又熬，如此三次，以滓无味为度。将前龟、鹿汁并参、杞汁和入锅内，文火熬至滴水成珠不散，乃成胶也。候至初十日起，日晒夜露至十七日，七日夜满，采日精月华之气，如本月阴雨缺几日，下月补晒如数，放阴凉处风干。每服初一钱五分，十日加五分，加至三钱止，空心酒化下。常服乃可。

【功用】

1. 《医便》：延龄育子。
2. 《增补内经拾遗》：坚筋壮骨，填精补髓。
3. 《摄生秘剖》：大补精髓，益气养神。
4. 《医方集解》：补气血。

【主治】

1. 《医便》：男妇真元虚损，久不孕育；男子酒色过度，消铄真阴，妇人七情伤损血气，诸虚百损，五劳七伤。
2. 《医方考》：精极，梦泄遗精，瘦削少气，目视不明。

【方论】

1. 《医方考》：龟、鹿禀阴气之最完者，其角与版，又其身聚气之最胜者，故取其胶以补阴精，用血气之属剂而补之，所谓补以其类也；人参善于固气，气固则精不遗；枸杞善于滋阴，阴滋则火不泄。此药行，则精日生，气日壮，神日旺矣。
2. 《增补内经拾遗》：龟也、鹿也，皆世间有寿之物，故称之曰二仙。龟、鹿禀阴之最完者，

龟取版，鹿取角，其精锐之气，尽在于是矣。胶，粘膏也。

3.《医方集解》：此足少阴药也。龟为介虫之长，得阴气最全；鹿角遇夏至即解，禀纯阳之性，且不两月，长至一二十斤，骨至速生无过于此者，故能峻补气血；两者皆用气血以补气血，所谓补之以其类也。人参大补元气，枸杞滋阴助阳，此血气阴阳交补之剂，气足则精固不遗，血足则视听明了，久服可以益寿，岂第已疾而已哉。李时珍曰：龟、鹿皆灵而有寿。龟首常藏向腹，能通任脉，故取其甲以补心、补肾、补血，皆以养阴也；鹿鼻常反向尾，能通督脉，故取其角以补命、补精、补气，皆以养阳也。

4.《古今名医方论》李士材曰：人有三奇，精、气、神，生生之本也。精伤无以生气，气伤无以生神。精不足者，补之以味。鹿得天地之阳气最全，善通督脉，足于精者，故能多淫而寿；龟得天地之阴气最厚，善通任脉，足于气者，故能伏息而寿。二物气血之属，又得造化之玄微，异类有情，竹破竹补之法也。人参为阳，补气中之祛；枸杞为阴，清神中之火。是方也。一阴一阳，无偏胜之忧；入气入血，有和平之美。由是精生而气旺，气旺而神昌，庶几龟鹿之年矣，故曰二仙。

5.《医方论》：峻补气血，不寒不燥，又能益髓固精，诚补方中之最妙者也。

【验案】 青春期崩漏 《陕西中医》（1998，5：247）：用本方加味：龟甲胶、鹿角胶、阿胶、女贞子、旱莲草、枸杞子、地榆、棕炭、白茅根、生地、太子参、黄芪，偏气虚者加白术、升麻；量多有块者加益母草、牡蛎。每日1剂，水煎服。血止后去棕炭、地榆、白茅根。治疗青春期崩漏103例。结果：治愈57例，好转27例，总有效率为82%。

二至丸

【来源】《摄生众妙方》卷二。

【组成】 当归身（去芦，酒浸洗）一两五钱　川芎一两　白芍药（酒浸洗，晒干）二两　熟地黄（肥壮沉实者，酒浸，晒干）二两　人参（去芦，坚实者）五钱　白茯苓（洁白坚实者，去皮）一两　白术（坚白者，去梗，洗净）一两五钱　陈皮（红薄者，晒干，洗净）一两　枸杞子（鲜红润小者）二两　山茱萸（鲜红肉厚者，酒浸，去核，晒干）二两　菟丝子（酒淘洗去土，酒浸，捣成饼，晒干）一两　琐阳（酥炙）五钱　杜仲（去粗皮，细切，生姜汁拌，炒去丝净）一两　肉苁蓉（竹刀刮去鳞，酒浸，细切，晒干）一两　巴戟天（连珠者，酒浸，去心，晒干）一两　远志（甘草水浸，去心，晒干）一两　干山药一两　莲蕊（白莲者佳）一两　牛膝（去芦，酒浸，晒干）一两　辽五味五钱

【用法】 上各为细末，炼蜜入人乳半碗为丸，如梧桐子大。每服五七十丸，空心淡盐汤送下。

【功用】 生精健脾，补血气，壮筋骨，却百疾，养寿生子。

十珍汤

【来源】《摄生众妙方》卷二。

【组成】 人参　白术　当归（酒浸）　黄耆（蜜炙）　肉苁蓉（酒洗）各一钱　白茯苓　白芍药　熟地黄　麦门冬（去心）各八分　陈皮　半夏（姜汁浸，水洗七次）　肉桂（去皮）　五味子　砂仁　川芎各七分　木香　甘草（炙）　龙骨（火煅）　牡蛎（煅）各五分

【用法】 上锉。用水二钟，加生姜三片，大枣三个，煎至八分，早服；滓再煎，至晚服。

【主治】 无子。

八宝丹

【来源】《摄生众妙方》卷二。

【组成】 何首乌（赤白）各一斤（用竹刀刮去粗皮，米泔水浸一宿，用黑豆三斗，每次用豆三升三合三勺，用水泡涨，将豆铺一层，何首乌一层，重迭铺足，用砂锅蒸之，豆熟为节，将豆捞去，何首乌晒干，如此九次，为末听用）　赤茯苓一斤（用竹刀刮去粗皮，为末，作盆盛水，将药末倾入水内，其筋膜浮在水面者，捞而弃之，沉在盆底者留用，如此三次，湿团为块，就用黑牛乳五碗，放砂锅内慢火煮之，候乳尽，入茯苓内为度，仍研为细末听用）　白茯苓一斤（制法同上，亦湿团

为块，就用人乳五碗，放砂锅内煮之，候乳尽，入茯苓内为度，仍研为细末听用） 川牛膝八两（去芦，酒浸一日，使何首乌蒸七次，将牛膝同铺黑豆内蒸之，至第九次止，晒干，研末听用） 破故纸四两（用黑芝麻炒，以芝麻熟为度，去芝麻，研末，听用） 当归八两（酒浸，晒干，为末听用） 怀山药四两（研末听用） 枸杞子八两（酒浸，晒干，研末，听用） 菟丝子八两（酒浸生芽，研为泥，晒干，为末听用）

【用法】炼蜜为丸。先丸如大弹子者一百五十丸。每日三丸，清晨，酒浸一丸；午，姜汤一丸；晚，盐汤一丸。余为梧桐子大，每日清晨五七十丸，酒与盐汤任下。

【功用】

1.《摄生众妙方》：乌须延寿。

2.《医便》：平调气血，滋补五脏。余为梧桐子大，每日清晨五七十丸，酒与盐汤任下

【主治】《医便》：阴虚阳弱无子者。

【宜忌】

1.《摄生众妙方》：以上药俱不犯铁器。

2.《医便》：忌黄白萝卜、牛肉。

苍术膏

【来源】《摄生众妙方》卷二。

【组成】苍术十斤（米泔浸一宿，削去皮，碓舂如泥，大锅内文武火煮水二桶，约有十余碗，取出冷定，绢滤去滓，入瓷罐内，加众药） 人参 生地黄 熟地黄 黄柏 远志各四两 杜仲（炒） 川芎 核桃肉 川椒 破故纸各四两 碎青盐二两 碎朱砂一两 当归四两 旱莲草（取汁）二碗 蜂蜜二斤 姜汁四两

【用法】上药共入前苍术膏，瓷罐内封固，大锅水煮，香二炷为度，取出埋地七日。每服一盏，空心酒一盏或白汤服下。

【功用】存精固气，补丹田，减相火，发白返黑，齿落更生，颜面如童。

【主治】男子精冷绝阳，妇人胎冷不孕。

五子衍宗丸

【来源】《摄生众妙方》卷十一。

【组成】甘州枸杞子八两 菟丝子八两（酒蒸，捣饼） 辽五味子二两（研碎） 覆盆子四两（酒洗，去目） 车前子二两（扬净）

【用法】上各药俱择道地精新者，焙、晒干，共为细末，炼蜜为丸，如梧桐子大。每服空心九十丸，上床时五十丸，白沸汤或盐汤送下，冬月用温酒送下。修合日，春取丙丁己午，夏取戊己辰戌丑未，秋取壬癸亥子，冬取甲乙寅卯。

【功用】男服此药，填精补髓，疏利肾气，种子。

【主治】《中国药典》：肾虚腰痛，尿后余沥，遗精早泄，阳萎不育。

【方论】

1.《中医方剂通释》：肾阴亏乏，阴损及阳，则精关不固，出现早泄、遗精、精冷、不育等证。方中重用枸杞子、菟丝子补肾益精为主药，且菟丝子不仅益阴，且能扶阳，温而不燥，补而不滞；覆盆子、五味子固肾涩精，为辅药；车前子利尿泄热，达到补而有泻，涩中有利是为"反佐"，且五药皆植物种子，中多液汁，既能滋培阴液又含蕴生生之气，为五药之所同，而各有特殊性能。诸药配合，具有补肾益精，扶阳固涩的作用，但以补阴为主。

2.《陕西中医》（1986，7：314）：本方皆为植物种仁，味厚质润，既能滋补阴血，又蕴含生生之气，性平偏温，擅于益气温阳。方中菟丝子温肾壮阳力强；枸杞填精补血见长；五味子五味皆备，而酸味最浓，补中寓涩，敛肺补肾；覆盆子甘酸微温，固精益肾；妙在车前一味，泻而通之，泻有形之邪浊，涩中兼通，补而不滞。

【验案】

1. 子宫发育不良 《河南中医药学刊》（1995，6：43）：以本方加减，阴血虚者加山萸肉、当归；气虚加人参；情绪不畅加香附、郁金，治疗子宫发育不良症100例。结果：总有效率为89%。

2. 乳糜尿 《实用中西医结合杂志》（1995，8：594）：以本方加石莲子、怀山药、茯苓、萆薢、芡实等，治疗乳糜尿100例。结果：痊愈73例，好转19例，无效8例，总有效率为92%。

3. 小儿神经性尿频 《上海中医药杂志》（1997，8：34）：以本方加减，治疗小儿神经性尿频42例。结果：3剂治愈12例，6剂治愈20例，9剂治愈者8例，好转2例。

4. 不育　《内蒙古中医药》(1998，2：7)：以本方加味，汤丸结合，3个月为1个疗程，治疗男性不育32例。结果：治愈30例（治疗1个疗程后其妻怀孕者17例，治疗2个疗程后10例，治疗3个疗程后3例），无效2例，治愈率为93.8%。

5. 更年期综合征　《云南中医杂志》(1998，5：26)：以本方改为汤剂，治疗女性更年期综合征42例，结果：痊愈15例，好转26例，无效1例。

6. 复发性口腔溃疡　《河北中医》(1999，4：227)：以本方丸剂，治疗复发性口腔溃疡50例。结果：治愈率为70%，总有效率为92%。

7. 不孕　《陕西中医学院学报》(2000，1：85)：以本方加减，肾虚型合六味地黄丸，肝郁型合逍遥散，治女性不孕症35例，除3例未坚持治疗外，均取得满意疗效。

鸡头粥

【来源】《古今医统大全》卷八十四引《秘验》。

【别名】鸡豆粥（《女科指掌》卷二）。

【组成】芡实肉一斗（净）　白粱米二升　莲肉（泡，去皮心，焙干）　薏苡仁（鲜者）　怀庆干山药（为末）各一升

【用法】上为末，依分和匀，贮一处，夏天以芡实三升为主，诸味遍减。每早空心将米汤和匀药粉一二合，用银锅调匀煮熟如糜粥，加白糖二匙在内，无银锅，砂锅亦可，只不用铜铁锅。或一二碗以代早粥，服后不可间断，半年后有验。草石之药不须再服。须至老服之，精神愈健。

【功用】专理脾胃，广嗣多子。

资生健乾丸

【来源】《古今医统大全》卷八十四。

【组成】秋石四两　鹿角霜四两　人参（拣明实者佳）　枸杞子　山茱萸肉　麦门冬（去心）　天门冬（去心）　杜仲（姜汁炒断丝）　生地黄　熟地黄（各酒浸）各二两

【用法】上为末，老米面作糊为丸，如梧桐子大。男子每服五十丸，空心滚白汤送下。一月后，候女子月经方过，金水正生之时，男子空心服车前子汤半盏，至夜交会，即有子矣。

此种子良方，寒热不偏，君佐不紊，滋补无过。

【主治】丈夫少病而无子者。

延龄育子丸

【来源】《医便》卷一。

【别名】延龄育子方（《医方考》卷六）。

【组成】天门冬（去心）五两　麦门冬（去心）五两　怀生地黄　怀熟地黄（肥大沉水者）各五两　人参（去芦）五两　甘州枸杞子（去梗）菟丝子（洗净，酒蒸捣饼，晒干）五两　川巴戟（去心）五两　川牛膝（去芦，酒洗）五两　白术（陈土炒）五两　白茯苓（去皮，牛乳浸，晒）五两　白茯神（去皮心，人乳浸，晒）五两　鹿角胶（真者）五两　鹿角霜五两　柏子仁（炒，去壳）五两　山药（姜汁炒）五两　山茱萸（去核）五两　肉苁蓉（去内心膜）五两　莲蕊（开者不用）五两　沙苑蒺藜（炒）五两　酸枣仁（炒）二两　北五味子（去梗）二两　石斛（去根）二两　远志（去芦，甘草灯心汤泡，去心）二两

【用法】上各为末，将鹿胶以酒化开，和炼蜜为丸，如梧桐子大。每服男人九十丸，妇人八十丸，空心滚白汤送下。

【主治】少年斫丧，中年无子，妇人血虚，不能孕育。

【宜忌】忌煎、炙、葱、蒜、萝卜。此方南人服效。

【方论】

1.《医便》：上药二十四味，合二十四气；一百单八两，合一年气候之成数，为生生不息之妙。

2.《医方考》：男女媾精，乃能有孕。然精者，五脏之所生，而藏之肾者也。故欲藏精于肾者，必调五脏，五脏盛而精生矣。是方也，人参、五味、天麦门冬补肺药也；茯神、远志、柏仁、枣仁、生地补心药也；白术、茯苓、山药、石斛补脾胃也；熟地、枸杞、菟丝、巴戟、牛膝、茱萸、苁蓉、沙苑蒺黎补肝肾也；鹿角胶，血气之属，用之所以生精；角霜、莲须收涩之品，用之所以固脱。如是则五脏皆有养而精日生，乃能交媾而宜子矣。

秘传六神丸

【来源】《医便》卷一。

【组成】生芡实（大者）五十个（去壳） 龙骨（煅）五钱 莲蕊须（未开者佳，渐采渐晒，勿令器净）四两 山茱萸（鲜红者，去核，净肉）三两 覆盆子（净）二两 沙苑蒺藜（炒）四两（要真者）

【用法】上先将蒺藜捣碎，水熬膏，滤去滓，其滓仍晒干，和众药为末，炼蜜和蒺藜膏为丸，如梧桐子大。每服九十丸，空心煨盐汤送下。

【功用】固真育子。

玄牝太极丸

【来源】《医学入门》卷七。

【组成】苍术四两（用米泔、盐水、酒、醋各浸炒一两） 当归 熟地各三两 川芎一两 葫芦巴 芍药各一两二钱 磁石一两三钱 黄柏（用盐浸） 知母（水炒） 五味子 巴戟 白术各一两半 枸杞 故纸 小茴 白茯（盐酒蒸）各二两半 木瓜（用牛膝水浸） 杜仲 苁蓉各二两 没药一两 阳起石一两（用黄芩水浸，装入羊角内，以泥封固，火煅青烟起，取出以指研，对日不坠为度，如坠复煅）

【用法】上为末，择壬子庚申旺日，用鸡子六十个。打开一孔，去内试干，以末入内，用纸糊住，令鸡抱子出为度，取药，炼蜜为丸，如梧桐子大。每服八十一丸，空心盐汤送下。

【功用】久服神清气爽，长颜色，填骨髓，倍进饮食，和平脏腑，精浓能施，生子。

【方论】苍术补脾，当归、熟地补血，葫芦巴益阳气，磁石补阳，黄柏、知母治相火，五味子去痰收肺气，巴戟佐肾，白术补脾，枸杞补肝，故纸补肾，小茴治小肠气，白茯补心，木瓜、杜仲、苁蓉、没药治肾损，益心血。

加味苍术膏

【来源】《医学入门》卷七。

【组成】苍术十斤（捣如泥，入大锅内，用水二桶，以文武火煮至十余碗，取出绢滤，入瓷罐内） 人参 生地 熟地 黄柏 远志 杜仲 川芎 胡桃肉 川椒 故纸 当归 姜汁各四两 青盐二两 朱砂一两 旱莲草汁二碗 白蜜二斤

【用法】上为末，共入膏内封固，大锅水煮，官香二炷为度，取出埋土中七日。每空心酒、汤任下。

【功用】通达诸身关节，流往遍体毛窍，养精养气养神，久服精满气盈，暖丹田，减相火，发白转黑，齿落更生。

【主治】男子精冷绝阳，妇人胞冷不孕。

种子大补丸

【来源】《医学入门》卷七。

【组成】人参 麦门冬 生地黄 熟地黄 杜仲 巴戟天 沙苑 白蒺藜 天门冬 枸杞子 黄柏 白茯神 白茯苓 白术 白芍药各四两 牛膝 当归 黑桑椹 芡实 圆眼肉 鹿角胶各五两。

【用法】上为末，用雄鹿血和蜜为丸，如梧桐子大。每服五十丸，空心温酒、盐汤任下。

【功用】补肾种子。

温肾丸

【来源】《医学入门》卷七。

【组成】巴戟二两 当归 菟丝子 鹿茸 益知仁 杜仲 生地 茯神 山药 远志 蛇床子 续断各一两 山茱萸 熟地各三两

【用法】上为末，炼蜜为丸，如梧桐子大。每服三五十丸，空心温酒送下。

【功用】种子。

【加减】精虚，加钟乳粉、五味子；阳道衰，倍续断；精不固，加龙骨、牡蛎，倍鹿茸。

交感丹

【来源】《本草纲目》卷十二引申先生方。

【组成】茅山苍术一斤（刮净，分作四份，用酒、醋、米泔、盐汤各浸七日，晒，研） 川椒红 小茴香各四两

【用法】上为末，陈米糊为丸，如梧桐子大。每服四十丸，空心温酒送下。

【功用】补虚损，固精气，乌髭发；久服令人有子。

固精丸

【来源】《赤水玄珠全集》卷十。

【组成】莲蕊四两（拣净，用新者） 山茱萸肉四两（用肥者，酒浸，去核） 覆盆子四两（酒浸，蒸，去蒂瓤） 菟丝子一两（酒浸一宿，蒸半日，捣烂，晒干） 芡实五百枚（去壳） 破故纸五钱（炒微香） 白蒺藜五钱（去角刺，微炒） 五味子（拣红润者）五钱

【用法】上为细末，炼蜜春千余下为丸，如梧桐子大。每服五十丸，空心温酒、白汤任下。

【功用】益阴固精，壮阳补肾，常服能生子。

长春广嗣丹

【来源】《医方考》卷六。

【别名】长春补药方（《良朋汇集》卷二）。

【组成】人参（去芦） 天门冬（去心） 当归（酒洗） 泽泻（去毛） 山茱萸（去核） 石菖蒲（炒） 赤石脂 五味子（去梗） 覆盆子（去萼） 白茯苓 车前子 广木香 柏子仁各一两 山药（姜汁炒） 川巴戟（去心） 川椒（去目与梗，及闭口者，炒出汗） 川牛膝（去芦，酒洗） 生地黄 熟地黄 地骨皮（去木与土） 杜仲各二两 远志（去芦，甘草汤泡，去心） 肉苁蓉（酒洗，去心膜，晒干） 枸杞子各三两 菟丝子（酒洗，去土，及用酒蒸，捣饼晒干）四两

【用法】上为末，炼蜜为丸，如梧桐子大。每服三十丸，一日三次。

《墨宝斋集验方》：每服五十丸，渐加至七八十丸，空心盐汤或酒送下。服十日后，小便杂色，是旧疾出也；又十日，鼻酸声雄，胸中痛，咳嗽唾痰，是肺病出也；一月后，一应七情滞气，沉痼冷积皆出。百日后，容颜光采，须发变黑，齿颓重固，既老而康，目视数里，精神百倍，寿命延长，种子之功，百发百中。

【主治】

1.《医方考》：男妇艰嗣。

2.《墨宝斋集验方》：男子劳损羸瘦，中年阳事不举，精神短少，未至五旬，须发早白，步履艰难。妇人下元虚冷，久不孕育者。

【方论】是方也，人参、天门冬、五味子用之补肺；石菖蒲、柏子仁、当归、远志用之养心；白茯苓、怀山药用之养脾；山茱萸、熟地黄、覆盆、杜仲、牛膝、巴戟、苁蓉、枸杞、菟丝用之补肝肾。所以然者，肝肾同一治也；车前、泽泻利其灼阴之邪；生地、骨皮平其五脏之火；石脂之涩，所以固精；木香之窜，所以利六腑；川椒之辛，所以散湿痹也。此则兼五脏六腑而调之，五脏之精实，六腑之气和，夫然后可以媾精而宜子矣！

固本健阳丹

【来源】《万病回春》卷六。

【别名】固本健阳种子丹（《妙一斋医学正印种子篇》卷上）。

【组成】菟丝子（酒煮）一两半 白茯神（去皮木） 山药（酒蒸） 牛膝（去芦，酒洗） 杜仲（酒洗，去皮，酥炙） 当归身（酒洗） 肉苁蓉（酒浸） 五味子（去梗） 益智仁（盐水炒） 嫩鹿茸（酥炙）各一两 熟地（酒蒸） 山茱萸（酒蒸，去核）各三两 川巴戟（酒浸，去心）二两 续断（酒浸） 远志（制） 蛇床子（炒，去壳）各一两半 人参二两 枸杞子三两

【用法】上为细末，炼蜜为丸，如梧桐子大。每服五七十丸，空心盐汤送下，酒亦可，临卧再进一服。若妇人月候已尽，此是种子期也，一日可服三次。

【功用】《妙一斋医学正印种子篇》培养元神，坚固精血，暖肾壮阳。

【主治】无子。多是精血清冷，或禀赋薄弱；间有壮盛者，亦是房劳过甚，以致肾水欠旺，不能直射子宫所致。

【加减】如精不固，加龙骨、牡蛎（火煅，盐酒淬三五次）各一两二钱，鹿茸五钱。

【验案】不育证 刘小亭公，年四十无子嗣，阳事痿弱，精如水冷，两寸脉洪，两尺脉沉微无力。此真元衰惫，乃斫丧过度所致也。以固本健阳丹加人参、附子、枸杞子、覆盆子各二两，制一料服尽。觉下元温暖如前，又制一料，服至半料乃止。果孕，生一子。后传之于刘伯亭、刘敏庵俱服之，皆生子。

仙传种子药酒

【来源】《鲁府禁方》卷三。

【组成】白茯苓（去皮，净）一斤　大红枣（煮，去皮核，取肉）半斤　胡桃肉（去皮，泡去粗皮）六两　白蜂蜜六斤（入锅熬滚，入前三味搅匀，再用微火熬滚，倾入瓷坛内，又加高烧酒三十斤，糯米白酒十斤，共入蜜坛内）　黄耆（蜜炙）　人参　白术（去芦）　川芎　白芍（炒）　生地　熟地　小茴　枸杞子　覆盆子　陈皮　沉香　木香　官桂　砂仁　甘草各五钱　乳香　没药　五味子各三钱

【用法】上为细末，共入蜜坛内和匀，笋叶封口，面外固，入锅内，大柴火煮二炷香，取出，埋于土中三日，去火气。每日早、午、晚三时，男女各饮数杯，勿令大醉。

【功用】安魂定魄，改易颜容，添髓驻精，补虚益气，滋阴降火，保元调经，壮筋骨，润肌肤，发白再黑，齿落更生，目视有光，心力无倦，行步如飞，寒暑不侵，能除百病，种子。

秃鸡丸

【来源】《鲁府禁方》卷三。

【组成】肉苁蓉（酒洗）一两　远志（去心）一两　甘草（水泡）　蛇床子一两（盐、酒炒）　山药一两　木香一两　菟丝子（酒制）三两　细辛一两　五味子一两　莲蕊一两　沉香一两　益智仁一两半（炒）　木鳖一双（去壳）

方中甘草用量原缺。

【用法】上为细末，炼蜜为丸，如梧桐子大。每服五十丸，空心温酒送下。

【功用】大壮阳道。

【主治】男子阳道痿软，久无子息。

【宜忌】无妻不可服。

紫霞杯

【来源】《鲁府禁方》卷三。

【组成】硫黄一斤（烧酒煮，每一两加雄砂一钱）丁香一钱　木香一钱

【用法】上为细末，将硫化开，入药搅匀，倾于模内即成杯矣。如有下元虚寒，酌酒服之甚妙；妇人白带淋漓，空心酌酒饮三杯。胜服丹药良剂。

【功用】暖宫种子，破胸中积滞。

【主治】男子下元久冷，妇人白带淋漓。

赵氏苁蓉菟丝子丸

【来源】《证治准绳·女科》卷四。

【组成】肉苁蓉一两三钱　覆盆子　蛇床子　川芎　当归　菟丝子各一两二钱　白芍药一两　牡蛎（盐泥固济，煅）　乌贼鱼骨各八钱　五味子　防风各六钱　条芩五钱　艾叶三钱

【用法】上药俱焙干为末，炼蜜为丸，如梧桐子大。每服三四十丸，清盐汤送下，早、晚皆可服。

【功用】助阴生子。

葆真丸

【来源】《证治准绳·女科》卷四。

【组成】鹿角胶半斤（锉作豆大，就用鹿角霜拌炒成珠，研细）　杜仲（去粗皮，切碎，用生姜汁一两同蜜少许拌炒断丝）三两　干山药　白茯苓（去粗皮，人乳拌，晒干，凡五七次）　熟地黄各二两　菟丝子（酒蒸，捣，焙）　山茱萸肉各一两半　北五味子　川牛膝（去芦，酒蒸）　益智仁（去壳）　远志（泔煮，去骨）　小茴香（青盐三钱同炒）　川楝子（去皮核，取净肉，酥炙）　川巴戟（酒浸，去心）各一两　破故纸　胡芦巴（同故纸入羊肠内煮，焙干）各一两　柏子仁（去壳，另研如泥）半两　川山甲（酥炙）　沉香各三钱　全蝎（去毒）一钱半

【用法】上为极细末，以好嫩肉苁蓉四两（酒洗净，去鳞甲、皮垢，开心，如有黄白膜亦去之，取净二两），好酒煮成膏，同炼蜜和药末，捣千余下，为丸如梧桐子大。每服五十丸，淡秋石汤、温酒任下，以干物压之。渐加至百丸。服七日，四肢光泽，唇脸赤色，手足温和，面目滋润。

【功用】补十二经络，起阴发阳，能令阳气入胸，安魂定魄，开三焦积聚，消五谷进食，强阴益子精，安五脏，除心中伏热，强筋骨，轻身明目，去冷除风。

【主治】九丑之疾。茎弱而不振，振而不丰，丰而

不循，循而不实，实而不坚，坚而不久，久而无精，精而无子，及治五劳七伤，无子嗣者。

七宝丹

【来源】《墨宝斋集验方》卷上。

【组成】何首乌八两（赤、白鲜者，用竹刀刮去皮，切作片，米泔水浸一宿，用黑豆五升浸软，一层豆一层药，密盖炊熟，九蒸九晒） 天门冬三两（酒浸，去心，晒干） 麦门冬三两（酒浸一宿，去心，晒干，捣末） 人参（去芦）二两 白茯苓五两（去粗皮，切片，酒洗，晒干，捣末） 川牛膝三两（去芦，酒浸一宿，晒干，捣末） 当归二两（酒洗） 枸杞子三两（甘州者佳，去枝梗，晒干，捣末） 菟丝子（酒浸一宿，洗去沙泥，捣，并晒干）二两 山茱萸（去核）三两 黄柏五两（去皮，盐、酒浸一宿，炒褐色） 五味子一两（去枝梗，北者佳） 怀山药二两五钱 怀生地三两（酒浸一宿，捣膏） 怀熟地五两（酒浸一宿，捣膏）

【用法】上为末，炼蜜为丸，如梧桐子大。每服六十丸，空心盐汤下；或酒亦可。

【功用】固元种子。

人参固本酒

【来源】《墨宝斋集验方》卷上。

【组成】人参 枸杞 天门冬（去心） 怀生地 怀熟地各二两 当归二两 白茯苓一两 麦门冬（去心）二两 何首乌二两（制法如常）

【用法】用酒二十四五斤，盛入二罐内，将药各一半，用好绢袋盛药，入罐内，用面糊封固，用桑柴阴阳火煮二炷香为度。一七后方可服。

【功用】种子。

【加减】不卧，加酸枣仁；虚甚，加黄耆；脾虚，加白术、陈皮；肾虚，加黄柏、知母。

人参鹿角膏

【来源】《墨宝斋集验方》卷上。

【组成】人参四两 鹿角胶四两

【用法】人参切片，入铜锅，或砂锅亦可，用水八碗，约熬二碗，去滓，又熬一碗取起，又将鹿角胶入京酒三杯熬化，同人参膏和匀，以瓷瓶贮之，入好白蜜四两，铜锅隔水煮，候膏滴水成珠为度。每早淡酒调数匙，就以食压之。

【功用】种子。

广嗣良方

【来源】《墨宝斋集验方》卷上。

【组成】山茱萸（水浸，去核）五两 天门冬（水浸，去心皮）五两 麦门冬（水浸，去心）五两 黄耆（去皮，蜜炙）二两 补骨脂（酒浸，水洗，炒黄）八两 菟丝子（拣净，酒浸一宿，晒干）三两 枸杞子（去枝蒂）三两 当归（酒洗，去芦，全用）二两 覆盆子（微炒）三两 蛇床子（水洗净，微炒）三两 川巴戟（酒浸，去心）三两 山药（洗净）一两 熟地黄（酒浸，捣如泥）三两 黄犬肾（酥炙，焙干）二副 白龙骨（火煅七次，童便盐酒淬，布包悬井底三日）二两 人参一两五钱 韭子（酒洗净，炒）三两 琐阳（酒洗，酥炙）二两 白术（水洗，土拌炒）一两 杜仲（去皮，酥炙）一两五钱 陈皮（水洗，去白，微炒）一两 紫河车一具（初生男胎者佳，将米泔水洗，用银针挑破，挤出紫血，待净入水坛内，好酒二斤，封固重汤煮烂如泥）

【用法】上为极细末，入炼蜜，木臼内捣极匀，丸如梧桐子大。每服五六十丸，渐加至一百丸止，空心盐汤送下；出外减半服之。

【主治】男子不育。

延龄育子方

【来源】《墨宝斋集验方》卷上。

【别名】延龄育子丸、腽肭脐真方（《何氏济生论》卷七）。

【组成】腽肭脐（用桑白皮一两，楮实子一两、山楂、麦芽、神曲、补骨脂各一两，黑芝麻、黑豆各一合，以上八味用酒水各一半煎水；外用酒洗腽肭脐，入前酒水内，浸以软为度。后用竹刀切碎，去膜，用瓦一块，荷叶衬瓦上，上用瓦一块盖之，慢火烘干，碾细为末，听用） 巨胜子五两（酒洗净，分为四份：芝麻、萝卜子、糯米、白芥

子各炒一份） 甘枸杞子（去梗蒂）四两 生地黄（肥大沉水者，酒洗净）五两 熟地黄（肥大沉水者，酒洗净）五两 麦门冬（去心）五两 白术五两（土炒一份，麸炒一份，神曲炒一份，枳壳炒一份） 白茯苓（去皮心膜，乳浸，晒干）五两 菟丝子（酒洗净，浸一昼夜，蒸，捣饼，晒干）四两 人参（去芦）五两 柏子仁（炒，去壳）五两 山药（姜汁浸，炒干）四两 山茱萸（去核）五两 肉苁蓉（去甲膜，酒浸，晒干）五两 远志（去芦，甘草灯心汤泡，去核）二两 何首乌（黑豆汁蒸一份，盐水蒸一份，米泔水浸一份，醋浸一份）八两 鹿角霜五分 川巴戟（酒洗，去心）四两 石菖蒲（去芦，微炒）二两 当归（酒洗，去芦梢）二两 五味子（去梗）二两 川牛膝（去芦梢，酒洗，晒干）四两 沙苑蒺藜（炒）五两 川黄连（去须，吴茱萸汤浸一份，木香汤泡一份，姜汁泡一份，酒浸一份，晒干）三两 酸枣仁（去壳皮，炒）二两

【用法】上药各为末。春加姜汁、竹沥；夏加香薷、木瓜、薏仁；秋加姜、茶、茱萸、木香；冬加紫苏、薄荷、苍术、厚朴煎汁，用蜜炼为丸。每服九十丸，滚白汤送下。

【功用】《何氏济生论》：轻身延年，润养平和，延龄育子。

【主治】《何氏济生论》：男子肾气虚弱，逢阴而痿，未媾先遗等症。

延年益寿不老丹

【来源】《墨宝斋集验方》卷上。

【组成】何首乌、赤白各一斤（竹刀刮去粗皮，米泔水浸一宿，用黑豆三升，水泡胀，每豆一层，何首乌一层，重重铺毕，用砂锅竹甑蒸之，以豆熟，取首乌晒干；又如法蒸晒九次听用） 赤茯苓一斤（用竹刀刮去粗皮，为末，用盘盛水，将末倾入水内，其筋膜浮在水面者不用，沉水底者留用；湿团为块，用黑牛乳五碗，放砂锅内慢火煮之，候乳尽茯苓内为度，仍碾为末听用） 白茯苓一斤（制法同赤茯苓，亦湿团为块，用人乳五碗，放砂锅内照前赤茯苓，仍碾为末，听用） 怀山药（姜汁炒，为末）四两 川牛膝（去芦，酒浸一宿，晒干，为末）八两 甘枸杞子（去梗，晒干，为末）四两 杜仲（去皮，姜汁炒断丝，为末）八两 破故纸（用黑脂麻同炒熟，去麻不用，破故纸碾为末）四两 菟丝子（去砂土净，酒浸生芽，捣为饼，晒干，为末）八两

【用法】上药不犯铁器，称足和匀，炼蜜为丸，如梧桐子大。每服七十丸，空心盐汤或酒送下。

【功用】乌须黑发，延年益寿，填精补髓。

【主治】阴虚阳弱无子者。

【宜忌】忌黄白萝卜、牛肉。

全鹿丸

【来源】《墨宝斋集验方》卷上。

【组成】当归身 知母（去尾净） 天门冬（去心、皮净） 怀熟地各四两 人参（去芦）四两 白茯苓（去皮）四两 金樱子（去粗皮、刺净）四两 芡实肉六两 牛膝（去芦）六两 莲肉（去心）四两 山药四两 黄柏（去皮）四两 怀生地四两 白芍二两（炒） 麦门冬（去心）四两 枸杞子（去蒂）八两 茯神（去皮心）四两 杜仲（酥炙，去丝）四两 白术（东壁土炒）四两 莲须四两 山茱萸（净肉）八两 女贞实八两 覆盆子四两 柏子仁六两 肉苁蓉四两（酒洗） 黄耆（蜜炙净）四两 骨碎补四两 五味子二两（净） 桑椹子四两（净） 陈皮四两 菟丝子（酒煮捣烂，晒干，净）二两

【用法】用雄鹿一只，取精肉一二斤，用血、髓、肾、肝、心、全角切作片，用无灰酒二十五斤煮熟，将前药再入酒肉内煮干为度，如未全熟，再加酒五斤，取出晒干，为末，炼蜜为丸，如梧桐子大。空心温酒、淡盐汤或白滚汤送下。

【功用】补肾种子。

固精煮酒

【来源】《墨宝斋集验方》卷上。

【别名】固精酒（《惠直堂方》卷一）。

【组成】甘枸杞四两 川归二两（酒洗净） 怀地黄六两

【用法】上锉，以绢袋盛。入坛内，用好头生酒五六大壶，煮二炷香为度。取起出火性，七日后饮之。每日空心及将晚时饮三五杯。不可多饮。

【功用】助阳坚举，久服多子。

神验百子丸

【来源】《墨宝斋集验方》卷上。

【组成】何首乌（赤白相半，先用米泔水浸二日夜，或竹刀、铜刀去粗皮，切成片，略晒爽，莫犯铁物，用黑芝麻拌匀蒸一次，晒干去芝麻，再用乌羊肉切成片，去筋膜油腻拌匀蒸一次，去羊肉晒干，再用极好无灰酒浸湿蒸一次，四用黑豆一层，首乌一层，又蒸一次，去豆晒干。蒸法俱用砂锅柳甑拌匀，蒸透熟为度，晒干，拣净，用石磨磨成细末，以一斤为祖） 人参（去芦，净末）五钱 熟地黄 天门冬（二味用生姜自然汁浸二日夜，晒干待用） 生地黄 麦门冬［二味用无灰酒浸一日，夜取出再用米泔水浸一日夜，取出晒略干。上四味，俱用石磨磨如泥浆，用杏仁（去皮尖）煎汤，化开前药，滤出滓再磨，磨尽如澄水粉样，待澄清，撇去清水，将药粉晒干细］各一两 白茯苓（去粗皮，为末，用童便泛去浮筋，用泥底者浸一夜，晒干末）四两 地骨皮（去骨，无灰酒浸一日，滤出，为细末）一两 牛膝（去芦，无灰酒浸一日夜，滤出，为细末）二两

【用法】上为细末，用无疾好妇人养男孩的好乳汁六两，炼蜜为丸，如梧桐子大。每服五六十丸，用无灰好酒送下，晨昏各进一次。

【功用】广嗣。

【宜忌】忌诸般血、豆腐、萝卜、大蒜、莲蓬、藕、败血之物。

补天育嗣丹

【来源】《寿世保元》卷七。

【组成】怀生地黄（去轻浮者不用，沉实者）八两（好酒浸一宿，入砂锅内蒸一日至黑） 嫩鹿茸（酥炙）二两 虎胫骨（酥炙）二两 白茯苓（去皮，切片，乳汁浸，晒干，再浸再晒三次）三两 败龟版（酥炙）二两 淮山药四两 山茱萸（酒蒸去核）四两 牡丹皮（去骨）三两 天门冬（去心皮）三两 泽泻（去毛）二两 当归（酒洗）四两 甘枸杞子四两 补骨脂（盐水洗，微炒）二两

【用法】上忌铁器，为细末，用紫河车一具，取首男胎者佳，先用米泔水浸洗，再入长流水浸一刻，取回，入碗内，放砂锅内蒸一日，极烂如糊，取出，先倾自然汁在药末内，略和匀，将河车放石臼内杵如泥，却将药末汁同杵匀为丸，如干，加些炼蜜，杵匀为丸，如梧桐子大。每服三钱，空心温酒送下。

【功用】全天元之真气，种子。

【宜忌】忌三白。

续嗣壮元丹

【来源】《寿世保元》卷七。

【组成】鹿茸（酥炙） 沉香 苁蓉（酒洗，去甲用） 天冬（去心） 麦冬（去心） 拣参 熟地（蒸） 巴戟（去心） 枸杞 茯苓 五味 当归（酒洗） 杜仲（酒洗） 牛膝（去芦，酒洗） 菟丝（酒洗令净，晒半干捣成饼后，晒干为末） 小茴（盐炒） 鳖甲（酥炙） 故纸（炒） 首乌（米泔浸） 石菖蒲（去毛）各一两 山药 柏子仁 萸肉（酒蒸，去核）各四两 朱砂五钱

【用法】上为细末，酒打面糊为丸，如梧桐子大。空心、临卧以温盐汤送下。

【主治】虚损，阳事不举，少壮纵情，痼冷，心肾不交，难成子嗣，遗精白浊，五劳七伤，一切虚损。

【宜忌】忌烧酒、胡椒、干姜、煎炒之物。

乾坤一气膏

【来源】《外科正宗》卷四。

【别名】一气膏〔《全国中药成药处方集》（吉林方）〕。

【组成】当归 白附子 赤芍 白芍 白芷 生地 熟地 川山甲 木鳖肉 巴豆仁 蓖麻仁 三棱 蓬术 五灵脂 续断 肉桂 玄参各一两 乳香 没药各一两二钱 麝香三钱 真阿魏二两（切薄片听用）

【用法】上锉。用香油五斤，存下四味，余皆入油浸，春三、夏五、秋七、冬十，期毕，桑柴火熬至药枯，细绢滤清；每净油一斤，入飞丹十二两，

将油入锅内，下丹，槐枝搅搂，其膏候成，端下锅来，用木盆坐稳，渐下阿魏片，泛化已尽，方下乳、没、麝香，再搅匀，乘热倾入瓷罐内，分三处盛之，临用汤中顿化。痞病红缎摊贴，余病绫绢俱可摊之，有肿者对患贴之。男子遗精、妇人白带，俱贴丹田；诸风瘫痪，贴肾俞穴并效。

【功用】《全国中药成药处方集》（吉林方）：活血杀菌，驱风散寒，渗湿除痰，暖宫调经。

【主治】痞疾，诸风瘫痪，湿痰流注，各种恶疮，百般怪症。男子夜梦遗精，妇人赤白带下。男女精寒血冷，久无嗣息者。

赞育丹

【来源】《景岳全书》卷五十一。

【组成】熟地八两（蒸捣） 白术（用冬术）八两 当归 枸杞各六两 杜仲（酒炒） 仙茅（酒蒸一日） 巴戟肉（甘草汤炒） 山茱萸 淫羊藿（羊脂拌炒） 肉苁蓉（酒洗，去甲） 韭子（炒黄）各四两 蛇床子（微炒） 附子（制）肉桂各二两

【用法】炼蜜为丸服。或加人参、鹿茸亦妙。

【主治】阳萎精衰，虚寒无子。

河车种玉丸

【来源】《景岳全书》卷六十一。

【组成】紫河车一具（只要母气壮盛，厚大新鲜者，但去胞内瘀血，不必挑去鲜红血脉，以米泔水洗净，用布绞干，石臼内生杵如糊，用山药末四五两收干，捻为薄饼八九个，于砂锅内焙干，以香如肉脯为妙） 大熟地（酒洗，烘干）八两 枸杞（烘干）五两 白茯苓（人乳拌、晒三次） 归身（酒洗） 人参 菟丝（制） 阿胶（炒珠）各四两 丹皮（酒洗） 白薇（酒洗）各二两 沉香一两 桂心 山茱萸 香附米（用酒、醋、水三件各半碗，浸三日，晒干略烘）各三两 大川芎（酒浸，切片，晒干）二两

【用法】炼蜜为丸，如梧桐子大。每服百余丸，空心或酒，或白汤、盐汤任下。

【功用】令人孕育。

【宜忌】服药后忌生萝卜、生藕、葱、蒜、绿豆粉之类。

【加减】如带浊多者，加赤白石脂各二两，须以清米泔飞过用。

二至丸

【来源】《济阳纲目》卷六十四。

【组成】熟地黄（酒蒸） 龟版（酒浸，酥炙） 白术（麸炒） 黄柏（酒浸，炒）各三两 知母（酒浸，炒） 当归（酒洗） 生地黄（酒浸） 白芍药（酒炒） 麦冬（去心）各四两 天冬（姜炒）二两

【用法】上为细末，枣肉同炼蜜和杵百余下为丸，如梧桐子大。每空心、午前服五十丸。服至百日，逢火日摘去白发，生出黑发是其验也。

【功用】补虚损，暖腰脐，壮筋骨，明眼目，调养元气，滋益子息。

【宜忌】忌莱菔、诸血、羊肉。

延龄种子仙方

【来源】《济阳纲目》卷六十七。

【组成】当归身（酒浸） 川牛膝（酒浸） 生地黄（酒浸） 熟地黄（酒浸） 片芩（酒浸） 麦门冬（去心，米泔水浸） 天门冬（去心，米泔水浸） 山茱萸各四两 知母四两（盐酒各浸二两） 黄柏（去皮）九两（蜜水、盐、酒各浸三两） 辽五味 川芎 山药 龟版（酥炙） 白芍药（酒浸）各二两 人参六钱

【用法】上制如法，晒干，不犯铁器，为极细末，用白蜜三斤，不见火炼，将竹筒二节凿一窍孔，去瓤，入蜜在内，并入清水一小盏和匀，绵纸封固七层，竖立重汤锅内，柴火煮一昼夜，和药为丸，如梧桐子大。每服一百丸，清晨盐汤，晚酒送下。

【功用】延龄种子。

【宜忌】男妇皆然，以服药之日为始，忌房事一个月，愈久愈妙。

全鹿丸

【来源】《济阳纲目》卷六十七。

【组成】黄柏七斤（去粗皮，用青盐煮酒浸，焙

干，取净末五斤，又以鹿血拌，焙） 菟丝子七斤（水润净，酒浸，蒸，净末五斤） 枸杞子七斤（真甘州者，用牛乳浸，焙干，取净末五斤） 金樱子三斤（捣去刺，剖开去核，取净末一斤） 五味子三斤（去桔梗，酒洗净，晒干，净末一斤半） 车前子三斤（水淘净，晒干）一斤

【用法】上前六味各不见铁，务另研为细末；用鹿一只，须极肥壮，角有神气者为佳，先以红枣、茶叶喂养七日方用，只去毛，连肉、五脏，去其大肠秽物，熬膏滤出听用；其骨、角加桑皮、楮实子各一斤半另煮连昼夜，以极研如粉为度，绞和前汁，同药末内拌匀，加秋石七八斤，愈多愈妙，捶化如膏，内加炼蜜共为丸，如梧桐子大。每空心临卧服七八十丸或二钱，空心用酒或秋石汤或盐汤送下，以干物压之。

煮鹿时用砂锅二口，以鹿肉入于大坛内，以箬包紧，隔汤煮烂，然后滤出，内汁听用。如坛内汤干，另用一锅煮熟水；逐时添入，不用生水。其骨、角亦如上，隔汤煮数昼夜，连胶并前滤出肉汁和药，肉滓不用工夫，全在煮时，柴用桑柴为妙，须不断火，连日夜更番制成，不可歇息。药成丸后有秋石在内，恐发潮，切不可违火，时时焙着。合时以冬月为妙，恐肉浓汁味少变耳。

【功用】大补元精，种子。

种子丹

【来源】《简明医彀》卷七。

【组成】何首乌八两 仙茅（川者）四两 牛膝（酒浸） 白茯苓（人乳砂锅煮、蒸） 赤茯苓（牛乳砂锅煮） 生地黄（酒浸，蒸，捣） 枸杞（甘州红细者） 人参（坚明） 当归身（酒浸） 杜仲（姜汁拌，盐酒炒去丝） 远志（甘草汁浸，剥肉） 柏子仁（去油） 山茱萸肉 菟丝子（煮饼） 破故纸（盐酒炒香） 大胡麻（酒蒸九次） 核桃仁 松子仁（俱另研）各一两

【用法】上除地黄、桃仁、松仁外，各为末，入地黄，重晒，磨，加二仁，炼蜜为丸，如梧桐子大。每服百丸，空心酒送下；夏月盐汤送下。

【功用】种子。

滋阴种子丸

【来源】《妙一斋医学正印种子篇·男科》。

【组成】知母二两（去毛皮为末，一两乳汁浸透，一两黄酒盐浸透，晒干） 天门冬（去心）二两 麦门冬（去心）二两 黄柏二两（去粗皮为末，一两乳汁浸透，一两黄酒盐浸透，晒干，炒赤色） 熟地黄（黄酒捣如泥，即和众药）二两 桑椹子二两 菟丝子（酒煮，晒干）二两 生地黄（黄酒洗过，与熟地黄总捣一处）二两 何首乌（黑白二色均用，同黑豆煮二次，去皮晒干）二两 干山药一两 牛膝（去芦）二两 黄精二两（对节生者真，酒蒸熟，与熟地捣一处） 辽五味五钱 白茯苓（去皮，去红丝）一两 枸杞子一两五钱 柏子仁（水浸一日，连壳水磨成浆，绢袋滤汁去壳，又将水面浮油掠尽，去水，存结底，晒干）一两

【用法】上为细末，炼蜜为丸，如梧桐子大。每服七八十丸，早晨淡盐汤送下，服至百日。

【主治】男子精亏无子及阴虚有火者。

广嗣既济丸

【来源】《妙一斋医学正印种子篇》卷上。

【组成】人参八两 天门冬四两 麦门冬四两 柏子仁 酸枣仁 远志肉各四两 菟丝子 白茯苓 甘枸杞各八两 生地黄 熟地黄 牡丹皮 当归各四两 五味子二两 沙苑蒺藜八两 山茱萸肉四两 山药四两 石斛二两 牛膝四两 虎胫骨二两 甘菊花二两 石菖蒲一两 杜仲四两 破故纸三两 肉苁蓉二两 鹿角胶八两 玄武胶八两

【用法】上药炮制如法，为末。研入柏子仁，玄、鹿二胶用好酒溶化，炼蜜为丸，如梧桐子大。每服三钱，秋石白滚水送下，早、晚各一次；好酒送下亦可。

【功用】宁心神，养心血，益精髓，壮腰膝，润肌肤，悦颜色，清耳目，乌须发，通和脏腑，延年广嗣。

中和种子丸

【来源】《妙一斋医学正印种子篇》卷上。

【组成】菟丝子（拣净水淘，舂去粗皮，用无灰酒煮烂，以丝出为度，捣如泥，为薄饼，晒干，磨为末）四两 白茯苓三两 山茱萸（酒拌蒸，取净肉）四两 怀熟地（取大生地五两，酒洗净，用砂仁末三钱，好酒半斤，拌浸一宿，置瓷器，坐砂锅内，隔汤炖黑烂为度，另捣） 怀山药三两 枸杞子（甘州者佳）四两 远志（甘草汤泡，捶去骨取肉，再用甘草汤煮，晒干）二两 车前子（净，用泔浸蒸，晒干）二两 覆盆子（去蒂，酒蒸，晒干）四两 麦门冬三两（去心） 五味子二两（辽东与北来者佳） 鱼鳔胶四两（用牡蛎粉炒成珠，去牡蛎） 嫩鹿茸四两（酥油慢火炙透） 当归身（酒洗，晒干）三两 柏子仁（去壳，取白净肉）三两（另捣） 人参三两 川牛膝（盐酒炒）三两 沙苑蒺藜四两（微焙为末，入药；另取二两煮膏，同炼蜜为丸） 川杜仲（盐酒炒）三两

【用法】上药除别捣者外，磨为极细末，隔汤炼真川蜜为丸。空心、淡盐汤送下三钱，临卧灯心汤送下二钱。

【主治】元禀虚弱，或因色欲过度，以致气血两亏，心肾不交，百病内蚀，不能成育者。

【加减】阴虚火盛，加盐、酒、蜜三制炒黄柏、知母各三两；虚寒无火甚，加童便制熟附子、肉桂各一两，或去附、桂，加肉苁蓉（去鳞膜）、巴戟肉、补骨脂（盐酒炒）各三两；肥人有痰，加广橘红三两，减熟地二两；瘦人上焦有火，加姜汁炒黄连二两；梦遗滑精，加蜜炙黄柏四两，砂仁末二两，酸枣仁（炒香）三两。

心肾种子丸

【来源】《妙一斋医学正印种子篇》卷上。

【组成】何首乌（赤白鲜者）各半斤（米泔洗净，用竹刀切片，分四制。用砂锅、柳木甑蒸，黑芝麻、羊肉、酒、黑豆各蒸一次，晒干） 怀生地（酒洗） 麦门冬（去心） 天门冬（忌铁，去心） 怀熟地（用生者，酒洗净，砂仁拌，酒浸，隔汤煮黑烂） 怀山药（炒褐色） 白茯苓（人乳拌，蒸） 赤茯苓（牛乳拌，蒸） 枸杞子 人参（去芦） 鹿角胶（熔化）各四两 白芍药（酒炒） 锁阳（酥制） 酸枣仁（炒） 五味子 牛膝（盐、酒炒） 牡丹皮 龟版（去裙，酥制） 当归（酒洗） 泽泻（去毛） 黄连（酒炒金色） 菟丝子（酒煮） 黄柏（盐、酒、蜜拌炒三次，金色）各二两

【用法】上为末，隔汤炼蜜为丸，如梧桐子大。每服三四钱，空心淡盐汤送下。

【功用】固本培元，生精养血，培复天真，大补虚损，益五脏而除骨蒸，壮元阳而多子嗣。充血脉，强健筋骸，美颜色，增延龄寿，聪明耳目，玄润发须。

【主治】难嗣。

【加减】阳痿无火者，去连、柏，加肉苁蓉、杜仲各二两。

河车种子丸

【来源】《妙一斋医学正印种子篇》卷上。

【组成】当归（酒洗）二两 山茱萸（去核）四两 补骨脂（盐酒浸，炒）三两 天门冬（去心）二两 麦门冬（去心）三两 生地（酒洗）三两 人参二两 枸杞子（真甘州者佳）三两 菟丝子（酒煮，炒）四两 熟地（如法制，捣烂）三两 山药三两 覆盆子（酒蒸）三两 五味子一两 巴戟（去心，酒浸）二两 川牛膝（盐酒炒）二两 川黄柏（盐酒蜜三制，炒）一两五钱 白茯苓二两 锁阳（酒洗，酥炙）二两 白术（土炒）二两 陈皮一两 杜仲（去皮，盐酒炒去丝）二两五钱 肉桂（童便制）五钱

【用法】上为末。紫河车一具（头生男子者，须不生疮疾洁净妇人者佳），水洗净，挑去筋膜，挤去紫血，用米泔漂数次，仍以酒洗过，盛瓷瓶内，入酒一小杯，封口，重汤煮烂捣如泥，入前药末共捣，炼蜜为丸，如梧桐子大。每服一百丸，空心温酒或盐汤送下。服之举子，屡有成效。

【主治】男子气血两虚，阳衰精薄者。

宝精丸

【来源】《妙一斋医学正印种子篇》卷上。

【组成】白亮鱼胶八两（切作短块，用牡蛎八两炭火煅过，研末同炒。须炒得不可焦黑，黄色为度，去末用胶） 熟地黄四两 山药三两 人参二两

（虚甚加一两） 沙苑蒺藜八两（酒洗，去衣，竹刀切开，去白膜） 白茯苓四两（去皮，切片，入乳拌晒三次） 牛膝三两（去芦，择粗壮者切碎，酒拌，微炒） 甘州枸杞四两（去蒂与枯者，乳汁拌，晒干，如此者五次） 鹿胶二两 菟丝子三两（水淘净，酒蒸熟，捣烂，晒干） 山茱萸肉四两（酒拌，烘干） 当归二两（去芦尾，取明亮者，酒洗，切片，晒干，微炒）

【用法】上为末，炼蜜为丸，如梧桐子大。每服三钱，早晚淡盐汤送下。

【功用】种子，添精补髓，滋阴壮阳，健步明目益年。

斑龙种子丸

【来源】《妙一斋医学正印种子篇》卷上。

【组成】鹿角十斤（截半寸长，浸七日。用淫羊藿一斤，当归四两，黄蜡二两，如法熬，去滓成胶，取鹿角胶一斤；角焙燥，取鹿角霜半斤） 天门冬（去心）四两 麦门冬（去心）四两 黄柏（盐酒炒褐色）三两 知母（去毛，盐酒炒）三两 虎胫骨（酥炙）三两 龟版（去裙襕，酥炙）三两 枸杞子（甘州者）四两 干山药四两 肉苁蓉（酒洗，去浮甲、白膜，晒干）四两 茯苓（去皮）四两 山茱萸（净肉）四两 破故纸（盐酒炒）四两 生地（酒洗）四两 当归（酒洗）四两 菟丝子（酒煮，捣成饼，焙干）六两 熟地（制如法）六两 白芍（酒炒）三两 牛膝（去芦，盐酒炒）三两 杜仲（盐酒炒去丝）三两 人参（去芦）三两 白术（土炒）三两 五味子一两 酸枣仁（炒）一两 远志 甘草（汤浸，去骨皮）各二两 砂仁一两

【用法】上为末，炼蜜化鹿角胶为丸，如梧桐子大。每服百丸，空心淡盐汤或酒送下。

【功用】理百病，养五脏，补精髓，壮筋骨，益心志，安魂魄，乌须鬓，驻颜色，益寿多男。

【主治】男子中年以后无子者。

滋阴壮阳丹

【来源】《妙一斋医学正印种子篇》卷上。

【组成】熟地（用淮生地酒蒸九次，晒九次）四两 石菖蒲五钱 远志 甘草（水浸去心）各一两 淮山药二两 五味子七钱 肉苁蓉（酒浸，洗去鳞甲白膜）二两 菟丝子（酒浸，炒）二两 牛膝（酒浸）一两 巴戟（去心，酒浸） 续断（酒浸，洗） 茯苓（去皮） 益智仁（去皮） 黄柏（盐酒炒） 知母（酒炒）各一两五钱 破故纸（盐酒炒） 枸杞子 山茱萸（净肉） 杜仲（去皮，盐酒炒断丝） 沙苑蒺藜（炒）各二两 人参 虎胫骨（酥炙）各一两

【用法】上为末，炼蜜为丸，如梧桐子大。每服百丸，空心盐汤送下。

【功用】阴阳两补，种子。

清离固精丸

【来源】《丹台玉案》卷四。

【组成】黄连（酒炒） 萆薢 人参各一两 鹿角霜三两 知母（青盐水炒） 秋石 牡蛎（煅过） 茯神（去心） 远志（去心） 石莲肉（炒） 白术各一两五钱（土炒）

【用法】上为末，以荷叶煎汤为丸。每服三钱，空心盐汤送下。

【主治】梦遗日久，精神倦怠，面色痿黄，饮食减少，腰酸背胀，久不育子。

三才丸

【来源】《医部全录》卷三三三引《身经通考》。

【组成】天门冬（去心，蜜水洗） 生地黄（九蒸九晒，杵为膏） 赤白茯苓（人乳浸透，夏一日夜，春、秋二日，冬三日）各一斤

【用法】炼蜜为丸，如梧桐子大。量服多寡。

【功用】延年益子。

一秤金

【来源】《何氏济生论》卷五引白玉蟾师方。

【组成】熟地四两（橘红、砂仁各二钱同煮） 白茯苓三两 当归一两五钱 山药二两 山萸二两 五味子一两五钱 菟丝子一两五钱 枸杞子一两五钱 枣仁一两 麦冬二两 天冬二两 杜仲一两五钱 牛膝一两五钱 柏子仁一两 石斛二两 人参二两

【用法】炼蜜为丸。每服二钱，盐水送下。
【功用】添精益髓，保元种子。
【宜忌】忌蒜、葱、莱菔、鲤鱼、雀、鸽。

固精种子丸

【来源】《何氏济生论》卷五。
【组成】紫河车一具　枸杞　韭子　当归　菟丝子　覆盆子　蛇床子　熟地　嫩黄耆　琐阳　杜仲　巴戟三两　辽东参　于白术　白龙骨　天冬　海狗肾　陈皮　山药一两　山萸　麦门冬五两　补骨脂八两

方中枸杞、韭子、当归、菟丝子、覆盆子、蛇床子、熟地、嫩黄耆、琐阳、杜仲、辽东参、于白术、白龙骨、天冬、海狗肾、陈皮、山萸用量原缺。
【用法】上为蜜丸。每服六七十丸，渐加至百丸，盐汤送下。旅寓减半。
【功用】固精种子。

龟龄集

【来源】《何氏济生论》卷七。
【别名】鹤龄丹（《年氏集验良方》卷二）。
【组成】振山威（即茄茸）一两五钱（砂罐内煮一昼夜，取出，埋土中一宿，晒干为末）　水陆使者（即穿山甲）一两（火酒煮软，酥油搽，炙黄色，为末）　金笋（即熟地）六钱（酒内浸一宿，瓦焙）　玉枝八钱（即生地、人乳浸一宿，晒干）　阴飞郎（即石燕子，坚固者）一对（好酒浸一宿，烧红，投姜汁内浸透）　劈天龙（即苁蓉，酒浸一宿，麸炒为末）九钱　九阳公（即附子，重一两四五钱者为佳，蜜水浸三炷香，白水煮三炷香，焙干为末）三钱　昆山雪（即雀脑，要雄者）十枚（加白硫一分，搅匀摊纸上，晒，为末）　赤羽娘（即红蜻蜓）十对（五月五日取，去翅足）　重阳英（即白菊花，九月九日取，酒浸一宿，为末）一钱五分　寿春紫（即锁阳，黑而实，酒浸一宿，新瓦焙，为末）四钱　宿砂蜜（即砂仁，去皮，为末）四钱　海上主人（即甘草，炙老黄色，为末）三钱　太乙丹（此药无考。用枸杞子，蜜酒浸，晒；为末）五钱　朝云兽（即海马）一对（酥油入铜锅内煎黄色，为末）　补骨先生（即故纸，米泔浸）四钱　乾坤髓（即辰砂，荞麦面色，煨，去面，研）二钱五分　旱珍珠（即白凤仙子，八月半取井水浸一宿，瓦焙）二钱五分　通天柱杖（即牛膝，酒浸一宿，焙）四钱　飞仙四钱（即紫梢花，酒浸一宿，瓦上隔纸焙）　先登（即青盐，河水略洗）四钱　吐蕃丝（即细辛，醋浸一宿，晒）一钱　仙人仗（即地骨皮，蜜水浸一宿，晒）四钱　玉丝皮（即杜仲，麸炒去丝，童便浸一宿）二钱　风流带（即淫羊藿，人乳拌炒）三钱　王孙草（即当归，酒浸一宿，焙）五钱　如字香（即小丁香，花椒水煮一炷香）二钱五分　云门令使（即天门冬，酒浸半日，焙）八钱

《集验良方》有人参无生地。
【用法】上为极细末，通和一处，装瓷罐内，沙泥封口，重汤煮三炷香，取出，开口露一宿，捏作一块，入金盒内，如无金，以银代之，重十六两，盐泥封口，外用纸筋泥再封包成圆球，晒干，用铁鼎罐一个，将球入中间以铁线十字拴紧，悬于罐中，将黑铅化开，倾入鼎内，以满为率，冷定，再用一缸，贮桑柴灰半缸，安罐在中，以半截埋灰内，其上半截旁以炭堑烧着，每辰、戌二时换炭堑一次，炭堑用炭屑碾细如粉，入熟红枣肉同打，重一两六钱，长五寸，再用水一碗，不时向鼎内滴水，以声为验，如有声而水即干，则火逼略远指许，如无声而水不干，则火逼略近指许，如法制三十五日足，可将铅打开，倾盒于地冷定，开盒，其药必紫黑色，清香扑鼻，须入瓷罐收贮，蜡封口，勿泄气。每服五厘，渐加至二三分，置手心内舐入口，黄酒送下。浑身燥热，百窍通畅，丹田微痒，痿阳立兴。
【功用】益精神虚，坚齿黑发，明目。
【主治】

1.《何氏济生论》：阳萎泄遗，不育。

2.《集验良方》：命门火衰，精寒肾冷，久无子嗣，五劳七伤。

种子丸

【来源】《何氏济生论》卷七。
【组成】白茯苓一两五钱　白芍七钱五分　白术一两五钱　当归一两五钱　枸杞七钱五分　薄荷七

钱五分

【用法】上为末，用猪油半斤熬，去滓；再用蜜半斤熬，去沫；再用糖半斤，入前药末拌匀，置瓷罐内，隔水煮三炷香，埋土内三日。每晨服二匙，白汤送下。

【功用】令精髓满溢，肌肤肥泽，虽七八十老人尚能生子。

补阳宿风丸

【来源】《胎产指南》卷一。

【组成】北五味　白术　黄耆　茯苓　炙川芎　甘草　白芍　巴戟　破故纸　山萸肉　天冬　苁蓉　川牛膝　广皮　怀山药　黄柏　知母　杜仲　虎骨各一两　真怀生地四两　熟地四两　麦冬四两　人参四两　当归三两　甘枸杞三两

【用法】用十年陈老鸡一只，蒸熟去皮油，取肉骨焙燥，合诸药炼蜜为丸服。

【主治】年老气血虚弱求子者。

男化育丹

【来源】《辨证录》卷十。

【组成】人参五钱　山药五钱　半夏三钱　白术五钱　芡实五钱　熟地五钱　茯苓一两　苡仁五钱　白芥子三钱　肉桂二钱　诃黎勒五分　益智一钱　肉豆蔻一个

【用法】水煎服。服四剂而痰少，再服四剂而痰更少，服一月而痰湿尽除，交感亦健，生来之子，必可长年。

【功用】健胃气，补肾气，化痰。

【主治】男子身体肥大，痰湿多，不能生子者。

添精嗣续丸

【来源】《辨证录》卷十。

【组成】人参　鹿角胶　龟版胶　山药　枸杞子各六两　山茱萸肉　麦冬　菟丝子　肉苁蓉各五两　熟地黄　鱼鳔（炒）　巴戟天各八两　北五味一两　柏子仁三两　肉桂一两

【用法】上为末，将胶酒化入，为丸。每日服八钱。服二月，多精而可孕。

【功用】补精添髓，种嗣。

【主治】男子天分薄，肾精亏少，泄精之时，只有一二点之精。

火龙丹

【来源】《辨证录》卷十。

【组成】人参五两　白术五两　巴戟天　杜仲　菟丝子　麦冬各五两　肉苁蓉一大枚　破故纸　远志　肉桂各二两　黄耆八两　当归三两　北五味一两

【用法】上药各为末，炼蜜为丸。每服五钱，酒下。服一月，即阳举可以久战矣。

【主治】男子五脏阳气虚衰，阳事不坚，精难射远，令人无子。

平火散

【来源】《辨证录》卷十。

【组成】熟地一两　玄参五钱　麦冬三钱　生地三钱　丹皮三钱　山药三钱　金钗石斛三钱　沙参三钱

【用法】水煎服。

【主治】男子精力甚健，入房甚久，泄精之时，如热汤浇入子宫，妇人受之反不生育者。

生髓育麟丹

【来源】《辨证录》卷十。

【组成】人参六两　山茱萸十两　熟地一斤　桑椹（干者）一斤　鹿茸一对　龟胶八两　鱼鳔四两　菟丝子四两　山药十两　当归五两　麦冬六两　北五味三两　肉苁蓉六两　人胞二个　柏子仁二两　枸杞子八两

【用法】上药各为细末，炼蜜为丸。每日早、晚时用白滚水送下五钱。服三月，精多且阳亦坚。

【功用】填精益髓。

【主治】男子精少，泄精之时，只有一二点，不能生子。

当归补血汤

【来源】《辨证录》卷十。

【组成】黄耆五钱　当归一两　熟地五钱

【用法】水煎服。

【主治】男子血少，面色痿黄，不能生子者。

【方论】方中用当归为君，用黄耆为臣，佐之熟地之滋阴，是重在补血，轻在补气，自然气以生血，而非血以助气，气血两旺，无子者易于得子，根深本固，宁至有夭殇之叹哉。

忘忧散

【来源】《辨证录》卷十。

【组成】白术五钱　茯神三钱　远志二钱　柴胡五分　郁金一钱　白芍一两　当归三钱　巴戟天二钱　陈皮五分　白芥子二钱　神曲五分　麦冬三钱　丹皮三钱

【用法】水煎服。

倘改汤为丸，久服则郁气尽解，未有不得子者。

【主治】男子心肝二气郁滞，怀抱素郁而不举子。

纯一丸

【来源】《辨证录》卷十。

【组成】白术　山药　芡实各二斤　薏仁半斤　肉桂四两　砂仁一两

【用法】上药各为细末，炼蜜为丸。每日服一两。服一月即可得子。长服亦妙。

【主治】男子身体肥大，必多痰涎，精中带湿，流入子宫而仍出，往往不能生子者。

宜男化育丹

【来源】《辨证录》卷十。

【组成】人参五钱　山药五钱　半夏三钱　白术五钱　芡实五钱　熟地五钱　茯苓一两　苡仁五钱　白芥子三钱　肉桂二钱　诃黎勒五分　益智一钱　肉豆蔻一个

【用法】水煎服。

【功用】健胃气，补肾气。

【主治】男子体肥，多痰涎，不能生子。

适兴丸

【来源】《辨证录》卷十。

【组成】白芍一斤　当归　熟地　白术　巴戟天各八两　远志二两　炒枣仁　神曲各四两　柴胡八钱　茯神六两　陈皮八钱　香附　天花粉各一两

【用法】上药各为细末，炼蜜为丸。每服四钱，白滚水送下。服一月怀抱开爽，可以得子矣。

【功用】种嗣。

【主治】男子怀抱素郁而不举子者。

胜寒延嗣丹

【来源】《辨证录》卷十。

【组成】人参六两　白术　黄耆　菟丝子　巴戟天　鹿角胶　淫羊藿各八两　附子一个（用生甘草三钱煮汤一碗，泡透切片，微炒熟）　茯苓　炒枣仁各四两　山药六两　远志　肉桂各二两　炙甘草一两　广木香五钱　肉苁蓉一大枚

【用法】上药各为末，炼蜜为丸。每日早、晚各服三钱。服两月，精熟而孕矣。

【功用】助命门之火，益心包之焰。

【主治】男子精寒，难受胎。

温精毓子丹

【来源】《辨证录》卷十。

【组成】人参二两　肉桂一两　五味子一两　菟丝子三两　白术五两　黄耆半斤　当归三两　远志二两　炒枣仁三两　山茱萸三两　鹿茸一对　肉苁蓉三两　破故纸三两　茯神二两　柏子仁一两　砂仁五钱　肉果一两

【用法】上各为末，炼蜜为丸。每服一两，每日酒送下。

【功用】温精毓子。

【主治】男子精寒，阳衰不育。

滋血绳振丸

【来源】《辨证录》卷十。

【组成】黄耆二斤　当归　麦冬　熟地　巴戟天各一斤

【用法】上各为末，炼蜜为丸。每服五钱，每日早、晚白滚水送下。服二月，血旺生子，必长年也。

【主治】男子血少，面色痿黄，不能生子者。

种子金丹

【来源】《冯氏锦囊·杂症》卷十四。

【组成】川附子一只　草乌一两　川乌一两　母丁香一两　紫梢花一两　官桂一两　雄黄五钱　蟾酥一两　良姜五钱　五倍子五钱　倭硫七钱五分　黄柏一两　牡蛎一两　蛇床子二两　苏合油一两

【用法】上为末，白术煎膏，溶化蟾酥为锭。梦遗，水磨涂脐中；种子，酒磨润阳，午前用之，临事洗去。

【功用】种子。

【主治】阳痿遗精，不育。

种子药酒

【来源】《冯氏锦囊·杂症》卷十四。

【组成】淫羊藿半斤　淮生地四两　当归二两　枸杞子二两　胡桃肉四两　五加皮二两

【用法】上锉片，酒浸，重汤蒸透，男女俱服。如遇入房，调服人参细末一钱。

【功用】种子。

炼真丸

【来源】《张氏医通》卷十五。

【组成】大腹子七两（童便浸，切）　茅山苍术（去皮，泔浸，麻油炒）　人参　茯苓各三两　厚黄柏三两（童便、乳汁、盐水各制一两）　鹿茸（大者）一对（酥炙）　大茴香（去子）一两　淫羊藿（去刺，羊脂拌，炒）　泽泻　蛇床子（酒炒）　白莲须（酒洗）　沉香（另末，勿见火）　五味子各一两　金铃子（即川楝子，酒煮，去皮核）三两　凤眼草一两（即樗树叶中有子一粒，形如凤眼，故名；如无，樗根皮代之）

【用法】上为末，用干山药末调糊代蜜为丸。空心盐汤送下三四钱，临卧温酒再服二钱。

【主治】高年体丰痰盛，饱饫肥甘，恣情房室，上盛下虚，及髓脏中多著酒湿，精气不纯，不能生子。

【方论】

1.《张氏医通》：炼真者，煅炼精气，使之纯粹也。故方中专以大腹佐黄柏、茅术，涤除身中素蕴湿热，则香、茸、茴香不致反助浊湿痰气，何虑年高艰嗣哉？

2.《绛雪园古方选注》：炼真者，炼本身之精气神，不为阴邪所蔽，常使虚灵不昧，以复天真也。统论方义，似仅能去湿热、通阳道而已，然细绎其配合之理，却有斡旋造化之妙。盖膏粱之湿，伤及肾阴，非苍术不能胜其湿；膏粱之热，扰动阴火，非黄柏不能制其热，二者涤身中素蕴之湿热也。茯苓上渗水饮；泽泻下通水道，二者引未蓄之湿热，旋从小便而出也。蛇床子燥阴湿，益阳事；淫羊藿起阴痿，兴绝阳，二者通命门之真火以生气也。白莲须清心通肾，交媾水火，会合木金。五味子收五脏之阴，功专摄金气以生真水，二者兼顾精气神，以寓生生不息之机也。沉香入肾壮阳暖精，大茴香开上下之经气，内接丹田，二者芳香走窜，诸药虽具补泻之功，借其芳香乃能入也。人参升举五脏之阳，鹿茸督率奇经之阳，二者宣发真阳以迎合精气神也。金铃子泄气分之热，引相火下行；凤眼草清血中之热，使真阴内守，二者为诸药之向导也。独以大腹子为君者，非但取其迅坠诸药至于下极之功，且佐术、苓、泽泻、黄柏、金铃等扫除清道，不致茸、茴、蛇、藿反助素蕴之湿热，亦种玉之一则也。

葆真丸

【来源】《张氏医通》卷十五。

【组成】鹿角胶八两（即用鹿角霜拌炒成珠）　杜仲（盐水拌炒）三两　干山药（微焙）　白茯苓（人乳拌蒸，晒）　熟地黄　山茱萸肉各三两　北五味　益智仁（盐水拌炒）　远志（甘草汤泡，去骨）　川楝子（酒煮，去皮核）　川巴戟（酒炒）　补骨脂　胡芦巴（与补骨脂同羊肾煮，汁尽为度，焙干）各一两　沉香五钱（另为末，勿见火）

【用法】上为细末，入沉香和匀，以肉苁蓉四两（洗去皮垢，切开，心有黄膜去之，取净二两），好酒煮烂，捣如糊，同炼蜜杵匀为丸，如梧桐子

大。每服五七十丸，空心温酒送下，以美物压之。
【主治】房劳太过，肾气虚衰，精寒不能生子。
【方论】此方不用桂、附壮火助阳，纯用温养精血之味，独以沉香、益智鼓其氤氲，又以楝子抑其阳气，引诸阳药归宿下元，深得广嗣之旨。
【加减】精薄者，加鳔胶六两。

固本种子丸

【来源】《救产全书》。
【组成】大怀熟地八两（酒煮，晒，杵膏） 补骨脂八两（青盐二两化，酒炒，去衣） 透明鱼胶八两（醋煅牡蛎粉炒成珠） 山萸肉四两 白茯苓三两（人乳拌，晒） 枸杞四两 怀山药四两 辽五味三两 牛膝肉三两 杜仲三两（刮去皮，盐水炒） 泽泻三两（去毛） 菟丝子二两（酒煮） 牡丹皮三两 厚肉桂一两（去皮，不见火）
【用法】上为细末，炼蜜为丸，如桐子大。先服三钱，后渐加至五钱止，男用每早空心白滚汤服。
【功用】种子。
【加减】如阳痿，加真川大附子一两（童便浸制）；如本虚，加头胎紫河车一具（河水洗，银针挑去血筋，酒蒸烂，捣膏）。

八圣丹

【来源】《奇方类编》卷下。
【别名】八圣种子丹（《同寿录》卷一）。
【组成】沙蒺藜八两 川续断四两（酒洗） 覆盆子四两（酒洗，去蒂） 干枸杞四两 山萸（去核，酒洗）二两 菟丝子（酒煮）二两 芡实四两 莲须四两
【用法】蒸饼，酒打为丸，如梧桐子大。每服三钱，空心白汤送下。
【功用】种子。
【主治】无子。

乌须种子方

【来源】《奇方类编》卷下。
【组成】黑豆五升（砂锅内黄酒煮熟，晒干） 故纸一斤（盐水炒） 枸杞子一斤（酒炒） 菟丝子一斤（酒煮透） 川椒八两（去闭口目者。先洗净地一块，用炭火烧红，用水泼湿，将椒放在地上，以瓷盆盖之，一宿取用）
【用法】上为末，酒糊为丸，如梧桐子大。每服三钱，空心白滚汤送下。
【主治】精虚无子；肾水不足，须发渐白。

多子酒

【来源】《奇方类编》卷下。
【别名】百子酒（《仙拈集》卷三）。
【组成】甘枸杞一斤 桂圆肉一斤 核桃肉一斤 白米糖一斤
【用法】共入绢袋内，扎口，入坛内，用好烧酒十五斤、糯米酒十斤，封口，窨三七日，取出。每日服三次。
【功用】补益。

棉花仁丸

【来源】《奇方类编》卷下。
【别名】棉花子丸（年氏《集验良方》卷二）。
【组成】棉花子十数斤（用滚水泡过，盛入蒲包内闷，一炷香取出，晒裂开，去壳取仁，并去外皮，用净仁三斤，去尽油，用火酒三斤，泡一夜收起，蒸一炷香，晒干为末） 故纸一斤（盐水泡一夜，炒干） 川杜仲一斤（去外粗皮，黄酒泡一夜，压干，姜汁炒去丝） 枸杞子一斤（黄酒浸蒸，晒干） 菟丝子一斤（酒煮，去丝为度）
【用法】上为末，蜜为丸，如梧桐子大。每服三钱。
【功用】乌发，暖肾，种子。
【宜忌】年氏《集验良方》：阳虚人宜此药。

毓麟酒

【来源】《奇方类编》卷下。
【组成】桑椹 枸杞子 山萸肉各三两 故纸（炒）四两 牛膝 菟丝子 韭子 楮实子各三两 肉苁蓉 覆盆子各四两 蛇床子一两 莲须二两 巴戟三两 山药一两（炒） 木香一两
【用法】上共为粗末，麻布袋盛之，用火酒四十

斤，煮三炷香，去火气。

【功用】固精种子，温补肾经。

保真丸

【来源】《女科指掌》卷二。

【组成】鹿角胶八两　鹿角霜（拌炒成珠）　白茯苓（人乳拌蒸）　山萸肉各三两　北五味一两　熟地黄　川杜仲（盐水拌炒）　怀山药各三两　益智仁　远志肉（甘草汤泡）　川楝子（酒煮取肉）　巴戟肉（酒炒）各一两　沉香五钱（另为末）　补骨脂一两　胡芦巴（二味同羊肾煮，晒干）

方中胡芦巴用量原缺。

【用法】上以肉苁蓉四两（酒洗去皮垢，切开心，有黄膜去之），酒煮烂捣，入药末，加炼蜜为丸。每服七十丸，酒送下。

【功用】男子精亏不育。

【加减】精薄者，加鳔胶六两。

滋肾种子丸

【来源】《幼科直言》卷六。

【组成】大怀熟地黄八两（用蒸不用煨煮者，须捣烂，另入群药）　大怀山药四两　车前子四两（酒洗，晒干）　山萸净肉四两（烘干，不宜炒）　沙苑蒺藜二两（先用水洗去浮者，酒洗晒干）　枸杞子三两（烘干，不宜炒）　牡丹皮三两（粉口者，酒洗晒干）　九蒸何首乌四两（用大黑豆蒸，不用料豆蒸，久蒸干）　白莲须一两五钱（红莲勿用）　家芡实二两　人参一两五钱　怀牛膝一两（酒洗，晒干）　川萆薢二两（白色者，酒洗晒干）　辽五味子一两五钱（烘干）　菟丝子三两（洗去土，酒煮熟，晒干）　杜仲一两五钱（盐水拌炒，去丝）　鱼鳔二两（蛤粉炒）

【用法】上为细末，炼白蜜成丸，如梧桐子大。每日空心白滚水吞三钱。服药后随宜进饮食，将药压入下部。服药须恒，勿令间断。

【功用】种子。

固本丸

【来源】《灵验良方汇编》卷上。

【组成】菟丝子　蛇床子（炒，去壳）　续断各一两半　鹿茸一对（蜜制）　山药　白茯苓　牛膝（酒洗）　杜仲（姜汁炒）　当归　五味子　苁蓉（酒蒸）　远志（甘草汤浸，去心）　益智仁各一两　熟地　萸肉（酒蒸）　枸杞各三两　巴戟二两（酒浸，去骨）　人参二钱

【用法】上为末，炼蜜为丸。淡盐汤送下。

【主治】男子不育，因禀赋薄弱，或由房劳过度，以致肾水不足，气血清冷而致者。

山精寿子丸

【来源】《胎产心法》卷上。

【组成】山药二两五钱（用心结实者，有蛀者勿用）　黄精五两二钱（取真者，另杵膏待用。若九蒸九晒，干杵末用更好）　黑枣七两五钱（择肥大者，去皮核及腐烂者，另杵膏待用）　怀牛膝一两五钱（去芦净，酒拌蒸，或衬何首乌蒸，晒干用。或竟以牛膝易石斛亦可，然需加倍用。石斛生六安山中，形如蚱蜢髀，味甘体粘方真）　大何首乌二两五钱（或三两亦可，用黑豆汤浸软，木棒打碎，置瓦器中，底注黑豆汤，务以豆汤拌湿，蒸一炷香时，候冷取晒，俟水干，又伴蒸，如是九次，夏月一日三四回蒸晒可也，晒极干，称准）　川杜仲二两（炒，碾取净末，称准）　川续断二两（酒润，剥净肉，锉，晒干）　大熟地四两（煮熟者气味皆失，不堪用，必须九蒸九晒为妙）　草覆盆子三两五钱（去蒂，以酒拌，焙干，研末用）　沙苑蒺藜二两五钱（炒用）　川巴戟天二两（酒浸，去骨，蒸熟，晒干用）　肉苁蓉二两（酒洗，去泥甲，但不可过洗尽滑腻，恐伤去肉，隔纸烘干，再称准分两）　远志二两（甘草汤浸，去骨，仍以甘草汤拌，炒干用，取净肉称准）　菟丝子四两（择色黑而大者，去净，以布袋盛之，洗至水清，以瓦器蒸开肚皮，杵烂做饼，晒干称用）　白茯苓二两（选洁白者，出六英山中或云南者佳，各处市买咀片多有连膜者，非为末水漂，其膜不能去，然过水力已减矣。或用云南整块茯苓，自去膜用，不令见水，盖不切为片，则膜易去）　山萸肉二两（去核，取净肉称准，酒蒸，杵烂，晒干）　辽五味子二两　甘州枸杞五两（去梗蒂净）

【用法】上药除精、枣二膏，余共为细末，徐徐上

于精、枣膏内，杵和极匀，炼蜜为丸，如小豆大。每服三四钱，空心百沸淡盐汤送下，久服愈好。

【功用】延寿。此丸能延己寿，而生子又寿，无论有病者宜服，即无病服之犹妙。

【主治】真阳不足，壮年之男，种玉无成，幼岁之妇，从不受孕，或受胎而中怀堕落，或得正产而又生女非男，或生而不育，或育而夭殇，即苟延性命，难免多疾病者。

【宜忌】如孕妇忌用牛膝，竟以石斛三两代之。

【方论】高益谦曰：补阳而专事参、附、耆、硫辈，骤补其火，不惟壮火食气，难免阳长阴消，阴不敌阳，而能寿能子又难。此方药性，不寒不热，类多平和，补阳不致阴消，久服长年无疾，效过多少，笔难罄书。

【加减】脾虚易泄泻者，山药多用；阴虚之人，大熟地可用六两；阳萎者，草覆盆子多用；肝虚滑精，沙苑蒺藜多用；相火不足者，川巴戟天多用；滑精，经行多或淋漓不断者，山萸肉多用，肝气郁结者少用；肝气郁结，肺有热者，辽五味子少用。

延嗣酒

【来源】《胎产心法》卷上。

【组成】生地（酒洗） 熟地（九蒸九晒） 天冬（去心） 麦冬（去心）各四两 仙灵脾八两（饭上蒸） 当归二两（酒洗） 枸杞一两（酒浸）

【用法】上切碎，绢袋盛，入大坛酒内，重汤煮，自卯至酉为度，埋土内七日取起用。早晚男妇各随量饮三五杯。

妇人经不对者自正，经正者即受胎矣。

【功用】补益，种子，延嗣。

补阳益气丸

【来源】《胎产心法》卷上。

【组成】人参 肉苁蓉（酒洗，去鳞甲泥） 白茯苓 白芍药（酒洗） 巴戟天 当归身（酒洗） 麦冬（去心）各三两 大熟地八两 山萸肉（蒸，去核） 白术（土炒） 淮山药（炒）各四两 川附子一个（重一两二三钱，童便制，去皮脐） 鹿茸一付（乳酥炙） 紫河车一具（首胎者佳，火焙干，捣粉入药） 肉桂 远志肉（制） 柏子仁（炒，研去油） 杜仲（盐水炒断丝） 补骨脂（盐水炒） 五味子 枣仁（炒，去壳） 炙草各一两 砂仁五钱（去壳炒）

【用法】上为细末，炼蜜为丸，如梧桐子大。每日五钱，空心淡盐汤送下。

【功用】填精益气，虽老年亦能举子。

补阳益气煎

【来源】《胎产心法》卷上。

【组成】人参 枸杞（酒洗） 白术（麸炒黄）各一钱五分 熟地五钱（可加至八钱，九蒸九晒） 巴戟天一钱（可加至一钱五分，酒洗去骨） 肉苁蓉（酒洗，去筋膜鳞甲） 茯神 杜仲（盐水炒断丝）各一钱 远志肉七分（甘草水制） 肉桂五分 山萸肉二钱（酒洗） 龙眼肉四枚

【用法】用水一碗半，煎至八分，滓再煎服。弱衰之甚，多服十剂，精浓气足。

【功用】益气强阳，补气填精种子。

坎炁丹

【来源】《绛雪园古方选注》卷下。

【组成】坎炁二十四两（男者良） 人乳粉二两四钱 熟地八两（砂仁一两五钱，陈煮酒八两制，久晒者良） 人参二两 枸杞子四两

【用法】上法制，烘燥，入磨为末，用酒酿四两，白蜜四两同炼为丸。每服五钱，清米饮汤送下。

【主治】

1. 《绛雪园古方选注》：少阴男人，耳薄鼻尖，毛悴精寒，难以种子。

2. 《医级》：阴阳两虚，精神气血皆伤，虚危之疾。

六味合五子丸

【来源】《医学心悟》卷五。

【组成】大熟地八两 山药四两 山萸肉四两 茯苓 丹皮 泽泻各三两 枸杞子 菟丝子各四两 五味子 车前子 覆盆子各二两

【用法】上为末。石斛六两熬膏，和炼蜜为丸。每早服四钱，温开水送下。

【功用】补天一之水。

【主治】男子不育，此真水虚，左尺无力，或脉数有热。

十子奇方

【来源】《惠直堂方》卷一。

【组成】凤仙花子三两（井水浸一宿，新瓦焙干） 金樱子（竹刀切开，去毛子，水淘净，舂碎熬膏）三两 五味子三两（酒浸，蒸，晒干） 石莲子（研碎，用茯苓、麦冬各一两，煎汁拌蒸，晒干，净）三两 菟丝子三两（酒浸三宿，煮一昼夜，吐丝为度） 女贞子三两（酒浸，九蒸九晒） 枸杞子四两（一半乳拌蒸，一半酒浸微炒） 小茴香一两（微炒为末，白菊花二两，煎汁拌，晒干） 桑子四两（极黑肥大者取汁，以瓷盆盛之，每日晒成膏） 大附子一个重一两（蜜煮一日，换水煮半日，人参二两煎汁拌附子，晒干，附子须切片）

【用法】金樱子、菟丝、桑椹三味为膏，入诸药末，用淮山药四两，煮糊为丸，如梧桐子大。每空心服一钱五分，临卧服二钱。

【主治】男子九钟不育，四般精泄。

九仙丸

【来源】《惠直堂方》卷一。

【组成】黑驴肾（并肾子、腰子，全切片，以伏龙肝为末，铺锅底，将前物铺上，再用伏龙肝末盖之，慢火焙干，去伏龙肝） 枸杞子二两 巴戟（去心） 核桃肉（去皮）各四两 莲蕊 白芍（酒洗） 当归（酒炒） 破故纸（炒） 茯苓 胡芦巴（酒炒） 芡实 肉苁蓉（酒洗） 牡蛎（煅） 牛膝（酒蒸） 龙骨（煅，童便淬） 杜仲（盐水炒） 沙苑蒺藜各二两（炒） 大茴一两

【用法】上为末，酒糊为丸。每服二钱，清晨开水送下。如欲种子，可日三服，先忌房事三七日效。此药须长服为妙。

【功用】益肾固精，壮阳种子。

太乙金锁丸

【来源】《惠直堂方》卷一。

【组成】五色龙骨五两 覆盆子五两 莲蕊四两（未开者，阴干） 芡实百粒 鼓子花三两（即单叶缠枝牡丹）

【用法】上为细末，用金樱膏为丸，如梧桐子大。每早服三十丸，盐、酒送下。百日永不泄；如欲泄，以冷水调车前子末半合服之，即成男孕。

【主治】男子不育。

【宜忌】忌葵菜。

交泰丸

【来源】《惠直堂方》卷一。

【组成】文蛤八两（饭上蒸） 熟地（九蒸晒） 五味子 远志肉（甘草煮） 牛膝（酒洗，去头尾） 蛇床子（去土，酒浸，炒） 茯神 柏子仁（炒去油） 菟丝子（酒煮） 肉苁蓉（酒洗，去鳞甲） 青盐各四两 狗脑骨一个（煅存性）

【用法】上为末，酒糊为丸，如梧桐子大，朱砂为衣。每服五七十丸，淡盐汤或酒送下，随吃干物压之。

【功用】保神守中，降心火，益肾水。

【主治】五脏真气不足，下元冷惫，二气不调，荣卫不和，男子绝阳无嗣，女子绝阴不育，及面色黧黑，神志昏聩，瘖瘵恍惚，自汗盗汗，烦劳多倦，遗精梦泄，淋浊如膏，大便滑泄，膀胱邪热，下寒上热。

秃鸡丸

【来源】《惠直堂方》卷一。

【组成】河车一具（酒洗净，银针挑去血丝，焙干） 肉苁蓉（酒洗） 菟丝子（酒洗） 蛇床子（酒浸） 五味子 沉香 莲蕊 远志肉 山药 木香各五钱 益智仁一两

【用法】上为末，炼蜜为丸，如梧桐子大。每服三十丸，空心温酒送下。

【功用】种子。

【主治】男子色欲过度，下元虚损。

固本种子丸

【来源】《惠直堂方》卷一。

【组成】九香虫五十对（黄酒洗净，焙） 五味子

四两　百部（酒浸一宿，焙）　肉苁蓉（酒洗）　远志（去心）　杜仲（炒）　枸杞子　防风　茯苓　蛇床　巴戟（酒洗，去心）　柏子仁（去油）　山药各一两

【用法】上为细末，炼蜜为丸，如梧桐子大。每服五十丸，食前温酒或盐汤送下。

【功用】固本种子。

经验种子丸

【来源】《惠直堂方》卷一。

【组成】甘枸杞八两（酒洗）　白当归四两（酒洗）　莲蕊四两　沙苑蒺藜四两（微炒）　鱼鳔（切如豆，蛤粉炒）四两　牛膝四两（酒洗）

【用法】上为末，蜜为丸，如梧桐子大。每次五十丸，空心服。

【功用】男服种子。

【主治】色欲过度，下元虚损，不育者。

神效种子鱼肚丸

【来源】《惠直堂方》卷一。

【别名】鱼肚丸（《蕙怡堂方》卷一）。

【组成】鱼肚（蛤粉炒至无声，去蛤粉，加酥少许，炒过）一斤　菟丝子（酒水煮成饼，晒）二两　真北沙苑（隔纸炒）三两　真白莲须三两　归身（酒洗）三两

【用法】上为末，炼蜜为丸，如梧桐子大。每服三钱，清晨开水送下，男女皆服。二十以上，服至四两受孕；三十者，服至半斤；四十者，服至一斤；五十者，服至一料；六十者，多服亦能生子。

【功用】种子。

【宜忌】忌食鱼、羊、火酒。服药时以保精为上，二十外者，五日一御女；三十者，十日；四十者，一月；五十者，一季，愈久愈妙。

延年益嗣丹

【来源】《叶氏女科证治》卷四。

【组成】人参三两　天冬（酒浸，去心）三两　麦冬（酒浸，去心）三两　熟地黄（酒蒸，捣）　生地黄各二两　茯苓（酒浸，晒干）五两　地骨皮（酒浸）五两

【用法】上加何首乌半斤，米泔浸透，竹刀刮去皮，切片，置砂锅内，入黑羊肉一斤，黑豆三合，量著水，上用甑箅，箅上铺放何首乌，密盖，勿令泄气，蒸一二时，以肉烂为度，取出晒干，为末，炼蜜为丸，如梧桐子大。每服七八十丸，空心温酒下。

【主治】男子阳极艰嗣，相火炽盛，灼伤真阴，以致阳极，阳则亢；或过于强固，强固则胜败不洽，是以无子。

还少丹

【来源】《叶氏女科证治》卷四。

【组成】熟地黄四两　山药　山茱萸　杜仲（姜汁制）　枸杞子各二两　牛膝（酒浸）　远志（姜汁浸炒）　肉苁蓉（酒浸）　北五味　川续断　楮实子　舶茴香　菟丝子（制）　巴戟肉各一两

【用法】上为末，炼蜜为丸。每服五十丸，空心淡盐汤送下。

【主治】

1.《叶氏女科证治》：男子虚寒艰嗣。脾肾虚寒，饮食少思，发热盗汗，遗精白浊，真气亏损，肌体瘦弱。

2.《会约医镜》：脾肾不足而足痿者，及一切亏损体弱之证。

固本丸

【来源】《叶氏女科证治》卷四。

【组成】菟丝子（酒制）　熟地黄（酒蒸，捣）　干地黄（酒浸，捣）　天门冬（去心，酒浸）　麦门冬（去心，酒浸）　五味子　茯神各四两　淮山药（微炒）三两　莲肉（去皮心）　人参（去芦）　枸杞子各二两

【用法】上为末，炼蜜为丸，如梧桐子大。每服八九十丸，淡盐汤送下。

【主治】男子精少艰嗣。

七宝美髯丹

【来源】《仙拈集》卷三。

【组成】何首乌八两（切片，米泔水浸过，用乌豆五升浸软，一层豆，一层首乌，密盖，九蒸晒） 当归 人参 黄柏 菟丝各二两 熟地 茯苓各五两 天冬 麦冬 生地 牛膝 枸杞 山萸各三两 山药二两半 五味一两

【用法】上为末，炼蜜为丸，如梧桐子大。每服六十丸，空心淡盐汤送下。

【功用】固元气，生多男，耐饥劳，美容颜，黑须发。

八仙酒

【来源】《仙拈集》卷三。

【组成】当归 生地 杜仲 牛膝 枸杞各一两 五加皮二两 土茯苓四两（打碎）

【用法】用好生酒三十斤，煮一炷香，将滓滤去，任服。

【功用】补脾肾，壮筋骨，和颜悦色，令人有子。

广嗣延龄至宝丹

【来源】《仙拈集》卷三引赤霞方。

【组成】鹿茸一两（酥油炙脆） 大石燕一对（生六七钱者，真米醋浸一日夜，再以姜汁浸透） 熟地 苁蓉各六钱 川山甲（烧酒浸一日夜，晒干，酥炙黄色） 枸杞 朱砂（荞面包蒸一日，去面） 附子（去皮脐，用川椒、甘草各五钱，河水煮三炷香）各五钱 天冬 琐阳（烧酒浸、焙七次）各四钱 破故纸（酒浸，焙） 当归（酒浸） 紫梢花（捶碎，河水漂，取出，酒焙干） 凤仙花子（酒浸，焙干） 海马一对（酥炙黄） 淫羊藿（剪去边，人乳浸一日夜，炙黄）各一钱半 砂仁（姜汁煮，炒） 丁香（用川椒微火焙香，去椒） 地骨（水洗，蜜浸） 杜仲（童便化青盐拌，炒断丝） 牛膝（酒洗） 细辛（醋浸） 甘草（童便浸，晒） 甘草（蜜炙）各二钱半

【用法】各药精制如法，各为极细末，以童便、蜜、酥油拌匀，入瓷瓶，盐泥封固，重汤煮三炷香，取出露一宿，捏作一块，入银盒内按实，外以盐泥封固，晒干，再入铁铸钟铃内，其铃口向上，将铁线从鼻内十字拴定，用黑铅一二十斤熔化，倾铃内，以不见泥球为度，入灰缸，火行三方，每方一两六钱，先离四指，渐次挨铃，寅戌更换，上置滴水壶一把，时时滴水于内，温养三十五日，用烙铁化去铅，开盒，其药紫色，瓷罐收贮，黄蜡封口，埋净土内一宿。每服一分，放手心内，以舌舐之，黄酒送下，渐加至三分为止。久服奇效。

【功用】久服浑身温暖，百窍通畅，口鼻生香，齿落重生，发白转黑，行走如飞，视暗若明。种子。

保真广嗣丹

【来源】《仙拈集》卷三。

【组成】鹿角胶 鳔胶（各炒成珠） 熟地各三两 山药 茯苓 山萸 五味 杜仲 远志 益智仁 川楝子 巴戟 故纸 胡芦巴各二两 沉香（另为末）五钱

【用法】上为末，和匀，用苁蓉净肉二两，好酒煮，烂捣如糊，炼蜜为丸，如梧桐子大。每服五六十丸，空心温酒送下。

【功用】培补元阳。

【主治】肾气虚寒，不能生育。

金锁固阳膏

【来源】《经验广集》卷三。

【组成】葱子 韭子各二两 附子 肉桂 丝瓜仁各一两

【用法】麻油一斤熬枯，去滓，后下硫黄四两，松香二两，龙骨（煨）二钱，麝香三分，为末，入油搅匀，瓷罐封固，狗皮摊贴。俟交合久，去膏即泄成孕。

【功用】保身求嗣，却病延年。

【主治】《理瀹骈文》：遗精。

八仙茶

【来源】《串雅外编》卷三。

【组成】杜仲四两（麸皮炒断丝） 菟丝子（二两酒浸，制如常）五钱 木鳖子（去油皮）十个 甘草二两（去皮，蜜炙） 广木香一两（不见火） 小茴香五钱 母丁香大者十个 附子一个（用荞麦面一撮，包煨，良久去面） 沉香八钱 诃子四

两（去壳） 荔枝子（去皮）十四个 锁阳三钱（炙） 青盐八钱 熟地二两三钱（酒浸一夜，去皮） 六安茶二斤

【用法】上药与茶各为细末，用甘草膏，以火日修合，将蒸笼一扇，铺绢一层，将药平摊于绢上；又放绢一层，将茶一层，再放蒸笼一扇，铺绢一层，照前摊药并尽盖之，周围用纸封固，慢火蒸一炷香，取起，乘热为丸，如芡实大，以瓷罐收贮，以黄蜡封口，埋地下一尺七寸，取起。每服一丸，噙化。无子者用之更妙。即如血衰发白，每日衔化一丸。满百日白发返黑矣。

【功用】延寿固肾，种子，化痰，除百病。

【宜忌】切忌败血诸物、脑子、三白、酒。

壬子丸

【来源】《同寿录》卷一。

【组成】人参二钱 沉香一钱五分 白及（明亮者佳） 白蔹 陈皮 吴茱萸（滚汤泡去苦水） 茯苓各一两 白附子 五味子 牛膝（去芦） 元胡索 蕲艾叶 厚朴（姜汁炒）各三钱 细辛 桂心各五钱 乳香二钱 没药八分

【用法】上药拣壬子日制合，为细末，炼蜜为丸，如赤豆大。男妇同服，每服十五丸，每早、晚温酒送下。俟妇女经净次日服。

【功用】种子。

长春方

【来源】年氏《集验良方》卷二。

【别名】长春丸（《本草纲目拾遗》卷五）。

【组成】鱼鳔一斤（蛤粉炒成珠，极焦） 棉花子（取净仁）一斤（去油炒，酒蒸） 金钗石斛八两 白莲须八两 金樱子（去子毛，净）一斤 菟丝子四两 沙蒺藜四两 枸杞子六两 五味子四两（炒）

【用法】上药为末。用鹿角五斤，锯薄片，河水煮三昼夜，去角，取汁熬膏，和药末为丸，如梧桐子大，每服三钱。

【主治】肾虚精冷。

内造伏虎丹

【来源】《本草纲目拾遗》卷十引《秘方集腋》。

【组成】真川贝母四两（须四制。第一次用大附子一个，童便一汤碗蒸，切细，干，烧酒三汤碗，韭菜汁三汤碗，同入砂锅，将贝母煮干，去附子不用；第二次用雪虾蟆一两，无则以大蛤蚧一对代之，用石敲碎，亦用烧酒、韭汁各三碗，同贝母煮干，去蛤蚧不用；第三次用吴茱萸一两，亦用酒、韭汁各三碗，同贝母煮干，去茱萸不用；第四次用公丁香五钱，亦用酒、韭汁各三碗，同贝母煮干，去丁香不用。制完，其贝母烂如泥。）

【用法】置石臼中舂，再入真阿芙蓉一钱，乳制蟾酥三钱，麝香五分，拌匀作条，焙干收贮。用时唾津磨搽。

【功用】兴阳种子，强肾助神。

菟丝子丸

【来源】《杂病源流犀烛》卷八。

【组成】菟丝子 山药 莲肉 茯苓 杞子

【用法】上为末，水泛为丸。用量临时酌定。

【主治】精少。

续嗣丹

【来源】《妇科玉尺》卷一。

【组成】萸肉 天冬 麦冬各二两 补骨脂四两 菟丝子 杞子 覆盆子 蛇床子 韭子 熟地各一两半 龙骨 牡蛎 黄耆 当归 锁阳 山药各一两 人参 杜仲各七钱半 陈皮 白术各五钱 黄狗外肾（酥炙）二对

【用法】上为末，紫河车一具蒸制，同门冬、地黄烂捣为丸。每服一百丸，早、晚各以盐汤任下。

【功用】《中国医学大辞典》：壮阳。

【主治】丈夫无子。

芙蓉海马丹

【来源】《医级》卷九。

【组成】熟地三两（煮，捣） 山药（炒） 枸杞（炒）各一两半 萸肉（炒）二两 茴香（炒） 巴戟（酒炒） 苁蓉（洗，蒸） 淫羊藿（焙）

茯神（人乳拌，蒸） 续断（酒炒） 杜仲（盐水炒） 故纸（炒）各一两 胡桃肉二两 桂心（研）五钱 海马一对（切，焙） 阿芙蓉三钱（须去泥，清膏） 蛤蚧一对（去头足，清水浸五宿，逐日换水，拭去浮鳞，炙黄）

【用法】 上为末，先将熟地、苁蓉、胡桃三味捣膏令匀，然后用鹿胶八两溶化，入诸末，捣为丸，如梧桐子大。每日早、晚各服三钱，用开水送下。

【主治】 阳萎精衰，不能生育，或精滑不摄，不能交接。

【宜忌】 服药静养，不妄作强劳，待时交接，再迟速得宜。妇有病者，宜先调理之。

补天五子种玉丹

【来源】《产科心法》卷上。

【组成】 大原生地八两（清水洗刷净，入瓦罐中，水煮一昼夜，再蒸、晒九次，焙干） 山萸肉四两（酒拌炒） 淮山药四两（乳拌、蒸，晒） 丹皮三两（酒炒） 块云苓三两（乳拌，蒸，晒） 泽泻三两（盐水炒） 当归身四两（酒炒） 淮牛膝二两（炒） 杜仲二两（盐水炒） 川续断二两（盐水炒） 枸杞子四两（酒拌蒸，炒） 五味子二两（炒） 女贞子三两（盐水蒸，炒） 车前子二两（炒） 覆盆子三两（盐水洗，晒，炒） 紫河车一具（甘草煎水浸洗净，挑去血筋，煮烂打或焙干炒磨）

【用法】 上为末，炼蜜为丸。每服四五钱，早晨淡盐汤送下。

【功用】 久服生精益肾，种子。

【加减】 如气不足，精不射者，加蜜炙黄耆十两熬膏，加入人参更妙；如精薄或精少，加大米鱼肚四两（用蛤粉炒），鹿角胶二三两（蛤粉炒），猪脊筋十条（取汁拌入茯苓内，蒸、晒、焙干）；临事易泄者，加鹿角霜三两（生研和入），金钗石斛三两（炒），人参一两（焙），麦冬二两（炒）；如体热，加地骨皮二两，莲须二两，牡蛎粉二两，金樱子熬膏代蜜；如精冷体寒之人，加肉桂一两（去皮研入），巴戟天二两（炒），鹿角胶四两（蛤粉炒），破故纸四两（盐水炒），或加入鹿茸一对（制）；劳心之人，心血耗散，常至临事不举，此心血亏少，非肾亏也，加桂圆肉四两（蒸），枣仁四两（炒），茯神四两（炒），人参、当归、柏子仁、益智仁等一派补心之药。

梦熊丸

【来源】《竹林女科证治》卷四。

【组成】 黄耆（蜜炙）四两 黄鱼鳔胶（蛤粉炒珠）二斤 沙苑蒺藜八两（马乳浸蒸熟，焙）

【用法】 上为末，炼蜜为丸。每服八十丸，空心温酒送下。

【主治】 男子嗜欲不节，施泄太多，肾虚精薄，不能直射子宫。

毓麟珠

【来源】《竹林女科证治》卷四。

【组成】 熟地黄 当归 菟丝子（制）各四两 淮山药（姜汁制） 枸杞子 胡桃肉 巴戟肉 鹿角胶 鹿角霜 杜仲（酒炒） 山茱萸（去核） 川椒（去目） 人参 白术（蜜炙） 茯苓 白芍（酒炒）各二两 川芎 炙甘草各一两

【用法】 上为末，蜜为丸，如梧桐子大。每服七八十丸，空心白汤送下。

【主治】 男子肾中精寒，精虽射入子宫而元阳不足，阴无以化，不孕或孕而多女。

龟首种子丸

【来源】《齐氏医案》卷二。

【别名】 龟首丸。

【组成】 大龟首一个（醋炙） 大生地四两 山萸肉二两 怀山药二两 白茯苓二两（乳蒸） 粉丹皮一两 光泽泻 肉苁蓉（酒洗焙干） 真锁阳（醋炙）各一两

【用法】 炼蜜为丸，如梧桐子大。以酒送下。

【主治】 男子无子。

【验案】 男子无子 知府杨迦怿，年五十，尚未生子，与之龟首丸，调理数月，步履轻健、精神康壮，如夫人有喜矣。明年壬申，降生一子，又明年，又生一子，骨秀神清，均甚壮美。

五子丸

【来源】《笔花医镜》卷四。

【组成】枸杞子　菟丝子各四两　五味子　车前子　覆盆子各二两

【用法】用石斛六两熬膏，炼蜜为丸。每服四钱，开水送下。

【功用】种子。

长生丹

【来源】年氏《集验良方》卷二。

【组成】地黄八两　山药四两　白茯神四两　何首乌半斤　女贞子六两　甜石斛半斤　枸杞六两　鹿角霜半斤　山茱萸六两　菟丝子半斤　肉苁蓉二两　鹿角胶半斤　川牛膝半斤　宣木瓜　虎胫骨四两　人参一斤　丹皮八两　杜仲一两　胡麻一斤　桑椹子一斤

方中宣木瓜用量原缺。

【用法】上为末，拌为丸。每服三钱，空心白滚水送下。

【主治】男子劳损羸瘦，阳事不举，精神短少，须发早白，步履艰难；妇人下元虚冷，久不孕育。

固本种子丸

【来源】年氏《集验良方》卷二。

【组成】巴戟天二两　远志肉二两　石斛四两　杜仲四两　川牛膝二两　五加皮三两　青盐二两　生地三两　当归二两　大茴香一两　山茱萸二两（去核）　沙苑蒺藜四两　益智子二两　羚羊角四两　锁阳十二两　鱼鳔八两　枸杞十两　人参十两　破故纸六两　覆盆子二两　巨胜子四两　桑螵蛸　阿胶一斤半　龟版胶一斤半　肉苁蓉半斤　何首乌三斤　白茯苓八两　鸽蛋二百　淫羊藿　黑驴肾一具　黄狗肾十具（炙脆，为末）　鳖头一个

方中桑螵蛸、淫羊藿用量原缺。

【用法】炼蜜为丸，如梧桐子大。每服三钱，黄酒送下。寅、午、戌三时服三次，或早、晚二次。

【功用】固本种子。

【宜忌】不宜多服。忌房事一月。忌诸样血，不可食。

固精种子羊肾丸

【来源】年氏《集验良方》卷二。

【组成】甘枸杞（人乳浸一宿，晒干）二两　白莲蕊二两　大地黄（酒浸透，捣如泥）四两　芡实肉（蒸熟）四两　何首乌（黑豆汁浸蒸九次，晒干）四两　羊肾十对（淡盐腌一宿）

【用法】上为细末，将羊肾用酒三四碗煮烂为度，捣如泥，并地黄酒和前药末捣均为丸，如黄豆大，若难丸，少加炼蜜。每日三钱，淡盐汤送下。

【功用】固精种子。

滋阴补精种玉方

【来源】年氏《集验良方》卷二。

【组成】韭子（炒）六两　川续断六两　菟丝子（酒煮）八两　盆子八两　枸杞子（酒蒸）八两　芡实子（去壳）八两　莲肉（去心）八两　山药（炒）八两　白茯苓八两　莲花蕊四两　沙苑蒺藜（炒）八两

【用法】金樱子一斤，去核，煎膏为丸，如梧桐子大。每服三钱。

【功用】固精，补肾，种子。

苋甲二仙种子膏

【来源】《良方集腋》卷上。

【组成】活甲鱼一个重二斤四两准　好黄丹二斤　红苋菜二斤四两（连根带叶，晒干、切）　真麻油五斤　新鲜桃柳桑榆槐条各十寸（切碎）

【用法】先将油入锅内，次入活甲鱼并苋菜、桃柳等条，用文武火将甲鱼等熬焦，去滓存油，再入黄丹，熬成膏，即倾入凉水内，浸三昼夜，再熔再倾，如此五次。用时摊布上，贴两腰左右穴并肚脐，贴至一月即可见效。百日即可种子。

【主治】肾冷精寒，遗精白浊，一切下部虚损艰于得子以及妇女经水不调，赤白带下。

丁公仙枕

【来源】《验方新编》卷九。

【组成】真川椒　桔梗　荆实子　柏子仁　姜黄

吴茱萸　白术　薄荷　肉桂　川芎　益智仁　枳实　全当归　川乌　千年健　五加皮　蒺藜　羌活　防风　辛夷　白芷　附子　白芍　藁本　苁蓉　北细辛　猪牙皂　芫荑　甘草　荆芥　菊花　杜仲　乌药　半夏各一两

【用法】务要顶好鲜明，咀片，研为细末，绢袋盛之，用槐木薄板做枕一个，高三寸三分，宽四寸五分，长一尺二寸，如天盖地，一面上钻孔一百二十八个，如梧桐子大，用上药装入枕中。药料三五个月一换。

【功用】种子，消百病，长精神，延年益寿。

【验案】丁公，康熙时人，年逾七十无嗣，遇异人授此方，不二年精力强壮，至八十一岁已生二十一子矣。如夫妇皆以此作枕，更见奇效。

赤水玄珠

【来源】《饲鹤亭集方》。

【别名】天雨菽。

【组成】大生地　野白术　厚朴　青皮　杜仲　破故纸　巴戟　陈皮　茯苓　苁蓉　小茴香　川椒　戎盐各一两

【用法】用新汲水同入砂铛熬浓汁，滤去滓，以拣净黑大豆二升拌匀，慢火细煮，收干药汁为度，凉干，瓷器密收。男服二十一粒，女服二十粒，每晨空服，淡盐汤送下，不可间断。

【功用】补益男女，种子，延龄。

赤脚大仙种子丸

【来源】《饲鹤亭集方》。

【组成】全当归（酒洗）　肉苁蓉（酒洗　连蕊须）　绵杜仲　菟丝子（酒浸）　淫羊藿（酥炙）　潼蒺藜（盐水、童便、人乳分制）　云茯苓（人乳蒸）　破故纸（盐水炒）　怀牛膝（盐水炒）各八两　甘枸杞（青盐水炒）四两　椰桂心（不见火）二两　线鱼膘（牡蛎粉拌炒）二斤　大天雄（每重一两四五钱者，面裹煨）二枚

【用法】如法炮制，每药一斤，用炼蜜十二两，开水四两为丸，如梧桐子大。每晨服百丸，淡盐汤送下，晚服百丸，陈酒送下，男妇不妨同服。附、桂二味，年逾五旬，方可用也。

【功用】补虚损，种子。

葆真丸

【来源】《鳞爪集》卷二。

【组成】熟地黄二两　山药二两　杜仲三两　益智仁一两　牛膝一两　鹿角胶八两　茴香一两　巴戟一两　补骨脂一两　杞子一两　龟版胶四两　远志一两　枳实一两　胡芦巴一两　萸肉一两半　柏子霜五钱　五味一两　茯苓二两　川楝子一两　菟丝一两半　石菖蒲五钱

【用法】用淡苁蓉四两打烂为丸。每服三四钱，淡盐汤送下。

【功用】通十二经脉，发阴起阳，定魄安魂，开三焦之积聚，补五脏之虚损，壮筋健骨，益寿延龄。

【主治】人或禀赋素薄，或调理失宜，男子衰弱无子，妇人寒冷无孕。

太乙救苦万珍膏

【来源】《经验奇效良方》引凌文轩方。

【组成】当归二钱　厚朴五钱　青皮二钱　丹皮三钱　白芍三钱　杏仁五钱　牛膝五钱　全虫三个　头翁二个　杜仲一钱五分　松节五钱　公英五钱　桔梗三钱　灵仙二钱　川连三钱　五灵脂二钱　海藻二钱　腹皮五钱　五味子三钱　榆白皮二钱　五加皮二钱　栀子五钱　槿皮二钱　桃仁三钱　甘草二钱　木通二钱　防风三钱　连翘五钱　蜈蚣一条　桑皮二钱　白芷二钱　木瓜三钱　枳壳三钱　桂心一钱　樟丹二两　香油五斤　山甲二钱　川芎三钱

【用法】入油内浸五日，熬至滴水成珠，下丹。每贴重八钱，每月贴一张，连贴三次。胃口不开，噎膈反胃，贴胃口；急慢惊风，贴命门穴；牙齿疼痛，贴面上；磕伤疼痛，贴患处；余皆贴肚脐。

【主治】妇人久不生育；并治男女一切虚劳百损，腰膝疼痛，寒湿脚气，痰厥，刀伤热毒，远近头风，男子睾丸偏坠，手足冻伤，刀石磕碰，男子肾虚，小儿腹痛，手足麻木，噎膈反胃，胎前产后，胃口不开，牙齿疼痛，一切疔疮。

羊肾酒

【来源】《内外科百病验方大全》。

【组成】生羊腰一对　沙苑蒺藜四两（隔纸微炒）　真桂圆肉四两　淫羊藿四两（用铜刀去边毛，羊油拌炒）　仙茅四两（用糯米淘汁浸，去赤汁）　薏仁四两

【用法】用滴花烧酒二十斤，浸七日。随量时时饮之。

【功用】种子延龄，乌须黑发，强筋骨，壮气血，添精补髓。

【主治】腿足无力，寸步难行；艰于嗣续。

【验案】痿证　有七十老翁，腿足无力，寸步难行，将此甫服四日，即能行走如常。后至九旬，筋力不衰。

多子锭

【来源】《北京市中药成方选集》。

【组成】党参（去芦）二两　杜仲（炭）二两　苁蓉（炙）二两　盐知母二两　黄柏二两　远志（炙，去心）二两　盐泽泻一两　黄耆一两　龟版（炙）一两　牛膝一两　蛇床子一两　甘草（炙）一两　首乌（炙）四两　山药四两（上为细末）　熟地四两　生地四两　天冬四两　山萸肉（炙）二两　朱寸冬二两　大茴香二两　五味子（炙）一两　枸杞子一两（共熬膏）

【用法】将前药粉和膏合成药饼，每盒装四十八粒。每服十二丸，一日二次，温开水送下。

【功用】滋阴补气，壮阳种子。

【主治】肾虚气弱，久无子嗣，精神萎靡，腰膝痠痛。

保真种玉丸

【来源】《北京市中药成方选集》。

【组成】鹿茸（去毛）一两二钱　鹿肾二具　海马八具　虎骨（炙）一两　狗肾六具　熟地八钱　肉桂（去粗皮）一两　山药一两二钱　当归一两六钱　杜仲炭一两二钱　白术（炒）一两二钱　牛膝一两二钱　枸杞一两二钱　五味子（炙）一两二钱　茯苓一两二钱　党参（去芦）三两　补骨脂（炒）二两　菟丝子二两　核桃肉二两　小茴香（炒）二两　沙苑子二两　附子八两　苁蓉八两　巴戟肉（炙）八两　龙骨（煅）一两　母丁香三两　黄耆二两　山萸肉（炙）一两二钱　甘草（炙）一两

【用法】上为细末，炼蜜为丸，每丸重三钱。每服一丸，温开水送下，一日二次。

【功用】滋补腰肾，添精益髓。

【主治】肾气亏虚，阳痿不兴，腰膝无力，久无子嗣。

神效补天丹

【来源】《全国中药成药处方集》（吉林、哈尔滨方）。

【组成】制耆五两　巴戟四两半　枸杞　熟地各四两　杜仲　白术　白芍　人参　故纸　菟丝饼各三两　块苓　远志各二两半　边桂　枣仁　萸肉　龙骨　当归各二两　柏仁　五味　附子　复盆子各一两半　鹿胶三钱　黑驴肾一具　砂仁二两

【用法】先将驴肾用滑石烫焦，再合诸药一处碾细，炼蜜为小丸，如梧桐子大，包于纸袋内严封，贮于瓷罐内。每服二钱，早、晚空腹各服一次，白水或淡盐汤送下。

【功用】补气养血，添精壮阳。

【主治】气虚血亏，百病蜂起，瘦弱难支，纳入便溏，气息微弱，动则作喘，腰膝酸软，健忘怔忡，自汗眩晕，寐而不实；并治肾虚阳痿，肾虚滑精，阳痿不举，举而不坚，见色自泄，精汁清冷，缺乏子嗣。

【宜忌】忌食生冷，相火盛者勿服。

毓麟固本膏

【来源】《慈禧光绪医方选议》。

【组成】杜仲　熟地　附子　苁蓉　牛膝　故纸　续断　官桂　甘草各四两　生地　大茴香　小茴香　菟丝子　蛇床子　天麻子　紫梢花　鹿角各一两五钱　羊腰一对　赤石脂　龙骨各一两

【用法】用香油八斤，熬枯去滓，用黄丹四十八两，再入雄黄、丁香、沉香、木香、乳香、没药各一两，麝香三分，阳起石五分搅匀成膏。妇人

贴脐上，男子贴左右肾俞穴各一张，丹田穴一张，用汗巾缚住，勿令走动，半月一换。

【功用】补肾固精，温经散寒，种子。

生精汤

【来源】《江西中医药》（1986，4：29）。

【组成】炒韭子12g 菟丝子12g 补骨脂12g 淫羊藿15g 肉苁蓉12g 枸杞子9g 生地黄12g 熟地黄12g 制首乌15g 紫河车12g

【用法】研粉冲服，偏阳虚者加鹿胶6g，巴戟天9g，蛇床子9g；偏阴虚者加桑椹子12g，女贞子9g。

【主治】精子异常。

【加减】偏阳虚者，加鹿胶6g，巴戟天9g，蛇床子9g；偏阴虚者，加桑椹子12g，女贞子9g。

育精汤

【来源】《浙江中医学院学报》（1987，2：21）。

【组成】制首乌15g 韭菜子12g 当归12g 熟地12g 菟丝子10g 复盆子12g 仙灵脾12g 川牛膝12g

【用法】水煎服，每日1剂，1个月为1疗程。观察1～3个疗程。

【主治】男性不育。

【验案】男性不育 《浙江中医学院学报》（1987，2：21）：治疗男性不育211例，年龄25～40岁；结婚最长8年，最短3年；精液量少于2ml者54例，精液在30分钟以上不液化者90例，精子活动率低于60%者160例，活动力差者96例，精子计数少于6000万/ml者91例，全部死精16例。其中精液常规指标3项不正常36例，2项不正常78例，1项不正常44例。结果：症状消失，精液各项指标恢复正常，或治疗期间其妻怀孕者为临床治愈，共92例；症状基本消失，精液指标基本正常者为显效，共61例；症状减轻，精液指标其中1项不正常或精液常规基础极低，治疗后增加1倍以上为有效，共37例；治疗3个月，症状和精液检查无改变者为无效，共21例；有效率为90%，治愈率为43.6%。

理精煎

【来源】《中国医药学报》（1987，6：30）。

【组成】紫丹参 莪术 川牛膝 地鳖虫 当归尾 熟地 续断 狗脊 仙灵脾 肉苁蓉 鹿角霜 红枣

【用法】每日1剂，水煎，分2次空腹时服，遇发热或急性腹泻时暂停服药，3个月为1个疗程，一般治疗需1～2个疗程。

【主治】精索静脉曲张并不育症。

【验案】精索静脉曲张并不育症 《中国医药学报》（1987，6：30）：治疗精索静脉曲张并不育症70例，均为结婚1年以上，同居而未采取避孕措施，精液常规检查异常者。年龄最小27岁，最大43岁；不育时间最短1年，最长13年，多数病人在发病的1～3年求诊，占74.3%。70例中，轻度曲张18例，中度曲张者31例，重度曲张者21例。精液常规未发现精子者为无精症21例，精子计数<2000万/ml者为少精症9例，精子活动率<60%为死精子症21例，畸形精子>30%者为精子畸形症2例。结果：有效25例，占35.71%；好转29例，占41.4%；无效16例，占22.86%；总有效率为77.14%。

聚精散

【来源】《中医杂志》（1989，2：103）。

【组成】熟地黄 枸杞子 何首乌 紫河车 仙灵脾 沙苑子 茯苓 黄精 薏苡仁等

【用法】每日1剂，水煎服，治疗3个月为1疗程。

【主治】精液异常，男性不育症。

【验案】精液异常，男性不育症 《中医杂志》（1989，2：103）：治疗精液异常，男性不育症82例，年龄在25岁以下者4例，25～30岁32例，30～35岁38例，35岁以上者8例，平均年龄37.1岁；结婚时间在1.5年以下者7例，1.5～3年43例，3～6年26例，6年以上者6例，平均为3.3年；精液分析情况：每毫升精子密度低于60×10^6个者66例，（80.5%）；精子活动率低于60%者69例（84.1%）；精子运动级别低于Ⅲ级者73例（89.0%）；精液量少于1.5ml者9例（11.0%）；排精后1小时精液液化不全者2例（2.4%）；精子畸形率高于30%者9例（11.0%）；精液中脓细胞数微镜下每高倍视野高于10个者23例（28.0%）；伴发前列腺炎者13例（15.9%）。疗效标准：痊愈：临床症状和体征消失，精液常规检查各项指标（前列腺炎病人含前列腺液常规检查）均恢复正常或治疗期间其妻妊娠。好转：临床症状和体征基本消失，精液常规检查各项指标较治疗前有较大进步，符合下列两项以上者：①每毫升精子密度提高 20×10^6 个以上；②一次排精量中精子总数提高 10×10^7 个以上；③精子活动率提高20%以上；④精子运动级别提高一组以上；⑤精液中脓细胞显微镜下每高倍视野低于10个是临床治愈。无效：临床症状与体征虽基本消失，但精液常规改善不显著者。结果：平均服药68剂（12～250剂），临床症状与体征均获消失或基本消失。按以上疗效标准统计：痊愈48例（58.5%），好转22例（26.8%），无效12例（14.6%），总有效率为85.4%。

五子二仙汤

【来源】《实用中医内科杂志》（1989，3：125）。

【组成】五味子　覆盆子　车前子　枸杞子　菟丝子各12g　当归　巴戟　仙茅　仙灵脾　黄柏　知母各9g

【用法】每日1剂，水煎2次服，20天为1疗程。可随证加附子、熟地、丹参等。

【主治】男性不育症。

【验案】男性不育症　《实用中医内科杂志》（1989，3：125）：所治男性不育症48例均为婚后3年以上不育者，精液检查，精量少于2ml，精子数少于6000万/ml或无精子，精子活动率低于50%或精子畸形率超过40%，精液排出体外者在2小时内不液化。48例中，年龄在26～39岁，不育时间为3～11年，平均4.8年。根据疗效标准（临床治愈是临床症状消失，精液检查各项指标恢复正常；显效是临床症状基本消失，精液检查1项或2项恢复正常，其他指标接近正常；有效是临床症状减轻，精液检查在原有指标基础上增加1倍以上；无效是治疗2个疗程精液检查无明显改变）判定，结果：临床治愈26例，显效11例，有效7例，无效4例；总有效率为91.7%。

健肾生精液

【来源】《陕西中医》（1990，5：201）。

【组成】黄芪　韭子各20g　当归　鱼鳔胶　生地　熟地　车前子　紫河车　巴戟天　肉苁蓉各10g　桑椹子　淫羊藿　黄精　白芍　益母草　炙蜂房　蛇床子　菟丝子各15g　蜈蚣3条　川椒　肉桂各6g　鹿角霜12g　黄柏5g

【用法】将药之比10倍混合，研细为末，过110目筛分装，每袋12g。每服1袋，早晚空腹服，白酒为引，1个月为1疗程。

【主治】精子减少。

【验案】精子减少　《陕西中医》（1990，5：201）：治疗精子减少34例，年龄24～45岁；病程2～12年。结果：症状消失，2次精液常规检查，其精子数及成活率达到正常范围为痊愈，共28例；症状基本消失，精子成活率接近正常，精液能完全液化，然活力较差为有效，共3例；经2～3疗程治疗，症状无缓解，精子上升率幅度不大，或无上升者，共3例，总有效率为91%。

九子生精丸

【来源】《新中医》（1990，10：39）。

【组成】枸杞子　菟丝子　复盆子　五味子　车前子　韭菜子　女贞子　桑椹子　巨胜子各等分

【用法】上药制为蜜丸。每次9g，每日夜半、下晡2次服药，淡盐汤送下，3个月为1疗程。

【主治】少精症。

【验案】少精症《新中医》（1990，10：39）：治疗少精症210例。结果：治愈（精子总数大于4000万个，密度每毫升精液中大于2000万个，自觉症状消失）175例（83.3%）；好转（精子总数和密度虽有增加，但未达正常指标，自觉症状部分消失）29例（13.8%）；无效（各种症状无改善）6例（2.9%）。

聚精丸

【来源】《江西中医药》（1991，2：26）。

【组成】黄精20g　枸杞20g　肉苁蓉15g　川续断10g　菟丝子10g　潼蒺藜10g　紫河车10g　熟地

15g　当归15g　知母10g　黄柏10g　女贞子10g　何首乌10g　露蜂房15g

【用法】上药焙干研末，炼蜜为丸，每次15g，每日3次，淡盐开水送服，1个月为一疗程。

【主治】精子减少症。

【验案】精子减少症　《江西中医药》（1991，2：26）：治疗精子减少症52例，婚龄1～7年，精子数量均低于0.4亿/ml。结果：已生育者20例，占38.5%；精子数量较前增加者17例，占32.9%；无效者15例，占28.8%；总有效率为71.1%。

液化生精汤

【来源】《江西中医药》（1991，3：21）。

【组成】淫羊藿15g　菟丝子12g　九香虫12g　熟地黄15g　枸杞子12g　萆薢15g　黄柏6g　车前子9g　穿山甲6g　桂枝3g

【用法】每日1剂，煎服2次，30天为1疗程，连服1～3疗程。

【主治】男性不育（精液不液化）。

【验案】男性不育（精液不液化）《江西中医药》（1991，3：21）：治疗男性不育（精液不液化）65例，年龄在23～36岁；病程2～13年；精液液化时间均大于1小时。结果：精液液化时间小于30分钟，临床症状全部消失，配偶受孕者为治愈，共35例；液化时间小于60分钟，精子存活率高于60%，临床症状消失或减轻者为有效，共21例；经治3个疗程，液化时间仍大于60分钟，症状无改善者为无效，共9例；总有效率为86.2%。

助精汤

【来源】《辽宁中医杂志》（1991，7：32）。

【组成】菟丝子　枸杞子　桑椹子　覆盆子　车前子　五味子各12g　仙茅　仙灵脾各15g　黄芪　熟地各30g　女贞子12g　川断18g　当归15g　党参30g　山羊睾9具

【用法】水煎服，日1剂，1个月为1疗程。1疗程后，复查精液常规，再进行第2疗程。

【主治】精子无力症。

【用法】精子数目少加黄精、首乌；精子畸形率高加金银花、连翘；精液液化较差加丹参、川牛膝等；肾阳虚严重加附子、肉桂；肾阴虚明显加山萸肉；血虚明显加阿胶；气虚明显加山药、白术。

【验案】精子无力症　《辽宁中医杂志》（1991，7：32）：治疗精子无力症31例，年龄在23～31岁，婚后不育时间最短1年，最长8年，平均3.1年。精液分析，精子活动力10%～20% 2例，20%～30% 1例，30%～40% 10例，40%～50% 18例；伴精子数目少12例，精子畸形率高3例，精液液化不良3例。结果：精子活动力大于50%或女方妊娠为痊愈，共19例，占61.3%；精子活动力提高5%以上为有效，共7例，占22.6%；精子活动力提高小于5%为无效，共5例，占16.1%；总有效率为83.9%。治疗期间平均2.6个疗程。

解毒益精汤

【来源】《辽宁中医杂志》（1991，1：29）。

【组成】金银花　连翘各30g　公英　地丁各20g　天花粉15g　贝母12g　当归　杭芍各15g　黄柏12g　韭菜籽　锁阳　紫河车（研末冲服）各15g　甘草10g

【用法】水煎服。尿频、尿痛加滑石、车前子、木通；少腹坠痛加川楝子、橘核；汗多或阴囊潮湿加黄芪、龙骨、牡蛎；自觉下焦寒冷去黄柏、花粉，加肉桂，覆盆子、破故纸少许。

【主治】脓精症。

【加减】尿频、尿痛加滑石、车前子、木通；少腹坠痛加川楝子、橘核；汗多或阴囊潮湿加黄芪、龙骨、牡蛎；自觉下焦寒冷去黄柏、花粉，加肉桂、覆盆子、破故纸少许。

【验案】脓精症　《辽宁中医杂志》（1991，1：29）：治疗脓精症150例，平均婚龄5.51年；年龄21～25岁64例，26～30岁59例，30岁以上的27例，平均28.3岁；精液检查示脓细胞（+）54例，（++）60例，（+++～++++）36例，其中以（++）为多见。结果：治愈（精液中脓细胞消失，临床症状消除）108例，显效（精液脓细胞较原来明显减少或接近消失，症状基本缓解）37例，有效（精液脓细胞较原来减少1/2以上，症状减轻）5例。

益精汤

【来源】《新中医》(1992，4：38)。

【组成】熟地　淫羊藿　党参各15g　仙茅　菟丝子　复盆子　桑椹子　当归　山萸肉　黄芪　川续断　沙苑蒺藜　茯苓各10g　海狗肾半条

【用法】每日1剂，水煎分2次服，半个月为1疗程。每疗程查精液常规1次。

【主治】不育症。

【验案】不育症　《新中医》(1992，4：38)：以本方治疗男性不育症97例，年龄为24～28岁，结婚短则2年，长则达5年以上。职业以农民为多，其中大多数为重体力劳动者。结果：临床治愈69例，占71.1%；好转22例，占22.7%；无效6例，占6.2%。总有效率为93.8%。

清热育子汤

【来源】《实用中西医结合杂志》(1992，8：488)。

【组成】知母12g　黄柏12g　菟丝子30g　枸杞子12g　蛇床子30g　车前子15g(包煎)　覆盆子30g　公英9g　甘草9g　当归12g　川断12g　仙茅12g　仙灵脾12g　黄芪18g

【用法】每日1剂，14天为1疗程，水煎，早晚饭前分服。

【主治】白细胞精子症。

【验案】白细胞精子症　《实用中西医结合杂志》(1992，8：488)：治疗白细胞精子症60例，系23～45岁已婚男性，婚后2年不育者17例，3～4年者35例，5年以上者8例。痊愈(服药后妻子怀孕或精液常规和白细胞高倍视野数恢复正常值)55例；好转(服药后精液常规和白细胞高倍视野有所好转)4例；无效(服药后上述二者无变化)1例。

壮阳益精散

【来源】《实用中西医结合杂志》(1993，5：275)。

【组成】蛤蚧2对　枸杞子200g　菟丝子200g　仙茅150g　淫羊藿150g　五味子100g　黄精250g　蛇床子100g　龟版200g　柴胡120g　白芍100g

【用法】上药用文火焙干，研细末。每次3g，每日2次，30天为1疗程。服药期间忌烟酒生冷辛辣之品。

【主治】男性不育症。

【验案】男性不育症　《实用中西医结合杂志》(1993，5：275)：治疗男性不育症95例，年龄25～40岁，平均结婚年限4年，均为婚后1年以上的不育病人。精液检查：活动率低于60%，数量低于0.6亿/ml，精液量低于2ml，其中无精子症6例，精子极少者39例，精子活动率低48例，有红细胞者2例，有脓细胞者5例。结果：痊愈(临床症状消失，精液各项指标正常，或治疗期间其妻妊娠)63例，显效(临床症状基本消失，精液检查已接近正常者)20例，有效(临床症状减轻，精液检查明显提高者)6例，无效(治疗2个月以上精液检查无明显改善者)6例；总有效率为93.7%。平均服药69.8天。

滋精汤

【来源】《浙江中医学院学报》(1993，6：16)。

【组成】熟地黄30g　枸杞子15g　山茱萸6g　菟丝子12g　制首乌15g　仙灵脾9g　黄芪15g　当归12g　炒谷芽15g

【用法】每日1剂，30剂为1疗程，每疗程毕，观察临床症状、体征，精液常规化验各项指标等情况，根据病情变化，辨证加减运用，连续服药，治疗1～3个疗程。若已正常，而女方尚未妊娠，再予以调治，巩固疗效。

【主治】少精子症。

【验案】少精子症　《浙江中医学院学报》(1993，6：16)：治疗少精子症74例，年龄25～42岁；疗程最长3月，最短21天，平均47天。疗效标准：治愈：临床阳性症状、体征全部消失，精液常规化验正常，女方正常妊娠；显效：临床阳性症状、体征部分消失或减轻，精液常规化验各项指标均改善，精子数高于6000万/ml；有效：临床阳性症状、体征有所减轻，精液常规化验各项指标好转，且精子数高于或等于2000万/ml；无效：经3个疗程的治疗，临床症状和体征无改善，精液常规化验精子数仍少于2000万/ml。结果：治愈15例，显效26例，有效20例，无效13例，总有效率为82.4%。

三仁育生汤

【来源】《浙江中医杂志》(1993，8：60)。

【组成】益智仁 9g　胡桃仁 30g　车前仁 12g

【用法】文火煎服。

【主治】男性不育证。

【验案】男性不育证 《浙江中医杂志》(1993，8：60)：以本方治疗男性不育证 54 例，年龄最小 25 岁，最大 48 岁，平均 31.8 岁；病程最短 2 年，最长 18 年，平均 3.9 年。治愈（临床症状完全消失，精液常规化验正常，并使女方正常受孕者）41 例；显效（临床症状基本消失，精液化验各项指标接近正常或都正常，但未使女方受孕者）6 例；有效（临床症状改善，精液化验各项指标有明显好转，或虽趋正常，但有时反复者）4 例；无效（自觉症状，精液异常经治疗后均无改善）3 例。治疗时间最短 35 天，最长半年，平均 45 天。

化精汤

【来源】《首批国家级名老中医效验秘方精选》。

【组成】生薏仁 30 克　生地 10 克　麦冬 15 克　女贞子 10 克　滑石 20～30 克　茯苓 10 克　虎杖 12 克

【用法】每日一剂，水煎服。15 日为一疗程，服 1～2 疗程可效。

【功用】滋阴清热，健脾渗湿。

【主治】精子不液化症。

【方论】方中生地、麦冬、女贞子滋阴清热，补肝益肾；生薏仁、滑石、茯苓健脾利湿清热，使湿热浊邪从小便外排；虎杖清热解毒、凉血活血。诸药合用，共奏滋阴益肾，清热导浊之功。

【加减】热盛加知母 10 克，玄参 10 克；湿邪盛加猪苓 10 克，泽泻 10 克，木通 10 克。

化湿通精汤

【来源】《首批国家级名老中医效验秘方精选》。

【组成】茺蔚子 30 克　茯苓 30 克　泽泻 15 克　车前子 15 克　木通 6 克　红参（蒸兑服）3 克　白术 15 克　淮山药 30 克　菟丝子 20 克　怀牛膝 20 克　石菖蒲 5 克　甘草 3 克

【用法】水煎服，日 1 剂。并嘱精神要舒畅，暂戒房事。

【主治】精瘀（脾肾亏虚，湿瘀碍滞，精运受阻）。

【验案】1983 年 4 月 5 日，治疗 1 例 29 岁男病人，服上药后精神转佳，纳食尚可。继进上方去木通加枸杞子 20 克，3 剂。服药后精神状态继续好转，面色转润，有较强性欲，仍服 2 诊方 7 剂。4 月 18 日高兴告之，性交后第一次排精，始觉少腹胀，排精后，感觉舒畅。嘱房事不宜过频，候其妻月经净后性欲强时要求同房。继进益脾肾、填精之品以巩固疗效，药用，菟丝子 20 克，枸杞子 15 克，党参 20 克，茯苓 20 克，怀牛膝 15 克，锁阳 15 克，狗脊 15 克，女贞子 15 克，白术 15 克，淮山药 20 克，芡实 10 克，茺蔚 20 克，连服 10 剂。

生精助育汤

【来源】《首批国家级名老中医效验秘方精选》。

【组成】仙灵脾　枸杞子　山药　肉苁蓉

【用法】水煎服，上药每 2 日 1 剂，日服 2 次。每月检查 1 次精液常规，2～3 月为 1 个疗程。

【主治】不育症。

【用法】肝肾阴虚（精子计数低）加熟地、龟版、女贞子、首乌；脾肾阳虚（活动力低）加巴戟、海马、鹿茸、红人参；精室湿热（白细胞多）加知母、黄柏、车前子、萆薢；精脉瘀阻（精脉曲张）加土鳖虫、莪术、丹参等。

【验案】以本方治疗不育症 65 例。结果：治愈（服药 1～3 个月精子密度 2×10^{8}ml 以上，其他各项均正常或妻孕者）共 44 例；有效（服药 1～3 个月精液指标部分恢复）共 15 例；无效（服药 1～3 个月精液指标无改进）共 6 例，治愈率 68%，总有效率 91%。

加味七子衍宗汤

【来源】《首批国家级名老中医效验秘方精选》。

【组成】甘枸杞 12 克　复盆子　菟丝子各 9 克　车前子 12 克　五味子 4.5 克　肉苁蓉　鹿角胶　全当归　何首乌　山茱萸　补骨脂　川续断各 9 克

【用法】水煎服，日服 1 剂，1 日 2 次，连续服用 3 个月为 1 疗程。若阴虚者加白芍、黄柏、丹皮，去补骨脂、鹿角胶、山茱萸；若阴虚者加巴戟天、仙灵脾、熟附子，去何首乌、五味子、全当归；不排精者加虎杖、炮山甲，另以蛤蚧去头足，研粉，早晚各吞服3克。

【主治】肾虚之男性不育症。

【用法】若阴虚者，加白芍、黄柏、丹皮，去补骨脂、鹿角胶、山茱萸；若阳虚者，加巴戟天、仙灵脾、熟附子，去何首乌、五味子、全当归；不排精者，加虎杖、炮山甲，另以蛤蚧去头足，研粉，早晚各吞服3克。

【验案】以本方治疗男性不育者358例，年龄最小的25岁，最大的42岁，结婚3～5年267例，6～8年48例，8年以上43例。服药1～6个月后，主要症状消失，女均妊娠。

还少丹

【来源】《首批国家级名老中医效验秘方精选》。

【组成】熟地　制首乌　山药　枸杞各200克　巴戟天　肉苁蓉　楮实子　仙灵脾　杜仲　补骨脂　续断　牛膝　茯苓　莲肉　芡实　山茱萸　五味子各150克　远志　菖蒲　小茴香各100克　蛤蚧4对　糯米500克

【用法】将蛤蚧去头足及鳞，切成方块用酒洗润放入锅内，至酒吸尽，烘干出锅，糯米浸1宿后沥干炒熟，其余各药均烘干后与蛤蚧、糯米共研细粉装瓶备用。

【主治】男性不育症。

【验案】以本方治疗不育症者89例。结果：痊愈57人，好转23人，无效9人。总有效率89.9%。

补肾育子汤

【来源】《首批国家级名老中医效验秘方精选》。

【组成】淫羊藿30克　阳起石30克　菟丝子15克　熟地18克　女贞子9克　山药12克　五味子10克　鹿角胶18克　龟版18克

【用法】水煎服。

【主治】不育症。

【验案】笔者10余年来应用此方治疗不育症19例，经随访13例已生子，4例无生育能力，2例无效。

补肾益血填精汤

【来源】《首批国家级名老中医效验秘方精选》。

【组成】熟地　菟丝子各15克　巴戟天　枸杞子　山萸肉　制首乌　刺蒺藜各12克　当归　白茯苓　锁阳　丹参　鹿胶　龟版各10克　蛇床子　砂仁　小茴香各6克

【用法】每日1剂，水煎内服。

【主治】男性不育症，也可治疗因肾虚引起的精神倦怠、头昏目眩、腰膝酸软、遗精早泄、尿蛋白、乳糜尿等症。

【加减】无精或死精加冬虫夏草、炙甘草；精子不液化加知母、羚羊角；不射精加柴胡、青皮；输精管阻塞加山甲、山楂肉、路路通；阴茎发育不良加仙茅、仙灵脾、狗鞭、海马；早泄加阳起石、狗鞭、肉桂、附子。

【方论】方中熟地、菟丝子、枸杞子、巴戟天、楮实、山萸肉、沙苑子、刺蒺藜、鹿角胶、龟版，补肾生精；当归、丹参，补血活血祛瘀，疏通精道；小茴香、蛇床子暖命门通督脉；白茯苓、砂仁，健脾祛湿，使脾胃健运、气血充足，又可矫正补肾药之腻，从而使生殖器功用恢复正常。

【验案】以本方治疗上述症状者共253例，年龄最大行52岁，最小者22岁，结婚时间最长者30年，最短者1年。结果痊愈（治疗后精液化验各项指数正常，或配偶已受孕）189例，治愈率为74.5%；有效（临床表现和检验各项有关值都有好转但未痊愈）53例；无效（治疗前后临床表现和检验各项有关值均无明显好转和差异）11例，总有效率95.6%。

韭子五子丸

【来源】《首批国家级名老中医效验秘方精选》。

【组成】柴狗肾1具　韭菜子15克　蛇床子10克　五味子10克　菟丝子30克　补骨脂12克　桑螵蛸30克　覆盆子15克　生山药15克　车前子9克　盐炒知母9克　盐炒黄柏9克　全当归12克

【用法】水煎服。

【功用】温肾壮阳，益阴填精，清热利湿。

【主治】不育症。

【方论】方中五子衍宗（少枸杞子）补肾育麟；柴

狗肾、韭菜子，补骨脂温补肾阳；桑螵蛸固精气，生山药益脾阴，全当归养血和血；蛇床子、车前子利湿热，知母、黄柏坚阴利湿。诸药合用，共奏补肾利湿之功。

【验案】杨某，男，34岁。婚后10年无子。症见阳痿早泄，腰酸疼痛，神疲乏力。舌质肿嫩而有齿印，脉虚无力尺部尤甚。精液检查示：精子成活率仅10%～20%。症属肾阳衰微，阴精亏耗。处以上方，服60剂后阳痿早泄已除，精神亦见好转，脉象渐趋有力，精子成活率增至70%。原方更加熟地、白芍、山萸肉等，以宏养阴益精之力。继进30剂。后又去知、柏，入羌活、益母草、丹皮、川芎更进20剂。前后共进110剂，诸症悉除，精子成活率达80%～90%。次年其爱人得以妊娠，至期顺产一子。

种玉汤

【来源】《首批国家级名老中医效验秘方精选》。

【组成】附片　五味各6克　肉桂3克　党参　当归　枸杞　熟地　枣皮　车前子各15克　巴戟　菟丝子　覆盆子各24克

【用法】水煎服。肾阳不足、命门火衰加益智仁15克，并加重附片、肉桂用量；肾阴亏损，相火妄动加知母、黄柏各15克，并减轻附片、肉桂用量；肾气虚弱，湿热不化加萆薢、桔梗、黄芪各15克。

【主治】男子不育。

【验案】以本方治疗不育68例，年龄最小者26岁，最大者42岁，结婚3年不育者22例，4年不育者17例，5年不育者13例，6年不育者10例，6年以上不育者6例。服药6剂受孕者3例，24剂受孕者23例，31剂受孕者28例，30剂以上受孕者10例，无效4例。

活精汤

【来源】《首批国家级名老中医效验秘方精选》。

【组成】熟地15克　山萸肉10克　山药15克　牡丹皮10克　茯苓10克　泽泻6克　麦冬10克　当归10克　白芍6克　女贞子10克　素馨花6克　红花2克　枸杞子10克　桑椹子15克

【用法】水煎服。

【功用】兹肾调肝。

【主治】死精症。

【方论】方中六味，功专肾肝，寒燥不偏，而兼补气血；当归、白芍、素馨花、红花养血活血，柔肝舒肝；枸杞、桑椹、女贞、麦冬滋补肝肾精气。诸药合用，共奏调肝益肾、畅达气血之功。

【验案】郑某，男，32岁，演员。1988年5月22日来诊。结婚4年，双方共同生活，迄今爱人不孕。性欲一般，时有头晕目眩，腰膝酸软，夜难入寐，寐则多梦，胃纳一般，大便干结，隔日一次，小便正常。脉象细数，苔少。处以上方，每日清水煎服一剂，连服20剂。药见初效，仍守方加太子参15克，小麦20克，夜交藤20克，旱莲草15克，每日水煎服1剂，连服12剂。精检计数已接近正常。继用五子衍宗丸加味：菟丝子15克，女贞子10克，枸杞子10克，五味子6克，车前子6克，覆盆子10克，太子参15克，当归身10克，白芍6克，玉兰花6克，红枣10克。连服30剂，身体康复，爱人次月受孕。

益精丸

【来源】《首批国家级名老中医效验秘方精选》。

【组成】熟地　制黄精各1.2千克　蜂房（蜜炙）　鹿角胶　狗脊　川断各1千克　当归　仙灵脾　肉苁蓉　沙苑子　制首乌各1.5千克

【用法】先将熟地、肉苁蓉、当归、蜂房、首乌用乙醇浸泡提取，回收乙醇后浓缩得流浸①；其药渣加黄精、狗脊、川断及仙灵脾的一部分以水煎煮3次，再浓缩得流浸膏②；将鹿角胶烊化后加入流浸膏②；将沙苑子和川断、仙灵脾的剩余部分粉碎为细末，以利吸收①、②流浸膏，于60～70℃干燥，再粉碎成粉末装入胶囊，每粒装药粉0.25克。每日服5粒，1日3次，淡盐水送服，1个月为1个疗程。1疗程复查精液1次，如未达正常，再继服第2疗程；如已正常，则改为维持用量，每次4粒，1日2次。对合并阳痿、早泄者，可同时治疗，对合并生殖道炎症者则先行治疗炎症，待病情控制后再用本药治疗。

【主治】精液量少、精子活动率低、活动力差、精子密度低等精液异常所致的不育症。

【验案】以本方治疗不育症86例，按1991年第三届全国中医男性病学术研讨会所定诊断及疗效判定标准，结果：临床治愈63例，有效10例；无效13例，总有效率84.9%，经随访，女方受孕26例，孕育率为30.2%。

益肾种子汤

【来源】《首批国家级名老中医效验秘方精选》。

【组成】大熟地15克　枸杞子10克　覆盆子10克　山萸肉10克　巴戟天10克　仙灵脾10克　肉苁蓉10克　韭菜子10克　紫河车6克　生黄芪15克　全当归10克

【用法】每日1剂，水煎服，30日为1疗程，待精液检查恢复正常值后改服人参鹿茸丸、五子衍宗丸巩固疗效，促其怀孕。

【主治】男性不育症（精子异常，精液不液化，不射精）。

【用法】其精子异常者（精子减少，成活率低下，活动度弱），属肾精亏损者，可重用紫河车，加鹿角霜等血肉有情之品；肾虚肝郁者，加柴胡、郁金、香附、石菖蒲；阴虚湿热者，加二至丸、胆草、败酱草、泽泻，去紫河车、巴戟天、肉苁蓉；阴虚火旺者，去紫河车、巴戟天、肉苁蓉，加二至丸、知母、黄柏、鳖甲、麦冬；若属肾精亏损不射精，加麻黄、蜈蚣、地龙、白芍、牛膝；肝郁肾虚不射精，加穿山甲、麻黄；肾虚寒湿不液化者，去山萸肉、覆盆子、大熟地，加知母、黄柏、小茴香、鱼鳔、丹参；若属肝肾阴虚、上焦湿热不液化者，去巴戟天、仙灵脾、肉苁蓉，加天花粉、败酱草、元参、知母、黄柏、鱼鳔，以滋补肝肾，清利湿热。

【验案】以本方治疗男性不育症185例，治疗20天或1个疗程以上，其中72例女方怀孕，妊娠效率为38.92%；有效92例，为49.73%，总有效率为88.65%；21例无效，为11.35%。

温肾益精汤

【来源】《首批国家级名老中医效验秘方精选》。

【组成】炮天雄6~9克　熟地20克　菟丝子20克　怀牛膝20克　枸杞子20克　炙甘草6克　仙灵脾10克

【用法】水煎服。

【功用】温肾益精。

【主治】肾虚精绝异常之不育。

【方论】方中炮天雄、仙灵脾温肾壮阳；熟地、枸杞、菟丝子、怀牛膝，滋阴养肝，平补肝肾；炙甘草调和诸药。诸药配合，平补阴阳，温肾益肝，填精育嗣。

【验案】方某，男，30岁，干部。1986年1月初诊。结婚3年多，爱人曾怀孕2次，但均于2个月左右自然流产。女方曾做妇科检查未发现异常，且月经周期及经量等均正常，基础体温双相，输卵管造影检查亦通畅，也无其他全身性疾病。男方精液常规示：精子计数仅800万/ml，活动率40%，畸形精子达43%，液化时间为7.5小时。病人平素体疲易乏，时有遗精，伴睡眠欠佳，晨起口苦等症，舌淡胖，苔薄白，脉细略弦，因之元气虚衰，肾精不健，所以虽能得以身孕，但胎元难寿，子嗣无望，治当滋补肾气。处方：熟地20克，仙灵脾10克，枸杞子15克，肉苁蓉20克，党参25克，菟丝子20克，山萸肉15克，白术15克，炙甘草6克。同时服市售滋肾育胎丸，每天2次，每次5克，并嘱其节制房事。上方连续服用3个月后，复产精液常规，精子计数已提高到7500万/ml，但活动率仍滞于40%。在上法治疗同时，加服吉林参，每天炖服6克，15天为一疗程，服完1疗程后，停服10天，再行第2疗程。治疗半月后，除精神明显好转外，精液检查精子数已达9000/ml，活动率提高至50%，畸形精子率降至10%。继以上法治疗一个半月，复查精涂常规已正常。继治半年左右，其妻于1987年3月再次怀孕，当顾护胎元，以防流产，嘱其妻连服寿胎丸合四君子汤加减。及至1988年元月足月顺产一男婴，母子康健。

赞育丹

【来源】《首批国家级名老中医效验秘方精选》。

【组成】熟地30克　白术15克　当归12克　枸杞子15克　杜仲（炒）10克　仙茅10克　淫羊藿30克　巴戟10克　山萸肉15克　肉苁蓉10克　韭菜子30克　蛇床子15克　熟附子6克　肉桂6克

【用法】每日1剂，水煎20～30分钟取汁约250毫升，分3次服，20日为1疗程。

【主治】男性不育症。

【加减】体质虚弱加人参、黄芪；有条件者加鹿茸；偏阴虚者去肉桂、附子，加女贞子、何首乌；湿热瘀阻者去附子、肉桂，加银花、蒲公英、败酱草、穿山甲。

【验案】共治28例，治愈（精液正常，爱人受孕）23例，占82.1%；进步3例，占10.7%；无效2例，占7.1%。

补阴地黄汤

【来源】《首批国家级名老中医效验秘方精选·续集》。

【组成】生地10克　熟地10克　丹皮10克　山萸肉10克　枸杞10克　黄精10克　山药10克　知母10克　茯苓10克　生鳖甲30克　生牡蛎30克　瘪桃干15克　碧玉散15克

【用法】每日一剂，水煎服。

【功用】滋补肝肾，育阴泻火。

【主治】男子免疫性不育症，肝肾亏虚型。本证型病人多有房劳过度，性欲亢进或性生殖器损伤或感染史。症见午后潮热，五心烦热，口渴喜饮，腰酸膝软，尿黄便秘，夜寐盗汗，舌红少苔，脉细弦。

【方论】本方由补阴丸、六味地黄丸化裁而成。方中熟地、山萸肉、枸杞、黄精滋补肝肾，山药、茯苓健脾渗湿，化源肾精，生地、生鳖甲、生牡蛎育阴潜阳，清泻虚火，碧玉散清利湿热，瘪桃干活血逐瘀。

【验案】张某某，35岁。1994年9月6日初诊。自述婚后3年不育，夫妻同居，性生活正常。女方妇检等未见异常。精液检查在正常范围，血清抗精子抗体阳性。刻诊：精神萎靡，头晕目涩，时有耳鸣，口干欲饮，腰膝酸软，溲黄，舌红苔少，脉细数。证属肝肾阴虚，虚火内扰。治宜滋阴降火，以上方药加减，治疗4个月后，复查精液常规，血清抗精子抗体二次均正常，以此巩固二月，其妻受孕。

八、梦　交

梦交，又名梦与鬼交，是指睡梦中与异性交媾。《金匮要略·血痹虚劳病脉证并治》："脉得诸芤动微紧，男子失精，女子梦交。"《诸病源候论》："肾虚为邪所乘，邪客于阴，则梦交接。肾藏精，今肾虚不能制精，因梦感动而泄也"，"邪热乘于肾，则阴气虚，阴气虚则梦交通。肾藏精，今肾虚不能制于精，故因梦而泄。"《妇人良方大全》："夫人禀五行秀气而生，承五脏神气而养。若阴阳调和，则脏腑强盛，风邪鬼魅不能伤之。若摄理失节而血气虚衰，则风邪乘其虚、鬼邪干其正。然妇人与鬼交通者，由脏腑虚，神不守，故鬼气得为病也。其状不欲见人，如有对误，时独言笑，或时悲泣是也。脉息迟伏，或如鸟啄，皆鬼邪为病也。又脉来绵绵，不知度数，而颜色不变者，亦是此候也。"本病成因，多为摄养失宜，气血衰微，或为七情所伤，心血亏损，神明失养所致。治宜养心安神。

鹿角散

【来源】方出《肘后备急方》卷三，名见《圣济总录》卷十四。

【组成】鹿角屑

【用法】上为散。每服三指撮，酒调服，一日三次。

【主治】

1.《肘后备急方》：男女喜梦与鬼通，致恍惚者。

2.《圣济总录》：诸脏虚邪，夜卧恍惚，精神不安。

龙骨散

【来源】《备急千金要方》卷四。

【别名】温中龙骨散（《证治准绳·女科》卷一）。

【组成】龙骨三两　黄柏　半夏　灶中黄土　桂心

干姜各二两　石韦　滑石各一两　乌贼骨　代赭各四两　白僵蚕五枚

【用法】上药治下筛。每服方寸匕，酒送下，一日三次。服药三月，有子即住药。

【主治】腹下十二病绝产：一曰白带，二曰赤带，三曰经水不利，四曰阴胎，五曰子脏坚，六曰脏癖，七曰阴阳患痛，八曰内强，九曰腹寒，十曰脏闭，十一曰五脏酸痛，十二曰梦与鬼交。

【宜忌】寡妇、童女不可妄服。

【加减】白多者，加乌贼骨、僵蚕各二两；赤多者，加代赭五两；小腹冷，加黄柏二两；子脏坚，加干姜、桂心各二两。

【方论】《千金方衍义》：此龙骨散专清子脏。方中龙骨、代赭、灶中黄土，各司癥瘕坚结，赤沃漏下，胎漏下血之任；桂心、干姜、半夏，各司通经散结，温中涤秽，下气运痰之任；滑石、石韦、黄柏，各司湿热留着，癃闭不通，阴伤蚀疮之任；乌贼、僵蚕，各司散血行经，祛风化痰之任。

杀鬼烧药方

【来源】《备急千金要方》卷九。

【别名】杀鬼雄黄丸（《太平圣惠方》卷七十）。

【组成】雄黄　丹砂　雌黄各一斤　羚羊角（羖羊角亦得）　芜荑　虎骨　鬼臼　鬼箭羽　野丈人　石长生　猳猪屎　马悬蹄各三两　青羊脂　菖蒲　白术各八两　蜜蜡八斤

《医钞类编》有桃奴，无石长生。

【用法】上为末，以蜜蜡和为丸，如弹许大。朝暮及夜中，户前微火烧之。

【功用】辟瘟气。

【主治】《太平圣惠方》：妇人与鬼交通。

鹿角散

【来源】《太平圣惠方》卷三十。

【组成】鹿角屑二两　韭子一两（微炒）　芎藭三分　白茯苓一两　当归三分（锉，微炒）　鹿茸一两（去毛，涂酥炙微黄）

【用法】上为散。每服三钱，以水一中盏，入生姜半分，大枣三枚，粳米一百粒，煎至六分，去滓，食前温服。

【主治】虚劳不足，梦与鬼交，四肢无力。

【宜忌】忌生冷、油腻、大肉、酸物。

鹿茸丸

【来源】《太平圣惠方》卷三十。

【组成】鹿茸三分（去毛，涂酥炙微黄）　韭子一两（微炒）　柏子仁一两　泽泻半两　菟丝子一两（酒浸三日，晒干，别捣为末）　茯神半两　石斛半两（去根，锉）　天门冬二两半（去心，焙）　黄耆一两（锉）　巴戟一两　龙骨三分　石龙芮半两　附子一两（炮裂，去皮脐）　露蜂窠三分（微炒）　麝香半两（细研入）

【用法】上为末，炼蜜为丸，如梧桐子大。每服三十丸，空心及晚食前以温酒送下。

【主治】虚劳，梦与鬼交，精泄不止，四肢羸瘦，少力，心神虚烦。

朱砂散

【来源】《太平圣惠方》卷七十。

【组成】朱砂一两（细研水飞过）　铁粉一两　牛黄一分　虎睛一对（炙微黄）　雄黄半两　龙骨半两（为末）　蛇蜕皮一尺（烧灰）　麝香一分

【用法】上为极细末。每服一钱，以桃符煎汤调下，不拘时候。

【主治】妇人风虚，与鬼交通，悲笑无恒，言语错乱，心神恍惚，睡卧不安。

茯神散

【来源】《太平圣惠方》卷七十。

【组成】茯神一两半　茯苓一两　人参一两（去芦头）　菖蒲一两　赤小豆半两

【用法】上为散。每服三钱，以水一中盏，煎至六分，去滓，食前温服。

【主治】妇人风虚，与鬼交通，妄有所见闻，言语杂乱。

桃仁丸

【来源】《太平圣惠方》卷七十。

【组成】桃仁三分（汤浸，去皮尖双仁，麸炒微黄） 麝香半两（细研） 朱砂一分（细研） 水银一分（用枣肉研令星尽） 槟榔三分 阿魏半两 沉香半两 当归三分

方中槟榔、阿魏、沉香、当归用量原缺。《女科指掌》无水银。

【用法】上为末，炼蜜为丸，如梧桐子大。每服十丸，空心桃仁汤送下。

【主治】妇人与鬼气交通。

阿魏散

【来源】《普济方》卷二五四。

【组成】野狐皮（焙，炙） 豹鼻（焙）各七枚 狐头骨一具（炙） 雄黄一两 腽肭脐一两 鬼箭羽一两 露蜂房一两 白术一两 虎头骨（炙）一两 驴 驼 驹 牛等毛各四分（烧作灰，若骨蒸，气如泥，加死人胸骨一两炙） 阿魏二两（炙）

【用法】上为散，搅使调匀。先以水煮松脂，候烊接取以和散，和散之时，勿以手搅，将虎爪搅和为丸，如弹子大。每用一分，于座下熏病人。欲熏之时，盖覆衣被，勿令药气轻泄，别捣雄黄为末以藉药，烧药节度，一如熏香法。

【主治】梦与鬼交通，及狐狸精魅等。

【宜忌】忌桃、李、雀肉等。

安神散

【来源】《寿世保元》卷七。

【组成】白茯神（去皮木）一两半 白茯苓（去皮） 人参 石菖蒲各一两 赤小豆五钱

【用法】上锉。水煎，温服。

【主治】妇人脏腑虚，神不守，邪厉得为病，梦交，其状不欲见人，如有对晤，时独言笑，或时悲泣，脉息迟伏，或如鸟啄，或脉来绵绵，不知度数，而颜色不变。

雄黄散

【来源】《医钞类编》卷二十。

【组成】雄黄 雌黄 丹砂各一两（研细） 羚羊角（屑） 芜荑 虎头骨 石菖蒲 鬼臼箭 白头翁 苍术 马悬蹄 猪粪 桃奴各五钱

【用法】上以羊脂、蜜蜡和捣为丸，如弹子大。每用一丸，当患人前烧之。

【主治】梦与鬼交。

九、阳　强

阳强，又名强中、阳举不倒、纵挺不收，是指男子在无性欲或性刺激的情况下，阴茎长时间勃起且本人不能控制的病情。《诸病源候论》："强中病者，茎长兴盛不痿，精液自出。"《石室秘录》："强阳不倒，此虚火炎上，而肺金之气不能下行故尔。"《张氏医通》："所谓阳强者，乃肝藏所寄之相火强耳。"《辨证奇闻》："阳强不倒，与女合立泄，泄后随又兴起，人谓命门火，谁知阴衰之极乎。夫阴阳原相平，无阳则阴脱而泄，无阴则阳孤势举。"病发多因肾阴虚亏，阴火妄动所致，或崇尚服石，火毒炽盛，煽动相火而然。治宜清热解毒，滋阴泻火。

猪肾荠苨汤

【来源】《备急千金要方》卷二十一。

【别名】石子荠苨汤（《三因极一病证方论》卷十）、荠龙汤（《证治要诀类方》）、二石荠苨汤（《古今医统大全》卷五十二）。

【组成】猪肾一具 大豆一升 荠苨 石膏各三两 人参 茯神（一作茯苓） 磁石（绵裹） 知母 葛根 黄芩 栝楼根 甘草各二两

【用法】上锉。以水一斗五升，先煮猪肾、大豆，取一斗，去滓下药，煮取三升，分三服，渴乃饮之。下焦热者，夜辄合一剂，病势渐歇即止。

【主治】

1.《备急千金要方》：强中之病，茎长兴盛，

不交精液自出。消渴之后，即作痈疽，皆由石热。

2.《三因极一病证方论》：中焦虚热注于下焦，烦渴引水，饮食倍常。

【方论】

1.《医门法律》：此方用白虎等清凉之剂，加入猪肾、大豆、磁石，引诸清凉入肾，且急服之，凡热炽盛于上下三焦者，在所必用。

2.《千金方衍义》：石药之悍，虽流布中外，其毒必伏匿少阴经中，所以借水兽之肾引领荠苨专主强中之味，与磁石、知母、黑大豆同入肾经，佐以石膏、黄芩、葛根、甘草、栝楼根，辅佐荠苨分解内外之毒，制剂虽专，不得人参阳药助胃以行其力，则毒匿幽深何由发越，孰谓人参壅补热邪而致扼腕耶。

荠苨汤

【来源】《圣济总录》卷五十九。

【组成】荠苨　大豆　人参　白茯苓（去黑皮）　磁石（捣如米粒）　葛根（锉）　石膏（碎）　黄芩（去黑心）　栝楼根　甘草（炙，锉）　知母（焙）各二两

【用法】上为粗末。每服五钱匕，水二盏，煎至一盏，去滓温服，日三次，夜一次。

【主治】内消。所食物皆作小便，强中。

荠苨丸

【来源】《济生方》卷四。

【组成】荠苨　大豆（去皮）　茯神（去木）　磁石（煅，研极细）　玄参　栝楼根　石斛（去根）　地骨皮（去木）　熟地黄（酒蒸）　鹿角各一两　沉香（不见火）　人参各半两

【用法】上为细末，用猪肾一具，煮如食法，令烂，杵和为丸，如梧桐子大。每服七十丸，空心盐汤送下。如不可丸，入少酒糊亦可。

【主治】强中为病，茎长兴盛，不交精液自出，消渴之后，多作痈疽，多由过服丹石所致。

黄连猪肚丸

【来源】《世医得效方》卷七。

【组成】猪肚一枚（治如食法）　黄连（去芦）　小麦（炒）各五两　天花粉　茯神（去木）各四两　麦门冬（去心）二两

【用法】上为末，纳猪肚中缝塞，安甑中，蒸之极烂，木臼小杵，为丸如梧桐子大。每服七十丸，以米饮送下，随意服之。如不能丸，入少炼蜜。

【主治】强中、消渴，已服栝楼散、荠苨汤者。

缩阳秘方

【来源】《古今医鉴》卷八。

【组成】水蛭九条（入碗水养住，至七月七日取出阴干）　麝香　合香各等分

【用法】上为细末，蜜少许为饼。遇阳兴时，即将少许擦左脚心，即时萎缩。过日复兴，再擦。

【主治】阳兴。

柴青泻肝汤

【来源】《济阳纲目》卷二十五。

【组成】柴胡　黄芩各一钱半　人参　半夏　黄连　青皮各一钱　甘草五分

【用法】上锉。水煎服。

【主治】男子肝火旺极，阴茎肿裂，健硬不休。

倒阳汤

【来源】《石室秘录》卷二。

【组成】元参三两　肉桂三分　麦冬三两

【用法】水煎服。

【主治】虚火炎上，肺金之气不能下行，以致强阳不倒。

【方论】此方妙在元参以泻肾中浮游之火，尤妙肉桂引其入宅而招散其沸越之火，同气相求，火自回舍；况麦冬又助肺金之气清肃下行，以生肾水，水足火自息矣。

引火两安汤

【来源】《辨证录》卷十。

【组成】玄参一两　麦冬二两　丹皮五钱　沙参一两　黄连一钱　肉桂一钱

【用法】水煎服。连服四剂，而火乃定，减黄连、肉桂各三分，再服数剂。

【主治】心肾不交，阳举不倒，胸中烦躁，两目红肿，口中作渴，饮水不解者。

【方论】此方补阴以退阳，补阴之中，又无腻重之味，得黄连、肉桂同用，以交心肾，心肾合而水气生，水气生而火自解。况玄参、麦冬、沙参又是退火之味，仍是补水之品，所以能退其浮游之火，解其亢阳之祸也。

平阳汤

【来源】《辨证录》卷十。

【组成】玄参三两　山茱萸一两　沙参二两　地骨皮一两　丹皮一两

【用法】水煎服。

【主治】阴衰之极，阳强不倒。终日举阳，绝不肯倒，然一与女合，又立时泄精，精泄之后，随又兴起。

【方论】此方纯是补阴之药，更能凉其骨中之髓。又恐过于纯阴，与阳有格格不入之意，复加入山茱萸，阴中有阳也，使其引阴入阳，以制其太刚之气。

加减济心丹

【来源】《辨证录》卷十。

【组成】人参　炒枣仁各五钱　熟地　玄参　麦冬　丹皮各一两　莲子心　茯苓各三钱

【用法】水煎服。

【主治】心肾受劳火动，阳举不倒，胸中烦躁，口中作渴，两目红肿，饮之以水不解者。

剂阳汤

【来源】《辨证录》卷十。

【组成】熟地二两　玄参　麦冬　沙参各一两

【主治】人有终日举阳，绝不肯倒，然一与女合，又立时泄精，精泄之后，随又兴起。

磁石荠苨丸

【来源】《医略六书》卷二十二。

【组成】煅磁石二两　熟地四两　人参一两半　鹿茸二两　荠苨二两　茯苓一两半　大豆三两　元参一两半　地骨一两半　石斛一两半　花粉一两半　沉香三钱　猪肾一对

【用法】上为末，煮烂猪肾，捣蜜为丸。每服五钱，空心沸汤送下。

【主治】强中消渴，不交精泄，脉虚数细滑者。

【方论】阳虚热炽，阳强不能统运津液以上敷下蛰，故消渴于上，精泄于下。磁石引金入水，熟地滋肾补阳；盐茸壮阳补肾以充督脉，人参补气扶元以益肺虚；荠苨清肺金，肃肺气；茯苓渗脾湿，利肺气；大黑豆补肾虚润燥，元参清浮热存阴；金石斛平热益阴，天花粉清胃泻热；地骨皮清肌退热，贡沉香降气归肾；更用猪肾补肾虚，乃血肉之味，足以滋补形躯也。俾肾阴充足，则肾阳无不潜藏，而阴自柔和，安有强中精泄，消渴不止之患乎？此扶阳涤热之剂，为强中消渴精泄之专方。

补精丸

【来源】《医宗金鉴》卷四十一。

【组成】补骨脂　韭子　山药　磁石　肉苁蓉　人参　鹿茸

【功用】强中病后热去，调理补精。

【加减】若用上方稍有好转，可去栀子、木通、龙胆草，加生鳖甲12克，炙山甲、地鳖虫各6克。

妒精散

【来源】《仙拈集》卷四。

【组成】破故纸　韭菜子各一两

【用法】上为末。每服六钱，水一碗，煎半碗服即愈。未愈，服五宝丹。

【主治】妒精，阳物硬而不痿，白浊流出。

韭子煎

【来源】《杂病源流犀烛》卷十八。

【组成】家韭子　破故纸各一两

【用法】上为末。每服三钱，水煎服，一日三次，即住。

【主治】强中。茎强不痿，精流不住，常如针刺，捏之则痛。

荠苨丸

【来源】《医级》卷八。

【组成】荠苨　大豆（去皮）　茯神　磁石（煅，研细）　玄参　钗斛　沉香（磨）　人参各五钱

【用法】上为末，用猪肾一具，如食法煮，杵烂，和蜜为丸。每服六七十丸，空心淡盐汤送下。

【主治】强中为病，茎长兴盛，不交精溢，此由劳欲过甚，多为消渴、痈疽，或由服食丹砂之故。

甘草汤

【来源】《医钞类编》卷十四。

【组成】甘草梢　五倍子　黑豆

【用法】水煎服。

【功用】解毒缓急。

【主治】筋疝。茎筋挈痛，挺胀不收，白物如精随溲而下，此得之房术。

加减四物汤

【来源】《医钞类编》卷八。

【组成】生地　白芍　当归　枸杞　牛膝　杜仲　黄柏　酸枣仁

【用法】水煎服。

【主治】阳旺阴衰，强中不收。

加味三才汤

【来源】《医醇剩义》卷二。

【组成】天冬二钱　生地五钱　人参二钱　龟版八钱　女贞子二钱　旱莲一钱　茯苓二钱　丹皮二钱　泽泻一钱五分　黄柏一钱　杜仲二钱　牛膝一钱五分　红枣五枚

【主治】酒色太过，下元伤损，腰膝无力，身热心烦，甚则强阳不痿。

益肾泻火汤

【来源】《临证偶拾》。

【组成】生地　龟版各12克　黄柏　知母　栀子　怀牛膝各9克　木通　龙胆草各4.5克

【功用】益肾泻火，滋补肾阴。

【主治】阴茎异常勃起。症见性交之时，阴茎明显而持久地勃起，也不射精；性交之后，阴茎仍持续不倒。但逢疲劳过度时反而出现遗精，舌苔白腻，脉沉细。

十、胞　痹

胞痹，又名膀胱痹，是由风寒湿之邪侵犯膀胱，影响膀胱气化失常所致。因风寒湿邪久客膀胱，使膀胱虚寒，气化失常所致。证见小腹胀满，疼痛拒按，小便艰涩不利，鼻流清涕等。是以膀胱气化功能失常，小腹胀满，疼痛拒按，小便艰涩不利，鼻流清涕等为主要表现的疾病。《黄帝内经·素问·痹论》云："胞痹者，少腹膀胱按之内痛，若沃以汤，涩于小便，上为清涕。"姚止庵注："少腹膀胱按之内痛，若沃以汤者，火也，火盛故不可按。膀胱为津液之器，热则癃，故小便涩。小便涩则火不得下行，反上灼其脑而为清涕，出于鼻窍矣。"张琦注："湿热郁结，则水道不利，寒水之气不得下行，上出于脑而为清涕。"本病成因多为风寒湿热之邪客于膀胱，使膀胱气化失常所致。治宜祛风散寒，清热化湿。

甘草干姜茯苓白术汤

【来源】《金匮要略》卷中。

【别名】甘姜苓术汤（原书同卷），甘草汤（《外台秘要》卷十七引《古今录验》）、肾着汤（《备急千金要方》卷十九）、除湿汤（《三因极一病证方论》卷九）、苓姜术甘汤（《类聚方》）、茯苓干姜白术甘草汤（《奇正方》）。

【组成】甘草　白术各二两　干姜　茯苓各四两

【用法】以水五升，煮取三升，分温三服。腰中

即温。

【功用】

1.《医宗金鉴》：补土制水，散寒渗湿。

2.《血证论》：和脾利水。

3.《谦斋医学讲稿》：温脾化湿。

【主治】

1.《金匮要略》：肾着之病，其人身体重，腰中冷，如坐水中，形如水状，反不渴，小便自利，饮食如故。病属下焦，身劳汗出，衣里冷湿，久久得之。腰以下冷痛，腰重如带五千钱。

2.《圣济总录》：胞痹，小便不利，鼻出清涕者。

【宜忌】《外台秘要》：忌海藻、菘菜、桃李、雀肉、酢物。

【验案】肾着腰痛 《山东中医杂志》（2005，8：506）：病人因汗出感受寒湿，致全身关节疼痛4～5年。刻下头重如裹，全身关节疼痛，腰痛重着，口中黏腻，纳呆，全身乏力，嗜睡，舌淡，苔白腻滑，脉濡弱。证属寒湿痹阻，方以甘姜苓术汤加味：甘草12g，干姜、茯苓各15g，白术、党参、黄芪各30g，每日1剂，水煎服，当晚服用1剂，症状大减，3剂后病情明显减轻，腰痛腰冷几无，浑身轻松自如，守方服10余剂病即告愈。随访2年，未再复发。

秦艽酒

【来源】《圣济总录》卷五十一。

【别名】牛膝汤（《普济方》卷一八六）。

【组成】秦艽 牛膝 川芎 防风 桂 独活 茯苓各一两 杜仲 丹参各八两 侧子（炮裂，去皮脐） 石斛（去梢，黑者） 干姜（炮） 麦门冬（去心） 地骨皮各一两半 五加皮五两 薏苡仁一两 大麻仁一合（炒）

【用法】上锉细。以生绢袋盛，酒一斗浸，春秋七日，夏三日，冬十日成。每日空腹温服半盏，一日二次。

【主治】

1.《圣济总录》：忧恚内伤，久坐湿地所致肾劳虚冷，干枯。

2.《普济方》：胞痹，小便不利。

人参汤

【来源】《圣济总录》卷五十三。

【组成】人参 芍药 麦门冬（去心，焙） 生干地黄（酒浸，去土，焙） 当归（切，焙） 甘草（炙） 川芎 远志（去心） 赤茯苓（去黑皮） 五味子各一两 黄芩（去黑心）半两 桂（去粗皮）三两 干姜（炮）一两

【用法】上为粗末。每服五钱匕，先用水二盏煮羊肾一只至一盏半，除肾下药末，加大枣三枚（擘破），同煎至一盏，去滓，空心温服，一日三次。

【主治】胞痹，小便不利。

巴戟丸

【来源】《圣济总录》卷五十三。

【组成】巴戟天（去心）一两半 桑螵蛸（切破，以麸炒，令麸黑色为度）一两 远志（去心）三分 肉苁蓉（酒浸，去皴皮，切，焙）一两 杜仲（去粗皮，涂酥，锉，炒） 石斛（去根）各三分 山芋 附子（炮裂，去皮脐） 续断各一两 鹿茸（涂酥炙，去毛） 龙骨 菟丝子（酒浸一宿，别捣）各三分 生干地黄（焙，别于木臼内捣）一两 五味子 山茱萸 桂（去粗皮）各三分

【用法】上十六味，除别捣二味外，捣罗为末，然后入别捣者相和，再罗，炼蜜为丸，如梧桐子大。每服三十丸，空腹温酒送下，一日二次。

【主治】胞痹，脐腹痛，小水不利。

百合饮

【来源】《圣济总录》卷五十三。

【组成】生百合三两 赤茯苓（去黑皮）二两 麋角（屑）三两 麦门冬（去心，焙） 肉苁蓉（酒浸，切，焙）各一两半 黄耆（锉）一两 薏苡仁二合

【用法】上锉，如麻豆大。每服五钱匕，用水一盏半，煎至八分，去滓，空心温服，一日二次。

【主治】胞痹。少腹疼痛，小便不利。

肾沥汤

【来源】《圣济总录》卷五十三。
【别名】肾气汤（《嵩崖尊生全书》卷七）。
【组成】桑螵蛸十枚（切破，炙令黄） 犀角屑 麦门冬（去心，焙） 五加皮各一两半（锉） 杜仲（去粗皮，涂酥，炙，锉） 木通（锉） 桔梗（锉，炒）各一两 赤芍药三分

方中桑螵蛸《医学纲目》作“桑白皮”。

【用法】上为粗末。每服五钱匕，水一盏半，入羊肾一只（去脂膜，切），竹沥少许，同煎至一盏，去滓，空腹顿服，每日二次。
【功用】《金匮翼》：清凉以化热壅。
【主治】胞痹，少腹急痛，小便赤涩。

茯苓丸

【来源】《圣济总录》卷五十三。
【组成】赤茯苓（去黑皮） 防风（去叉） 细辛（去苗叶） 白术 附子（炮裂，去皮脐） 桂（去粗皮）各半两 紫菀（去苗土） 栝楼根各三分 泽泻半两 山茱萸 生干地黄（焙）各一分 芍药 牛膝（去苗，酒浸，切，焙）各三分 山芋一分 黄耆（锉）三两 甘草（炙）三分 半夏（汤洗去滑，炒） 独活（去芦头）各一分
【用法】上为末，炼蜜为丸，如梧桐子大。每服十丸，空心温酒送下。日未愈，稍加丸数。
【主治】

1. 《圣济总录》：胞痹，少腹内痛。
2. 《何氏济生论》：臂痛。

温肾汤

【来源】《圣济总录》卷五十三。
【组成】赤茯苓（去黑皮） 白术各四两 泽泻 干姜（炮）各四两
【用法】上锉，每服四钱匕，水二盏，煎至一盏，去滓。温服，空心，食前各一次。
【主治】胞痹。小便不利，腰脊疼痛，腹背拘急绞痛。

巴戟丸

【来源】《张氏医通》卷十四。
【组成】巴戟（去骨） 生地黄（酒焙）各两半 桑螵蛸（切破，炙） 肉苁蓉（酒浸，切，焙） 山药 山茱萸肉 菟丝子（酒煮）各一两 附子（炮） 肉桂（勿见火）各五钱 远志（甘草汤泡，去骨）四钱 石斛（去根）八钱 鹿茸一对（酥炙）
【用法】上为末，炼白蜜为丸，如梧桐子大。每服三五十丸，空心、卧时，米饮、温酒任下，羊肾汤亦佳，黄丝汤尤妙。
【主治】胞痹虚寒，脐腹痛，溲数不利，睡则遗尿。

茯苓丸

【来源】《张氏医通》卷十四。
【组成】赤茯苓一两 细辛五钱 泽泻五钱 肉桂五钱 紫菀茸一两 附子（炮）三钱 生地黄一两 牛膝（酒浸）一两 山茱萸肉五钱 干山药一两
【用法】上为末，炼蜜为丸，如梧桐子大。每服五七十丸，食前米饮、临卧温酒送下。
【主治】胞痹，小腹、膀胱按之内痛。
【方论】此方虽以茯苓通利为名，全赖牛膝、地黄、山茱、山药调补津液为主，更需桂、附之辛，以行牛膝、地黄之滞，深得若沃以汤，涩于小便之旨。其用紫菀者，上滋化源，下利膀胱也。妙用更在细辛一味，开发上窍，专主上为清涕而设。

利济汤

【来源】《医醇剩义》卷四。
【组成】泽泻一钱五分 沉香五分 枳壳一钱 青皮一钱 赤苓二钱 当归二钱 赤芍一钱 广皮一钱 牛膝二钱 车前二钱 小蓟根五钱
【主治】胞痹。少腹膀胱按之内痛，若沃以汤，涩于小便，上为清涕。

十一、小便不利

小便不利，亦称小便难，是指小便量减少、排尿坚涩不流畅的病情。《伤寒论·辨太阳病脉证并治》："伤寒五六日，已发汗而复下之，胸胁满，微结，小便不利，渴而不呕"。《诸病源候论》："肾与膀胱为表里，俱主水。水行小肠，入胞为小便。热搏其脏，热气蕴积，水行则涩，故小便不利也。"本病一般无疼痛，严重者可成为癃闭。

小便不利，可能是相关疾病的一个症状，而只有当其作为主症出现时，方可以小便不利论之。其发生，有因阴虚、发热、大汗、吐泻、失血等导致化源不足而小便不利者，治宜滋阴养血为主，不宜渗利；因肺气失宣，脾虚不运，肾关不利，三焦决渎失常等导致水湿失运而小便不利者，治宜宣通肺气，健运脾胃，温补肾元，疏通三焦等；因肺热气壅，气机郁滞，热结膀胱等导致尿蓄膀胱而小便不利者，可分别采用清肺泄热，理气化瘀，温肾渗利等法。

五苓散

【来源】《伤寒论》。

【别名】 猪苓散（《太平圣惠方》卷九）、五苓汤（《宣明论方》卷五）、生料五苓散（《仁斋直指方论》卷五）、五苓饮子（《类编朱氏集验方》卷二）。

【组成】 猪苓十八铢（去皮） 泽泻一两六铢 白术十八铢 茯苓十八铢 桂枝半两（去皮）

【用法】 上为散。以白饮和服方寸匕，一日三次。多饮暖水，汗出愈。

【功用】

1.《古今名医方论》引程郊倩：开结利水，化气回津。

2.《慈禧光绪医方选议》：健脾祛湿，化气利水。

【主治】

1.《伤寒论》：太阳病，发汗后，脉浮，小便不利，微热，消渴者；中风发热，六七日不解而烦，有表里证，渴欲饮水，水入则吐者；霍乱头痛发热，身疼痛，热多欲饮水者。

2.《金匮要略》：瘦人脐下有悸，吐涎沫而颠眩。

3.《宣明论方》：瘟疫、瘴疟烦渴。

4.《外科经验方》：下部湿热疮毒，小便赤少。

5.《医方集解》：通治诸湿腹满，水饮水肿，呕逆泄泻；水寒射肺，或喘或咳；中暑烦渴，身热头痛；膀胱积热，便秘而渴；霍乱吐泻，湿疟，身痛身重。

【宜忌】

1.《医方集解》：若汗下之后，内亡津液，而便不利者，不可用五苓，恐重亡津液，而益亏其阴也。

2.《成方切用》：一切阳虚不化气，阴虚而泉竭，以致小便不利者，若再用五苓以劫其阴阳，祸如反掌，不可不慎。

【方论】

1.《伤寒明理论》：苓，令也，号之令矣。通行津液，克伐肾邪，专为号令者，苓之功也。五苓之中，茯苓为主，故曰五苓散。茯苓味甘平，猪苓味甘平，甘虽甘也，终归甘淡。《内经》曰：淡味渗泄为阳。利大便曰攻下，利小便曰渗泄。水饮内蓄，须当渗泄之，必以甘淡为主，是以茯苓为君，猪苓为臣。白术味甘温，脾恶湿，水饮内蓄，则脾气不治，益脾胜湿，必以甘助，故以白术为佐。泽泻味咸寒，《内经》曰：咸味下泄为阴，泄饮导溺，必以咸为助，故以泽泻为使。桂味辛热，肾恶燥，水蓄不行则肾气燥，《内经》曰：肾恶燥，急食辛以润之，散湿润燥，故以桂枝为使。多饮暖水，令汗出愈者，以辛散水气外泄，是以汗润而解也。

2.《金镜内台方议》：发汗后，烦渴饮水，脉洪大者，属白虎汤；发汗后，烦渴饮水，内热实，脉沉实者，属承气汤；今此发汗后，烦渴欲饮水，脉浮，或有表，小便不利者，属五苓散主之。五苓散乃汗后一解表药也，此以方中云覆取微汗是也，故用茯苓为君，猪苓为臣，二者之甘淡，以

渗泄水饮内蓄，而解烦渴也。以泽泻为使，咸味泄肾气，不令生消渴也；桂枝为使，外能散不尽之表，内能解有余之结，温肾而利小便也。白术为佐，以其能燥脾土而逐水湿也。故此五味之剂，皆能逐水而祛湿。

3.《医方考》：茯苓、猪苓、泽泻、白术，虽有或润或燥之殊，然其为淡则一也，故均足以利水。桂性辛热，辛热则能化气。经曰：膀胱者，州都之官，津液藏焉，气化则能出矣。此用桂之意也。桂有化气之功，故并称五苓。

4.《古今名医方论》赵羽皇：五苓散一方，为行膀胱之水而设，亦为逐内外水饮之首剂也。方用白术以培土，土旺而阴水有制也；茯苓以益金，金清而通调水道也；桂味辛热，且达下焦，味辛则能化气，性热专主流通，州都温暖，寒水自行；再以泽泻、猪苓之淡渗者佐之，禹功可奏矣。

5.《古今名医方论》：伤寒之用五苓，允为太阳寒邪犯本，热在膀胱，故以五苓利水泻热。然用桂枝者，所以宣邪而仍治太阳也。杂症之用五苓者，特以膀胱之虚，寒水为壅，兹必肉桂之厚以君之，而虚寒之气始得运行宣泄。二症之用稍异，不可不辨。

6.《医方集解》：二苓甘淡，入肺而通膀胱为君；泽泻甘咸，入肾、膀胱，同利水道为臣；益土所以制水，故以白术苦温健脾去湿为佐；膀胱者，津液藏焉，气化则能出矣，故以肉桂辛热为使，热因热用，引入膀胱以化其气，使湿热之邪皆从小水而出也。

7.《伤寒六经辨证治法》：盖多服暖水，犹服桂枝汤啜稀热粥之法，但啜粥以助胃中营卫之气，而暖水乃助膀胱水府之津，俾膀胱气盛则溺汗俱出，经腑同解，至妙之法，可不用乎！

8.《绛雪园古方选注》：苓，臣药也，二苓相辅则五者之中可为君药矣，故曰五苓。猪苓、泽泻相须，借泽泻之咸以润下；茯苓、白术相须，借白术之燥以升精，脾精升则湿热散，而小便利，即东垣欲降先升之理也；然欲小便利者，又难越膀胱一腑，故以肉桂热因热用，内通阳道，使太阳里水引而竭之。

9.《医宗金鉴》：是方也，乃太阳邪热入腑，水气不化，膀胱表里药也。一治水逆，水入则吐；一治消渴，水入则消。夫膀胱者，津液之腑，气化则能出矣。邪热入之，若水盛则水壅不化而水蓄于上，膀胱之气化不行，致小便不利也；若热盛则水为热耗，而水消于上，膀胱之津液告竭，致小便不利也。水入吐者，水盛于热也；水入消者，水热盛于水也。二证皆小便不利，故均得而主之。然小便利者不可用，恐重伤津液也。由此可知五苓散非治水热之专剂，乃治水热小便不利之主方也。君泽泻之咸寒，咸走水府，寒胜热邪；佐二苓之淡渗，通调水道，下输膀胱，并泻水热也；用白术之燥湿，健脾助土，为之堤防以制水也；用桂之辛温，宣通阳气，蒸化三焦以行水也。泽泻得二苓下降，利水之功倍，小便利而水不蓄矣。白术须桂上升，通阳之效捷，气腾津化渴自止也。若发热表不解，以桂易桂枝，服后多服暖水，令汗出愈。此方不止治停水小便不利之里，而犹解停水发热之表也。加人参名春泽汤，其意专在助气化以生津。加茵陈名茵陈五苓散，治湿热发黄，表里不实，小便不利者，无不克也。

10.《吴医汇讲》：此治小便不利之主方，乃治三焦水道，而非太阳药也。此方用桂以助命门之火，是釜底加薪，而后胃中之精气上腾；再用白术健脾，以转输于肺；而后用二苓、泽泻运水道之升已而降。其先升后降之法，与《内经》之旨滴滴归源，复与太阳何涉？《伤寒论》治小便不利，汗出而渴者，五苓散主之；不渴者，茯苓甘草汤主之。盖渴为阳气不足，水不上升也。不升则不降，故用肉桂以升之，二苓、泽泻以降之，而用白术一味以为中枢。乃注者莫不以渴为热入膀胱，津液被劫所致，如果热入而复用桂、术以温液耗津，又二苓、泽泻以渗之，是热之又热，耗之又耗，速之毙矣。且不渴者，反不用五苓，而用茯苓甘草汤，可知不渴则无须桂、术之蒸腾津液，而桂、术之非治太阳而治三焦，更不待言矣。有小便不通而以桂枝易桂者，此必命门之火未衰，而外有太阳表症，因邪伤太阳，传入三焦，故表邪未解，而三焦之水道不利，即《伤寒论》所谓中风发热，六七日不解而烦，有表里症，渴欲饮水，水入则吐者，名曰水逆，五苓散主之是也。表症为太阳不足，故用桂枝以宣阳气，通津液于周身，即经文水精四布，五经并行之旨，非用之以通水道下出也。里症为三焦之气化不宣，故用二苓、泽泻以通三焦之闭塞，非开膀胱之溺窍也。夫下焦之气化不宣，则腹膨而小便不利，水蓄膀胱。此乃水蓄于膀胱之外，不能化入膀胱，故用五苓以化之。亦有用桂枝而效者，因卫出下焦，助太阳气化以运之，非为太阳府内之水蓄也。如三焦即将水气运化入于膀胱而不出，此真太阳府内痹而不宣，即胞痹症也。《素问·痹论》曰：胞痹者，少腹膀胱按之内痛，若沃以汤，涩于小便，上为清涕。水在膀胱之内，是膀胱胀满而非腹胀，故按之内痛，若沃以汤；其溺孔之道痹而不通，故涩于小便；膀胱痹气随太阳经脉之行以从巅入脑，故上为清涕。此真太阳本府水结膀胱之内，而非腹中膨胀之小便不利也。总之，水入膀胱之内，方属太阳；若水在膀胱之外，腹膨满而小便不利者，此脏腑之外，躯壳之内，三焦主之。虞天民曰：三焦者，指腔子而言也。故治腹满肿胀之症，设使一味利水，则三焦之气更不能施化，而膀胱津液为之下竭，非仲景五苓之意也。

11.《随息居重订霍乱论》：仲圣于霍乱分列热多、寒多之治，皆为伤寒转为霍乱而设，故二多字，最宜玩味。所云热多者，谓表热多于里寒也；寒多者，里寒多于表热也，岂可以热多二字，遂谓此方可治热霍乱哉？沈果之云：其用桂者，宣阳气，通津液于周身，非用之以通水道下出也；用泻、术、二苓，以通三焦之闭塞，非开膀胱之溺窍也。如果热入而渴，复用桂、术以温液耗津，又加苓、泽以渗之，是热之又热，耗之又耗，速之毙矣。余谓：观此则多饮暖水汗出愈之义益明。故霍乱无阳气郁遏身热之表证，无三焦闭塞气化不宣之里证，而欲饮水者，切勿误解热多为热证，而妄援圣训，浪投此药也。

12.《医方论》：五苓散，仲景本为脉浮，小便不利，微热消渴，表里有病者而设，方中宜用桂枝，不可用肉桂。后人遂通治诸湿腹满，水饮水肿，呕逆泄泻，水寒射肺，或喘或咳，中暑烦渴，身热头痛，膀胱热，便秘而渴，霍乱吐泻，痰饮湿症，身痛身重等症。总之，治寒湿则宜用肉桂，不宜用桂枝。若重阴生阳，积湿化热，便当加清利之药，并桂枝亦不可用矣。

【实验】

1. 利尿消肿作用 《日本药学会杂志》（1985，3：29）：复方实验研究表明，本方煎剂给正常大鼠灌胃及健康人和家兔口服，均有显著的利尿效果。《第二届和汉药讨论会记录》：对用盐水注射，而引起局限性水肿，造成水代谢障碍的家兔，给予五苓散，可利尿并促进局限性水肿的吸收。

2. 对肝脏乙醇代谢的影响 《国外医学·中医中药分册》（1986，1：22）：原中瑙瑙子等观察了五苓散对小鼠肝脏乙醇代谢的影响，发现本方对某些电解质（钾、镁、钙、锌）缺乏保护作用，并能调节水和电解质代谢。五苓散能改善脂质积聚，谷胱甘肽代谢紊乱及高脂饲料在肝中乙醇的氧化而引起的肝细胞损害，从而提示本方对乙醇性肝损害有保护作用。

3. 利尿作用机理研究 《中国中西医结合杂志》（1995，1：35）：周氏观察了五苓散对小鼠血浆心纳素（ANF）的影响。结果发现小鼠在五苓散灌胃后 ANF 上升，其中泽泻、桂枝也有明显升高 ANF 的作用，且他们的作用较生理盐水明显，而 ANF 具有明显的排钠利尿作用，所以推测 ANF 是五苓散利尿作用的物质基础。

【验案】

1. 水逆证 《名医类案》：一仆 19 岁，患伤寒发热，饮食下咽，少顷尽吐，喜饮凉水，入咽亦吐，号叫不定，脉洪大浮滑。此水逆证，投五苓散而愈。

2. 湿疹 《伤寒解惑论》：周某，男，64 岁。患两下肢及颈项部湿疹已两年多，时轻时重，本次发作月余。所见渗水甚多，点滴下流，轻度瘙痒，身微恶寒，汗出较多，口干饮水，大便正常，小便略黄，苔薄白，脉濡缓略浮。证属阳虚不能行气利水，湿邪郁于肌表。治宜温阳化气利水，用五苓散加减：茯苓 10g，桂枝 9g，泽泻 9g，白术 9g，苡仁 24g。3 剂好转，又 3 剂症状消失。1 年随访，未复发。

3. 急性肾炎 《哈尔滨中医》（1959，12：19）：以本方治疗急性肾炎 40 例，病人均为较重病例，有明显的水肿、高血压、血尿及肾功能减退，部分病例伴有腹水和肾性心力衰竭。一日总药量重症者 9g，中等者 6g，轻症者 3g，7 日为 1 疗程。并配合保温（尤其肾区保温）、减盐饮食及安静休息等。结果：40 例全部有效，平均住院日数为 164 天。

4. 青光眼 《中成药研究》（1983，11：32）：

以本方治疗慢性青光眼55例，102只眼，每日服1剂。结果：服药1周后，眼压明显降低者占63.6%，早晚眼压波动范围缩小者占64.5%。

5. 梅尼埃病 《中国中西医结合杂志》（1986，5：303）：以本方加减：茯苓20g，白术15g，桂枝20g，泽泻20g，猪苓12g；伴有恶心、呕吐者加生姜10g，半夏12g；伴有恶心呕吐、心悸、烦躁、恐惧不安者加郁金15g，钩藤15g；每日1剂，水煎2次后将1、2煎混合再煎，日分3次服。治疗梅尼埃病60例，其中有不同程度的眩晕者60例，听力减退者44例，耳鸣者54例，恶心伴呕吐者50例，急性发作时见有水平性眼球震颤者5例，面色苍白、脉搏缓慢、血压下降者10例，腹泻者1例。结果：60例症状全部消失，其中30例为过去曾多次服用中西药物治疗但仍复发者。对全部病人进行了随访，初发者经1~5年随访无1例再发，反复发者服本方后5年未发作者4例，1年未发作者18例，1年发作1次者8例，发作时症状轻微，持续时间短，再服本方仍有防治作用。最少服药2剂，最多45剂。

6. 婴幼儿腹泻 《湖北中医杂志》（1992，4：48）：应用本方：泽泻6g，茯苓10g，猪苓8g，桂枝5g，白术9g，发热者加葛根10g，呕吐者加藿香6g，生姜3g，水煎，分多次少量频服，治疗婴幼儿腹泻90例，其中男48例，女42例，年龄10个月至5岁；病程2~6天，腹泻1日3~5次者31例，6~8次者55例，8次以上者4例。就诊患儿有不同程度发热、口干、尿少或呕吐等症，大便镜检有少许脂肪球和白细胞。结果：治愈（服药后体温正常，腹泻停止，呕吐停止，大便镜检无异常）82例，8例因脱水而配合补液兼服用本药而愈。其中服药后24小时以内泻止者11例，2天泻止者33例，3天泻止者35例，4天泻止者11例。

7. 化疗性肾衰 《中医杂志》(1993，1：42)：以本方：白术10g，桂枝10g，茯苓15g，泽泻10g，猪苓10g为基本方；气虚加黄芪15g，党参15g；浮肿加桑白皮20g，茯苓皮15g；便秘加大黄10g；腰痛加杜仲15g；平均服药11.9剂，治疗化疗引起的急性肾衰竭24例。结果：临床缓解（以临床症状消失，实验室检查BUN、Cr正常）21例；显效（临床症状改善，BUN或Cr有一项恢复正常，另一项降低30%以上）1例；无效2例。临床缓解率为87.5%，总有效率为91.7%。治疗前后比较均有非常显著的差异（$P<0.01$）。

8. 小儿呕吐 《日本东洋医学杂志》（1993，5：111）：取五苓散栓剂1枚插入直肠，30分钟后让患儿饮水，观察有无呕吐的发生。治疗小儿呕吐87例，24小时内呕吐3次以上。结果：有效者72例，稍有效者6例，无效者9例，有效和稍有效者占90%。

9. 羊水过多症 《云南中医学院学报》（1994，1：35）：本方加桑白皮、杜仲、车前子为基本方；气虚明显者加党参、黄芪；肝气不舒者加柴胡、白芍；肺气上逆加苏子、厚朴；肾虚者加巴戟天、菟丝子；每日1剂，3剂为1疗程；治疗羊水过多症50例。结果：治愈27例，显效16例，好转5例，总有效率96%。

10. 尿潴留 《浙江中医学院学报》（1997，3：26）：用本方加黄芪、当归、木通、路路通为基本方；恶露不畅者加益母草、王不留行、桃仁、红花，气虚甚者加党参或人参，阳虚甚者加附子，血虚甚者加阿胶，便秘者加肉苁蓉、火麻仁等。治疗产后尿潴留35例。结果：全部有效。

11. 泌尿系结石 《陕西中医》(1997，4：159)：用本方加怀牛膝、金钱草、白芍、石苇、三棱、莪术，治疗泌尿系结石40例。结果总有效率为75%。

12. 肛肠病术后尿潴留 《陕西中医》（2006，3：304）：用本方治疗肛肠病术后尿潴留60例，对照组37例用甲基硫酸新斯的明注射液0.5~0.75mg，肌内注射。结果：治疗组有效率96.7%；对照组有效率51.4%。

猪苓汤

【来源】《伤寒论》。

【别名】猪苓散（《太平圣惠方》卷十六）。

【组成】猪苓（去皮） 茯苓 泽泻 阿胶 滑石（碎）各一两

【用法】上五味，以水四升，先煮四味取二升，去滓，纳阿胶烊消，温服七合，每日三次。

【功用】

1.《医方集解》：利湿泻热。

2.《血证论》：滋阴利水，祛痰。

【主治】

1.《伤寒论》：阳明病脉浮发热，渴欲饮水，小便不利者。少阴病下利六七日，咳而呕渴，心烦不得眠者。

2.《世医得效方》：五淋。

3.《医学入门》：先呕后渴，头痛身痛，胃燥，及秋疫发黄。

4.《幼科发挥》：湿热，泻时有腹痛，或痛或不痛，所下亦有完谷而未尽化者，有成糟粕者。

5.《片玉痘疹》：疮初发热作泄。

6.《瘟疫明辨》：渴而小便不利，少腹不可按，尺脉必数。

7.《医方集解》：湿热黄疸，尿赤。

8.《奇正方》：子肿，妊娠七八个月，面目浮肿，小便少者。

9.《医学金针》：水停腹胀。

10.《血证论》：肾经阴虚，水泛为痰者。

【宜忌】

1.《伤寒论》：阳明病，汗出多而渴者，不可与猪苓汤。

2.《外台秘要》：忌醋物。

3.《绛雪园古方选注》：虽渴而里无热者，不可与也。

【方论】

1.《金匮方论衍义》：前条有谓脉浮，小便不利，微热消渴，用五苓散发汗利小便，与此证无异，何其药之不同也？然二者皆《伤寒论》之节文，集于要略者也。前条为太阳，发汗后，大汗出，胃中干，欲得饮水，少少与之，令胃中和即愈；若脉浮，小便不利，微热消渴者，与五苓散。此证为阳明病，咽喉燥，发热，汗出身重，下后若脉浮发热，渴欲饮水，小便不利者，猪苓汤。自今观之，脉浮固同也，而有太阳、阳明之异；热固同也，而有发热、微热之异；邪客入里固同也，而有上焦、下焦之异；其药得无异乎？邪本太阳，入客上焦，所以宣取汗利小便；邪本阳明，虽脉浮发热，然已经下之，其热入客下焦，津液不得下通而小便不利矣。惟用茯苓、猪苓、泽泻，渗泄其过饮所停之水；滑石以利其窍；阿胶者，成无已独谓其与滑石同功。抑不思夫是证既谓不可发汗、加烧针，若下之，则是为气血已虚羸，将用入手太阴、足少阴，补其不足，助其气化而出小便也。

2.《金镜内台方议》：五苓散中有桂、术，兼治于表也；猪苓汤中有滑石，兼治于内也。故用猪苓为君，茯苓为臣，轻淡之味，而理虚烦，行水道；泽泻为佐，而泄伏水；阿胶、滑石为使，镇下而利水道者也。

3.《医方考》：猪苓质枯，轻清之象也，能渗上焦之湿；茯苓味甘，中宫之性也，能渗中焦之湿；泽泻味咸，润下之性也，能渗下焦之湿；滑石性寒，清肃之令也，能渗湿中之热；四物皆渗利，则又有下多亡阴之惧，故用阿胶佐之，以存津液于决渎尔。

4.《伤寒论条辨》：猪苓、茯苓从阳而淡湿，阿胶、滑石滑泽以滋润，泽泻咸寒走肾以行水。水行则热泄，滋润则渴除。

5.《伤寒来苏集》：脉证全同五苓，彼以太阳寒水，利于发汗，汗出则膀胱气化而小便行，故利水之中仍兼发汗之味；此阳明燥土，最忌发汗，汗之则胃亡津液，而小便不利，所以利水之中仍用滋阴之品。二方同为利水，太阳用五苓者，因寒水在心下，故有水逆之证，桂枝以散寒，白术以培土也；阳明用猪苓者，因热邪在肠胃中，故有自汗证，滑石以滋土，阿胶以生津也。散以散寒，汤以润燥，用意微矣。

6.《伤寒附翼》：下焦阴虚而不寒，非姜、附所宜；上焦虚而非实热，非芩、连之任，故制此方。二苓不根不苗，成于太空元气，用以交合心肾，通虚无氤氲之气也；阿胶味厚，乃气血之属，是精不足者，补之以味也；泽泻气味轻清，能引水气上升；滑石体质重坠，能引火气下降，水升火降，得既济之理矣。

7.《古今名医方论》：仲景制猪苓汤，以行阳明、少阴二经水热，然其旨全在益阴，不专利水。盖伤寒在表，最忌亡阳，而里虚又患亡阴。亡阴者，亡肾中之阴与胃家之津液也。故阴虚之人，不但大便不可轻动，即小水亦忌下通。倘阴虚过于渗利，津液不致耗竭乎？方中阿胶养阴，生新去瘀，于肾中利水，即于肾中养阴；滑石甘滑而寒，于胃中去热，亦于胃家养阴；佐以二苓之淡渗者行之，既疏浊热，而不留其瘀壅，亦润真阴，而不苦其枯燥，源清而流有不清者乎？顾太阳利

水用五苓者，以太阳职司寒水，故急加桂以温之，是暖肾以行水也；阳明、少阴之用猪苓，以二经两关津液，特用阿胶、滑石以润之，是滋养无形，以行有形也。利水虽同，寒温迥别，惟明者知之。

8.《伤寒论三注》：热盛膀胱，非水能解，何者？水有止渴之功，而无祛热之力也。故用猪苓之淡渗与泽泻之咸寒，与五苓不异。而此易白术以阿胶者，彼属气，此属血分也；易桂以滑石者，彼有表，而此为消暑也。然则所蓄之水去，则热消矣，润液之味投，则渴除矣。

9.《医方集解》：此足太阳、阳明药也。热上壅则下不通，下不通热益上壅。又湿郁则为热，热蒸更为湿，故心烦而呕渴，便秘而发黄也。淡能渗湿，寒能胜热，茯苓甘淡，渗脾肺之湿；猪苓甘淡，泽泻咸寒，泻肾与膀胱之湿；滑石甘淡而寒，体重降火，气轻解肌，通行上下表里之湿；阿胶甘平润滑，以疗烦渴不眠。要使水道通利，则热邪皆从小便下降，而三焦俱清矣。

10.《金匮要略心典》：此与前五苓散病证同，而药则异。五苓散行阳之化，热初入者宜之，猪苓汤行阴之化，热入久而阴伤者宜之也。按渴欲饮水，本文共有五条，而脉浮发热，小便不利者，一用五苓，为其水与热结故也，一用猪苓，为其水与热结，而阴气复伤也；其水入则吐者，亦用五苓，为其热消而水停也；渴不止者，则用文蛤，为其水消而热在也；其口干燥者，则用白虎加人参，为其热甚而津伤也。此为同源而异流者，治法亦因之各异如此，学者所当细审也。

11.《绛雪园古方选注》：五者皆利水药，标其性之最利者名之，故曰猪苓汤，与五苓之用，其义天渊。五苓散治太阳之本，利水监以实脾守阳，是通而固者也。猪苓汤治阳明、少阴热结，利水复以滑窍育阴，是通而利者也。盖热邪壅闭劫阴，取滑石滑利三焦；泄热救阴淡渗之剂，唯恐重亡其阴，取阿胶即从利水中育阴，是滋养无形以行有形也。故仲景云：汗多胃燥，虽渴而里无热者，不可与也。

12.《医林纂要探源》：猪苓甘淡微苦色黑，主入膀胱渗湿行水；茯苓淡以渗湿，有白赤二色，此似宜用赤者，以渗小肠之湿，合猪苓以通阑门之关，而交际水火也，但古人多不分用；泽泻咸以泻肾，合二苓以去下焦湿热；滑石色白入肺，甘淡渗湿，此乃决上焦之源而下之；阿胶甘咸润滑，益肺滋阴，澄清水道，此又以去水中之浊热。此方主治阳明腑热湿壅于上下，故君滑石而佐以阿胶；阳明之热盛，故去热为主，然滑石过燥，而阿胶以润之也。

13.《血证论》：此方专主滋阴利水，凡肾经阴虚，水泛为痰者，用之立效。取阿胶润燥，滑石清热，合诸药皆滋降之品，以成其祛痰之功。痰之根原于肾，制肺者治其标，治肾者治其本。

14.《成方便读》：二苓泽泻，分消膀胱之水，使热势下趋；滑石甘寒，内清六腑之热，外彻肌表之邪，通行上下表里之湿；恐单治其湿，以致阴愈耗而热愈炽，故加阿胶养阴熄风，以存津液，又为治阴虚湿热之一法也。

15.《伤寒论注》：五味皆润下之品，为少阴枢机之剂。猪苓、阿胶黑色通肾，理少阴之本也；茯苓、滑石白色通肺，滋少阴之源也；泽泻、阿胶咸先入肾，壮少阴之体；二苓、滑石淡渗膀胱，利少阴之用，故能升水降火，有治阴和阳，通理三焦之妙。

16.《伤寒金匮条辨》：少阴病，即少阴提纲之病也。下利，少阴里虚也，当与白通汤温之。若当用不用，至六七日，里寒化热，乘于肺则咳，干于胃则呕，熏蒸焦膈则渴，扰于心则烦不得眠，饮蓄于下则小便不利，故与猪苓汤以清热利水则愈也。

17.《金匮要略方义》：本方所治之身热口渴，小便不利，与五苓散所治者相似，但病机不同，亦即《医宗金鉴》所谓文同义异。五苓散证系表邪未尽，水蓄膀胱，津失输布所致；本方证则系邪已入里化热，水热互结，阴津已伤之象。水气内停，则小便不利；水热互结，津液已伤，故口渴引饮。治当渗湿利水，清热养阴。方中二苓、泽泻渗利小便；滑石清热通淋；阿胶滋阴润燥。五药相合，利水而不伤阴，滋阴而不敛邪，使水湿去邪热清，阴气复，则诸症自解。至于《伤寒论》中少阴病用此方者，亦系水热互结，热邪伤阴之证。其下利者，乃水湿不从小便出，反渗于大肠之故；咳逆者，则系水气上犯于肺；呕者，系水气中攻于胃；心烦不眠，则系阴虚邪热上扰所致。此虽见症不同，但病源则一故均可以一方统治之。

【实验】

1. 利尿作用 《国外医学·中医中药分册》(1981, 2: 121): 日本原中氏等的研究表明，本方对大鼠有明显的利尿作用，给予10倍常用量猪苓汤，可见大鼠24小时尿量及钠排泄量均显著增加，连续给药1月，对大鼠血浆和各脏器的电解质量以及水分的分布均无明显影响，也不影响体重增加和一般活动，肾脏组织学检查未见异常。另外，《国外医学中医中药分册》(1983, 3: 181): 对禁食180h后雄性Wistar系大鼠，使其水负荷量为5ml或10ml，再口饲用蒸馏水调制的猪苓汤，每1小时测定5小时前的排尿量及尿电解质浓度，标准物质应用呋塞米（40mg/kg，腹腔注射）。观察对大鼠的利尿作用。结果：排尿量与水负荷时相同，在用猪苓汤1~2h后达最大，其后渐减。在5ml/100g体重的水负荷量下，即使以实验所使用的用量范围，使用猪苓汤排尿量亦不增加，反而呈现用量依赖性地减少。若用10ml/kg体重的水负荷量，用1.0g/kg的剂量（猪苓汤），在应用1小时后见排尿量显著增加。关于尿中电解质的排泄，即使用各种剂量均未见Na^+、K^+、Cl^-的排泄明显变化。

2. 对肾功能的影响 《汉方医学》(1982, 4: 10): 用烧灼损伤大鼠肾皮质所致实验性肾性肾功能不全研究本方的作用，将其提取物以1g/kg剂量混于饮水中，从实验动物造型时即开始给服，连续12个月，结果表明本方有显著疗效。表现为动物生长等一般情况比对照动物好，血红蛋白量增高，寿命也延长。

3. 对免疫功能的影响及抗癌作用 《汉方医学》(1985, 5: 14): 用猪苓汤提取物腹腔注入，连续5日，可显著增强艾氏腹水癌荷瘤小鼠的网状内皮系统吞噬功能，吞噬指数K明显增高，并使肝脏及胸腺明显增重，而吞噬系数a则未见明显上升，表明其增强网状内皮系统对血流中惰性炭粒的吞噬活性可能主要来自肝脏枯否细胞的增殖。观察艾氏腹水癌所致小鼠的死亡时间，猪苓汤有一定延缓作用。

4. 抑制结石形成 《汉方医学》(1985, 10: 119): 给大鼠饲以含有3%之乙醇酸的饲料，引起草酸钙性肾结石，再在饲料中拌以1%之猪苓汤提取物，可明显抑制结石形成，并使肾组织草酸含量明显降低为（6.0±2.6）mg/ml［对照组为（26.7±4.7）mg/ml］。

【验案】

1. 尿路结石 《国外医学·中医中药分册》(1982, 1: 50): 以本方每次2.5g，饭前服，每日2次，连续3个月以上，治疗尿结石或尿结石手术后病人37例。结果：服药后比服药前血清钾升高（$P<0.05$），血清钙减低（$P<0.01$），尿钠也减低（$P<0.05$）；肝功乳酸脱氢酶升高（$P<0.01$），丙种三磷酸鸟嘌呤核苷减低；血液气体分析，剩余碱增加（$P<0.05$）。

2. 流行性出血热休克期 《中医杂志》(1982, 6: 34): 以本方：猪苓30g，泽泻30g，茯苓15g，阿胶30g（隔水烊化约30ml，加糖另服）；有腹泻者另加滑石10g；治疗流行性出血热休克期11例。结果：在休克期前阶段给药后，9例中止进入休克期后阶段，2例进入休克期后阶段；另2例先经西药治疗，因治疗棘手，在进入休克期后阶段后改用猪苓汤治疗。全组13例无1例死亡。

3. 血尿 《国医论坛》(1991, 4: 12): 应用本方，膀胱热盛者加白茅根、大黄；心火盛加木通、生地、山栀；虚火所致者加黄柏、旱莲草；脾虚加党参、白术；房劳者加狗脊、益智仁、黄柏；气滞血瘀者加川楝子、白芍、琥珀粉、益母草；每日1剂，水煎分2次服；治疗血尿68例。结果：治愈46例，好转14例，无效8例，总有效率为88.2%。

4. 口眼干燥综合征 《中国医药学报》(1994, 6: 30): 以本方加天花粉、天仙藤，每日1剂，治疗口眼干燥综合征服19例，8周为1疗程。结果：显效6例，好转10例，无效3例，总有效率84.2%。

5. 难治性多肌炎 《日本东洋医学杂志》(1995, 4: 881): 片桐敏郎报道：病人为42岁女性，1984年出现全身倦怠，四肢近端肌力低下，CPK值高，肌电图、肌肉活组织检查等确诊为多肌炎。当时给予类固醇剂效果良好，但1年后复发。此后，经氨甲蝶呤、硫唑嘌呤等免疫抑制剂，类固醇剂脉冲疗法，血浆交换疗法等治疗均无效。1991年9月CPK值持续在800mU/ml左右，辨证为肾阴虚。给予六味地黄丸7.5g/d，疗程80天，CPK降到200mU/ml，全身倦怠、四肢近端肌力下

降等症有所改善。但仍有下肢水肿。停用六味地黄丸，改猪苓汤 7.5g/d，下肢水肿改善，CPK 值约为 100mU/ml，恢复正常。用药期间强的松 30mg/d 继服。随着 CPK 的改善，类固醇剂逐渐减量。

6. 肾积水 《山东中医杂志》(1995，7：345)：用本方加味：猪苓、茯苓、泽泻、阿胶、滑石、车前子、冬葵子、木香、乌药，每日 1 剂，水煎服。合并泌尿系结石加金钱草、海金砂、石韦、王不留行、牛膝、鸡内金；尿频尿急尿痛者加木通、萹蓄；大便秘结者加大黄；尿血者加茜草根、旱莲草、茅根；前列腺增生加泽兰、益母草、桂枝等；治疗肾积水 45 例。结果：痊愈 37 例，好转 3 例，总有效率为 88.9%。

7. 肝硬化腹水 《湖南中医杂志》(1996，5：16)：以本方加减，治疗晚期肝硬化腹水 32 例。结果：痊愈 24 例，有效 5 例，无效 3 例，总有效率 90.6%；对照组 28 例，用常规护肝和利尿法治疗，结果：痊愈 6 例，有效 15 例，无效 7 例，总有效率 75%，两组间疗效有显著差异，$P<0.01$。

8. 老年性癃闭 《四川中医》(1997，4：26)：用猪苓汤加桂枝为基本方；畏寒，腰膝疲软无力，加肉桂、附子；气短声微，加人参、黄芪；尿难以排出，少腹胀满疼痛，加穿山甲、金钱草；纳呆者，加内金、建曲。水煎服，每日 1 剂，分 2 次服；治疗老年性癃闭 60 例。结果：痊愈（夜尿次数少于 2 次，排尿通畅）56 例；好转（夜尿次数减少，点滴排尿症状消失或减轻）3 例，无效 1 例。效捷者 1～2 剂药后小便即能排出，最慢者 3 剂药后显效。

9. 泌尿系结石 《浙江中医学院学报》(1997，4：35)：用本方加威灵仙、生黄芪为基本方，伴血尿加生蒲黄、大蓟、小蓟、地龙；疼痛难忍者加生白芍、木瓜；每日 1 剂，水煎服，15 天为 1 疗程；治疗泌尿系结石 35 例。结果：经 2 个疗程治疗后治愈 31 例，好转 3 例，总有效率 97.1%。肾绞痛缓解至消失最快 20 分钟，最慢 7 天；排石时间最快是药后 3 天，最慢是 28 天。

10. 慢性肾小球疾病蛋白尿 《浙江中医学院学报》(1997，6：36)：用本方加味（加萆薢、鹿含草、土茯苓、重楼、白花蛇舌草、黄柏、石韦）治疗慢性肾小球疾病蛋白尿 50 例。结果：显效 40 例，有效 6 例，总有效率 92%。

茯苓戎盐汤

【来源】《金匮要略》卷中。

【别名】戎盐汤（《本草纲目》卷十一）。

【组成】茯苓半斤　白术二两　戎盐（弹丸大）一枚

【用法】先将茯苓、白术煎成，入戎盐再煎，分三次温服。

【功用】《金匮心释》：益肾健脾利湿。

【主治】小便不利。

【方论】

1. 《金匮方论衍义》：一方用茯苓、戎盐者，戎盐即北海盐，膀胱乃水之海，以类相从，故咸味润下，而佐茯苓利小便。然咸又能走血，白术亦利腰脐间血，是亦知为治血也。

2. 《金匮要略论注》：白术健脾，茯苓渗湿，戎盐出山坡阴土石间不经煎炼，入肾除阴火而清湿热，故以为使。然此方较前二方，则补养多矣。

3. 《金匮要略方义》：本方重用茯苓为君药，意在健脾渗湿，臣以白术，助脾之运化，以增强健脾利水之功；佐以戎盐（即今之青盐），取其咸以润下，下走肾与膀胱，以引水湿之邪下走膀胱，从小便而出。本方所治之小便不利，系脾肾虚弱之劳淋，良由脾肾不足所致。故本方与前二方相比，药性平和，通中寓补。曹颖甫称“此方为膏淋、血淋，阻塞水道，通治之方。”

4. 《沈注金匮要略》：夫湿热蕴于膀胱则为淋，然伤腑未有不伤于脏者。故用白术健脾，茯苓渗湿，不使下流入肾为病；以戎盐养水软坚，而除阴火。

滑石白鱼散

【来源】《金匮要略》卷中。

【组成】滑石二分　乱发二分（烧）　白鱼二分

【用法】上为散。每服半钱匕，饮下，一日三次。

【主治】

1. 《金匮要略》：小便不利。

2. 《张氏医通》：消渴、小便不利，小腹胀痛有瘀血。

【方论】

1.《金匮玉函经二注》赵以德：滑石利窍，发乃血之余，能消瘀血，通关便，本草治妇人小便不利，又治妇人无故溺血；白鱼去水气，理血脉，可见皆血剂也。

2.《金匮要略心典》：《别录》云：白鱼开胃下气，去水气；血余疗转胞，小便不通；合滑石为滋阴益气，以利其小便者也。

淋沥汤

【来源】《外台秘要》卷二十七引《集验方》。

【组成】滑石八两　石韦三两（去毛）　榆皮一升　葵子一升　通草四两（一方加黄芩三两）

【用法】上切。以水一斗，煮取三升，分三服。

【主治】小便难。

鼠妇散

【来源】《千金翼方》卷七。

【组成】鼠妇七枚（熬黄）

【用法】酒服之。

【主治】产后小便不利。

滑石汤

【来源】《外台秘要》卷二引《崔氏方》。

【组成】滑石（屑）二两　葶苈子一合（熬）

【用法】以水二升，煮取七合，去滓顿服。

【主治】伤寒热盛，小便不利；兼疗天行。

升麻散

【来源】《太平圣惠方》卷四。

【组成】川升麻　黄柏（挫）　杏仁（汤浸，去皮尖双仁，麸炒微黄）　犀角屑　栝楼根　葵子　桑根白皮（锉）　木通（锉）　葳蕤　川大黄（挫碎，微炒）各三分　甘草半两（炮微赤，锉）

【用法】上为散。每服四钱，以水一中盏，煎至六分，去滓，食前温服。

【主治】小肠实热，口干舌燥，心胸烦闷，小便不利。

赤茯苓散

【来源】《太平圣惠方》卷四。

【别名】赤茯苓汤（《圣济总录》卷四十三）。

【组成】赤茯苓　麦门冬（去心）　赤芍药　槟榔　生干地黄　木通（锉）　黄芩各三分　甘草二分（炙微赤，锉）

【用法】上为散。每服四钱，以水一中盏，煎至六分，去滓温服，不拘时候。

【主治】小肠实热，头面赤，汗多出，小腹不利。

海蛤丸

【来源】《太平圣惠方》卷四。

【组成】海蛤三分　汉防己半两　甜葶苈半两（隔纸炒令香熟）　槟榔半两　木通半两（锉）　猪苓半两（去皮）

【用法】上为末，炼蜜为丸，如梧桐子大。每服二十丸，食前冬葵根汤送下。

【主治】小肠实热，小腹胀满，小便赤涩。

黄连散

【来源】《太平圣惠方》卷四。

【别名】瞿麦汤（《圣济总录》卷四十三）。

【组成】黄连（去须）　车前子　木通（锉）各一两　汉防己　瞿麦　犀角屑各三分　猪苓三分（去皮）　甘草半两（炙微赤，锉）

【用法】上为散。每服三钱，以水一中盏，煎至六分，去滓温服，不拘时候。

【主治】小肠实热，小便黄赤，涩结不通。

大黄散

【来源】《太平圣惠方》卷七。

【组成】川大黄一两（锉碎，微炒）　黄芩三分　赤芍药三分　冬葵子一两　紫苏茎叶三分　槟榔二分　瞿麦一两　木通二分（锉）　白茅根三分（锉）

【用法】上为粗末。每服三钱，以水一中盏，加生姜半分，同煎至六分，去滓，食后温服。

【主治】膀胱实热，腹胁胀满，小便不利。

栀子散

【来源】《太平圣惠方》卷七。

【组成】栀子仁一两　石膏二两　白茅根一两（锉）　赤茯苓一两　犀角屑一两　木通一两（锉）　黄芩一两　甘草半两（炙微赤，锉）

【用法】上为散。每服五钱，以水一大盏，入生地黄半两，淡竹叶二七片，煎至五分，去滓，食前温服。

【主治】膀胱实热，心腹烦闷，小便不利。

【宜忌】忌炙煿热面。

榆皮散

【来源】《太平圣惠方》卷七。

【组成】榆白皮三分（锉）　车前子三分　葵根三分　木通三分（锉）　蘧麦三分　白茅根三分（锉）　桑螵蛸一两（微炒）　赤茯苓一两　黄芩三分

【用法】上为粗末。每服三钱，以水一中盏，入生姜半分，同煎至六分，去滓，食前温服。

【主治】膀胱实热，小便赤涩。

石韦散

【来源】《太平圣惠方》卷五十八。

【组成】石韦半两（去毛）　赤芍药半两　白茅根一两（锉）　木通一两（锉）　瞿麦一两　滑石二两　葵子一两　川芒消一两　木香一两

【用法】上为粗散。每服四钱，以水一中盏，煎至六分，去滓，食前温服。

【主治】气壅不通，小便沥结，脐下妨闷疼痛。

犀角散

【来源】《太平圣惠方》卷五十八。

【组成】犀角屑半两　灯心半两　榆白皮一两（锉）　赤茯苓一两　子芩一两　车前子一两　川芒消一两　木通一两（锉）　滑石二两

【用法】上为粗散。每服四钱，以水一中盏，煎至六分，去滓，食前温服。以快利为度。

【主治】膀胱积热，小便涩难。

沉香散

【来源】《博济方》卷二。

【组成】沉香　木香　青橘（去白）　陈橘（去白）　郁李仁（汤浸，去皮，别研）　人参各一两　豆蔻　槟榔　肉桂（去粗皮）　甘草（炙）　干姜（炮制）各半两

【用法】上为末。每服一大钱，水一盏，煎至七分，不拘时候温服。

【功用】

1. 《博济方》：进食和气。
2. 《魏氏家藏方》：通关利膈气。

【主治】

1. 《博济方》：脾元气不和，中焦痞闷，气滞噎塞。
2. 《魏氏家藏方》：小便不利。

射干汤

【来源】《普济方》卷四十一引《护命》。

【组成】射干　黄芩（去黑心）　麦门冬（去心，焙）　大黄（锉，焙）　知母　木通（锉）各等分

【用法】上为散。每服三钱匕，水一盏，入葱白五寸（切碎），同煎至八分，去滓，食后温服，以利为度。若三服以上未通，急煎芎藭汤一盏，投之即下，自早至夜可两服。

【主治】小肠实热，小便赤涩，疼痛不可胜忍。

【宜忌】不可常吃。

薏苡仁汤

【来源】《圣济总录》卷三十一。

【组成】薏苡仁　酸枣仁　防风（去叉）　人参　甘菊花　地骨皮（锉）　紫苏子　甘草　白茯苓（去黑皮）各一两

【用法】上为粗末。每服三钱匕，水一盏，加荆芥、薄荷、生姜各少许，同煎至七分，去滓温服，睡多冷服，不睡热服。

【主治】伤寒汗后，烦满多睡，小便赤涩。

前胡汤

【来源】《圣济总录》卷五十九。

【组成】前胡（去芦头） 生干地黄（焙） 大黄（锉，炒）各一两 黄芩（去黑心） 栀子仁 升麻 芍药 栝楼根 石膏（碎）各三分 麦门冬（去心，焙）一两一分 桂（去粗皮）一分 枳实（去瓤，麸炒） 甘草（炙）各半两

【用法】上为粗末。每服四钱匕，水一盏半，入生地黄一分（切碎），同煎至八分，去滓，食前温服，一日三次。

【主治】渴利有热，小便涩难，欲下之。

车前草饮

【来源】《圣济总录》卷九十二。

【别名】车前汁饮（《古今医统大全》卷八十三）。

【组成】车前草一握

【用法】捣取汁，和蜜等分。空腹温服。

【主治】

1. 虚劳失精，小便余沥。
2. 《古今医统大全》：尿血不止。

巨胜汤

【来源】《圣济总录》卷九十二。

【组成】巨胜（炒）三两 甘草（炙，锉） 麦门冬（去心，焙） 芍药各半两

【用法】上为粗末。每服五钱匕，以水一盏半，加生姜三片，地黄汁一合，煎至一盏，去滓温服。

【功用】补不足，宽中止痛，益气，利小便。

【主治】虚劳小便难。

石韦散

【来源】《圣济总录》卷九十五。

【组成】石韦（去毛） 瞿麦穗 冬葵子各二两 滑石（碎）五两

【用法】上为散。每服三钱匕，食前温水调下。

【主治】小便不利。

石韦汤

【来源】《圣济总录》卷九十六。

【组成】石韦（去毛） 瞿麦穗 虎杖 海金沙各半两 滑石一两

【用法】上为粗末。每服二钱匕，水一盏，加灯心半握，煎至七分，去滓温服。

【主治】心与膀胱俱热，小便赤涩不利。

石燕子散

【来源】《圣济总录》卷九十六。

【组成】石燕子一个 滑石末一分 冬葵子 续随子（去皮，别研） 海金沙（别研）各一两

【用法】上为散，与别研者和匀。每服二钱匕，煎木通汤放冷调下。

【主治】心热，小便赤涩不利。

如圣散

【来源】《小儿卫生总微论方》卷十六。

【组成】海金沙（炒） 滑石各等分

【用法】上为细末。每服一字或半钱，乳前食，煎灯心汤调下。

【主治】小儿小便涩滞，滴沥不得通快。

榆白皮汤

【来源】《圣济总录》卷九十六。

【组成】榆白皮 车前子 冬葵根 木通（炙）各一两 瞿麦穗 茅根 桑螵蛸（炙）各半两

【用法】上细锉。每服五钱匕，水一盏半，煎至八分，去滓温服。

【主治】膀胱积热，小便赤涩。

清脉汤

【来源】《三因极一病证方论》卷八。

【组成】柴胡 泽泻 橘皮 芒消 枳实（麸炒，去瓤） 黄芩 升麻 旋覆花 生地黄各等分

【用法】上锉为散。每服四钱，以水一盏半，煎至七分，去滓，下芒消再煎，热服，不拘时候。

【主治】小肠实热。身热，手足心热，汗不出，心中烦满，结塞不通，口疮，身重。

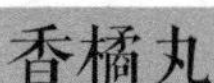

香橘丸

【来源】《杨氏家藏方》卷十九。

【组成】青橘皮（去白） 肉豆蔻各二两 黑牵牛 木香（锉）各半两

【用法】先将橘皮炒黄，次下肉豆蔻、牵牛、木香，略同炒转色，并为细末，煮面糊为丸，如黍米大。周岁儿每服十丸，乳食后生姜汤送下。

【功用】宽中快膈，消化乳食。

【主治】小儿脾胃挟伤，心腹胀满，胸膈不快，哽气喘粗，小便不利。

黄连汤

【来源】《洁古家珍》。

【别名】滋阴化气汤（《卫生宝鉴》卷十七）。

【组成】黄连（炒） 黄柏（炒） 甘草各等分

【用法】上锉。水煎，食前温服。

【主治】因服热药过多，小便不利，或脐下闷痛不可忍。

茯神酸枣仁汤

【来源】《魏氏家藏方》卷二。

【组成】酸枣仁（炒） 茯神（去木） 人参（去芦） 白术（炒） 黄耆（蜜炙） 山药各一两 朱砂（别研） 木香（不见火） 远志（去心）各半两

【用法】上为细末。每服二钱，白汤点下，不拘时候。

【功用】补心气不足。

【主治】小便涩浊。

沉附汤

【来源】《魏氏家藏方》卷四。

【组成】附子九钱（炮，去皮脐，细切） 沉香（细锉，不见火） 人参（去芦）各二钱

【用法】上和作一服。水二盏，加生姜十片，同煎至八分，去滓，食前温冷，随意服之。

【主治】

1.《魏氏家藏方》：下虚上盛，气不升降，阴阳不分，胸膈满闷，饮食不进，虚热上冲，肢体倦痛。

2.《普济方》：肿病退而复作，中下二焦，升降失职，寒结水凝，小便不利。

木通散

【来源】《仁斋直指方论》卷十五。

【组成】生干地黄 木通 荆芥 地骨皮 桑白皮（炒） 甘草（炙） 北梗各等分

【用法】上锉。每服三钱，加生姜三片，水煎服。

【功用】利小便。

【主治】

1.《仁斋直指方论》：诸热。

2.《幼科发挥》：小儿心肺热。

茯苓琥珀汤

【来源】《卫生宝鉴》卷十七。

【别名】茯苓琥珀散（《东医宝鉴·内景篇》卷四）。

【组成】茯苓（去皮） 琥珀 白术各半两 泽泻一两 滑石七钱 木猪苓半两（去皮） 甘草（炙） 桂（去皮）各三钱

【用法】上为末。每服五钱，用长流甘澜水煎一盏，空心食前调下。待少时，以美膳压之。

【主治】小便数而欠，日夜约去二十余行，脐腹胀满，腰脚沉重，不得安卧，脉沉缓，时时带数。

【方论】《内经》曰：甘缓而淡渗。热搏津液内蓄，脐胀腹满，当须缓之泄之，必以甘淡为主，是用茯苓为君；滑石甘寒，滑以利窍，猪苓、琥珀之淡以渗泄而利水道，故用三味为臣；脾恶湿，湿气内蓄，则脾气不治，益脾胜湿，必用甘为助，故以甘草、白术为佐；咸入肾，咸味下泄为阴，泽泻之咸以泻伏水，肾恶燥，急食辛以润之，津液不行，以辛散之，桂枝味辛，散湿润燥，此为因用，故以二物为使；煎用长流甘澜水，使不助其肾气，大作汤剂，令直达于下而急速也。

【验案】小便不利，中书右丞合剌合孙，病小便数而欠，日夜约去二十余行，脐腹胀满，腰脚沉重，不得安卧，脉沉缓，时时带数。遂处茯苓琥珀汤，两服减半，旬日良愈。

牡蛎散

【来源】《世医得效方》卷七。
【组成】牡蛎末
【用法】取患人小便煎服。
【主治】不渴而小便失利。

牵牛丸

【来源】《世医得效方》卷九。
【组成】黑牵牛三钱　大黄二钱　白矾二钱
【用法】上用巴豆（去皮）三十粒，先入铫，炒焦干，去巴豆，入众药，炒香为末，煨大蒜研细为丸，茴香汤送下。

《普济方》：每服七丸。

【主治】膀胱有热，服暖药，致成壅滞作痛。

鹿茸丸

【来源】《普济方》卷三二一。
【组成】鹿茸　乌贼骨　桑寄生各一两　龙骨一两　白芍药　当归　附子各三分　桑螵蛸半两
【用法】上为细末。每服二钱，食前以酒调服。
【主治】妇人久虚冷，肾与膀胱二经俱虚，有热乘之，小便涩，日夜三五十行。

清肺饮

【来源】《疠疡机要》卷下。
【组成】茯苓一钱　猪苓三钱　灯心一钱　木通七分　瞿麦五分　扁蓄三分
【用法】上为末，分作二剂。水煎服。
【主治】肺经有热，绝寒水生化之源，渴而小便不利。

海金沙散

【来源】《保婴撮要》卷十五。
【组成】海金沙　郁金　滑石　甘草各等分
【用法】上为末。每服四五分，白汤调下。
【主治】下焦湿热，不施化而小便不利。

却病延寿丹

【来源】《医便》卷四。
【别名】却病延寿汤（《医学入门》卷七）。
【组成】人参一钱　白术一钱　牛膝一钱　白芍药一钱　白茯苓一钱　陈皮一钱　山楂肉（去核）一钱　当归五分　小甘草五分
【用法】加生姜二片，水煎，空心服。服至小水长止药，如短少又服。或用面糊为丸，如梧桐子大。每服七八十丸，空心、食远清米汤送下。
【主治】年高老人，小水短少。
【加减】春，加川芎七分；夏、秋加黄芩、麦门冬各一钱；冬，加干姜二分，倍当归。

三白姜枣汤

【来源】《医学入门》卷八。
【组成】三白汤加姜　枣
【用法】水煎服。
【主治】伤寒汗、下后，发热无汗，心满痛，小便不利。

通草酒

【来源】《本草纲目》卷二十五。
【组成】通草子
【用法】煎汁，同曲、米酿酒饮。
【功用】续五脏气，通十二经脉，利三焦。

茯苓琥珀汤

【来源】《赤水玄珠全集》卷十五。
【组成】川楝子（去核，炒）　甘草（生）各一钱　人参五分　茯苓四分　琥珀　当归梢　泽泻　柴胡各三分　元胡索七分
【用法】水煎服。数服效。
【主治】小便涩，茎中痛不可忍，相引胁下痛。

导赤饮

【来源】《痘疹活幼至宝》卷终。
【组成】生地黄　赤茯苓　木通　麦冬各等分

【用法】灯心一团，水煎服。
【主治】小儿心经热，小便赤。

通闭散

【来源】《明医指掌》卷七。
【组成】香附五钱　陈皮五钱　赤茯苓一两
【用法】上为末。每服二钱，水煎，空心服。
【主治】
1.《明医指掌》：血热成淋。
2.《证治汇补》：气壅小便不利。

黄芩泻白散

【来源】《症因脉治》卷一。
【组成】泻白散加黄芩
【主治】
1.《症因脉治》：房劳不谨，水中之火刑金而致内伤腋痛；肺经有热而致热结小便不利。
2.《伤寒大白》：肺中伏火之胁痛，肺火嗽。

人参车前汤

【来源】《症因脉治》卷四。
【组成】人参　车前子
【用法】水煎服。
【主治】气虚小便不利。因膀胱气弱，不及州都，症见气怯神离，面色萎黄，言语轻微，里无热候，唇不焦，口不渴，欲便而不能，右尺脉细。

车前木通汤

【来源】《症因脉治》卷四。
【组成】车前子三钱　木通二钱
【主治】膀胱结热，小便不利。

导赤各半汤

【来源】《症因脉治》卷四。
【组成】生地　木通　甘草　川连　麦门冬　山栀　犀角　黄芩　知母　滑石
【功用】《伤寒大白》：清心热，利小便。
【主治】
1.《症因脉治》：少阴君火旺盛，小便不利。
2.《伤寒大白》：心热谵语。火动于中，而多消渴。
【方论】《伤寒大白》：以导赤合泻心汤，上清心经之火；加滑石，导心火，下通小便而出；加知母、山栀、黄芩，兼清上焦肺火。以利小便，莫如清肺；清肺热，又莫如利二便也。

肝肾丸

【来源】《症因脉治》卷四。
【组成】当归身　白芍药　天门冬　生地黄
【主治】阴虚小便不利。

广泽汤

【来源】《辨证录》卷六。
【组成】麦冬二两　生地一两　车前子　刘寄奴各三钱
【用法】水煎服。
【功用】益肾补肺，利水。
【主治】大病之后，肾水竭，膀胱枯，不能小便。

生脉建中汤

【来源】《伤寒大白》卷四。
【组成】人参　麦冬　五味子　白芍药　桂枝　甘草
【主治】误下太过，中气损伤，津液内耗，小便不利者。

白玉散

【来源】《麻科活人全书》卷三。
【组成】辰砂一钱　桂府滑石（水飞过）六两　甘草一两　石膏少许
【用法】上为细末。每服二三钱，清水调下。
【功用】除胃热。
【主治】暑月小便不利而有胃热者。
【宜忌】老人、虚人及病后伤津而小便不利者，不宜用。

鸡苏散

【来源】《麻科活人全书》卷三。
【组成】辰砂益元散加薄荷少许
【功用】清肺热。
【主治】暑月小便不利。

碧玉散

【来源】《麻科活人全书》卷三。
【组成】辰砂一钱　桂府滑石（水飞过）六两　甘草一两　青黛少许
【用法】上为细末。每服二三钱，清水调下。
【功用】散肝火。
【主治】暑月小便不利。
【宜忌】老人虚火及病后伤津而小便不利者，不宜用。

导赤饮

【来源】《种痘新书》卷十二。
【组成】生地　木通　甘草　人参　麦冬（去心）车前　滑石　柴胡各等分
【用法】水煎服。
【功用】利小便。
【主治】痘疮小便涩，烦渴，发惊。

清凉饮

【来源】《幼科释谜》卷六。
【组成】柴胡　知母　生地　赤苓　防风梢　甘草梢　当归　黄柏　龙胆草
【用法】水煎服。
【主治】热盛小便赤涩，或膀胱热结。

通心饮

【来源】《医级》卷八。
【组成】木通　栀子　黄芩　瞿麦　连翘　枳壳　川楝子　甘草各等分
【用法】入车前草五茎、灯草二十根，水煎服。
【主治】诸腹内热胀痛，及小便不利而渴者。

举胎散

【来源】《医钞类编》卷十七。
【组成】白术（炒）三钱　鹿茸（酥炙）一钱　归身一钱半　川芎一钱　条芩（炒）一钱　黄耆（炙）二钱　炙草五分
【用法】红枣煎，或加黄杨树枝八分引，更妙。
【主治】胎气偏坠腰腿，小水不利。

济阴汤

【来源】《医学衷中参西录》卷上。
【组成】怀熟地一两　生龟版五钱（捣碎）　生杭芍五钱　地肤子一钱
【用法】水煎服。
【主治】阴分虚损，血亏不能濡润，小便不利。
【方论】以熟地为君；辅以龟版，以助熟地之润；芍药善利小便，以行熟地之滞；少加地肤子为向导药。

宣阳汤

【来源】《医学衷中参西录》卷上。
【组成】野台参四钱　威灵仙一钱半　寸麦冬六钱（带心）　地肤子一钱
【主治】阳分虚损，气弱不能宣通，致小便不利。
【方论】以人参为君，辅以麦冬以济参之热，灵仙以行参之滞，少加地肤子为向导药，名之曰宣阳汤，以象日、象暑。
【验案】水肿、癃闭　一媪，年六十余，得水肿证，延医治不效。时有专以治水肿名者，其方秘而不传，服其药自大便泻水数桶，一身水尽消，言忌咸百日，可保永愈。数日又见肿，旋复如故。服其药三次皆然，而病人益衰惫矣。盖未服其药时，即艰于小便，既服药后，小便滴沥全无，所以旋消而旋肿也。再延他医，皆言服此药愈后复发者，断乎不能调治。后愚诊视，其脉数而无力。愚曰：脉数者阴分虚也，无力者阳分虚也。膀胱之腑，有上口无下口，水饮必随气血流行，而后能达于膀胱，出为小便。此脉阴阳俱虚，致气化伤损，不能运化水饮以达膀胱，此小便所以滴沥全无也。爰立二方，曰宣阳汤、济阴汤，二方轮流服之，以象日月寒暑相推，往来屈伸相感之义。

俾先服济阴汤，取其贞下起元也，服到三剂小便稍利，再服宣阳汤亦三剂，小便大利；又再服济阴汤，小便直如泉涌，肿遂尽消。

参耆完胞汤

【来源】《顾氏医径》卷四。

【组成】人参　白术　绵耆　当归　川芎　红花　益母草　白及　猪胞一个

【功用】益气生肌，和血固脬。

【主治】胞脬受伤，淋漓不止。

十二、癃　闭

癃闭，亦称小便不利或小便不通，是指排尿困难甚至闭塞不通为临床特征的一种病症。其中以小便不利，点滴而短少，病势较缓者称为“癃”，实也为小便不利之谓；小便闭塞，点滴全无称为“闭”。癃和闭虽有区别，但都是指排尿困难，只是轻重程度上的不同，因此多合称为癃闭。《黄帝内经》对癃闭的病位、病机作了概要的论述，如《素问·宣明五气》谓：“膀胱不利为癃，不约为遗溺”；《素问·标本病传论》谓：“膀胱病，小便闭”；《灵枢经·本输》云：“三焦者，……实则闭癃，虚则遗溺，遗溺则补之，闭癃则泻之。”此闭癃无疑当为后世之癃闭，但仅认为是邪气壅实所致之病。癃闭之名见于文献最早当在宋代，如《圣济总录》卷五十三之石膏汤治疗“膀胱实热，小便癃闭，舌燥引饮，烦闷。”《宣明论方》卷十五倒换散治疗“久新癃闭不通，小腹急痛，肛门肿疼。”其词义偏于癃。《三因极一病证方论》：“淋，古谓之癃，名称不同也。”

在病因病机证治方面，《诸病源候论》提出“小便不通，由膀胱与肾俱有热故也。”“小便难者，此是肾与膀胱热故也。”认为二者系因热的程度不同所致，“热气大盛”则令“小便不通”；“热势极微”，故“但小便难也”。《备急千金要方·膀胱腑》已有了导尿术的记载：“凡尿不在胞中，为胞屈僻，津液不通，以葱叶除尖头，纳阴茎孔中深三寸，微用口吹之，胞胀，津液大通即愈”。《丹溪心法·小便不通》认为该病有“气虚、血虚、有痰、风闭、实热”等类型。《景岳全书·癃闭》将癃闭的病因归纳为四个方面：“有因火邪结聚小肠膀胱者，此以水泉干涸而气门热闭不通；有因热居肝肾者，则或以败精，或以槁血，阻塞水道而不通；有因真阳下竭，元海无根，气虚而闭者；有因肝强气逆，妨碍膀胱，气实而闭者”。并详细阐述了气虚而闭的病理机转。

本病之成因，或为湿热蕴结，或肺热气壅，或脾气不升，或肾元亏虚，或肝郁气滞；以致水液运行受阻所致，与肺、脾、肾、膀胱、三焦诸脏腑功能失常相关。其治疗，以“六腑以通为用”为原则，着眼于通利小便。但通之之法，因证候的虚实而异。实证治宜清湿热，散瘀结，利气机而通利水道；虚证治宜补脾肾，助气化，使气化得行，小便自通。

栝楼瞿麦丸

【来源】《金匮要略》卷中。

【别名】瞿麦丸（《普济方》卷二一六）、瓜蒌瞿麦丸（《济阳纲目》卷九十二）。

【组成】栝楼根二两　茯苓三两　薯蓣三两　附子一枚（炮）　瞿麦一两

【用法】上为末，炼蜜为丸，如梧桐子大。每服三丸，饮送下，一日三次；不知，增至七八丸。以小便利，腹中温为知。

【功用】《金匮要略讲义》：化气，利水，润燥。

【主治】小便不利者，有水气，其人苦渴。

【方论】

1.《金匮方论衍义》：用栝蒌根以生津液，薯蓣以强肺阴；佐以茯苓治水，自不渗下；瞿麦逐膀胱癃结之水。然欲散水积之寒，通开阳道，使上下相化，又必附子着走者为使。所谓服之小便利、腹中温为度者，则是初以水积而冷，故用之，否则不必用也。

2.《金匮要略心典》：此下焦阳弱气冷，而水气不行之证，故以附子益阳气，茯苓、瞿麦行水气。观方后云腹中温为知可以推矣。其人苦渴，则是水寒偏结于下，而燥火独聚于上，故更以薯蓣、栝楼根除热生津液也。夫上浮之焰，非滋不息；下积之阴，非暖不消；而寒润辛温，并行不悖，此方为良法矣。欲求变通者，须于此三复焉。

3.《医宗金鉴》：小便不利，水蓄于膀胱也。其人苦渴，水不化生津液也。以薯蓣、花粉之润燥生津，而苦渴自止；以茯苓、瞿麦之渗泄利水，而小便自利；更加炮附宣通阳气。上蒸津液，下行水气，亦肾气丸之变制也。然其人必脉沉无热，始合法也。

4.《金匮要略浅注》：此言小便不利，求之膀胱。然膀胱之所以能出者，气化也。气之所以能化者，不在膀胱而在肾。故清上焦之热，补中焦之虚，行下焦之水，各药中加附子一味，振作肾气，以为诸药之先锋。方后自注腹中温三字，为大眼目，即肾气丸之变方也。

5.《金匮要略方义》：本方所治之主要症状，系小便不利。致病之因，当属肾阳不足为患。故方中用附子温肾壮阳，以助膀胱之气化。《素问·灵兰秘典论》云：膀胱者，州都之官，津液焉藏，气化则能出矣。肾阳充盛，则膀胱气化有权，而小便自利。配伍山药、茯苓补脾益肾，且茯苓兼可利水，山药又能润燥止渴，使水湿下利，津液上承，则小便利，口渴止。用栝蒌根生津润燥以止口渴，瞿麦以增强通利水道之功，二者性寒，又可监制附子之温燥，以期助阳而不伤津。综观五药，具有补肾助阳，渗湿利水，润燥止渴之效。故本方主治之证，是为肾阳不足，膀胱气化无权，进而水气内停，小便不利，以及肾失蒸化，津不上承，其人口干作渴。总括病机，乃为下寒上燥。肾虚下寒为本，上燥为标。

【实验】对糖尿病肾病的保护作用 《天津中医药》(2008，3：220)：将大鼠切除左肾后注射链脲佐菌素，制造糖尿病动物模型，然后灌服栝楼瞿麦丸煎剂，共给药6周，检测显示：治疗组动物24小时尿蛋白较模型组降低，说明栝楼瞿麦丸对肾小球和肾小管有一定的保护作用；有降低肌酐清除率的趋势，明显降低尿素氮、血肌酐含量，说明本方具有延缓糖尿病肾病所致慢性肾衰竭进程的作用。

【验案】

1. 慢性肾小球肾炎 《成都中医学院学报》(1981，1：59)：刘某某，女，40岁，重庆建设银行职工，1964年12月20日初诊：水肿，小便不利一年许，口渴增剧，水肿加重两月左右。现证：全身水肿，口渴引饮，腰冷腿软，精神萎靡不振，纳差，每餐约一两米饭，小便不利，短少而淡黄，尿无热感，大便2~3天1次，不结燥，面色浮白，唇淡，无苔乏津，脉沉细。西医诊断为慢性肾小球肾炎，经服中西药，治疗1年左右疗效不显。拟以润燥生津，温阳利水主治，方用栝楼瞿麦丸改用汤剂，加鹿胶以填补精血。方药：栝楼根30g、淮山药30g、茯苓15g、瞿麦15g、制附片15g（另包，先煎两小时）、鹿胶12g（另包，蒸化兑服）。上方服2剂，口渴大减，饮水量减少一半，水肿亦大减，小便量增多而畅利，饮食增加，其余舌脉同上，效不更方，将原方再进4剂，诸症皆平。

2. 癃闭 《山东中医杂志》(1983，2：8)：病人余某，年72岁，患小便点滴不通，曾用八正、五苓及西药利尿、导尿诸法均不效。病人拒用手术，经友人介绍余诊。诊见：口渴甚苦而不欲饮，以水果自憩之，小便点滴不通，少腹胀急难忍，手足微凉，舌质淡胖有齿痕，苔黄腻偏干，脉沉细而数。诊为高年癃闭，投瓜蒌瞿麦丸加车前、牛膝、天花粉12g，瞿麦10g，茯苓12g，山药12g，牛膝12g，车前子12g（包），熟附子10g。药服1剂，小便渐通，胀急略减，再3剂病去若失。

3. 糖尿病肾病 《河南中医》(1994，6：373)：以栝蒌瞿麦丸改为汤剂：栝蒌根60g，瞿麦30g，山药60g，附子10g，茯苓60g，水煎服，每日1剂，疗程1个月，治疗糖尿病肾病23例。结果：显效17例，有效4例，无效2例。

地肤子汤

【来源】《外台秘要》卷三十六引《小品方》。

【组成】地肤子一分 瞿麦 冬葵子各三分 知母 黄芩 猪苓 海藻 橘皮 升麻 通草各一分半 大黄八分

《备急千金要方》有枳实三分。

【用法】上切。以水二升，煮取一升，量儿大小与服。
【主治】
1.《外台秘要》引《小品方》：小儿小便不通。
2.《备急千金要方》：小儿热毒入膀胱中，忽患小便不通，欲小便则涩痛不出，出少如血，须臾复出。

栀子仁汤

【来源】方出《备急千金要方》卷二十，名见《圣济总录》卷五十三。
【别名】泻脬汤（《三因极一病证方论》卷八）。
【组成】石膏八两　栀子仁　茯苓　知母各三两　蜜五合　生地黄（切）　淡竹叶（切）各一升
【用法】上锉。以水七升，煮取二升，去滓，下蜜，煮二沸，分三次服。
【主治】膀胱实热，转胞不得小便，头眩痛烦满，脊背强，腰中痛，不可俯仰。
【加减】须利，加芒消三两。

榆皮通滑泄热煎

【来源】《备急千金要方》卷二十。
【别名】榆皮散（《太平圣惠方》卷五十八）、榆皮汤（《普济方》卷二一五）。
【组成】榆白皮　葵子各一升　车前子五升　赤蜜一升　滑石　通草各三两
【用法】上锉。以水三斗，煮取七升，去滓下蜜，更煎取三升，分三服。妇人难产亦同此方。
【主治】
1.《备急千金要方》：肾热，应胞囊涩热，小便黄赤，苦不通；及妇人难产。
2.《太平圣惠方》：肾热脬囊涩，小便色赤如血。
【方论】《千金方衍义》：方中皆属利水伤津之味，惟赤蜜虽能导火，兼可通津。以其专利窍，故产难亦得用之。

栝楼丸

【来源】方出《备急千金要方》卷二十一，名见《医心方》卷十二。
【组成】栝楼根三两　铅丹二两　葛根三两　附子一两
【用法】上为末，炼蜜为丸，如梧桐子大。每服十丸，饮送下，一日三次，渴则服之。
【主治】
1.《备急千金要方》：消渴。日饮一石水者。
2.《医心方》：小便不通。
【加减】春、夏减附子。

鸡苏饮子

【来源】《外台秘要》卷二十七引《广济方》。
【别名】鸡苏散（《太平圣惠方》卷十三）、鸡苏汤（《圣济总录》卷二十六）、鸡苏饮（《圣济总录》卷九十五）。
【组成】鸡苏一握　通草四两　石韦一两（炙去毛）　冬葵子一两半　杏仁二两（去皮尖）　滑石二两　生地黄四两
【用法】上切。以水六升，煮取二升半，绞去滓，分三次温服。如人行四五里进一服。
【主治】下部冷疼，小便不通。

葱号散

【来源】方出《外台秘要》卷三十五引刘氏方，名见《袖珍小儿方》卷一。
【别名】葱乳汤（《证治准绳·幼科》卷一）、葱白汤（《卫生鸿宝》卷三）。
【组成】人乳四合　葱白一寸
【用法】上相和煎，分为四服。即小便利。《袖珍小儿方》本方用法：同捣如泥，敷儿口内，即与吮乳。
【主治】
1.《外台秘要》：小儿初生不小便。
2.《证治准绳·幼科》：小儿初生不尿，脐腹肿胀，不饮乳者。

泥脐方

【来源】《幼幼新书》卷三十引《婴孺方》。
【组成】滑石一升（末）

【用法】以车前草汁和为泥。泥脐，方广四五寸，少觉干即除之，别上新泥。冬月无车前草汁，只以水和。

【主治】小儿小便不通。

桃仁汤

【来源】《幼幼新书》卷三十引《婴孺方》。

【组成】桃仁二十个（去皮尖）

【用法】以酒一升，煮三沸，去滓，量儿与之。

【主治】小儿暴不得小便。

通草汤

【来源】《幼幼新书》卷三十引《婴孺方》。

【组成】通草　甘草　滑石各二两　葵子三分

方中葵子用量原缺，据《永乐大典》补。

【用法】上以水三升，煮六合，二百日儿服半合，日三夜一服。

【主治】小儿小便不通。

麻黄浴汤

【来源】《幼幼新书》卷三十引《婴孺方》。

【组成】麻黄　苦参　石膏各一把　滑石一升　大黄五两　雷丸四两　秦皮一两

【用法】上以水二斗，煮取一斗，去滓放温，浴儿妙，先自脐淋之。

【主治】小儿小便不通，发热腹满。

滑石汤

【来源】《永乐大典》卷一〇三三引《婴孺方》。

【组成】滑石十六分　子芩十四分　冬瓜子八分　车前子一升　通草十二分　茯苓五分

【用法】以水四升半，煮一升二合，一二岁为三服，百日服一合。

【主治】小儿热病，小便赤涩不通，尿辄啼呼。

瞿麦汤

【来源】《幼幼新书》卷三十引《婴孺方》。

【组成】瞿麦　石韦（去毛）各一两　滑石二两　小麦二合

【用法】以水三升，煮一升，服一合，日四服，夜二服。

【主治】小儿小便不通。

汉防己散

【来源】《太平圣惠方》卷七。

【组成】汉防己一两　海蛤半两　滑石一两　葵子半两　猪苓半两（去黑皮）　瞿麦半两

【用法】上为细散。每服二钱，食前浓煎木通汤调下。

【主治】膀胱实热，小便不通。

赤茯苓散

【来源】《太平圣惠方》卷七。

【组成】赤茯苓一两　子芩三分　桑螵蛸三分（微炒）　汉防己一分　羚羊角屑三分　射干半两　川升麻三分　川大黄三分（锉碎，微炒）　瞿麦一两　大青二分　木通三分（锉）

【用法】上为粗散。每服三钱，以水一中盏，煎至六分，去滓温服，不拘时候。

【主治】膀胱实热，腹胀，小便不通，口舌干燥，咽肿不利。

榆皮散

【来源】《太平圣惠方》卷七。

【组成】榆白皮三分（锉）　葵根三分（锉）　泽泻三分　木通三分（锉）　蘧麦三分　赤茯苓三分　桑螵蛸三分（微炒）　甘草三分（炙微赤，锉）　川芒消二两　当归半两（锉，微炒）　子芩一两　石韦三分（去毛）

【用法】上为粗末。每服三钱，水一中盏，入生姜半分，煎至六分，去滓，食前温服。

【主治】肾脏实热，膀胱气滞，小便赤黄，涩痛不通。

木通散

【来源】《太平圣惠方》卷十三。

【别名】万全木通散（《古今医统大全》卷十四）、

万全木通汤（《景岳全书》卷五十四）。

【组成】木通　赤茯苓（锉）　车前叶　滑石各二两　瞿麦一两

【用法】上为散。每服四钱，以水一中盏，煎至六分，去滓，不拘时候温服。以通为度。

【主治】

1.《太平圣惠方》：伤寒后，下焦热，小便不通三两日。

2.《景岳全书》：小便难而黄。

贝齿散

【来源】《太平圣惠方》卷十六。

【组成】贝齿四十九枚　白鲜皮一两　猪苓一两（去黑皮）　川大黄一两（锉碎，微炒）　瞿麦一两

【用法】上为细散。每服三钱，以温水一中盏，蜜半匙调下，不拘时候，良久再服。以得通利为度。

【主治】时气热毒流注小肠，小便不通。

赤茯苓散

【来源】《太平圣惠方》卷十六。

【组成】赤茯苓半两　前胡三分（去芦头）　白鲜皮一两　瞿麦一两　子芩半两　栀子仁半两　滑石二两　川升麻三分　木通一两半（锉）

【用法】上为散。每服三钱，水一中盏，煎至六分，去滓温服，不拘时候。

【主治】时气，有时寒热，四肢沉重，口不知味，胸中哕塞，小便不通。

当归散

【来源】《太平圣惠方》卷十八。

【组成】当归三分（锉，微炒）　子芩半两　葵子半两　车前子半两　榆白皮半两（锉）

【用法】上为散。每服二钱，用暖生地黄汁一小盏调下，不拘时候。

【主治】热病，小便不通，小肠中疼痛。

大黄丸

【来源】《太平圣惠方》卷五十八。

【组成】川大黄二两（锉碎，微炒）　大戟一两（锉碎，微炒）　赤芍药一两　川朴消一两　甜葶苈一两（隔纸炒令紫色）　杏仁五十枚（汤浸，去皮尖双仁，麸炒微黄）

【用法】上为末，炼蜜为丸，如梧桐子大。每服二十丸，食前以葱白汤送下。

【主治】小肠热结胀满，小便不通。

鸡苏散

【来源】《太平圣惠方》卷五十八。

【组成】鸡苏一两　甘遂半两（煨令黄）　滑石一两　葵子一两　瞿麦一两　桑根白皮一两（锉）　防葵一两　榆白皮一两（锉）

【用法】上为粗散。每服三钱，以水一中盏，煎至六分，去滓，食前温服。

【主治】小便不通，心腹妨闷，上气喘急，坐卧不安。

秦艽散

【来源】方出《太平圣惠方》卷五十八，名见《圣济总录》卷九十五。

【组成】秦艽一两（去苗）　冬瓜子二两

方中冬瓜子，《圣济总录》作“冬葵子”。

【用法】上为细散。每服二钱，食前以温酒调下。

【主治】

1.《太平圣惠方》：小便不通。

2.《普济方》：小便出血。

透水散

【来源】《太平圣惠方》卷五十八。

【组成】蘧麦一两　石韦三两（去毛）　木通三分（锉）　川大黄一两（锉碎，微炒）　川消一两　陈橘皮三分（汤浸，去白瓤，焙）　牵牛子半两（微炒）　槟榔一两　滑石半两

【用法】上为粗散。每服四钱，以水一中盏，煎至六分，去滓，食前温服。

【主治】小便不通，肠腹急满。

海蛤丸

【来源】《太平圣惠方》卷五十八。

【组成】海蛤二两（研细）　木通半两（锉）　葵子一两　滑石二两　蒲黄一两　车前子一两　赤茯苓半两　赤芍药半两

【用法】上为末，炼蜜为丸，如梧桐子大。每服二十丸，以葱白汤送下。

【主治】小便不通，脐间窘急，三焦积热，气不宣通。

桑白皮散

【来源】《太平圣惠方》卷五十八。

【组成】桑根白皮三分（锉）　子芩一两　瞿麦半两　陈橘皮半两（汤浸，去白瓤，焙）　葵子一两　牵牛子一两（微炒）

【用法】上为细散。每服二钱，食前煎生姜灯心汤调下。

【主治】卒然小便淋涩不通。

葵子汤

【来源】方出《太平圣惠方》卷五十八，名见《普济方》卷二一四。

【组成】葵子一合　生茅根二两（锉）　青橘皮一两（汤浸，去白瓤，焙）

【用法】上为末，以水二大盏，入葱白五茎，煎取一盏三分，去滓，食前分为三服。

【主治】气壅不通，小便沥结，脐下妨闷、疼痛。

葵石汤

【来源】方出《太平圣惠方》卷五十八，名见《圣济总录》卷九十五。

【组成】葵根（锉）一两　滑石一两（捣为末）

【用法】上以水二大盏，煎至一盏三分，去滓，食前分为三服。

【主治】小便不通，腹胀气急闷。

粟奴汤

【来源】方出《太平圣惠方》卷五十八，名见《本草纲目》卷二十三。

【组成】小豆叶一分　苦竹髭一分　粟奴一分　甘草一分（炙微赤，锉）　灯心一束　铜钱七枚　葱白五寸

【用法】上以水二大盏，煎至一盏三分，去滓。食前为分三服。

【主治】小肠结涩不通，心烦闷乱，坐卧不安。

木通散

【来源】《太平圣惠方》卷七十二。

【组成】木通三分（锉）　车前子半两　甘草半两（炙微赤，锉）　葵根三分　瞿麦半两　滑石一两

【用法】上为散。每服三钱，以水一中盏，煎至六分，去滓，食前温服。

【主治】妇人小便不通。

葵根饮子

【来源】《太平圣惠方》卷七十二。

【组成】葵根一两　滑石半两　紫葛半两（锉）　瞿麦半两　白茅根三分

【用法】上细锉，和匀。每服半两，以水一大盏，入葱白五寸，煎至五分，去滓，食前温服。

【主治】妇人小便不通。

榆皮散

【来源】《太平圣惠方》卷七十二。

【别名】榆皮汤（《普济方》卷三二一）。

【组成】榆白皮（锉）　木通（锉）　赤芍药　猪苓（去黑皮）　滑石各三分　葵子半两　黄芩半两

【用法】上为细散。每服二钱，食前以木通汤调下。

【主治】妇人小便不通，小腹疼痛。

子芩散

【来源】《太平圣惠方》卷九十二。

【组成】子芩　冬葵子　车前子　茅根（锉）各一两　滑石二两

【用法】上为粗散。每服一钱，以水一小盏，煎至

六分，去滓服，不拘时候。

【主治】小儿壅热，小便赤涩不通，水道中涩痛不可忍。

木通散

【来源】《太平圣惠方》卷九十二。

【组成】木通一分（锉） 桑根白皮一分（锉） 滑石半两 冬葵子一分 川芒消一分

【用法】上为细散。每服半钱，以葱白汤调下，一日三四次。

【主治】小儿诸淋及热结，赤涩不通。

木通散

【来源】《太平圣惠方》卷九十二。

【组成】木通（锉） 甘草（炙令赤，锉） 葵子各一分 川大黄（锉，研，微炒） 滑石 牵牛子（微炒）各半两

【用法】上为细散。每服半钱，煎葱白、灯心汤调下。以利为度。

【主治】小儿小便不通，脐腹坚满，喘急。

车前散

【来源】《太平圣惠方》卷九十二。

【组成】车前子（切）半升 小麦三合

【用法】以水二大盏，煮取一盏，去滓，入少粳米，煮作稀粥。时时量力服之。

【主治】小儿小便不通，脐腹急痛。

冬葵子散

【来源】《太平圣惠方》卷九十二。

【组成】冬葵子一两 木通半两（锉）

【用法】上为粗散。每服一钱，以水一小盏，煎至五分，去滓。不计时候，量儿大小，分减服之。

【主治】小儿卒小便不通，小腹急闷。

地肤子散

【来源】《太平圣惠方》卷九十二。

【别名】地肤子汤（《普济方》卷三八八）。

【组成】地肤子 瞿麦 冬葵子 知母 黄芩 川升麻 木通（锉） 川大黄（锉，微炒） 猪苓（去黑皮）各半两

【用法】上为粗散。每服一钱，以水一中盏，煎至六分，去滓，不拘时服。

【主治】小儿积热，小便不通。

赤芍药散

【来源】《太平圣惠方》卷九十二。

【别名】瞿麦汤（《圣济总录》卷一七九）。

【组成】赤芍药 瞿麦 陈橘皮（汤浸，去白瓤，焙） 牵牛子（微炒） 木通（锉） 冬葵子各一分

【用法】上为粗散。每服一钱，以水一小盏，加葱白一茎，煎至五分，去滓，不拘时候服。

【主治】小儿小便不通，心闷。

乳煎葱白饮子

【来源】《太平圣惠方》卷九十二。

【组成】葱白一茎（切） 乳汁三合

【用法】同煎至一合半，去滓，分温为三服，相去如人行十里再服。以利为度。

【主治】小儿百日内小便不通，心神烦闷，脐下痞满。

栀子仁散

【来源】《太平圣惠方》卷九十二。

【别名】栀子仁汤（《张氏医通》卷十六）。

【组成】栀子仁五个 茅根半两（锉） 冬葵根半两 甘草一分（炙微赤，锉）

【用法】上为粗散。每服一钱，以水一小盏，煎至五分，去滓温服，不拘时候。

【主治】小儿小便不通，脐腹胀闷，心神烦热。

浸熨汤

【来源】《太平圣惠方》卷九十二。

【组成】木通一两 生姜一两 葱白七茎 陈橘皮一两 川椒半两

【用法】上都细锉。以水二大碗，煎至七沸，去滓，倾入盆内。看冷暖，坐于盆中浸之；将滓于儿脐下熨之。立通。
【主治】小儿小便不通。

葱白饮子

【来源】《太平圣惠方》卷九十二。
【别名】葱白汤（《圣济总录》卷一七九）。
【组成】葱白二茎　木通半两　冬葵子半两
【用法】上细锉。以水一大盏，煎至五分，去滓，量儿大小，以意加减服之。
【主治】小儿小便涩少，妨闷不通。

葵根散

【来源】《太平圣惠方》卷九十二。
【别名】葵根汤（《普济方》卷三八八）。
【组成】葵根一握（锉）　壁鱼七枚（研）
【用法】上以水一大盏，煎葵根取汁六分，后入壁鱼，同煎五七沸，去滓，放温。量儿大小，临时分减服之。
【主治】小儿小便三两日不通，欲死者。

滑石散

【来源】《太平圣惠方》卷九十二。
【别名】木通黄芩汤（《圣济总录》卷一七九）。
【组成】滑石一两　子芩半两　冬葵子三分　车前子半两　赤茯苓半两　木通六分（锉）
【用法】上为散。每服一钱，以水一小盏，煎至六分，去滓温服，不拘时候。
【主治】小儿热极，小便赤涩不通，尿辄大啼，水道中痛。

滑石散

【来源】《太平圣惠方》卷九十二。
【别名】滑石汤（《圣济总录》卷一七九）。
【组成】滑石末半两　甘草一分（炙微赤，锉）　葵子半两　川大黄半两（锉，微炒）
【用法】上为散。每服一钱，以水一小盏，加葱白五寸，灯心一束，煎至六分，去滓，三四岁温服一合，不拘时候。
【主治】

1.《太平圣惠方》：小儿小便不通，心腹满闷，坐卧不安。

2.《圣济总录》：小儿大便不通。

浆水葱白粥

【来源】《太平圣惠方》卷九十七。
【组成】粟米二合　葱白三十茎（去须）
【用法】上以浆水煮作稀粥，临熟，投葱白搅令匀。温温服之。
【主治】小儿小便不通，肚痛。

蒲黄汤

【来源】《袖珍方》卷二引《太平圣惠方》。
【别名】蒲黄散（《证治准绳·类方》卷六）。
【组成】赤茯苓　木通　车前子　桑白皮（炒）　荆芥　灯心　赤芍药　甘草（微炒）　蒲黄（生）　滑石各等分
【用法】上为末。每服二钱，食前葱白、紫苏煎汤调下。
【主治】心肾有热，小便不通。

金楝散

【来源】方出《证类本草》卷十四引《经验方》，名见《医学纲目》卷十四。
【别名】金莲散、川楝散（《普济方》卷二五〇）。
【组成】金铃子一百个（汤温浸过，去皮）　巴豆二百个（捶微破）
【用法】麸二升同于铜锅内炒，金铃子赤熟为度，放冷取出，去核并得其麸，巴豆不用，为末。每服三钱，热酒醋汤调下，不拘时候。

本方改为丸剂，名“借性丸”（见《示儿仙方》）。
【主治】

1.《证类本草》引《经验方》：丈夫本脏气伤，膀胱连小肠等气。

2.《证治宝鉴》：小腹肿痛，不得小便。

海金沙散

【来源】方出《证类本草》卷十一引《本草图经》，名见《圣济总录》卷九十五。

【组成】海金沙一两　蜡茶半两

【用法】上为细末。每服三钱，煎生姜、甘草汤调下，未通再服，不拘时候。

【主治】小便不通，脐下满闷。

箬叶散

【来源】《普济方》卷二一六引《指南方》。

【别名】箬灰散（《魏氏家藏方》卷九）。

【组成】干箬叶（烧灰）一两　滑石半两

方中“干箬叶”剂量原缺，据《全生指迷方》补。

【用法】上为细末。每服三钱许，空心米饮调下。

《全生指迷方》：上为细末，沸汤浸服；若小便暴不通，点好茶一杯，入生油三两点饮之。

【主治】

1.《普济方》引《指南方》：小便先涩后不通。

2.《全生指迷方》：心经蕴热传于小肠，小便微涩赤黄，渐渐不通，小腹胀满，脉大而牢者。

导赤丸

【来源】《太平惠民和济局方》卷六（续添诸局经验秘方）。

【组成】赤芍药　茯苓（去皮）　滑石各四两　生干地黄（焙）　木通（去节）各半斤　大黄（炒）十五两　山栀子仁（炒）十二两

【用法】上为细末，炼蜜为丸，如梧桐子大。每服二十丸至三十丸，食后用温热水吞下。

【功用】排脓，内消肿毒，疏导心经邪热。

【主治】心肾凝滞，膀胱有热，小便不通，风热相搏，淋沥不宣；或服补药过多，水道蹇涩，出少起数，脐腹急痛，攻注阴间；或心肺壅热，面赤心忪，口干烦渴；及痈肿发背，血脉瘀闭；内蕴风热，五般淋疾。

六磨饮

【来源】《证治要诀类方》卷二引《太平惠民和济局方》。

【别名】六磨汤（《杏苑生春》卷五）。

【组成】枳壳　槟榔　乌药　人参　木香　沉香

【用法】上用粗碗磨水服。

【主治】

1.《证治要诀类方》：气虚上逆，遂成痞塞而疼者。

2.《医略六书》：癃闭，脉沉濡涩滞者。

3.《杏苑生春》：七情郁结，上气喘急。

【方论】《医略六书》：气亏挟滞，气化不绝，故胸腹痞满，小便癃闭焉。六磨汤虽用人参一味，实为散气之峻剂。盖槟、沉、香、枳、乌药得人参助之，其力愈峻，服后大便必有积沫，下后气即舒化而宽。近世医人见其气滞，不敢用参，但纯用诸般破气药磨服，殊失本方养正行滞之旨。

地龙膏

【来源】《养老奉亲书》。

【组成】白项地龙　茴香用时看多少

【用法】上杵汁，倾于脐内。自然便通。

【主治】老人小便不通。

大芎汤

【来源】《史载之方》卷上。

【组成】大芎一两　蓬莪术半两　木香四钱　茯苓半两　甘草　萆薢各一分

【用法】上为细末。水一盏，加盐少许，同煎三钱匕，空心和滓服。

【主治】湿气寒气之盛，同犯于心，心气上行，不得小便。

枳壳汤

【来源】《圣济总录》卷二十六。

【组成】枳壳（去瓤，麸炒）　滑石　大腹皮（锉）各半两　甘草（炙，锉）　青橘皮（去白，切，炒）　络石根　紫苏茎叶　朴消　麦门冬（去

心，焙） 冬葵子各三分 前胡（去芦头） 赤芍药各一两

【用法】上为粗末。每服三钱匕，水一盏，葱白三寸（切），煎至六分，去滓，食前温服。

【主治】伤寒后，小便不通，脐腹痛，气胀，攻上喘促。

茯苓木通汤

【来源】《圣济总录》卷二十六。

【组成】赤茯苓（去黑皮） 木通（锉） 车前子叶 滑石各二两

【用法】上为粗末。每服五钱匕，水一盏半，煎至八分，去滓，空心温服。

【主治】伤寒后下焦热，小便不通。

加减火府丸

【来源】《圣济总录》卷四十三。

【组成】生干地黄（洗，切，焙）一两 木通一两半 黄连（去须）二分 黄芩（去黑心）一分 赤茯苓（去黑皮）半两

【用法】上为细末，炼蜜为丸，如梧桐子大。每服七丸至十丸，食后温水送下。

【主治】心经蕴热，头目壅赤，小便秘涩。

泽泻汤

【来源】《圣济总录》卷五十一。

【组成】泽泻（锉） 葵根（锉） 木通（锉） 车前子 井泉石（碎） 赤茯苓（去黑皮） 甘草（炙，锉）各一两

【用法】上为粗末。每服二钱匕，水一盏，煎至七分，去滓温服，不拘时候。以小便利为度。

【主治】肾脏实热，传入膀胱，小便黄赤，结涩不通。

车前子散

【来源】《圣济总录》卷五十三。

【组成】车前子 海金沙 井泉石 滑石（碎）各一两 葶苈（纸上炒）一分

【用法】上为散。每服二钱匕，蜜熟水调下。未利再服。

【功用】顺膀胱，利小便，解烦热。

【主治】膀胱实热，胞闭不得小便，烦满而躁，体热，腰中痛，头眩。

石膏汤

【来源】《圣济总录》卷五十三。

【组成】石膏（碎） 山栀子（去皮） 赤茯苓（去黑皮） 甘草（炙，锉） 木通（锉）各一两

【用法】上为粗末，每服三钱匕，水一盏，煎至七分，去滓温服。

【主治】膀胱实热，小便癃闭，舌燥引饮，烦闷。

芒消散

【来源】《圣济总录》卷五十三。

【组成】芒消（别研）半两 赤茯苓（去黑皮，为末）一两

【用法】上为末。每服二钱匕，蜜熟水调下。心烦燥热者，以冷蜜水调下。

【主治】膀胱结热不通。

猪苓散

【来源】《圣济总录》卷五十三。

【组成】木猪苓（去黑皮） 防己（锉） 栀子仁各一两 滑石（碎） 车前子 槟榔（生锉） 大黄（生锉）各二两

【用法】上为散。每服二钱匕，温熟水调下；水一盏，煎至七分，温服亦得。

【主治】膀胱实热，小便不通，腰腹重痛，烦躁。

瞿麦饮

【来源】《圣济总录》卷五十三。

【组成】瞿麦穗 黄芩（去黑心） 甘草（生，锉） 木通（锉）各一两 葵根（洗，锉） 车前子各半两

【用法】上为粗末。每服四钱匕，水一盏半，煎至一盏，去滓温服。

【主治】膀胱实热，小便不通，壅闷烦躁。

顺气丸

【来源】《圣济总录》卷五十四。

【组成】木香二两　青橘皮（汤浸去白，焙）　人参　赤茯苓（去黑皮）　大戟（用河水煮，去皮，焙）各一两　郁李仁半两　麻仁半两（与大戟、郁李仁同别捣细，入药内）　甘遂（麸炒微烟生，覆于地上候冷，出火毒）一两　大黄（锉，炒）二两　诃黎勒皮半两

【用法】上为末，拌和，炼蜜为丸，如豌豆大。每服十丸，煎车前子汤送下，不拘时候。

【功用】通导大小便。

【主治】三焦约，不得小便。

猪苓汤

【来源】《圣济总录》卷八十三。

【组成】猪苓（去黑皮）　赤茯苓（去黑皮）　防己各三分　桑根白皮五两（炙）　郁李仁（汤浸去皮尖，炒）　泽泻（锉）　木香各二两　大腹皮七枚（和皮子锉）

【用法】上为粗末。每服五钱匕，加水一盏半，煎至八分，去滓温服，一日三次。

【功用】下小便。

【主治】脚气兼水气、膈气，通身肿满，气急，小便不通，坐卧不得。

羚羊角饮

【来源】《圣济总录》卷九十二。

【组成】羚羊角（镑屑）　赤茯苓（去黑皮）各一两　木通（锉）半两　桑根白皮（锉）　生干地黄（切，焙）各一两　薏苡仁半两

【用法】上为粗末。每服五钱匕，以水一盏，煎至八分，去滓温服，不拘时候。

【主治】肾气不足，客热内乘，小便难。

木通汤

【来源】《圣济总录》卷九十五。

【组成】木通　石韦（去毛）　瞿麦穗各二两　冬葵子一升

【用法】上锉，如麻豆大。以水十盏，煎取三盏，去滓，纳滑石末一两，分三次温服。微利为度。

【主治】

1. 《圣济总录》：小便不通。
2. 《普济方》：热淋，小便不利，茎中急痛。

牛膝汤

【来源】《圣济总录》卷九十五。

【别名】三味牛膝汤（《景岳全书》卷五十七）。

【组成】生牛膝根并叶一握　黄芩（去黑心）半两　当归（焙）一两

【用法】上锉细。每服五钱匕，水一盏半，煎至七分，去滓温服，一日三次。

【主治】小便不通，茎中痛，及女人血结腹坚痛。

玉蕊丸

【来源】《圣济总录》卷九十五。

【组成】丹砂（研）　硇砂（研）　滑石（研）　瞿麦穗　海金沙各一分

【用法】上为末，另研蓖麻子仁为丸，如梧桐子大。每服十丸、十五丸，葱白煎酒送下。

【主治】小便不通，气上冲，心胸满闷。

石韦饮

【来源】《圣济总录》卷九十五。

【别名】石韦汤（《普济方》卷二一六）。

【组成】石韦（去毛）　瞿麦穗　木通（锉）　葛根（锉）　麦门冬（去心，焙）　黄芩（去黑心）　赤茯苓（去黑皮）　冬葵子　生干地黄（焙）　滑石（碎）各一两　甘草（炙，锉）半两

【用法】上为粗末。每服五钱匕，以水一盏半，煎取八分，去滓，空心顿服。

【主治】膀胱蕴热，小便不通。

立应散

【来源】《圣济总录》卷九十五。

【组成】井泉石　车前子　滑石各半两　葶苈（纸上炒）一分　海金沙一钱
【用法】上为散。每服一钱匕，食前新汲水调下。未通再服。
【主治】膀胱热结，小便不通。

朴消散

【来源】《圣济总录》卷九十五。
【别名】白花散（《卫生宝鉴》卷十七）。
【组成】朴消不拘多少
【用法】上为细散。每服二钱匕，温茴香酒调下，不拘时候。如热燥，以蜜水调服。
【主治】膀胱热，小便不通。

防己散

【来源】《圣济总录》卷九十五。
【组成】防己一两　海蛤　滑石　木香各半两
【用法】上为散。每服二钱匕，浓煎木通汤调下。
【主治】膀胱积热，小便不通。

杏仁散

【来源】《圣济总录》卷九十五。
【组成】杏仁（去皮尖双仁）二七枚（炒黄）
【用法】上为细末。米饮调下。
【主治】卒不得小便。

松烟散

【来源】《圣济总录》卷九十五。
【组成】墨（水浓研汁）半盏　酒（半盏）　葱白三茎（拍破）　腻粉（研）半钱匕
【用法】上同煎至七分，放温，去葱白，顿服即通。
【主治】小便不通。

茴香子散

【来源】《圣济总录》卷九十五。
【组成】茴香子（炒）　马蔺花（炒）　葶苈（纸上炒）各等分
【用法】上为散。每服二钱匕，食前温酒调下。以通为度。
【主治】小便不通。

茯苓散

【来源】《圣济总录》卷九十五。
【组成】赤茯苓（去黑皮）三两
【用法】上为散。每服二钱匕，冷水调下。如男子小便中有余沥、漏精、梦泄，用温酒调下，空心服妙。
【主治】饮水过多，心闷着热，小便不通，男子小便中有余沥，漏精，梦泄。

独蒜涂脐方

【来源】《圣济总录》卷九十五。
【别名】独蒜通便方（《景岳全书》卷六十）。
【组成】独颗大蒜一枚　栀子仁三七枚　盐花少许
【用法】上捣烂，摊纸上。贴脐。良久即通；未通，涂阴囊上。
【主治】小便不通。

消石汤

【来源】《圣济总录》卷九十五。
【组成】消石（碎）　瞿麦穗　葵子　滑石（碎）　甘草（炙，锉）　大黄（锉）　木通（锉）各半两
【用法】上为粗末。每服五钱匕，水一盏半，加葱白三寸，煎服七分，入生地黄汁半合，去滓温服，不拘时候。
【主治】小便不通，小腹急痛闷绝。

桑螵蛸汤

【来源】《圣济总录》卷九十五。
【组成】桑螵蛸（炙）三十枚　黄芩（去黑心）二两
【用法】上细锉，用水三盏，煎至二盏，去滓，分温二服，相次顿服。
【主治】小便不通。

通关瞿麦汤

【来源】《圣济总录》卷九十五。

【组成】瞿麦穗　芍药　大黄（锉，炒）　当归（切，焙）　葵子　甘草（炙）　榆白皮（锉）　栀子仁　木通（锉）　石韦（去毛）　大麻仁各一两

【用法】上为粗末。每服五钱匕，水一盏半，入灯心少许，煎至一盏，去滓温服。

【主治】膀胱积热，小便不通。

续随子丸

【来源】《圣济总录》卷九十五。

【组成】续随子（去皮）一两　铅丹半两

【用法】先研续随子细，次入铅丹，同研匀，用少蜜和作团，盛瓷罐内密封，于阴处掘地坑埋之，上堆冰雪，惟多是妙。腊月合，至春末取出，研匀，别炼蜜为丸，如梧桐子大。每服十五丸至二十丸，煎木通汤送下，不拘时候。甚者不过再服。要效速，即化破服，病急即旋合亦得。

【主治】小便不通，脐腹胀痛不可忍。诸药不效者。

葵子饮

【来源】《圣济总录》卷九十五。

【别名】葵子汤（《普济方》卷二一六）。

【组成】木通（锉）　冬葵子　甘遂　瞿麦穗各半两（上细锉，微炒）　滑石（研）二钱

【用法】上为粗末。每服二钱匕，水一盏，入灯心，同煎至七分，和滓温服；未通，再服。

【主治】小便不通。

葵根饮

【来源】《圣济总录》卷九十五。

【组成】葵根一大握　胡荽二两　滑石一两（为末）

【用法】上将前二味细锉，以水二升，煎取一升，入滑石末，分三次温服。

【主治】小肠积热，小便不通。亦治血淋。

滑石散

【来源】《圣济总录》卷九十五。

【组成】滑石（碎）　朴消（研）　木通（锉）各一两

【用法】上为散。每服二钱匕，温水调下，不拘时候。以通为度。

【主治】小便卒不通。

滑石散

【来源】《圣济总录》卷九十五。

【组成】滑石（碎）　桑螵蛸（炒）　桂（去粗皮）　大黄（锉，炒）各半两　黄芩（去黑心）　防己　瞿麦穗各三分　木通一分

【用法】上为散。每服二钱匕，煎木通汤调下。

【主治】膀胱热，小便不通，舌干咽肿。

蜀葵子汤

【来源】《圣济总录》卷九十五。

【组成】黄蜀葵子三四十粒

【用法】上为细末。以汤冲绞取汁一小盏，顿服。

【主治】小便不通。

酸浆酒

【来源】《圣济总录》卷九十五。

【组成】酸浆草一握

【用法】研取自然汁，与醇酒相半。和服，立通。不饮酒者，用甘草三寸，生姜一枣大，锉，同研，用井华水五分盏，滤取汁，和服亦得。

【主治】小便不通，气满闷。

蝼蛄麝香散

【来源】《圣济总录》卷九十五。

【组成】蝼蛄（活者）一枚

【用法】上生研，入麝香少许，新汲水调下。

【主治】小便不通，诸药无效者。

瞿麦汤

【来源】《圣济总录》卷九十五。
【组成】瞿麦穗　滑石　木通（锉）各半两　海金沙　冬葵子各一分
【用法】上为粗末。每服五钱匕，水一盏半，加灯心二十茎，煎至七分，去滓温服，不拘时候。
【主治】小便不通。

海蛤丸

【来源】《圣济总录》卷九十八。
【组成】海蛤半两　白瓷屑（定州者，研，水飞过）一两　滑石（研）　商陆（切，焙）　漏芦（去芦头）各半两
【用法】上为细末，取生何首乌自然汁一升，煮面糊为丸，如梧桐子大。每服二十丸，食前灯心汤送下。
【主治】小便卒淋涩不通。

七物浴汤

【来源】《圣济总录》卷一七九。
【组成】滑石屑二两　大黄二两　雷丸三十枚　麻黄一两半　苦参一两　石膏半两　秦皮一两
【用法】上为粗末。以水七升，煮取五升，去滓，避风处温浴儿，先从脐淋之。
【主治】小儿小便不通，发热腹满。

万安散

【来源】《圣济总录》卷一七九。
【组成】海金沙　滑石　续随子（炒）各半两　蝼蛄七枚（炒令黑）
【用法】上为细散。每服半钱匕，空心、食前煎灯心汤温调下。
【主治】小儿小便不通欲死。

车前草汤

【来源】《圣济总录》卷一七九。
【组成】车前草（细锉）　小麦各一两
【用法】用水二盏，煎至一盏，去滓，下粳米少许，又煮至半盏。三四岁儿为三服，如人行一二里以来再服。
【主治】小儿小便不通。

石韦汤

【来源】《圣济总录》卷一七九。
【组成】石韦（去毛）　瞿麦各一两半　滑石一两
【用法】上为粗末。五六岁儿每服一钱匕，水八分，加小麦一百粒，同煎至五分，去滓温服，如人行十里再服。
【主治】小儿小便不通。

冬葵子散

【来源】《圣济总录》卷一七九。
【组成】冬葵子　滑石　海蛤　蒲黄各半两
【用法】上为散。每服半钱匕，以葱白汤调下。
【主治】小儿小便不通，脐腹急痛。

茯苓汤

【来源】《圣济总录》卷一七九。
【组成】赤茯苓（去黑皮）　冬葵子　木通（锉）　车前子各半两
【用法】上为粗末。五六岁儿，每服一钱匕，以水一中盏，煎至五分，去滓温服，如人行十里以来再服。
【主治】小儿小便不通。

神　散

【来源】《圣济总录》卷一七九。
【组成】石燕一枚（先为细末，再研）　石韦（去毛）半两（一方有海金砂一两）
【用法】上为细散。每服一字匕，煎三叶酸浆草汤调下。甚者三服愈。
【主治】小儿小便淋闭不通。

粟酥粥

【来源】《圣济总录》卷一九〇。
【组成】粟米一升（淘净）　酒一升　酥（无好酥，

以熟油一两代之） 葱白一握（细切）

【用法】上用浆水五升，煮米为粥，候粥将熟，下酒、酥、葱，更煮取熟，令病人空腹恣意食之。腹痛无害，但行三五十步即通。

【主治】小便不通。

捻头散

【来源】《小儿药证直诀》卷下。

【别名】捏头散（《鸡峰普济方》卷二十四）。

【组成】延胡索 川苦楝各等分

【用法】上为细末。每服五分或一钱，食前捻头汤调下。如无捻头汤，即汤中滴油数点代之。

《小儿药证直诀类证释义》：捻头汤中捻头，又名寒具。其制法：以糯米粉和面，搓成细绳，盘曲如环形，入油煎之，可以久藏。捻头汤即用寒具煎成之汤。

【主治】小儿小便不通。

【方论】

1.《本事方释义》：延胡索气味辛温入足厥阴，川苦楝子气味甘寒入手足厥阴。此苦辛泄降之方也。凡小儿小便不通亦是厥阴为病，肝不疏泄，故必用疏肝之法。

2.《小儿药证直诀类证释义》：延胡、苦楝疏肝泄降，活血止痛。用捻头汤调下，是取其温中益气，润肠利便。

石韦汤

【来源】《全生指迷方》卷四。

【组成】石韦（去毛，锉） 车前子（锉，车前叶亦可）各等分

【用法】上浓煮汁饮之。

【主治】心经蕴热，传于小肠，小肠热则渗于脬肿，脬辟而系转，小便微涩赤黄，渐渐不通，小腹膨亨，心脉大而牢。

【加减】若腹胀，溺溲不得，好卧屈膝，阴缩肿，此厥阴之厥，加赤茯苓、黄芩。

葱白汤

【来源】《全生指迷方》卷四。

【组成】橘皮（洗，切）三两 葵子一两 葱白三茎（切）

《普济方》引《指南方》有石韦。

【用法】上以水五升，煮取二升，分三服。

【主治】卒暴小便不通，脐腹膨急，气上冲心，闷绝欲死，由忍尿劳役，或从惊恐，气无所伸，乘并膀胱，气冲脬系不正，脉右手急大。

朱砂散

【来源】《普济方》卷三八八引《医方妙选》。

【组成】朱砂一两 滑石 犀角各半两 黄芩 车前子各一分 甘草一分

【用法】上为散，入朱砂同拌。每服半钱，煎竹叶汤调下。

【主治】心神烦躁，小便赤涩不通。

家传木通散

【来源】《永乐大典》卷一〇三三引《婴孩妙诀》。

【别名】木通散（《普济方》卷二一四引《济生方》）、木通汤（《奇效良方》卷三十五）。

【组成】木通一两 牵牛子半两（炒） 滑石一两

【用法】上为粗末。加灯心、葱白，水煎去滓，温服。

【主治】小便不通，腹痛。

三不鸣散

【来源】《中藏经》卷下。

【组成】蝼蛄（水边、灯下、道旁各一个）

【用法】上纳于瓶中，封之，令相噬，取活者一个，焙干为末。每服一钱匕，温酒调服，立通。

【主治】小便不通及五淋。

石韦散

【来源】《幼幼新书》卷三十引《丁时发传》。

【组成】石韦（去皮） 瞿麦 滑石 甘草各一两 灯心一把

【用法】上为末。每服一钱，水八分，加小麦一百粒，同煎五分，去滓温服。

【主治】小儿小便不通。

葵子汤

【来源】《鸡峰普济方》卷十。
【组成】葵子　车前子　茯苓　白术　木通　赤芍药各等分
【用法】上为细末。每服二钱，酒调下。
【主治】小便凝涩不通。

蓬莪散

【来源】《鸡峰普济方》卷十。
【组成】蓬莪茂　茴香　生茶各等分
【用法】上为细末。每服二钱，水一大盏，盐二钱葱白二寸，同煎至七分，和滓空心温服。
【主治】小便暴不通。

白芍药散

【来源】《鸡峰普济方》卷十二。
【组成】白芍药　白茯苓　当归　白术　陈皮　香附子各半两
【用法】上为粗末。每服二钱，水一盏，同煎至八分，去滓，食前温下。
【主治】癃疾久不愈。

车前草汤

【来源】《鸡峰普济方》卷十八。
【别名】车前草方（《仁斋直指方论》卷十六）。
【组成】车前草叶
【用法】上取汁。每服半盏，不拘时候。

《仁斋直指方论》：若沙石淋，则以煅寒水石为末和之，新水调下。

【主治】

1. 《鸡峰普济方》：热淋及小便不通。
2. 《仁斋直指方论》：小肠有热，血淋急痛；沙石淋。

生茶散

【来源】《鸡峰普济方》卷十八。
【组成】蓬莪术　茴香　生茶各等分
【用法】上为细末。每服二钱，水一盏，盐二钱，葱白二寸，煎至六分，和滓空心服。
【主治】暴患小便不通。

通关散

【来源】《小儿卫生总微论方》卷一。
【组成】乳汁二合　葱白一寸（四破）
【用法】上同煎，取一合，灌服。
【主治】初生儿不饮乳，及不小便。

红绵散

【来源】《小儿卫生总微论方》卷十六。
【组成】朱砂（研，水飞）　郁金　轻粉各一分　马牙消半两　麝香少许
【用法】上为细末。每服半钱，薄荷蜜水调下，不拘时候。
【主治】小儿大小便不通。

葶苈散

【来源】《小儿卫生总微论方》卷十六。
【组成】葶苈（炒）半两　青皮（去瓤，炒黄）半两
【用法】上为细末。每服半分或一分，空心、乳食前用姜汤调下。
【主治】小便不通。

葵石散

【来源】《小儿卫生总微论方》卷十六。
【别名】木通散（《普济方》卷三八八）。
【组成】葵根一握（锉）　滑石一两　木通一两　牵牛子半两（炒）
【用法】上为粗散。每服一钱，水一大盏，入灯心、葱白各少许，煎至六分，去滓放温，食前服。
【主治】小便不通闷乱。

僵蚕散

【来源】《小儿卫生总微论方》卷十六。

【组成】白僵蚕（炒去丝咀） 当归（去芦，洗净）各等分

【用法】上为细末。每服半钱或一钱，煎车前子汤调下；若砂淋者，煎羊蹄草汤调下，不拘时候。

【主治】小儿小便赤涩不通；亦治血淋、砂淋。

倒换散

【来源】《宣明论方》卷十五。

【别名】荆黄汤（《内经拾遗方论》卷二）。

【组成】大黄（小便不通减半） 荆芥穗（大便不通减半）各等分

【用法】上药各为末。每服一二钱，温水调下。

【主治】久新癃闭不通，小腹急痛，肛门肿疼。

【方论】《医方考》：用荆芥之轻清者，以升其阳；用大黄之重浊者，以降其阴；清阳既出上窍，则浊阴自归下窍，而小便随泄矣。方名倒换者，小便不通，倍用荆芥；大便不通，倍用大黄，颠倒而用，故曰倒换。

益元散

【来源】《宣明论方》卷十。

【组成】桂府腻白滑石六两 甘草一两（炙）

【用法】上为细末。每服三钱，加蜜少许，温水调下，不用蜜亦得，一日三次；欲饮冷者，新汲水调下；解利伤寒，发汗，煎葱白、豆豉汤调下；难产，紫苏汤调下。

【功用】利小便，宣积气，通九窍六腑，生津液，去留结，消蓄水，止渴宽中，补益五脏，大养脾肾之气，安魂定魄，明耳目，壮筋骨，通经脉，和血气，消水谷，保元，下乳催生；久服强志轻身，驻颜延寿。

【主治】身热，吐利泄泻，肠澼，下痢赤白，癃闭淋痛，石淋，肠胃中积聚寒热，心躁，腹胀痛闷；内伤阴痿，五劳七伤，一切虚损，痫痓，惊悸，健忘，烦满短气，脏伤咳嗽，饮食不下，肌肉疼痛；并口疮牙齿疳蚀，百药酒食邪毒，中外诸邪所伤，中暑、伤寒、疫疠，饥饱劳损，忧愁思虑，恚怒惊恐传染，并汗后遗热劳复诸疾；产后血衰，阴虚热甚，一切热证，兼吹奶乳痈。

【宜忌】孕妇不宜服。

【验案】膀胱炎 《福建中医药》（1965，6：20）：林某某，男，69岁。突感尿意急迫，排尿频繁，量少，滴沥难下，小腹部灼痛，诊断为急性膀胱炎。唇口红甚，舌苔黄浊，脉数有力，给六一散二两，冲开水600ml，澄清，分三次服，每日一剂，连服四天痊愈。

火府丸

【来源】《杨氏家藏方》卷三。

【组成】生干地黄 黄芩 木通各二两 犀角一两 甘草三钱（微炙）

【用法】上为细末，炼蜜为丸，如梧桐子大。每服五十丸，食后温熟水送下。

【主治】心、肝二经蕴蓄邪热，口燥咽干，大渴引饮，潮热烦躁，目赤睛疼，唇焦鼻衄，小便赤涩，癃闭不通。

除热饮子

【来源】《杨氏家藏方》卷三。

【别名】除渴饮子（《普济方》卷一二〇）。

【组成】甘草（炙） 陈小麦 麦门冬 赤茯苓（去皮） 干葛 灯心 木通 人参各等分

【用法】上锉。每服五钱，水一盏半，入竹叶数片，煎至一盏，去滓，食后温服。如发渴细细呷之。

【主治】心经客热，小便不通，口燥烦渴。

圣饼子

【来源】《杨氏家藏方》卷四。

【组成】黄连末半两 巴豆半两（去壳，不去油）

【用法】上药同捣为膏，捻作饼子，大小厚薄如钱。先以葱汁拌盐，滴在脐内，次以饼子盖之，上用大艾柱于饼上，灸二七壮，再换饼子重灸。以利为度。

【主治】小便不通。

矾石散

【来源】《杨氏家藏方》卷四。

【组成】白矾不拘多少

【用法】上为细末。用水和面条，作圈子，围脐高一寸许，纳安矾末，以冷水逐旋滴矾末上，令湿透，更以水滴，觉内冷透，即小便通。

【主治】小便不通，脐腹急胀。

清真汤

【来源】《普济方》卷二一六引《十便良方》。

【组成】车前子五合　冬瓜汁二合

【用法】上药相和，分为二服。食前服之。

【主治】小便不通，腹胀气急闷。

乳朱丸

【来源】《魏氏家藏方》卷七。

【组成】钟乳粉　滑石各半两　朱砂二钱半（别研）

【用法】上为细末，枣肉为丸，如梧桐子大。每服三十丸，空腹灯心汤送下。

【主治】小便不通。

瞿麦汤

【来源】《魏氏家藏方》卷七。

【组成】苦杖　瞿麦各等分

【用法】上为细末。每服半两，水二盏，加灯心三十茎，煎一盏，不拘时候服。

【主治】小便不通。

琥珀丸

【来源】《儒门事亲》卷十二。

【组成】神祐丸加琥珀一两

【用法】上为细末，滴水为丸，如小豆大。每服五七十丸，临卧温水送下。

【功用】攻下。

【主治】《普济方》：小便不通。

通滑散

【来源】《医方类聚》卷一三三引《经验良方》。

【组成】滑石一两　木通草七钱半　冬葵子　赤茯苓　车前子　黄芩各半两

【用法】上为细末，每服一钱或半钱，食前温熟水调下。

【主治】热极小便赤涩不通，水道中痛，尿即号啼。

导气除燥汤

【来源】《兰室秘藏》卷下。

【组成】茯苓（去皮）　滑石（炒黄）各二钱　知母（细锉，酒洗）　泽泻各三钱　黄柏（去皮，酒洗）四钱

【用法】上锉。每服五钱，水三盏，煎至一盏，去滓，稍热空心服；如急闭，不拘时候。

【主治】血涩至气不通而致小便闭塞不通。

【方论】《脾胃论注释》：方中黄柏、知母滋肾阴、润肾燥，清其源则流自洁；茯苓、泽泻甘淡，与咸寒为伍，有利尿降热的作用；滑石为石药中的润药，利六腑之涩结，下达膀胱，润滑肠道。本方并无调气药物，而冠以“导气”二字，在于黄柏、知母经过酒洗，酒性散发起先升后降的作用，滑石炒黄借火性以行润滑之药，故曰导气。

【验案】急性前列腺炎　《国医论坛》（1989，2：32）：应用本方：酒黄柏20g，滑石18g，知母15g，云苓18g，泽泻18g。每日1剂，煎服3次，空腹服用。15天为1疗程。治疗急性前列腺炎30例，年龄在22～59岁。结果：痊愈23例，好转6例，无效1例，总有效率为96.7%。

通关丸

【来源】《兰室秘藏》卷下。

【别名】滋肾丸（原书同卷）、坎离丸（《明医指掌》卷二）、知母黄柏滋肾丸、大补滋肾丸（《医林绳墨大全》卷六）、泄肾丸（《医部全录》卷二六五）、通关滋肾丸（《全国中药成药处方集》上海方）。

【组成】黄柏（去皮，锉，酒洗，焙）　知母（锉，

酒洗，焙干）各一两　肉桂五分

【用法】上为细末，熟水为丸，如梧桐子大。每服一百丸，空心白汤送下。药后顿两足，令药易下行，如小便利，前阴中如刀刺痛，当有恶物下为验。

本方改为汤剂，名“滋肾通关饮”（《丁甘仁医案》卷六）。

【主治】

1.《兰室秘藏》：热在下焦血分，口不渴而小便闭。

2.《医方集解》：肾虚蒸热，脚膝无力，阴痿阴汗，冲脉上冲而喘，及下焦邪热，口不渴而小便秘。

【方论】

1.《医方集解》：肾中有水有火，水不足则火独治，故虚热；肝肾虚而湿热壅于下焦，故脚膝无力，阴痿阴汗；冲脉起于三阴之交，直冲而上至胸，水不制火，故气逆上而喘，便秘不渴。治当壮水以制阳光。黄柏苦寒微辛，泻膀胱相火，补肾水不足，入肾经血分；知母辛苦寒滑，上清肺金而降火，下润肾燥而滋阴，入肾经气分，故二药每相须而行，为补水之良剂；肉桂辛热，假之反佐，为少阴引经，寒因热用也。

2.《绛雪园古方选注》：《难经》关格论云：关则不得小便。口不渴而小便不通，乃下焦肾与膀胱阴分受热，闭塞其流，即《内经》云无阴则阳无以化也。治以黄柏泻膀胱之热，知母清金水之源，一燥一润，相须为用；佐以肉桂，寒因热用，伏其所主而先其所因，则郁热从小便而出，而关开矣。

3.《医方考》：热自足心直冲股内而入腹者，谓之肾火起于涌泉之下。知、柏苦寒，水之类也，故能滋益肾水；肉桂辛热，火之属也，故能假之反佐，此《易》所谓水流湿、火就燥也。

4.《证治准绳·类方》：《内经》曰：热者寒之。又云：肾恶燥，急食辛以润之。以黄柏之苦寒，泻热补水润燥，故以为君；以知母之苦寒，泻肾火，故以为佐；肉桂辛热，寒因热用也。

5.《医略六书·杂病证治》：肾水不足，阴火炎而神机闭遏，不能开发灵动，故舌本强硬，舌音不正焉。黄柏泻热，清阴火之上炎；知母润燥，滋肾水之不足；肉桂导火归原，足以开发神机而正舌音也。蜜丸滚水下，使阴火下潜，则心肾交通而水火既济，安有舌本强硬，舌音不正之患乎？此壮水导火之剂，为阴火上炎舌强之专方。

【验案】肾绞痛　《湖北中医杂志》（1983，4：封3）：将通关丸改成散剂，治疗26例肾绞痛，疗效显著。所治病人均有腰腹绞痛，尿频，排尿困难等症状，于就诊时立即用温开水送服上药1克，多数病人在3～5分钟内疼痛减轻，10分钟内疼痛大减，20分钟绞痛基本缓解。若数分钟内绞痛不减者，可继服药末1克。一般病人，首次服药后半小时再服药1克，此后可三小时服药1克，每日四次。经上述治疗后，一般于3天内绞痛可完全控制。

清肺饮子

【来源】《兰室秘藏》卷下。

【别名】清肺饮（《证治准绳·疡医》卷四）、清肺散（《证治准绳·类方》卷六）

【组成】灯心一分　通草二分　泽泻　瞿麦　琥珀各五分　萹蓄　木通各七分　车前子（炒）一钱　茯苓（去皮）二钱　猪苓（去皮）三钱

【用法】上为粗末。每服五钱，以水一盏半，煎至一盏，食远稍热服。

【主治】邪热在上焦气分，渴而小便闭涩不利。

宣气散

【来源】《普济方》卷二一六引《济生方》。

【组成】甘草　木通各三钱　栀子二钱　葵子　滑石各一钱

【用法】上为末。每服半钱，灯心汤调下。

【主治】小便不通，脐腹急痛。

赤茯苓汤

【来源】《济生方》卷四。

【组成】木通（去节）　赤茯苓（去皮）　槟榔　生地黄（洗）　黄芩　赤芍药　甘草（炙）　麦门冬（去心）各等分

【用法】上锉。每服四钱，水一盏半，加生姜五片，煎八分，去滓温服，不拘时候。

【主治】小肠实热，面赤多汗，小便不通。

葵子汤

【来源】《济生方》卷七。

【别名】葵花汤（《疡医大全》卷二十四）。

【组成】赤茯苓（去皮）　木猪苓（去皮）　葵子　枳实（麸炒）　瞿麦　木通（去节）　黄芩　车前子（炒）　滑石　甘草（炙）各等分

【用法】上锉。每服四钱，水一盏半，加生姜五片，煎至八分，去滓温服，不拘时候。

【主治】

1.《济生方》：膀胱实热，腹胀，小便不通，口舌干燥，咽肿不利。

2.《疡医大全》：膀胱有热，腹胀，阴囊肿胀而痛，小便不通。

草蜜汤

【来源】《仁斋直指方论》卷十五。

【组成】生车前草捣取自然汁半盏　蜜一匙

【用法】调服。

【主治】心肾有热，小便不通。

海浮石散

【来源】《仁斋直指方论》卷十八。

【组成】海浮石

【用法】上为细末。每服二钱，煎麦门冬、赤茯苓汤调下。

【主治】肾气热证，小便秘涩黄色。

利气散

【来源】《类编朱氏集验方》卷六。

【组成】绵黄耆　陈皮　甘草各等分

【用法】上为末。水煎服。自然通。

【主治】老人小便秘涩不通。

琥珀丸

【来源】《类编朱氏集验方》卷六。

【组成】琥珀（研如粉）不拘多少。

【用法】上为细末，炼蜜为丸，如梧桐子大。每服十丸，煎赤茯苓汤吞下，甚者，加丸数。

【主治】老人小便不通。

红秫散

【来源】《普济方》卷二十六引《类编朱氏集验方》。

【组成】红秫黍根二两　萹蓄一两半　灯草一百根

【用法】上为散，每服五钱，用河水二盏，煎至七分，去滓，空心、食前温服。

【主治】小便不通，上喘。

引水散

【来源】《御药院方》卷八。

【组成】石燕子一双（醋淬）　海马　海蛤　滑石　琥珀　赤茯苓　川木通　通草　越桃（炒，系山栀子仁）　泽泻　猪苓（去黑皮）　车前子（微炒）　茴香（微炒）　瞿麦穗　萹蓄　苦葶苈（纸衬炒）　忘忧根　木香　白丁香　鬼棘针各一两

【用法】上为粗散。每服五钱，水一盏半，灯心三十茎同煎，取清汁八分，纳麝香一字，拌匀放温，食前服。

【主治】小水秘涩不快或不通，及肿满、脚气、一切湿证。

通关散

【来源】《医方类聚》卷一三六引《施圆端效方》。

【组成】生白矾　沧盐各二钱半

【用法】上为细末。用纸圈围脐周，抄药在内，滴水药上，少时小便自行。

【主治】小便不通。

黄芩清肺汤

【来源】《卫生宝鉴》卷十七。

【别名】黄芩清肺饮（《玉机微义》卷二十八）、黄芩清肺散（《保婴撮要》卷十五）、清肺饮（《赤水玄珠全集》卷十五）、黄芩泻肺汤（《麻疹

全书》卷三)。

【组成】黄芩二钱　栀子二个（擘破）

【用法】上作一服。水一盏半，煎至七分，去滓，食后温服。

【主治】肺燥所致小便不通。

【加减】不利，加盐豉二十粒。

枳壳丸

【来源】《活幼心书》卷下。

【组成】枳壳不拘多少（锉片，麦面炒过，以清油润透一宿，焙干）

【用法】上为末，炼蜜为丸，如芡实大。儿小者，每服一至二丸，用甘草，糯米煎汤化下；儿大者，丸如绿豆大，每服三十至五十丸，食前温米清汤送下；小腑热闭，用车前子煎汤，候温，空心服之。

【主治】大腑虚闭，气连日不通，或痢后里急；小便热闭。

金沙流湿丸

【来源】《杂类名方》。

【组成】木通一两（去皮）　泽泻一两半　木香一两　白茯苓（去皮）　大黄（去皮）各一两半　滑石五两　海金沙五钱　牵牛头末五两　郁李仁一两

【用法】上为细末，滴水为丸，如梧桐子大。每服五十丸至八十丸，生姜汤送下；如小便不通，灯草汤送下；如伤酒，生姜汤送下；酒疸食黄，萝卜汤送下；痢疾，高良姜汤送下；妇人血气不调，当归汤送下；肢节疼痛，温酒送下；心痛者，韭根汤送下；膈气，枳实汤送下；中风，槐角汤送下。

【主治】小便不通，伤酒、酒疸，痢疾，妇人血气不调，肢节疼痛，心痛，膈气，中风。

【宜忌】忌湿面。

泽泻散

【来源】《云岐子脉诀》。

【组成】赤茯苓　泽泻各半两　桑白皮　山栀子仁各一两

【用法】上锉。每服一两，水煎服，得小便利为度。

【主治】小便赤涩，闭塞不通，脚酸疼，主脉沉，客脉洪。

葵菜羹

【来源】《饮膳正要》卷二。

【组成】葵菜叶不以多少（洗，择净）

【用法】上煮作羹，入五味，空腹食之。

【主治】小便癃闭不通。

附子散

【来源】《世医得效方》卷六。

【组成】绵附子一两（炮，去皮脐，盐水内浸良久）　泽泻（不蛀者）一两

【用法】上锉散。每服四钱，水一盏半，加灯心七茎，煎服，随通而愈。

【主治】阳虚小便不通，两尺脉俱沉微，用淋闭通滑之剂不效者。

通心饮

【来源】《世医得效方》卷十一。

【组成】木通（去皮节）　连翘　瞿麦　栀子仁　黄芩　甘草各等分

【用法】上锉散。每服二钱，以水一盏煎，灯心、麦门冬（去心）汤送下。心经有热，每服四钱，以水一盏半，入灯心十茎、滑石末一匕、麦门冬二十粒、桑白皮七寸煎汤，去滓，再入生车前草汁一合，和匀服；心脾蕴热作呕，每服三钱，加灯心、藿香叶煎服；口疮，加地黄、野苎根煎服；旋螺风，先用土牛膝、泽兰煎水外洗，再服上药。

【功用】清心热，利小便，退潮热，分水谷。

【主治】心经有热，唇焦面赤，发热，小便不通；心脾蕴热作呕，潮热乍来乍去，心烦，面赤口干，如疟状；小儿钓气；口疮；旋螺风，赤肿而痛者。

【加减】春，加蝉蜕、防风；夏，加茯苓、车前子；秋，加牛蒡、升麻；冬，加山栀子、连翘；小儿钓气，加钩藤、川楝子，或加白茅根、竹叶。

赤茯苓汤

【来源】《玉机微义》卷九。

【组成】赤茯苓　猪苓　葵子　枳实　瞿麦　木通　黄芩　车前子　滑石　甘草各等分

【用法】上锉。加生姜，水煎，食前服。

【主治】膀胱实热，腹胀，小便不通，口苦舌干，咽肿不利。

清肺散

【来源】《玉机微义》卷二十八。

【组成】五苓散　加琥珀半钱　灯心一分　木通七分　通草一分　车前子（炒）一分　瞿麦半钱　萹蓄七分

【用法】上为细末。每服五钱，水煎，食前服。作汤亦可。

【主治】渴而小便闭，或黄或涩。

导赤散

【来源】《医方类聚》卷一八三引《修月鲁班经》。

【组成】黄连　黄芩　车前子　木通　滑石　大黄　枳壳各等分

【用法】上锉。水煎服。

【功用】通利小便。

【主治】痔漏敷后小便不通。

通关散

【来源】《医方类聚》卷一三六引《烟霞圣效》。

【组成】陈皮半两　西灯草三钱　瞿麦三钱　山栀子二钱　白茯苓三钱

【用法】上为末。每服三钱，加葱白三寸，同煎至七分，去滓，食前温服，每日三次。

【主治】小便不通。

十金散

【来源】《普济方》卷一九四。

【组成】浮萍（晒干）

【用法】上为末。每服方寸匕，日一二次。

【主治】小便不利，膀胱水气流滞。

琥珀茯苓丸

【来源】《普济方》卷二一四。

【组成】琥珀（另研细）　滑石（用桂府者，研细）　知母（去皮头）　黄柏（去粗皮）　蛤粉　赤茯苓（去皮）　川木通（去皮）　当归　泽泻（去头）各二两　人参　山栀子仁　赤芍药　白术　猪苓（去皮）　黄连　大黄　黄芩　瞿麦　萹蓄　木香

【用法】上为末，同琥珀、滑石、蛤粉和匀，滴水为丸，如梧桐子大。每服四钱，早晨空心用温白汤送下。

【主治】膀胱经积热，以致小便癃闭淋涩。

牛蒡煎

【来源】《普济方》卷二一六。

【组成】牛蒡叶汁　生地黄汁各二合

【用法】上和匀。每服一合，用水半盏，煎三五沸，调滑石末五分，加续随服。

【主治】小便不通，烦躁，不安，脐腹急痛。

青真汤

【来源】《普济方》卷二一六。

【组成】桑叶汁　车前子汁

【用法】上二汁相和，为二服。食前饮下。

【主治】小便不通，腹胀，气急烦闷。

郁金黄连丸

【来源】《袖珍方》卷二引《秘方》。

【组成】郁金　黄连各一两　黄芩　琥珀（研）　大黄（酒浸）各二两　滑石　白茯苓各四两　黑牵牛（炒，取末）三两

【用法】上为末，水为丸，如梧桐子大。每服五十丸，空心沸汤送下。

【主治】心火炎上，肾水不升，致使水火不得相济，故火独炎上，水流下淋，膀胱受心火所炽而脬囊中积热，或癃闭不通，或遗泄不禁，或白浊如泔水，或膏淋如脓，或如栀子汁，或如沙石米

粒，或如粉糊相似者，俱热证。

【加减】如用消导饮食，降心火，可加沉香五钱。

木通散

【来源】《袖珍小儿方》卷七。

【组成】木通一两　黑豆五钱（炒）　滑石一两

【用法】上锉散。加灯心、葱白，水煎服。

【主治】小儿小便不通，因心火上炎不能降济，肾水不上升，使心经愈热，影响小肠所致者。

通心饮

【来源】《奇效良方》卷三十五。

【组成】木通　连翘各等分

【用法】上为细末。每服一至二钱，用麦门冬或灯心煎汤调下，不拘时候。

【主治】心经有热，唇焦面赤，小便不通。

秘传木通汤

【来源】《松崖医径》卷下。

【组成】冬葵子半两　山栀仁半两（炒，研）　木通三钱　滑石半两（研）

【用法】上切细，作一服。用水一盏半，煎八分温服。外以冬葵子、滑石、栀子为末，田螺肉和捣成膏，或用生葱汁，调贴脐中。

【主治】孕妇转胞，及男子小便不通。

导水散

【来源】《辨证录》卷九。

【别名】导水汤（《医学集成》卷三）。

【组成】王不留行五钱　泽泻三钱　白术三钱

【用法】水煎服。

【功用】逐水，利膀胱。

【主治】膀胱火旺，小肠不通，眼睛突出，面红耳热，口渴引饮，烦躁不宁。

化阳汤

【来源】《医学集成》卷三。

【组成】元参二两　熟地一两　前仁三钱　肉桂二分

【主治】阴虚溺闭。

加味二陈汤

【来源】《万氏家抄方》卷六。

【组成】陈皮一钱五分　半夏六分　茯苓八分　甘草三分　香附　木通　贝母　知母

【用法】加生姜三片，水煎服。

【主治】痰气壅塞，小便不通。

葱白补骨脂汤

【来源】《陈素庵妇科补解》卷五。

【组成】杜仲　远志　当归　川芎　陈皮　甘草　瞿麦　补骨脂　香附　牛膝　葱白　车前子

【功用】温下焦，行水。

【主治】产前内积冷气，产时尿胞运动，产后腹胀如鼓，小便不通，闷乱欲死。

【方论】冷气积于膀胱，产后血虚受冷，凝滞不行，以致腹胀闷绝，理或有之，热结寒亦结，《经》所谓脏寒生满病也。方以川芎、当归辛温以补血，远志、骨脂辛热以补暖下焦，陈皮、香附行气，车前、甘草、瞿麦行水，葱白开窍，杜仲、牛膝引药下行，其性最速。方中皆辛温通利之药，庶复冷气除，小便得温而自通矣。

宣气散

【来源】《摄生众妙方》卷七。

【组成】木通　滑石各一两　黑牵牛（头末）半两

【用法】上锉。每服一钱，水七分，灯心十茎，葱白一茎，煎四分，食前服。

【主治】小便不通，腹痛不可忍。

万病遇仙丹

【来源】《医便》卷二。

【组成】黑牵牛一斤（半生半炒，取头末五两）　大黄（酒浸，晒干）　三棱　莪术　猪牙皂角（去弦子）　茵陈　枳壳（去瓤）　槟榔各四两（俱生）

木香一两

【用法】上为细末，用大皂角打碎去子，煎浓汤去滓，煮面糊为丸，如绿豆大。实而新起二钱，虚而久者一钱，白汤送下，小儿各减半；食积所伤，本物煎汤送下；大便不通，麻仁汤送下；小便不通，灯心、木通汤送下。

【主治】湿热内伤血分之重者。

通关丸

【来源】《古今医鉴》卷八。

【组成】黄柏二两（酒炒） 知母二两（酒炒） 肉桂三钱 滑石二两 木通一两

【用法】上为末，水为丸，如梧桐子大。每服百丸，白水送下。

【主治】热在下焦血分，小便不通；兼治诸淋。

八正散

【来源】《片玉痘疹》卷三。

【组成】大黄（酒炒） 滑石 甘草 赤芍 瞿麦 车前子 木通 赤茯苓 萹蓄

【用法】灯心、水、竹叶引，水煎，热服。

【主治】痘疹发热，小便不通者。

【加减】如人事虚者，去大黄，加泽泻、白术、猪苓。

助脾汤

【来源】《点点经》卷二。

【组成】茯苓 当归 陈皮 苍术 白术 扁豆 车前子 益智各一钱半 青皮一钱 甘草八分

【用法】加生姜、葱白为引。

【主治】小便不通，小腹胀痛不止。

五苓去桂加滑石散

【来源】《保命歌括》卷二十四。

【组成】五苓散去桂（末）一两 滑石（末）一两

【用法】上为细末。每服二钱，用乌桕树根皮煎汤调下。

【主治】小便闭，少腹胀满有形。

朴消牛膝汤

【来源】《赤水玄珠全集》卷十五。

【组成】杜牛膝二两 朴消一两

【用法】以雪水二碗，煎杜牛膝至一碗，调朴消空心服。

【主治】小便不通，或血淋。

八正散加木香汤

【来源】《医方考》卷二。

【组成】车前子 瞿麦 萹蓄 滑石 山栀子（炒黑） 甘草梢 木通 大黄 木香

【主治】湿热下注，少腹急，小便不通者。

【方论】《医方考》：湿热下注，令人少腹急，则小便有可行之势矣。而卒不通者，热秘之也。陶隐居曰：通可以去滞，泻可以去秘，滑可以去着。故用木通、瞿麦、萹蓄通其滞；用大黄、山栀泻其秘；用车前、滑石滑其着；用甘草梢者，取其坚实，能泻热于下；加木香者，取其辛香，能化气于中。

七正散

【来源】《医方考》卷六。

【组成】车前子 赤茯苓 山栀仁 生甘草梢 木通 扁蓄 龙胆草

【用法】《景岳全书》：加灯心、竹叶，水煎服。

【主治】

1. 《医方考》：痘证小便秘涩。
2. 《医部全录》：湿热溺血。

【方论】治痘而必欲利小便者，水循其道，而后地平天成故也。是方也，车前能滑窍，赤苓能渗热，木通能通滞，山栀能泻火，草梢能通茎，扁蓄能利水，胆草能利热。七物者，导其热邪，正其中气，故曰七正。

加味四苓散

【来源】《仁术便览》卷三。

【组成】白术 赤茯苓 猪苓 泽泻 海金沙 木

通　车前子
【用法】水煎服。
【主治】小便不通。

加味五苓散

【来源】《万病回春》卷四。
【组成】猪苓　泽泻　白术（去芦）　赤茯苓（去皮）　肉桂　当归　枳壳　牛膝（去芦）　木通各等分　甘草梢减半
【用法】上锉一剂。加灯心一团，水煎，空心服。
【主治】虚寒小便不通。

参归升麻汤

【来源】《万病回春》卷四。
【组成】人参（去芦）　当归　生地黄　赤茯苓（去皮）　猪苓　泽泻　山栀　枳壳（去瓤）　牛膝（去芦，酒洗）　黄柏（酒炒）　知母（酒炒）各等分　升麻少许　甘草减半
【用法】上锉一剂。加灯心一团，水煎，空心服。
【主治】虚人小便不通。

猪苓汤

【来源】《万病回春》卷四。
【组成】木通　猪苓　泽泻　滑石　枳壳（炒）　黄柏（酒浸）　牛膝（去芦）　麦门冬（去心）　瞿麦　车前子各等分　甘草梢减半　萹蓄叶十片
【用法】上锉。加灯心一团，水煎，空心服。
【主治】热结小便不通。

通神散

【来源】《万病回春》卷七。
【组成】儿茶末一钱
【用法】萹蓄煎汤送下。
【主治】小便紧急不通，或出血。

神灰散

【来源】《鲁府禁方》卷二。
【组成】苘麻（烧灰）
【用法】黄酒调服。
【主治】小便不通。

浚牛膏

【来源】《证治准绳·幼科》卷四。
【组成】大田螺
【用法】用葱、盐，加少许麝香，捣烂为膏。热烘细绢摊，贴小腹，用手摩之。
【主治】儿辈小腹硬胀刺痛，小便赤涩难通，欲尿则啼，不尿则痛，未愈而痘随发。

紫草冬葵汤

【来源】《证治准绳·幼科》卷五。
【组成】紫草茸　山栀子　黄芩各一钱二分　秦艽　苦参各一钱一分　冬葵子一钱半　露蜂房　白茯苓　木通　白芍药　泽泻　车前子各一钱
【用法】上为散。每服四钱，水煎，食远温服。
【主治】小便不通，毒气闭塞。
【加减】如急数，茎中痛者，加甘草梢八分，苦楝子一钱；如痛甚欲死者，加川牛膝一钱三分；如有赤如血色者，加胡黄连一钱三分；如溺血者，加当归一钱，川芎一钱，龙骨（火煅）、菟丝子各一钱；红甚者，加生地黄；白溺者，加使君子各一钱三分，黄连一钱一分，韭子（研）一钱二分；浊甚者，加桑螵蛸一钱。

八正散

【来源】《痘疹全书》卷上。
【组成】木通　赤茯苓　滑石　甘草　连翘　升麻　猪苓　淡竹叶　瞿麦　灯心
【用法】水煎服。
【主治】痘疹小便不通。

导水散

【来源】《寿世保元》卷五。
【组成】当归二钱　瞿麦三钱　车前子二钱　滑石三钱　赤茯苓三钱　泽泻二钱　猪苓二钱　木通

二钱　石莲子（去壳）一钱　山栀子三钱　黄连六分　黄柏一钱五分（酒炒）　知母一钱五分　甘草八分

【用法】上锉。灯心煎，空心温服。

【主治】膀胱有热，小便闭而不通。

禹功散

【来源】《寿世保元》卷五。

【组成】陈皮　半夏（姜制）　赤茯苓　猪苓　泽泻　白术（炒）　木通各一钱　条芩八分　升麻三分　甘草三分　山栀子（炒）一钱

【用法】上锉一剂。以水二钟，煎至一钟，不拘时服。少时，以鸡翎探吐之，得解而止。

【主治】

1.《寿世保元》：小便不通，百法不能奏效者。

2.《医方一盘珠》：膀胱有热，小便不通。

【方论】此方妙在吐，譬如滴水之器，闭其上窍则不沥，拔之则水通流泄矣。

神通散

【来源】《寿世保元》卷八。

【组成】儿茶末一钱

【用法】上用萹蓄煎汤送下。霎时溲便涌如泉。

【主治】小儿膀胱火盛，小便闭涩不通。

滑石通淋散

【来源】《济阴纲目》卷十四。

【组成】赤茯苓　泽泻　木通　黄连　猪苓各八分　白术　瞿麦　山栀子　车前子各等分　滑石四分

【用法】上锉。加灯心十二茎，水煎，空心热服。

【主治】产后因血热积于小肠，经水不利，恣食热毒之物而成小便紧涩不通者。

化阴煎

【来源】《景岳全书》卷五十一。

【组成】生地黄　熟地黄　牛膝　猪苓　泽泻　生黄柏　生知母各二钱　绿豆三钱　龙胆草钱半　车前子一钱

【用法】水二盅，加食盐少许，用文武火煎八分，食前温服，或冷服。

【主治】水亏阴涸，阳火有余，小便癃闭，淋浊疼痛。

【加减】若水亏居多而阴气大有不足者，可递加熟地黄，即用至一二两亦可。

滋阴八味煎

【来源】《景岳全书》卷五十一。

【别名】知柏地黄汤（《医宗金鉴》卷五十三）、滋阴八味汤（《证因方论集要》卷四）、知柏六味汤（《家庭治病新书》）。

【组成】山药四两　丹皮三两　白茯苓三两　山茱萸肉四两　泽泻三两　黄柏（盐水炒）三两　熟地黄八两（蒸捣）　知母（盐水炒）三两

【用法】水煎服。

【主治】

1.《景岳全书》：阴虚火盛，下焦湿热等证。

2.《医宗金鉴》：肾虚火来烁金而喘急者。

3.《证因方论集要》：阴虚火动，骨痿髓枯，喉痹而尺脉旺者。

【验案】

1. 尿潴留　《湖北中医杂志》（1985，3：27）：用本方去山茱萸，加苡仁米治疗4例尿潴留，其中脑血管意外后遗症，截瘫继发泌尿系感染各1例，前列腺肥大2例。曾用多种方法治疗无效，服本方5剂即愈，随访1～4年未复发。

2. 耳疳　《陕西中医函授》（1988，2：40）：用本方加蚤休10克，水煎服，一日一剂。共治疗小儿顽固性耳疳14例。结果痊愈11例，有效2例，无效1例。

二香散

【来源】《济阳纲目》卷九十二。

【组成】木香　沉香各等分

【用法】上为末。煎陈皮、茯苓汤调下，空心服。

【主治】气郁于下，小便隐秘不通。

升麻导痰汤

【来源】《济阳纲目》卷九十二。

【组成】南星（泡） 橘红 赤茯苓 枳壳 甘草各一钱 半夏二钱 升麻五分

【用法】上锉。水煎服。

【主治】痰涎阻滞气道，小便不通。

加味八正散

【来源】《济阳纲目》卷九十二。

【组成】车前子 瞿麦 萹蓄 滑石 甘草 山栀子 木通 大黄 木香各等分

【用法】上锉。每服三钱，入灯心十茎，水煎，食前服。

【主治】膀胱不利为癃，小便闭而不通。

加味四君子汤

【来源】《济阳纲目》卷九十二。

【组成】黄耆 升麻 人参 白术 茯苓 甘草（炙）

【用法】上锉。水煎服。

【主治】气虚及胃弱，不能通调水道，下输膀胱，致小便不通。

通达饮

【来源】《丹台玉案》卷四。

【组成】当归 桃仁（去尖） 大黄（酒煨） 猪苓 泽泻 木香各二钱 附子 滑石 玄胡索各一钱二分

【用法】加灯心三十茎煎，食前服。

【主治】小腹胀痛，溺涩不通，内有蓄血结聚者。

木通二陈汤

【来源】《医门法律》卷五。

【组成】木通 陈皮（去白） 白茯苓 半夏（姜制） 甘草 枳壳

【用法】加生姜煎服，服后徐徐探吐。

【主治】痰隔于中焦，气滞于下焦，心脾疼后，小便不通。

七味地黄汤

【来源】《石室秘录》卷二。

【组成】肉桂一钱 熟地一两 山茱萸四钱 茯苓二钱 车前子一钱 泽泻一钱 丹皮一钱 山药一钱

【用法】水煎服。

【主治】肾气不能行于膀胱，小便不通。

通水至奇汤

【来源】《石室秘录》卷三。

【别名】遏水至奇汤。

【组成】人参三钱 莲子三钱 白果二十个 茯苓三钱 甘草一钱 车前子三钱 肉桂三分 王不留行三钱

【用法】水煎服。

【主治】膀胱气化不行，小便不通。

【方论】此方之奇妙，全在用人参，其次则用肉桂三分，盖膀胱必得气化而始出。气化者何？心包络之气也，膀胱必得心包络之气下行，而水路能出。尤妙用白果二十个，人多不识此意：白果通任、督之脉，又走膀胱，引参、桂之气，直奔于膀胱之中。而车前子、王不留行尽是通泄之物，各随之趋出于阴气之口也。

牛膝汤

【来源】《证治汇补》卷八。

【组成】牛膝 归尾 黄芩 加琥珀末少许

【用法】《医略六书》本方用牛膝三钱，归尾三钱，黄芩钱半。水煎，去滓温服。

【功用】《医略六书》：破瘀通窍。

【主治】血瘀小便不通。

【方论】《医略六书》：牛膝化瘀血，以通利二便，归尾破血瘀，以调和经脉，黄芩清瘀热肃金，琥珀散瘀血利水也。水煎温服，使血化气行，则水府廓清，而蓄泄如常，安有小便涩痛不通之患乎。此破瘀通窍之剂，为血瘀溺闭之专方。

清肺饮

【来源】《证治汇补》卷八引东垣方。

【组成】茯苓　黄芩　桑皮　麦冬　车前　山栀　木通各等分

【用法】水煎服。

【主治】肺热口渴，小便不通。

启结生阴汤

【来源】《辨证录》卷六。

【组成】熟地一两　山茱萸五钱　车前子三钱　苡仁五钱　麦冬五钱　益智仁一钱　肉桂一分　沙参三钱　山药四钱

【用法】水煎服。

【功用】补益肺肾，滋其生水之源。

【主治】肺肾气虚，膀胱燥结，夏秋之间，小便不通，点滴不出。

【方论】此方补肾而仍补肺者，滋其生水之源也。补中而仍用通法者，水得补而无停滞之苦，则水通而益收补之利也。加益智以防其遗，加肉桂以引其路，滂沛之水自然直趋膀胱，燥者不燥，而闭者不闭矣。

治本消水汤

【来源】《辨证录》卷六。

【组成】熟地二两　山茱萸一两　麦冬一两　车前子五钱　五味子二钱　茯苓五钱　牛膝三钱　刘寄奴三钱

【用法】水煎服。

【功用】补肾水、肺气。

【主治】肾水竭而膀胱枯，小肠燥结，不能出尿。

柏桂生麦汤

【来源】《辨证录》卷六。

【组成】麦冬一两　黄柏三钱　生地五钱　肉桂三分

【用法】水煎服。

【主治】肺燥肾虚，小便不通。

生脉散

【来源】《辨证录》卷九。

【组成】人参一两　麦冬二两　北五味子一钱　黄芩一钱

【用法】水煎服。

【主治】小便不出，中满作胀，口中甚渴，投以利水之药不应，属于肺气干燥者。

【方论】夫膀胱者，州都之官，津液藏焉，气化则能出矣。上焦之气不化，由于肺气之热也。肺热则金燥而不能生水，投以利水药，益耗其肺气，故愈行水而愈不得水也。治法当益其肺气，助其秋令，水自生焉。方用生脉散治之。生脉散补肺气以生金，即补肺气以生水是矣。何以加黄芩以清肺，不虑伐金以伤肺乎？不知天令至秋而白露降，是天得寒以生水也。人身肺金之热，不用清寒之品，何以益肺以生水乎？此黄芩之必宜加入于生脉散中，以助肺金清肃之令也。

加生化肾汤

【来源】《辨证录》卷九。

【组成】熟地四两　生地二两　肉桂三分

【用法】水煎服。

【主治】阴亏之至，小便不通，目睛突出，腹胀如鼓，膝以上坚硬，皮肤欲裂，饮食不下，口不渴者。

行水汤

【来源】《辨证录》卷九。

【组成】熟地二两　巴戟天　茯神　芡实各一两　肉桂二钱

【用法】水煎服。

【主治】小便闭结，点滴不通，小腹作胀，然而不痛，无烦躁闷乱之形，口舌不干渴者。

麦冬茯苓汤

【来源】《辨证录》卷九。

【组成】麦冬三两　茯苓五钱

【用法】水煎服。

【主治】肺气干燥，小便不出，中满作胀，口中甚渴。

纯阴化阳汤

【来源】《辨证录》卷九。

【组成】熟地一两　玄参三两　肉桂二分　车前子三钱

【用法】水煎服。一剂小便如涌泉，再剂而闭如失。

【主治】阴亏之至，小便不通，目睛突出，腹胀如鼓，膝上坚硬，皮肤欲裂，饮食不下，独口不渴，服甘淡渗泄之药皆无功效者。

【方论】此方又胜于滋肾丸，以滋肾丸用黄柏、知母苦寒之味以化水，不若此方用微寒之药以化水也。论者谓病势危急，不宜用补以通肾，且熟地湿滞，不增其闭涩之苦哉？讵知肾有补无泻，用知母、黄柏反泻其肾，不虚其虚乎？何若用熟地纯阴之品，得玄参濡润之助，既能生阴，又能降火，攻补兼施，至阳得之，如鱼得水，化其亢炎而变为清凉，安得不崩决而出哉？或谓既用熟地、玄参以生阴，则至阳可化，何必又用肉桂，车前子多事，然而药是纯阴，必得至阳之品以引入于至阳，而又有导水之味，同群共济，所以既能入于阳中，又能出于阳外也。矧肉桂只用其气以入阳，而不用其味以助阳，实有妙用耳。

凉心利水汤

【来源】《辨证录》卷九。

【组成】麦冬一两　茯神五钱　莲子心一钱　车前子三钱

【用法】水煎服。

【功用】泻心火，利膀胱。

【主治】心火亢极，小便不通，点滴不能出，急闷欲死，心烦意躁，口渴索饮，饮而愈急。

散丸汤

【来源】《辨证录》卷九。

【组成】茯苓一两　野杜若根枝一两　沙参一两

【用法】水煎服。一剂痛除；二剂丸渐小；连服二剂，水泄如注，囊小如故矣。服此方后，即用当归补血汤数剂以补气血。

【主治】膀胱热结，气化不利，癃闭，小水不利，睾丸牵痛，连于小肠相掣而疼，睾丸日大，往往有囊大如斗而不能消者。

【方论】此方之奇，奇在杜若非家园之杜若也，乃野田间所生蓝菊花是也。此物性寒而又善发汗，且能直入睾丸以散邪，故用以助茯苓、沙参，既利其湿，又泻其热，所以建功特神。

散癃汤

【来源】《辨证录》卷九。

【组成】茯苓一两　车前子三钱　肉桂八分　萆薢二钱　甘草一钱　黄柏　知母各一钱

【用法】水煎服。

【主治】膀胱热结癃闭，小水不利，睾丸牵痛，连于小肠相掣而疼。

甘泽饮

【来源】《李氏医鉴》卷七。

【组成】甘草　泽泻　茯苓　通草　车前子　瞿麦　木通　扁蓄　栀子　琥珀

【主治】上焦肺热，小便秘涩。

玉龙散

【来源】《良朋汇集》卷二。

【组成】玉簪花　蛇蜕各二钱　丁香一钱

【用法】上为末。每服一钱，酒送下。

【主治】小便不通。

通苓汤

【来源】《伤寒大白》卷四。

【组成】木通　猪苓　茯苓　车前子　淡竹叶　甘草　麦门冬

【功用】通利小便。

【加减】清心胃之热，加川连；清肺胃之热，加桔梗、黄芩、石膏；清肾火以滋真阴，加生地、黄柏、知母；气化不及，加人参以助肺气。

去邪如扫汤

【来源】《惠直堂方》卷二。

【组成】王不留行五钱　泽泻三钱　白术三钱

【用法】水煎服。一剂通达如故。

【主治】小便不通，膀胱气闭，面红耳赤，口渴烦躁。

利气散

【来源】《医略六书》卷二十五。

【组成】木通三两　枳壳一两半（炒）　陈皮一两半　草梢一两半

【用法】上为散。每服三钱，砂仁汤送下。

【主治】膀胱气滞，小便不通，小腹满，脉沉涩者。

【方论】方中江枳壳破滞气以化气，广陈皮和胃气以利气，童木通通闭利小便，生草梢和药达茎中。为散、砂仁汤下，使滞化气调则膀胱之气自化而水腑蓄泄有权，安有小便不通之患乎？此泻气通闭之剂，为气滞小便不利之专方。

滑利散

【来源】《种痘新书》卷十二。

【组成】木通六分　赤茯苓二钱　泽泻二钱　车前子一钱　灯心二十寸

【用法】水煎服。

【主治】痘疮，小便不通。

人参散

【来源】《幼幼集成》卷四。

【组成】人参一钱　大麦冬二钱　川黄柏五分　炙甘草一钱　生姜三片

【用法】水煎服。

【主治】气虚津液不足，小便不通。

泽附煎

【来源】《仙拈集》卷二。

【组成】大附子（炮，去皮尖）　泽泻各一两

【用法】上锉四剂。加灯心七根，水二钟，煎七分，食远服。

【主治】阴分虚寒，小便不通，误服寒凉不应者。

茴消散

【来源】《仙拈集》卷二。

【组成】朴消五钱　茴香（炒）二钱

【用法】上为末。每服二钱，热酒下。

【主治】膀胱热而不通者。

分清饮

【来源】《医级》卷七。

【组成】茯苓　泽泻　米仁　猪苓　厚朴　枳壳　木通　栀子　车前

【主治】小便癃闭及湿滞肿胀，不能受补。

香参散

【来源】《风劳臌膈》。

【组成】人参一两　沉香二钱五分

【用法】新瓦上焙，为细末。每服四钱，水煎服。

【主治】脾虚胀满，小便癃闭。

导赤散

【来源】《笔花医镜》卷二。

【组成】麦冬三钱　木通一钱　生地三钱　甘草四分　竹叶十片　车前　赤茯苓各一钱五分

【主治】热闭小便不通。

既济汤

【来源】《医醇胜义》卷四。

【组成】当归二钱　肉桂五分　沉香五分　广皮一钱　泽泻一钱五分　牛膝二钱　瞿麦二钱　车前二钱　苡仁四钱　葵花子四钱（炒，研，同煎）

【功用】理气行水。

【主治】寒气上逆，水气窒塞不通，以致膀胱胀，少腹满而小便癃。

加减八正散

【来源】《医学探骊集》卷五。

【组成】瞿麦三钱　萹蓄三钱　木通四钱　滑石四钱　猪苓三钱　车前子四钱　泽泻三钱　通草二钱　淡竹叶三钱　桂心二钱　甘草梢二钱

【用法】水煎，温服。

【主治】下焦瘀热，涸闭其传化之气，以致溺积膀胱，小便不通者。

温通汤

【来源】《医学衷中参西录》上册。

【组成】椒目八钱（炒，捣）　小茴香二钱（炒，捣）　威灵仙三钱

【主治】下焦受寒，小便不通。

【加减】凉甚者，酌加肉桂、附子、干姜；气分虚者，宜加人参，助气分以行药力。

寒通汤

【来源】《医学衷中参西录》上册。

【组成】滑石一两　生杭芍一两　知母八钱　黄柏八钱

【主治】下焦蕴蓄实热，膀胱肿胀，溺管闭塞，小便滴沥不通。

【验案】癃闭　一人，年六十余，溺血数日，小便忽然不通，两日之间滴沥全无。病人不能支持，自以手揉挤，流出血水少许，稍较轻松。揉挤数次，疼痛不堪揉挤。彷徨无措，求为诊治。其脉沉而有力，时当仲夏，身覆厚被，犹觉寒凉，知其实热郁于下焦，溺管因热而肿胀不通也。为拟此汤，一剂稍通，又加木通、海金沙各二钱，服两剂全愈。

琥珀茯苓丸

【来源】《全国中药成药处方集》（沈阳方）。

【组成】琥珀　滑石　黄柏　赤茯苓　知母　海蛤粉　木通　当归　萹蓄　猪苓各一两　木香五钱

【用法】上为极细末，水泛为小丸。每服二钱，白水送下。

【功用】清热利尿。

【主治】膀胱积热，小便赤黄，癃闭不通，溺痛淋漓。

【宜忌】忌辛热食物。

滋肾活血汤

【来源】《千家妙方》引王复生方。

【组成】桃仁15克　赤芍12克　川牛膝12克　瞿麦12克　车前草12克　盐黄柏10克　盐知母10克　红花10克　竹叶10克　王不留行10克　皂刺10克　乌药10克　甘草梢5克　肉桂2克（分冲）

【用法】加水适量，浸泡一小时，煎两次，混合后分两次服，每日一剂。病轻者一般可连服3～4剂，重者可连服6～10剂。

【主治】前列腺肥大合并尿潴留，属于瘀血与邪热结于下焦者。

【加减】气虚者，加黄耆、党参；脉数者，有热象，加双花、公英、败酱草；胃气上冲呃逆嗳气者，加旋复花、公丁香、柿蒂等；胸满咳喘者，加紫菀、苏子等；尿血者，加白茅根、大小蓟；便秘者，加大黄、玄明粉。

【验案】前列腺肥大　薛某某，男，67岁，社员。病人素质尚可，近因外出跋涉，当晚即感小便不利，翌晨即排不出尿，当地卫生院诊为“前列腺肥大并急性尿潴留”。肌内注射青霉素、链霉素，口服己烯雌酚，同时留置导尿管，治疗8日，效果不显。后予滋肾活血汤加双花15克，蒲公英20克，败酱草15克，服4剂。服一剂后即能少量排尿，二剂后排尿基本爽快，服四剂后，则排尿畅通，痛苦消失。

甘遂散

【来源】《新医学》（1972，11：55）。

【组成】甘遂一两

【用法】研为细末，装瓶备用。用时用甘遂散三钱，面粉适量，麝香少许（无麝香用冰片代），加温水调成糊状，外敷于中极穴处（脐下四寸），方圆约二寸。一般三十分钟即能小便通利。无效时可继续使用或再加热敷，疗效更速。

【主治】小便不通。

【验案】小便不通　用甘遂散外敷治疗不同疾病引起的小便不通病人共8例，外敷一次即排尿的5例；外敷2次排尿的2例；外敷2次再热敷1次排尿的1例。

加味神芎导水汤

【来源】《首批国家级名老中医效验秘方精选》。

【组成】川芎12克　黑丑20克　大黄　黄芩各15克　黄连10克　薄荷9克　滑石　苏叶各30克　鲜崩大碗500克

【用法】加水1200毫升，煎诸药得300毫升，入大黄，微火煮沸3分钟，去渣。另将鲜崩大碗温开水洗数遍，捣烂后绞取汁约200毫升，和药液匀，1日分3次服。神昏痉厥者鼻饲给药。

【功用】荡涤浊邪，泻热行水。

【主治】急、慢性肾功能衰竭。

【加减】神昏，加安宫牛黄丸1枚；咯血、衄血，加茅根60克，黑栀子15克；呕逆不止，加竹茹18克，半夏9克；水邪射肺，喘急不得息，加葶苈子30克，桑白皮15克；闭尿不通，加川牛膝15克，地龙12克；热盛动风，头痛眩晕抽搐，加羚羊角9克，钩藤15克。

补肾软坚活血汤

【来源】《首批国家级名老中医效验秘方精选》。

【组成】核桃夹30克　鳖甲（先煎）20克　熟地20克　肉桂3克　黄柏10克　知母10克　芒硝15克　桃仁10克　红花10克　赤勺15克　川牛膝10克　皂刺10克　王不留10克　车前子10克　竹叶6克　甘草10克

【用法】1日1剂，水煎服。

【主治】前列腺炎、前列腺肥大尿潴留所引起的少腹膨隆、尿频、尿急、尿痛、小便点滴难出，少腹部、会阴部、腰骶部胀困刺痛等。

【加减】气虚加党参、黄芪。

癃闭散

【来源】《首批国家级名老中医效验秘方精选》。

【组成】附片9克　肉桂9克　牛膝18克　木通15克　苡仁25克　山茱萸18克　白术15克　黄芪30克　生地15克　赤芍15克　沙参15克　瞿麦18克　胡芦巴15克

【用法】以上中药根据各药的特点分煎合服，每日3次，每次200毫升。

【主治】肾阳不足所致的小便不利，点滴难尽或夜尿增多，尿细无力，甚则闭塞不通，兼腰腿脚软，小腹拘急等症，舌质淡而胖，脉虚弱尺部沉微等。

【加减】如阳虚偏重兼湿热型，上方加黄柏15克；如阴虚兼血瘀型，加桃仁5克；如阴阳均虚兼湿热型，上方去肉桂、瞿麦，加益智仁15克，银花15克。

加味通关丸

【来源】《首批国家级名老中医效验秘方精选·续集》。

【组成】知母10克　黄柏10克　肉桂3克（后下）桃仁10克　乌药10克　菖蒲5克　泽泻12克

【用法】每日1剂，水煎2次，早晚分服。

【功用】清热利湿，行气活血，消水排尿。

【主治】慢性肾功能不全、肝硬化腹水、前列腺增生等疾病导致的腹胀溲少，甚或尿闭之症。

【验案】郑某某，女性，38岁。患狼疮肾炎二年余，长期服用激素雷公藤治疗，病情时好时差，尿蛋白难以消减，小便艰少，舌苔薄白，脉细小数，方用消斑解毒汤加味通关丸加黄芪、白术、白茅根等以补脾肾、益肝肾、化瘀毒、消水湿，药后半月左右，小便明显增多，浮肿消退殆尽，体重下降十余斤。

十三、关　格

关格一词，歧义颇多。《景岳全书》云："关格一证，在《内经》本言脉体，以明阴阳离绝之危证也，如《六节藏象论》、《终始篇》、《禁服篇》及《脉度》、《经脉》等篇言之再四，其重可知。自秦越人《三难》曰：上鱼为溢，为外关内格。入尺为覆，为内关外格。此以尺寸言关格，已失本经之意矣。又仲景曰：在尺为关，在寸为格，关则不得小便，格则吐逆。故后世自叔和、东垣以来，无不以此相传，而竟置关格一证于乌有矣。再至丹溪，则曰此证多死，寒在上，热在下，脉两寸俱盛四倍以上，法当吐，以提其气之横格，不必在出痰也。愚谓两寸俱盛四倍，又安得为寒在上耶？且脉大如此，则浮豁无根，其虚可知，又堪吐乎？谬而又谬，莫此甚矣。”但从临床医家治疗用药并创制方剂论，关格者，当指大小便闭塞不通也。《诸病源候论·关格大小便不通候》：“关格者，大小便不通也。大便不通谓之内关，小便不通谓之外格，二便俱不通为关格也。由阴阳气不和，荣卫不通故也。”《太平圣惠方》卷五十八皂荚饮即治疗“大小便关格不通，经三五日”。或是小便不通兼之呕吐者。《伤寒论·平脉法》：“关则不得小便，格则吐逆。”《医学心悟》：“更有小便不通，因而吐食者，名曰关格。经云：关则不得小便，格则吐逆。”

本病的发生，主要由脾肾阴阳衰惫，气化不利，湿浊泛溢犯土或下注小肠膀胱而致，多由水肿、癃闭、淋证等病证发展而来。《证治准绳·关格》提出“治主当缓，治客当急”的原则。常以除湿化浊，温阳散寒等为基础。

滑石汤

【来源】《外台秘要》卷三引《集验方》。

【组成】滑石十四分（研）　葶苈子一合（纸上熬令紫色，捣）　大黄二分（切）

【用法】以水一大升，煎取四合，顿服。兼捣葱敷小腹，干即易之。

【主治】天行病腹胀满，大小便不通。

滑石散

【来源】方出《外台秘要》卷二十七引《经心录》，名见《医心方》卷十二。

【组成】滑石二两　榆皮一两　葵子一两

【用法】上为散。煮麻子汁一升半，取二匕和服。即通。

【主治】大小便不通。

葵子汤

【来源】《外台秘要》卷三十三引《古今录验》。

【组成】葵子二升　滑石四两（碎）

【用法】上以水五升，煮取一升，尽服。须臾当下便愈。

【功用】安胎除热。

【主治】妊娠得病六七日以上，身热入脏，大小便不利。

神明度命丸

【来源】《备急千金要方》卷十一。

【组成】大黄　芍药各二两

【用法】上为末，炼蜜为丸，如梧桐子大。每服四丸，每日三次。不知，可加至六七丸，以知为度。

【主治】久患腹内积聚，大小便不通，气上抢心，腹中胀满，逆害饮食。

平胃丸

【来源】《备急千金要方》卷十五引崔文行方。

【组成】大黄二两　小草　甘草　芍药　芎䓖　葶苈各一两　杏仁五十枚

【用法】上为末，炼蜜为丸，如梧桐子大。一岁儿每服二丸，饮送下，一日三次。

【功用】调胃。

【主治】丈夫、小儿食实不消，胃气不调，或温壮热结，大小便不利者。

芒消汤

【来源】方出《备急千金要方》卷十五，名见《医心方》卷十二。

【组成】芒消二两　乌梅　桑白皮各五两　芍药　杏仁各四两　麻仁二两　大黄八两（一本无乌梅，加枳实、干地黄各二两）

《医心方》引本方无乌梅，桑白皮作乌柏根皮。

【用法】上锉，以水七升，煮取三升，分三服。

【主治】关格，大便不通。

【方论】《千金方衍义》：关格危证，不为急通，命悬呼吸。故于麻仁丸中削去枳实、厚朴之单缓，易之芒消以峻攻。又恐津随药脱，即以乌梅敛之。用桑根皮者，通泄肺气于下，取其有利水之功也。读古人方须要识当时立方缓急之用，方不失先哲垂诲后世之心。印此方，端为实热暴关、涓滴不通者设。设久病阴虚，肝肾不能司开合之权而渐至闭拒，有时滴沥者，亟为峻补真阴，通调气化，尚恐难为，既槁之荣，况可消、黄漫施乎！

茱萸丸

【来源】方出《备急千金要方》卷十五，名见《圣济总录》卷九十五。

【组成】吴茱萸一升　干姜　大黄　当归　桂心　芍药　甘草　芎藭各二两　人参　细辛各一两　桃白皮一把　真朱半两　雄黄十八铢

【用法】上锉。以水一斗，煮取三升，去滓，纳雄黄、真朱末，酒一升，微火煮三沸，服一升。得下即止。

【主治】

1.《备急千金要方》：胀满，闭不下。

2.《圣济总录》：腹胁胀满，关格，大小便不通。

葵子汤

【来源】方出《备急千金要方》卷十五，名见《圣济总录》卷九十六。

【组成】葵子一升　消石二两

【用法】上以水五升，煮取二升，分二次服。

《圣济总录》：上同研匀，以水三盏，煎葵子至一盏半，去滓，下朴消，空腹分二次温服。

【主治】大小便不利。

葵榆汤

【来源】方出《备急千金要方》卷十五，名见《济阴纲目》卷九。

【组成】葵子一升　榆皮（切）一升

【用法】上以水五升，煮取二升，分三服。

【主治】

1.《备急千金要方》：大小便不通。

2.《济阴纲目》：妊娠小便不通，脐下妨闷，心神烦乱。

蒴藋蒸汤

【来源】《备急千金要方》卷十八。

【组成】蒴藋根叶（切）三升　菖蒲叶（切）二升　桃叶皮枝（锉）三升　细糠一斗　秫米三升

【用法】上以水一石五斗，煮取米熟为度，大盆器贮之，于盆上作小竹床子罩盆，人身坐床中，四面周围将佬荐障风，身上以衣被盖覆。若气急时，开孔对中泄气，取通身接汗，可得两食久许，如此三日，蒸还，温药足汁用之，若盆里不过热，盆下安炭火。

【主治】皮虚，主大肠病，寒气关格；皮肤一切劳冷。

【方论】《千金方衍义》：蒴藋治寒痹拘急，菖蒲通利九窍，桃叶辟邪散血，糠米蒸发肉腠，共襄作汗之功也。

柴胡通塞汤

【来源】《备急千金要方》卷二十。

【组成】柴胡　黄芩　橘皮　泽泻　羚羊角各三两　生地黄一升　香豉一升（别盛）　栀子四两　石膏六两　芒消二两

【用法】上锉。以水一斗，煮取三升，去滓纳芒消，分三服。

【主治】下焦热，大小便不通。

【方论】《千金方衍义》：取柴胡提挈清阳，与手少阳同秉枢机，并取羚羊伐肝散结，黄芩泻肝胆火，橘皮和水谷气，生地治伤中血痹，泽泻行水清阴，栀子泻三焦火，以为通塞泄热之去路。

大黄泻热汤

【来源】《外台秘要》卷六引《删繁方》。

【组成】大黄三两（切，别渍）　黄芩三两　泽泻三两　升麻三两　羚羊角四两　栀子仁四两　生地黄汁一升　玄参八两　芒消三两

【用法】上切。以水七升，先煮七味，取二升三合，下大黄更煎数沸，绞去滓，下消，分三服。
【功用】开关格，通隔绝。
【主治】中焦实热闭塞，上下不通，隔绝关格，不吐不下，腹满膨膨，喘急。
【宜忌】忌芜荑。

猪膏酒

【来源】《外台秘要》卷十六引《删繁方》。
【别名】猪膏汤（《成方切用》卷八）。
【组成】猪膏七升　生姜汁二升
【用法】上以微火煎取三升，下酒五升，和煎，分三次服。
【主治】

1.《外台秘要》引《删繁方》：肝劳虚寒，关格劳涩，闭塞不通，毛悴色夭。

2.《内经拾遗方论》：骨痹挛节。

3.《普济方》：两胁满，筋脉急。

4.《医方考》：筋极之状，令人数转筋，十指爪甲皆痛，苦倦不能久立。

【方论】《医方考》：是疾也，若以草木之药治之，卒难责效。师曰：膏以养筋，故假猪膏以润养之；等以姜汁者，非辛不足以达四末故也；复熬以酒者，以酒性善行，能浃治气血，无所不至，故用之以为煎也。

槟榔散

【来源】《太平圣惠方》卷十三。
【组成】槟榔一两　榆白皮一两（锉）　桂心半两　滑石半两　甘草半两（炙微赤，锉）　川大黄二两（锉碎，微炒）
【用法】上为散。每服五钱，以水一大盏，加生姜半分，煎至五分，去滓温服，不拘时候。以得利为度。
【主治】伤寒。大便不通，小便赤涩。

槟榔丸

【来源】《太平圣惠方》卷四十五。
【组成】槟榔一两　赤茯苓一两　紫苏茎叶一两　木香半两　桂心半两　大麻仁一两　木通三分（锉）　羚羊角屑三分　枳壳三分（麸炒微黄，去瓤）　川大黄一两（锉碎，微炒）　郁李仁一两（汤浸，去皮，微炒）　泽泻三分
【用法】上为末，炼蜜为丸，如梧桐子大。每服三十丸，食前温水送下。以利为度。
【主治】脚气发动，大小便秘涩，腹中满闷，连膀胱里急，四肢烦疼。

柴胡散

【来源】《太平圣惠方》卷四十七。
【组成】柴胡一两（去苗）　黄芩一两　陈橘皮一两（汤浸，去白瓤，焙）　泽泻二两　栀子仁一两　石膏二两　羚羊角屑一两　生干地黄二两　芒硝二两
【用法】上为散。每服五钱，以水一大盏，煎至五分，去滓，稍温频服。以利为度。
【主治】下焦壅热，大小便俱不通。

大黄散

【来源】《太平圣惠方》卷五十八。
【组成】川大黄一两（锉碎，微炒）　苦参一两（锉）　贝齿一两（烧为灰）　滑石一两
【用法】上为细散。每服二钱，煮葵根汤调下，不拘时候。
【主治】关格。风冷气入小肠，忽痛坚急，大小便不通；或小肠有气结如升大，胀起如吹状。

赤芍药丸

【来源】《太平圣惠方》卷五十八。
【组成】赤芍药半两　桂心半两　羌活半两　川大黄一两（锉碎，微炒）　郁李仁一两（汤浸，去皮，微炒）　川芒消一两　槟榔一两　大麻仁二两
【用法】上为末，炼蜜为丸，如梧桐子大。每服三十丸，空腹以温水送下，晚再服。
【主治】大小便难，脐腹妨闷。

铁脚丸

【来源】方出《太平圣惠方》卷五十八，名见《普

济方》卷三十九。

【别名】皂荚饮（《普济方》卷三十九）。

【组成】无蛀皂荚（烧灰）

【用法】上为细末。每服三钱，以粥饮调下。

本方方名，据剂型，当作“铁脚散”。

【主治】大小便关格不通，经三五日。

大黄散

【来源】《太平圣惠方》卷五十九。

【组成】川大黄二两（锉碎，微炒） 川芒消二两 赤芍药半两 大麻仁二两 桑根白皮一两（锉） 瞿麦一两 防葵一两 榆白皮一两（锉）

【用法】上为粗散。每服四钱，以水一中盏，煎至六分，去滓，空腹温服，如人行十里再服。以大小便利为度。

【主治】大小便难，心腹满闷，不可能遏。

白术散

【来源】《太平圣惠方》卷五十九。

【组成】白术一两 牵牛子一两（微炒） 木通一两（锉） 川大黄一两（锉碎，微炒） 陈橘皮半两（汤浸，去白瓤，焙） 槟榔一两 川朴消一两

【用法】上为粗散。每服四钱，以水一中盏，煎至六分，去滓，空腹温服，如人行十里再服。以利为度。

【主治】大小便难，腹胁胀满，气急。

吴茱萸丸

【来源】《太平圣惠方》卷五十九。

【组成】吴茱萸一分（汤浸七遍，焙干微炒） 桂心半两 干姜一分（炮裂，锉） 川大黄一两（锉碎，微炒） 当归半两（锉，微炒） 赤芍药半两 甘草半两（炙微赤，锉） 川芎半两 人参三分（去芦头） 细辛三分 真珠三分（细研） 桃白皮一两（锉）

【用法】上为末，炼蜜为丸，如梧桐子大。每服三十丸，以生姜、橘皮汤送下，一日三次。以通利为度。

【主治】大小便气壅不利，胀满，关格不通。

葵子散

【来源】《太平圣惠方》卷七十二。

【组成】葵子 车前子 川大黄（锉，微炒） 冬瓜仁 当归各三分 木通半两（锉） 滑石一两 甘草半两（炙微赤，锉）

【用法】上为散。每服三钱，以水一中盏，煎至六分，去滓，食前温服。

【主治】妇人小便不通及大便难。

槟榔散

【来源】《太平圣惠方》卷七十四。

【别名】槟榔汤（《圣济总录》卷一五七）。

【组成】槟榔一两 赤茯苓一两 桔梗半两（去芦头） 大腹皮一两（锉） 木通一两（锉） 甘草半两（炙微赤，锉） 桑寄生半两 郁李仁一两（汤浸，去皮尖，微炒）

【用法】上为散。每服四钱，以水一中盏，煎至六分，去滓温服，不拘时候。

【主治】妊娠大小便不通，心腹妨闷，不欲饮食。

槟榔丸

【来源】《太平圣惠方》卷九十八。

【组成】槟榔半两 郁李仁半两（汤浸，去皮，微炒） 川大黄半两（锉碎，微炒） 青橘皮三分（汤浸，去白瓤，焙） 木香半两 牵牛子二两（微炒） 木通半两（锉）

【用法】上为末，炼蜜为丸，如梧桐子大。每服二十丸，食前以温水送下。

【主治】脏腑壅滞，心膈烦满，大小肠不利。

槟榔丸

【来源】《太平圣惠方》卷九十八。

【组成】槟榔一两 枳壳一两半（麸炒微黄，去瓤） 牵牛子三两（微炒） 羚羊角屑一两 前胡一两（去芦头） 大麻仁一两

【用法】上为末，炼蜜为丸，如梧桐子大。每服三十丸，食前以生姜汤送下。以利为度。

【主治】上焦壅塞，头目不利，大小肠秘涩，心腹

满闷。

徐长卿汤

【来源】《本草纲目》卷十三引《太平圣惠方》。

【组成】徐长卿（炙）半两　茅根三分　木通　冬葵子一两　滑石二两　槟榔一分　瞿麦穗半两

方中木通用量原缺。

【用法】每服五钱，入朴消一钱，水煎，温服，每日二次。

【主治】气壅，关格不通，小便淋结，脐下妨闷。

牵牛子丸

【来源】《普济方》卷一〇三引《博济方》。

【别名】大通丸。

【组成】牵牛子不拘多少（净洗，饭上炊气才透，便出摊令微冷，捣为末）　青橘皮（去白，焙）　木通（锉）　陈橘皮（去白，焙）　桑根白皮（锉）　芍药（焙）各一两　瓜蒌根（洗，焙）二两

【用法】上六味为末，每牵牛子一斤，入余药末四两，拌和令匀，炼蜜为丸，如梧桐子大。每服二十丸，随其汤使，瘰疬，茶汤送下；产前安胎补损，芎酒送下；产后血竭肚痛，苏木酒送下；妇人血气，芍药酒送下；血风瘙痒，枳壳酒送下；五淋，榆白皮酒送下；瘫痪风，豆淋酒送下；肠风泻血，萎蕤酒送下；肺气，诃黎勒酒送下；伤寒，葱白酒送下；风秘，葱姜茶送下。

【功用】疏风顺气。

【主治】

1.《普济方》引《博济方》：风热气秘，瘰疬，产后血竭肚痛，妇人血气，血风瘙痒，五淋，瘫痪风，肠风泻血，肺气，伤寒，风秘。

2.《圣济总录》：脚气，大小便秘涩不通。

蜜腻散

【来源】《圣济总录》卷十七。

【组成】大黄（煨，锉，捣末）　牵牛子（生杵为末）各三钱　甘遂（炒微黄，捣为末）一钱　腻粉半钱

【用法】上研匀。每服二钱匕，食前浓煎蜜汤调下。

【主治】风热气盛，大小肠秘涩。

槟榔散

【来源】《圣济总录》卷二十七。

【组成】槟榔（锉）　郁李仁（去皮）各一两　大腹皮（锉）三分　木香　陈橘皮（汤浸，去白，炒）各半两

【用法】上为散。每服二钱匕，生姜汤调下。

【主治】伤寒食毒，腹胀气急，大小便不通。

槟榔饮

【来源】《圣济总录》卷五十三。

【组成】槟榔（生，锉）　羚羊角（镑）　大黄（锉）各半两　甘草（炙，锉）　赤茯苓（去黑皮）　防己（锉）各一两

【用法】上为粗末。每服五钱匕，水一盏半，煎至一盏，去滓温服。

【主治】胞囊实热，溲便癃闭，日夜不通。

甘遂散

【来源】《圣济总录》卷五十四。

【组成】甘遂（生）半两　牵牛子（半生半炒）　续随子（去壳，研）　大戟各一两　葶苈（纸上炒）一分

【用法】上为散。每服半钱匕，空心浓煎灯心汤调下。利下水为效，未减更一服。

【主治】三焦气不通，心腹胀，喘促，大小便不利。

皂荚散

【来源】《圣济总录》卷五十四。

【组成】猪牙皂荚（酥炙，去皮子）　白蒺藜各等分

【用法】上为末。每服一钱匕，如大肠不通，用盐茶调下；小便不通，温酒调下。

【主治】三焦约，大小便不通。

郁李仁丸

【来源】《圣济总录》卷五十四。

【组成】郁李仁（汤浸，去皮，研） 大黄（锉，炒）各一两 赤茯苓（去黑皮） 泽泻（锉） 葶苈（隔纸上炒）各二两 大麻仁一两半（研） 槟榔三两（锉） 杏仁（去皮尖双仁，麸炒，研）半两

【用法】上为极细末，炼蜜为丸，如梧桐子大。每服三十丸，空心以甘草汤送下，一日三次；炒盐酒下亦得。

【主治】三焦约，少腹肿痛，不得大小便。

泻热九味汤

【来源】《圣济总录》卷五十四。

【组成】大黄（锉，炒） 黄芩（去黑心） 泽泻（锉） 升麻各一两 羚羊角（镑） 栀子仁各一两一分 生干地黄（焙）一两 玄参二两半 芒消（研）一两

【用法】上为粗末。每服三钱匕，水一盏，煎至七分，去滓温服，一日三次。

【主治】中焦热结闭塞，上下不通，关隔不吐不利，腹膨胀喘急。

枳壳丸

【来源】《圣济总录》卷五十四。

【组成】枳壳（去瓤，麸炒）二两 牵牛子（拣择）四两（一半炒，一半生，捣罗取粉一两半，余者不用） 陈橘皮（汤浸，去白，焙）半两 槟榔半两（锉） 木香一分

【用法】上为末，炼蜜为丸，如梧桐子大。每服十五至二十丸，食后生姜汤送下。欲利加丸数。

【功用】调顺三焦，平匀气脉，消痰滞，利胸膈，祛风，利大小肠。

【主治】三焦约。少腹肿痛，不得大小便。

枳壳散

【来源】《圣济总录》卷五十四。

【别名】枳壳汤（《鸡峰普济方》卷十八）。

【组成】枳壳（汤浸，去瓤，切作片子，焙干）五两 滑石（研细）一两 桂（去粗皮）二两 厚朴（去粗皮，涂生姜汁炙）二两

【用法】上为散。每一两药末，更入腻粉半钱，拌和均匀。每服一钱匕，空腹时用冷米饮调下。

【主治】三焦约，大小便不通。

柴胡汤

【来源】《圣济总录》卷五十四。

【组成】柴胡（去苗） 黄芩（去黑心） 陈橘皮（汤浸，去白，焙） 栀子仁 石膏（碎） 羚羊角（镑） 生干地黄（焙）各一两 芒消半两

【用法】上为粗末。每服三钱匕，水一盏，煎至七分，去滓温服，日二夜一。

【主治】下焦热结，大小便不通。

疏风散

【来源】《圣济总录》卷五十四。

【组成】牵牛子（微炒）一两 大黄（锉，炒）一两 槟榔半两（锉） 陈橘皮（汤浸，去白，焙）一两

【用法】上为散。每服二钱匕，食后良久生姜蜜水调下。

【主治】三焦气约，大小便不通。

皂荚丸

【来源】《圣济总录》卷七十三。

【组成】皂荚（不蛀者，去黑皮并子，涂酥炙） 肉苁蓉（酒浸一宿，薄切，焙干） 白芷 附子（炮裂，去皮脐）各一两

【用法】上为末，炼蜜为丸，如梧桐子大。每服二十丸，空心、食前温酒熟水任下。

【功用】进食化痰，解风秘。

【主治】寒癖虚冷，久积成块；关格，服暖药不得者。

土马鬃汤

【来源】《圣济总录》卷九十五。

【组成】土马鬃不拘多少

【用法】上一味，水淘，用新瓦煅过，为粗末。每服二钱匕，水一盏，煎至七分，去滓温服。

【主治】大小便不通。

大黄汤

【来源】《圣济总录》卷九十五。

【组成】大黄（锉，微炒） 前胡（去芦头） 半夏（汤洗七遍，炒） 人参各三分 黄芩（去黑心） 赤茯苓（去黑皮） 木香 槟榔（锉）各半两

【用法】上为粗末。每服五钱匕，水一盏半，加生姜五片，同煎至八分，去滓温服。

【主治】中焦热实闭塞，关格不通，吐逆喘急。

大黄散

【来源】《圣济总录》卷九十五。

【组成】大黄（锉）二两 桂（去粗皮）三分 冬瓜子（微炒）一合 滑石（研）三两 朴消（生铁铫子炒干，刮出，纸裹，于黄土内窨一宿，取出细研）二两半

【用法】上五味，先捣前三味为细散，更与滑石、朴消同研匀细。每服二钱匕，浓煎白茅根汤调下，空腹服之，至晚再服。

【主治】关格不通，妨闷，大小便秘涩。

木香饮

【来源】《圣济总录》卷九十五。

【组成】木香 黄芩（去黑心） 木通（锉，炒） 陈橘皮（汤浸，去白，焙）各三分 冬葵子（研） 瞿麦穗各一两 槟榔 茅根 赤茯苓（去黑皮）各半两

【用法】上锉，如麻豆大。每服五钱匕，水一盏半，煎至八分，去滓温服。

【主治】下焦热，大小便不通，气胀满闷。

木通汤

【来源】《圣济总录》卷九十五。

【组成】木通（锉）二两 大黄（锉，生用） 滑石各三两 麻子仁一合（研如膏）

【用法】上药将前三味为粗末，与麻子仁拌匀。每服五钱匕，水一盏半，煎至一盏，去滓，入芒消末半钱匕，更煎二沸，空心服之。

【主治】大小便不通。

车前子汤

【来源】《圣济总录》卷九十五。

【组成】车前子五两（生用） 木通（锉）四两 黄芩（去黑心） 郁李仁（汤浸，去皮尖双仁，研如膏）各三两

【用法】上四味，将前三味为粗末，与郁李仁拌匀。每服五钱匕，水一盏半，煎至一盏，去滓，入朴消末半钱匕，更煎二沸，食前温服，一日三次。

【主治】大小便俱不通。

石韦汤

【来源】《圣济总录》卷九十五。

【组成】石韦（拭去毛，炙）三分 徐长卿（炙）半两 茅根三分 木通（锉，炒） 冬葵子各一两 滑石二两 瞿麦穗半两 槟榔一分

【用法】上锉，如麻豆大。每服五钱匕，水一盏半，煎至八分，去滓，下朴消末一钱匕，空心、食前温服，一日二次

【主治】气壅，关格不通，小便淋结，脐下妨闷。

冬葵根汁

【来源】《圣济总录》卷九十五。

【组成】生冬葵根二斤（洗净，捣，绞取汁三合） 生姜四两（捣，绞取汁一合）

【用法】上药搅匀，分作两服。空腹一服，有顷再服。服尽即通。

【主治】大小便不通。

芍药汤

【来源】《圣济总录》卷九十五。

【别名】大黄散（《普济方》卷三十九）。
【组成】赤芍药　桑根白皮（锉）各三两　瞿麦穗　大黄（锉，炒）　榆白皮（锉）　防葵（去芦头）　麻子仁（研如膏）各二两
【用法】上为粗末，与麻子仁拌匀。每服五钱匕，水一盏半，煎至一盏，去滓，加芒消末半钱匕，更煎二沸，空腹温服，日晚再服。
【主治】
1.《圣济总录》：大小便不通。
2.《普济方》：心腹满闷不可忍。

芒消汤

【来源】《圣济总录》卷九十五。
【组成】芒消（研）二两半　冬葵子（微炒）三合，滑石（碎）三两
【用法】上三味，除芒消外，锉二味。每服五钱匕，水一盏半，煎至一盏，去滓，入芒消末半钱匕，更煎二沸，空心温服。
【主治】关格不通，脬肠妨闷，大小便不通。

茯苓丸

【来源】《圣济总录》卷九十五。
【组成】赤茯苓（去黑皮）　芍药　当归（切，焙）　枳壳（去瓤，麸炒）　白术　人参各五两　大麻仁　大黄（锉）各三两
【用法】上为末，炼蜜为丸，如梧桐子大。每服十五丸至二十丸，空心煎茅根汤送下。
【主治】大小便不通。

黄芩汤

【来源】《圣济总录》卷九十五。
【组成】黄芩（去黑心）二两　赤芍药　白茅根　大黄（生用）各三两　瞿麦穗一两半
【用法】上为粗末。每服五钱匕，水一盏半，煎至一盏，去滓，入朴消末半钱匕，更煎二沸，空心温服。
【主治】大小便不通。

猪脂酒

【来源】《圣济总录》卷九十五。
【组成】猪脂如半鸡子大（碎切）
【用法】上以酒一升，微煮沸，投猪脂更煎一二沸，分为两度，食前温服，未通再服。
【主治】大小便不通。

紫金沙散

【来源】《圣济总录》卷九十五。
【组成】紫金沙不拘多少
【用法】上为散。每服一钱匕，温酒调下。
【主治】大小便不通。

榆白皮汤

【来源】《圣济总录》卷九十五。
【组成】榆白皮　甘草（炙，锉）各一两半　滑石三两　桂（去粗皮）一两
【用法】上锉。每服四钱匕，水一盏半，煎至一盏，去滓食前服，一日三次。
【主治】
1.《圣济总录》：大小便俱不通。
2.《普济方》：妊娠大小便不通。

承气泻胃厚朴汤

【来源】《圣济总录》卷九十七。
【组成】厚朴（去粗皮，生姜汁炙）三分　大黄（锉，炒）二两　枳壳（去瓤，麸炒）　甘草（炙）各半两
【用法】上为粗末。每服五钱匕，水一盏半，煎至一盏，去滓，空心温服。取利为度。
【主治】胃实腹胀，水谷不消，溺黄体热，鼻塞衄血，口喎唇紧，关格不通，大便苦难。

滑石汤

【来源】《圣济总录》卷九十五。
【组成】滑石一两半　茅根　车前子各三分　天门冬（去心，焙）　冬瓜瓤　莨菪子（淘去浮者，煮

令芽出、晒干、微炒）各一两。

【用法】上锉。每服五钱匕，水一盏半，煎至一盏，去滓，食前温服，一日三次。

【主治】大小便不通。

濡脏汤

【来源】《圣济总录》卷一六六。

【组成】生葛根五两（切，无生者用干葛二两）大黄半两（锉，炒）

【用法】上为粗末。每服三钱匕，水一盏，煎至七分，去滓温服。以利为度。

【主治】妇人产后大小便不通六七日，腹中有燥屎，寒热烦闷，气短汗出，腹满。

郁李仁丸

【来源】《小儿药证直诀》卷下。

【别名】郁李丸（《田氏保婴集》）。

【组成】郁李仁（去皮） 川大黄（去粗皮，取实者锉，酒浸半日，控干，炒，为末）各一两 滑石半两（研细）

【用法】上先将郁李仁研成膏，和大黄、滑石为丸，如黍米大。量大小与之，食前以乳汁或薄荷汤送下。

【主治】襁褓小儿，大小便不通，惊热痰实，欲得溏动者。

【方论】《小儿药证直诀类证释义》：此方专为实热闭塞者通腑之用，故用大黄、郁李仁通下大便之外，又用滑石利小便，使痰热从二便而出，腑气得通而惊搐可定。

犀角丸

【来源】《小儿药证直诀》卷下。

【组成】生犀角末一分人参（去芦头，切） 枳实（去瓤，炙） 槟榔各半两 黄连一两 大黄二两（酒浸，切片，以巴豆去皮一百个贴在大黄上，纸裹，饭上蒸三次，切，炒令黄焦，去巴豆不用）

【用法】上为细末，炼蜜为丸，如麻子大。每服一二十丸，临卧熟水送下。未动加丸。

【主治】大人、小儿风热痰实面赤，大小便秘涩，三焦邪热，腑脏蕴毒。

芍药散

【来源】《幼幼新书》卷三十引《惠眼观证》。

【组成】芍药 大黄 甘草（炙） 当归 朴消各一分

【用法】上为末。每服一大钱，水一盏，瓦器中煎至半盏，去滓服。

【主治】小儿大小便下药不通者。

再生丸

【来源】《中藏经》卷下。

【组成】巴豆一两（去皮，研） 朱砂一两（细研） 麝香半两（研） 川乌尖十四个（为末） 大黄一两（炒，取末）

【用法】上为末，炼蜜为丸，如梧桐子大。每服三丸，水化灌下。

【主治】厥死犹暖，及关格、结胸。

轻粉散

【来源】《类编朱氏集验方》卷六。

【组成】大枣十个 真轻粉一匣

【用法】每一个大枣入粉少许，合住，用盏子盛，纸覆之者，汤甑上蒸熟，细咀，白汤下。

【主治】大小便秘。

【宜忌】虚者不宜用。

调气散

【来源】《类编朱氏集验方》卷六。

【组成】生姜半两 葱一茎（根叶并用） 盐一捻 豆豉三十粒

【用法】捣烂，安脐中。良久即通。

【主治】老人大小便不通。

香橘皮丹

【来源】《幼幼新书》卷十七引张涣方。

【别名】香橘丸（《小儿卫生总微论方》卷十三）、香橘丹（《普济方》卷三八七）。
【组成】陈橘皮（去白，焙干） 木香各一两 白术（炮） 草豆蔻（面裹微炮） 牵牛子 姜黄各半两
【用法】上为细末，滴水为丸，如黍米大。每服十粒，煎葱白汤送下；大小便涩或不通，乳食前服。
【主治】小儿宿食痰滞，大小便涩或不通。

木香散

【来源】《鸡峰普济方》卷二十。
【组成】木香 人参 陈皮 甘草各半两 白术 山药各一两
【用法】上为细末。每服二钱，水一盏，煎至七分，去滓，食后温服。
【主治】三焦不和，脾胃气虚，关格不通。

五宣散

【来源】《续本事方》卷六。
【组成】瞿麦 木通 甘草 虎杖 滑石各等分
【用法】上锉。每服二大钱，水一盏，灯心数茎，煎至七分，临卧时温服。
【功用】行滞气。
【主治】大小便不通。

推车散

【来源】方出《续本事方》卷六，名见《世医得效方》卷六。
【别名】车狗散（《东医宝鉴·内景篇》卷四）。
【组成】推车客七个 土狗七个（如男子病推车客用头，土狗用身；如女子病土狗用头，推车客用身）

《东医宝鉴·内景篇》：推车客即蜣螂，土狗即蝼蛄，虎目树一云樗木，一云虎杖，恐樗木为正。
【用法】上新瓦上焙干为末。用虎目树皮向南者，浓煎汁调，只一服。经验如神。
【主治】大小便秘，经月欲死者。

木通锉散

【来源】《小儿卫生总微论方》卷十六。
【组成】木通 瞿麦 滑石 山栀子仁各三钱 茯苓（去黑皮） 甘草各四钱 续随子三钱 车前子一分
【用法】上锉。每服一钱，水一盏，煎至半盏，去滓，乳食前温服。
【主治】小儿大小便不通。

郁李仁丸

【来源】《小儿卫生总微论方》卷十六。
【组成】郁李二两（汤浸，去皮） 大黄一两 槟榔三两 青皮（去瓤）半两
【用法】上为细末，炼蜜为丸，如绿豆大。每服十丸至十五丸，姜汤送下，不拘时候。
【主治】大小便秘涩不通。

铁脚丸

【来源】《宣明论方》卷十五。
【组成】皂角（炙，去皮子）不拘多少
【用法】上为末，酒面糊为丸，如梧桐子大。每服三十丸，酒送下。
【功用】《医方考》：化下焦之气，通膀胱之滞。
【主治】

1. 《宣明论方》：大小便不通。

2. 《医方考》：少腹急，小便不通，气不化者。

【方论】《医方考》：皂角之气，能通关开窍，皂角之味，能去垢涤污。

猪膏汤

【来源】《三因极一病证方论》卷八。
【组成】猪膏 生姜汁各二升 青蒿汁 天门冬汁各一升
【用法】上入银石器内以微火熬成膏。每服一匙，酒汤调下，不拘时候。
【主治】肝劳实热，关格牢涩，闭塞不通，毛悴色夭。

黑丸子

【来源】《杨氏家藏方》卷五。
【组成】黑牵牛　天门冬（去心）各等分（生用）
【用法】上为末，滴水为丸，如梧桐子大。每服五十丸，食后温熟水送下。
【主治】胸膈痞塞，心腹坚胀，气积气块，及大小便不通。

握宣丸

【来源】《儒门事亲》卷十二。
【组成】槟榔　肉桂　干姜　附子　甘遂　良姜　韭子　巴豆各等分　硫黄一钱
【用法】上为细末，软米和丸，如梧桐子大。早晨先用椒汤洗手，放温揩干，用生油少许泥手心，男左女右，磨令热握一丸，宣一二行。
【主治】大小便难。

分消导气汤

【来源】《古今医统大全》卷四十一引《发明》。
【别名】上下分消导气汤（《万病回春》卷三）。
【组成】桔梗　枳实（麸炒）　厚朴（姜制）　青皮　香附子（制）　茯苓　半夏各八分　瓜蒌　黄连　桑白皮　槟榔　泽泻　川芎　麦芽　木通各五分　甘草梢三分

方中枳实，《万病回春》作“枳壳”。

【用法】水盏半，姜三片，煎七分服。
【主治】气痰壅盛，二便不利。
【加减】或用神曲为丸，名“分消丸”。

匀气散

【来源】《仁斋直指方论》卷十五。
【组成】连须葱一茎（不得洗，带土）　姜一块　盐二匙　淡豉二十一粒
【用法】同研烂，捏作饼。烘热，掩脐中，以帛扎定，良久气透自通，不然再换一剂。
【主治】小便、大便不通。

甘豆汤

【来源】《仁斋直指方论》卷十五。
【组成】黑大豆二合　甘草二钱
【用法】加生姜七片，井水煎汁服。
【主治】诸热烦渴，大小便涩；及内蓄风热入肾，腰痛，大小便不通；血淋，诸淋。

栀子散

【来源】《仁斋直指方论》卷十八。
【组成】栀子仁（制）　枳壳各半两　北梗　北前胡　青木香　赤茯苓　车前子　甘草各一分
【用法】上锉。每服三钱，新水煎服。
【主治】肾气虚，中有热，小腹、外肾、肛门俱热，大小便不通。
【加减】壮热，加柴胡；大便秘，加大黄。

贴脐膏

【来源】《医方类聚》卷一三六引《施圆端效方》。
【组成】甘遂
【用法】上为细末，以生白面调为糊，摊纸花上，掺末在上，涂脐中，及涂脐下硬处。别煎甘草水，温凉随意服之。以通为度。
【主治】大小便不通。

导气丸

【来源】《医方大成》卷六引《澹寮方》。
【组成】青皮（水蛭炒赤，去蛭）　莪术（虻虫炒，去虻）三棱（干漆炒，去漆）　槟榔（斑蝥炒，去蝥）　干姜（硇砂炒，去砂）　茱萸（牵牛炒，去牛）　附子（盐炒，去盐）　赤芍（川椒炒，去椒）　胡椒（茴香炒，去茴香）　石菖蒲（桃仁炒，去仁）
【用法】上各锉，与所注药炒熟，去水蛭等并不用，只以青皮等为末，酒糊为丸，如梧桐子大。每服五丸至七丸，空心紫苏汤送下。
【主治】诸痞气塞，关格不通，腹胀如鼓，大便虚秘；又治肾气、小肠气等。
【方论】《医方考》：青皮、莪术、三棱、菖蒲，气

积药也，炒以水蛭、虻虫、干漆、桃仁，则逐败血矣；干姜、附子、胡椒、茱萸，温中药也，炒以硇砂、食盐、茴香、牵牛，则软坚而疏利矣；槟榔炒以斑蝥，下气者得破气者而益悍；赤芍药炒以川椒，泻肝者得疏肝者而益利。制度之工如此，以之而治气实有余之证，斯其选矣。

远彻膏

【来源】《活幼心书》卷下。

【组成】穿山甲（尾足上者佳，烧透）二钱　五灵脂（净者）二钱

【用法】上为细末，次以巴豆二钱（去壳研碎）和前药末，仍用大蒜四钱，去上粗皮三五层，于砂钵内烂杵如泥。作一饼纳脐中，以绢帕系之。外以掌心火上烘热，熨至八九次，闻腹中微响即通。

【主治】大小府秘涩，投诸药无验，不拘老幼。

加减大柴胡汤

【来源】《云岐子脉诀》卷四。

【组成】赤芍药　柴胡各一两　枳实　大黄　黄芩各半两　甘草三钱

【用法】上锉。每服一两，水二盏，加生姜七片，煎至一盏，去滓温服。以利为度，未利再服。

【主治】小便赤涩，大便难。

握宣丸

【来源】《田氏保婴集》。

【组成】巴豆一钱半　硫黄　良姜　附子　槟榔　甘遂各等分

【用法】上为细末，粟米饭和丸，如绿豆大。用椒汤洗小儿，男左女右手握之，用绵裹定，看行数多少，洗去即止。

【主治】小儿大小便难，呕吐，药食不下，命在顷刻。

掩脐法

【来源】《世医得效方》卷六。

【别名】掩脐方、葱豆汤（《普济方》卷三十九）。

【组成】连根葱一茎（带土不洗）　生姜一块　淡豆豉二十一粒　盐二匙

【用法】上药同研烂，捏饼。烘热，掩脐中，以帛扎定。良久气透自通。不然，再换一剂。

【主治】大小便不通。

健胃丁香散

【来源】《普济方》卷三十六引《德生堂方》。

【别名】健脾丁香散（《奇效良方》卷十八）。

【组成】广木香　净全丁香各一两

【用法】上锉。每服四钱，水一盏半，煎一盏，先用好黄土和泥，做成碗样一个，却以药滤去滓，盛于土碗内，食前服；越数时再煎服。

【主治】反食，呕吐气噎，关格不通。

捻头散

【来源】《永乐大典》卷一〇三三引《经验普济加减方》。

【组成】延胡索　川苦楝各三钱　皂角子灰三钱

【用法】上为末。每服三二钱，捻头汤调下。

【主治】小儿大小便不通。

冲关散

【来源】《御药院方》卷八。

【组成】赤茯苓（去皮）　人参　陈皮（去白）　木通　槟榔各一两　青皮一分　甘草（炙）半两

【用法】上为粗散。每服五钱，水一盏半，煎至七分，去滓，食前温服。以小便通利为度。

【主治】关格不利，上焦有热，胸中痞闷，小便涩少或不通。

大黄散

【来源】《普济方》卷三十九。

【组成】大黄五钱（炮）　甘草五钱　滑石五钱　绿豆一合

【用法】上为细末。每服二钱，新汲水调，去滓服之。

【主治】大小便不通。

木香丸

【来源】《普济方》卷三十九。

【组成】苍术一两　巴豆十粒　京三棱半两（炒）

本方名木香丸，但方中无“木香”，疑脱。

【用法】上为末，白面糊为丸，如绿豆大。每服五七丸，食后生姜汤送下。

【主治】重伤，大小便不利，腹痛。

木香散

【来源】《普济方》卷三十九。

【组成】木香　黄芩（去黑心）　木通（锉，炒）　陈橘皮（汤浸，去白，焙）各三分　冬葵子（研）　瞿麦穗各一两　槟榔　赤茯苓（去黑皮）　茅根各半两

【用法】上锉。每服五钱，水一中盏半，煎八分，去滓温服。

【主治】下焦热，大小便不通，气胀满闷。

神仙导水丸

【来源】《普济方》卷三十九。

【组成】木香　当归　枳壳（炒）　黄芩　黄连　青皮　陈皮　槟榔　香附子各一两　三棱　莪术各半两　大黄　黄柏　牵牛末各三两

【用法】上为末，水糊为丸，如梧桐子大。每服五十丸，温饭饮送下，不拘时候。

【主治】上盛下虚，水火不能升降，大便秘涩，小便不通，赤眼口疮，便红泻血，吐血，泄痢不止，诸积气块，小儿脾疾，妇人经脉不通，男子打扑伤损。

莲心散

【来源】《普济方》卷三十九。

【组成】莲心四十九粒（瓦上焙干，为末）　建茶一小挑　蜜一匙

【用法】上作一服，用井花水半盏，调匀服之。

【功用】通阴阳，利大小便。

【主治】大小便不通。

秘传解毒丸

【来源】《普济方》卷三十九。

【组成】贯众　山豆根　黄药子　牙消　寒水石　龙胆草　干葛　雄大豆　百药煎　紫河车　甘草节　薄荷　栀子　大黄　豆粉各四两

【用法】上为细末，炼蜜为丸，秤一两作十丸，银箔为衣。每服一丸，以温米饮送下，每日三次，不拘时候。

【主治】上盛下虚，水火不能升降，大便秘涩，小便不通，赤眼口疮，便红泻血，吐血泄痢不止；及诸积气块，小儿脾病，妇人经脉不通，男子打扑伤损，一切诸毒疮痍，咽喉肿痛。

【加减】加山慈菇二两大妙。

槟榔散

【来源】《普济方》卷三十九。

【组成】槟榔（至大者）半枚　麦门冬（熟水磨）一钱

【用法】重汤烫热服之。一方为末，每服二钱，蜜汤点服。一方用童子便、葱白煎服。

【主治】大小便不通；肠胃有湿，大便秘涩。

贴脐饼子

【来源】《普济方》卷一六九。

【组成】穿山甲（炮燥）　五灵脂　巴豆（去皮）　大蒜（去皮）各三钱

【用法】上为细末，同研如泥，作饼子三钱大。用绵裹一饼，安脐中，着物系定。觉热药行宜取效。

【主治】虚中积滞，腹胀痞痛，大小便不通。

朱砂鹤顶丹

【来源】《普济方》卷二五五。

【别名】鹤顶丹。

【组成】半夏（姜炮制）　杏仁（去皮尖）　山豆（去皮油）各四十九枚　宿蒸饼四两（去皮）　干胭脂二钱（为衣）

【用法】同捣为泥，滴醋为丸，如小豆大。每服十丸，加至十五丸。此药治二十一等证，心腹膨胀，

陈皮汤或米汤送下；伤寒，陈皮汤送下；白痢，干姜汤送下；赤痢，甘草汤送下；血痢，当归汤送下；大小便不通，磨刀水送下；心气疼，菖蒲根汤送下；心疼痛，醋汤送下；冷病，艾汤送下；劳气，米汤送下；小肠气，茴香汤送下；肾脏风，木瓜汤送下；肠风，痔漏，泻痢，槐花汤送下；吐血，丁香汤送下；阴毒伤寒，葱白汤送下；疟疾，桃心汤送下；噎食，木香汤送下；小儿瘫痪，皂荚子汤送下；小儿惊风，薄荷汤送下；小儿五疳八痢，米汤送下；五咳，人参、马兜铃汤送下；脐腹疼痛，盐汤送下；腰疼、脚气，牵牛汤送下；水泻，车前子汤送下；妇人月水不调，红花、芍药汤送下。

【主治】伤寒，白赤痢，血痢，大小便不通，心气疼痛，小肠气，肾脏风，肠风，痔漏，阴毒伤寒，疟疾，噎食；小儿瘫痪，惊风；妇人月水不调。

撞关饮子

【来源】《奇效良方》卷四十一。

【组成】丁香（不见火） 沉香（不见火） 砂仁（去壳） 白豆蔻（去壳） 三棱（炮） 香附（去毛） 乌药各一钱半 甘草（炙）半钱

【用法】上作一服。以水二盏，煎至七分，食远温服。

【主治】关格不通，气不升降，胀满者。

一炁丹

【来源】《医学集成》卷二。

【组成】人参 附子 冰片 麝香

【用法】上为末。糊为丸服。

【主治】关格脉细挟冷者。

启关散

【来源】《医学集成》卷二。

【组成】白芍 麦冬各五钱 柏仁三钱 花粉一钱半 滑石 黄连各一钱 人参 甘草各五分 桂枝三分

【主治】阳火炽盛之关格。

双解散

【来源】《医学集成》卷三。

【组成】大黄 滑石各六钱 牙皂 甘草各一钱

【主治】二便闭，实证者。

既济丸

【来源】《活人心统》卷下。

【组成】大附子(炮)一钱 人参一钱 真麝香一分

【用法】上为末，饭为丸，如梧桐子大，麝香为衣。每服七丸，灯心汤送下。

【主治】关格，吐利不得，脉沉，手足微厥。

【方论】《医门法律》：脉沉细，手足厥冷，全是肾气不升，关门不开之候，参、附固在所取，但偏主于阳，无阴以协之，亦何能既济耶？且以麝香为衣，走散药气，无繇下达，即使药下关开，小便暂行，其格必愈甚矣！

加味麻仁丸

【来源】《证治准绳·类方》卷三引《体仁汇编》。

【组成】大黄一两 白芍药 厚朴（姜汁炒） 当归 杏仁（去皮尖） 麻仁 槟榔 南木香 枳壳各五钱 麝香少许

【用法】上为末，炼蜜为丸。熟水送下。

【主治】关格，大小便不通。

导气清利汤

【来源】《证治准绳·类方》卷三引《体仁汇编》。

【组成】猪苓 泽泻 白术 人参 藿香 柏子仁 半夏（姜制） 陈皮 白茯苓 甘草 木通 栀子 黑牵牛 槟榔 枳壳 大黄 厚朴（姜制） 麝香少许

【用法】加生姜，水煎服，兼服木香和中丸；吐不止，灸气海、天枢；如又不通，用蜜导。

【主治】关格吐逆，大小便不通。

升麻二陈汤

【来源】《古今医统大全》卷二十六。

【组成】陈皮（去白） 抚芎 茯苓各一钱 半夏一钱半 升麻 防风 甘草 柴胡各五分

【用法】水盏半，加生姜三片，煎一盏，温服。

【功用】润大便，利小便。

【主治】痰郁火邪在下焦，大小二便不利。

二陈木通汤

【来源】《古今医统大全》卷六十八引丹溪方。

【组成】陈皮一钱 半夏八分 茯苓八分 甘草四分 木通 滑石各一钱 人参芦钱半

【用法】上锉。水二盏，加生姜三片，大枣一个，煎八分，食远服。再煎探吐。

【主治】关格。饮食不下，二便不通。

牵牛丸

【来源】《医学入门》卷七。

【组成】木香 白茯苓 厚朴各一两 大黄 泽泻各一两半 滑石 黑牵牛各六两

【用法】上为细末，水煮稀糊为丸，如梧桐子大。每服三五十丸，淡姜汤送下。

【主治】肚实热，二便不通。

两枳二陈汤

【来源】《古今医鉴》卷八。

【组成】陈皮 半夏各二钱 白茯苓一钱半 南星 枳壳 枳实 甘草各一钱

【用法】上锉一剂，水煎服。用鹅毛于病人咽喉探吐之，如病虚弱，不可用也。

【主治】关格，上焦痰壅，两手脉盛。

倒换散

【来源】《古今医鉴》卷八。

【组成】大黄 杏仁（大便不通，大黄一两，杏仁三钱；小便不通，大黄三钱，杏仁一两）

【用法】水煎服。

【主治】大小便不通。

通幽汤

【来源】《片玉心书》卷五。

【组成】生地 升麻 桃仁泥 归身 甘草 红花 麻仁（炒）

【用法】加大黄水煎，调槟榔末服。

【主治】津液不足，大肠干涩，大小便不通。

乌桕汤

【来源】《赤水玄珠全集》卷十五。

【组成】乌桕木皮方一寸七

【用法】劈破，以水煎，取小半盏，服之立通，不用多服。

兼能取水。或以此汤调下五苓散二钱，空心服。

【主治】大便不通；小便不通。

蜜消汤

【来源】《赤水玄珠全集》卷十五。

【别名】蜜消煎（《医宗金鉴》卷四十四）。

【组成】好蜜一钟 皮消二钱

【用法】用滚水一碗冲，空心调下。

《医宗金鉴》：煎溶化服。

【主治】大小便不通。

槟榔益气汤

【来源】《医学六要》卷八。

【组成】槟榔（多用） 人参 白术 当归 黄耆 陈皮 升麻 甘草 柴胡 枳壳

【用法】加生姜，水煎服。

【主治】关格，因劳后气虚不运者。

丁香散

【来源】《万病回春》卷四。

【组成】苦丁香五钱 川乌（炮） 香白芷 草乌 牙皂（炮） 细辛各三钱 胡椒一钱 麝香少许

【用法】上为细末。用竹筒将药吹入肛门内，即通。

【主治】大小便不通。

枳缩二陈汤

【来源】《万病回春》卷四。

【组成】枳实（麸炒）一钱　砂仁七分　白茯苓（去皮）　贝母（去心）　陈皮　苏子（炒）　瓜蒌仁　厚朴（姜汁炒）　香附（童便炒）各七分　川芎八分　木香五分　沉香五分　甘草三分

【用法】上锉一剂。加生姜三片，水煎，入竹沥磨沉、木香服。

【主治】关格，上下不通。

蜗牛膏

【来源】《万病回春》卷四。

【组成】蜗牛三枚

【用法】上连壳研为泥，再加麝香少许。用时贴脐中，以手揉按之。

【主治】大小便不通属热闭者。

二妙散

【来源】《万病回春》卷七。

【组成】蜣螂不拘多少（六七月间，寻牛粪中者，用线串起阴干收贮）

【用法】用时，取一个，要全者，放净砖上，四面以炭火烘干，以刀从腰切断。如大便闭，用上半截；小便闭，用下半截；二便俱闭，全用。研为细末。新汲水调服。

【主治】小儿大小便不通。

通圣饼

【来源】《痘疹传心录》卷十八。

【组成】黄连末一钱　巴豆五粒　独头蒜一颗　盐五分　皂角末一钱

【用法】上研烂，捻作寸半阔饼子，贴脐上。

【主治】大小便不通。

人参散

【来源】《证治准绳·类方》卷三。

《医门法律》与《张氏医通》，均称此方出云岐子，考今《云岐子保命集》关格门无此方。

【组成】人参　麝香　片脑各少许

【用法】上为末。甘草汤调服。

【主治】

1.《证治准绳·类方》关格。

2.《张氏医通》：噎膈胃反，关格不通。

【方论】

1.《张氏医通》：此云岐子治噎膈胃反、关格不通九方之一。用独参汤峻补其胃，稍加脑、麝，以发越其气，得补中寓泻之至诀。乃肥盛气虚、痰窒中脘，及酒客湿热、郁痰固结之专剂。以中有脑、麝，善能开结利窍散郁也。

2.《医门法律》：此方辄用脑、麝，耗散真气，才过胸中，大气、宗气、谷气交乱，生机索然尽矣，能愈病乎？

皂角散

【来源】《证治准绳·类方》卷三引《会编》。

【组成】大皂角（烧存性）

【用法】上为末，米汤调下。又以腊脂一两煮熟，以汁及脂俱食之。又服八正散加槟榔、枳壳、朴消、桃仁、灯心草、茶根。

【主治】大小便关格不通，经三五日者。

柏子仁汤

【来源】《证治准绳·类方》卷三。

【组成】人参　半夏　白茯苓　陈皮　柏子仁　甘草（炙）　麝香少许（另研）

《张氏医通》有白术，无半夏。

【用法】加生姜煎，入麝香调匀和服。

【主治】

1.《证治准绳·类方》：关格。

2.《张氏医通》：胃虚关格，脉虚微无力。

【加减】加郁李仁更妙。

【方论】《医门法律》卷五：此方用六君子汤去白术之滞中，加柏子仁、郁李仁之润下，少加麝香以通关窍，非不具一种苦心，然终不识病成之理，不知游刃空虚，欲以麝香开窍，适足以转闭其窍耳。

导水散

【来源】《外科启玄》卷十二。

【组成】滑石 木通 泽泻 车前 朴消 大黄 通草 灯心

【用法】上锉。水二钟，煎八分，空心服。

【主治】痔疮，大小便不通。

苏危散

【来源】《寿世保元》卷五。

【组成】苦瓜蒂五钱 川芎（炒） 草乌（炒） 香白芷 牙皂（炒） 细辛各三钱 胡椒一钱 麝香少许

【用法】上为细末，用小竹筒将药少许吹入肛内即通。

【主治】大小便不通垂危者。

桃仁散

【来源】《济阴纲目》卷十四。

【组成】桃仁 葵子 滑石 槟榔各等分

【用法】上为细末。每服二钱，空心葱白汤调下。

【主治】妇人膀胱气滞血涩，大小便闭。

【方论】《医略六书》：产后禀厚体充，房劳过度而血瘀气滞，故小腹胀满疼痛，大小便秘涩不通焉。桃仁破瘀血以润大肠，槟榔破滞气以通气化，冬葵子滑窍道，飞滑石利小水也。为散葱白汤下，使瘀血顿化，则滞气自消，而膀胱得操施化之令，肠胃自辗传送之权，其小腹疼痛无不退，何大小便有不通之患哉！

止吐透格汤

【来源】《济阳纲目》卷二十一。

【组成】陈皮 半夏（姜汤泡）各二钱 茯苓 厚朴（姜汤炒） 苍术（炒）各一钱半 藿香（去土） 砂仁（捶碎） 白豆蔻（捶碎）各一钱

【用法】上锉。水二钟，煎七分，加生姜汁三匙，频频徐徐服。

【主治】关格。

【加减】如火热者，去藿、砂、豆蔻，加姜汁炒黄连、山栀、竹茹；郁结气滞者，加香附、贝母、槟榔。

利格汤

【来源】《简明医彀》卷三。

【组成】陈皮 滑石 木通各一钱 半夏 茯苓各八分 人参芦一钱半 甘草四分

【用法】加生姜、大枣，水煎服，再煎探吐。

【主治】关格。

【加减】中气不运者，去滑石、木通、参芦，加人参、白术、升麻、枳实、瓜蒌。

走哺人参汤

【来源】《医宗必读》卷十。

【组成】人参 黄芩 知母 葳蕤各三钱 芦根 竹茹 白术 栀子仁 陈皮各半两 石膏（煅）一两

【用法】每服四钱，水一钟半，煎七分服。

【主治】大小便不通，下焦实热。

越鞠汤

【来源】《易氏医案》。

【组成】香附（醋炒）一钱 苏梗六分 连翘六分 苍术八分 神曲一钱 甘草三分 桔梗四分 黄芩八分 枳壳五分 山栀六分 抚芎六分

【用法】水煎服。

【主治】气秘。二便皆秘，脉两寸沉伏有力，两关洪缓无力，两尺不见。

【方论】方用香附之辛，以快滞气；苏梗通表里之窍；连翘香辛升上，以散六经之郁火；苍术、神曲健脾导气，散中达于四肢；炙甘草以和中；少加桔梗引黄芩、枳壳，荡涤大肠之积；山栀去三焦屈曲之火而利小肠；抚芎畅达肝木，使上窍一通，则下窍随开，里气一顺，则表气自畅，是以周身汗出，二便俱利，正所谓一通百通也。夫气秘者病之本，便闭者病之标，本方唯治其本，故见效速也。

进退黄连汤

【来源】《医门法律》卷五。

【组成】黄连（姜汁炒） 干姜（炮） 人参（人乳拌蒸）各一钱五分 桂枝一钱 半夏（姜制）一钱五分 大枣二枚

【用法】进法用本方七味，俱不制，水二茶盏，煎一半，温服；退法不用桂枝，黄连减半，或加肉桂五分，如上逐味制熟，煎服法同，但空朝服崔氏八味丸三钱，半饥服煎剂耳。

【功用】《成方便读》：握运中枢透达。

【主治】关格。

【方论】

1.《绛雪园古方选注》：黄连汤，仲景治胃有邪，胸有热，腹有寒。喻嘉言旁通其旨，加进退之法，以治关格，独超千古，藉其冲和王道之方，从中调治，使胃气自为敷布以渐通于上下。如格则吐逆，则进桂枝和卫通阳，俾阴气由中渐透于上，药以生用而升；如关则不得小便，则退桂枝、减黄连，俾阳气由中渐透于下，药以熟用而降；如关而且格者，阴阳由中而渐透于上下，卫气先通则加意通卫，营气先通则加意通营，不以才通而变法，斯得治关格之旨矣。

2.《成方便读》：喻氏治关格证，上则呕吐不纳，下则二便不通，用此方或进或退，犹握枢而运，使之透达于上下。盖关则不得小便，格则吐逆，如《伤寒论》之胸中有热、胃中有寒之意。故其治格之盛者，当进而从阳，本方俱不用制，水煎温服。如关之盛者，即退而从阴，方中黄连减半，或加肉桂五分，其意以人参、大枣，坐镇中枢，半夏能和胃而通阴阳，于是饮入胃中，听胃气之敷布，或协黄连以除其上热，或偕姜、桂以温其下寒。然此法止可治有邪之关格，若由噎膈反胃，阴枯液涸而成关格者，又非此方可治也。

资液救焚汤

【来源】《医门法律》卷五。

【组成】生地黄二钱（取汁） 麦门冬二钱（取汁） 人参一钱五分（人乳拌蒸） 炙甘草 真阿胶 胡麻仁（炒，研）各一钱 柏子仁七分（炒） 五味子四分 紫石英 寒水石 滑石各一钱（俱敲碎，研为末） 生犀汁（研）三分 生姜汁二茶匙

【用法】上除四汁及阿胶，余八物用名山泉水四茶杯，缓火煎至一杯半，去滓，入四汁及阿胶，再上火略煎，至胶烊化斟出，调牛黄细末五厘，日中分二三次热服。空朝先服崔氏八味丸。

【主治】五志厥阳之火而成之关格。

通利方

【来源】《何氏济生论》卷四。

【组成】独蒜一枚

【用法】烧热，去皮。纸裹纳下部，则气立通。

【主治】关格。

防风通圣三黄丸

【来源】《医林绳墨大全》卷八。

【组成】防风 白芍 滑石 川芎 芒消 大黄 栀子 桔梗 荆芥 石膏 麻黄 连翘 当归 薄荷 甘草 白术

【用法】上为末，泛为丸。噙化。

【主治】实火蕴热积毒，二便闭塞，风痰上壅，将发喉痹，胸膈不利，脉弦而数。

【加减】若泄，去芒消。

和解至圣丹

【来源】《石室秘录》卷二。

【组成】郁金三钱 柴胡一钱 白芍三钱 白芥子一钱 天花粉一钱 苏子一钱 荆芥一钱 甘草五分 茯苓一钱

【用法】水煎服。

【功用】开郁。

【主治】关隔症。

【方论】此方妙在平常而有至圣。盖肝气之郁，必用柴、芍以舒之，然过则必阻而不纳。方中以此二味为主，而佐以郁金之寒散，芥子之祛痰，天花粉之散结，甘草之和中，茯苓之祛湿，气味平和，委婉易入，不争不战，相爱相亲，自能到门而款关，不致扣关而坚壁也。

开门散

【来源】《辨证录》卷五。

【组成】白芍五钱　白术五钱　茯苓三钱　陈皮一钱　当归五钱　柴胡三钱　苏叶一钱　牛膝三钱　车前子三钱　炒栀子三钱　天花粉三钱

【用法】水煎一碗，缓缓呷之。

【主治】关格。食至胃而吐，欲大小便而不能出，眼睛红赤，目珠暴露而胁胀满，气逆拂抑，求一通气而不可得，属肝气过郁者。

化肾汤

【来源】《辨证录》卷五。

【组成】熟地二两　肉桂二钱

【用法】水煎服。

【主治】关格。上吐下结，气逆不顺，饮食不得入，溲溺不得出，腹中作疼，手按之少可。

水火两补汤

【来源】《辨证录》卷五。

【组成】熟地一两　山茱四钱　茯神五钱　车前子三钱　人参二钱　麦冬一两　五味子五分　肉桂一钱　白术五钱　牛膝三钱

【用法】水煎服。连服二剂，上吐止而下结亦开矣，再服四剂全愈。

【主治】关格上吐下结，气逆不顺，饮食不得入，溲溺不得出，腹中作疼，手按之少可，其脉沓而伏。

加味术桂汤

【来源】《辨证录》卷五。

【组成】白术一两　肉桂一钱　甘草一分　人参二钱　丁香一钱

【用法】水煎，加人尿半碗，探冷服之。一剂即安。

【主治】格阳不宣，肾经寒邪太盛，上假热而下真寒，致一时关格，大小便闭结不通，渴饮凉水，少顷即吐，又饮之又吐，面赤唇焦，粒米不能下胃，饮一杯吐出杯半，脉亦沉伏。

和解汤

【来源】《辨证录》卷五。

【组成】柴胡一钱　白芍三钱　甘草一钱　枳壳五分　薄荷一钱　茯神三钱　丹皮二钱　当归三钱

【用法】水煎服。缓缓服之，三剂则可以开关矣。上关一开，而下格自愈。

【主治】少阳之气不通之关格症。忽然上不能食，下不能出，胸中胀急，烦闷不安，大小便窘迫之极。

【方论】此方乃逍遥散之变方也。逍遥散有白术、陈皮，未尝不可开关，余改用薄荷、枳壳、丹皮者，直入肝经之药，取其尤易于开郁也。此方全不开关，而关自开也，正以其善于解郁也。

和中启关散

【来源】《辨证录》卷五。

【组成】麦冬五钱　人参五分　甘草五分　柏子仁三钱　滑石（敲碎）一钱　黄连一钱　白芍五钱　桂枝三分　天花粉一钱五分

【用法】水煎服。一剂而上吐止，再剂而下闭通矣。

【功用】调其营卫。

【主治】五志厥阳之火太盛，不能营于阴，遏抑于心胞之内，心液外亡，自焚于中，以致关格，吐逆不得饮食，又不得大小便，头上有汗者。

【方论】此方解散中焦之火，更能舒肝以平木。木气既平，而火热自灭。内中最妙者，用黄连与桂枝也，一安心以交于肾，一和肾而交于心，心肾两交，则营卫阴阳之气，无不各相和好，阴阳既和，而上下二焦安能坚闭乎！此和解之善于开关也。

宽缓汤

【来源】《辨证录》卷五。

【组成】柴胡　茯苓各二钱　当归三钱　白芍五钱　甘草　苏叶　黄芩各一钱　竹叶三十片

【用法】水煎服。

【主治】少阳之气不和，胸中胀急，烦闷不安，上不能食，下不能出，大小便窘迫之极。

通关散

【来源】《辨证录》卷五。

【组成】白芍五钱　茯苓三钱　甘草　枳壳　神曲各三分　白豆蔻一枚　川芎二钱　生姜汁半合　柴胡一钱

【用法】水煎服。愈后须用补肾之剂。

【主治】关格。食至胃而吐，欲大小便而不能出，眼睛红赤，目珠暴露，而胁胀满，气逆拂抑者。

黄连启心汤

【来源】《辨证录》卷五。

【组成】人参一钱　白术　丹皮各三钱　黄连　玄参各二钱　甘草一钱　桂枝三分　半夏五分　柴胡三分

【用法】水煎服。

【主治】关格。吐逆不得食，又不得大小便。

类倒散

【来源】《良朋汇集》卷二。

【组成】大黄　滑石各六钱　皂角三钱

【用法】上为末。黄酒送下。如小便不通，大黄三钱，滑石六钱；如大便不通，大黄六钱，滑石三钱。皂角三钱，大小便俱用。

【主治】大小便不通，此前后热结也。

连理汤

【来源】《医略六书》卷十九。

【组成】白术三钱（炒）　炮姜二钱　炙草一钱　川连一钱

【用法】水煎，去滓温服。

【功用】温中清膈。

【主治】胃寒膈热，格食心烦，脉细数者。

【方论】白术培既伤之土，俾复健运之常，炮姜逐胃家之寒，得司熟腐之职，炙草和胃兼益中州之气，黄连清火专解膈间之热也。使热化寒消，则脾胃健旺，而纳化有权，清阳自奉，格食烦心无不并解矣。

白牵牛散

【来源】《医宗金鉴》卷十六。

【组成】白牵牛（半生半熟）　甘草（炙）　橘红　白术（土炒）　桑白皮　木通各一钱

【用法】水煎服。

【主治】膀胱蕴热，风热相乘，小儿阴囊肿兼四肢肿，二便不利者。

交泰丸

【来源】《活人方》卷五。

【组成】白蔻仁　角沉香　郁金　白芥子　降香　朱砂　没食子各等分

【用法】上为细末，烧酒为丸，如粟米大。午前百沸汤吞服。

【功用】通利清道。

【主治】气郁肺窍不利，失其清肃施化之功，痰凝则胃脘阻塞，难展容纳转输之力，初则反胃，继则关格，精血尚壮，寒多火少者。

升气汤

【来源】《仙拈集》卷二。

【组成】当归一两　川芎五钱　柴胡　升麻各三钱半

【用法】水二碗，煎八分。一服即通。

【主治】大小便气闭。

【加减】孕妇、老年人加参一钱。

麻前饮

【来源】《仙拈集》卷二。

【组成】升麻　车前子（炒）各二钱

【用法】以黄酒二钟，煎八分服。

【主治】大小便闭。

牡蛎炮姜散

【来源】《杂症会心录》卷下。

【组成】牡蛎一两（煅研）　炮姜末一两

【用法】男病，用女人唾津调，手内擦热，紧掩二丸上；女病，用男人唾津，紧调手内，擦热紧掩二乳上。得汗愈。或内服半碗丸。

【功用】通便消胀。

【主治】寒秘，大小便不通，作胀。

通肠汤

【来源】《疡医大全》卷三十三。

【组成】黑脂麻三钱　大黄　滑石　枳壳各一钱　当归五分　绿豆七粒

【用法】水煎服。

【主治】痘疹大、小便秘结。

【加减】加牛膝一钱引经，易下。

通隧丹

【来源】《医级》卷八。

【组成】川楝子　茴香　穿山甲　牙皂炭　冬葵子各等分　甘草梢减半　黑丑加倍

【用法】上为末，炼蜜为丸，如梧桐子大。每服一二钱，开水送下。

【主治】败精阻经隧，以致前后不通。

六味清凉汤

【来源】《会约医镜》卷七。

【组成】黄芩　黄柏　大黄（酒炒）　栀子（炒）　胆草　泽泻各等分

【用法】水煎，热服。

【主治】体旺，脉洪而滑，二便闭涩，口渴喜冷，热甚腰痛者。

千金广济丸

【来源】《济众新编》卷二。

【组成】紫檀香十两　槟榔八两　便香附　苍术　白檀香各六两　干姜　厚朴各五两　陈皮　神曲　炒荜茇　丁香（去盖）　枳实（麸炒）各三两　麝香一两

【用法】上为末，面糊为丸，每两作三十丸，朱砂为衣。

【主治】寒食伤，霍乱及关格。

立效济众丹

【来源】《济众新编》卷二。

【组成】紫檀香　槟榔　干姜各二十两　苍术　厚朴　便香附各十五两　神曲（炒）陈皮　半夏　胡椒各十两　青皮　广木香各五两

【用法】上为末，面糊和，一两五钱为十锭，朱砂为衣。或一两为二十丸。

【主治】寒食伤霍乱及关格。

黄连进退汤

【来源】《古今医彻》卷二。

【组成】川黄连（姜汁炒）　炮姜　半夏　川牛膝（盐水炒）　白芍（酒炒）各一钱　人参一钱半　大枣肉三枚　童便小半杯

【用法】水煎服。

【主治】关格。

【加减】如阳虚肢冷，加熟附子一钱，减连五分；阴虚燥渴，加麦门冬一钱，去半夏。

车前汤

【来源】《伤科补要》卷四。

【组成】车前子　枳壳　归尾　赤芍　木通　桔梗　大黄　芒消各一钱

【用法】加童便、酒，煎服。

【主治】大小便不通。

通便散

【来源】《外科集腋》卷八。

【组成】朱砂　芦荟各一两　麝香二钱

【用法】上为末，酒酿为丸，如黄豆大。每服三丸，酒送下。

本方方名，据剂型，当作“通便丸”。

【主治】打伤数日之后，大小便不通

二气双调饮

【来源】《医醇剩义》卷二。

【组成】人参二钱　茯苓二钱　山药三钱　归身二

钱　枸杞三钱　干苁蓉三钱　牛膝二钱　广皮一钱　半夏一钱五分　砂仁一钱　青皮一钱五分（蜜水炒）　沉香五分（人乳磨冲）

【主治】关格。

人参半夏汤

【来源】《医醇剩义》卷二。

【组成】人参二钱　半夏三钱　广皮一钱　茯苓二钱　当归二钱　沉香五分　郁金二钱　砂仁一钱　佩兰一钱　苡仁四钱　牛膝二钱　佛手五分　白檀香五分

【主治】关格。痰气上逆，食入即吐。

和中大顺汤

【来源】《医醇剩义》卷二。

【组成】人参二钱　麦冬二钱　丹参三钱　柏仁二钱　丹皮二钱　生地四钱　白赤芍各一钱　白潼蒺藜各三钱　赭石三钱（煅，研）　合欢花二钱

【用法】加竹沥二大匙，生姜汁二滴，同冲服。

【主治】关格。孤阳独发，阻格饮食，甚则作呃。

温阳降浊汤

【来源】《首批国家级名老中医效验秘方精选》。

【组成】茯苓 15 克　白术 12 克　附片 9 克　白芍 12 克　西洋参 6 克　黄连 4.5 克　苏叶 9 克　猪苓 15 克　泽泻 15 克　生姜 12 克

【用法】附片加清水煎半小时，再入余药同煎二次，每次文火煮半小时，滤汁混匀分两次服。病重者可日服一剂半，分三次服之。

【功用】温肾健脾，降浊和中，宣通水道。

【主治】肾脾阳虚，水气泛滥，浊邪内盛上逆所致之关格证（包括肾小球肾炎、肾盂肾炎等疾病所引起的慢性肾衰竭、尿毒症）。

十四、多　尿

多尿，是指不因饮水而表现小便量比常人偏多的病情。病发有虚实不同，实者为外邪入侵，虚者乃先天不足，但终是下焦胞冷不能制水之故。《诸病源候论》：“将适失度，热在上焦，下焦虚冷，冷气乘于胞，故胞冷不能制于小便，则小便多”，或者是“禀质阴气偏盛，阳气偏虚者，则膀胱肾气俱冷，不能温制于水，则小便多。”所以治疗宜取温阳散寒为基础。

钟乳丸

【来源】《圣济总录》卷五十三。

【组成】钟乳粉　沉香（锉）　桑螵蛸（炙）　龙骨（煅）各半两　白茯苓（去黑皮）一两

【用法】上为末，炼蜜为丸，如梧桐子大。每服三十丸，空心、食前温酒送下。

【主治】膀胱虚冷，小便利多，少腹冷痛，脚筋拘急。

吴茱萸丸

【来源】《圣济总录》卷九十六。

【组成】吴茱萸（汤洗，焙干炒）三两　蜀椒（去目并闭口，炒出汗）二两　干姜（炮）一两

【用法】上为末，酒煮面糊为丸，如梧桐子大。每服二十丸，加至三十丸，空心温酒送下。

【主治】小便利多。

茸香丸

【来源】《仁斋直指方论》卷十五。

【组成】鹿茸（酥炙）　肉苁蓉（酒浸，焙）　当归各半两　鸡内金七钱半（微炙）　龙骨　牡蛎灰　赤石脂　禹余粮（煅，醋淬，碎为度，各研细）　川白姜　益智仁　巴戟　乳香各二两半

【用法】上为细末，糯米糊为丸，如梧桐子大。每服七十丸，空心盐汤送下。

【主治】下焦虚冷，尿多，或虚劳遗尿，或欲出而不禁。

暖肾丸

【来源】《仁斋直指方论》卷十五。

【组成】葫芦巴（炒） 故纸（炒） 川楝肉（用牡蛎炒，去牡蛎） 大熟地黄（洗，焙） 益智仁 鹿茸（酒炙） 山茱萸 代赭石（煮熟，醋蘸七次，研细） 赤石脂各三分 龙骨 海螵蛸 熟艾（米醋浸一宿，炙焦） 丁香 沉香 滴乳香各二分 禹余粮（煅，醋淬，碎为度，细研）三分

【用法】上为细末，水煮糯米糊为丸，如梧桐子大。每服五十丸，食前石菖蒲煎汤送下。

【主治】肾虚多溺，或小便不禁而浊。

补气温肾汤

【来源】《江苏中医》（1990，8：16）。

【组成】炙黄芪12g 益智仁 桑螵蛸各10g 焦白术 乌药 制附片各6g 山药15g

【用法】上药加适量冷水浸泡20分钟，将头煎和2煎共煎成200毫升药液，小于3岁者日服100毫升，大于3岁者日服200毫升。

【主治】小儿多尿。

【验案】小儿多尿 《江苏中医》（1990，8：16）：治疗小儿多尿30例，男14例，女16例；年龄1～3岁7例，4～7岁13例，8～12岁10例；病程最短3天、最长1年。结果：服药3天症状消失者20例，服药6天症状消失者7例，服药半月症状消失者3例，总有效率100%。

十五、小便不禁

小便不禁，又称小便失禁，是指清醒时小便自出不觉，或小便频数难以自制的病情。《诸病源候论》："小便不禁者，肾气虚，下焦受冷也。肾主水，其气下通于阴。肾虚下焦冷，不能温制其水液，故小便不禁也。"《素问玄机原病式》："岂知热甚客于肾部，干于足厥阴之经，廷孔郁结极甚，而气血不能宣通，则痿痹，而神无所用，故液渗入膀胱，而旋溺遗失，不能收禁也"，"三焦所部，五脏之淫气变而为五邪者，悉能干于下焦肾肝膀胱出水之窍而为不禁之病"。本病成因，多为肾与膀胱虚冷，或膀胱湿热火邪妄动，或肝郁热结，或肺气虚，或心气不足等致使膀胱失于气化，三焦失于决渎，小便失禁自溺。其治疗，宜予清利湿热，疏肝解郁，补益心肺，温暖下元等法。

九房散

【来源】《备急千金要方》卷二十一。

【别名】久房散（《千金翼方》卷十九）。

【组成】菟丝子 黄连 蒲黄各三两 消石一两 肉苁蓉二两

《千金翼方》久房散用法下注一方有五味子三两。

【用法】上药治下筛，并鸡肶胵中黄皮三两，同为散。饮服方寸匕，一日三次。如人行十里，更服之。

【主治】小便多或不禁。

【方论】《千金方衍义》：方中菟丝续绝伤，补精气；蒲黄消瘀血，止茎痛；黄连泻心火，除积热；苁蓉助少火，滋阴精；消石通固结，解石毒；鸡肶胵消积气，安肠胃，能使便溺有常，妙用全在乎此。

黄雌鸡粥

【来源】《医方类聚》卷一三六引《食医心鉴》。

【组成】黄雌鸡一只（治如食） 粳米一升

【用法】上煮作粥。和盐、酱、醋，空心食之。

【主治】膀胱虚冷，小便数不禁。

泽泻散

【来源】《太平圣惠方》卷二十九。

【组成】泽泻三分 白龙骨一两 桑螵蛸一两（微

炒） 车前子一两 狗脊二两

【用法】上为细散。每服二钱，食前以温酒调下。

【主治】

1.《太平圣惠方》：虚劳内伤，肾气绝，小便余沥，不能自禁。

2.《圣济总录》：大虚损，内伤肾气，小便白浊。

鹿茸散

【来源】《太平圣惠方》卷二十九。

【组成】鹿茸二两（去毛，酒洗，微炙） 白龙骨一两 桑寄生一两 当归三分 人参一两（去芦头） 白芍药一两 乌贼鱼骨二两 桑螵蛸三七枚（微炒）

原书卷七十二本方有附子，无人参。

【用法】上为细散。每服二钱，食前以温酒调下。

【主治】

1.《太平圣惠方》：虚劳，腰膝伤冷，小便日夜五十余行。

2.《校注妇人良方》：肾气虚寒，便溺数甚，或夜间频数遗溺。

白薇散

【来源】《太平圣惠方》卷五十八。

【组成】白薇一两 白蔹一两 白芍药一两

【用法】上为细散。每服二钱，食前以粥饮调下。

【主治】

1.《太平圣惠方》：小便不禁。

2.《杂病源流犀烛》：挟热遗溺。

鹊巢散

【来源】方出《太平圣惠方》卷五十八，名见《圣济总录》卷九十五。

【组成】蔷薇根五两（锉） 鹊巢中草（烧为灰，细研）

【用法】上以水三大盏，先煮蔷薇根取汁一盏半，去滓，每于食前取汁一小盏，调下鹊巢灰二钱。

【主治】小便不禁。

菟丝子散

【来源】《太平圣惠方》卷五十八。

【组成】菟丝子二两（酒浸三日，晒干，别捣为末） 牡蛎一两（烧为粉） 肉苁蓉二两（酒浸一宿，刮去皮，炙干） 附子一两（炮裂，去皮脐） 五味子一两 鸡膍胵中黄皮二两（微炙）

【用法】上为细散。每服二钱，食前以粥饮调下。

【主治】小便多，或不禁。

黄雌鸡肉粥

【来源】《太平圣惠方》卷九十六。

【组成】黄雌鸡一只（去毛羽肠脏） 粳米一升 黄耆一两（锉） 熟干地黄一两半

【用法】上同煮，令极熟，去药，及擘去鸡骨，取汁并肉，和米煮作粥，入酱，一如食法调和，空腹食之；作羹及馄饨，任意食之亦得。

【功用】补益五脏。

【主治】膀胱虚冷，小便数不禁。

补骨脂散

【来源】《圣济总录》卷五十三。

【组成】补骨脂（炒） 茴香子（炒） 葫芦巴（炒）各一两 槟榔（锉）半两 青橘皮（去白，炒）三分 沉香（锉）半两

【用法】上为散。每服二钱匕，盐酒或盐汤调下。

【主治】膀胱久虚，便溲不禁，腹胁虚满，少腹绞痛。

荜澄茄散

【来源】《圣济总录》卷五十三。

【组成】荜澄茄 木香 沉香 桂（去粗皮）各半两 茴香子（炒）三分 菟丝子（酒浸一宿，别捣） 白茯苓（去黑皮）各一两

【用法】上为散。每服二钱匕，温酒或盐汤调下。

【主治】膀胱经虚，小便不禁，少腹冷痛。

秘真丸

【来源】《圣济总录》卷九十二。

【别名】秘精丸（《是斋百一选方》卷十五）、秘元丹（《御药院方》卷六）、秘精丹（《普济方》卷二一七）、秘真丹（《证治汇补》卷八）。

【组成】龙骨（研）一两　诃梨勒（炮，取皮）五枚　缩砂仁（去皮）半两　丹砂（研）一两（留一分为衣）

【用法】上为末，煮糯米粥为丸，如绿豆大，以丹砂为衣。每日空心热酒送下一丸，夜卧冷水送下三丸；或太秘欲通，用葱汤点茶服之。

【功用】

1. 《御药院方》：助阳消阴，正气温中。
2. 《明医指掌》：固精止尿。
3. 《医宗必读》：固精安肾。
4. 《医略六书》：镇坠固涩。

【主治】

1. 《圣济总录》：小便白淫不止。
2. 《宣明论方》：白淫，小便不止，精气不固，及有余沥，或梦寐阴人通泄。
3. 《御药院方》：内虚里寒，冷气攻心，胁肋胀满，脐腹刺痛，呕逆泄泻，自汗时出，小便不禁，阳气衰微手足厥，久虚下冷，真气不足。
4. 《古今医统大全》：精不禁，危急者。
5. 《医略六书》：心肾两虚，遗溺，脉短涩。

【宜忌】不可多服。

干姜饮

【来源】《圣济总录》卷九十五。

【组成】干姜（炮裂）一两　附子（炮裂，去皮脐）半两　芎藭三分　桂（去粗皮）半两　麻黄（去根节）半两

【用法】上锉，如麻豆大。每服四钱匕，水一盏半，煎至一盏，去滓，空心温服，至晚再服。

【主治】小便不禁。

牡蛎丸

【来源】《圣济总录》卷九十五。

【组成】牡蛎三两（白者，盛瓷合子内，更用盐末一两盖头铺底，以炭火约五斤烧半日，取出，研如粉）　赤石脂三两（捣碎醋拌匀湿，于生铁铫子内，慢火炒令干，研如粉）

【用法】上二味，再同研匀，酒煮面糊为丸，如梧桐子大。每服十五丸，空心盐汤送下。

【主治】小便失禁。

鸡肠散

【来源】《圣济总录》卷九十五。

【组成】黄雄鸡肠四具（切破净洗，炙令黄熟）　肉苁蓉（酒浸，切，焙）　苦参　赤石脂（研）　白石脂（研）　黄连（去须）各五两

【用法】上四味为细散，更与赤石脂、白石脂同为细末。每服二钱匕，食前酒调下，日二夜一。

【主治】小便不禁，日夜无数。

柏白皮汤

【来源】《圣济总录》卷九十五。

【别名】柏皮汤（《普济方》卷二一六）。

【组成】柏白皮（焙干，锉）二斤　酸石榴枝一握（烧灰，细研）

【用法】先将柏白皮为粗末，每用四钱匕，水一盏半，煎至一盏，去滓，下石榴枝灰一钱半匕，更煎至八分，空心服，至晚再服。

【主治】小便不禁。

菟丝子散

【来源】《圣济总录》卷九十五。

【组成】菟丝子（酒浸二宿，焙干，微炒，别捣为细粉）一两　蒲黄（微炒，细研）　黄连（去须）各一两半　肉苁蓉（酒浸，切，焙）一两　五味子（炒）　鸡膍胵黄皮（炙黄色，干）各一两半

【用法】上药，先同捣四味为细散，再入菟丝子粉与蒲黄同研匀细。每服二钱匕，食前酒调服，一日三次。

【主治】小便不禁。

黄耆散

【来源】《圣济总录》卷九十五。

【组成】黄耆（细锉）　狗脊（去毛，锉）　牡蛎（煅）　肉苁蓉（酒浸，切，焙）各一两三分　土

瓜根三两　赤石脂（研）　萆薢（微炒，锉）　牛膝（去苗，酒浸，切，焙，微炒）　山茱萸各二两半

【用法】上先捣八味为细散，更与赤石脂同研匀。每服一钱匕，食前酒调服，至午间、夜卧各一服。渐加至两钱匕。

【主治】小便不禁。

固脬丸

【来源】《全生指迷方》卷四。

【别名】大固脬丸（《鸡峰普济方》卷十）。

【组成】茴香（炒）一两　桑螵蛸（炒）半两　菟丝子（拣净，酒浸一宿，乘润捣烂，焙干）二两　戎盐（炒）一分　附子（炮，去皮脐）半两

【用法】上为细末，煮糊为丸，如梧桐子大。饮下三十粒，空心服。

【主治】

1.《鸡峰普济方》：作劳过度，肾与膀胱俱虚，不能禁固，小便滑数，日夜十数行，胫酸无力，脉微弱。

2.《古今医统大全》：遗尿不觉，小便不禁。

鸡肠散

【来源】《幼幼新书》卷三十引张涣方。

【别名】鸡肠草散（《小儿卫生总微论方》卷十六）、鸡肠草汤（《赤水玄珠全集》卷十五）。

【组成】鸡肠草一两　牡蛎粉三分　龙骨　麦门冬（去心，焙）　白茯苓　桑螵蛸各半两

【用法】上为粗散。每服一钱，水一小盏，加生姜少许，大枣二枚，煎至六分，去滓温服。

【主治】膀胱有热，服冷药过多，小便不能禁止，或遗尿病。

张真君茯苓丸

【来源】《三因极一病证方论》卷十二。

【组成】赤茯苓　白茯苓各等分

【用法】上为末，以新汲水挼洗，澄去新沫，控干，别取地黄汁，同与好酒银石器内熬成膏，搜和为丸，如弹子大。空心盐酒嚼下。

【功用】常服轻身延年。

【主治】心肾气虚，神志不守，小便淋涩，或不禁，及遗泄白浊。

阿胶饮

【来源】《三因极一病证方论》卷十二。

【组成】阿胶二两（炒）　牡蛎（煅取粉）　鹿茸（切，酥炙）各四两

《证治准绳·类方》有桑螵蛸。

【用法】上锉散。每服四大钱，水一盏，煎七分，空心服；或作细末，饮调亦好。

【主治】小便遗尿不禁。

鸡内金散

【来源】《三因极一病证方论》卷十二。

【组成】鸡肶胵一具并肠（净洗烧为灰，男用雌者，女用雄者）

【用法】上为细末。每服方寸匕，酒饮调下。

【主治】

1.《三因极一病证方论》：尿床失禁。

2.《校注妇人良方》：气虚尿床。

3.《证治准绳·女科》：产后尿床失禁。

4.《幼科金针》：小儿食积。

白茯苓散

【来源】《普济方》卷二一六引《十便良方》。

【别名】茯苓散（《普济方》卷三十三）。

【组成】白茯苓　龙骨　甘草（炙，锉细）　干姜　桂心　续断　附子各一两　熟干地黄　桑螵蛸(微炒)

【用法】上为散。每服四钱，水一钟，煎至六分，去滓，每于食后温服。

【主治】小便不禁，日夜不止；白浊，甚至下血。

固真丹

【来源】《魏氏家藏方》卷四。

【组成】韭子四两　舶上茴香（炒）　补骨脂（炒）　益智子　鹿角霜各二两　白龙骨三两（煅，别研细如粉）

【用法】上为细末，以青盐、鹿角胶各一两，同

煮，酒糊为丸，如梧桐子大。每服五十丸，空心温酒送下；盐汤亦得。

【主治】肾与膀胱虚冷，真气不固，小便滑数。

五味子丸

【来源】《普济方》卷一八〇引《经验良方》。

【组成】五味子四两　熟地黄六两　肉苁蓉八两　菟丝子二两（酒浸，蒸）

【用法】上为末，酒煮山药末为糊为丸，如梧桐子大。每服二三十丸，米饮送下。

【主治】禀赋弱，小便数亦不禁。

矾石散

【来源】《普济方》卷二一六引《余居士选奇方》。

【别名】矾蛎散（《医略六书》卷二十八）。

【组成】矾石（烧令汁尽）　牡蛎（熬）各等分

【用法】上为末。以粟米粥饮服，每日三次。

【主治】丈夫、妇人遗尿不知出时。

秘精丸

【来源】《济生方》卷四。

【别名】固精丸（《世医得效方》卷七）、固本丸（《嵩崖尊生全书》卷十四）、固髓丹（《一见和医》卷四）。

【组成】牡蛎（煅）　菟丝子（酒浸，蒸，焙，别研）　龙骨（生用）　五味子　韭子（炒）　桑螵蛸（酒炙）　白茯苓（去皮）　白石脂（煅）各等分

【用法】上为细末，酒糊为丸，如梧桐子大。每服七十丸，空心以盐酒、盐汤任下。

【主治】

1. 《济生方》：下虚胞寒，小便白浊或如米泔，或若凝脂，腰重少力。
2. 《校注妇人良方》：小便无度。

桑螵蛸散

【来源】《济生方》卷九。

【组成】桑螵蛸十二个（炙）

【用法】上为细末。每服二钱，空心、食前米饮调服。

【主治】

1. 《济生方》：妊娠小便不禁。
2. 《赤水玄珠全集》：遗溺。

茸香丸

【来源】《仁斋直指方论》卷十五。

【组成】鹿茸（酥炙）　肉苁蓉（酒浸，焙）　当归各半两　鸡内金七钱半（微炙）　龙骨　牡蛎灰　赤石脂　禹余粮（煅，醋淬，碎为度，各研细）　川白姜　益智仁　巴戟　乳香各二两半

【用法】上为细末，糯米糊为丸，如梧桐子大。每服七十丸，空心盐汤送下。

【主治】下焦虚冷，尿多，或虚劳遗尿，或欲出而不禁。

暖肾丸

【来源】《仁斋直指方论》卷十五。

【组成】葫芦巴（炒）　故纸（炒）　川楝肉（用牡蛎炒，去牡蛎）　大熟地黄（洗，焙）　益智仁　鹿茸（酒炙）　山茱萸　代赭石（煮熟，醋蘸七次，研细）　赤石脂各三分　龙骨　海螵蛸　熟艾（米醋浸一宿，炙焦）　丁香　沉香　滴乳香各二分　禹余粮（煅，醋淬，碎为度，细研）三分

【用法】上为细末，水煮糯米糊为丸，如梧桐子大。每服五十丸，食前石菖蒲煎汤送下。

【主治】肾虚多溺，或小便不禁而浊。

姜附赤石脂朱砂丹

【来源】《此事难知》。

【别名】朱砂丹（原书同卷）、姜附赤石脂丸（《赤水玄珠全集》卷十三）。

【组成】附子半两　生干姜半两（不炮）　朱砂一两（另研）　赤石脂一两半（水飞）

【用法】上为细末，酒糊为丸，如黑豆大。每服十五至二三十丸，米饮送下；茯苓汤送下尤妙。

【主治】小便数而不禁，怔忡多忘，魇梦不已，下元虚冷，遗尿，精滑，或阳虚精漏不止，或肾气虚寒，脾泄肾泄。

杜仲丸

【来源】《瑞竹堂经验方》卷一。

【组成】莲肉（去心）四两　龙骨七钱半（新瓦上煅，另研细）　益智仁　破故纸（炒香）　茴香各一两（微炒）　牛膝（去苗）一两（酒浸）　白茯神（去皮木）一两　杜仲（去皮，锉碎，酒浸，炒断丝）一两　菟丝子四两　桃仁（汤泡，去皮尖净，炒）一两

【用法】上为细末，用山药四两炙为末，酒糊为丸，如梧桐子大。每服五十丸，枣汤送下，空心食前服。

【功用】

1.《瑞竹堂经验方》：补心肾，益气血，暖元脏，缩小便。

2.《普济方》：壮力。

【加减】如欲暖水脏，减去莲肉、龙骨、白茯神，加好醋、酒，兼糟四两，连须葱白四两，苍术四两（米泔水浸一夕，切片），合连须葱白，酒糟捣，淹一宿成饼，晒干，炒令熟，入前药同研。

秘元丹

【来源】《世医得效方》卷七。

【别名】秘元丸（《古今医统大全》卷八十三）。

【组成】白龙骨三两　诃子十个（去核）　缩砂一两（去皮）

【用法】上为末，糯米粥为丸，如梧桐子大。每服五十丸，空心以盐酒送下。

【主治】

1.《世医得效方》：内虚里寒，自汗时出，小便不禁。

2.《校注妇人良方》：阳气虚，夜多小便频数。

阿胶散

【来源】《脉因证治》卷上。

【组成】阿胶二两（炒）　牡蛎（煅）　鹿茸（酥炙）四两

【用法】煎散任下。

【主治】小便不禁。

鸡肶胵丸

【来源】《普济方》卷二一六引《圣藏经验方》。

【组成】鸡肶胵一两（烧灰，存性）　益智子一两　石菖蒲一两　鸡肠一付（焙干）

【用法】上为末，酒糊为丸，如梧桐子大。每服五十丸，食前酒吞下。

【主治】小便多及遗尿。

螵蛸丸

【来源】《古今医统大全》卷七十引《医林》。

【组成】桑螵蛸七个（炒）　附子（炮，去皮脐）　五味子　龙骨各半两

【用法】上为细末，糯米糊为丸，如梧桐子大。每服五十丸，空心盐酒送下。

【主治】下焦虚冷，精滑不固，遗溺不断。

鹿角霜丸

【来源】《普济方》卷二一六。

【组成】鹿角霜

【用法】上用鹿角带顶骨者，不以多少，锯作挺子长三寸，洗净，用水桶内浸，夏三、冬五昼夜，用清水浸，同入釜内煮之，觉汤少，添温汤，日夜不绝，候角酥糜为度，轻滤出，用刀刮去皮，如雪白，放在筛子上，候白干，火焙之。其汁慢火熬为胶。俟角极干，为细末，酒糊为丸，如梧桐子大。每服三十至四十粒，空心温酒、盐汤送下。

【主治】上热下焦寒，小便不禁。

麦门冬散

【来源】《普济方》卷二一七。

【组成】韭子二升　麦门冬三合　菟丝子三两　车前子　泽泻各六分

【用法】上药治下筛。每服方寸匕，酒调下，日三夜一服。

【主治】小便失禁，及梦失精。

益智散

【来源】《陈素庵妇科补解》卷五。
【组成】牡蛎　人参　厚朴　甘草　花粉　龙骨　白及　陈皮　赤芍　益智仁　黄耆　川芎藭　当归　熟地　雄鸡膍胵　山药　黄芩
【功用】补血固肾。
【主治】膀胱气虚，小便数，或遗尿不知。
【加减】肾气虚寒者，加补骨脂、肉豆蔻、远志肉，除黄芩、花粉。
【方论】是方参、耆、陈、草以补气，芎、归、芍、地以补血，牡蛎、白及、龙骨以止数固遗，益智仁、山药缩泉，鸡膍胵性涩而治便数遗溺，花粉、黄芩以清妄行之热，厚朴、陈皮行气温胃。胃和水谷分利，荣卫平复矣。

茴香益智丸

【来源】《活人心统》卷下。
【组成】川乌一两　小茴香（盐炒）一两　破故纸一两（炒）　益智仁一两（炒）　乌药一两
【用法】上为末，用山药四两，打糊为丸，如梧桐子大。每服八十丸，盐汤送下。
【主治】老人阳虚失禁，及房劳伤气，遗沥。

经验何首乌丸

【来源】《医便》卷一。
【组成】何首乌六两（用黑豆水浸煮晒干再煮，又晒，如前七次）　黄柏四两（一两酒炒，一两乳汁炒，一两童便炒，一两青盐水炒）　松子仁（去壳，净，一半去油，一半不去油）　柏子仁（去壳）　菟丝子（酒煮烂，碾为末）　肉苁蓉（酒焙干，净）　牛膝（酒洗，去芦）　天门冬（去心，焙干）　白术（净，不用油者，去梗）　麦门冬（去心，焙干）　白茯苓（去皮）　小茴香（酒炒）　甘州枸杞子（酒洗炒干）　当归（酒洗，炒干）　白芍药　熟地黄（酒洗，焙干）　生地黄（酒洗，焙干）各二两　人参（去芦）　黄耆（蜜炙）各一两二钱
【用法】上为细末，加核桃仁（去壳并仁上粗皮），研如泥，水和炼蜜为丸，如梧桐子大。每服五十丸，空心酒、米饮任下。半月半效，一月全效。
【功用】久服轻身延年耐久，添精补髓，益气强筋。
【主治】老人衰弱，血气不足，遗尿失禁，须发斑白，湿热相搏，腰背疼痛，齿痿脚软，行步艰难，眼目昏花。

二苓丸

【来源】《医学入门》卷七。
【组成】赤茯苓　白茯苓各等分
【用法】水澄，为末，别用生地汁同酒熬膏为丸，如弹子大。每空心嚼一丸，盐汤送下。
【主治】心肾俱虚，神志不定，小便淋沥不禁。

既济丸

【来源】《古今医鉴》卷八。
【组成】菟丝子（酒制）　益智仁（炒）　白茯苓　韭子（炒）　肉苁蓉（酒洗）　当归　熟地黄各五钱　黄柏　知母（各盐、酒炒）　牡蛎（煅）　石枣（酒蒸，去核）各三钱　五味子一钱
【用法】上为末，面糊为丸。每服百丸，空心盐汤送下。
【主治】小便不禁。

韭子一物丸

【来源】《医方考》卷四。
【组成】韭子
【用法】上为丸服。
【主治】大人遗浊，小儿遗尿。
【方论】《经》曰：淫气遗溺，痹聚在肾。痹聚者，湿气聚而为痹也。韭子润而辛热，辛热则能散湿，润则能就下，故孙真人每用之，令其就下而疗痹气尔。

参附汤

【来源】《万病回春》卷四。
【组成】参耆汤加附子
【主治】年老之人，虚寒遗溺者。

参耆汤

【来源】《万病回春》卷四。

【组成】人参（去芦） 黄耆（蜜水炒） 茯苓（去皮） 当归 熟地黄 白术（去芦） 陈皮各一钱 升麻 肉桂各五分 益智仁八分 甘草三分

【用法】上锉一剂。加生姜三片，大枣一个，水煎，空心服。

【主治】气虚遗溺失禁。

益智子汤

【来源】《增补内经拾遗》卷三。

【组成】益智仁四十九粒 白茯苓（去皮）二钱

【用法】水二钟，煎八分，加盐一捻，空心温服。

【主治】肾虚遗溺。

司肾丸

【来源】《杏苑生春》卷七。

【组成】鹿茸 菟丝子 胡芦巴 杜仲 肉桂 知母 黄柏 熟地黄 地骨皮 赤石脂 山药 龙骨

【用法】上为细末，以醋打糊为丸，如梧桐子大。每服五七十丸，空心以升麻煎汤送下。

【功用】滋阴补肾，退热止滑。

【主治】肾虚生热，以致小便不禁。

加味地黄丸

【来源】《寿世保元》卷五。

【组成】怀生地黄（酒蒸）四两 怀山药二两 牡丹皮一两五钱 白茯苓一两 山茱萸（酒蒸，去核） 破故纸（炒）二两 益智仁一两 人参一两 肉桂五钱

【用法】上为细末，炼蜜为丸，如梧桐子大。每服一百丸，空心盐汤送下。

【主治】肾与膀胱俱虚，冷气乘之，不能约制，致遗尿不禁，或睡中尿自出。

巩堤丸

【来源】《景岳全书》卷五十一。

【组成】熟地二两 菟丝子（酒煮）二两 白术（炒）二两 北五味 益智仁（酒炒） 故纸（酒炒） 附子（制） 茯苓 家韭子（炒）各一两

【用法】上为末，山药糊为丸，如梧桐子大。每服百余丸，空心滚汤或温酒送下。

【主治】膀胱不藏，水泉不止，命门火衰，小水不禁。

【加减】如兼气虚必加人参一二两更妙。

【方论】《成方便读》：方中熟地、菟丝、骨脂、韭子，大补肾脏。然所以约束肾中之气者，又在于脾，故以白术、山药大补脾土；益智辛香温暖，独入脾家，且能于固摄之中，仍寓流动之意；附子助其火；茯苓去其邪水；而以五味子一味，固其关巩其堤是也。

清胜丸

【来源】《丹台玉案》卷五。

【组成】当归 生地 丹皮 白茯苓各三两 山茱萸（去核） 北五味 牡蛎 莲蕊 黄柏 益智仁 知母各二两

【用法】上为末，炼蜜为丸。每服三钱，空心白滚汤送下。

【主治】小便不禁。

黄耆束气汤

【来源】《观聚方要补》卷六引《儿科方要》。

【组成】黄耆一钱二分 白芍一钱 人参 破故纸各七分 升麻 益志仁各五分 五味三分 薄桂二分

【用法】加生姜，水煎服。

【主治】气虚遗溺。

二陈菖蒲汤

【来源】《症因脉治》卷一。

【组成】半夏 广皮 白茯苓 甘草 石菖蒲

【主治】外感遗尿，痰凝中脘，身体发热，神志不清，便色黄赤，右脉滑实者。

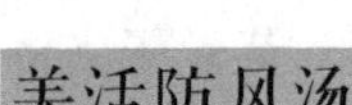

羌活防风汤

【来源】《症因脉治》卷一。

【组成】羌活　防风　柴胡　葛根　荆芥　木通

【主治】遗尿而外有表邪者。

枳实消滞汤

【来源】《症因脉治》卷一。

【组成】枳实　厚朴　神曲　广陈皮　莱菔子　麦芽

【主治】外感遗尿，身体发热，神志不清，小便自出而不觉，尿色黄赤，右脉滑实，食填太仓者。

玉关丸

【来源】《证治宝鉴》卷七。

【组成】人参六钱　枣仁　牡蛎（煅）　五倍子　枯矾　龙骨各五钱　茯神一两　远志肉半两

【用法】上为末，蒸枣为丸，如梧桐子大。每服五六十丸。

【主治】遗尿，小便出而不觉。

缩泉饮

【来源】《何氏济生论》卷五。

【组成】益智仁（盐炒）　石菖蒲各等分

【用法】水煎服。

【主治】小便不禁。

完胞饮

【来源】《傅青主女科》卷下。

【组成】人参一两　白术十两（土炒）　茯苓三钱（去皮）　生黄耆五钱　当归一两（酒炒）　川芎五钱　白及末一钱　红花一钱　益母草三钱　桃仁十粒（泡，炒，研）

【用法】用猪羊胞一个，先煎汤，后煎药，饥时服。

【主治】妇人生产之时，被稳婆手入产门，损伤胞胎，因而淋漓不止，欲少忍须臾而不能。

【验案】人工流产后诸症　《浙江中医学院学报》（1984，8：27）：应用党参30g，炒白术30g，茯苓12g，生黄芪15g，益母草30g，桃仁12g，白及12g，水煎服。治疗人工流产后诸症，淋漓不净10天以上者50例，其中10～15天15例，16～20天18例，21～25天5例，26～30天3例，31～45天8例，4个月以上1例；血色紫者35例，色鲜红者6例，如酱色4例，淡红色5例；伴腰膝酸痛15例，小腹隐痛22例，精神疲惫6例，小腹胀坠6例，无伴随症状1例。结果：服药1天后干净者1例，2天者2例，3天者25例，4天者17例，5天者5例。有7例于服药3天后阴道排出大小不等的残留胚胎组织。

桑螵散

【来源】《傅青主女科·产后编》卷下。

【组成】桑螵蛸三十个　人参　黄耆　鹿茸　牡蛎　赤石脂各三钱

【用法】上为末。每服二钱，空心米饮送下。

【主治】小便数，及遗尿。

助老汤

【来源】《辨证录》卷十。

【组成】熟地一两　山茱萸一两　益智一钱　肉桂二钱　远志一钱　炒枣仁五钱　人参三钱　北五味二钱

【用法】水煎服。

【主治】老年遗尿。夜卧而遗，或日间不睡而自遗。

萸术益桂汤

【来源】《辨证录》卷十。

【组成】山茱萸五钱　白术一两　肉桂一钱　益智仁一钱

【用法】水煎服。

【主治】夜卧遗尿，畏寒喜热，面黄体怯，大便溏泄，小水必勤。

温泉饮

【来源】《辨证录》卷十。

【组成】白术一两　巴戟天一两　益智仁三钱　肉桂一钱

【用法】水煎服。

【主治】夜卧遗尿，畏寒喜热，面黄体怯，大便溏泄，小水必勤，此由肾虚，膀胱开合不利所致。

仙茅大益丸

【来源】《李氏医鉴》卷三。

【组成】仙茅（竹刀去皮，切，糯米泔浸，去赤汁出毒用）

【用法】阴干蜜丸。酒服。

【功用】助命火，益阳道，明耳目，补虚劳。

【主治】失溺，无子，心腹冷气，不能食，腰脚冷痹，不能行。

【宜忌】相火盛者忌服；制丸时忌铁；禁食牛乳、牛肉。

加减桑螵蛸散

【来源】《张氏医通》卷十四。

【组成】桑螵蛸三十枚（酥炙）　鹿茸一双（酥炙）　黄耆三两（蜜、酒炙）　麦门冬（去心）二两半　五味子半两　补骨脂（盐酒炒）　人参　厚杜仲（盐酒炒）各三两

《医略六书》有附子，无桑螵蛸。

【用法】上为散。每服三钱，空心羊肾煎汤调服，并用红酒细嚼羊肾；或羊肾汤泛为丸，每服三钱，空心以酒送下。

【主治】阳气虚弱，小便频数，或遗溺。

三白散

【来源】《嵩崖尊生全书》卷十三。

【组成】白薇　白蔹　白芍各一钱

【用法】上为末。酒调服。

【主治】遗尿滑脱之有热者。

鹿茸散

【来源】《嵩崖尊生全书》卷十三。

【组成】鹿茸　海螵各三钱　白芍　当归　桑寄　龙骨　人参各三钱　桑螵一钱半（劈破，碾，炙黄）

【用法】上为末。酒调服。

【主治】遗尿滑脱，属寒者。

加减六味汤

【来源】《胎产心法》卷上。

【组成】熟地四钱　丹皮一钱五分　山萸（去核）　淮山药（炒）各二钱　白薇　白芍药　益智仁各一钱

【用法】水煎服。

【主治】虚人遗尿。

桑螵蛸散

【来源】《胎产心法》卷下。

【组成】真桑螵蛸（炒）　白龙骨（煅）　牡蛎（煅）各等分

【用法】上为末。每服三钱，食前水饮调服。

【主治】妇人小便数，及遗尿不禁。

家韭子丸

【来源】《医略六书》卷二十五。

【组成】韭子三两（炒）　鹿茸三两（酥炙）　苁蓉三两（酒洗）　熟地五两　当归二两　菟丝三两（饼）　萸肉三两　巴戟三两（炒）　杜仲三两（炒）　肉桂一两半（去皮）　干姜一两半（炒）

【用法】上为末，陈酒糊丸。每服三五钱，淡盐汤送下。

【功用】温肾壮阳。

【主治】肾脏虚寒，遗溺，脉缓涩者。

【方论】肾脏虚寒，真阳不秘，故闭藏失职，遗溺不止。韭子壮真阳以温肾，鹿茸补肾脏以壮阳，巴戟温肾脏以祛寒湿，苁蓉润肾脏以温精血，熟地填补真阴，肉桂温暖真阳，萸肉涩精秘气，当归养血营经，杜仲补肾脏以作强，干姜暖胃气以散寒冷，菟丝填补肾脏也。陈酒丸，盐汤下，俾肾脏充足，则真阳秘密，而寒邪自散，水府蓄泄有权，安有溲溺遗失之患乎！

加减八味汤

【来源】《医略六书》卷二十六。

【组成】熟地五钱 萸肉三钱 附子一两半（炮） 肉桂一钱半（去皮） 山药三钱（炒） 白芍一钱半（酒炒） 五味一钱半 益智三钱（盐水炒） 覆盆子三钱（炒）

【用法】水煎，去滓温服。

【主治】肾虚遗溺，脉弱者。

【方论】附子补火逐冷，肉桂暖血温经，熟地补阴滋肾，萸肉秘气涩精，山药补脾阴以固下，白芍敛阴血以固经，益智补火通心，兼摄涎水，五味补肺滋肾，收敛津液，覆盆子益肾膀以缩小便也，水煎温服，使火壮阳回，则关门肩固而蓄泄有权，岂有遗溺之患乎！

黄耆当归丸

【来源】《医略六书》卷三十。

【组成】人参三两 黄耆五两（蜜炙） 白术三两（制） 当归三两 白芍一两半（炒） 陈皮一两半 炙草一两半 猪脬一具

【用法】上为末，煮猪脬捣烂为丸。每服五钱，以淡盐汤送下。

【主治】遗溺，脉软者。

【方论】产后脾肺气亏，清阳不振，无以统摄津液，故小便遗失不知焉。人参扶元气以补肺，黄耆补中气以壮脾；白术健脾土，力能统摄津液；陈皮和中气，更能调和脾胃；当归养血荣经脉，白芍敛阴固经脉；炙草缓中益胃气也。煮猪脬捣为丸，盐汤下，使脾肺气充，则脬气亦厚，而水府蓄泄有权，岂有小便遗失不知之患乎。

遗溺汤

【来源】《脉症正宗》卷一。

【组成】黄耆二钱 白术一钱 干姜八分 益智一钱 五味十粒 升麻三分 柴胡三分 山药一钱

【主治】下陷遗溺。

螵蛸散

【来源】《医级》卷八。

【组成】桑螵蛸（炙燥）

【用法】上为末，糯米饭为丸。空腹米饮送下。

本方方名，据剂型，当作“螵蛸丸”。

【主治】夜卧遗尿。

香龙散

【来源】《续名家方选》。

【组成】蝮蛇一钱 鸡舌香二分。

【用法】上为细末。临卧服。凡自七岁至十岁，每服五分；自十岁至十五岁，随年壮每增一分；十五岁以上，每服一钱，温酒送下；恶酒者白汤亦佳。不过二十四日而愈。

【主治】遗溺。

螵蛸丸

【来源】《类证治裁》卷七。

【组成】桑螵蛸（炙）三十个 鹿茸（酥炙） 炙黄耆各三两 煅牡蛎 赤石脂 人参各二两

【用法】上为末，山药糊为丸。盐汤送下。

【主治】下元虚冷，睡中自遗。

离济膏

【来源】《理瀹骈文》。

【别名】扶阳益火膏、温肾固真膏（原书同页）。

【组成】生鹿角屑一斤（鹿茸更佳） 高丽参四两（用油三、四斤先熬枯去渣听用，或用黄丹收亦可。此即参茸膏影子） 生附子四两 川乌 天雄各三两 白附子 益智仁 茅山术 桂枝 生半夏 补骨脂 吴茱萸 巴戟天 胡芦巴 肉苁蓉各二两 党参 白术 黄耆 熟地 川芎 酒当归 酒白芍 山萸肉 淮山药 仙茅 蛇床子 菟丝饼 陈皮 南星 北细辛 覆盆子 羌活 独活 香白芷 防风 草乌 肉蔻仁 草蔻仁 远志肉 荜澄茄 炙甘草 砂仁 厚朴（制） 杏仁 香附 乌药 良姜 黑丑（盐水炒黑） 杜仲（炒） 续断 牛膝（炒） 延胡索（炒） 灵脂

（炒） 秦皮（炒） 五味子 五倍子 诃子肉 草果仁 大茴 红花 川萆薢 车前子 金毛狗脊 金樱子 甘遂 黄连 黄芩 木鳖仁 蓖麻仁 龙骨 牡蛎 山甲各一两 炒蚕砂三两 发团一两六钱 生姜 大蒜头 川椒 韭子 葱子 棉花子 核桃仁（连皮） 干艾各四两 凤仙（全株） 干姜 炮姜 白芥子 胡椒 石菖蒲 木瓜 乌梅各一两 槐枝 柳枝 桑枝各八两 茴香二两

【用法】两共用油二十四斤，分熬，再合鹿角油并熬丹收。再入净松香、陀僧、赤脂各四两，阳起石（煅）二两，雄黄、枯矾、木香、檀香、丁香、官桂、乳香（制）、没药（制）各一两，牛胶四两酒蒸化，如清阳膏下法（一加倭硫磺用浮萍煮过者）。贴心、脐、对脐、脐下。

【功用】扶阳益火，温肾固真。

【主治】元阳衰耗，火不生土，胃冷成膈；或脾寒便溏，泄泻浮肿作胀；或肾气虚寒，腰脊重痛，腹脐腿足常冷；或肾气衰败，茎痿精寒；或精滑，随触随泄；或夜多漩溺，甚则脬冷，遗尿不禁，或冷淋，或寒疝，或脱精脱神之症。妇人子宫冷，或大崩不止，身冷气微阳欲脱者；或冲任虚寒，带下纯白者；或久带下脐腹冷痛，腰以下如坐冰雪中，三阳真气俱衰者。小儿慢脾风。

菟丝子饮

【来源】《不知医必要》卷三。

【组成】丝饼三钱 牡蛎（煅）一钱 北味（杵）五分 益智仁（盐水炒）一钱 熟地二钱

【主治】小便不禁，或遗或过多者。

附子人参山萸肉方

【来源】《医学摘粹》。

【组成】附子三钱 人参三钱 山萸肉一两（或加益智仁二钱）

【用法】水煎，入盐少许服。

【功用】补气回阳。

【主治】肾元不能温固而遗溺者。

雄鸡肝桂心方

【来源】《医学摘粹》卷三。

【组成】雄鸡肝 桂心各等分

【用法】上捣为丸，如小豆大。日三服。

【主治】睡中尿出。

醒脾升陷汤

【来源】《医学衷中参西录》上册。

【组成】生箭耆四钱 白术四钱 桑寄生三钱 川续断三钱 萸肉（去净核）四钱 龙骨（煅捣）四钱 牡蛎（煅，捣）四钱 川萆薢二钱 甘草（蜜炙）二钱

【主治】脾气虚极下陷，小便不禁。

【方论】方中用黄耆、白术、甘草以升补脾气，即用黄耆同寄生、续断以升补肝气，更用龙骨、牡蛎、萸肉、萆薢以固涩小肠也。又人之胸中大气旺，自能吸摄全身气化，不使下陷，黄耆与寄生并用，又为填补大气之要药也。

束气汤

【来源】《通俗内科学》。

【组成】白芍一钱 黄耆一钱二分 党参 破故纸各七分 升麻 益智仁各五分 五味子三分 官桂二分

【用法】水煎服。

【主治】遗尿。

锁阳丸

【来源】《全国中药成药处方集》（抚顺方）。

【组成】芡实 桑螵蛸 牡蛎 锁阳 云苓 莲须 龙骨 丹皮 鹿角霜 山药 山萸 泽泻各四两 柏子仁一两

【用法】上为细末，炼蜜为丸，二钱重。每服一丸，白水送下，一日三次。

【功用】涩精补肾。

【主治】心肾两虚，肾气不固，精自滑脱，心动自流，精冷精薄；妇女白带，腰酸体软，头晕目眩，耳鸣心跳；老人小儿遗尿。

【宜忌】忌辛辣物。

锁阳丸

【来源】《全国中药成药处方集》(哈尔滨方)。
【别名】固精丸。
【组成】锁阳四两　龙骨　牡蛎各三两　芡实　桑螵蛸各二两半　熟地六两　山萸肉四两　山药二两　茯苓三两　泽泻　丹皮各二两　莲须　枣仁　远志各三两　柏子仁二两
【用法】上为细末，炼蜜为丸，如梧桐子大。每服二钱，白水送下，一日三次。
【功用】涩精补肾，温脬缩泉。
【主治】滑精，遗尿。

固脬方

【来源】《千家妙方》引王立泉方。
【组成】黄耆 30 克　升麻 6 克　葛根 20 克　天花粉 15 克　桑螵蛸 15 克　煅牡蛎 30 克　五味子 12 克　麸炒白术 10 克　陈皮 6 克　甘草 6 克
【用法】水煎服，每日一剂。
【功用】益气固涩。
【主治】湿浊内蕴，升降失司之尿崩症。

金樱子粥

【来源】《药粥疗法》引《饮食辨录》。
【组成】金樱子 10～15 克　粳米(或糯米)1～2 两
【用法】先煎金樱子，取浓汁，去滓，用粳米或糯米煮粥。每天分二次温服，以 2～3 天为一疗程。
【功用】收涩、固精、止泻。
【主治】滑精遗精，遗尿，小便频数；脾虚久泻，妇女带下病，子宫脱垂等。
【宜忌】感冒期间以及发热的病人不宜食用。
【方论】金樱子味酸涩，性平无毒，入肾、膀胱、大肠经。《蜀本草》说能治脾泄，下痢，止小便利，涩精气。《滇南本草》：治日久下痢，血崩带下，涩精遗泄。中医认为，脾气虚则久泻不止，膀胱虚寒则小便不禁，肾气虚则精滑自遗，金樱子入三经而收敛虚脱之气，所以治疗上述病症有很好的效果。

硫葱敷剂

【来源】《云南医学杂志》(1965，3：45)。
【组成】生硫黄末 45 克　鲜葱白 7 个
【用法】将葱白捣烂，和入硫黄末，睡前敷于脐部，次晨取下。
【功用】止遗尿。
【主治】遗尿。

遗尿散

【来源】《部颁标准》。
【组成】粉萆薢 500g　益智仁（盐炒）25g　朱砂 25g
【用法】制成散剂，每袋装 5g，密封。口服，每次 5g，1 日 2 次。
【功用】暖肾，涩尿。
【主治】睡中遗尿。

普乐安片

【来源】《部颁标准》。
【组成】油菜花
【用法】制成薄膜衣片，密封。口服，每次 3～4 片，1 日 3 次。

本方制成胶囊，名“普乐安胶囊”。
【功用】补肾固本。
【主治】肾气不固，腰膝酸软，尿后余沥或失禁，及慢性前列腺炎、前列腺增生具有上述证候者。

十六、淋　证

淋证，亦称淋秘，是指以小便频急，滴沥不尽，尿道涩痛，小腹拘急，痛引腰腹为主要临床表现的病情。《黄帝内经·素问·六元正纪大论篇》称为“淋閟”，并有“甚则淋”，“其病淋”

等的记载。《金匮要略·五脏风寒积聚病篇》："热在下焦者，则尿血，亦令淋秘不通"，称本病为"淋秘"，并指出淋秘为"热在下焦"。《金匮要略·消渴小便不利淋病篇》描述了淋证的症状："淋之为病，小便如粟状，小腹弦急，痛引脐中。"《中藏经》："诸淋与小便不利者，状候变异，名亦不同，则有冷、热、气、劳、膏、砂、虚、实之八种耳。"首先将淋证分为八种，为淋证临床分类的雏形。《诸病源候论·淋病诸候》："诸淋者，由肾虚而膀胱热故也"，"又有石淋、劳淋、血淋、气淋、膏淋"。《备急千金要方·淋闭》："五淋不得小便，灸悬泉十四壮"提出"五淋"之名。《外台秘要·淋并大小便难病》具体指出五淋的内容："五淋者，石淋、气淋、膏淋、劳淋、热淋也。"《丹溪心法·淋》强调淋证主要由热邪所致："淋有五，皆属乎热"。《景岳全书·淋浊》在认同"淋之初病，则无不由乎热剧"的同时，提出"久服寒凉"，"淋久不止"有"中气下陷和命门不固之证"，并提出治疗时"凡热者宜清，涩者宜利，下陷者宜升提，虚者宜补，阳气不固者温补命门"，对淋证病因病机的认识更为全面，治疗方法也较为完善。

本病成因，多为膀胱湿热，或肝郁气滞，或脾肾亏虚所致。病位在肾与膀胱，且与肝脾有关。其治疗，实则清利，虚则补益。实者有膀胱湿热者，宜清热利湿；有热邪灼伤血络者，宜凉血止血；有砂石结聚者，宜通淋排石；有气滞不利者，宜利气疏导。虚证以脾虚为主者，宜健脾益气；以肾虚为主者，宜补虚益肾。所以徐灵胎评《临证指南医案·淋浊》时指出："治淋之法，有通有塞，要当分别，有瘀血积塞住溺管者，宜先通，无瘀积而虚滑者，宜峻补。"

猪苓汤

【来源】《伤寒论》。

【别名】猪苓散（《太平圣惠方》卷十六）。

【组成】猪苓（去皮） 茯苓 泽泻 阿胶 滑石（碎）各一两

【用法】上五味，以水四升，先煮四味取二升，去滓，纳阿胶烊消，温服七合，每日三次。

【功用】

1.《医方集解》：利湿泻热。

2.《血证论》：滋阴利水，祛痰。

【主治】

1.《伤寒论》：阳明病脉浮发热，渴欲饮水，小便不利者。少阴病下利六七日，咳而呕渴，心烦不得眠者。

2.《世医得效方》：五淋。

【宜忌】

1.《伤寒论》：阳明病，汗出多而渴者，不可与猪苓汤。

2.《外台秘要》：忌醋物。

3.《绛雪园古方选注》：虽渴而里无热者，不可与也。

【验案】

1. 乳糜尿 《河南中医学院学报》（1978，1：48）：鞠某某，男，25岁。1975年10月始见尿呈白色，伴有尿频、尿急，继感腰痛，症状渐重，治疗20余天，好转出院后上述症状再现，于1975年12月27日住我科。舌质淡，舌苔薄白，脉沉细，左肾叩击痛（+）。化验：尿，蛋白（+++），白细胞1～3个高倍，红细胞+++/高倍，乳糜尿（+）。诊断：乳糜尿（膏淋）。处方、用法：阿胶三钱（另包冲服），云苓四钱，泽泻四钱，滑石四钱，猪苓四钱。每日一付，水煎服。十剂后，尿化验转为正常，乳糜尿转阴。

2. 急性膀胱炎 《浙江中医杂志》（1982，10：448）：近年用猪苓汤治疗急性膀胱炎107例，均服药1～6剂痊愈。典型病例：张某某，女，32岁，1980年1月21日诊。晨起小便淋涩，尿道刺痛，少腹坠胀，身寒颤栗，舌红苔薄，脉浮弦；小便检查：蛋白（+++），白细胞满视野，红细胞（++）。乃湿热蕴蓄下焦，膀胱气化不利。宜清热通淋，凉血止血。投猪苓10克，茯苓18克，滑石15克，阿胶6克（烊化），加桔梗6克，茜草10克，白茅根15克。2剂后症状缓解，少腹仍胀；续服2剂痊愈。

3. 血尿 《国医论坛》（1991，4：12）：应用本方，膀胱热盛者加白茅根、大黄；心火盛加木通、生地、山栀；虚火所致者加黄柏、旱莲草；脾虚加党参、白术；房劳者加狗脊、益智仁、黄柏；气滞血瘀者加川楝子、白芍、琥珀粉、益母草。每日1剂，水煎分2次服。治疗血尿68例，男45例，女23例；年龄4～73岁。尿血及临床症状消失，尿液常规3次镜检红细胞均为阴性者为痊愈；肉眼血尿消失，临床症状明显改善，尿液镜检红细胞少许者为好转；尿血及症状改善不明显者为无效。结果治愈46例，好转14例，无效8例，总有效率为88.2%。

4. 泌尿系结石 《浙江中医学院学报》（1997，4：35）：卢氏用本方加味（加威灵仙、生黄芪）治疗泌尿系结石35例。伴血尿加生蒲黄、大蓟、小蓟、地龙；疼痛难忍者加生白芍、木瓜。每日1剂，水煎服，15天为1疗程。结果：经2个疗程治疗后治愈31例，好转3例，总有效率97.1%。肾绞痛缓解至消失最快20分钟，最慢7天；排石时间最快是药后3天，最慢是28天。

长将散

【来源】《医方类聚》卷一三二引《肘后备急方》。

【组成】石韦一两（去毛） 滑石一两 瞿麦一两 王不留行一两 葵子一两

【用法】上为末，每服方寸匕，一日三次。

【主治】

1. 《医方类聚》引《肘后备急方》：诸淋。

2. 《太平圣惠方》：劳淋，小便恒不利，阴中痛，日夜数起，劳损虚热。

地髓汤

【来源】方出《证类本草》卷六引《肘后备急方》，名见《普济方》卷二一四。

【别名】牛膝膏、苦杖散（《景岳全书》卷五十四）。

【组成】牛膝（并叶）一大把

【用法】上不以多少，酒煮饮之。

【主治】小便不利，茎中痛欲死；兼治妇人血结腹坚痛。

发灰散

【来源】《普济方》卷三十九引《肘后备急方》。

【组成】乱发一两（洗净，烧灰）

【用法】上为细末。每服三钱，食前温水调服，一日三次。以通利为度。

【主治】大小便不通，及便血，五淋，小儿惊痫；吹鼻治鼻衄。

栝楼散

【来源】《医心方》卷十二引《范汪方》。

【组成】石韦二分 通草一分 栝楼二分 葵子四分

【用法】上药治下筛。每服方寸匕，先食以麦粥送下，一日三次。

【主治】淋病。

滑石散

【来源】《医心方》卷十二引《范汪方》。

【组成】葵子一升 滑石一两 通草二两

【用法】上药治下筛。每服方寸匕，酒下，一日三次。

【主治】淋病。

葵子散

【来源】《外台秘要》卷二十七引《范汪方》。

【组成】葵子半斤 滑石二两 石南叶一两 地榆三两 石韦一两（去毛） 通草一两

【用法】上为散。每服方寸匕，饮调下，一日三次。

【功用】利小便。

【主治】淋证。

榆皮汤

【来源】《外台秘要》卷二十七引《小品方》。

【别名】榆白皮汤《普济方》卷二一四。

【组成】榆皮半斤 滑石二两（一方一两） 黄芩一两（一方二两） 甘草（炙） 瞿麦各二两 葵子一升

【用法】上切。以水一斗，煮取三升，温服一升，旦服。

【主治】

1. 《外台秘要》引《小品方》：诸淋。

2.《普济方》：气淋结涩，泄便不利。

【宜忌】忌海藻、菘菜。

抵圣散

【来源】《幼幼新书》卷三十引《集验方》。

【别名】信效散（《类编朱氏集验方》卷七）。

【组成】赤芍药一两（生）　槟榔一个（面裹煨黄）

【用法】上为末。每服一钱，水一盏，煎七分，空心服，一日三次。儿小分减服。

【主治】气淋。

槟榔散

【来源】《普济方》卷二三八引《产经》。

【组成】槟榔一枚（面裹煨熟，去面）　赤茯苓各等分

【用法】上为粗末。每用五钱，水一盏半，煎至七分，去滓，空心食前温服。

【主治】胎前诸般淋涩，小便不通，医作转脬，用他药不愈者；及寻常男子妇人血淋。

石韦散

【来源】《外台秘要》卷二十七引《古今录验》。

【组成】通草二两　石韦二两（去毛）　王不留行一两　滑石二两　甘草（炙）　当归各二两　白术　瞿麦　芍药　葵子各三两

【用法】上为散。每服方寸匕，食前以麦粥清下，一日三次。

本方改为丸剂，名“石韦丸”（《摄生众妙方》卷七）。

【主治】

1.《外台秘要》引《古今录验》：石淋、劳淋、热淋，小便不利，胞中满急痛。

2.《太平惠民和济局方》：肾气不足，膀胱有热，水道不通，淋沥不宣，出少起数，脐腹急痛，蓄作有时，劳倦即发，或尿如豆汁，或便出沙石。

滑石汤

【来源】《外台秘要》卷二十六引《古今录验》。

【组成】滑石一两　榆白皮二两　石韦一两（去毛）　地麦草二两　葵子二两

【用法】上切。以水一斗，煮取四升，分四服，一日二次。

【主治】淋。

滑石散

【来源】《外台秘要》卷三十七引《古今录验》。

【组成】滑石　葵子　钟乳各一两　桂心　通草　王不留行各半两

【用法】上为散。先食讫，每服方寸匕，以酒下，一日三次。

【主治】淋。胞痛，不得小便。

【宜忌】忌生葱。

榆皮汤

【来源】《外台秘要》卷二十七引《古今录验》。

【组成】瞿麦二两　防葵一两　榆白皮一两　葵子一升　滑石二两（一方四两）　黄芩一两（一方二两）　甘草二两（一方一两，炙）

【用法】上切。以水一斗，煮取三升，分二服。

【主治】诸淋。

栀子汤

【来源】《备急千金要方》卷十九。

【组成】栀子仁　芍药　通草　石韦各三两　石膏五两　滑石八两　子芩四两　生地黄　榆白皮　淡竹叶（切）各一升

【用法】上锉。以水一斗，煮取三升，去滓，分三次服。

【主治】肾劳实热，小腹胀满，小便黄赤，末有余沥，数而少，茎中痛，阴囊生疮。

滑石汤

【来源】《备急千金要方》卷二十。

【组成】滑石八两　子芩三两　榆白皮四两　车前子　冬葵子各一升

【用法】上锉。以水七升，煮取三升，分三服。

【主治】膀胱急热，小便黄赤。

疗淋散

【来源】《外台秘要》卷二十七引《崔氏方》。
【组成】石韦（洗，刮去毛） 大虫魄（即琥珀）各一两（研） 滑石一两半 当归 芍药 黄芩 冬葵子 瞿麦各一两 乱发三团（如鸡子大，烧灰） 茯苓一两半
【用法】上为散。每服方寸匕，一日二次。
【主治】诸淋。

驻景丸

【来源】《医方类聚》卷一四五引《千金月令》。
【组成】车前子（焙） 菟丝子
【用法】上为末，炼蜜为丸。食后服之。
【功用】《本草纲目》：导小肠热。
【主治】《普济方》：小便淋涩。

通草饮子

【来源】《外台秘要》卷二十七引《张文仲方》。
【组成】通草 葵子 茅根 王不留行 蒲黄（炮） 桃胶 瞿麦 滑石各一两 甘草七钱
【用法】上切。以水一斗，煮取六升，去滓，分五六次温服。
【主治】热气淋涩，小便赤如红花汁色。

常将散

【来源】《外台秘要》卷二十七引《张文仲方》。
【组成】石苇（去皮） 滑石 瞿麦 王不留行 葵子各二两
【用法】上为散。每服方寸匕，日三服之。
【主治】诸淋及小便常不利，阴中痛，日数十度起，此皆劳损虚热所致。

百合饮子

【来源】方出《外台秘要》卷二十七引《广济方》，名见《金匮翼》卷八。
【组成】桑白皮六分 通草 百合各八分 白茅根一分
【用法】上锉细。以水四升，煮取二升，去滓，温下散药。口干渴，含之亦得也。

散药：滑石、冬葵子各八分，瞿麦、石韦各五分（去毛），蒲黄六分，陈橘皮四分，芍药、茯苓、芒消各六分，子芩六分。捣为散。每服方寸匕，一日二次。
【功用】《金匮翼》：泻肺火，清肺金，而滋水之化源。
【主治】诸淋。

滑石汤

【来源】《外台秘要》卷三十六引《广济方》。
【组成】滑石十六分 子芩十四分 冬葵子八分 车前草（切）一升
【用法】以水二升，煮取一升，一岁至四岁服一合，一日二次。
【主治】小儿热极，病小便赤涩或不通，尿辄大啼呼。

大虫魄五味散

【来源】《外台秘要》卷二十七引《许仁则方》。
【别名】五味散（《普济方》卷二一四）。
【组成】大虫魄（即琥珀）六两 石苇三两（去毛） 瞿麦穗四两 冬葵子五升 茯苓六两
【用法】上为散。煮桑白皮作饮子。初服一方寸匕，每日二次。稍加至三匕。
【主治】淋病，作气热，小便涩，出处酸洒。
【宜忌】忌酢物。

瞿麦六味汤

【来源】《外台秘要》卷二十七引《许仁则方》。
【组成】瞿麦穗三两 冬葵子一升 榆白皮（切）一升 桑根皮六两 白苇根（切）一升 石韦四两（去毛）
【用法】上切。以水一斗，煮取三升，去滓，分温三服，每服如人行十里久。服三五剂后，宜合大虫魄五味散服佳。

【主治】淋病，体气热，小便涩，出处酸洒。

冬麻子粥

【来源】《医方类聚》卷一三三引《食医心鉴》。

【组成】冬麻子一升（捣，水研滤取汁二升） 米二合

【用法】以冬麻子汁煮粥，著葱白熟煮食之。

【主治】七淋，小便涩少，茎中疼痛。

苏浆水粥

【来源】《医方类聚》卷一三三引《食医心鉴》。

【别名】酥浆水粥（《太平圣惠方》卷九十六）、苏粥（《养老奉亲书》）。

【组成】土苏一两 米三合 浆水三升

【用法】以浆水煮作粥，下苏，适寒温食之。

【主治】五淋小便不通，闭妨。

青小豆方

【来源】《医方类聚》卷一三三引《食医心鉴》。

【组成】青小豆半升 冬麻子一升（微炒） 生姜一分（切） 白米半升

【用法】以水二升，研滤麻子，取汁，并投生姜、豆煮粥。空心食之。

【主治】小便不通，淋沥闭痛。

青小豆粥

【来源】《医方类聚》卷一三三引《食医心鉴》。

【组成】青小豆一升 通草四两（锉） 小麦一升

【用法】以水四升，煎通草取汁二升，去滓，煮麦、豆作粥食之。

【功用】通淋。

【主治】小便涩少，淋沥疼痛。

青头鸭羹

【来源】《医方类聚》卷一三三引《食医心鉴》。

【组成】青头鸭一只（治如食） 萝卜根 冬瓜 葱白各四两

【用法】上如常法羹煮，盐、醋调和，空心食，白煮亦佳。

【主治】小便涩少疼痛。

青梁子米粥

【来源】《医方类聚》卷一三三引《食医心鉴》。

【组成】青粱米 葱白（切）各一升

【用法】上于豆豉中煮作粥，食之。

【主治】小便涩少，尿引茎中痛。

石韦散

【来源】《幼幼新书》卷三十引《玉诀》。

【组成】石韦（去毛） 瞿麦 海金沙 滑石 木通 甘草（炙）各等分

【用法】上为末。每服一钱，炒灯心煎汤调下。

【主治】小便淋热涩痛。

滑石散

【来源】《医心方》卷十二引《令李方》。

【组成】滑石一两 通草半两 石韦一两

【用法】上药治下筛。每服方寸匕，酒下，一日三次。

【主治】淋。胞满，不得小便。

木通散

【来源】《太平圣惠方》卷四。

【组成】木通一两（锉） 槟榔 羚羊角屑 赤芍药 黄芩 当归（锉，微炒） 车前子各三分 甘草半两（炙微赤，锉）

【用法】上为散。每服四钱，以水一中盏，煎至六分，去滓，食前温服。

【主治】小肠实热，心胸烦闷，小便涩，小腹中急痛。

大腹子散

【来源】《太平圣惠方》卷十四。

【组成】大腹子一两 木香一两 当归半两（锉，微炒） 芎藭半两 瞿麦半两 柴胡一两（去苗）

【用法】上为散。每服四钱，用水一中盏，加生姜

半分，煎至五分，去滓温服，不拘时候。

【主治】伤寒后，真气尚虚，因合阴阳，致小腹拘急，便溺涩痛。

车前子散

【来源】《太平圣惠方》卷二十九。

【组成】车前子三分　王不留行半两　冬葵子半两　生干地黄一两　桂心半两　甘草一分（炙微赤，锉）　木通半两（锉）　石韦半两（去毛）　滑石三分

【用法】上为散。每服二钱，食前以麻子粥饮调下。

【主治】虚劳小便淋涩，茎中痛。

泽泻散

【来源】《太平圣惠方》卷二十九。

【组成】泽泻一两　牡丹三分　桂心三分　甘草三分（炙微赤，锉）　榆白皮三分（锉）　白术三分　赤茯苓一两　木通一两（锉）

【用法】上为粗散。每服三钱，以水一中盏，煎至六分，去滓，食前温服。

【主治】虚劳，膀胱气滞，腰中重，小便淋。

槟榔散

【来源】《太平圣惠方》卷二十九。

【组成】槟榔三分　赤茯苓一两　木香半两　陈橘皮三分（汤浸，去白瓤，焙）　木通半两（锉）　赤芍药三分　瞿麦三分　当归三分　大腹皮一两（锉）　紫苏茎叶三分　人参三分（去芦头）　桂心三分

【用法】上为粗散。每服三钱，以水一中盏，煎至六分，去滓，食前稍热频服。

【主治】虚劳，小便淋沥，脐下坚胀。

木香散

【来源】《太平圣惠方》卷五十八。

【组成】木香一两　木通三分（锉）　细辛三分　鸡苏一两　槟榔一两　人参半两（去芦头）　赤茯苓三分　当归半两（锉，微炒）　桃仁半两（汤浸，去皮尖双仁，麸炒微黄）

【用法】上为粗散。每服三二钱，以水一中盏，煎至六分，去滓，食前温服。

【主治】气淋，小肠疼痛。

木香散

【来源】《太平圣惠方》卷五十八。

【组成】木香三分　桂心三分　大麻仁二两　葵子一两　瞿麦一两　泽泻一两　苣藤一两　青橘皮一两（汤浸，去白瓤，焙）

【用法】上为粗散。每服四钱，以水一中盏，加葱白七寸，煎至六分，去滓，食前温服。

【主治】冷淋，小腹气满，不得宣通。

木通散

【来源】《太平圣惠方》卷五十八。

【别名】木通汤（《圣济总录》卷九十八）。

【组成】木通一两（锉）　石韦一两（去毛）　王不留行一两　滑石一两　白术一两　瞿麦一两　鸡苏一两　葵子一两　赤茯苓一两　木香一两　当归一两（锉，微炒）　赤芍药一两

【用法】上为粗散。每服三钱，以水一中盏，煎至六分，去滓，食前温服。

【主治】劳淋，小便涩滞，脬中满，急痛。

木通散

【来源】《太平圣惠方》卷五十八。

【组成】木通半两（锉）　甜葶苈半两（隔纸炒令紫色）　木香半两　青橘皮三分（汤浸，去白瓤，焙）　当归半两（锉，微炒）　赤茯苓一两

【用法】上为散。每服二钱，食前煎紫苏汤调下。

【主治】冷淋，小肠不利，茎中急痛。

木通散

【来源】《太平圣惠方》卷五十八。

【组成】木通一两（锉）　车前子一两　石韦一两（去毛）　瞿麦一两　赤茯苓一两　石燕一两（细

研）

【用法】上为细散。每服二钱，食前以葱汤调下。

【主治】小便难涩痛，所出不多，令身体壮热。

车前子散

【来源】《太平圣惠方》卷五十八。

【组成】车前子一两　贝齿一两（烧赤）　赤茯苓一两　白术一两　木通一两（锉）　赤芍药一两

【用法】上为细散。每服二钱，食前以温酒调下。

【主治】膏淋。有肥状似膏，与小便俱出。

石韦散

【来源】《太平圣惠方》卷五十八。

【组成】石韦一两（去毛）　瞿麦一两　赤芍药一两　葵子一两　麻子二合　榆白皮一两（锉）　白茅根二两（锉）　陈橘皮二两（汤浸，去白瓤，焙）

【用法】上为粗散。每服四钱，以水一中盏，煎至六分，去滓，食前温服。

【主治】小便难，脬中有热，水道中痛。

当归散

【来源】《太平圣惠方》卷五十八。

【组成】当归三分（锉，微炒）　乱发灰一分　猪苓三分（去黑皮）　海蛤三分（细研）　汉防己三分　甘遂三分（煨令黄）　蒲黄三分　赤芍药三分

【用法】上为细散。每于食前服一钱，煎木通、葱白汤调下。

【主治】卒淋沥，小便痛涩。

麦门冬散

【来源】《太平圣惠方》卷五十八。

【组成】麦门冬一两（去心）　滑石二两　木通一两（锉）　赤芍药一两　葵子一两　川芒消一两半

【用法】上为粗散。每服四钱，以水一中盏，加葱白二茎，生姜半分，煎至六分，去滓，食前温服。

【主治】心热气壅，涩滞成淋，脐下妨胀。

赤茯苓散

【来源】《太平圣惠方》卷五十八。

【别名】茯苓汤（《圣济总录》卷九十八）。

【组成】赤茯苓一两　滑石二两　石韦一两（去毛）　瞿麦一两　蒲黄一两　葵子一两　榆白皮一两（锉）

【用法】上为粗散。每服四钱，以水一中盏，煎至六分，去滓，食前温服。

【主治】小便卒淋，水道中涩痛。

吴茱萸散

【来源】《太平圣惠方》卷五十八。

【组成】吴茱萸半两（汤浸七遍，焙干，微炒）　干姜半两（炮裂，锉）　赤芍药半两　桂心半两　当归半两（锉，微炒）　桃白皮半两（锉）　人参半两（去芦头）　细辛半两　真珠末一分　雄黄一分（细研）

【用法】上为散。每服五钱，以水一中盏，煎至五分，去滓，加真珠、雄黄末各一字，搅令匀，更入酒半小盏，煎三两沸，放温，食前服之。

【主治】气淋，腹胀不通。

沉香散

【来源】《太平圣惠方》卷五十八。

【组成】沉香三分　黄耆三分（锉）　陈橘皮三分（汤浸，去白瓤，焙）　滑石一两　黄芩半两　榆白皮一两（锉）　瞿麦三两　韭子一两（微炒）　甘草半两（炙微赤，锉）

【用法】上为细散。每服二钱，食前以清粥饮调下。

【主治】膏淋，脐下妨闷，不得快利。

沉香散

【来源】《太平圣惠方》卷五十八。

【组成】沉香半两　石韦半两（去毛）　滑石半两　当归半两（锉，微炒）　瞿麦半两　白术三分　甘草一分（炙微赤，锉）　葵子三分　赤芍药三分　王不留行半两

【用法】上为细散。每服二钱，食前煎大麦饮调

下。以通利为度。

【主治】冷淋，脐下妨闷，小便疼不可忍。

鸡苏饮子

【来源】《太平圣惠方》卷五十八。

【组成】鸡苏一两半　木通一两　葵子一两　白茅根一两　瞿麦一两　木香半两

【用法】上锉细，拌和令匀。每服半两，以水一大盏，煎至五分，去滓，食前温服。

【主治】劳淋，膀胱热盛，津液结涩，小肠胀满，便溺不通。

茅根饮子

【来源】《太平圣惠方》卷五十八。

【组成】白茅根二两　赤茯苓一两　人参一两（去芦头）　生干地黄二两　木通二两（锉）　葵子一两

【用法】上锉细和匀。每服半两，以水一大盏，煎至五分，去滓，每于食前温服。

【主治】小便赤色，涩痛。

泽泻散

【来源】《太平圣惠方》卷五十八。

【组成】泽泻一两　鸡苏一两　赤茯苓一两　石韦一两（去毛）　当归一两（锉，微炒）　桂心三分　槟榔一两　桑螵蛸半两（微炒）　枳壳半两（麸炒微黄，去瓤）　琥珀一两

《圣济总录》有蒲黄一两。

【用法】上为细散。每服二钱，煎葵子汤调下，不拘时候；木通汤调服亦得。

【主治】

1. 《太平圣惠方》：冷淋，小便不通，涩痛胀满。
2. 《古今医统大全》：气淋。
3. 《嵩崖尊生全书》：先寒战，然后便数或淋。

茯苓散

【来源】《太平圣惠方》卷五十八。

【组成】赤茯苓三两　白术一两　葵子一合　赤芍药一两　木通二两（锉）　榆皮三两（锉）　白茅根一握（锉）

【用法】上为粗散。每服三钱，以水一中盏，入葱白三茎，煎至六分，去滓，食前温服。以利为度。

【主治】气淋。小腹胀闷，脐下时时切痛。

柴胡散

【来源】《太平圣惠方》卷五十八。

【组成】柴胡一两（去苗）　葵根三分　甘草一分（炙微赤，锉）　当归三分（锉，微炒）　白茅根三分（锉）　石韦三分（去毛）　木香三分　榆白皮三分（锉）　木通三分（锉）

【用法】上为散。每服四钱，以水一中盏，煎至六分，去滓，食前温服。

【主治】劳淋。每小便茎中痛，卒不能出，引小腹急胀，淋沥，痛不止。

海蛤散

【来源】《太平圣惠方》卷五十八。

【组成】海蛤一两半　石燕半两　白盐一分（炒）　鱼脑中石子半两

【用法】上为细散，入乳钵中，研令极细。每服以葱白五茎（切），甘草二寸（生用，锉），用水一中盏，煎至六分，去滓，调下散子一钱，食前频服即通。

【主治】小肠壅热，小便赤涩淋沥，疼痛不通。

桑根白皮汤

【来源】方出《太平圣惠方》卷五十八，名见《普济方》卷二一四。

【组成】桑根白皮一两（锉）　木通一两（锉）　百合一两　白茅根一两（锉）　鸡苏一两　赤芍药一两

【用法】上为散，每服四钱，以水一中盏，煎至六分，去滓。食前温服。

【主治】

1. 《太平圣惠方》：气淋，腹胁胀满，脐下气结，小肠疼痛。

2.《普济方》：脐下血结，小便疼痛。

麻根散

【来源】《太平圣惠方》卷五十八。

【别名】麻根汤（《普济方》卷二一六）。

【组成】麻根一两　大麻子一两　子芩一两　乱发灰半两

【用法】上为粗散。每服四钱，以水一中盏，煎至六分，去滓，每于食前温服。

【主治】卒淋，小便不通，疼痛烦闷，坐卧不得。

葵子散

【来源】《太平圣惠方》卷五十八。

【组成】葵子一两　瞿麦一两　木通一两（锉）　滑石三两　榆白皮一两（锉）

【用法】上为粗散。每服四钱，以水一中盏，入葱白二茎，煎至六分，去滓，食前温服。

【主治】小便卒淋涩，水道热痛。

葵子散

【来源】《太平圣惠方》卷五十八。

【组成】葵子一两　赤茯苓一两　白术一两　当归一两（锉，微炒）　木香半两　泽泻一两

【用法】上为散。每服三钱，以水一中盏，煎至六分，去滓，食前温服。

【主治】冷淋，小便数，恒不利。

紫草散

【来源】方出《太平圣惠方》卷五十八，名见《圣济总录》卷九十六。

【组成】紫草一两（锉）

【用法】上为细散。每服二钱，食前以井花水调下。

【主治】小便卒淋涩痛。

滑石散

【来源】《太平圣惠方》卷五十八。

【别名】滑石汤《圣济总录》卷九十八、十味滑石散（《普济方》卷二一四）。

【组成】滑石一两　葵子一两　瞿麦半两　石韦半两（去毛）　陈橘皮一两（汤浸，去白瓤，焙）　蒲黄半两　川芒消一两　紫芩半两　赤茯苓半两　赤芍药半两

【用法】上为散。每服二钱，食前以粥饮调下。

【主治】

1.《太平圣惠方》：气淋，腹胁胀满，脐下气结，小肠疼痛。

2.《圣济总录》：乳石发动，患淋积年，或数日辄发。

滑石散

【来源】《太平圣惠方》卷五十八。

【组成】滑石一两　葵子一两　钟乳粉一两　桂心半两　木通半两（锉）　王不留行半两

【用法】上为细散。每服二钱，食前以温酒调下。

【主治】劳淋。涩，脬中痛，不得小便。

槟榔散

【来源】《太平圣惠方》卷五十八。

【组成】槟榔半两　丁香母一分　桂心一分　木香半两　龙脑一钱（细研）　猪苓一两（去黑皮）　当归半两（锉，微炒）

【用法】上为细散。每服一钱，煎生姜葱汤调下，不拘时候。

【主治】冷淋，腹胁胀满，小肠急痛。

瞿麦散

【来源】《太平圣惠方》卷五十八。

【组成】瞿麦一两　桑根白皮一两（锉）　木通一两（锉）　滑石一两　赤芍药一两　子芩一两　甘草一两（炙微赤，锉）　榆白皮一两（锉）　川芒消一两

【用法】上为粗散。每服四钱，以水一中盏，煎至六分，去滓温服，不拘时候。

【主治】热淋涩痛，热极不解。

木通散

【来源】《太平圣惠方》卷七十二。

【组成】木通一两（锉） 葵子二两 茅根二两 榆白皮一两（锉） 瞿麦一两 大麻仁一两 贝齿二两 滑石一两 甘草半两（炙微赤，锉）

【用法】上为散。每服五钱，以水一大盏，煎至五分，去滓，食前温服。

【主治】妇人五淋。

王不留行散

【来源】《太平圣惠方》卷七十二。

【组成】王不留行一两 当归三分（锉，微炒） 乱发灰半两 葵子三分 车前子三分 鲤鱼齿一两（细研） 赤芍药三分 枳实半两（麸炒微黄）

【用法】上为散。每服二钱，食前以温酒调下。

【主治】妇人劳冷淋，小腹结痛。

贝齿散

【来源】《太平圣惠方》卷七十二。

【组成】贝齿一两 葵子三两 石燕二两 滑石二两

【用法】上为细散，研过。每服一钱，食前以葱白汤调下。

【主治】妇人结热成淋，小便引痛，或时溺血，或如小豆汁。

石韦散

【来源】《太平圣惠方》卷七十二。

【别名】石韦汤（《校注妇人良方》卷八）。

【组成】石韦（去毛） 黄芩 木通（锉） 榆白皮（锉） 葵子各一两 甘草一两（炙微赤，锉） 瞿麦一两

【用法】上为粗散。每服五钱，以水一大盏，加生姜半分，煎至五分，去滓，食前温服。

【主治】妇人小便卒淋涩。

赤茯苓散

【来源】《太平圣惠方》卷七十二。

【组成】赤茯苓 葵根 桂心 石韦（去毛） 赤芍药 琥珀 木通（锉）各一两 青橘皮三分（汤浸，去白瓤，焙）

【用法】上为散。每服三钱，以水一中盏，加生姜半分，葱白二茎，煎至六分，去滓，食前温服。

【主治】妇人气淋、冷淋，小便涩。

桃胶散

【来源】《太平圣惠方》卷七十二。

【组成】桃胶二两 榆白皮二两 车前子 冬瓜子 鲤鱼齿 葵子 瞿麦 木通各一两 枳实半两

【用法】上为散。每服五钱，水一大盏，加生姜半分 葱白二茎，煎至七分，去滓，食前分温二服。

【主治】妇人气淋、劳淋。

琥珀散

【来源】《太平圣惠方》卷七十二。

【组成】琥珀 石韦（去毛） 滑石 葵子 瞿麦各一两 当归（锉，微炒） 赤芍药 木香各半两

【用法】上为细散。每服二钱，食前以葱白汤调下。

【主治】妇人劳淋、气淋，小便涩，小腹痛。

葵子散

【来源】《太平圣惠方》卷七十二。

【组成】葵子 石韦（去毛） 王不留行 滑石 当归（锉，微炒） 瞿麦 赤芍药 琥珀 甘草（炙微赤，锉）各一两

【用法】上为细散。每服二钱，食前以大麦粥饮调下。

【主治】妇人五淋，小便涩，腹痛气闷。

葵根散

【来源】《太平圣惠方》卷七十二。

【组成】葵子一两（锉） 车前子二两 乱发灰半两 川大黄一两（锉，微炒） 桂心一两 滑石二两 冬瓜瓤二两（干者） 木通二两（锉） 甘草半两（炙微赤，锉）

【用法】上为粗散。每服五钱，以水一大盏，入生姜半分，煎至五分，去滓，食前温服。

【主治】妇人五淋涩痛。

蜂房散

【来源】《太平圣惠方》卷七十二。

【组成】露蜂房灰　白茅根　葵子　乱发灰　车前子　滑石各一两

【用法】上为细散。每服一钱，食前以灯心汤调下。

【主治】妇人五淋，小便涩痛不通。

车前子散

【来源】《太平圣惠方》卷九十二。

【别名】车前滑石散（《古今医统大全》卷七十一）。

【组成】车前子　滑石各半两

【用法】上为细散。每服半钱，以清粥饮调下，一日三四次。

【主治】小儿诸淋涩不通。

车前子散

【来源】《太平圣惠方》卷九十二。

【别名】车前子汤（《圣济总录》卷一七九）。

【组成】车前子　石燕　麦门冬（去心）各半两

【用法】上为粗散。每服一钱，以水一小盏，煎至五分，去滓温服，不拘时候。

【主治】小儿诸淋涩，心烦闷乱。

车前子散

【来源】《太平圣惠方》卷九十二。

【组成】车前子一两　子芩一两　滑石一两　木通一分（锉）　赤茯苓一两　琥珀一两　甘草半两（炙微赤，锉）

【用法】上为粗散。每服一钱，以水一小盏，煎至六分，去滓温服，不拘时候。

【主治】小儿小便赤涩，服药即通，无药即涩。

石韦散

【来源】《太平圣惠方》卷九十二。

【组成】石韦（去毛）　葵子　木通（锉）　赤茯苓　车前子　瞿麦　榆白皮（锉）各半两　滑石一两

《幼幼新书》引张涣方有甘草一分。

【用法】上为粗散。每服一钱，以水一中盏，加葱白五寸，煎至六分，去滓，分三次服，如人行十里再服。

【主治】小儿诸淋涩，水道中痛，脐下痞满。

石韦散

【来源】《太平圣惠方》卷九十二。

【组成】石韦（去毛）　赤芍药　川大黄（锉，微炒）　麦门冬（去心，焙）　甘草（炙微赤，锉）　川升麻　川朴消各一分

【用法】上为粗散。每服一钱，以水一小盏，煎至六分，去滓，不拘时候服。

【主治】小儿诸淋，涩痛不利。

石燕丸

【来源】《太平圣惠方》卷九十二。

【组成】石燕（细研）　瞿麦　栀子仁　滑石（细研）　木通（锉）　葵子　海蛤（细研）各半两

【用法】上为末，炼蜜为丸，如绿豆大。每服七丸，以葱白汤送下，一日三四次。

【主治】小儿诸淋，脐下妨闷，心神烦热。

牵牛子丸

【来源】《太平圣惠方》卷九十二。

【组成】牵牛子（微炒）　川大黄（锉，微炒）　川升麻　郁李仁（汤浸，去皮，微炒，研入）　川朴消各半两　滑石一两（细研）　海蛤一两（细研）

【用法】上为末，炼蜜为丸，如绿豆大。每服七丸，温水送下，一日三四次。

【主治】小儿诸淋涩，脐下连膀胱妨闷，大肠气壅。

榆白皮散

【来源】《太平圣惠方》卷九十二。

【别名】榆白皮汤（《圣济总录》卷一七九）。

【组成】榆白皮（锉） 蘧麦各一两

【用法】上为粗散。每服一钱，以水一小盏，煎至五分，去滓温服，不拘时候。

【主治】小儿诸淋，水道中涩痛。

露蜂房灰散

【来源】《太平圣惠方》卷九十二。

【组成】露蜂房灰 乱发灰各一分 滑石一两 海蛤半两

【用法】上为细散。以温水调下半钱，不拘时候。

【主治】小儿血淋，日夜淋沥，小腹及阴中疼痛。

冬麻子粥

【来源】《太平圣惠方》卷九十六。

【组成】冬麻子二合 葵子一合 米三合

【用法】上研二味，以水二大盏，淘绞取汁，和米煮粥。浑着葱白，熟煮食之。

【主治】五淋，小便涩少疼痛。

青小豆方

【来源】《太平圣惠方》卷九十六。

【组成】青小豆半升 冬麻子三合（捣碎，以水二升淘，绞取汁） 陈橘皮一合（末）

【用法】以冬麻子汁煮橘皮及豆，令熟。食之。

【主治】小便不通，淋沥。

葱 粥

【来源】《太平圣惠方》卷九十六。

【组成】葱白十茎（去须，切） 黄牛乳三合 粳米三合

【用法】上先以乳炒葱令熟，即入米水，依寻常煮粥，食之。

【主治】五淋，小便赤涩，脐下急痛。

榆白皮索饼

【来源】《太平圣惠方》卷九十六。

【组成】榆白皮二两（切） 面四两

【用法】上以水一大盏半，煎榆白皮取汁一盏，去滓，浸面作索饼，熟煮，空心食之。

【主治】五淋。小肠结痛，小便不快。

八珍散

【来源】《袖珍方》卷二引《太平圣惠方》。

【组成】大黄 木通（去皮） 滑石 粉草 瞿麦 山栀 黄芩 荆芥各等分

【用法】上为末。每服一钱，食前薄荷汤调下。小儿减服。

【主治】大人、小儿小便涩。

犀灰散

【来源】《博济方》卷三。

【别名】蚕灰散（《圣济总录》卷九十五）。

【组成】蚕退纸不拘多少（烧灰细研） 麝香少许

【用法】上二味和匀。每服二钱，米饮调下。

【主治】小便涩，尿道内痛。

芍药槟榔散

【来源】方出《证类本草》卷八引《博济方》，名见《赤水玄珠全集》卷十五。

【组成】赤芍药一两 槟榔一个（面包煨）

【用法】上为末。每服一钱匕，空心白汤调下。

【主治】五淋。

牵牛子丸

【来源】《普济方》卷一〇三引《博济方》。

【别名】大通丸。

【组成】牵牛子不拘多少（净洗，饭上炊气才透，便出摊令微冷，捣为末） 青橘皮（去白，焙） 木通（锉） 陈橘皮（去白，焙） 桑根白皮（锉） 芍药（焙）各一两 瓜蒌根（洗，焙）二两

【用法】上六味为末，每牵牛子一斤，入余药末四两，拌和令匀，炼蜜为丸，如梧桐子大。每服二十丸，随其汤使，瘰疬，茶汤送下；产前安胎补损，芎酒送下；产后血竭肚痛，苏木酒送下；妇人血气，芍药酒送下；血风瘙痒，枳壳酒送下；五淋，榆白皮酒送下；瘫痪风，豆淋酒送下；肠风泻血，萎蕤酒送下；肺气，诃黎勒酒送下；伤寒，葱白酒送下；风秘，葱姜茶送下。

【功用】疏风顺气。

【主治】

1.《普济方》引《博济方》：风热气秘，瘰疬，产后血竭肚痛，妇人血气，血风瘙痒，五淋，瘫痪风，肠风泻血，肺气，伤寒，风秘。

2.《圣济总录》：脚气，大小便秘涩不通。

海蛤丸

【来源】《普济方》卷三三一引《博济方》。

【组成】舶上茴香　半夏　芫花（醋炒令干）　红娘子（去翅头足，略炒）　玄胡索　川苦楝　硇砂（去砂石取霜用）　海蛤　芫青（去头足，微炒）各等分

【用法】上为末，醋煮面糊为丸，如梧桐子大，用朱砂为衣。每服十丸，盐汤送下；妇人醋汤送下；五淋，生姜汤送下；心气痛，生姜醋汤送下。

【主治】小肠积败，妇人赤白带下并五淋。

车前子散

【来源】《医方类聚》卷十引《简要济众方》。

【组成】车前子一两　木通三分（锉）　瞿麦三分　生干地黄三分（焙）　甘草半两（炙）

【用法】上为散。每服二钱，水一中盏，同煎至六分，去滓温服，不拘时候。

【主治】小肠实热，小便赤，涩结不通。

石韦散

【来源】《医方类聚》卷一三三引《神巧万全方》

【组成】石韦（去毛）　消石各一两　葵子　桂心　黄耆　巴戟（去心，酒浸一宿）　王不留行各三分

【用法】上为末。每服二钱，食前以葱白汤调下。

【主治】劳损肾气、虚热所致劳淋、小便不利，阴中痛，日夜数起。

茴香散

【来源】《医方类聚》卷一三三引《神巧万全方》。

【组成】茴香　紫苏　槟榔各一两　木通　巴戟（去心）　人参　赤茯苓各二分　当归　桃仁（去皮，麸炒黄）各半两

【用法】上为粗散。每服三钱，以水一中盏，煎至六分，去滓，食前温服。

【主治】气淋，小肠疼痛。

五淋散

【来源】《太平惠民和济局方》卷六（添诸局经验秘方）。

【组成】木通（去节）　滑石　甘草（炙）各六两　山栀仁（炒）十四两　赤芍药　茯苓（去皮）各半斤　淡竹叶四两　山茵陈（去根，晒干）二两

【用法】上为末。每服三钱，水一盏，煎至八分，空心服。

【主治】肾气不足，膀胱有热，水道不通，淋沥不宣，出少起多，脐腹急痛，蓄作有时，劳倦即发，或尿如豆汁，或如砂石，或冷淋如膏，或热淋便血。

【方论】《医略六书》：热结膀胱，气化有伤而溺窍不利，故茎痛溺赤，淋沥不止焉。茵陈清湿热以治淋，滑石通窍门以利溲，生草泻火缓茎中之痛，木通降火利小肠之水，山栀清三焦之热，赤芍利膀胱之血，赤苓渗血分之湿以清水府，竹叶清膈上之热以快水道也。为散，灯心汤下，使热结顿开，则膀胱无不化之气，而水府无不清之液，何患淋沥不快，涩痛不痊哉。此通利之剂，为淋沥涩痛之专方。

立效散

【来源】《太平惠民和济局方》卷八。

【别名】立效汤（《圣济总录》卷九十七）。

【组成】山栀子（去皮，炒）半两　瞿麦穗一两　甘草（炙）三分

【用法】上为末。每服五钱至七钱，水一碗，入连

须葱根七茎、灯心五十茎、生姜五七片，同煎至七分，时时温服，不拘时候。
【主治】下焦结热，小便黄赤，淋闭疼痛，或有血出，及大小便俱出血者。

龙胆泻肝汤

【来源】《医方集解》引《太平惠民和济局方》。
【别名】泻肝汤（《类证治裁》卷四）。
【组成】龙胆草（酒炒） 黄芩（炒） 栀子（酒炒） 泽泻 木通 车前子 当归（酒洗） 生地黄（酒炒） 柴胡 甘草（生用）
【功用】《方剂学》：泻肝胆实火，清下焦湿热。
【主治】

1.《医方集解》引《太平惠民和济局方》：肝胆经实火、湿热，胁痛耳聋，胆溢口苦，筋痿阴汗，阴肿阴痛，白浊溲血。

2.《疡科心得集》：鱼口下疳，囊痈。

3.《中风斠诠》：阴湿热痒，疮疡溲血，脉弦劲者。

【验案】淋菌性尿道炎 《河南中医》（1997，3：158）：用龙胆泻肝汤全方加土茯苓、苦参、虎杖、白头翁，治疗淋菌性尿道炎 20 例。服药及治疗期间应注意休息，禁止剧烈运动和过度兴奋，禁止房事，忌食刺激性食物（如酒、辛辣、浓茶、咖啡等）。结果：痊愈 18 例；有效 1 例；无效 1 例。

小麦汤

【来源】《养老奉亲书》。
【组成】小麦一升 通草二两
【用法】水煮，取三升，去滓，渐渐食之，须臾当愈。
【主治】老人五淋久不止，身体壮热，小便满闷者。

车前子饮

【来源】《养老奉亲书》。
【别名】车前粥（《古今医统大全》卷八十七）、车前子粥（《长寿药粥谱》）。
【组成】车前子五合（绵裹，用水二升，煎取一升半汁） 青粱米三合（一方作四合）
【用法】上取煎汁煮作饮，空心食之，每日三次。
【功用】

1.《养老奉亲书》：常服明目，除热毒。

2.《长寿药粥谱》：利水消肿，养肝明目，祛痰止咳。

【主治】老人赤白痢，日夜无度，烦热不止；老人淋病，小便下血，身体热盛。

苏蜜煎

【来源】《养老奉亲书》。
【组成】藕汁五合 白蜜五合 生地黄汁一升
【用法】上相和，微火煎之令如饧，空心含半匙，渐渐下饮，食了亦服。
【主治】老人淋病，小便短涩不利，痛闷之极。
【宜忌】忌热食炙肉。

浆水饮

【来源】《养老奉亲书》。
【组成】浆水三升（酸美者） 青粱米三合（研）
【用法】上煮作饮，空心渐食之，一日二三次。
【功用】宣利。
【主治】老人五淋病，身体烦热，小便痛不利。

麻子粥

【来源】《养老奉亲书》。
【组成】麻子五合（熬，研，水滤取汁） 青粱米四合（淘）
【用法】上以麻子汁煮作粥，空心渐食之，每日二次，常服益佳。
【主治】老人五淋，小便涩痛，常频不利，烦热。

葵菜羹

【来源】《养老奉亲书》。
【组成】葵菜四两（切） 青粱米三合（研） 葱白一握
【用法】上煮作羹，下五味椒姜，空心食之。
【主治】老人淋。小便秘涩，烦热燥痛，四肢寒栗。极治小便不通。

榆皮索饼

【来源】《养老奉亲书》。

【组成】榆皮二两（切，用水三升煮，取一升半汁）　白面六两

【用法】上搜面作之，于榆汁拌煮，下五味，葱、椒空心食之，常三五服。

【功用】极利水道。

【主治】老人淋病。小便不通利，秘涩少痛。

蒲桃浆

【来源】《养老奉亲书》。

【组成】蒲桃汁一升　白蜜三合　藕汁一升

【用法】上相合，微火温，三沸即止，空心服五合，食后服五合，常服殊效。

【主治】老人五淋秘涩，小便紧痛，膈闷不利者。

透膈散

【来源】《医学纲目》卷十四引《灵苑》。

【别名】透格散（《类编朱氏集验方》卷七）、消石散（《普济方》卷二一四）。

【组成】消石一两（不夹泥土，雪白者）

【用法】上为末。每服二钱，诸淋各依汤为使。如劳倦虚损，小便不出，小腹急痛，葵子煎汤调下，通后更须服补虚丸散；血淋，小便不出，时下血疼痛，并用冷水调下；气淋，小腹满急，尿后常有余沥，木通煎汤调下；石淋，茎内痛，尿不能出，内引小腹，膨胀急痛，尿下砂石，令人闷绝，将药末先入铫子内，隔纸炒至纸焦为度，再研令细，用温水调下；小便不通，小麦汤调下；卒患诸淋，并以冷水调下。并空心，先调，使药消散如水，即服之，更以汤使送下。

【主治】五种淋疾，气淋、热淋、劳淋、石淋，及小便不通至甚者。

化毒汤

【来源】《普济方》卷四十一引《护命》。

【组成】杏仁　牡丹皮（去心）　黄芩　虎杖　麻黄（去根节）　木香　芍药　柴胡　升麻　紫菀　贝母（去心）　连翘　荆芥穗　羌活各等分

【用法】上为细末。每服二钱匕，加生姜二小块同煎，取八分，滤去滓，食后徐徐热吃。

服此汤后，非时以葱汤洗谷道，并纳药于谷道中，令上下相感，引水道下入大腑，即自然小便不数，疼痛自止也。缘此病大肠热竭津液，小肠虚损，下热药，通小肠，则大肠愈涸，而病愈增；下冷药，通大腑，则小肠愈数，而病不减。当此之际，医之莫不为难也。尝以此方治之得验。

【功用】化热毒。

【主治】肝肺热毒，蒸郁脏腑，因生积滞，其积者，如腐烂瘀血之类，热毒炽盛，大肠干涸；又因色伤，小肠虚冷，水道乘虚，只行于小肠，故小便常数，而疼痛不可胜忍。

胡荽汤

【来源】《圣济总录》卷四十三。

【组成】胡荽　车前子　木通（锉）　防己　瞿麦穗　犀角（镑）　黄连（去须）各等分

【用法】上为散。每服五钱匕，水一盏半，煎至八分，去滓，食后温服，一日三次。

【主治】小肠风热，小便黄赤，涩结不通。

滑石散

【来源】《圣济总录》卷四十三。

【组成】滑石一两（研）　甘草（炙，锉）　大黄（炒、锉）　黄耆（锉）　地椒　山栀子（去皮）各半两　乳香一钱（研）

【用法】上为散。每服一钱匕，食前乳香酒调下，未愈再服。

【主治】下焦滞热，阴中疼痛，小便难涩。

榆白皮饮

【来源】《圣济总录》卷五十一。

【别名】榆白皮汤（原书卷九十二）。

【组成】榆白皮（锉）半升　滑石（碎）四两　黄芩（去黑心）　木通（锉）　瞿麦各三两　石韦

（去毛）二两　冬葵子半升　车前草（锉）一升

【用法】上为粗末。每服五钱匕，水二盏，煎至一盏，去滓温服，不拘时候。

【主治】肾脏实热，小便赤黄，结涩不利，痛楚；及虚劳肾热，小便难，色如栀子汁。

木通汤

【来源】《圣济总录》卷九十五。

【组成】木通　石韦（去毛）　瞿麦穗各二两　冬葵子一升

【用法】上锉，如麻豆大。以水十盏，煎取三盏，去滓，纳滑石末一两，分三次温服。微利为度。

【主治】

1. 《圣济总录》：小便不通。
2. 《普济方》：热淋，小便不利，茎中急痛。

滑石丸

【来源】《圣济总录》卷九十五。

【组成】滑石（碎）　续随子（去皮，研）　湿生虫（炒干）　木通各一分

【用法】上为末，面糊为丸，如梧桐子大。每服五丸，煎灯心汤送下，不拘时候。

【主治】小便不通，或淋沥疼痛。

滑石散

【来源】《圣济总录》卷九十五。

【组成】滑石（碎）　海金砂　木通（锉）各等分

【用法】上为散。每服二钱匕，空心浓煎灯心汤调下。

【主治】小便淋涩，疼痛不通。

木通汤

【来源】《圣济总录》卷九十六。

【组成】木通（锉）　冬葵子各半两　冬瓜子　滑石各一两半　瞿麦穗　黄芩各一两　白茅根一握（锉）

【用法】上为粗末。每服三钱匕，水一盏，加竹叶七片，煎至七分，去滓，食前温服。

【主治】小肠客热，小便淋涩赤痛。

酸浆饮

【来源】《圣济总录》卷九十六。

【组成】酸浆草（采嫩者）

【用法】洗，研，绞取自然汁。每服半合，酒半盏，和匀，空心服之。未通再服。

【主治】小便赤涩疼痛。

人参饮

【来源】《圣济总录》卷九十八。

【组成】人参　熟干地黄（切，焙）　五味子　郁李仁（汤浸，去皮尖，研）　栀子仁　瞿麦穗　木通（锉）　木香各半两　榆皮三分　槟榔三枚

【用法】上为粗末。每服三钱匕，水一盏，煎至七分，去滓温服，不拘时候。

【主治】劳淋，水道不利，腰脚无力，虚烦。

大黄丸

【来源】《圣济总录》卷九十八。

【组成】大黄（锉，炒）二两　赤芍药　黄芩（去黑心）　杏仁（去皮尖，别研如膏）　芒硝各一两半

【用法】上为末，和匀，炼蜜为丸，如梧桐子大。每服二十丸，食前温热水送下。

【主治】气淋，小便不快。

木通汤

【来源】《圣济总录》卷九十八。

【组成】木通（锉）一分　木香半两（生）　细辛（去苗叶）一分　草豆蔻（去皮）三枚　人参半两　赤茯苓（去黑皮）三分　桃仁（汤，去皮尖）半两　肉豆蔻（去壳）二枚

【用法】上为粗末。每服三钱匕，水一盏，煎至七分，去滓温服，不拘时候。

【主治】气淋，结涩不通。

木通饮

【来源】《圣济总录》卷九十八。

【组成】木通（锉） 黄芩 滑石（碎）各一两 甘草（炙）一分 漏芦（去芦头）三分 甜葶苈（纸上炒）一分

【用法】上为粗末。每服三钱匕，水一盏，煎七分，去滓，食前温服。取小便利为度，未利再一二服。

【主治】卒淋沥，秘涩不通。

木通饮

【来源】《圣济总录》卷九十八。

【组成】木通（锉） 茅根（锉） 瞿麦（去梗） 芍药各二两 滑石（碎）三两 乱发鸡子大二枚（烧灰）

【用法】上为粗末。每服三钱匕，水一盏，煎至七分，去滓温服，不拘时候。

【主治】卒淋。

石韦汤

【来源】《圣济总录》卷九十八。

【组成】石韦（去毛） 瞿麦（取穗） 冬葵子（炒） 车前子各一两

【用法】上为粗末。每服三钱匕，水一盏，煎至七分，去滓温服，不拘时候。

【主治】卒淋。

石韦汤

【来源】《圣济总录》卷九十八。

【组成】石韦（去毛）一两 鸡肠草三两

【用法】上为粗末。每服三钱匕，水一盏，煎至七分，去滓温服，不拘时候。

【主治】气淋。小便不利，胀满。

石韦散

【来源】《圣济总录》卷九十八。

【组成】石韦（去毛） 滑石 瞿麦穗 王不留行 冬葵子各等分

【用法】上为细散。每服二钱匕，食前葱白汤调下。

【主治】劳淋，日夜数起，小便不利，引阴中痛。

白芷散

【来源】《圣济总录》卷九十八。

【组成】白芷（醋浸，焙干）二两

【用法】上为细散。每服二钱匕，煎木通酒调下，连服三服。

【主治】气淋结涩，小便不通。

地肤饮

【来源】《圣济总录》卷九十八。

【组成】地肤子三两 知母（焙） 猪苓（去黑皮） 瞿麦（去梗） 黄芩（去黑心） 升麻 木通（锉）各二两 冬葵子一两半 海藻（洗去咸，焙）一两

【用法】上为粗末。每服三钱匕，水一盏，煎七分，去滓温服，不拘时候。

【主治】卒淋，小便不通，秘涩疼痛。

地黄丸

【来源】《圣济总录》卷九十八。

【组成】生干地黄（切，焙） 黄耆（锉）各一两半 防风（去叉） 远志（去心） 栝楼子 茯神（去木） 黄芩（去黑心） 鹿茸（酥炙，去毛）各一两 人参一两一分 石韦（去毛） 当归（切，焙）各半两 赤芍药 甘草（炙） 蒲黄 戎盐（研）各三分 车前子 滑石各二两

【用法】上为细末，炼蜜为丸，如梧桐子大。每服二十丸，食前温酒或盐汤送下。

【主治】肾虚劳，膀胱结淋涩。

地黄汤

【来源】《圣济总录》卷九十八。

【组成】熟干地黄（切，焙） 人参 石韦（去毛）各一两 滑石三分 王不留行 冬葵子（炒）

车前子　桂（去粗皮）　甘遂（炒）　木通各半两

【用法】上为粗末。每服三钱匕，水一盏，煎至七分，去滓温服，不拘时候。

【主治】劳淋结涩不通。

芍药汤

【来源】《圣济总录》卷九十八。

【组成】赤芍药　大黄（锉，炒）　当归（切，焙）　芎藭各二两　桂（去粗皮）　人参　细辛（去苗叶）各三两　桃白皮一握（洗）　真珠末半两　雄黄（研）三分

【用法】上为粗末。每服三钱匕，水一盏，煎至七分，去滓温服，不拘时候。

【主治】气淋，小便不通。

肉苁蓉丸

【来源】《圣济总录》卷九十八。

【组成】肉苁蓉（酒浸，切，焙）　熟干地黄（焙）　山芋　石斛（去根）　牛膝（酒浸，切，焙）　桂（去粗皮）各半两　黄耆（锉）　附子（炮裂，去皮脐）各一两　黄连（去须）三分　甘草（炙）　细辛（去苗叶）各一分　槟榔（锉）五枚

【用法】上为末，炼蜜为丸，如梧桐子大。每服二十丸，盐酒送下，不拘时候。

【主治】冷淋。

沉香丸

【来源】《圣济总录》卷九十八。

【组成】沉香（锉）　肉苁蓉（酒浸，切，焙）　黄耆（锉）　瞿麦穗　磁石（火煅，醋淬三七遍）　滑石各一两

【用法】上为末，炼蜜为丸，如梧桐子大。每服三十丸，以温酒送下，不拘时候。

【主治】膏淋。

茅根饮

【来源】《圣济总录》卷九十八。

【组成】茅根（锉）　木通（锉）各三两　石韦（拭去毛）　黄芩（去黑心）　当归（洗，切，焙）　芍药　冬葵子（打碎）　滑石（碎）各二两　乱发（鸡子大）二枚（烧灰）

【用法】上为粗末。每服三钱匕，水一盏，煎七分，去滓温服，不拘时候。

【主治】卒淋，结涩不通利。

茅根饮

【来源】《圣济总录》卷九十八。

【组成】茅根　菝葜　藏竹叶　五味子各一两半　乌梅（去核，焙）十五枚　石膏五两　人参二两

【用法】上锉，如麻豆大。每服五钱匕，水一盏半，煎至一盏，去滓温服，不拘时候。

【主治】冷淋，寒颤，小便涩痛。

郁金散

【来源】《圣济总录》卷九十八。

【组成】郁金一两　滑石（研）半两　甘草（生）一分

【用法】上为散。每服一钱匕，热汤调下，不拘时候。

【主治】卒小便淋涩不通。

海金沙散

【来源】《圣济总录》卷九十八。

【组成】海金沙（别捣）二两　滑石（研细）　甘草（炙，锉）　山栀子仁各一两

【用法】上将甘草、栀子仁为细散，入余药再研匀。每服一钱匕，茶清调下，不拘时候。

【主治】气淋，结涩不快。

桑黄汤

【来源】《圣济总录》卷九十八。

【组成】桑黄（锉）　槲白皮（去粗皮，炙，锉）各一两半

【用法】上为粗末，每服三钱匕，水一盏，煎至七分，去滓。温服。

【主治】小便淋沥，出血疼痛。

桑白皮汤

【来源】《圣济总录》卷九十八。

【组成】桑根白皮（锉）一两半　茅根（锉）二两半　木通（锉）　干百合（锉）各二两

【用法】上为粗末，每服三钱匕，水一盏，煎至七分，去滓，温服，不拘时候。

【主治】气淋结涩，溲便不利。

通神散

【来源】《圣济总录》卷九十八。

【组成】粟米一合　故笔头二枚（烧灰）　马蔺花七朵（烧灰）

【用法】上为细散。每服二钱匕，温酒调下。痛不可忍者，连进三服。

【主治】气淋，结涩不通；砂石淋。

菟丝子散

【来源】《圣济总录》卷九十八。

【组成】菟丝子（酒浸，别捣）　肉苁蓉（酒浸，切，焙）各一两　五味子　黄耆（锉）　鸡膍胵黄皮　蒲黄　消石（研）各半两

【用法】上为散。每服二钱匕，温酒调下，不拘时候。

【主治】冷淋，溲便冷涩。

菟丝石脂散

【来源】《圣济总录》卷九十八。

【组成】菟丝子(酒浸,别捣)　白石脂　牡蛎(煅，研)二两　桂(去粗皮)　土瓜根(锉)各一两

【用法】上为散。每服二钱匕，空心、食前煮大枣粥饮调下。

【主治】冷淋。

黄耆汤

【来源】《圣济总录》卷九十八。

【组成】黄耆（锉）二两　人参　滑石　五味子　白茯苓（去黑皮）　磁石（煅，醋淬七遍）　旱莲子各一两　桑根白皮三分　黄芩（去黑心）　枳壳（去瓤，麸炒）各半两

【用法】上为粗末。每服三钱匕，水一盏，煎至七分，去滓温服，不拘时候。

【主治】肾虚变劳淋，结涩不利。

黄耆饮

【来源】《圣济总录》卷九十八。

【组成】黄耆（细锉）　人参　白茯苓（去黑皮）　旱莲子　滑石（研）各一两　桑根白皮（锉）三分　黄芩（去黑心）　枳壳（去瓤，麸炒）　芒消各半两

【用法】上为粗末。每服三钱匕，水一盏，煎七分，去滓温服，不拘时候。

【主治】膀胱湿热，小便卒暴淋涩。

绵灰散

【来源】《圣济总录》卷九十八。

【组成】好白绵四两（烧灰存性，研）　麝香（研）半分

【用法】上为散。每服二钱匕，温葱酒调下，连服三服。

【主治】气淋结痛不通。

葎草饮

【来源】《圣济总录》卷九十八。

【别名】葎草汁（《三因极一病证方论》卷九）。

【组成】葎草（取叶，洗切，捣自然汁）一升

【用法】上用醋一合和匀。每服半盏，连服三服，不计时候。

【主治】

1. 《圣济总录》：膏淋。

2. 《三因极一病证方论》：产妇大喜，汗出，污衣赤色，及膏淋尿血，亦治淋沥尿血。

黑金散

【来源】《圣济总录》卷九十八。

【组成】好细墨（烧）一两

【用法】上为细散。每服一钱匕，温水调下，不拘时候。

【主治】卒淋不通。

滑石汤

【来源】《圣济总录》卷九十八。

【组成】滑石（碎） 白茯苓（去黑皮） 白术 木通（锉） 赤芍药 熟干地黄（焙） 五味子各一两

【用法】上为粗末。每服三钱匕，水一盏，煎至七分，去滓温服，不拘时候。

【主治】膏淋，小便肥浊。

榆皮汤

【来源】《圣济总录》卷九十八。

【组成】榆皮 桂（去粗皮） 芎藭各半两 木通 瞿麦穗各一两 人参三分

【用法】上锉如麻豆大。每服五钱匕，水一盏半，煎至八分，去滓温服，不拘时候。

【主治】冷淋，小便涩。

榆皮汤

【来源】《圣济总录》卷九十八。

【别名】榆白皮汤（《普济方》卷二一五）。

【组成】榆皮（洗，切，焙） 黄芩（去黑心） 瞿麦穗 甘草（炙，锉） 滑石（碎） 泽泻（锉） 赤茯苓（去黑皮）各一两

【用法】上为粗末。每服三钱匕，水一盏，煎至七分，去滓温服，不拘时候。

【主治】膏淋。

榆皮饮

【来源】《圣济总录》卷九十八。

【组成】榆白皮（洗，锉） 瞿麦（取穗） 赤茯苓（去黑皮） 鸡苏 栀子仁 木通（锉） 郁李仁（汤浸，去皮尖，炒）各半两

【用法】上为粗末。每服三钱匕，水一盏，煎七分，去滓温服，不拘时候。

【主治】小便卒暴淋涩不通。

榆枝汤

【来源】《圣济总录》卷九十八。

【组成】榆枝半两 石燕子三枚

【用法】上为粗末。每服三钱匕，水一盏，煎至七分，去滓温服，不拘时候。

【主治】气淋，脐下满急切痛。

磁石丸

【来源】《圣济总录》卷九十八。

【组成】磁石（火煅，醋淬三七遍） 肉苁蓉（酒浸，切，焙） 泽泻 滑石各一两

【用法】上为末，炼蜜为丸，如梧桐子大。每服三十丸，温酒送下，不拘时候。

【主治】膏淋，小便肥如膏。

镇心丸

【来源】《圣济总录》卷九十八。

【组成】黄芩（去黑心） 大黄各一两（炙熟） 荆芥穗 鸡苏（去梗） 甘草（炙） 芍药 山栀子各二两

【用法】上为末，水煮面糊为丸，如梧桐子大。每服三十丸，温熟水送下，不拘时候。

【功用】镇保心气，宁养神志，宣畅气血，解诸邪壅。

【主治】黄疸鼻衄，小水淋痛，目赤暴肿，或作飞血证。

瞿麦汤

【来源】《圣济总录》卷九十八。

【组成】瞿麦（去梗）半两 木通（锉） 赤茯苓（去黑皮） 陈橘皮（汤浸去白，焙）各一两 滑石（碎）一两半 冬葵子（炒）一合 甘草（炙，锉） 桑根白皮（锉）各半两

【用法】上为粗末。每服三钱匕，水一盏，加葱白二寸，煎七分，去滓温服，不拘时候。

【功用】通利小肠。
【主治】卒淋。

瞿麦汤

【来源】《圣济总录》卷九十八。
【组成】瞿麦（用穗）一两半　黄芩（去黑心）鸡苏各一两　当归（切，焙）三分　木通（锉）一两半　白茯苓（去黑皮）　芍药　滑石（研）各三分
【用法】上为粗末。每服三钱匕，水一盏，煎至七分，去滓温服，不拘时候。
【主治】气淋。膀胱热结，小便不通。

瞿麦汤

【来源】《圣济总录》卷九十八。
【组成】瞿麦穗　黄连（去须）　大黄（熬）　枳壳（去瓤，麸炒）　当归（切，焙）　桔梗　牵牛子　大腹（锉）　木通（锉）　羌活（去芦头）延胡索　射干各一两半　桂（去粗皮）半两
【用法】上为粗末。每服四钱匕，水一盏半，加生姜七片，煎取八分，去滓温服，不拘时候。
【主治】气淋涩滞。

瞿麦散

【来源】《圣济总录》卷九十八。
【组成】瞿麦穗半两　木通（锉）一两　甘遂（炒）　青盐（别研）各一分　槟榔（锉）二枚　莎草根（炒去毛）一两
【用法】上为细散。每服一钱匕，温熟水调下，不拘时候。
【主治】沙石淋，涩痛。

麝香散

【来源】《圣济总录》卷九十八。
【组成】麝香（不拘多少）
【用法】上一味细研。每服半钱匕，空心温酒调下。
【主治】冷淋，诸方不愈者。

木通汤

【来源】《圣济总录》卷一七九。
【组成】木通（锉碎）　桑根白皮（锉，焙）　滑石（研）　芒消　葵子（陈者）三分
【用法】上为粗末。每服一钱匕，水一小盏，煎至五分，去滓，食前温服，一日三次。
【主治】小儿诸淋。

石韦汤

【来源】《圣济总录》卷一七九。
【组成】石韦（去毛）　赤芍药　大黄（锉，炒）滑石（研）　麦门冬（去心，焙）　甘草（炙）升麻各一分
【用法】上为粗末。每服一钱匕，水一小盏，煎至五分，去滓，食前服，一日三次。
【主治】小儿淋或涩痛，小便如血。

麦葱汤

【来源】《圣济总录》卷一七九。
【组成】小麦一合　葱白二茎（切）
【用法】以水一盏，煎至五分，去滓温服，不拘时候。
【主治】小儿诸淋，闭涩不通。

桂心蜂房散

【来源】《圣济总录》卷一七九。
【组成】桂（去粗皮）一分　蜂房（炙）半两
【用法】上为散。三四岁儿每服半钱匕，空心、午时煎小麦汤或酒调服。
【主治】小儿石淋、气淋。

桑白皮汤

【来源】《圣济总录》卷一七九。
【组成】桑根白皮（锉，焙干）　山栀子仁　芦根（锉）　赤茯苓（去黑皮）　冬葵子　茅根（锉）甘草（炙）各一分　滑石（研入）半两
【用法】上为粗末。五六岁儿，每服一钱匕，水一

小盏，煎至五分，去滓，食前温服，一日三次。

【主治】小儿淋痛，小便如血色。

葵子汤

【来源】《圣济总录》卷一七九。

【组成】葵子三分（陈者） 石韦（去毛）三分 滑石（别研）一两半

【用法】上为粗末。五六岁儿每服一钱匕，水一小盏，加大枣二枚，同煎取五分，去滓，分二次温服，早晚食前各一。

【主治】小儿诸淋。

滑石散

【来源】《圣济总录》卷一七九。

【组成】滑石（研） 车前子各半两

【用法】上为散。二三岁儿每服半钱匕。空心、食前粥饮调下，一日二次。

【主治】小儿小便淋涩不通，及小便血。

蜂房散

【来源】《圣济总录》卷一七九。

【组成】蜂房（炙） 乱发各三分

【用法】上同烧灰，为细末。每服半钱匕，米饮调下，每日三次。

【主治】小儿淋。

瞿麦丸

【来源】《圣济总录》卷一七九。

【组成】瞿麦穗 龙胆 石韦（去毛） 桂（去粗皮） 皂荚（炙，去皮子）各半两 鸡肠草 人参各一两 车前子一两一分

【用法】上为末，炼蜜为丸，如梧桐子大。每服六丸至十丸，空腹热汤研下。

【主治】小儿淋。

葱　粥

【来源】《圣济总录》卷一八八。

【组成】葱白十四茎（细切） 牛酥半两

【用法】上先以酥微炒葱，次入粳米二合，用水依寻常煮粥，令稍稀。空心食之，未愈更作。

【主治】伤寒后，小便赤涩，脐下急痛。

真酥粥

【来源】《圣济总录》卷一九〇。

【组成】真酥一两 粟米（净淘）三合 淡浆水三升

【用法】以浆水煮米作粥，候粥将熟，下酥，更煮取熟。适寒温，空腹恣意食之。

【主治】热淋，小便不通。

酥　粥

【来源】《圣济总录》卷一九〇。

【组成】真酥一两 滑石三两（捣如麻子粒大） 白茯苓二两（捣如麻子粒大） 葱白三七茎（去须叶，细切） 生姜一两（湿纸裹，灰火煨，细切）

【用法】上先以水四升，煮后四味至二升，以生绢滤去滓，取清；更入浆水一升，添入粟米三合（净淘）煮作粥，候粥将熟，方入酥搅匀取熟。空心任意食之。

【主治】小便淋痛。

葱白粥

【来源】《圣济总录》卷一九〇。

【组成】葱白一大握（去须叶，细切，烂研，生布绞取汁） 白粳米二合（净，淘）

【用法】上以水二升半，煮米作粥，候粥将熟，下葱汁，更煮取熟。空心温食之。良久即便。

【功用】《长寿药粥谱》：发汗散寒，温中止痛。

【主治】

1.《圣济总录》：五淋，小便不通。

2.《长寿药粥谱》：年老体弱者伤风感冒，发热恶寒，头痛，鼻塞流涕，腹痛泻痢等。

【宜忌】《长寿药粥谱》：可供冬季风寒感冒的老人乘热服食，服后微微汗出即解，汗出病愈后停服。食葱白粥的同时，忌食蜂蜜。

葵菜粥

【来源】《圣济总录》卷一九〇。

【组成】葵菜（择取叶并嫩心）三斤（细切） 粟米三合（净淘） 葱白（去须叶）一握（细切）

【用法】上先以水五升，煮葵菜至三升，绞去葵菜，取汁，下米并葱白，更入浓煎豉汁五合，同煮为粥，空心顿食之；食不尽，分作两度，一日取尽。

【主治】诸淋。小便赤涩，茎中疼痛。

紫苏粥

【来源】《圣济总录》卷一九〇。

【组成】紫苏一两 糯米三合（净淘）（一方用粟米）

【用法】上以浆水二升，煮紫苏令沸，去紫苏，下糯米煮粥，空心任食之。

【主治】五淋，小便不通。

粳酥粥

【来源】《圣济总录》卷一九〇。

【组成】真酥三合 芜荑仁（微炒，别捣末）三钱半

【用法】上先取白粳米半升净淘，以水多少煮粥，候熟下酥，并芜荑末搅匀。任意食之，食不尽，分作两度。

【主治】久淋不愈。

导赤散

【来源】《小儿药证直诀》卷下。

【别名】导赤汤（《外科证治全书》卷五）。

【组成】生地黄 甘草（生） 木通各等分（一本不用甘草，用黄芩）

【用法】上为末。每服三钱，水一盏，入竹叶同煎至五分，食后温服。

【功用】《方剂学》：清热利水。

【主治】

1.《小儿药证直诀》：心热目内赤，目直视而搐，目连眨而搐；视其睡，口中气温，或合面睡，及上窜咬牙。

2.《太平惠民和济局方》（淳祐新添方）：大人小儿心经内虚，邪热相乘，烦躁闷乱；传流下经，小便赤涩淋涩，脐下满痛。

【验案】

1. 血淋 《南雅堂医案》：小溲血淋，茎中作痛，系热入膀胱，止血非其所宜，拟用钱氏导赤散加味治之。生地黄三钱，木通二钱，肥知母一钱五分，川黄柏一钱五分（炒），淡竹叶三钱，甘草梢八分，水同煎服。

2. 淋证 《广西中医杂志》（1965，2：17）：以本方为基础，砂淋加海金沙、萹蓄、金钱草；血淋加白茅根、生侧柏、小蓟；气淋加川朴、香附，治疗小便淋证15例，其中砂淋5例，气淋7例，血淋3例，均见小便短涩，痛引脐中，甚则腰痛、腰胀，脉弦数或细数，苔白腻或薄黄等。结果：痊愈9例，好转6例。

通神散

【来源】《幼幼新书》卷三十引《聚宝方》。

【组成】石燕子一枚（先为细末，再研） 石苇半两

【用法】上为细末。每服一字，煎三叶酸浆草汤调下。甚者再三服。

【主治】

1.《幼幼新书》引《聚宝方》：小儿五痟淋。

2.《幼幼新书》引《谭氏殊圣》：血淋。

【宜忌】忌食生冷，油腻。

加参八味丸

【来源】《幼幼新书》卷三十引宋义叔方。

【组成】熟干地黄八两 山药 山茱萸各四两 泽泻 赤茯苓 牡丹皮各三两 桂（去皮） 附子 元参 赤芍药各二两

【用法】上为末，炼蜜为丸，如梧桐子大。每服三十丸，赤茯苓汤送下，一日三次；小儿用，丸如绿豆大，量服。

【主治】阴虚小便难，并寒淋。

石燕丹

【来源】《幼幼新书》卷三十引张涣方。
【组成】石燕（烧赤醋淬，放冷，研细） 瞿麦 滑石各一两 木通（锉） 海蛤（细研）各半两
【用法】上为细末，炼蜜为丸，如黍米大。每服十粒，食前以葱白汤送下。
【主治】小儿小便淋涩痛闷。

通神散

【来源】《幼幼新书》卷三十引郑愈方。
【组成】石燕子（煅）一枚 石苇一分 海金沙 木通各二钱
【用法】上为末。每服一钱，酸浆草汤调下。二服效。
【主治】淋。

滑石散

【来源】《幼幼新书》卷三十引《宝鉴》。
【组成】滑石 瞿麦 葵子（炒） 芸苔子 甘草（炙） 山栀仁 海金砂 郁金各一分
【用法】上为末。每服半钱，灯心，葱汤调下。
【主治】淋。

石韦饮子

【来源】《鸡峰普济方》卷十。
【组成】石韦（汤浸，刷皮） 瞿麦 木通各一两 陈橘皮 茯苓 芍药 桑白皮 人参 黄芩各三分
【用法】上为细末。每服二钱，水一大盏，加生姜一分，煎至七分，温服。
【主治】气淋，小便涩痛。
【宜忌】忌冷物。

菟丝子丸

【来源】《鸡峰普济方》卷十。
【别名】菟丝丸（《奇效良方》卷三十五）。
【组成】菟丝子（去尘土，掏净，酒浸，控干，蒸，捣焙） 桑螵蛸（炙）各半两 泽泻二钱半
【用法】上为细末，炼蜜为丸，如梧桐子大。每服二十丸，空心清米饮送下。
【主治】膏淋。

榆白皮散

【来源】《鸡峰普济方》卷十。
【组成】榆白皮 韭子 滑石各一两 沉香 黄耆 黄橘皮 黄芩 甘草各二分 瞿麦二两
【用法】上为细末。每服二钱，米饮调下。
【主治】久挟风冷入脬中，小便肥浊如膏，或如稠泔成块者。

贝齿膏

【来源】《鸡峰普济方》卷十六。
【别名】贝齿汤（《普济方》卷二一四）。
【组成】贝齿四个（烧作末） 葵子一升 石膏五两（研） 滑石三两（研）
【用法】先以水七升，煮二物，取二升，去滓；纳二石末及猪脂一合，更煎，分三服服之。
【主治】妇人结气成淋，小便引痛，上至小腹，或时溺血，或如豆汁，或如胶饴，每发欲死，食不生肌，面目萎黄。

山栀子汤

【来源】《鸡峰普济方》卷十八。
【别名】五淋散（《太平惠民和济局方》卷六宝庆新增方）、五淋汤（《医学实在易》卷七）。
【组成】当归 芍药（赤者） 茯苓（赤者） 甘草 山栀子各等分
【用法】上为细末。每服二钱，水一盏，煎至八分，温服。
【主治】

1.《鸡峰普济方》：五淋及血淋。

2.《太平惠民和济局方》（宝庆新增方）：肾气不足，膀胱有热，水道不通，淋沥不宣，出少起多，脐腹急痛，蓄作有时，劳倦即发，或尿如豆汁，或如砂石，或冷淋如膏，或热淋便血。

【方论】《医学实在易》：此方用栀、苓治心腹，以通上焦之气，而心火清；归、芍滋肝肾，以安下焦之气，而五脏阴复；甘草调中焦之气，而阴阳分清，则太阳之气化，而膀胱之府洁矣。

五淋绛宫汤

【来源】《鸡峰普济方》卷十八。

【组成】露蜂房　血余各三钱　白茅根五钱

【用法】上为细末，加麝香少许。每服一钱，空心、食前温酒下。淋止不须服，甚者不过三五服。

【主治】三焦气滞，腹胁注痛，因服热药，引入下焦，膀胱受热，小便淋涩，脐下胀痛。

巨用散

【来源】《鸡峰普济方》卷十八。

【组成】当归二两　桔梗　瞿麦穗　桂府滑石　海蛤各一两　灯心十束　甘草半两

【用法】上为细末。每服二钱，水一盏，同灯心煎至七分，食后冷服。

【主治】淋，寻常小便涩。

【加减】涩甚者，加车前子一两。

甘草滑石散

【来源】《鸡峰普济方》卷十八。

【组成】甘草　大黄　黄耆各半两　滑石一两　山栀子半两　乳香一钱　地椒半两

【用法】上为细末。每服一钱，食前乳香酒调下。未愈再服。

【功用】行下焦滞热。

【主治】阴中疼痛，小便难。

石韦瞿麦散

【来源】《鸡峰普济方》卷十八。

【组成】瞿麦　石韦　车前子　滑石　葵菜子各半两

【用法】上为细末。每服二钱，水一盏，同煎至七分，食前空心服。

【主治】五淋。

白芍药丸

【来源】《鸡峰普济方》卷十八。

【组成】当归　芍药（白者）　鹿茸　熟地黄各一两

【用法】上为细末，炼蜜为丸，如梧桐子大。每服三十丸，阿胶汤送下。

本方原名“白芍药煎”，与剂型不符，据《奇效良方》改。

【主治】劳淋，小腹疼痛，小便不利。

地黄鹿茸丸

【来源】《鸡峰普济方》卷十八。

【组成】熟地黄　赤芍药　当归　赤茯苓　桃胶各一两　鹿茸半两　血余四两

【用法】上为细末，白面糊为丸，如梧桐子大。每服二十丸，空心、食前温酒或灯草汤送下。

【主治】虚淋。

当归汤

【来源】《鸡峰普济方》卷十八。

【组成】陈皮　当归　熟地黄　白芍药各一两　阿胶　桃胶　赤茯苓各三分　人参　芒消　香附子各半两　甘草一分

【用法】上为细末。每服三钱，水一盏，煎至六分，去滓温服。

【主治】劳淋，小便淋沥疼痛，不可忍者。

沉香散

【来源】《鸡峰普济方》卷十八。

【组成】沉香　石韦　滑石　当归　王不留行各半两　葵子　白芍药各三分　甘草一分

【用法】上为细末。每服一钱，食前煎大麦饮调下，一日二三次。

【主治】冷淋脐下痛，小腹妨闷。

陈皮石韦散

【来源】《鸡峰普济方》卷十八。

【组成】石韦一两　赤芍药三分　瞿麦穗　木通各

一两　陈皮　茯苓　桑白皮各三分

【用法】上为细末。每服二钱，水一盏，煎至七分，去滓，食前温服，一日二三次。以利为度。

【主治】下焦有热，淋闭不通，小腹妨闷。

陈皮滑石散

【来源】《鸡峰普济方》卷十八。

【组成】陈皮　滑石　川芒消　葵子各一两　赤茯苓　赤芍药　子芩　瞿麦　石苇　蒲黄各半两

【用法】上为细末。每服二钱，食前米饮调下。

【主治】气淋，腹胁胀满，脐下气结，小肠疼痛。

香格散

【来源】《鸡峰普济方》卷十八。

【组成】消石一两

【用法】上为细末。每服二钱。诸淋各依汤使如后：劳淋者，用葵子末煎浓汤调下；血淋、热淋者，并用冷水调下；气淋者，用木通汤放温调下；石淋者，将药末先入铫子内，用纸隔炒至纸焦为度，再研令极细，温水调下，小便不通，小麦煎汤调下。卒患诸淋，只用冷水调下，并空心先调，使药消散如水后即服之，更以汤使送下。诸药不效者，服此立效。

【主治】五种淋疾。劳淋、血淋、气淋、热淋、石淋及小便不通至甚者。

通秘散

【来源】《鸡峰普济方》卷十八。

【组成】陈皮　香附子　赤茯苓各等分

【用法】上为粗末。每服二钱，水一盏，同煎至六分，去滓，食前服。

【主治】

1.《鸡峰普济方》：气淋。

2.《类编朱氏集验方》：血淋痛不可忍者。

缓中汤

【来源】《鸡峰普济方》卷十八。

【组成】熟地黄　当归　人参　白术　阿胶　芍药　芎藭各二两半　甘草　桂各一两半

【用法】上为粗末。每服二钱，肉汁二盏，加生姜十片，煎至七分，去滓，食前服。

【主治】肉淋、劳淋。

榆白汤

【来源】《鸡峰普济方》卷十八。

【别名】榆皮散（《普济方》卷二一五）。

【组成】榆白皮　黄芩　瞿麦　茯苓（赤者）　通草　郁李仁　栀子　鸡苏叶各等分

【用法】上为粗末。每服二钱，水一盏，煎至七分，去滓温服。

【主治】

1.《鸡峰普济方》：劳淋，热淋。

2.《普济方》：肾气伤溃，劳淋不止，无时遗沥，或热淋妨闷。

榆白皮散

【来源】《鸡峰普济方》卷十八。

【组成】通草十二分　榆白皮　鸡苏　茯苓（赤者）各六分　当归　葵子各一大合　瞿麦四分　大黄六分　芍药（赤者）六分　滑石三分　芒消十二分　麦冬八分

【用法】上为粗末。每服二钱，水一盏，煎至六分，去滓，食前温服。

【主治】五淋结痛。

蜡丸子

【来源】《鸡峰普济方》卷十八。

【组成】黄蜡二两　灯心二束　木香　肉豆蔻各一分　硇砂半两

【用法】上药并灯心并入蜡油铫子内，铁箸搅，候烟尽，放冷取出，丸如梧桐子大。每服三丸，以温酒调舶上茴香末一钱送下。先炒灯心，欲烟尽，后入三味药更炒，移时稍丸服之。

【主治】淋证。

瞿麦散

【来源】《鸡峰普济方》卷十八。

【组成】瞿麦一两　葵子　木通　大黄　车前　桑皮　滑石各半两

【用法】上为细末。每服二钱，白汤调下。

【功用】利小便。

【主治】膀胱伏热，小便赤涩，淋沥疼痛。

【宜忌】气盛有热者可服。

槟榔丸

【来源】《扁鹊心书》。

【组成】槟榔　芍药　苦楝子（炒）　马兰花各一两

【用法】上为末。每服四钱，酒煎热服。

【主治】小便淋涩不通，及血淋，石淋。

二胶散

【来源】《小儿卫生总微论方》卷十六。

【组成】桃胶　李胶各等分

【用法】上为末。每服半钱，葱白汤调下，不拘时候。

【主治】气淋，小肠憋膨不通。

木通散

【来源】《小儿卫生总微论方》卷十六。

【组成】木通　滑石　甘草（炙）　焰消（研）各半两　三叶草一分

【用法】上为细末和匀。每服一字或半钱，乳食前沸汤点服。

【主治】小儿小便涩滞滴沥，不得通快。

玉粉丹

【来源】《小儿卫生总微论方》卷十六。

【组成】牡蛎粉四两（研）　干姜末二两（炮）

【用法】上为末，面糊为丸，如麻子大。每服一二十丸，米饮送下，不拘时候。

【主治】寒淋，膏淋，下痢；妇人带下。

顺经散

【来源】《洪氏集验方》卷五。

【组成】韭子（汤浸，退取白仁，干称）一两　益智子（取仁，盐炒过）半两　琥珀半两（令研）石苇（去毛土）一钱　白茯苓三分　狗脊（去毛，净）半两　石燕子（火煅，醋炒，出火毒，令研极细）半两

【用法】上为末，和匀。每服一钱，用韭菜白煎汤调下，空心、食前各一服，日午一服尤妙。

【主治】小儿十余岁，因惊之后，心气不行，小便淋沥，日及三十余次，渐觉黄瘦。

【验案】惊悸　予表侄十余岁时，尝游慧山，归已昏暮，遇一巨人醉卧寺门，惊悸得疾。自是之后，一日便溺五六十度，医治数月不能效，即授此方，服药未几，日减一日，初则三二十度，最后十数度，凡服两料而愈。

海蛤丸

【来源】《宣明论方》卷十一。

【组成】海蛤　半夏　芫花（醋炒）　红娘子（去翅足）　诃子（炒）　玄胡索　川楝子（面裹煨，去皮）　茴香（炒）各一两　乳香三钱　硇砂半两　朱砂（半入药，半为衣）　没药各一两（研）　当归一两半

【用法】上为末，醋煮面糊为丸，如小豆大。每服五丸至十丸，醋汤送下。

【主治】妇人小便浊败，赤白带下，五淋脐腹疼痛，寒热，口干，舌涩，不思饮食。

琥珀散

【来源】《宣明论方》卷十五。

【组成】滑石二两　木通　当归　木香　郁金　萹蓄各一两　琥珀二两

《医宗金鉴》有葵子。

【用法】上为末。每服三五钱，食后用芦苇叶同煎，一日三次。

【主治】五淋。

【方论】《医方集解》：此手足少阴、太阳药也。滑石滑可去着，利窍行水；萹蓄苦能下降，利便通

淋；琥珀能降肺气，通于膀胱；木通能泻心火，入于小肠；血淋由于血乱，当归能行血归经；气淋由于气滞，木香能升降诸气；诸淋由心肝火盛，郁金能凉心散肝，下气而破血也。

玉屑膏

【来源】《三因极一病证方论》卷九。
【别名】玉屑散（《兰台轨范》卷五）。
【组成】黄耆　人参各等分
【用法】上为末，用萝卜大者，切一指厚，三指大，四五片，蜜淹少时，蘸蜜炙干，复蘸，尽蜜二两为度，勿令焦，炙熟。点黄耆、人参末吃，不拘时候，仍以盐汤送下。
【主治】尿血并五淋、砂石，疼痛不可忍。

生附散

【来源】《三因极一病证方论》卷十二。
【别名】生附汤（《世医得效方》卷八）。
【组成】附子（去皮脐，生用）　滑石各半两　瞿麦　木通各三分　半夏（汤洗七次）三分
【用法】上为末。每服二大钱，水二盏，加生姜七片，灯心二十茎、蜜半匙，煎七分，空心服。
【主治】冷淋。多因饮水过度，或为寒泣，心虚气耗，小便秘涩，数起不通，窍中疼痛，憎寒凛凛。

沉香散

【来源】《三因极一病证方论》卷十二。
【组成】沉香（不焙）　石韦（去毛）　滑石　王不留行　当归（炒）各半两　葵子（炒）　白芍药各三分　甘草（炙）　橘皮各一分

《丹溪心法附余》有木香、青皮各二钱五分。
【用法】上为细末。每服二钱，食前煎大麦汤调下；饮调亦得。
【主治】五内郁结，气不得舒，阴滞于阳，而致气淋壅闭，小腹胀满，使溺不通，大便分泄，小便方利。

鹿角霜丸

【来源】《三因极一病证方论》卷十二。
【组成】鹿角霜　白茯苓　秋石各等分
【用法】上为末，面糊为丸，如梧桐子大。每服五十丸，米汤下。
【主治】膏淋。多因忧思失志，意舍不宁，疲剧筋力，或伤寒湿，浊气干清，小便淋闭，或复黄赤白黯如脂膏状。

瞑眩膏

【来源】《三因极一病证方论》卷十二。
【组成】大萝卜（切一指厚）四五片
【用法】用好白蜜二两，萝卜蘸蜜安于净铁铲上，慢火炙，反复炙令软，蜜尽为度。候温细嚼，以盐汤一盏送下。
【主治】诸淋，疼痛不可忍受；及沙石淋。

青苔散

【来源】《永乐大典》卷一〇三三引《全婴方》。
【组成】船底青苔
【用法】晒干为末。三岁一钱，藕节汁入蜜少许调下；淋沥，木通汤调下。
【主治】小儿鼻衄，吐血；亦治淋沥，小便不通。

车前散

【来源】《杨氏家藏方》卷四。
【别名】车前子散（《女科百问》卷下）、车前子饮（《宋氏女科》）。
【组成】槟榔　木通　陈橘皮（去白）　赤芍药　车前子　赤茯苓（去皮）　当归（洗，焙）　滑石　石韦（炙，去毛）各一两
【用法】上锉。每服五钱，水二盏，煎至一盏，去滓，食前服。以利为度，未利再服。
【主治】小便不通，淋涩作痛。

天仙丸

【来源】《杨氏家藏方》卷十五。
【组成】附子一枚（及七钱者，炮，去皮脐）　川乌头（炮，去皮脐尖）　海带（去土）　海藻（去土）　茴香（微炒）　胡芦巴（炒）　天仙子（汤

浸，微炒） 硫黄（别研） 干姜（炮）各一两

【用法】上为细末，用獖猪肚一枚，去脂净洗，入药在内，用酒、醋、水共一斗，慢火煮猪肚软烂，取出，细切，入铁臼内捣为丸，如梧桐子大。每服五十丸，空心温醋汤送下。

【主治】妇人一切虚冷，赤白带下，小便膏淋，变成虚损。

【宜忌】忌甘草。

凉补风

【来源】《普济方》卷十七引《卫生家宝》。

【组成】肉苁蓉（薄切，用酒浸一宿，火焙干） 泽泻（切，焙干） 石菖蒲 菟丝子（用酒浸一宿，研烂，焙干） 黄耆（火炙，细锉为末） 川楝子（细锉） 山茱萸各半两 熟干地黄一两（净洗，焙干，为末）

【用法】上为细末，炼蜜为丸，如梧桐子大。每服三十丸，食前空心以盐酒、盐汤任下；如五淋病，用豆淋酒送服。

【功用】凉心膈，补元阳。

【主治】心经积热，思虑过多，一切漏精白浊，久则饮食减少，转成劳伤；五淋病。

七圣散

【来源】《普济方》卷二一五引《卫生家宝》。

【组成】五淋散半两 杏仁一分（去皮） 桃仁一分（去皮）

【用法】上为细末。每服三钱，温水调下。

【主治】酒色太过，眼赤腹胀，脓血淋漓，腹痛。

防风通圣散

【来源】《医学启源》卷中。

【组成】防风二钱半 川芎五钱 石膏一钱 滑石二钱 当归一两 赤芍五钱 甘草二钱半（炙） 大黄五钱 荆芥穗二钱半 薄荷叶二两 麻黄五钱（去根苗节） 白术五钱 山栀子二钱 连翘五钱 黄芩五钱 桔梗五钱 牛蒡（酒浸）五钱 人参五钱 半夏（姜制）五钱

《御药院方》有牛膝，无牛蒡。

【用法】上为粗末。每服四钱，水一盏，加生姜三片，煎至六分，去滓温服，不拘时候，每日三次。病甚者，五七钱至一两；极甚者，可下之，多服二两或三两，得利后，却当服三五钱，以意加减。病愈，更宜常服，则无所损，不能再作。

【主治】一切风热郁结，气血蕴滞，筋脉拘挛，手足麻痹，肢体焦痿，头痛昏眩，腰脊强痛，耳鸣鼻塞，口苦舌干，咽嗌不利，胸膈痞闷，咳呕喘满，涕唾稠粘，肠胃燥热结，便溺淋闭，或肠胃蕴热郁结，水液不能浸润于周身而为小便多出者；或湿热内甚，而时有汗泄者；或表之正气与邪热并甚于里，阳极似阴，而寒战烦渴者；或热甚变为疟疾，久不已者；或风热走注，疼痛麻痹者；或肾水阴虚，心火阳热暴甚而中风；或暴喑不语，及暗风痫者；或破伤中风，时发潮热搐搦，并小儿热甚惊风，或斑疹反出不快者；或热极黑陷，将欲死者；或风热疮疥久不愈者；并解耽酒热毒，及调理伤寒，发汗不解，头项肢体疼痛，并宜服之。

葵花散

【来源】《洁古家珍》。

【别名】葵花汤（《赤水玄珠全集》卷十五）。

【组成】葵花根（洗净，锉）

【用法】水煎三五沸，服之。立愈。

【主治】小便淋涩。

固精丸

【来源】《魏氏家藏方》卷四。

【组成】牡蛎（煅令熟）

【用法】以豮猪脏近腹头处二三尺，洗净，翻过，恐油太多略去了些小，如不甚多则不须去，亦洗令净，却翻脂在内，旋旋入牡蛎末，候满扎定两头，慢火水煮，令脏烂以指甲掐得软为度，款款取出，莫教取破，候冷批开脏取出药末，将脏切细丁，砂盆内研成膏，和药末为丸，如梧桐子大。每服四五十丸至百丸，米饮送下，日进三四服。初服七八日或十余日，小便所出状如凝脂，或如败血，或如细脓条，若曲蟮粪不断，每小便时必出三五次或十数次，切莫疑惑，此是败精出也。

服至半月，病势已减七八分，至月余，病已瘳矣，更服至百日，永久不复发动。

【主治】膏淋，小便精自出，多因惊而得。

瞿麦散

【来源】《魏氏家藏方》卷九。

【组成】瞿麦　滑石（别研）　防风（去芦）　葵子　木通（去皮）　夏枯草　生干地黄（细锉，熟炒）各一两　甘草半两（炙）

【用法】上为散。每服二钱，水一盏，加灯心一小束，葱三寸，同煎六分，温服，不拘时候。甚者不过三服。

【主治】心脏积热，小便赤涩，及一切五淋沙石，旋血痛不可忍。

金沙散

【来源】《妇人大全良方》卷八引陈总领方。

【组成】海金沙草（阴干）

【用法】上为末。每服二钱，煎生甘草汤调下。甚者不过三四服。

【主治】淋。

琥珀散

【来源】《古今医统大全》卷七十一引《经验良方》。

【组成】琥珀　人参

【用法】上将琥珀为末。每服一钱，空心以人参煎汤调服。

【主治】老人、虚人小便不通淋涩。

利水散

【来源】《医方类聚》卷一三三引《经验良方》。

【组成】山梔子　白药子　滑石　木通

【用法】上为末。每服一钱，血淋，酸浆水、甘草煎汤下；石淋，灯心汤下；砂淋，木通汤下；冷淋，新汲水下。

【主治】诸淋。

锈刀散

【来源】《医方类聚》卷一三三引《经验良方》。

【组成】生锈刀一口（多年者最佳）

【用法】用石一块，以盆内碗盛水磨之，澄清。每服半盏或一盏，不拘时候。

【主治】一切淋涩，服药未效者。

榆白皮散

【来源】《医方类聚》卷一三三引《经验良方》。

【组成】榆白皮半两　瞿麦　甘草各七钱半

【用法】上为细末。热水调下半钱。

【主治】诸淋，水道涩痛。

【加减】血淋，加蒲黄，热汤服。

清震汤

【来源】《兰室秘藏》卷下。

【组成】羌活　酒黄柏各一钱　升麻　柴胡　苍术　黄芩各五分　泽泻四分　麻黄根　猪苓　防风各三分　炙甘草　当归身　藁本各二分　红花一分

【用法】上锉如麻豆大，都作一服。以水二盏，煎至一盏，去渣，临卧服。

【主治】小便溺黄，臊臭，淋沥，两丸如冰，阴汗浸多。

【宜忌】忌酒、湿面。

玉兰丸

【来源】《济生方》卷一。

【组成】辰砂一两　鹿茸二两（作片，酥炙）　当归二两（酒浸，焙）　附子（七钱重者）四个（生，去皮脐，各切下项，挖空心，中安辰砂在内，以前项子盖定，用线扎）　木瓜大者两个（去皮瓤，切开项，入辰砂、附子四个在内，以木瓜原项子盖之，线扎定，蒸烂讫，取出。附子切作片，焙干，为末；辰砂细研，水飞；木瓜研如膏。宣木瓜为妙）　柏子仁（炒，别研）　沉香（别研）　巴戟（去心）　黄耆（去芦，蜜炙）　肉苁蓉（酒浸）　茯神（去心）　川牛膝（去芦，酒浸）　石斛（去根，酒浸）各一两　杜仲（去粗皮，酒浸）

菟丝子（水淘净，酒浸，焙，别研） 五味子各一两半 远志（去心，炒）二两

【用法】上为细末，用木瓜膏杵和，入少酒糊为丸，如梧桐子大。每服七十丸，空心米饮、温酒、盐汤任下。

【功用】闭精，补益。

【主治】诸虚不足，膀胱、肾经痼败，阴阳不交，致生膏淋、白浊、遗精之患。

黄芩汤

【来源】《济生方》卷一。

【组成】泽泻 栀子仁 黄芩 麦门冬（去心） 木通 生干地黄 黄连（去须） 甘草（炙）各等分

【用法】上锉。每服四钱，水一盏半，加生姜五片，煎至八分，去滓温服，不拘时候。

【主治】

1.《济生方》：心劳实热，口疮，心烦腹满，小便不利。

2.《仁斋直指方论》：心肺蕴热，咽痛膈闷，小便淋浊不利。

通草汤

【来源】《济生方》卷四。

【组成】通草 王不留行 葵子 茅根 桃胶 瞿麦 当归（去芦，洗） 蒲黄（炒） 滑石各一两 甘草（炙）半两

【用法】上锉。每服四钱，水一盏半，姜五片，煎至八分，去滓温服，不拘时候。

【主治】诸淋。

苍术难名丹

【来源】《仁斋直指方论》卷十。

【别名】茯苓苍术难名丹（《世医得效方》卷七）、苍术丸（《金匮翼》卷八）。

【组成】苍术（杵，去粗皮）一斤（米泔水浸一日夜，焙干） 舶上茴香（炒） 川楝子（蒸，去皮取肉，焙干）各三两 川乌（炮，去皮脐） 故纸（炒） 白茯苓 龙骨（别研）各二两

【用法】上为末，酒面糊为丸，如梧桐子大，朱砂为衣。每服五十丸，空心缩砂煎汤送下；或粳米汤送下。

【主治】元阳气衰，脾精不禁，漏浊淋沥，腰疼力疲。

养心汤

【来源】《仁斋直指方论》卷十一。

【组成】黄耆（炙） 白茯苓 茯神 半夏曲 当归 川芎各半两 远志（取肉，姜汁淹、焙） 辣桂 柏子仁 酸枣仁（浸，去皮，隔纸炒香） 北五味子 人参各一分 甘草（炙）四钱

《古今医鉴》有生地黄一钱。

【用法】上为粗末。每服三钱，加生姜五片，大枣二枚，煎，食前服。

【主治】

1.《仁斋直指方论》：心血虚少，惊惕不宁。

2.《医方简义》：劳淋、气淋。

【加减】加槟榔、赤茯苓，治停水怔悸。

【方论】《医方考》：《内经》曰：阳气者，精则养神。故用人参、黄耆、茯神、茯苓、甘草以益气；又曰：静则养脏，燥则消亡，故用当归、远志、柏仁、酸枣仁、五味子以润燥；养气所以养神，润燥所以润血；若川芎者，所以调肝而益心之母；半夏曲所以醒脾而益心之子；辣桂辛热，从火化也，《易》曰：火就燥，故能引诸药直达心君而补之，《经》谓之从治是也。

参耆汤

【来源】《仁斋直指方论》卷十五。

【组成】赤茯苓七钱半 生干地黄 黄耆 桑螵蛸（微炙） 地骨皮各半两 人参 北五味子 菟丝子（酒浸，研） 甘草（炙）各二钱半

【用法】上锉细。每服三钱，临熟加灯心二十一茎，水煎温服。

【主治】心肺虚而客热乘之，小便涩数而沥。

二神散

【来源】《仁斋直指方论》卷十六。

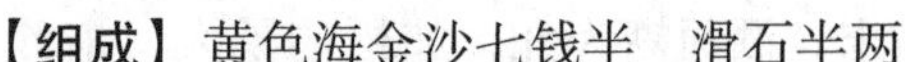

【组成】黄色海金沙七钱半　滑石半两
【用法】上为细末。每服二钱半，多用灯心、木通、麦门冬草，新水煎，入蜜调下。
【主治】诸淋急痛。

木香汤

【来源】《仁斋直指方论》卷十六。
【别名】二木散（《医学入门》卷七）。木香散（《明医指掌》卷七）。
【组成】木香　木通　槟榔　舶上茴香（焙）　当归　赤芍药　青皮（去白）　泽泻　辣桂　橘红　甘草（炙）
【用法】上锉散。每服三钱，加生姜五片，水煎服。
【主治】冷气凝滞，小便淋涩作痛，身体冷清。

五淋散

【来源】《仁斋直指方论》卷十六。
【组成】赤茯苓　赤芍药　山栀仁　生甘草各三分　当归　黄芩各二分
【用法】上为细末。每服二钱半，水一盏，煎至八分，空腹服，或以五苓散和之，用竹园麦门冬草、葱头、灯心煎汤调下。
【主治】
1.《仁斋直指方论》：诸淋。
2.《济阴纲目》：孕妇热结膀胱，小便淋沥。

车前子散

【来源】《仁斋直指方论》卷十六。
【组成】车前子（不炒）半两　淡竹叶　荆芥穗　赤茯苓　灯心各二钱半
【用法】上分作两剂，多用新汲水煎，任意服。
【主治】诸淋小便痛不可忍。

消石散

【来源】《仁斋直指方论》卷十六。
【组成】消石（白者）
【用法】上为细末。每服二钱，血淋，山栀仁煎汤调下；热淋，小便赤而淋沥，脐下急痛，新水调下，或黄芩煎汤下；气淋，小腹胀满，尿后常有余沥，木通煎汤下；石淋，茎内痛割，尿不能出，尿中有沙石，令人闷绝，此证将消石用抄纸隔炒，纸焦为度，再研细，蜀葵子三十粒（打开），煎汤调下。
【主治】诸淋。

木通散

【来源】《仁斋直指小儿方论》卷四。
【别名】木通汤（《古今医统大全》卷八十八）。
【组成】木通（去皮）　萹蓄（去梗）各五钱　大黄　赤茯苓（去皮）　甘草各三钱　瞿麦（去梗）　滑石（末）　山栀仁　车前子　黄芩各二钱
【用法】上锉碎。每服五钱，水一钟，加灯心十根，薄荷五叶，煎至五分，食前服。
【主治】

1.《仁斋直指小儿方论》：小儿湿热蕴积，毒邪留热于膀胱，故生阴疮。

2.《活幼心书》：上膈热，小腑闭，烦躁生嗔，及淋证，诸疮丹毒。

3.《片玉心书》：因暴热所逼，小便涩而不通。

4.《医宗金鉴》：小儿初生，胎中热毒太盛，大小便不通。

葵子散

【来源】《仁斋直指小儿方论》卷四。
【组成】葵子　车前子　木通　瞿麦　桑白皮（炒）　赤茯苓　山栀仁　甘草（微炙）各等分
【用法】上锉。每服一钱，井水一小盏，葱白二寸，煎至七分，食前温服。
【主治】小儿诸淋。

当归芍药汤

【来源】《女科万金方》。
【组成】当归　川芎　芍药　熟地　黄耆　香附　柴胡
【用法】水煎，食前服。

【主治】妇人淋病，出三四色，内热口干，小腹日夜并痛。

参归丸

【来源】《女科万金方》。

【组成】人参　熟艾　石蒲三两　白术一两四钱　扁豆　白芍　川芎　山药　吴茱萸各二两

方中人参、熟艾用量原缺。

【用法】糯米为丸。米汤送下。

【主治】一切淋沥，白带日夕无度，腹冷腰疼，小腹膨胀，内热头眩，或成五色者。

滋荣汤

【来源】《女科万金方》。

【组成】当归　川芎　白芍　柴胡　防风　升麻

【用法】水煎，食前服。

【主治】妇人小便淋沥不止，日夜无度，面黄乏力。

木香灯草丸

【来源】《御药院方》卷六。

【组成】木香　红花　灯草各三两

【用法】上为细末。糯米粉、酒打糊为丸，如梧桐子大。每服七十丸，食前温酒送下。一日三次。

【主治】阴茎中痛，小便涩滞，或浓尿不通。

海金沙散

【来源】《御药院方》卷八。

【别名】大海金砂散（《赤水玄珠全集》卷十五）。

【组成】海金沙（研）　木通　瞿麦穗　滑石（研）　通草各半两　杏仁（汤浸，去皮尖，麸炒黄，研）一两

【用法】上为细末。每服五钱，水一盏半，加灯心二十根，同煎至七分，去滓，食前温服。

【主治】小便淋涩，及下焦湿热，气不施化，或五种淋疾，癃闭不通。

琥珀散

【来源】《御药院方》卷八。

【组成】琥珀（研）　海金砂（研）　没药　蒲黄（研）各一两

【用法】上为细末。每服三钱，食前浓煎萱草根汤调下，一日二次。

【主治】五淋涩痛，小便有脓血出。

茯苓栀子散

【来源】《医方类聚》卷一三三引《施圆端效方》。

【组成】白茯苓　山栀子　甘草（炙）　当归（焙）　白芍药各半两

【用法】上锉。每服三四钱，水一盏半，煎至七分，去滓，食前温服。

【主治】五淋，便血疼痛。

麝香散

【来源】《医方类聚》卷一八四引《吴氏集验方》。

【组成】蚕退纸（烧存性）　晚蚕沙（拣去土）　茧黄（烧存性）　白僵蚕（炒去丝）各等分

【用法】上为末。每服二钱，入麝香少许，用饭饮调下，粪前者食前服；粪后者食后服；血崩涩淋等，不拘时候，每日三次。热淋只用蚕退纸烧灰存性，研末，麝香调，饭饮下。

【主治】肠脏风，小便出血，淋涩疼痛；妇人血崩。

参苓琥珀汤

【来源】《卫生宝鉴》卷十七。

【别名】参茯琥珀汤（《丹溪心法》卷三）。

【组成】人参五分　茯苓（去皮）四分　川楝子（去核，锉炒）一钱　琥珀三分　生甘草一钱　玄胡索七分　泽泻　柴胡　当归梢各三分

【用法】上锉，都作一服。用长流水三盏，煎至一盏，去滓，空心、食前温服。

【主治】小便淋，茎中痛不可忍，相引胁下痛。

【方论】《医方考》经曰：壮者气行则愈，怯者着而成病。是以房劳老弱之人，多有此疾。补可以

去弱，故用人参、茯苓；滑可以去着，故用琥珀、归梢；泻可以去闭，故用泽泻、生甘草；用柴胡者，使之升其陷下之清阳；用玄胡、川楝者，使之平其敦阜之浊气；煎以长流水者，取其就下之意也。

火府丹

【来源】《医垒元戎》。

【组成】黄芩一两　黄连一两　生地黄二两　木通三两

【用法】上为细末，炼蜜为丸，如梧桐子大。每服二三十丸，临卧温水送下。

【功用】泻丙丁火。

【主治】《普济方》：心惊热，小便涩，及五淋。

香芎丸

【来源】《活幼心书》卷下。

【组成】净香附（盐水炒）　川芎　赤茯苓（去皮）各半两　海金砂　滑石各一两　枳壳（水浸润，去壳，锉片，麦麸炒微黄）　泽泻（去粗皮）　石苇（去毛梗，取薄叶）　槟榔（不过火）各二钱半

【用法】上为末，糯米粉煮为清糊，为丸如麻子大。每服三十三丸至五十五丸，或七十七丸，空心用麦门冬煮水送下。若小便涩痛，三五点滴者，取长江顺流水，用火微温，入盐少许调匀，空心咽服。

【主治】

1. 《活幼心书》：小儿诸淋证。

2. 《片玉心书》：小肠受气，客于膀胱，销烁肾水，水道涩而不利，小便涩痛。

绛宫汤

【来源】《瑞竹堂经验方》卷二。

【组成】露蜂房　血余各三两　白茅根五钱

【用法】上为细末，入生麝香少许。每服二钱，食前温酒调下。淋止不须服，甚者不过三五服有效。

【主治】三焦气滞，腹胁生痛，因服热药，引入下焦，膀胱受热，小便淋沥，脐下胀痛。

玉浆散

【来源】《医方类聚》卷二五〇引《永类钤方》。

【组成】滑石一两　甘草二钱（炙）

【用法】上为末。三岁一钱，灯心汤送下。

【主治】小儿小便不通，茎中淋痛，口燥烦渴。

小温金散

【来源】《世医得效方》卷七。

【组成】人参（去芦）　石莲肉（去心）　川巴戟（去心）　益智仁（去壳）　黄耆（去芦）　萆薢（切，酒浸，炒）　麦门冬（去心）　赤茯苓（去皮）　甘草各等分

【用法】上为散。每服三钱，水一盏半，灯心二十茎，红枣二个，水煎，食前温服。

【主治】

1. 《世医得效方》：心虚泛热，或触冒暑热，漩下或赤或白，或淋涩不行，时发烦郁，自汗。

2. 《证治准绳·类方》：心肾虚热，小便赤白淋沥或不时自汗。

海金沙散

【来源】《世医得效方》卷八。

【组成】海金沙　滑石末各一两　甘草末一分

【用法】上为末。每服一匕，用麦门冬汤下；灯心汤亦可。

【主治】膏淋。

香连丸

【来源】《医学启蒙》卷三。

【组成】川黄连（净）一斤（切豆大，同吴萸用汤浸泡良久，去汤，以湿萸同连闷过，方炒连赤色，去吴萸用连）　广木香四两　白芍药四两（醋炒）　平胃散四两

【用法】上为末，醋糊为丸，如梧桐子大。空心米汤送下百余丸；淋浊带下，空心白水送下八十丸。

【功用】和脾胃，除湿热，止泻痢，解宿酲。

【主治】吐酸嘈杂，腹痛，并男子淋浊，女人带下。

五淋散

【来源】《脉因证治》卷二。

【组成】牛膝根　葵子　滑石　瞿麦

【主治】五淋

【加减】冷淋，加附子；热淋，加黄芩；血淋，加栀子；膏淋，加秋石、石韦；气淋，小腹满闭，加沉香、木香。

鸡金散

【来源】《仙拈集》卷二引《医林》。

【组成】鸡内金（去秽净，不用水洗，烧存性）

【用法】上为末。每服二钱，空心白汤送下。

【主治】小便淋沥，痛不可忍。

石韦散

【来源】《医学纲目》卷五。

【组成】石韦　木通　滑石　王不留行各二两　甘草梢一两　当归　白术　瞿麦　芍药　葵子各三两　黄耆二两

【用法】上为细末。每服空心煎汤调下。

【主治】膀胱有热，水道淋涩，或尿如豆汁及出沙石。

葛粉丸

【来源】《医学纲目》卷十四。

【组成】沙糖　葛粉

【用法】上为丸，如梧桐子大。每服一二丸，井花水化开送下。

【主治】男女淋病疼痛。

朴消散

【来源】《普济方》卷二一四。

【组成】朴消五分（研）　海金沙一钱（研）　皂角三分

【用法】上为末。沙糖井花水调下。

【主治】五淋。

赤葵汤

【来源】《普济方》卷二一四。

【组成】赤茯苓　冬葵子　石韦　川泽泻　大白术各等分

【用法】上为细末。每服三钱，水一盏，煎七分，温服。

【主治】小便微痛渐难，欲出不出，痛不可忍者。

皂角酒

【来源】《普济方》卷二一四。

【组成】皂角刺　破故纸各等分

【用法】上为细末，以无灰酒调下。

【主治】淋证。

沉香琥珀散

【来源】《普济方》卷二一四。

【组成】琥珀屑　忘忧根　白通草　小茴香　大萹蓄　木通梢　血竭　滑石　海金沙　木香各半两

【用法】上为粗末，每服一两，水二盏半，灯心一把，竹叶十片，连根葱白三根，同煎七分，去滓，空心食前温服；瀑流水煎，更加极验。

【主治】诸淋涩不通。

【加减】如便硬，加大黄五钱；水道涩痛，加山栀子五钱；淋血，加生地黄一两。

秋石丸

【来源】《普济方》卷二一四。

【组成】肥膏油　白茯苓一两（研）　桑螵蛸（蜜炙）　秋石五钱（研）　鹿角胶（捣碎，炒黄焦，米粒大）半两

方中肥膏油、桑螵蛸用量原缺。

【用法】上为末，和糕糊为丸，如梧桐子大，每服五十丸，人参汤送下。

【主治】浊气干上，精散而成膏淋，黄赤白黯如汁。

香白芷散

【来源】《普济方》卷二一四。

【组成】白芷　郁金　滑石各一两
【用法】上为末。每服一钱，砂石血淋，用竹叶灰温酒调下。甚者二服愈。
【主治】五淋。

姜黄散

【来源】《普济方》卷二一四。
【组成】姜黄　滑石各二两　木通一两
【用法】上为细末。每服一钱，水一盏，煎七分，温下，一日三次。
【主治】五般淋。

海金沙散

【来源】《普济方》卷二一四。
【组成】泽泻　滑石（研，水飞）　猪苓　海金沙（研）各五钱　石韦　净肉桂各一钱（去皮）　白术　甘草　赤茯苓　芍药各三钱
【用法】上为末。每服三钱，水一盏，加灯心，同煎至七分，空心温服。
【主治】五淋涩痛。

琥珀散

【来源】《普济方》卷二一四。
【组成】真琥珀　薄荷　生姜　生地黄　车前子　藕节各等分
【用法】上为细末，取汁调服。一服愈，甚者再服。
【功用】通利。
【主治】五淋。

归芍散

【来源】《普济方》卷二一五。
【组成】当归　白芍药　鹿茸　熟地黄
【用法】上为细末，炼蜜为丸，如梧桐子大。每服三十丸，阿胶汤送下。
【主治】劳淋。小腹疼痛，小便不利。

通草饮子

【来源】《普济方》卷二一五。
【组成】通草三两（一作木通）　葵子一升　滑石四两（碎）　石韦二两
【用法】上切。以水六升，煎取二升，去滓，分三次温服，如人行八九里又进一服。
【主治】热气淋涩，小便赤如红花汁色者。
【宜忌】忌食五辛、热面、炙煿等物。

滑石散

【来源】《普济方》卷二一五。
【别名】木通汤。
【组成】烂滑石　烂石膏各一两　石韦（去尾）　瞿麦穗　木通（去节）　蜀葵子各一钱
【用法】上为末。每服二钱半，用葱头二茎，灯心一握，新水一大盏，蜜二匙，煎汤调下。
【主治】小便不利，赤涩疼痛。

镇心丸

【来源】《普济方》卷二一五。
【组成】川大黄　车前子　乱发灰
【用法】上为细末。每服二钱，食前葱汤调下。

本方方名，据剂型当作“镇心散”。
【功用】镇保心气，宁养神志，宣畅气血，解诸邪壅。
【主治】黄疸鼻衄，小水淋痛，目赤暴肿，或作飞血证。

瞿麦散

【来源】《普济方》卷二一五。
【组成】瞿麦　滑石　生干地黄　郁金
【用法】上药治下筛。每服三钱，水一盏，煎至七分，去滓温服，不拘时候。
【主治】血淋及尿血，水道中涩痛，经络腑脏热甚，则血散其常经，而成血淋。

解毒丸

【来源】《普济方》卷二八六。

【别名】三黄解毒丸（《万病回春》卷二）。

【组成】大黄　黄连　栀子　黄芩各五钱　牵牛　滑石各一两

【用法】上为细末，滴水为丸，如梧桐子大。每服三四十丸，温水送下。加减用服之。

【主治】

1.《普济方》：中外诸邪毒痈肿疮，筋脉拘挛，寝汗咬牙；一切热毒惊悸。

2.《万病回春》：五淋，便浊，痔漏。

泻肝汤

【来源】《普济方》卷三〇一。

【组成】升麻半钱　柴胡五分　羌活根一钱　酒黄柏一钱　苍术半钱　汉防己一钱　红花一钱　藁本二分　当归二分　猪苓三分　泽泻四钱　黄芩半钱　麻黄根三分

【用法】上锉，如麻豆大，都作一服。水三盏，煎至一盏，去滓，临卧服。

【主治】小便尿黄，臊臭淋沥，两丸如冰，阴汗浸多。

【宜忌】大忌酒、湿面。

楮实子丸

【来源】《普济方》卷三二一。

【组成】川牛膝二两（酒浸，焙干）　川草薢一两　楮实子三两（焙）　山药　白姜（炮）　川芎各一两（一方加附子、鹿角霜各一两）

【用法】上为末，用大北枣蒸去皮取肉，研为膏同丸，如梧桐子大。每服四十丸，空心米饮送下。蜜丸亦可。

【功用】平脏益气血。

【主治】妇人忧思伤脾，不能化水，所以湛浊，或下赤白，淋沥不干。

五淋散

【来源】《普济方》卷三八八。

【组成】赤茯苓　赤芍药　山栀子　生甘草　当归　黄芩　车前子　淡竹叶　灯心　木通　滑石　葵子　葶苈（炒）各等分

【用法】上为末，灯心、葱白煎，或入生车前草，擂水调五苓散服，或调消石末服。血淋，白茅根、灯心煎；气淋，小肠胀满，尿后有余沥，木通煎服；热淋，便赤而淋沥，脐下痛，新水调下，或黄芩汤下；石淋，茎内痛，尿涩有沙石，令人闷绝，消石（隔纸炒焦，研末），用葵子煎汤下。

【主治】五淋。

龙骨散

【来源】《普济方》卷三八八。

【组成】鸡肠草一两　牡蛎粉三钱　龙骨　茯苓各半两　麦门冬半两（去心）　桑螵蛸半两

【用法】上锉。每服一钱，水一小盏，枣子同煎服。

【主治】寒淋，小便不禁，或睡中遗出不觉者。

龙香丸

【来源】《普济方》卷三八八。

【组成】龙骨（煅）　牡蛎（煅）各一两　茴香（炒）　白茯苓各半两（一方加赤石脂半两）

【用法】上为末，糯米糊为丸，如小豆大。三岁三十丸，茴香汤送下。

【主治】小儿寒淋，因热淋服冷药太过，小便不禁，或取冷过度，下焦受冷，气入脬，不能禁止，故遗尿。

立效饮

【来源】《普济方》卷三八八。

【别名】立效散（《婴童百问》卷八）。

【组成】木通　甘草　王不留行　竹胡荽　滑石　海金沙　山栀子　槟榔各等分

【用法】上锉。每服一钱，水半盏，煎三分，去滓服。

【主治】小儿诸淋不通，茎中疼痛。

金沙散

【来源】《普济方》卷三八八。

【别名】金沙益元散（《赤水玄珠全集》卷二十

六)。

【组成】郁金　海金沙　滑石　甘草各等分

【用法】上为末。每服三岁一钱，煎落帚母汤调下；灯心、木通汤亦得。

【主治】小儿小便淋沥不通。

桃仁汤

【来源】《普济方》卷三八八。

【组成】茴香　紫苏　槟榔各一两　木通　当归　人参　巴戟(去心)　赤茯苓各三钱　桃仁(炒，去皮)半两

【用法】上锉。每服一钱，水半盏，煎三分，去滓，食前服。

【主治】小儿气淋，水道不通，余沥疼痛。

槟榔散

【来源】《普济方》卷三八八。

【组成】赤芍药一两　槟榔一斤(面裹)

【用法】上为末。同灯心、枣子煎汤调下。

【主治】气淋。

五淋散

【来源】《奇效良方》卷六十四。

【组成】赤茯苓六钱　赤芍药　当归(去芦)　甘草(生用)各二钱

【用法】上锉碎。每服三钱，水一盏，煎至六分，空心服。

【主治】小儿肾气不足，膀胱有热，水道不通，淋沥不出，或尿如豆汁，或如砂石，或冷淋如膏，或热淋便血。

无极丸

【来源】《本草纲目》卷十七引《医林集要》。

【组成】锦纹大黄一斤

【用法】上分作四分：一分用童便一碗，食盐二钱，浸一日，切晒；一分用醇酒一碗，浸一日，切晒，再以巴豆仁三十五粒同炒豆黄，去豆不用；一分用红花四两，泡水一碗，浸一日，切晒；一分用当归四两，入淡醋一碗，同浸一日，去归切晒；为末，炼蜜为丸，如梧桐子大。每服五十丸，空心温酒送下。取下恶物为验、未下再服。

【主治】妇人经血不通，赤白带下，崩漏不止，肠风下血，五淋，产后积血、癥瘕腹痛；男子五劳七伤；小儿骨蒸潮热。

秘传通塞散

【来源】《松崖医径》卷下。

【组成】石韦(去毛)　滑石　瞿麦　萹蓄　冬葵子　木通　王不留行　地肤草各等分

【用法】上为细末。每服三钱，滚白汤调送下。

【主治】小便淋闭，茎中作痛。

三妙丸

【来源】《医学正传》卷五。

【组成】黄柏四两(切片，酒拌，略炒)　苍术六两(米泔浸一二宿，细切，焙干)　川牛膝(去芦)二两

【用法】上为细末，面糊为丸，如梧桐子大。每服五七十丸，空心姜、盐汤任下。

【功用】《中医方剂临床手册》：清热，燥湿。

【主治】

1.《医学正传》：湿热下流，两脚麻木，或如火烙之热。

2.《顾松园医镜》：湿热腰痛，或作或止。

3.《中医方剂临床手册》：湿热下注引起的脚气病，腰膝关节酸痛，湿疮，以及带下、淋浊。

【宜忌】

1.《医学正传》：忌鱼腥、荞麦、热面、煎炒等物。

2.《中国药典》：孕妇慎用。

【方论】《成方便读》：邪之所凑，其气必虚，若肝肾不虚，湿热决不流入筋骨。牛膝补肝肾，强筋骨，领苍术、黄柏入下焦而祛湿热也。

牛膝膏

【来源】《医学正传》卷六。

【别名】地髓汤(《证治准绳·类方》卷六)、牛

膝汤（《景岳全书》卷五十七）、牛膝煎（《不知医必要》卷三）。

【组成】川牛膝一合

【用法】上切细，以新汲水五大盏，煎耗其四，入麝香少许，空心服；或单以酒煮亦可。

【主治】

1.《医学正传》：淋闭。

2.《冯氏锦囊》：小便不利，茎中痛欲死，及妇人血结坚痛。

理气丹

【来源】《医学集成》卷三。

【组成】当归五钱　沉香　滑石　石韦（去毛）　王不留行各一钱　白芍　冬葵子各七钱半　陈皮　甘草各一钱半

【用法】上为末。每服二钱，煎大麦汤送下。

【主治】气淋。丹田胀满，气滞难通。

通窍散

【来源】《活人心统》。

【组成】滑石一钱　硼砂五分　孩儿茶三分　冰片少许

【用法】上为末。以鹅毛管接长，兜药末，口管头对肾窍吹入。

【主治】淋病塞痛不可忍。

既济门冬散

【来源】《活人心统》卷下。

【组成】麦门冬（去心）七分　知母（炒）七分　石韦六分　甘草梢　泽泻五分　冬葵子六分　滑石　五味子

方中甘草梢、五味子、滑石用量原缺。

【用法】水一钟半，入灯心一撮煎服，滓再煎。

【主治】五淋。

金砂散

【来源】《保婴撮要》卷八。

【组成】郁金　海金沙　滑石　甘草各等分

【用法】上为末，每服一钱，煎地肤子汤调下；灯心、木通亦可。

【主治】小便淋沥不通。

龙胆泻肝汤

【来源】《古今医统大全》卷六十。

【组成】龙胆草八分　升麻　柴胡各三分　羌活根　酒黄柏各一钱　防风根　麻黄根各二钱　苍术五分　猪苓　泽泻各三分　藁本　红花　当归各二分　黄芩五分　炙甘草三分

【用法】上锉，作一服。水二盏煎，稍热服。

【主治】尿黄，臊臭淋沥，两丸如水，汗浸两胯，阴头亦冷。

【宜忌】忌酒、面。

五淋二赤散

【来源】《古今医统大全》卷七十一。

【组成】赤芍药二钱　赤茯苓（去皮）　山栀子各半两　甘草　当归（酒浸）各三钱二分

【用法】作二服。每服水一盏半，灯心二十茎煎，空心服。

【主治】诸淋，或如豆汁沙石，或血尿如膏。

地黄丸

【来源】《古今医统大全》卷七十一。

【组成】生地黄（焙）　黄耆各半两　防风　远志（制）　茯神（去木）　鹿茸（酥炙去毛）　黄芩　瓜蒌各一两　人参　石苇（去毛）　当归各半两　赤芍药四钱

【用法】上为细末。每服二钱，食前米饮调下。

本方方名，据剂型当作“地黄散”。

【主治】肾气虚惫，膀胱淋涩。

麦门冬饮

【来源】《古今医统大全》卷七十一。

【组成】麦门冬（去心）　木通　赤芍药　葵子　滑石各二两　芒消一两半

【用法】上每服四钱，水一盏，加生姜一片，葱白二茎，煎六分，食前服。
【主治】心热气滞成淋，脐下妨闷。

金沙五苓散

【来源】《古今医统大全》卷七十一。
【组成】海金沙　肉桂　甘草（炙）各二钱　赤茯苓　猪苓　白术　芍药各三钱　泽泻半两　滑石七钱　石韦一钱
【用法】上为细末。每服三钱，水一盏，灯心三十茎，煎七分，空心服。
【主治】五淋痛涩。

茴香益元散

【来源】《古今医统大全》卷七十一。
【组成】茴香二钱（微炒黄色）　益元散三钱
【用法】上为末。水一盏半，煎八分，食前服。
【主治】气滞尿淋疼痛。

槟榔散

【来源】《古今医统大全》卷七十一。
【组成】槟榔　木香　当归（炒）各半两　母丁香　桂心各一钱　冰片一钱（细研）　猪苓（去黑皮）一两
【用法】上为细末。每服一钱，食前生姜、葱汤调下。
【主治】气淋，小肠急痛。

螺泥膏

【来源】《古今医统大全》卷七十一。
【组成】大田螺不拘多少
【用法】以净水器盛养，待螺吐出泥，澄去上面清水，以底下浓泥入腻粉五分。涂脐上，尿立通。将螺放生。
【主治】热淋小便不通。

制青豆

【来源】《古今医统大全》卷八十七。
【组成】青豆二升　陈皮二两　麻子汁一升
【用法】上先以水煮上项熟，却下麻汁。空心渐食，并饮其汁。
【主治】老人热淋痛涩。

酥蜜煎

【来源】《古今医统大全》卷八十七。
【组成】藕汁五合　白蜜五合　生地黄汁一升
【用法】上和，微火煎令如饧。空心缓缓含咽半匙。
【主治】老人淋病，小便痛涩。
【宜忌】忌热及炙物。

藕蜜膏

【来源】《医学入门》卷三。
【组成】藕汁　白蜜各五合　生地汁一升
【用法】上药和匀，微火煎成膏。每服半匙，空心渐渐含化，食后又服。
【主治】小便长涩，痛闷之极。
【宜忌】忌煎炙。

三味葶苈散

【来源】《医学入门》卷七。
【组成】通草　茯苓各三两　葶苈二两
【用法】上为末。每服方寸匕，水调下，一日三次。
【主治】小便急痛不利，茎中疼痛。

通关丸

【来源】《古今医鉴》卷八。
【组成】黄柏二两（酒炒）　知母二两（酒炒）　肉桂三钱　滑石二两　木通一两
【用法】上为末，水为丸，如梧桐子大。每服百丸，白水送下。
【主治】热在下焦血分，小便不通；兼治诸淋。

琥珀郁金丸

【来源】《古今医鉴》卷八。

【组成】黑牵牛（头末）二两（炒） 大黄（酒浸）二两 黄连一两 黄芩二两 郁金一两 滑石四两 真琥珀二两（研） 茯苓四两

【用法】上为末，水泛为丸，如梧桐子大。每服五十丸，空心熟水送下。

【主治】水火不既济，膀胱受心火所炽而浮，囊中积热，或癃闭不通，或遗泄不禁，或白浊如泔水，或膏淋如脓，或如栀子汁，或如砂石米粒，或如粉糊相似，疼痛不已。

散滞茴香汤

【来源】《古今医鉴》卷八。

【组成】小茴香一钱 当归一钱 乌药一钱 荆芥穗一钱 黄连一钱 木通一钱 萹竹一钱 砂仁八分 薄荷八分 香附子五分

【用法】上锉一剂。加淡竹叶十片，水煎，空心温服。

【主治】诸淋，并妇人赤白带下。

加味导赤散

【来源】《育婴秘诀》卷四。

【组成】木通 生地黄 甘草梢 条芩 栀子仁 泽泻 车前子 柴胡梢各等分

【用法】上为末，每服一二钱，加淡竹叶七片，灯心二十一寸，水煎，食前服。

【功用】泻心火，滋肾水。

【主治】小儿心热肝热，小便赤涩者。

归源汤

【来源】《点点经》卷一。

【组成】故纸 杜仲 赤石 车前子 茯苓 麦冬各一钱半 青盐 淮膝 橘皮各一钱 当归二钱 白芍五分 甘草三分

【用法】韭子（炒，研）三分为引，水煎服。

【主治】酒病成淋，小便不利，红肿作痛，脓浆常渗。

降火汤

【来源】《点点经》卷一。

【组成】黄连（吴萸炒） 石韦 赤芍 姜黄各一钱 杏仁 车前各二钱 黄芩 黄柏 栀仁 腹皮各一钱半 当归三钱 甘草三分 韭菜地地龙粪二钱

【用法】上药焙干，为细末。泡服。

【主治】酒染心脾，渗滞成淋，不拘赤白。

润燥汤

【来源】《点点经》卷一。

【别名】桃杏散、开滞散。

【组成】桃仁 杏仁 大黄各二钱

【用法】共研末。煎一碗，蜜兑服。

【主治】大便不通，小便自利；及酒疾湿毒成淋，气凝血枯，小便不通，小腹作痛，肿结肾囊。

四物五苓散

【来源】《保命歌括》卷八。

【组成】四物用赤芍、生地黄，合五苓散，去桂

【功用】泻膀胱之火。

【主治】小便自溺孔中出，涩数作痛，或杂溺而出者。

灵苑汤

【来源】《赤水玄珠全集》卷十五。

【组成】三叶酸浆草（即布谷饭，取嫩者）

【用法】上捣汁一合，酒一合，搅匀，空心服之，立通。

【主治】卒患诸淋，遗溺不止，小便赤涩疼痛。

滋阴降火汤

【来源】《赤水玄珠全集》卷十五。

【组成】当归 黄柏（盐水炒）各一钱半 知母 牛膝 生地各一钱 白芍一钱二分 甘草梢 木通各八分

【用法】水煎，食前服。

【主治】火燥血少，气不得降而淋。

清水莲子饮

【来源】《仁术便览》卷三。

【组成】石莲肉　赤茯苓　人参　黄耆　甘草　麦冬　地骨皮　黄芩　车前子　地肤子（倍加）

【用法】水煎，空心服。

【主治】上盛下虚，心火炎上，口苦咽燥，微热，小便赤涩，或欲成淋。

必效散

【来源】《万病回春》卷四。

【组成】当归　生地黄（酒洗）　赤茯苓（去皮）　滑石　牛膝（去芦）　山栀　麦门冬（去心）　枳壳　黄柏（酒炒）　知母（酒炒）　扁蓄　木通各等分　甘草减（生）

【用法】上锉一剂，灯草一团，水煎，空心服。

【主治】淋症。

【加减】血淋，加菖蒲、茅根汁；膏淋，加萆薢；气淋，加青皮；劳淋，加人参；热淋，加黄连；肉淋，加连翘；石淋，加石韦；尿淋，加车前；死血淋，加桃仁、牡丹皮、玄胡索、琥珀、黄柏、知母；老人气虚作淋，加人参、黄耆、升麻少许，去黄柏、知母、滑石、扁蓄。

海金沙散

【来源】《万病回春》卷四。

【组成】当归（酒洗）　大黄（酒浸）　川牛膝（酒洗）　木香　雄黄　海金沙各等分

【用法】上为细末。每服一钱半，临卧好酒调服。两服痊愈。

【主治】五淋。

益元固真汤

【来源】《万病回春》卷四。

【组成】人参　白茯苓　莲蕊　巴戟　益智仁　黄柏（酒炒）　升麻各二钱　山药　泽泻各一钱半　甘草梢二钱

【用法】上锉一剂。水煎，空心服。

【主治】纵欲强留不泄，淫精渗下而作淋者。

加味滋肾丸

【来源】《鲁府禁方》卷二。

【组成】黄柏八两（酒拌，晒，炒）　知母八两（法同上）　五味四两　青盐五钱

【用法】上为细末，粥糊为丸，如梧桐子大。每服五七十丸，空心米饮、汤任下。

【主治】热淋管痛，并两足热。

青龙银杏酒

【来源】《鲁府禁方》卷二。

【组成】天棚草（即瓦松嫩者，去根、尖）三钱　银杏（即白果，去壳）七个

【用法】上二味，共一处，顺研极烂，滚黄酒调饮。一服即愈。

【主治】五淋白浊，疼痛苦楚。

治淋四物汤

【来源】《鲁府禁方》卷三。

【组成】当归（酒洗）　川芎　赤芍　生地黄　葶苈　木通　车前子　防风　山栀　条芩各等分

【用法】上锉。加葱白三根，水煎，空心服。

【主治】膀胱热结，小便难。

柴胡清肝散

【来源】《痘疹传心录》卷十八。

【组成】柴胡　黄芩　胆草　川芎　芍药　山栀　连翘　甘草　漏芦

【用法】水煎服。

【主治】

1.《痘疹传心录》：乳母情欲厚味积热，传儿患淋者。

2.《慈幼心传》：小儿肝热下淋。

石韦散

【来源】《杏苑生春》卷七。

【组成】白芍药　白术　滑石　葵子　木通　瞿麦　石韦（去毛）　当归各八分　甘草梢五分　王不

留行　人参　黄耆各七分

【用法】上锉。水煎熟，食前服。

【主治】淋沥不出，脐腹疼痛，劳役则发。

生附子汤

【来源】《杏苑生春》卷七。

【别名】生附子散（《张氏医通》卷十四）。

【组成】黑附子（生）八分　滑石　瞿麦　木通各一钱　半夏七分　蜜少许　灯心二十茎

【用法】上锉。用生姜五片，水煎，空心服。

【主治】冷淋，或因饮水过多，或因寒湿，或因心虚志耗。小便闭涩，数起不通，窍中苦痛，憎寒凛凛。

参术散

【来源】《杏苑生春》卷七。

【组成】人参　白术各一钱五分　泽泻　麦门冬　赤茯苓　甘草梢　滑石各一钱

【用法】上锉。用竹叶三十片，灯心二十茎，水煎，温服。

【主治】气虚淋沥。

加味滋阴散

【来源】《寿世保元》卷五。

【组成】当归二钱　川芎一钱五分　白芍二钱　熟地黄三钱　陈皮二钱　半夏二钱　白茯苓三钱　甘草八分　升麻三分　柴胡五分　牛膝二钱　黄柏一钱五分　知母一钱五分　白术一钱五分　苍术一钱五分

【用法】上锉。水煎，露一宿，空心服。

【主治】诸淋久不止者。

滋阴清火散

【来源】《寿世保元》卷五。

【组成】当归二钱　生地黄三钱　熟地黄三钱　黄柏二钱　知母二钱　黄芩三钱　黄连八分　木通三钱　桑白皮三钱

【用法】上锉。上煎，空心温服。

【主治】小便淋沥疼痛。

加味四物汤

【来源】《济阴纲目》卷十四。

【组成】当归　川芎　赤芍药　生地黄　甘草梢　杜牛膝　木通各一钱　桃仁（去皮尖）五个　滑石一钱半　木香

方中木香用量原缺。

【用法】上锉。水煎服。

【主治】诸淋属于热者。

通闭散

【来源】《明医指掌》卷七。

【组成】香附五钱　陈皮五钱　赤茯苓一两

【用法】上为末。每服二钱，水煎，空心服。

【主治】

1.《明医指掌》：血热成淋。

2.《证治汇补》：气壅小便不利。

保阴煎

【来源】《景岳全书》卷五十一。

【组成】生地　熟地　芍药各二钱　山药　川续断　黄芩　黄柏各一钱半　生甘草一钱

【用法】上以水二钟，煎七分，食远温服。

【主治】

1.《景岳全书》：男妇带浊遗淋，色赤带血，脉滑多热，便血不止，及血崩血淋，或经期太早，凡一切阴虚内热动血等证。

2.《妇科玉尺》：胎气热而不安，及产妇淋沥不止。

【加减】如小水多热或兼怒火动血者，加焦栀子一二钱；如夜热身热，加地骨皮一钱五分；如肺热多汗者，加麦冬、枣仁；如血热甚者，加黄连一钱五分；如血虚血滞，筋骨肿痛者，加当归二三钱；如气滞而痛，去熟地，加陈皮、青皮、丹皮、香附之属；如血脱血滑及便血久不止者，加地榆一二钱，或乌梅一二个，或百药煎一二钱，文蛤亦可；如少年或血气正盛者，不必用熟地、山药；如肢节筋骨疼痛或肿者，加秦艽、丹皮各一二钱。

加味四苓散

【来源】《济阳纲目》卷九十一。

【组成】茯苓　猪苓　泽泻　白术各五分　滑石　栀子各一钱　甘草二分　灯心三十茎

【用法】上锉，水煎，空心服。

【主治】诸淋。

加味凉膈散

【来源】《济阳纲目》卷九十一。

【组成】大黄　朴消　甘草各三两　连翘　滑石各四两　栀子仁　黄芩　薄荷　茯苓各一两

【用法】上为末。每服一两，加竹叶、蜜少许，水煎服。

【主治】淋闭。

加味益元散

【来源】《济阳纲目》卷九十一。

【组成】滑石二钱　甘草五分　车前子一钱

【用法】上为末。水调服。

【主治】诸淋。

加味益元散

【来源】《济阳纲目》卷九十一。

【组成】益元散二钱　加茴香一钱（微炒黄）　木香　槟榔各二分半

【用法】上为末。水调服。

【主治】气滞，卒淋急痛。

加味六君子汤

【来源】《济阳纲目》卷九十一。

【组成】人参　白术　白茯苓　甘草　陈皮　半夏　黄柏　知母　滑石　石苇　琥珀

【用法】上锉。水煎服。

【主治】苦病淋而茎中痛甚，不可忍者。

五淋散

【来源】《丹台玉案》卷五。

【组成】当归　小蓟　赤芍　山栀仁（炒黑）　赤茯苓各二钱　甘草八分　灯心三十茎

【用法】水煎，空心服。

【主治】肾气不足，膀胱有热，水道不通，淋沥不断，或尿如豆汁，或出砂石，或下膏糊，或便鲜血。

加味八正散

【来源】《丹台玉案》卷五。

【组成】车前子　瞿麦　萹蓄　滑石　生甘草各一钱五分　山栀仁　木通　大黄　赤茯苓　黄柏各一钱

【用法】加灯心三十茎，水煎，空心服。

【主治】小便气滞淋涩，初起茎中作痛。

苓珀丸

【来源】《丹台玉案》卷五。

【组成】当归　白茯苓　白芍　川芎　生地各二两　琥珀一两　鹿茸一对（酥炙）　木通六两（煎汤）

【用法】上为末，以木通汤为丸。每服二钱五分，空心滚汤送下。

【主治】劳淋，遇劳即发，痛坠及尻。

鹿角霜丸

【来源】《丹台玉案》卷五。

【组成】鹿角霜四两　白茯苓三两　秋石二两五钱　海金沙二两

【用法】上为末，老米糊为丸。每服三钱，空心白滚汤送下。

【主治】膏淋。溺与精并出，混之如糊，如米泔者。

清肝散

【来源】《丹台玉案》卷五。

【组成】车前子　黄柏各三钱　甘草梢　青皮各一钱　木通　泽泻各二钱

【用法】上加灯心三十茎，水煎，空心服。

【主治】肝经气滞，积热而淋，茎中刺痛如刀割。

滋肾丸

【来源】《丹台玉案》卷五。

【组成】黄柏（姜水炒） 知母（盐酒炒） 白芍（酒炒） 麦门冬（去心） 白茯苓（去皮） 人参各二两 枸杞子 鳖甲（羊酥炙） 天门冬（去心） 生地 山茱萸（去核） 牛膝各一两二钱 甘草八钱

【用法】上为细末，炼蜜为丸。每服三钱，空心盐汤送下。

【主治】肾经不足，内热闭固，诸火不能升降，虽不甚渴，而小便不利，淋涩作痛。

苁蓉丸

【来源】《何氏济生论》卷五。

【组成】肉苁蓉 熟地 山药 石斛 牛膝 官桂 槟榔各五钱 附子 黄耆各一两 黄连七钱五分 细辛 甘草各二钱五分

【用法】炼蜜为丸，如梧桐子大。每服二十丸，盐汤送下。

【主治】冷淋。

琥珀珍珠散

【来源】《医林绳墨大全》卷六。

【组成】琥珀 珍珠 郁金 王不留行 当归 滑石 海金沙 石韦 甘草节各等分 朱砂减半

【用法】上为细末。每服二钱，空心淡竹叶、灯心汤送下。

【主治】小便浑浊淋涩。

寄奴汤

【来源】《辨证录》卷二。

【组成】白术一两 茯苓三钱 肉桂一钱 柴胡一钱 刘寄奴二钱

【用法】水煎服。

【主治】小便艰涩，道涩如淋，而下身生疼，时而升上有如疝气，此为风寒湿邪入于小肠而成痹。

化精丹

【来源】《辨证录》卷六。

【组成】熟地二两 人参五钱 山茱萸一两 车前子三钱 麦冬一两 牛膝五钱 白术一两 生枣仁五钱 沙参一两

【用法】水煎服。

【主治】心肾不交，精浊，水道涩如淋而作痛。

【方论】此方人参以生心中之液，熟地、山茱、沙参以填肾中之阴，麦冬以益肺金，使金之生水，则肾阴尤能上滋于心；又得生枣仁之助，则心君有权，自能下通于肾，而肾气既足，自然行其气于膀胱；又得白术利腰脐之气，则尤易通达；复得牛膝、车前下走以利水，则水窍开而精窍自闭，何患小肠之燥涩乎！心液非补肾不化，精窍非补肾不闭，倘单用利水逐浊之味，何能取效哉？

气化汤

【来源】《辨证录》卷八。

【组成】白术一两 茯苓 猪苓 车前子各三钱 黄耆一两 升麻五分

【用法】水煎服。

【主治】感湿气而成淋，其症下身重，溺管不痛，所流者清水而非白浊。

分浊饮

【来源】《辨证录》卷八。

【组成】萝卜子一两 白茯苓 泽泻 车前子各五钱 甘草 黄柏各一钱 炒栀子三钱

【用法】水煎服。

【主治】清浊不分，下痢之时因而小便闭塞，溺管作痛，变为淋者。

禹治汤

【来源】《辨证录》卷八。

【组成】白术一两 茯苓一两 薏仁一两 车前子三钱

【用法】水煎服。

【功用】利气去淋。

【主治】感湿气而成淋者，其人下身重，尿管不痛，所流者清水而非白浊。

【方论】此方利水而不耗气，分水而不生火，胜于五苓散实多。盖五苓散有猪苓、泽泻，未免过于疏决；肉桂大热，未免过于熏蒸，不若此方不热不寒，能补能利之为妙也。大约服此汤至十剂，凡有湿症无不尽消，不止淋病之速愈也。

通肾祛邪散

【来源】《辨证录》卷八。

【组成】白术一两　茯苓五钱　瞿麦一钱　苡仁五钱　扁蓄一钱　肉桂三分　车前子三钱

【用法】水煎服。

【主治】肾虚而感湿热所致淋证。

清肺饮

【来源】《证治汇补》卷八。

【组成】茯苓　黄芩　桑皮　麦冬　山栀　泽泻　木通　车前

【主治】肺脾气燥淋病。

散淋汤

【来源】《辨证录》卷八。

【组成】白术二两　杜仲一两　茯苓一两　豨莶二钱　苡仁五钱　黄柏一钱　肉桂一分

【用法】水煎服。

【功用】逐膀胱湿热，益肾中之气。

【主治】肾虚而感湿热，致成淋证。

散精汤

【来源】《辨证录》卷八。

【组成】刘寄奴一两　车前子五钱　黄柏五分　白术一两

【用法】水煎服。一剂即愈。

【主治】行房忍精，膀胱之火壅塞，致小便流白浊；如米泔之汁，如屋漏之水，或痛如刀割，或涩似针刺，溺溲短少，大便后急。

【方论】此方用白术以利腰脐之气，用车前以利水，用黄柏以泻膀胱之火，用寄奴以分清浊，而此味性速，无留滞之虞，取其迅速行水止血，不至少停片刻也。

参术加桂汤

【来源】《辨证录》卷十一。

【组成】茯苓一两　白术一两　肉桂一钱　人参五钱

【用法】水煎服。十剂而膀胱通利，腹亦不胀，可以受娠。

【主治】妇人肾气不旺，胞胎之水气不化；小水艰涩，腹中作胀，两腿虚浮，不能怀孕。

参苓琥珀散

【来源】《张氏医通》卷十四。

【组成】人参　延胡索各五钱　丹皮　茯苓各四钱　川楝子（煨，去皮核）　琥珀各二钱　泽泻　当归梢　甘草梢（生）各三钱

【用法】上为散。每服四钱，长流水煎，去滓热服，一日二次。

【主治】小便淋涩，茎中痛引胁下。

安营饮

【来源】《嵩崖尊生全书》卷十四。

【组成】白术　当归　麦冬各二钱　茯苓皮　通草各一钱　甘草四分　灯心五分　黄芩七分　竹叶十个

【主治】淋病。

五淋散

【来源】《良朋汇集》卷二。

【组成】赤茯苓六钱　当归五钱　生地　泽泻　条芩各一钱　生甘草　木通各五钱　赤芍药　车前子　滑石　山栀各一两

【用法】上锉散，作五剂。水二钟，煎八分，空心服。滓再煎服。

【主治】肺气不足，膀胱有热，水道不通，淋沥不出，或尿如豆汁，或如砂石，或冷淋如膏，或热

淋尿血。

万灵丹

【来源】《良朋汇集》卷三。

【组成】沉香　乳香（去油）　砂仁　香附米（炒）　姜黄　丁香　藿香　白芷　黄连　枳实（麸炒）　甘草　巴豆霜　黄芩　厚朴（苏油炙）各六钱　木香　牙皂（去皮，炒）　青皮　连翘（去心）　大黄（酒炒）　草豆蔻　陈皮　黄柏　生地　南山楂（去核）　川芎　红花　栀子（炒）　杏仁（去尖，炒）各一两　雄黄　朱砂各四钱　血竭八钱

【用法】上为细末，醋糊为丸，如梧桐子大。每服大人二十丸，小儿十丸、五丸、六丸，水泻，姜汤送下，小儿米汤送下；红痢，甘草汤送下；白痢，灯心姜汤送下；疟疾，桃叶汤送下；气滞，乳香汤送下；酒滞，茶清送下；食滞，滚白水送下；胸膈嘈杂，茶清送下；胃脘疼，姜汤送下；心口疼，茶醋汤送下；眼目赤肿，菊花汤送下；大小便不通，茶清送下；五淋白浊，车前子汤送下；寒嗽，甘草汤送下；热嗽，桑白皮汤送下；疝气，小茴香汤送下；牙疼，细辛汤送下；口内生疮，薄荷汤送下；宿食宿酒，茶清送下；小儿疳症，竹叶、蜜汤送下；小儿惊悸，朱砂、乌梅汤送下；以上引俱凉用。

【主治】气滞、酒滞、食滞，胸膈嘈杂，胃脘疼，水泻，赤白痢，大便不通，五淋白浊，疝气，嗽，疟疾，眼目赤肿，牙疼，口内生疮；小儿惊悸、疳症。

木通车前汤

【来源】《伤寒大白》卷二。

【组成】木通　车前子　山栀　川连　知母　黄柏　生地　甘草

【功用】清小肠热，通利膀胱。

【主治】下焦热结，小便淋秘。

五淋汤

【来源】《顾松园医镜》卷十五。

【组成】生地　二冬　知母　黄柏　甘草梢　牛膝　车前子　茯苓

【主治】淋症。

【加减】气淋，加沉香、郁金；血淋，加茅根、藕汁；膏淋，加川萆薢、川石斛；砂淋，加滑石末调服；因房劳伤肾者，加枸杞、苁蓉；因思劳心者，加柏仁、丹参；因劳倦伤脾者，加人参。

【方论】生地壮水滋阴，血淋多用；二冬清肺气，化及州都，小便自然顺利；知母泄膀胱、肾家之火，又能利水；黄柏利水窍涩痛；甘草梢止茎中作痛；牛膝治小便不利、茎中痛甚者立效，血淋更宜；车前开窍通淋；茯苓渗湿利水。此方通治五淋，须随症活法加减用之。

分利饮

【来源】《幼科直言》卷五。

【组成】泽泻　猪苓　怀牛膝　车前子　归尾　黄芩　黄连　甘草梢　薄荷

【用法】竹叶为引。

【主治】小儿赤白淋疾，痛不可忍者。

加味地黄汤

【来源】《幼科直言》卷五。

【组成】熟地黄　山萸肉　白茯苓　泽泻　山药　牡丹皮　葳蕤

【用法】水煎，空心服。

【主治】小儿因先天肾气不全，而致生单龟背，痰齁已定者；小儿淋疾，肝肾亏虚，淋而不痛，久而下愈，或为药饵所伤者。

加味逍遥散

【来源】《幼科直言》卷五。

【组成】白术（炒）　白芍（炒）　白茯苓　当归　薄荷　柴胡　陈皮　甘草　芡实　丹皮　白莲须

【用法】水煎服。

【主治】小儿淋症不痛者；或久淋不愈者。

萆薢饮

【来源】《医学心悟》卷三。

【组成】萆薢三钱　文蛤粉（研细）　石韦　车前子　茯苓各一钱五分　灯芯二十节　莲子心　石菖蒲　黄柏各八分

【主治】膏淋，诸淋。

【验案】乳糜尿　《甘肃中医学院学报》（1997，1：16）：用本方加味：萆薢、石苇、茯苓、莲肉、文蛤壳、银杏、黄柏、菖蒲、车前子、灯芯、荠菜花，发热加柴胡、知母；脾虚加淮山药、白扁豆；肾阴虚加生地、败龟板；肾阳虚加仙灵脾、鹿角片；血尿加阿胶、墨旱莲。治疗乳糜尿38例。结果：治愈率57.89%，好转率34.21%，总有效率92.1%。

假苏散

【来源】《医学心悟》卷三。

【组成】荆芥　陈皮　香附　麦芽（炒）　瞿麦　木通　赤茯苓各等分

【用法】上为末。每服三钱，开水调下。

【主治】气淋。

萆薢分清饮

【来源】《医学心悟》卷四。

【组成】川萆薢二钱　黄柏（炒褐色）　石菖蒲各五分　茯苓　白术各一钱　莲子心七分　丹参　车前子各一钱五分

【用法】水煎服。

【功用】《证因方论集要》：导湿理脾。

【主治】

1. 《医学心悟》：赤白浊属湿热者。
2. 《寿世青编》：诸淋。

助胆导水方

【来源】《惠直堂方》卷二。

【组成】柴胡　黄芩各二钱　白芍　车前各五钱　茯神　泽泻　栀子　苍术各三钱

【用法】水煎服。

【主治】肝胆虚弱，感湿成淋。

金液五精丸

【来源】《不居集》上集卷二。

【组成】秋石十两（金精）　白茯苓二两（木精）　莲肉八两（水精）　川椒二两（火精）　小茴香五两（土精）

【用法】上为末，酒糊为丸，如梧桐子大。每服二十丸，空心酒送下，或椒盐汤送下，以干物压之。

【功用】补虚助阳，壮神气，暖丹田，增颜色，和五脏，润六腑，除烦热，治淋浊，消积块，暖子宫。

【方论】《医略六书》：精寒不化，尿道亦不能清，故小便淋沥，时流浊液不已。秋石滋阴涤垢，以清淋漓浊液之源流；茯苓渗湿和中，以利膀胱之水气；莲肉清心醒脾土；川椒补大暖精室；小茴温气化以散寒湿也。蜜丸，椒盐汤下，使精暖寒消，则气行湿化，而小便清长，淋浊无不瘳矣。此暖精渗湿之利，为精寒淋浊之专方。

木香汤

【来源】《医略六书》卷二十五。

【组成】木香钱半　槟榔一钱　木通钱半　青皮钱半（炒）　小茴半钱（盐水炒）　陈皮钱半　泽泻钱半　生草梢一钱

【用法】水煎，去滓温服。

【功用】通调气化。

【主治】气淋涩痛，脉沉者。

【方论】木香调中气以通淋，槟榔破滞气以通闭，青皮平肝气以疏泄膀胱，陈皮和胃气以通调水道，木通通小便，泽泻利膀胱，小茴温经调气化，草梢和药缓茎中也，水煎温服，使中气调和，则诸气皆顺，而膀胱之气无不化。

黑附子散

【来源】《医略六书》卷二十五。

【组成】附子三两（焙黑）　滑石三两（姜汁炒）　半夏二两（姜汁制）　瞿麦二两（姜汁炒）　通草一两半

【用法】每服三钱。加生姜三片，灯心三茎，煮汤去滓，入盐少许调服。

【功用】补火通淋。

【主治】冷淋涩痛，憎寒，脉弦细者。

【方论】附子补火御冷，炮黑更能燥脬中之湿；滑石通闭利窍，姜制力可彻脬中之寒；半夏燥湿却水；瞿麦利水通淋；通草利小水以快小便也。生姜以散之，灯心以利之，二味煎汤，少入盐花送下，使之速归水府，则寒回春谷而憎寒自退，溲溺通调，淋数涩痛无不瘳矣。此补火通淋之剂，为冷淋涩痛憎寒之专方。

加味八正散

【来源】《医宗金鉴》卷四十三。

【组成】萹蓄　木通　瞿麦　栀子　滑石　甘草　车前子　大黄　石苇　木香　冬葵子　沉香

【主治】肺热而为气淋。

五苓散

【来源】《医宗金鉴》卷五十四。

【组成】白术（土炒）　泽泻　猪苓　肉桂　小茴香　赤茯苓

【用法】水煎服。

【主治】寒淋。冷气入胞，以致小便闭塞，胀痛难禁，不时淋漓，少腹隐痛。

二仙饮

【来源】《绛囊撮要》。

【组成】甘草　木通各一两

【用法】水煎，空心服。

【主治】溺时痛如刺。

海金沙散

【来源】《幼幼集成》卷四。

【组成】香附米（酒炒）　正川芎（酒炒）　赤茯苓（酒炒）各五钱　海金沙　白滑石（水飞）各一两　陈枳壳（炒）　宣泽泻（焙）　陈石韦（焙）　尖槟榔（炒）各二钱五分

【用法】上为细末。每服一钱，淡盐汤调下。

【主治】小儿诸淋属热者。

沉香散

【来源】《医碥》卷七。

【组成】沉香　石韦（去毛）　滑石　当归　王不留行　瞿麦各半两　黄连（去须）七钱半　细辛（去苗叶）　甘草（炙）各二钱半

【用法】上为末。每服二钱，以大麦汤调服，以利为度。

【主治】冷淋。

便浊饮

【来源】《医碥》卷七。

【组成】白茯苓　半夏　甘草梢　泽泻　车前　土牛膝　萆薢

【主治】胃中湿热下流，伤于气分，而发膏淋。

桂枝苓泽汤

【来源】《四圣心源》卷六。

【组成】茯苓三钱　泽泻三钱　甘草三钱　桂枝三钱　芍药三钱

【用法】水煎大半杯，热服。

【主治】淋家土湿脾陷，抑遏乙木，发生之气疏泄不畅，故病淋涩；木郁风动，精液耗损，必生消渴。

【加减】肝燥发渴，加阿胶。

【方论】苓、泽、甘草培土而泄湿，桂枝、芍药疏木而清风。

通淋散

【来源】《仙拈集》卷二。

【组成】海金沙　滑石各一两　甘草二钱半

【用法】上为末。每服二钱，麦冬煎汤调下，日服二次。

【主治】膏淋如油。

柏叶乳

【来源】《经验广集》卷二。

【组成】人乳一大杯　侧柏叶（捣取汁）

【用法】上调令和，空心热服。

【主治】淋病。

滑石矾石甘草散

【来源】《方极》。

【组成】滑石　矾石各六两　甘草三两

【用法】上为末。每服一钱，温汤送下。

【主治】淋痛，小便不利者。

家方紫金沙散

【来源】《梅疮证治秘鉴》卷下。

【组成】紫金沙（即露蜂房，炒）　鲮甲（炙）各一两　蛇蜕皮（炒）半两　辰砂　琥珀各一钱半

【用法】上研极细末。每服五分，白汤或温酒送下，一日三次。或为丸用亦可。

【主治】脓淋初起，脓汁常漏下，如妇人白带，或阴头下际穿小窍漏下脓水。

黄耆鲮甲汤

【来源】《霉疮证治》卷下。

【组成】人参　黄耆　芎藭各一钱　当归二钱　忍冬花　防己各一钱半　升麻　防风　穿山甲各八分　甘草五分

【用法】加生姜，水煎，温服。

【主治】浓淋初起。

生地黄丸

【来源】《杂病源流犀烛》卷九。

【组成】生地　黄耆各两半　防风　鹿茸　茯神　远志　瓜蒌仁　黄芩各一两　人参一两二钱半　当归五钱　赤芍　蒲黄　戎盐各七钱半　炙草七钱　车前子　滑石末各二两

【用法】蜜为丸服。

【主治】肾虚劳淋。

冬葵子汤

【来源】《医级》卷八。

【组成】冬葵子　猪苓　赤苓　枳实　瞿麦　车前　木通　黄芩　滑石　甘草

【用法】加生姜，水煎服。

【主治】膀胱积热，腹胀，溺痛涩，口燥舌干。

固真秘元煎

【来源】《医级》卷九。

【组成】人参一钱　菟丝三钱　龙齿一钱　五味五分　茯苓一钱半　芡实　金樱子二钱　桑螵蛸　车前各一钱五分

方中芡实用量原缺。

【主治】久带、久淋、梦与鬼交，并治男子梦遗精滑。

小解毒汤

【来源】《名家方选》。

【组成】山归来（土茯苓）二钱　滑石　泽泻　阿胶　茯苓　木通　忍冬各七分五厘　大黄三钱

【用法】水煎服。

【功用】

1.《名家方选》：解毒利水。

2.《古今名方》：清热利湿，通淋止痛。

【主治】气结于内之淋疾，小便涩，疼痛甚，下脓血。

银杏汤

【来源】《名家方选并续集》。

【组成】杏仁十个　冰沙糖二钱　甘草少许

【用法】水煎服。

【主治】妇人淋沥疼痛，不可忍者。

加减八味丸

【来源】《会约医镜》卷十一。

【组成】熟地八两　枣皮　淮山药各四两　茯苓三两（或不用）　附子四两　肉桂三两　补骨脂（盐炒）三两　杜仲（盐炒）三两　莲芯三两（少则用莲须）　牡蛎（锻，醋淬，如是者三次。净粉）三两　巴戟（去心，酒浸）四两　金樱子（去刺，半生者佳）三两

【用法】炼蜜为丸服。

【主治】命门火衰，肾无关键，其淋如膏，不痛不涩，日夜频流，却不自知，两尺脉虚而涩。

【加减】或加菟丝子（酒蒸）四两。

开闭煎

【来源】《产科发蒙》卷四。

【组成】夏枯草　白茅根　荠草　瞿麦　茯苓　冬葵子　西洋参　滑石　甘草

【用法】水煎，温服。

【主治】男、妇小便淋闭。

五圣饮

【来源】《产科发蒙》卷四。

【组成】萍蓬根四钱　车前子　蜀黍　苏木　甘草各二钱

【用法】以水六合，煮取三合，去滓温服。

【主治】诸淋。

石韦汤

【来源】《产科发蒙》卷四。

【组成】石韦　瞿麦　车前子　葵子　木通　甘草　茯苓

【用法】水煎服。

【主治】妇人小便淋沥，阴中痛。男子脓淋。

缓疼煎

【来源】《产科发蒙》卷四。

【组成】当归　川芎　芍药　地黄　焰消　甘草　车前子

【用法】水煎服。

【主治】诸淋。小便涩痛，不可忍者。

水门顶

【来源】《串雅补》卷一。

【组成】黄柏一两（盐水炒）　知母一两（盐水炒）　川椿子二两　乌煤（即煤炭，一名乌金石。如无，陈芦柴根烧炭代之）二两

【用法】上为细末。每服一两，冷水送下。

【主治】淋，带。

黄耆甘草汤

【来源】《医林改错》卷下。

【组成】黄耆四两（生）　甘草八钱

【用法】水煎服。病重一日两付。

【主治】老年溺尿，玉茎痛如刀割，不论年月深久。

七正散

【来源】《证因方论集要》卷二。

【组成】车前子　木通　滑石　山栀　瞿麦　扁蓄　甘草

【用法】加灯心为引。

【主治】心经蕴热，小便赤涩，淋闭不通及血淋。

【方论】通可以去滞，泻可以去秘，滑可以去着，故用木通、瞿麦、扁蓄通其滞；用山栀泻其秘；用车前、滑石滑其着；用甘草梢，取其坚实能泻热于下。

肺肾交固汤

【来源】《证因方论集要》卷四引黄锦芳方。

【组成】黄耆（炙）　白术（土炒）　附子（制）　菟丝子　龙骨　白芍（炒）

【主治】淋浊，尿必淋滴作痛，身觉作冷，脾胃不健，胀闷不快。

【方论】肺虚肾亏，恶寒遗精，君以黄耆大补肺气；肺气既虚，脾自不健，故有食则不消之虞，臣以白术微补脾气；脾气既薄，肾水肾火亦微，故精自不克固，用附子补火、菟丝补水为佐；加龙骨以镇肝魂，白芍以敛肝逆，则肺肾交固而无遗脱之象矣。

通府保精丸

【来源】《鸡鸣录》。

【组成】粉萆薢　荷叶蒂　槐米　黄柏（盐水炒）

各三两　海金砂二两五钱　象牙屑（酒炒）　扁蓄各二两　滑石（飞）一两五钱　甘草梢　赤苓各一两

【用法】上为末，用车前子五两煎汤为丸，如梧桐子大。每服三钱，土茯苓汤送下；开水亦可。

【主治】肾家经火，败精阻窍，内热溺艰，结痂淋浊。

加味三才汤

【来源】《医醇剩义》卷一。

【组成】天冬二钱　生地四钱　沙参四钱　丹参二钱　柏仁二钱　萆薢二钱　泽泻一钱五分　车前二钱　甘草四分

【用法】用藕三两，苡仁三两，同煎汤代水。

【主治】虚体夹湿，淋浊不痛。

牡丹皮汤

【来源】《医醇剩义》卷一。

【组成】丹皮二钱　赤芍一钱　木通一钱　萆薢二钱　花粉二钱　瞿麦二钱　泽泻一钱五分　车前二钱　甘草四分

【用法】苡仁二两，煎汤代水。

【主治】湿热内蕴，移于下焦，小溲混浊作痛。

琥珀导赤汤

【来源】《医醇剩义》卷二。

【组成】琥珀一钱　天冬一钱五分　麦冬一钱五分　生地五钱　丹参二钱　丹皮二钱　赤芍一钱　木通一钱　甘草梢五分　淡竹叶十张　灯心三尺

【主治】心经之火，移于小肠，溲溺淋浊，或涩或痛。

滋阴润燥汤

【来源】《医醇剩义》卷二。

【组成】天门冬　麦门冬各一钱半　琥珀一钱　丹参二钱　元参一钱五分　生地五钱　阿胶一钱半（蛤粉炒）　丹皮一钱半　泽泻一钱半　牛膝一钱半

【用法】加灯心三尺，水煎服。

【主治】小肠受燥热，水谷之精不能灌输，溲溺涩痛。

固精保元膏

【来源】《理瀹骈文》。

【组成】党参　黄耆　当归各五钱　甘草　五味子　远志　苍术　白芷　白及　红花　紫梢花各三钱　肉桂二钱　附子一钱

【用法】上以麻油二斤，熬黄丹收，鹿角胶一两，乳香、丁香各二钱，麝香一钱，加芙蓉膏二钱搅匀。贴脐上及丹田。

【功用】固精保元，暖肾补腰膝，去寒湿，久贴暖子宫。

【主治】一切腹痛，痞疾，梦遗，五淋，滑淋，白浊，妇人赤白带下，经水不调；又治色欲过度之阳痿。

【加减】阳痿，加阳起石二钱。

加减生四物汤

【来源】《医门八法》卷三。

【组成】当归身五钱（生）　生地黄五钱　生白芍三钱　乌梅肉三个（去骨）　知母肉三钱　怀牛膝三钱

【主治】淋浊，阴虚水亏，虚烦不寐，热势较盛者。

加减补中益气汤

【来源】《医门八法》卷三。

【组成】潞党参五钱　炙黄耆三钱　炙甘草二钱　炙升麻一钱　当归身三钱（炒）　熟地黄三钱　醋白芍二钱　乌梅肉三个（去核）

【主治】年老虚弱之人，气虚不能收摄，小便烦数，滴沥不止。

二苓二术汤

【来源】《医方简义》卷二。

【组成】白术二钱　苍术一钱　白茯苓三钱　赤茯

苓三钱　陈皮一钱　天仙藤二钱　通草一钱　草豆蔻一钱

【用法】水煎服。

【主治】湿证。

【加减】如湿邪上受，而为外湿者，加羌活、独活、防己各一钱五分；如湿自下受，而为内湿者，加木瓜、淡附片各二钱；如湿伤腑阳，泄泻，小便短涩者，加淡干姜、川连各八分；欲呕，加姜半夏一钱五分；欲暖，加厚朴一钱，代赭石一钱；挟食，加槟榔、枳实（炒）各二钱；腰重，加防己，生黄耆各二钱；湿注小肠，淋痛者，加琥珀八分，猪苓、滑石各三钱；肿而脉涩者，加姜三片，淡附片二钱，车前子（炒）三钱；痰多，加竹茹一丸大。

加减归脾汤

【来源】《医方简义》卷五。

【组成】炙绵黄耆三钱　白术一钱五分　炙甘草五分　枣仁（炒）一钱　远志肉（炒）　广木香各八分　归身　茯神　党参各三钱　煅龙骨二钱　乌贼骨一钱

【用法】水煎服。

【主治】白淫、白淋、白带。

五淋散

【来源】《血证论》卷八。

【组成】山栀子三钱　车前子三钱　当归尾三钱　甘草一钱

【功用】清心平肝利水。

【主治】心遗热于小肠，结而为淋。

五气朝元丹

【来源】《青囊秘传》。

【组成】雄黄三两　雌黄三两　硫黄五钱　乌玄参四钱　青铅二两

【用法】用直口香炉一个，外用细泥和铁花、头发调匀泥炉，用铜丝扎紧，以泥不燥裂为度，约厚至半寸。先将乌玄参、青铅放勺内烊化，篾丝作圈，置于地上，将药味倾入，作饼两块，先放一块于香炉内，次将前三味放上，再盖饼一块于上，用铁打灯盏仰盖之，用盐泥封固，用文武火煅一日，盏内以水汲之，则丹飞升于盖盏底内，以刀刮下听用。男子病症药引：左瘫右痪，黄酒；中风不语，南星；半身不遂，黄酒；腿痛难行，木瓜；腰痛挫气，肉苁蓉；虚弱痨症，人参、杏仁；五淋常流，赤苓；胃气疼痛，艾醋；遗精梦泄，龙骨；脾胃两伤，陈皮；下部痿软，归尾、牛膝；肛门虫积，槟榔；各种痧症，川椒；咳嗽吐血，青韭菜、地栗汁；水肿、膨胀，芫花；胸腹胀满，木瓜；手足浮肿，苍术；噎膈反胃，靛缸水；少腹偏坠，葫芦巴；阳事不举，枸杞子。妇人病症药引：经候不调，当归；久无孕育，益母；崩漏带下，赤石脂；流白不止，白薇；口眼歪斜，天麻；经闭不通，红花、桃仁；癥瘕血块，莪术；阴寒肚痛，生姜、黄酒；夜间不寐，枣仁；下元虚冷，艾汤、百香汤；小肠疼痛，小茴香；咳嗽吐血，蒺藜；痢下赤白，粟壳；午后发热，黑栀；麻木不仁，黄酒；四肢木硬，黄酒；心神恍惚，枣仁、赤苓；心血不足，茯神；左瘫右痪，黄酒。上将药丹研末，黑枣为丸，如梧桐子大。每服五分，轻者三分，照症用引，慎勿错误。

【主治】半身不遂，腰疼腿痛，痨症，五淋，胃气疼痛，遗精梦泄，肛门虫积，胸腹胀满，手足浮肿，咳嗽吐血，各种痧症，癥瘕血块，痢下赤白，经候不调，崩漏带下。

白龙丸

【来源】《饲鹤亭集方》。

【组成】生军二两　生半夏一两　北辛二两

【用法】上为末，鸡子清为丸。每服三钱，开水送下。此丸不宜久服。

【主治】湿热下注，淋浊初起，小便涩痛。

胎产金丹

【来源】《饲鹤亭集方》。

【组成】党参二两五钱　生地　香附　鳖甲各四两　白术　白薇　当归　川芎　丹皮　黄芩　玄胡　蕲艾　青蒿　乳香　赤石脂　益母草各二两　茯苓　五味　血琥珀　藁本各一两　安桂　白芍

甘草各一两五钱　沉香五钱

【用法】上为末，都拌匀，炼蜜为丸，每重二钱，辰砂为衣，蜡封口。

【主治】妇人胎前产后诸恙百病及子宫寒冷，艰于受孕，红白淋带疼痛，经停参前落后，行经腹痛，腰痠无力。

桂枝苓泽汤

【来源】《医学摘粹》。

【组成】茯苓三钱　泽泻三钱　猪苓三钱　桂枝三钱　阿胶三钱（炒）

【用法】水煎大半杯，热服。

【主治】五淋癃闭。

加减五苓散

【来源】《医学探骊集》卷五。

【组成】茯苓三钱　黄柏三钱　盐泽泻三钱　车前子四钱（炒）　瞿麦三钱　人中白五钱　甘草梢二钱　萹蓄三钱　木通三钱　猪苓四钱　桂心二钱

【用法】水煎，温服。

【主治】淋证轻者。

【方论】此方用猪苓、茯苓甘淡利湿，瞿麦、萹蓄利水通淋；木通、车前引热下行，黄柏清下焦之热，泽泻能降浊泻湿，桂心使气化能出，草梢止茎中之痛，人中白为清热之圣药，用以清膀之热，从其类也，能引诸药直入膀胱，将湿热扫荡而去，此方用此一味，则画龙而点睛矣。

洞天酥香膏

【来源】《千金珍秘方选》。

【组成】酒当归　酒熟地　杜仲　制苁蓉　炙黄耆　酒天冬　麦冬　五味子　高丽参　怀牛膝　鹿茸　甜杏仁　蛇床子　酒川断　紫霄花　盐菟丝　虎胫骨　谷精草　制香附　酒生地　制远志　制山甲　木鳖子　男子头发（洗净）各五钱　大蛤蚧一对

上药如法炮制，锉碎，用香麻油二斤四两，同药入铜锅内，桑枝火熬枯净去滓，再熬至滴水成珠，候热尽，入后香料：水飞松香四两　花龙骨三钱　母丁香三钱　当门子三钱　水飞黄丹一两　赤石脂三钱　制乳没各三钱　摇桂五钱　腰黄三钱　沉香三钱　倭硫黄三钱　大土膏三钱　木香三钱　蟾酥三钱　阳起石三钱

【用法】上研极细末，用桑、槐、柳条不住手搅匀，盛瓷罐内，浸井水中，或天水缸中七日夜，出尽火气方可用，剪红煅摊膏，计重三钱，衰弱倍之。摊膏时，将铜器或瓷杯取滚水化糯米糊涂缎为妙。贴脐上或命门，药七十天一换。

【功用】通十二经血脉，固本全形，返老还童。

【主治】五劳七伤，淋泻痞证，元虚气喘，瘫痪。

气淋汤

【来源】《医学衷中参西录》上册。

【组成】生黄耆五钱　知母四钱　生杭芍三钱　柴胡二钱　生明乳香一钱　生明没药一钱

【主治】气淋，少腹常常下坠作疼，小便频数，淋涩疼痛。

劳淋汤

【来源】《医学衷中参西录》上册。

【组成】生山药一两　生芡实三钱　知母三钱　真阿胶（不用炒）三钱　生杭芍三钱

【主治】劳淋。

【方论】劳淋之证，因劳而成。其人或劳力过度，或劳心过度，或房劳过度，皆能暗生内热，耗散真阴。阴亏热炽，熏蒸膀胱，久而成淋，小便不能少忍，便后仍复欲便，常常作疼。故用滋补真阴之药为主，而少以补气之药佐之，又少加利小便之药作向导。

急救回生丹

【来源】《医学衷中参西录》上册。

【组成】朱砂（顶高者）一钱五分　冰片三分　薄荷冰二分　粉甘草一钱（细末）

【用法】上为细末。分作三次服，开水送下，约半小时服一次。若吐剧者，宜于甫吐后急服之；若于将吐时服之，恐药未暇展布即吐出。服后温覆得汗即愈。服一次即得汗者，后二次仍宜服之；

若服完一剂未全愈者，可接续再服一剂。若其吐泻已久，气息奄奄，有将脱之势，但服此药恐不能挽回，宜接服急救回阳汤。

【主治】霍乱吐泻转筋，诸般痧症暴病，头目眩晕，咽喉肿痛，赤痢腹疼，急性淋证。

【宜忌】《全国中药成药处方集》：体弱者及孕妇忌服。

寒淋汤

【来源】《医学衷中参西录》上册。

【组成】生山药一两　小茴香（炒捣）二钱　当归三钱　生杭芍二钱　椒目（炒捣）二钱

【主治】寒淋。寒热凝滞，寒多热少之淋，其证喜饮热汤，喜坐暖处，时常欲便，便后益抽引作疼。

膏淋汤

【来源】《医学衷中参西录》上册。

【组成】生山药一两　生芡实六钱　生龙骨（捣细）六钱　生牡蛎（捣细）六钱　大生地（切片）六钱　潞党参三钱　生杭芍三钱

【主治】膏淋之证，小便溷浊，更兼稠粘，便时淋涩作疼。

【方论】此证由肾脏亏损，暗生内热。损则蛰藏不固，精气易于滑脱；内热暗生，则膀胱薰蒸，小便改其澄清。久之，三焦之气化滞其升降之机，遂至便时牵引作疼，而混浊稠粘矣。故用山药、芡实以补其虚，而兼有收摄之功；龙骨、牡蛎以固其脱，而兼有化滞之用；地黄、芍药以清热利便，潞参以总提其气化，而斡旋之也。若其证混浊，而不稠粘者，是但出之溺道，用此方时，宜减龙骨、牡蛎之半。

虎杖散

【来源】《吴鞠通医案》。

【组成】杜牛膝五钱　丹皮三钱　归横须三钱　降香末三钱　琥珀（同研末）六分　两头尖三钱　桃仁泥三钱　麝香（同研冲）五厘

【用法】水煮三杯，分三次服。

【主治】由房事不遂而成小便淋浊，茎管痛不可忍。

【验案】淋痛　普，三十八岁，小便淋浊，茎管痛不可忍，自用五苓、八正、萆薢分清饮等淡渗，愈利愈痛，细询病情，由房事不遂而成。余曰，溺管与精管异途，此症当通精管为是。用虎杖散，现无虎杖，以杜牛膝代之。服药后，一帖而痛减，五帖而痛止，六帖浊净，后以补奇经而愈。

海金沙丸

【来源】《疡科纲要》卷下。

【组成】真川黄柏（研细末）　净海金沙各等分

【用法】上以鲜猪脊髓，去皮，只用髓质生打为丸，晒干。每服二三钱，淡盐汤吞服。

【主治】淋浊，不论新久。

秘制白浊丸

【来源】《丁甘仁家传珍方选》。

【组成】海金沙　飞滑石　生甘草　生大黄　车前子　黄柏各一两　琥珀一钱　牛膝梢五钱

【用法】上为末，鸡蛋清五枚为丸。

【主治】赤、白二浊，久患不愈；或成淋症，为气淋、血淋、劳淋、石淋、热淋五淋；或有湿毒热毒积滞膀胱，以及小便不通，积患而成；及因花柳传染致病者，小便短少，尿管红肿，痛如针刺，膀胱疝气，白浊浊流不止，痕疔初发。

五淋绕治散

【来源】《吉人集验方》下集。

【组成】银消

【用法】入锅内，隔纸炒至纸焦为度，研细，每次二钱，用温水冲化服。每用加飞滑石二钱，水调服更效。

【功用】能化七十二种石。

【主治】五淋；石淋尤效。

白龙丸

【来源】《中国医学大辞典》。

【组成】川大黄　穿山甲　雄黄　僵虫各四两　乳

香　没药各三两

【用法】上为细末，酒泛为丸，滑石六两为衣。每服二钱，熟汤送下。不宜多服。

【主治】湿热下注，淋浊初起，小便涩痛。

琥珀分清泄浊丸

【来源】《中国医学大辞典》。

【别名】琥珀分清丸（《全国中药成药处方集》沈阳方）。

【组成】琥珀一两　锦纹大黄十两

【用法】上为细末，用鸡蛋清二十四个杵为丸，如梧桐子大，朱砂为衣。每服三钱，空腹时熟汤送下。服后小便出如金黄色，三日后火毒消而淋浊自止，疳肿亦退。

【主治】肝经湿热毒火下注，淋浊管痛，小溲不利，及下疳火盛，肿痛腐烂。

珠珀滋阴淋浊丸

【来源】《药奁启秘》。

【组成】珍珠粉一分　琥珀四钱　茯神五钱　龟版胶五钱　黄柏一两　淮山药五钱　猪脊髓六条

【用法】上为细末，打为丸。每服三钱。

【主治】小便淋浊，溺时刺痛，及肾虚淋浊者。

止痛四物汤

【来源】《经验医库》。

【组成】当归　生地黄　防风　白头翁　黄耆　紫草　羌活　茯苓　麦门冬　白芍药　甘草　升麻

【用法】水煎服。

【主治】肝火阻滞，小便淋沥时痛，茎肿，溺出如刀割，心烦，脉细数者。

加味滋肾汤

【来源】《杂病证治新义》。

【组成】黄柏　知母　肉桂　车前　木通　滑石

【用法】水煎服。

【主治】淋病。湿热结于下焦，尿意频数，淋沥不畅。

【方论】本方乃古方滋肾丸加味，为清热温肾利水之剂。以黄柏、知母清膀胱之热为主，少量肉桂温化肾气为佐，益以利水之车前、木通、滑石以通其淋，故为用于湿热结于下焦不化为淋之良方。

分清止淋丸

【来源】《北京市中药成方选集》。

【组成】木通一百二十八两　黄芩一百二十八两　甘草三十二两　大黄一百九十二两　茯苓六十四两　黄柏六十四两　滑石一百二十八两　扁蓄六十四两　泽泻六十四两　车前子（炒）六十四两　知母六十四两　瞿麦六十四两　生栀仁六十四两　猪苓六十四两

【用法】上为细末，过罗，用冷开水为小丸，滑石为衣，闯亮。每服二钱，温开水送下，一日二次。

【功用】清膀胱热，疏通尿道。

【主治】小便不利，淋漓刺痛。

【宜忌】忌辛辣食物，孕妇忌服。

妇科五淋丸

【来源】《北京市中药成方选集》。

【组成】当归八两　川芎八两　生地八两　白芍五两　木通五两　栀子（炒）四两　茯苓皮四两　石苇（去毛）二两　甘草二两　琥珀二两　海金沙十两　黄连一两

【用法】上药共研细粉，过罗，用冷开水泛为小丸，每十六两用滑石细粉四两为衣闯亮。每服二钱，日服二次，温开水送下。

【功用】清热利水，分解止淋。

【主治】妇女便溺涩滞，小便红赤淋沥浑浊，湿热肿痛。

金沙散

【来源】《北京市中药成方选集》。

【组成】当归一两　大黄一两　牛膝一两　木香一两　雄黄一两　海金沙二两

【用法】上为细末。每服二钱，温开水送下，一日二次。

【功用】通利膀胱，清热止淋。

【主治】热结膀胱，尿道刺痒，小便混浊，淋沥不止。

琥珀止淋丸

【来源】《北京市中药成方选集》。
【组成】大黄四两　海金沙四两　甘草二两　琥珀四钱
【用法】上为细末，用鸡子清十三个，加冷开水泛为小丸，每十六两用滑石细粉四两为衣，闯亮。每服二钱，温开水送下，日服二次。
【功用】清利膀胱，疏通尿道。
【主治】膀胱邪热，小便赤涩，淋沥浑浊，尿道刺痛。

五加皮药酒

【来源】《全国中药成药处方集》（南昌方）。
【组成】五加皮　熟地　丹参　杜仲（炙微黄）　蛇床子　干姜各三两　地骨皮二两　天门冬一两　钟乳石四两
【用法】前药除熟地、天冬切碎外，余药共为粗末，用生绢布盛，用好高粱酒十五斤浸七天后滤清，然后加冰糖二十四两。每服一杯，饭后温服，一日二至三次。量小者酌减，以不醉为度。
【主治】男子肾虚，小便淋沥，妇人阴中湿冷，腹胁痞块身瘦，腰膝时痛，及左瘫右痪，手足拘挛。
【宜忌】忌食螃蟹。

五淋白浊丸

【来源】《全国中药成药处方集》（大同方）。
【组成】赤茯苓五钱　猪苓　泽泻　瞿麦各四钱　草梢　白术各二钱　萆薢　萹蓄各三钱　车前子五钱　栀子二钱　椿皮一钱　荜澄茄一钱
【用法】水泛为丸，滑石为衣。每服三钱，白水送下。
【主治】淋病白浊。
【宜忌】孕妇忌服。

五淋白浊丸

【来源】《全国中药成药处方集》（吉林方）。
【组成】公英　地丁　瞿麦　萹蓄　木通　泽泻　金砂　灯心　竹叶　甘草　猪苓　土苓各六钱七分　萝茶　滑石　赤苓各一两三钱四分　赤芍　蝉退各三钱四分　车前　凤眼草　石韦　通草各一两　山栀　贡桂各二钱
【用法】上为细末，水泛为小丸，滑石为衣。每服二钱，白水送下，一日二次，早、晚用之。
【功用】搜毒，止淋，消浊，利下，祛炎，镇痛。
【主治】五淋白浊，女子赤白带下，横痃，下疳，膀胱发热，梦遗滑精，便溺不清，尿管混血，花柳诸症。
【宜忌】服后忌饮茶水，孕妇忌用。

五淋白浊散

【来源】《全国中药成药处方集》（重庆方）。
【组成】桂枝一两　萹蓄　胆草各二两　木香一两五钱　知母　地榆各五钱　海金沙六钱　苦参一两　前仁一两五钱　粉草一两　琥珀三钱　生地四两　黄柏　滑石各一两
【用法】上为细末。每日二次至三次，用盐开水送下。
【功用】利小便。
【主治】五淋白浊。

止淋散

【来源】《全国中药成药处方集》（抚顺方）。
【组成】地丁　刘寄奴各二两
【用法】上为细面。每服三钱，黄酒为引。
【主治】淋证。

归参丸

【来源】《全国中药成药处方集》（青岛方）。
【组成】当归　苦参　玄参　连翘　栀子　花粉　桔梗　生地　黄芩　桑叶各二两
【用法】上为细末，炼蜜为丸服。
【主治】肿胀，淋浊。

妇科五淋丸

【来源】《全国中药成药处方集》（天津方）。

【别名】妇科分清丸（《中国药典》一部）。
【组成】当归　生地各四两　川芎　滑石各三两　木通　甘草　生栀子　生白芍各二两　石苇（去毛）　黄连各一两　海金沙五钱
【用法】上为细粉，凉开水泛小丸。每次三钱，白开水送下。

《中国药典》：先将石苇加水煎煮二次，滤过，余药粉碎成细粉，混匀，用石苇煎液泛为丸。每服三钱，每日二次。
【功用】清热利水。
【主治】膀胱湿热，淋漓不断，混浊带血，小便不利，尿道刺痛。
【宜忌】孕妇忌服。

妙香琥珀丸

【来源】《全国中药成药处方集》（沈阳方）。
【组成】大黄　海金沙各一斤　甘草五两　琥珀一两二钱
【用法】上为极细末，用鸡子清为小丸，六一散为衣。每服二钱，早晚白水送下。
【功用】清热毒，利尿镇痛。
【主治】膀胱火热，小便淋漓作痛，一切淋症。
【宜忌】忌食一切鱼腥等物。

金沙五淋丸

【来源】《全国中药成药处方集》（济南方）。
【组成】海金沙　车前子　萹蓄　瞿麦　山楂　木通　赤芍　当归　熟地　赤茯苓　猪苓　黄芩　黄柏　大黄各四两
【用法】上为细末，水为丸，如绿豆大。每服二钱，灯心草汤送下。
【主治】小便混浊，淋沥作疼，膀胱邪热。
【宜忌】忌辛辣食物。

金沙五淋丸

【来源】《全国中药成药处方集》（沈阳方）。
【组成】当归　雄黄　川牛膝　大黄　广木香　海金沙各等分
【用法】上为极细末，水为小丸。每服一钱或五分，黄酒送下。
【功用】清热解毒，利尿止淋。
【主治】火淋、气淋、血淋、砂淋、花柳淋等症及小便频数，尿管疼痛，尿后淋漓，混浊不清。
【宜忌】忌食五辛及酸物。

淋症丸

【来源】《全国中药成药处方集》（沈阳方）。
【组成】海金沙三钱　大黄一两　石韦　猪苓　肉桂　木通　黄芩　赤茯苓　泽泻　滑石各三钱
【用法】上为极细末，用鸡子黄调匀，装入鸡蛋壳内，用纸封固，以火煨熟。每服二钱，竹叶煎汤送下。
【功用】解毒除淋，利尿止痛。
【主治】尿道刺痛，小便淋漓，浑如米泔，甚则如膏脂，经久不愈，或愈而复发。
【宜忌】忌食辛辣酒类。

琥珀参苓散

【来源】《全国中药成药处方集》（沈阳方）。
【组成】人参五分　茯苓五分　琥珀三分　泽泻四分　柴胡四分　当归尾五分　玄胡索七分　川楝子五分　生甘草五分
【用法】上为极细末。每服一钱，白开水送下。
【功用】止痛，调气，利尿。
【主治】男子茎中刺痛，女子阴中肿痛，小便淋漓不利，胁痛气逆，各种疝痛淋痛。
【宜忌】忌食辛辣酒类。

琥珀茯苓丸

【来源】《全国中药成药处方集》（北京方）。
【组成】琥珀三两　土茯苓四两　赤茯苓三两　黄柏三两　海金沙三两　泽泻三两　甘草三两　乌药三两　丹皮三两　半夏三两　车前子五两　大黄五两　滑石五两　木通二两
【用法】上为细末，水泛为小丸，滑石为衣，闯亮。每服二钱，温开水送下。
【功用】通闭，利尿，止痛。
【主治】小便淋漓，浑浊如膏，尿道刺痛。

【宜忌】忌辛辣动火食物。孕妇忌服。

琥珀通淋丸

【来源】《全国中药成药处方集》(南京方)。
【别名】琥珀五淋丸。
【组成】飞琥珀一钱　飞滑石二钱　木通　西当归　广木香　川郁金　萹蓄各一钱
【用法】上为细末，后加琥珀和匀，用温沸水泛为小丸，每钱约做二百粒。每服二钱至三钱，一日一次或二次，食前开水吞服。
【功用】清热通利。
【主治】小便涩痛混浊。

导赤丹

【来源】《慈禧光绪医方选议》。
【组成】薄荷一钱　麦冬一钱　木通一钱　黄连一钱　生地一钱　桔梗一钱　甘草一钱
【用法】上为细末，炼蜜为丸，重一钱，上朱衣。
【功用】清热利尿。
【主治】心经热盛，或心移热于小肠引起之小便赤涩，尿道灼痛；以及口舌生疮，咽喉肿痛等证。

调脾清肝理湿饮

【来源】《慈禧光绪医方选议》。
【组成】茯苓三钱(朱染)　炒茅术一钱五分　广皮一钱五分　壳砂一钱(研)　薏米三钱(炒)　扁豆三钱(炒)　泽泻二钱　酒胆草一钱五分　丹参二钱　次生地三钱　白鲜皮二钱　车前子三钱(包煎)
【用法】引用地肤子三钱。
【主治】脾胃湿热，或心肝郁闷，气滞夹湿，及肾阴湿热，膀胱之气不化，小水浑赤或少，顷则变白色，形如米泔，或少腹弦急，痛引于脐，则小水淋沥作疼。

银翘石斛汤

【来源】《中医方剂临床手册》。
【组成】六味地黄丸加银花　连翘　石斛
【功用】滋阴补肾，清热解毒。
【主治】慢性尿路感染，肾阴亏损者。

补脾益肾汤

【来源】方出《张伯臾医案》，名见《古今名方》。
【组成】党参　黄耆　萆薢　墨旱莲　茜草各12克　熟地15克　小蓟草30克　炒白术　威喜丸(分吞)各9克　炒知母　炒黄柏各6克
【功用】补脾益肾，清热化湿。
【主治】膏淋(乳糜尿)。脾肾两虚，湿热下注，尿混赤白相杂，甚则如膏，头昏腰痠，倦怠乏力，舌淡红，脉虚弦。
【加减】尿混减轻，湿热未清，去茜草，加泽泻、益母草；头晕、腰痠，加枸杞子、菟丝子等补肾药。

通淋利水汤

【来源】《湖北中医杂志》(1986，2：9)。
【组成】银花30g　白花蛇舌草30g　蒲公英30g　栀子15g　萹蓄15g　海金沙15g　滑石30g　茅根30g　车前草30g　木通10g　甘草梢10g　灯芯3g
【用法】每日1剂(重症每日2剂)，早晚煎服。
【主治】急性尿路感染。
【加减】烦渴加葛根，便秘加大黄，尿浊加萆薢，尿血加小蓟、琥珀，尿痛加石苇、金钱草，小腹胀痛加川楝子、白芍，腰痛加寄生、续断。
【验案】急性尿路感染　《湖北中医杂志》(1986，2：9)：治疗急性尿路感染56例，男8例，女48例；年龄16～49岁，病程1～6天。结果：痊愈43例，好转10例，无效3例。疗程最长12天，最短3天。

地榆大黄汤

【来源】《浙江中医杂志》(1987，1：18)。
【组成】生地榆30g　制大黄　白茅根　川萆薢　瞿麦各15g　石榴皮12g　丹皮　黄柏　石韦　白槿花各9g　琥珀6g　甘草5g
【用法】水煎服。
【主治】急性尿路感染。

【用法】血尿甚者加大蓟、小蓟、侧柏叶各 15g；小腹胀加川楝子 9g，乌药 6g；大便稀者加焦神曲 12g。

【验案】急性尿路感染 《浙江中医杂志》（1987，1：18）：治疗急性尿路感染 67 例，男 27 例，女 40 例；年龄 18～64 岁。本组病例均有尿频、尿急、尿痛等典型症状，并经尿常规检查异常者。结果：痊愈 57 例（症状消失，尿检正常），好转 8 例（临床症状及尿检明显好转），无效 2 例。疗程 1～8 剂，多数 3～4 剂。

通淋方

【来源】《山东中医杂志》（1988，2：24）。

【组成】金银花 30g 白花蛇舌草 15g 鱼腥草 15g 车前草 30g 萹蓄 10g 黄柏 10g 小蓟 12g

【用法】水煎服，每次就诊给服中药 3 付，药后做尿常规检查，15 天后不效做无效处理。

【主治】泌尿系感染。

【验案】泌尿系感染 《山东中医杂志》（1988，2：24）：治疗泌尿系感染 30 例，男 5 例，女 25 例，发病年龄 24～50 岁。尿常规检查有感染性细胞存在，脓细胞、白细胞管型或白细胞在（＋＋）以上，中段尿培养阳性。结果：治愈（临床症状消失，尿常规检查阴性或中段尿培养细菌消失）18 例，占 60%；好转（临床症状消失，而尿中仍有少许白细胞或蛋白）12 例，占 40%。

通淋方

【来源】《安徽中医学院学报》（1989，4：35）。

【组成】金银花 30g 连翘 蒲公英 紫花地丁 萹蓄各 18～30g 石韦 黄柏 茯苓 车前草各 12～15g 白术 山药 生山栀各 12g 白茅根 10g 甘草梢 6g

【用法】每日 1 剂，水煎服，服药的同时大量饮水。

【主治】子淋。

【用法】腰痛加杜仲、川续断；血尿加苎麻根、旱莲草；便干加冬葵子；发热加柴胡、黄芩；呕吐加半夏、竹茹。

【验案】《安徽中医学院学报》（1989，4：3）：治疗子淋 30 例，年龄为 21～30 岁的妊娠病人。结果：治愈（临床症状消失，尿常规 1 个月内连续 3 次化验正常，尿细菌培养连续 3 次阴性者）率占 60%，显效（临床症状消失，尿常规正常，但未连续 3 次检验者）率占 26%，好转（临床症状减轻，尿常规检查尚有少量红细胞、白细胞者）率占 7%，无效（临床症状和尿检查无好转者）率占 7%，总有效率为 93%。

萆解分清饮

【来源】《吉林中医》（1990，2：16）。

【组成】萆薢 25g 乌药 15g 益智仁 15g 石菖蒲 15g 茯苓 25g 甘草梢 15g 丹参 30g 金银花 100g 连翘 20g

【用法】每日 1 剂，水煎，分早晚 2 次服。

【主治】淋病。

【验案】淋病 《吉林中医》（1990，2：16）：治疗淋病 62 例，皆为男性，年龄 21～50 岁。结果：治愈（用药 15 剂后，临床症状消失，尿检正常者）56 例，无效（临床症状存在，尿检有“淋丝”者）6 例，治愈率为 90.3%。

如意散

【来源】《云南中医杂志》（1990，4：25）。

【组成】白术 10g 茯苓 18g 猪苓 10g 泽泻 10g 车前草 20g 白茅根 15g 滑石 20g 甘草 6g

【用法】每日 1 剂，水煎服。

【主治】尿路感染。

【加减】气不摄精，尿中有蛋白，脉沉细者，加生黄芪；腰痛者，加细辛、续断；阴虚脉沉细者，加生地、玄参；兼外感症者，加柴胡、粉葛、杏仁、桑叶。

【验案】尿路感染 《云南中医杂志》（1990，4：25）：治疗尿路感染 218 例，男 54 例，女 164 例；年龄绝大部分在 18～50 岁之间，病程 6 天～30 年。结果：病程半年者治愈 66 例，显效 16 例；病程 0.5～5 年者，治愈 68 例，显效 11 例；病程 5 年以上者治愈 51 例，显效 6 例。

加味八正散

【来源】《广西中医药》（1992，4：9）。

【组成】土茯苓30g 粉萆薢20g 苍术 黄柏 车前子 瞿麦各30g 木通 萹蓄 栀子 大黄各10g 滑石30g 甘草6g

【用法】每日1剂，水煎，分3次服，3天为1疗程。

【主治】淋病性尿道炎。

【验案】淋病性尿道炎 《广西中医药》(1992，4：9)：治疗淋病性尿道炎48例，均为男性，其中已婚26例，未婚22例；年龄16～45岁，病程7天～1年；结果：痊愈26例，显效21例，无效1例；总有效率为98%。治疗时间最短3天，最长10天，平均6天。

清热解毒利湿通淋汤

【来源】《实用中西医结合杂志》(1992，5：310)。

【组成】鱼腥草30g 土茯苓60g 半枝莲30g 鲜茅根60g 黄柏10g 栀子15g 萆薢15g 木通9g 车前子15g 大黄9g 甘草梢9g

【用法】每日1剂，加水煎取500ml，分早晚2次服。用药期间禁房事，戒酒精。

【主治】淋病。

【验案】淋病 《实用中西医结合杂志》(1992，5：310)：治疗淋病32例，男18例，女14例；年龄8～46岁；病程3天至1年。结果：痊愈（症状体征消失，化验正常，随访1年未复发）22例，好转（症状体征消失或明显改善，化验正常，停药后有复发）9例，无效（症状体征无改善，化验未转正常）1例，总有效率为96.9%。

毒淋汤

【来源】《中医杂志》(1995，4：234)。

【组成】黄柏10克 萆薢20克 土茯苓30克 野菊花30克 鱼腥草30克 地丁草30克 马鞭草30克 赤芍15克 扁蓄10克 瞿麦10克 当归15克

【用法】每日1剂，水煎，分两次服，10天为1疗程。

【功用】清热利湿，解毒通淋。

【主治】急性淋病。

【验案】急性淋病 以本方治疗急性淋病48例，并设对照组30例用抗生素治疗。结果：经1个疗程治疗，治疗组48例中治愈45例，无效3例，治愈率93.8%。对照组30例中治愈22例，无效8例，治愈率为73.3%。两组疗效经统计学处理有显著差异（$P<0.05$）。

三味蒺藜散

【来源】《中国药典》。

【组成】蒺藜250克 冬葵果150克 方海150克

【用法】以上三味，粉碎成粗粉，过筛混匀，即得。水煎服，每次3～4.5克，1日2～3次。

【功用】清湿热，利尿。

【主治】湿热下注，小便热痛。

分清五淋丸

【来源】《中国药典》。

【组成】关木通80g 车前子（盐炒）40g 黄芩80g 茯苓40g 猪苓40g 黄柏40g 大黄120g 萹蓄40g 瞿麦40g 知母40g 泽泻40g 山栀40g 甘草20g 滑石80g

【用法】上药制成丸剂。口服，每次6g，1日2～3次。

【功用】清湿热，利小便。

【主治】湿热下注，小便黄赤短涩，尿道灼热刺痛。

【宜忌】孕妇慎用。

前列舒丸

【来源】《中国药典》。

【组成】熟地黄 薏苡仁 冬瓜子 山茱萸（制） 山药 牡丹皮 苍术 桃仁 泽泻等

【用法】上药制成水蜜丸或大蜜丸，水蜜丸每10丸重3g，大蜜丸每丸重9g。口服，水蜜丸每次6g，大蜜丸每次1～2丸，1日3次，或遵医嘱。

【功用】扶正固本，滋阴益肾，利尿。

【主治】慢性前列腺炎，前列腺增生，症见尿频、尿急、尿滴沥不尽、血尿等。

【宜忌】尿闭不通者不宜用本药。

癃清片

【来源】《中国药典》。

【组成】金银花　黄柏　白花蛇舌草　牡丹皮　泽泻等

【用法】制成片剂。口服，每次8片，1日3次。

【功用】清热解毒，凉血通淋。

【主治】热淋所致的尿频、尿急、尿痛、尿短、腰痛、小腹坠胀等。

【宜忌】体虚胃寒者不宜服。

化瘀止血汤

【来源】《首批国家级名老中医效验秘方精选》。

【组成】桃仁10克　红花10克　怀牛膝15克　川芎10克　柴胡10克　赤白芍各15克　枳壳10克　东北人参（另煎先入）15克　大麦冬15克　五味子10克　玄参15克　生地30克

【用法】水煎服。

【功用】益气、化瘀、止血。

【主治】慢性尿路感染、尿血属气虚失摄者。

加味八正散

【来源】《首批国家级名老中医效验秘方精选》。

【组成】木通9克　车前子9克（包）　萹蓄9克　大黄9克　滑石15克（包）　甘草梢9克　瞿麦9克　椎子9克　柴胡30克　五味子9克　黄柏15克

【用法】每日1剂，水煎2次，分服。

【功用】利水通淋。

【主治】泌尿系感染属湿热者，症见小便时阴中涩痛，或见寒热，尿黄赤而频，舌红苔黄，脉数。

【加减】痛甚者加琥珀末3克，另吞。

朱氏地榆汤

【来源】《首批国家级名老中医效验秘方精选》。

【组成】生地榆30克　生槐角30克　半枝莲30克　蛇舌草30克　大青叶30克　白槿花15克　飞滑石15克　生甘草6克

【用法】水煎服。

【功用】清热解毒，利湿通淋。

【主治】急性泌尿系感染。

肾六方

【来源】《首批国家级名老中医效验秘方精选》。

【组成】生地50克　山蓟40克　藕节20克　生蒲黄15克　茅根50克　木通15克　滑石20克　蛇舌草50克　黄芩15克　侧柏叶20克　甘草10克

【用法】水煎服。

【功用】清热解毒，凉血止血。

【主治】泌尿系感染及急慢性肾炎以血尿主为，热邪迫血妄行者。

益气解毒饮

【来源】《首批国家级名老中医效验秘方精选》。

【组成】黄芪30克　党参20克　柴胡15克　白花蛇舌草30克　麦冬15克　地骨皮15克　黄芩10克　蒲公英10克　车前子15克　生地15克　甘草15克

【用法】水煎服。

【功用】补气滋阴，清热解毒。

【主治】小便涩痛，淋沥不已，遇劳即发，时作时止，腰酸气短、乏力，五心烦热，舌红苔白，脉弱或细数无力。

【加减】小便不利加瞿麦20克，竹叶15克；腰痛甚加山萸肉，枸杞子各15克；血尿加茅根30克，小蓟20克；小腹凉加茴香10克，肉桂7克。

清泄通淋汤

【来源】《首批国家级名老中医效验秘方精选·续集》。

【组成】生地榆15克　生槐角15克　白槿花10克　白花蛇舌草30克　瞿麦15克　白茅根15克　土茯苓15克　甘草梢5克

【用法】水煎服。

【功用】清泄湿热，通淋利尿，凉血消毒。

【主治】肾盂肾炎属湿热证者，表现为小便短数，灼热刺痛，舌红苔黄，脉濡数。

【加减】血尿甚者，加苎麻根60克；刺痛剧者，加象牙屑2克，琥珀末2克，研极细末，分二次吞；寒战、高热者，加柴胡15克，黄芩15克。

五淋丸

【来源】《部颁标准》。

【组成】海金沙30g　关木通15g　栀子（姜制）12g　黄连3g　石韦（去毛）6g　茯苓皮12g　琥珀6g　地黄24g　白芍15g　川芎24g　当归24g　甘草6g

【用法】水泛为丸，每100丸重6g，密闭，防潮。口服，每次6g，1日2次。

【功用】清热利湿，分清止淋。

【主治】下焦湿热引起的尿频尿急，小便涩痛，浑浊不清。

【宜忌】孕妇慎服。

五林化石丸

【来源】《部颁标准》。

【组成】广金钱草　鸡内金　泽泻　沙牛　琥珀　黄芪　石韦　海金沙　车前子　甘草　延胡索（醋制）

【用法】制成浓缩水蜜丸，每10丸重2.5g（相当于总药材3g），密封。口服，每次5丸，1日3次。

【功用】同淋利湿，化石止痛。

【主治】淋症，癃闭，尿路感染，尿路结石，前列腺炎，膀胱炎，肾盂肾炎，乳糜尿。

尿感宁冲剂

【来源】《部颁标准》。

【组成】海金沙藤100g　连钱草100g　凤尾草100g　葎草100g　紫花地丁100g

【用法】制成冲剂，每袋装15g，密封，防潮。开水冲服，每次15g，1日3～4次。

【功用】清热解毒，通淋利尿，抗菌消炎。

【主治】急慢性尿路感染。

肾舒冲剂

【来源】《部颁标准》。

【组成】白花蛇舌草1000g　大青叶500g　瞿麦300g　萹蓄300g　海金沙藤500g　淡竹叶300g　黄柏300g　茯苓500g　地黄300g　甘草100g

【用法】制成冲剂，每袋装15g，密闭，防潮。开水冲服，每次30g，1日3次。小儿酌减或遵医嘱。

【功用】清热解毒，利水通淋。

【主治】尿道炎，膀胱炎，急、慢性肾盂肾炎。

肾复康胶囊

【来源】《部颁标准》。

【组成】土茯苓366g　槐花93g　白茅根366g　益母草93g　藿香28g

【用法】制成胶囊剂，每粒装0.3g，密封。口服，每次4～6粒，1日3次。

【功用】清热利尿，益肾化浊。

【主治】热淋涩痛，急性肾炎水肿，慢性肾炎急性发作。

金钱草片

【来源】《部颁标准》。

【组成】金钱草2000g

【用法】制成浸膏片，每片重0.3g，密封。口服，每次4～8片，1日3次。

【功用】清利湿热，通淋，消肿。

【主治】热淋，沙淋，尿涩作痛，黄疸尿赤，痈肿疔疮，毒蛇咬伤，肝胆结石，尿路结石。

荡涤灵

【来源】《部颁标准》。

【组成】黄连50g　地黄200g　甘草100g　虎杖100g　赤芍150g　石韦250g　琥珀10g　黄芪300g　知母200g　猪苓300g　车前子（炒）150g　当归150g　地龙200g

【用法】制成颗粒剂，每袋重20g，密封。口服，每次20g，1日3次。

【功用】清热利湿。

【主治】由湿热引起的尿频、尿急、尿痛等尿路感染症。

泌尿宁颗粒

【来源】《部颁标准》。

【组成】柴胡120g 五味子10g 萹蓄100g 黄柏120g 白芷100g 续断100g 桑寄生100g 苘麻子120g 甘草100g

【用法】制成颗粒，每袋装12g，密封。开水冲服，每次12g，1日3次，小儿酌减。

【功用】清热通淋，利尿止痛，补肾固本。

【主治】热淋，小便赤涩热痛及泌尿系感染。

复肾宁片

【来源】《部颁标准》。

【组成】车前子（盐炒）216.7g 关木通32.5g 栀子65g 萹蓄65g 大黄（制）21.7g 知母（盐）65g 黄柏（盐）97.5g 瞿麦108.4g 牛膝65g 乳香（炒）32.5g 广防己108.4g

【用法】制成素片或糖衣片，密封。口服，糖衣片每次6~8片，素片每次4~5片，1日3次。

【功用】清热解毒，渗湿利尿。

【主治】肾盂肾炎和急慢性尿路感染。

【宜忌】孕妇慎用。

复方石韦片

【来源】《部颁标准》。

【组成】石韦740g 黄芪740g 苦参740g 萹蓄740g

【用法】制成糖衣片，密封。口服，每次5片，1日3次，15天为1疗程，可连服2个疗程。

【功用】清热燥湿，利尿通淋。

【主治】小便不利，尿频，尿急，尿痛，下肢浮肿等症；也可用于急慢性肾小球肾炎，肾盂肾炎，膀胱炎，尿道炎，见有上述症状者。

复方石淋通片

【来源】《部颁标准》。

【组成】广金钱草1500g 石韦500g 海金沙500g 滑石粉25g 忍冬藤500g

【用法】制成糖衣片，密封。口服，每次6片，1日3次。

【功用】清热利湿，通淋排石。

【主治】膀胱湿热，石淋涩痛，尿路结石，泌尿系感染属于肝胆膀胱湿热者。

结石通片

【来源】《部颁标准》。

【组成】广金钱草 玉米须 石韦 鸡骨草 茯苓 车前草 海金沙草 白茅根

【用法】制成糖衣片，每片含干浸膏0.25g（相当于原药材2g），密封。口服，每次5片，1日3次。

本方制成茶剂，名“结石通茶”。

【功用】清热利湿，通淋排石，镇痛止血。

【主治】泌尿系统感染，膀胱炎，肾炎水肿，尿路结石，血尿，淋沥混浊，尿道灼痛等。

【宜忌】孕妇忌服。忌食辛、燥、酸、辣食物。

热淋清颗粒

【来源】《部颁标准》。

【组成】头花蓼提取物

【用法】制成颗粒，每袋装4g（无糖型）或8g（含糖型），密封。开水冲服，每次1~2袋，1日3次。

本方制成糖浆，名“热淋清糖浆”；制成胶囊，名“热淋清胶囊”。

【功用】清热解毒，利尿通淋。

【主治】湿热蕴结，小便黄赤，淋漓涩痛之症，尿路感染，肾盂肾炎见上述证候者。

清淋冲剂

【来源】《部颁标准》。

【组成】瞿麦30g 萹蓄30g 关木通30g 车前子（盐炒）30g 滑石30g 栀子30g 大黄30g 甘草（炙）30g

【用法】制成冲剂，每袋装10g，密封。开水冲服，每次10g，1日2次，小儿酌减。

【功用】清热泻火，利水通淋。

【主治】膀胱湿热，尿频涩痛，淋沥不畅，癃闭不通，小腹胀满，口干咽燥等症。

【宜忌】孕妇忌服，体质虚弱者不宜服。

蛾苓丸

【来源】《新药转正标准》。

【组成】雌性蚕蛾等

【用法】水泛为丸。口服，每次9～12粒，1日2次。

【功用】扶正培元，健脾安神，补肝壮肾

【主治】淋证（男性前列腺肥大）及妇女更年期综合征。

十七、热　淋

热淋，淋证之一，临床以小便频数短涩，灼热刺痛，溺色黄赤，少腹拘急拒按为特征。或兼有寒热、口苦、呕恶、腰痛拒按、大便秘结，苔黄或黄腻，脉濡数等表现。《诸病源候论》："热淋者，三焦有热，气搏于肾，流入于胞而成淋也。其状：小便赤涩。"病发多因湿热蕴结下焦，初期病位在膀胱，日久可损血入肾，病势由上及下，由腑及脏，病情逐渐恶化。热淋由于热伤血络而发生血淋，煎熬日久可成石淋，日久损伤脾肾可形成劳淋、膏淋等。治定清热利湿通淋。

当归贝母苦参丸

【来源】《金匮要略》卷下。

【组成】当归　贝母　苦参各四两

【用法】上为末，炼蜜为丸，如小豆大。每服三丸，加至十丸。

【主治】

1.《金匮要略》：妊娠小便难，饮食如故。

2.《金匮要略方论》：妇人妊娠，小便淋沥不爽，或溲时涩痛，尿色黄赤，心胸烦闷。亦治孕妇大便干燥，以及痔疮便秘，属大肠燥热者。

【加减】男子加滑石。

【验案】热淋　《治验回忆录》：樊氏，青年农妇。1944年夏伤于湿热，饮食如常而小便不利，有涩痛感。某医先以湿热服五苓散去桂加滑石不应，继服八正散亦不应。迁延半月，饮食减退，肢倦无力，不能再事劳作。余切其脉象细滑，观其面色惨淡，气促不续，口干微咳，少腹胀痛，大便黄燥，小便不利而痛。此下焦湿热郁滞与上焦肺气不宣，上下失调，故尿道不通，如仅着重下焦湿热，徒利无益。因师古人上通下利之旨，用宣肺开窍诸品，佐渗利清热药为引导，当可收桴鼓之效。拟用当归贝母苦参丸（改汤）加桔梗、白蔻、鸡苏散等。果二剂而小便通利，不咳，尿黄而多，此湿热下降之征兆。更以猪苓汤加海金砂、瞿麦，滋阴利水，清除积热，数剂小便清，饮食进，略为清补即安。

笔头灰散

【来源】《普济方》卷二一四引《肘后备急方》。

【组成】故笔头五十枝（兔毫笔头尤佳）

【用法】烧灰为细末。每服二钱，温水调下，不拘时候。

【主治】热淋，小便赤涩热痛；中恶；脱肛。

滑石散

【来源】方出《医心方》卷十二引《范汪方》，名见《外台秘要》卷二十七引《古今录验》。

【组成】滑石二两　栝楼三两　石韦二分（去毛）

【用法】上为散。每服方寸匕，以大麦粥清下，一日二次。

【主治】

1.《医心方》引《范汪方》：小便利多或白精从溺后出。

2.《外台秘要》引《古今录验》：热淋，小便数病，膀胱中热。

地肤汤

【来源】《外台秘要》卷二十七引《小品方》。

【别名】地肤子汤（《备急千金要方》卷二十一）、

地肤子散（《玉机微义》卷二十八引《济生方》）。

【组成】地肤草三两　知母　猪苓（去皮）　瞿麦　黄芩　升麻　通草各二两　海藻一两　葵子一升　枳实二两（炙）

【用法】上切。以水九升，煮取三升，分为三服。

【主治】诸淋。下焦诸结热，小便赤黄，数起出少，大痛或便血；温病后余热，及霍乱后当风，取热过度，饮酒房劳，及步行冒热，冷饮逐热，热结下焦，及乳石热动关格，少腹坚，胞胀如斗大。

【加减】大小便皆闭者，加大黄三两；妇人房劳，肾中有热，小便难不利，腹满痛，脉沉细者，加猪肾一具。

【方论】《千金方衍义》：地肤子，《本经》主膀胱热，利小便，《备急千金要方》治热淋以之为君；佐以知母、黄芩、猪苓、瞿麦、通草、葵子、海藻等味，皆清热利窍之品；惟枳实、升麻，一破痰积，一分清浊，清浊分而气无阻滞，痰积破而津液宣通，乌有热结淋闭之患乎。肾中有热加猪肾者，用肾脏为逐热之内应也。

芍药散

【来源】方出《外台秘要》卷三十四引《小品方》，名见《医心方》卷十二引《令李方》。

【别名】白薇散（《圣济总录》卷一五七）、白薇芍药散（《三因极一病证方论》卷十七）。

【组成】白薇　芍药各等分

【用法】上为散。每服方寸匕，酒送下，一日三次。

【主治】

1.《外台秘要》引《小品方》：产后遗尿不知出。

2.《圣济总录》：妊娠小便无度。

3.《类编朱氏集验方》：血淋、热淋。

石韦散

【来源】《外台秘要》卷二十七引《古今录验》。

【组成】通草二两　石韦二两（去毛）　王不留行一两　滑石二两　甘草（炙）　当归各二两　白术　瞿麦　芍药　葵子各三两

【用法】上为散。每服方寸匕，食前以麦粥清下，一日三次。

本方改为丸剂，名“石韦丸”（《摄生众妙方》卷七）。

【主治】

1.《外台秘要》引《古今录验》：石淋、劳淋、热淋，小便不利，胞中满急痛。

2.《太平惠民和济局方》：肾气不足，膀胱有热，水道不通，淋沥不宣，出少起数，脐腹急痛，蓄作有时，劳倦即发，或尿如豆汁，或便出沙石。

凫葵粥

【来源】《食医心鉴》。

【组成】凫葵二斤　米半升

【用法】上于豉汁中煮作粥。空心食之。

【功用】利小便。

【主治】热淋。

朴消散

【来源】《太平圣惠方》卷三十八。

【组成】川朴消（炼成者）半斤

【用法】上为细末。每服一钱，以蜜水调下，一日三四次。

【主治】

1.《太平圣惠方》：乳石发动，烦闷，及诸风热。

2.《圣济总录》：热淋，小便赤涩热痛。

木通散

【来源】《太平圣惠方》卷五十八。

【组成】木通一两（锉）　甜葶苈一两（隔纸炒令紫色）　赤茯苓一两

【用法】上为细散。每服二钱，食前以温葱白汤调下。

【主治】热淋，小肠不利，茎中急痛。

木通散

【来源】《太平圣惠方》卷五十八。

【组成】滑石二两　木通一两（锉）　葵子一两

【用法】上为细散。每服一钱，食前以葱白汤调下。以利为度。

【主治】热淋，小肠不利，茎中急痛。及热毒结成瘰疬，日夜疼痛，小便涩者。

石韦散

【来源】《太平圣惠方》卷五十八。

【组成】石韦一两（去毛）　瞿麦一两　滑石二两　车前子一两　葵子一两　甘草三分（炙微赤，锉）

【用法】上为细散。每服二钱，食前以粥饮调下。

【主治】热淋，心神烦闷，小腹满胀。

【宜忌】《普济方》：忌酒、面物。

白茅根汤

【来源】方出《太平圣惠方》卷五十八，名见《普济方》卷二一四。

【组成】滑石　芭蕉根各半两　莲子草一两　白茅根一两半（锉）

【用法】上为粗散。每服四钱，水一盏，煎至六分，去滓，食前温服。以利为度。

【主治】热淋涩痛，热极不解。

黄连丸

【来源】方出《太平圣惠方》卷五十八，名见《普济方》卷二一六。

【组成】黄连半两（去须）　苦参半两（锉）　麦门冬一两（去心，焙）　龙胆半两（去芦头）　土瓜根半两

【用法】上为末，炼蜜为丸，如梧桐子大。每服三十丸，以熟水送下，不拘时候。

【主治】

1. 《太平圣惠方》：热淋，小腹疼痛不可忍。
2. 《普济方》：小便数而多。

麻根汤

【来源】方出《太平圣惠方》卷五十八，名见《圣济总录》卷九十八。

【组成】麻根十枚

【用法】上捣碎，以水二大盏，煎取一大盏，去滓，分二次服，如人行十里再服。

【主治】

1. 《太平圣惠方》：血淋。
2. 《圣济总录》：热淋，小便赤涩。

滑石散

【来源】《太平圣惠方》卷五十八。

【别名】石韦汤（《圣济总录》卷一五六）、滑石石韦散（《鸡峰普济方》卷十八）。

【组成】滑石二两　石韦一两（去毛）　榆白皮一两（锉）

【用法】上为粗散。每服三钱，以水一中盏，加葱白七寸，生姜半分，煎至六分，去滓，食前温服。

【主治】

1. 《太平圣惠方》热淋，小便涩痛。
2. 《圣济总录》：妊娠小便频数，涩少疼痛。

榆白皮散

【来源】《太平圣惠方》卷五十八。

【别名】榆白皮汤（《普济方》卷二一四）。

【组成】榆白皮半两（锉）　甘遂半两（煨令黄）　蘧麦半两　犀角屑半两　赤茯苓三两　木通（锉）半两　山栀子半两　川芒消一两　子芩半两　滑石半两

【用法】上为散。每服三钱，以水一中盏，煎至五分，去滓，每于食前温服。

【主治】热淋。小腹胀满，数涩疼痛。

滑石散

【来源】《太平圣惠方》卷七十二。

【组成】滑石二（一）两　车前子三分　蘧麦三分　海蛤一两（细研）　茅根三分　葵子三分

【用法】上为细散。每服二钱，食前以灯心、葱白汤调下。

【主治】妇人热淋。

葱白一物汤

【来源】方出《太平圣惠方》卷七十七，名见《类证活人书》卷十九。

【别名】葱白汤（《圣济总录》卷九十八）、葱白饮（《普济方》卷三四二）。

【组成】葱白不限多少

【用法】上浓煮汁饮之。

【功用】《女科指掌》：安生胎，落死胎。

【主治】

1. 《太平圣惠方》：胎上逼心烦闷。
2. 《类证活人书》：妊娠热病，胎已死。
3. 《圣济总录》：热淋，小便涩痛。
4. 《普济方》：胎动腰痛抢心，或下血。
5. 《普济方》：妊娠六七月以后，胎动困笃。

冬瓜羹

【来源】《太平圣惠方》卷九十六。

【组成】冬瓜一斤　葱白一握（去须细，切）　冬麻子半升

【用法】捣麻子，以水二大盏，绞取汁，煮冬瓜、葱白作羹。空腹食之。

【主治】热淋，小便磣痛，腹内气壅。

葡萄煎

【来源】《太平圣惠方》卷九十六。

【组成】葡萄（绞取汁）五合　藕汁五合　生地黄汁五合　蜜五两

【用法】上相和，煎如稀饧。每于食前服二合。

【主治】热淋，小便涩少，磣痛沥血。

八正散

【来源】《太平惠民和济局方》卷六。

【别名】八珍散（《世医得效方》卷十六）。

【组成】车前子　瞿麦　萹蓄　滑石　山栀子仁　甘草（炙）　木通　大黄（面裹煨，去面，切，焙）各一斤

【用法】上为散。每服二钱，水一盏，加灯心，煎至七分，去滓，食后、临卧温服。小儿量力少少与之。

改为汤剂，名“八正汤”（《宋氏女科》）。

【功用】

1. 《中医方剂学》：清热泻火，利水通淋。
2. 《中医方剂选讲》：消炎，利水散结，通便。

【主治】

1. 《太平惠民和济局方》：大人、小儿心经邪热，一切蕴毒，咽干口燥，大渴引饮，心忪面热，烦躁不宁，目赤睛疼，唇焦鼻衄，口舌生疮，咽喉肿痛。又治小便赤涩，或癃闭不通，及热淋，血淋。

2. 《世医得效方》：妊娠心气壅，胎气八个月散坠，手足浮肿，急痛不安，难产。

3. 《普济方》：小儿伤寒壮热，及潮热积热，斑疮水痘，心躁发渴，大便不通，小便赤涩，口舌生疮。

4. 《银海精微》：心经实热，或思虑劳神，或饮食太过，致使三焦发热，心火愈炽，目大眦赤脉传睛。

【宜忌】《新医学》（1975，5：262）：孕妇及虚寒病者忌用。本方多服会引起虚弱的症状，如头晕、心跳、四肢无力，胃口欠佳。

【方论】

1. 《医方集解》：此手足太阳、手少阳药也。木通、灯草清肺热而降心火，肺为气化之源，心为小肠之合也；车前清肝热而通膀胱，肝脉络于阴器，膀胱津液之府也；瞿麦、萹蓄降火通淋，此皆利湿而兼泻热者也。滑石利窍散结，栀子、大黄苦寒下行，此皆泻热而兼利湿者也。甘草合滑石为六一散，用梢者，取其径达茎中，甘能缓痛也。虽治下焦而不专于治下，必三焦通利，水乃下行也。

2. 《医略六书》：热结膀胱，不能化气，而水积下焦，故小腹硬满，小便不通焉。大黄下郁热而膀胱之气自化，滑石清六腑而水道闭塞自通，瞿麦清热利水道，木通降火利小水，萹蓄泻膀胱积水，山栀清三焦郁火，车前子清热以通关窍，生草梢泻火以达茎中。为散，灯心汤煎，使热结顿化，则膀胱肃清而小便自利，小腹硬满自除矣。此泻热通窍之剂，为热结溺闭之专方。

3. 《医宗金鉴》：通调水道，下输膀胱，三焦

之职也。受藏津液，气化能出，膀胱之职也。若水道不输，则内蓄喘胀，外泛肤肿，三焦之病也。若受藏不化，诸淋涩痛，癃闭不通，膀胱之病也。经曰：阴无阳无以生，阳无阴无以化，故阴阳偏盛，皆不生化也。阳盛阴虚而膀胱之气不化为病者，通关丸证也。阴盛阳虚，而膀胱之气不化为病者，肾气丸证也。此关乎气化阴阳为病也。经曰：下虚则遗尿，又曰：膀胱不约为遗尿。经曰：胞移热于膀胱则癃。又曰：膀胱不利为癃。故虚而寒者，藏而不能约；实而热者，约而不能出也。膀胱气虚，无气以固，则藏而不约不禁，遗失之病生，补中固真汤证也。膀胱气热，壅结不行，则约而不出，淋涩癃闭之病生，八正、五淋散证也。此不全关乎气化，而又关乎虚实寒热之为病也。八正、五淋皆治淋涩癃闭之药，而不无轻重之别。轻者，有热未结，虽见淋涩尿赤，豆汁、沙石、膏血、癃闭之证，但其痛则轻，其病不急，宜用五淋散单清水道，故以栀、苓清热而输水，归、芍益阴而化阳，复佐以甘草调其阴阳，而用梢者，意在前阴也。重者热已结实，不但痛甚势急，而且大便压不通矣，宜用八正散兼泻二阴，故于群走前阴药中，加大黄直攻后窍也。丹溪方加木香者，其意亦以气化者欤。

4.《医方论》：此方治实火下注小肠、膀胱者则可，若阴虚夹湿火之体，便当去大黄，加天冬、丹参、丹皮、琥珀等味，不可再用大黄，以伤其元气。

5.《成方便读》：此方以大黄导湿热直下大肠，不使其再下膀胱，庶几源清而流自洁耳。其既蓄于膀胱者，又不得不疏其流，以上诸药，或清心而下降，或导浊以分消，自然痛可止热可蠲，湿热之邪尽从溺道而出矣。

6.《汤头歌诀详解》：瞿麦、萹蓄、木通、车前，泻湿热，通淋闭，具有较强的利尿作用，再配合利窍散结的滑石，则其利尿涌淋的作用更强。甘草梢不但径达茎中，清热缓痛，并能协助利尿。山栀、大黄泻热用闭，配合利水通淋诸药泻火下行。至于用一味灯芯作引，也不外引火下行，协助利尿。从各药配合看来，本方清泻湿热、利尿通淋的作用，至为强盛。凡是湿热蕴结膀胱的淋病，用它恒有著效。上部的热郁赤肿（如目肿、咽肿）诸症，得它引热下行，亦有良效。如果血淋长久不愈，屡发而无尿道刺痛和身热脉数现象者，则多属虚证，与湿热所致者不同，切不可误投本方，以免引起更严重的尿血。

7.《医方发挥》：本方所治湿热下注所致的淋证。此虽湿热蕴结磅胱，然治下焦而不专于治下，必三焦通利水乃下行。故朱丹溪曰：小便不通，有热，有湿，有气结于下，宜清，宜燥，宜升，有隔二隔三之治。如不因肺燥，但膀胱有热，则泻膀胱，此正治也。如因肺燥不能生水，则清金，此隔二。如因脾湿不运而清不升，故肺燥不能生水，则当燥脾健胃，此隔三。方中萹蓄、瞿麦，苦寒入膀胱，专清利湿热而通利；车前子苦寒清肺利膀胱，源清而流自洁；木通清心利小便，心火清则肺金肃，下肠能泌清浊也；滑石甘淡寒入胃膀胱，清热滑窍通淋，盖甘淡之味，先入于胃，渗走经络游溢津气，上输于肺，下通膀胱（《本草纲目》），甘草用梢直达茎中，甘缓而止痛；栀子、大黄以导泄肝胆三焦膀胱之热，增强其泻火解毒之功。总之，车前、木通清肺热降心火，以资化源；萹蓄、瞿麦清利膀胱；滑石、甘草清热利窍；大黄、栀子苦寒下行，共成清热泻火，利水通淋之功。

8.《方剂学》：本方证乃由湿热下注膀胱所致。湿热蕴结膀胱，水道不利，故尿频涩痛，淋漓不畅，甚或癃闭不通，小腹胀满；邪热内蕴，故口燥咽干，苔黄脉数。治宜清热通淋。本方集木通、滑石、车前子、瞿麦、萹蓄等利水通淋之品，清利湿热；配用山栀仁清泻三焦湿热；大黄泄热降火；甘草缓急止痛，调和诸药。用时加少量灯芯以导热下行。上药合用，共奏清热泻火，利水通淋之效。

【验案】

1. 小便不通 《保婴撮要》：一小儿患腹痛，小便不利，大便干实，此形病俱实，先用八正散2剂，二便随通；又用加味清胃散2剂，再用仙方活命饮1剂而痊。

2. 下疳 《全国名医验案类编续编》：尹性初治一病人，小便涩痛，尿血，阴茎肿大，皮破水流，花柳科所谓下疳是也。病属血淋阴肿，系热毒侵入血室，遗入膀胱，郁结不能渗泄故也。治拟仿八正散之旨，清热渗湿，解毒行瘀。草薢、栀子、车前子、瞿麦、萹蓄各9g，升麻3g，大黄、银花各6g，生甘草梢、琥珀末各3g。另用黄连末，甘草末各3g，用白蜜调搽。服4剂肿消大半，再服4剂而愈。

3. 产后及术后尿潴留 《赤脚医生杂志》(1976，12：24)：以八正散加减：萹蓄、瞿麦、滑石各15g，木通3g，车前子9g，甘草梢6g，元明粉9～15g（分冲），治疗自然产、手术产以及其他下腹部手术所致的尿潴留32例。结果获效者（服药后4小时内自行排尿）15例，缓效（服药后4～8小时内排尿，但不通畅，须服药2～5剂始愈）17例。

4. 泌尿系结石 《浙江中医杂志》(1983，2：59)：以八正散加减：海金沙50g，金钱草50g，牛膝30g，滑石50g，大黄20～30g，木通15g，车前子20g，萹蓄20g，瞿麦20g，石韦20g，甘草10g为基本方，每日1剂，冲服消石散（地龙、鸡内金、琥珀，按3∶2∶1比例配制，共为细末）15g，治疗泌尿系结石34例。结果：治疗后排尿者21例，结石下移2cm以上者9例，总有效率为88.2%。本组中，共排出结石28块，平均排石时间为6.2天，最短3天，最长为108天。

5. 急性肾盂肾炎 《辽宁中医杂志》(1986，1：19)：以本方随证加黄连、黄柏等治疗湿热型急性肾盂肾炎女性菌尿67例，病人尿菌培养均有不同程度的致病菌生长，其中大肠杆菌35例，菌落计数均在10万以上。结果：治愈（临床症状消失，尿检正常，尿菌培养2次均为阴性）54例，临床治愈（临床症状消失，尿检正常，尿菌培养尚未转阴）5例，无效8例。

6. 痛风病 《实用中西医结合杂志》(1995，4：244)：用本方加石苇、金钱草、海金沙、车前草、枳壳为基本方；肝功能异常者加茵陈、柴胡、赤白芍、五味子；痛风性肾病者加六味地黄丸合黄柏知母方；每日1剂，水煎服，4周为1疗程；急性发作者加金黄膏外敷，或口服芬必得；治疗痛风病15例。结果：全部有效，关节酸痛症状显著改善，其中9例血尿酸降至正常范围，11例肝功能异常者均恢复到正常。

7. 慢性淋病 《浙江中医学院学报》(1996，5：26)：用本方加金钱草、茯苓、陈皮、白术、厚朴等，治疗男性慢性淋病30例，14天为1疗程。结果：治愈21例，好转6例，总有效率90%。

8. 尿路感染 《陕西中医》(1998，10：447)：将本方制为合剂，每次20ml，1日3次，连续服3天，治疗尿路感染97例，并与口服西药氟哌酸组45例对照。结果：治疗组痊愈75例（占77.32%），好转17例，总有效率94.84%；对照组痊愈11例（占24.44%），好转30例，总有效率91.11%。两组有效率无显著性差异，但治愈率差异显著（$P<0.01$）。

9. 淋病后遗症 《湖北中医杂志》(1999，10：472)：用本方加减：舌红少苔者，加知母、生地；窍内发痒或有蚁行感者，加土茯苓、白花蛇舌草、白藓皮；小便不畅者，加蚤休、王不留行；晨起尿道口有稀薄粘物者，去大黄、山栀、滑石，加石菖蒲、茯苓；腰酸乏力、尿频者，去大黄、山栀、滑石，加茯苓、益智仁、石菖蒲；治疗淋病后遗症62例。结果：治愈52例，好转6例，无效4例。

五淋散

【来源】《太平惠民和济局方》卷六（添诸局经验秘方）。

【组成】木通（去节）　滑石　甘草（炙）各六两　山栀仁（炒）十四两　赤芍药　茯苓（去皮）各半斤　淡竹叶四两　山茵陈（去根，晒干）二两

【用法】上为末。每服三钱，水一盏，煎至八分，空心服。

【主治】肾气不足，膀胱有热，水道不通，淋沥不宣，出少起多，脐腹急痛，蓄作有时，劳倦即发，或尿如豆汁，或如砂石，或冷淋如膏，或热淋便血。

【方论】《医略六书》：热结膀胱，气化有伤而溺窍不利，故茎痛溺赤，淋沥不止焉。茵陈清湿热以治淋，滑石通窍门以利溲，生草泻火缓茎中之痛，木通降火利小肠之水，山栀清三焦之热，赤芍利膀胱之血，赤苓渗血分之湿以清水府，竹叶清膈上之热以快水道也。为散，灯心汤下，使热结顿开，则膀胱无不化之气，而水府无不清之液，何患淋沥不快，涩痛不痊哉。此通利之剂，为淋沥涩痛之专方。

车前子汤

【来源】《圣济总录》卷二十六。

【组成】车前子三两

【用法】上为粗末。每服五钱匕，水一盏半，煎至八分，去滓温服。

【主治】伤寒小便不通，腹胀；热淋。

滑石汤

【来源】《圣济总录》卷二十六。

【组成】滑石（碎） 冬葵子 榆白皮（锉）各等分

【用法】上为粗末。每服四钱匕，水一盏半，煎至八分、去滓，食前温服。

【主治】伤寒小肠有伏热，状如热淋磣痛。

滑石散

【来源】《圣济总录》卷九十六。

【组成】滑石二两 栀子仁（微炒） 木通（锉） 豉（微炒）各一两

【用法】上为散。每服二钱匕，早、晚食前、夜卧煎葱白汤调下。

【主治】风热，小便赤涩。

车前子汤

【来源】《圣济总录》卷九十八。

【别名】车前汤（《圣济总录》卷一八四）。

【组成】车前子 葵根各一升 木通三两

【用法】上锉，如麻豆大。以水十二盏，煎取四盏，去滓，下芒消末半两，分温四服，如人行六七里，再进一服。微利为度。

【主治】热淋，小便赤涩疼痛。

车前子散

【来源】《圣济总录》卷九十八。

【组成】车前子（炒） 牛膝（锉）各一两 桑根白皮（切）三两 蒲黄一两

【用法】上为散。每服二钱匕，煎葱汤调下，不拘时候。

【主治】热淋结涩不通。

四汁饮

【来源】《圣济总录》卷九十八。

【组成】葡萄（自然汁） 蜜 生藕（自然汁） 生地黄（自然汁）各五合

【用法】上药和匀。每服七分，水一盏，银石器内慢火煎沸，温服，不拘时候。

【主治】热淋，小便赤涩疼痛。

白茅根汤

【来源】《圣济总录》卷九十八。

【别名】茅根汤（原书卷一八四）。

【组成】白茅根（细锉）五两

【用法】上为粗末。每服五钱匕，水一盏，煎至七分，去滓温服，不拘时候。

【主治】热淋，小便赤涩不通。

滑石汤

【来源】《圣济总录》卷九十八。

【组成】滑石（研）四两 冬葵子二两

【用法】上为粗末。每服五钱匕，水一盏半，煎至八分，去滓，食前温服。

【主治】热淋，小便涩痛。

滑石散

【来源】《圣济总录》卷九十八。

【组成】滑石四两

【用法】上为散。每服二钱匕，煎木通汤调下，不拘时候。

【主治】热淋，小便赤涩热痛。

车前子汤

【来源】《圣济总录》卷一五七。

【别名】车前子散（《鸡峰普济方》卷十六）。

【组成】车前子二合 冬葵根（洗、锉）二两半

【用法】上为粗末。每服五钱匕，以水一盏半，煎至八分，去滓，空心温服。

【主治】

1.《圣济总录》：妊娠小便涩。

2.《普济方》引《十便良方》：热淋，小便不利，茎中急痛。

灯心汤

【来源】《类编朱氏集验方》卷七。

【组成】灯心　干柿各等分

【用法】上锉。水煎服。

【主治】热淋疼痛。

葵子汤

【来源】《鸡峰普济方》卷十。

【组成】赤茯苓一两　葵子　石韦　泽泻　白术各半两

【用法】上为粗末。每服五钱，水二盏，煎至一盏，去滓，食后温服。

【主治】热淋，小便微痛渐难，欲出不出，痛不可忍，尺脉微小而疾。

车前草汤

【来源】《鸡峰普济方》卷十八。

【别名】车前草方（《仁斋直指方论》卷十六）。

【组成】车前草叶

【用法】上取汁。每服半盏，不拘时候。

《仁斋直指方论》：若沙石淋，则以煅寒水石为末和之，新水调下。

【主治】

1.《鸡峰普济方》：热淋及小便不通。

2.《仁斋直指方论》：小肠有热，血淋急痛；沙石淋。

榆白汤

【来源】《鸡峰普济方》卷十八。

【别名】榆皮散（《普济方》卷二一五）。

【组成】榆白皮　黄芩　瞿麦　茯苓（赤者）　通草　郁李仁　栀子　鸡苏叶各等分

【用法】上为粗末。每服二钱，水一盏，煎至七分，去滓温服。

【主治】

1.《鸡峰普济方》：劳淋，热淋。

2.《普济方》：肾气伤懑，劳淋不止，无时遗沥，或热淋妨闷。

琥珀丸

【来源】《小儿卫生总微论方》卷十六。

【组成】琥珀半两（研）　乳香半两（研）　桃胶半两（研）

【用法】上为末，面糊为丸，如绿豆大。每服一二十丸，煎萱草汤送下。

【主治】小儿热淋疼痛。

忘忧散

【来源】《杨氏家藏方》卷四。

【别名】琥珀散（《普济方》卷二一六）。

【组成】琥珀不以多少

【用法】上为细末。每服半钱，食前浓煎萱草根汤调下。

【主治】

1.《杨氏家藏方》：心经蓄热，小便赤涩不通，淋沥作痛。

2.《济阴纲目》：妊娠小便赤涩。

解热方

【来源】《仁斋直指方论》卷十六。

【组成】生车前草

【用法】研细。井水调下。

【主治】黄疸，热淋。

石韦散

【来源】《活幼口议》卷二十。

【组成】石韦（去毛）　海金沙　木通　滑石

【用法】上为末。水一小盏，煎至半盏，通口服。

【主治】小儿热淋、沙淋、石淋。

五淋散

【来源】《脉因证治》卷二。
【组成】牛膝根　葵子　滑石　瞿麦
【主治】五淋
【加减】冷淋，加附子；热淋，加黄芩；血淋，加栀子；膏淋，加秋石、石韦；气淋，小腹满闭，加沉香、木香。

石韦散

【来源】《普济方》卷三八八。
【组成】石韦半两（洗）　海金沙三钱　车前子三钱　海蛤一钱　瞿麦半钱
【用法】上加木通、石燕子，同煎服。一方为末，用灯心、金银汤下。
【主治】小儿热淋。

五淋散

【来源】《奇效良方》卷六十四。
【组成】赤茯苓六钱　赤芍药　当归（去芦）　甘草（生用）各二钱
【用法】上锉碎。每服三钱，水一盏，煎至六分，空心服。
【主治】小儿肾气不足，膀胱有热，水道不通，淋沥不出，或尿如豆汁，或如砂石，或冷淋如膏，或热淋便血。

白茅煎

【来源】《古今医统大全》卷七十一。
【组成】白茅根（切）四斤
【用法】水一斗五升，煮取五升，每服一升，日三次，夜二次。尽剂而愈。
【主治】热淋痛。

五淋散

【来源】《丹台玉案》卷五。
【组成】当归　小蓟　赤芍　山栀仁（炒黑）　赤茯苓各二钱　甘草八分　灯心三十茎
【用法】水煎，空心服。
【主治】肾气不足，膀胱有热，水道不通，淋沥不断，或尿如豆汁，或出砂石，或下膏糊，或便鲜血。

导赤散

【来源】《幼科金针》卷上。
【组成】生地　木通　黄芩　甘草　竹叶　赤茯苓　麦冬
【用法】水煎服。
【主治】热淋出血。

五淋散

【来源】《良朋汇集》卷二。
【组成】赤茯苓六钱　当归五钱　生地　泽泻　条芩各一钱　生甘草　木通各五钱　赤芍药　车前子　滑石　山栀各一两
【用法】上锉散，作五剂。水二钟，煎八分，空心服。滓再煎服。
【主治】肺气不足，膀胱有热，水道不通，淋沥不出，或尿如豆汁，或如砂石，或冷淋如膏，或热淋尿血。

十味导赤汤

【来源】《医宗金鉴》卷五十四。
【组成】生地　山栀子　木通　瞿麦　滑石　淡竹叶　茵陈蒿　黄芩　甘草（生）　猪苓
【用法】水煎服。
【主治】热淋，小便不通，淋沥涩痛。

葱豆酒

【来源】《仙拈集》卷二。
【组成】赤小豆三合（微炒）
【用法】上为末。捣连根葱白二根，热酒调服。
【主治】热淋，血淋。

五效丸

【来源】《本草纲目拾遗》卷八引《慈航活人书》。

【组成】豆腐锅巴一两　川连一钱

【用法】同捣为丸，如梧桐子大。每服五钱。赤带，蜜糖滚水吞下；白带，砂糖汤下；热淋尿血，白汤下；肠风下血，陈酒下。

【主治】赤白带下，热淋尿血，肠风下血。

行水膏

【来源】《理瀹骈文》。

【组成】苍术五两　生半夏　防己　黄芩　黄柏　苦葶苈　甘遂　红芽大戟　芫花　木通各三两　生白术　龙胆草　羌活　大黄　黑丑头　芒消　黑山栀　桑白皮　泽泻各二两　川芎　当归　赤芍　黄连　川郁金　苦参　知母　商陆　枳实　连翘　槟榔　郁李仁　大腹皮　防风　细辛　杏仁　胆南星　茵陈　白丑头　花粉　苏子　独活　青皮　广陈皮　藁木　瓜蒌仁　柴胡　地骨皮　白鲜皮　丹皮　灵仙　旋覆花　生蒲黄　猪苓　牛蒡子　马兜铃　白芷　升麻　川楝子　地肤子　车前子　杜牛膝　香附子　莱菔子　土茯苓　川萆薢　生甘草　海藻　昆布　瞿麦　扁蓄　木鳖仁　蓖麻仁　干地龙　土狗　山甲各一两　发团二两　浮萍三两　延胡　厚朴　附子　乌药各五钱　龟版三两　飞滑石四两　生姜　韭白　葱白　榆白　桃枝各四两　大蒜头　杨柳枝　槐枝　桑枝各八两　苍耳草　益母草　诸葛菜　车前草　马齿苋　黄花地丁（鲜者）各一斤　凤仙草（全株，干者）二两　九节菖蒲　花椒　白芥子各一两　皂角　赤小豆各二两（共用油四十斤，分熬丹收，再入）　铅粉（炒）一斤　提净松香八两　金陀僧　生石膏各四两　陈壁土　明矾　轻粉各二两　官桂　木香各一两　牛胶四两（酒蒸化）

【用法】上贴心口，中贴脐眼并脐两旁，下贴丹田及患处。

【功用】通利水道。

【主治】暑湿之邪与水停不散，或为怔忡，干呕而吐，痞满而痛，痰饮水气喘咳，水结胸，阴黄疸，阳水肿满，热胀，小便黄赤，或少腹满急，或尿涩不行，或热淋，大便溏泄，或便秘不通，或肠痔；又肩背沉重肢节疼痛，脚气肿痛，妇人带下，外症湿热凝结成毒，成湿热烂皮。

【加减】如外症拔毒收水，可加黄蜡和用；又龙骨、牡蛎收水，亦可酌用。

肾疾宁

【来源】《黑龙江中医药》（1986，3：36）。

【组成】党参　茯苓　黄柏　萹蓄　瞿麦　冬瓜皮　白花蛇舌草　柴胡　车前子　公英　生地老节

【用法】上药制成冲剂，每次1袋，开水冲服，每日2～3袋。全部病例在治疗期间均不使用其他抗菌药物。

【主治】泌尿系感染。

【验案】泌尿系感染　《黑龙江中医药》（1986，3：36）：治疗泌尿系感染70例，男7例，女63例；年龄20～59岁；病程2天～14年。急性感染者22例，慢性感染急性发作者48例。结果：急性尿路感染显效10例（45.5%），有效9例（40.9%），无效3例（13.6%），总有效率为86.4%；慢性尿路感染急性发作者显效20例（41.7%），有效18例（37.5%），无效10例（20.8%），总有效率为79.2%。

癃清片

【来源】《新药转正标准》。

【组成】金银花　黄柏　白花蛇舌草　牡丹皮　泽泻等

【用法】制成片剂。口服，1次8片，每日3次。

【功用】清热解毒，凉血通淋。

【主治】热淋所致的尿频、尿急、尿痛、尿短、腰痛、小腹坠胀等。

【宜忌】体虚胃寒者不宜服。

十八、血　淋

血淋，淋证之一，临床以小便频数尿色见红或尿血为特征。《诸病源候论》："血淋者，是热淋之甚者，则尿血，谓之血淋。"《医宗必读》将血淋分为血热、血冷、血虚、血瘀诸种。本病治疗，宜取凉血清热，活血通淋，温暖下元，滋阴补血等法。

鸡苏饮子

【来源】《外台秘要》卷二十七引《范汪方》。

【组成】鸡苏一握　竹叶一握（切）　石膏八分（碎）　生地黄一升（切）　蜀葵子四分（末，汤成下）

【用法】上除蜀葵子末外，以水六升，煮取二升，去滓，和葵子末，分二次温服。如人行四五里久进一服。

【主治】血淋不绝。

【宜忌】《奇效良方》：忌芜荑、蒜、面、炙肉等。

芍药散

【来源】方出《外台秘要》卷三十四引《小品方》，名见《医心方》卷十二引《令李方》。

【别名】白薇散（《圣济总录》卷一五七）、白薇芍药散（《三因极一病证方论》卷十七）。

【组成】白薇　芍药各等分

【用法】上为散。每服方寸匕，酒送下，一日三次。

【主治】

1. 《外台秘要》引《小品方》：产后遗尿不知出。
2. 《圣济总录》：妊娠小便无度。
3. 《类编朱氏集验方》：血淋、热淋。

榆皮通滑泄热煎

【来源】《备急千金要方》卷二十。

【别名】榆皮散（《太平圣惠方》卷五十八）、榆皮汤（《普济方》卷二一五）。

【组成】榆白皮　葵子各一升　车前子五升　赤蜜一升　滑石　通草各三两

【用法】上锉。以水三斗，煮取七升，去滓下蜜，更煎取三升，分三服。妇人难产亦同此方。

【主治】

1. 《备急千金要方》：肾热，应胞囊涩热，小便黄赤，苦不通；及妇人难产。
2. 《太平圣惠方》：肾热脬囊涩，小便色赤如血。

【方论】《千金方衍义》：方中皆属利水伤津之味，惟赤蜜虽能导火，兼可通津。以其专利窍，故产难亦得用之。

石韦散

【来源】《备急千金要方》卷二十一。

【组成】石韦　当归　蒲黄　芍药各等分

【用法】上药治下筛。每服方寸匕，酒送下，一日三次。

【主治】

1. 《备急千金要方》：血淋。
2. 《太平圣惠方》：血淋心烦，水道中涩痛。

【方论】《千金方衍义》：石韦治癃闭不通，为归、芍、蒲黄导血之宣使。

豆叶饮

【来源】方出《备急千金要方》卷二十一，名见《普济方》卷二一五。

【组成】大豆叶一把

【用法】以水四升，煮取二升，顿服之。

【主治】血淋。

蒲桃煎

【来源】《医方类聚》卷一三三引《食医心鉴》。

【组成】蒲桃（绞取汁）五合　藕汁五合　生地黄

汁五合　蜜五合

【用法】上相和，煎如稀饧，食前服三二合，日再服。

【主治】热淋，小便涩少，磣痛滴血。

地黄散

【来源】《太平圣惠方》卷三十八。

【组成】生干地黄一两　犀角屑三分　赤芍药一两　蜀葵根三分（锉）　葵子半两　黄芩一两　甘草半两（生，锉）　当归三分（锉，微炒）　木通一两（锉）

【用法】上为粗散。每服四钱，以水一中盏，加淡竹叶二七片，煎至六分，去滓温服，每日三四次。

【主治】乳石发动，小肠中热，下血淋涩，脐下疞痛。

王不留行散

【来源】《太平圣惠方》卷五十八。

【组成】王不留行一两　甘遂半两（煨微黄）　葵子一两半　车前子一两　木通一两（锉）　滑石一两半　赤芍药半两　桂心半两　蒲黄半两　当归半两（锉，微炒）

【用法】上为散。每服一钱，食前以粥饮调下。

【主治】血淋疼痛不止。

石燕散

【来源】方出《太平圣惠方》卷五十八，名见《普济方》卷二一五。

【组成】石燕半两　赤小豆半两　商陆子半两　红蓝花半两

【用法】上为细散。每服一钱，食前煎葱白汤调下。

【主治】血淋，心烦，水道中涩痛。

龙脑散

【来源】《太平圣惠方》卷五十八。

【组成】龙脑一钱（细研）　腻粉一钱　寒水石半两　白茅根半两（锉）　黄连半两（去须）　马牙消半两　滑石半两　木通半两（锉）　伏龙肝半两（细研）

【用法】上为细散。每服一钱，煎竹叶汤调下，如人行十里再服。

【主治】血淋，心神烦躁，水道中涩痛，不得眠卧。

白茅根散

【来源】《太平圣惠方》卷五十八。

【别名】白茅根汤（《鸡峰普济方》卷十八）。

【组成】白茅根一两（锉）　赤芍药三分　滑石一两　木通三分（锉）　子芩三分　葵子一两　车前子三分　乱发灰一分

方中赤芍药，《鸡峰普济方》作“白芍药”。

【用法】上为粗散。每服三钱，以水一中盏，煎至六分，去滓温服。如人行十里再服，以愈为度。

【主治】血淋，小便中痛不可忍。

地龙散

【来源】《太平圣惠方》卷五十八。

【组成】地龙一两（微炒）　滑石一两　腻粉一钱　麝香一钱（细研）　自然铜半两　绿豆粉三分

【用法】上为细散。每服一钱，煎甘草汤调下，不拘时候。

【主治】血淋，烦热涩痛，眠卧不安。

鸡苏散

【来源】《太平圣惠方》卷五十八。

【组成】鸡苏一两　葵子二两　石膏二两　生干地黄三两

【用法】上为粗散。每服四钱，以水一中盏，加竹叶二七片，煎至六分，去滓，食前温服。

【主治】血淋不绝。

郁金散

【来源】《太平圣惠方》卷五十八。

【组成】郁金一两　瞿麦一两　生干地黄一两　车前叶一两　滑石一两　川芒消一两

【用法】上为粗散。每服四钱，以水一中盏，煎至六分，去滓温服，如人行十里再服，以愈为度。
【主治】血淋及尿血，水道涩痛。

黄芩散

【来源】《太平圣惠方》卷五十八。
【组成】黄芩一两　鸡苏一两　滑石一两　小蓟根一两　生干地黄一两　木通一两（锉）
【用法】上为粗散。每服三钱，以水一中盏，煎至六分，去滓，每于食前温服。
【主治】血淋，小便疼痛不可忍。

麻根汤

【来源】方出《太平圣惠方》卷五十八，名见《圣济总录》卷九十八。
【组成】麻根十枚
【用法】上捣碎，以水二大盏，煎取一大盏，去滓，分二次服，如人行十里再服。
【主治】
1.《太平圣惠方》：血淋。
2.《圣济总录》：热淋，小便赤涩。

榆白皮汤

【来源】方出《太平圣惠方》卷五十八，名见《圣济总录》卷九十六。
【组成】榆白皮三两（锉）　葵子一合　滑石三两　石韦一两（去毛）　蘧麦一两　生干地黄一两
【用法】上为散。每服五钱，以水一大盏，煎至五分，去滓，入笔头灰二枚，搅匀，每食前温服。
【主治】
1.《太平圣惠方》：血淋涩痛。
2.《圣济总录》：小便出血，水道中涩痛。

瞿麦散

【来源】《太平圣惠方》卷五十八。
【组成】瞿麦一两　车前子半斤　滑石二两　郁金一两　乱发灰半两　川大黄一两（锉碎，微炒）　生干地黄二两
【用法】上为细散。每服二钱，食前煎葱白汤调下。
【主治】血淋及尿血，水道中涩痛，遍经络脏腑热甚，则血散失其常经而成淋。

鸡苏散

【来源】《太平圣惠方》卷七十二。
【别名】鸡苏饮（《圣济总录》卷九十八）。
【组成】鸡苏叶二两　滑石三两　刺蓟根一两（锉）　木通二两（锉）　生干地黄二两
【用法】上为粗散。每服五钱，以水一大盏，加竹叶三七片，煎至五分，去滓，食前温服。
【主治】妇人血淋。

冬葵子散

【来源】《太平圣惠方》卷九十二。
【别名】蒲黄散（《普济方》卷三八八）。
【组成】冬葵子（锉）　蒲黄各半两
【用法】上药以水一大盏，入生地黄半两，煎至六分，去滓，不计时候，量儿大小，分减服之。
【主治】小儿血淋不止，水道涩痛。

犀角屑散

【来源】《太平圣惠方》卷九十二。
【组成】犀角屑　黄芩　石韦（去毛）　当归（锉）　赤芍药各半两　蒲黄一两
【用法】上为粗散。每服一钱，以水一小盏，加生地黄半分，青竹茹半分，煎至六分，去滓，量儿大小，分减服之，不拘时候。
【主治】小儿血淋涩痛，心躁体热。

金旋散

【来源】《博济方》卷四。
【组成】白附子（炮）　木香　肉豆蔻（去皮）　猪牙皂角（去皮，生）　桔梗　吴茱萸（麸炒）　肉桂（取心）　大黄（生）　川芎（净）　知母　白茯苓　当归　槟榔二个（一个生，一个熟）　巴豆（去皮，日日换汤，浸二七日，又用麦麸水，煮一日，细研）　白芜荑（取仁）　芍药　白僵蚕

二分（直者） 黄连（取净）二两

方中除槟榔、僵蚕、黄连外，诸药用量原缺。

【用法】上为细末。入巴豆于乳钵内同研令匀，然后入瓷器中密封，候至一七日后，每用一字，汤使如后：卒中风，羊髓酒送下；头旋，菊花酒送下；血淋，大黄汤送下；腰膝痛，醋汤送下；吐血，竹茹汤送下；肠风，背阴繁柳草自然汁入热酒，又槲叶烧灰，调酒送下；寸白虫，先吃牛脯，后以芜荑汤送下；霍乱吐泻，新汲水送下；肺气喘，杏仁汤送下；小儿一切疾，米饮送下；小儿薄，蜜汤送下；小儿误吞钱，腻粉汤送下；小儿天钓风，以蝉壳烧灰入小便调下。

【主治】卒中风，头旋，血淋，腰膝痛，肠风背阴，寸白虫，霍乱吐泻，肺气喘，小儿齁，小儿误吞钱及小儿天钓风。

犀角散

【来源】《医方类聚》卷一三三引《神巧万全方》。

【组成】犀角屑 石韦 王不留行 滑石 蒲黄各一两 黄芩 大黄各三分 木通 葵子 赤芍药 当归各一两半 车前子二两

【用法】上为末。每服三钱，以水一中盏，煎至六分，去滓温服。以利为度。

【主治】石淋及血淋。下砂石兼碎血片，小腹结痛，闷绝。

八正散

【来源】《太平惠民和济局方》卷六。

【别名】八珍散（《世医得效方》卷十六）。

【组成】车前子 瞿麦 萹蓄 滑石 山栀子仁 甘草（炙） 木通 大黄（面裹煨，去面，切，焙）各一斤

【用法】上为散。每服二钱，水一盏，加灯心，煎至七分，去滓，食后、临卧温服。小儿量力少少与之。

本方改为汤剂，名“八正汤”（《宋氏女科》）。

【功用】

1. 《中医方剂学》：清热泻火，利水通淋。
2. 《中医方剂选讲》：消炎，利水散结，通便。

【主治】大人、小儿心经邪热，一切蕴毒，咽干口燥，大渴引饮，心忪面热，烦躁不宁，目赤睛疼，唇焦鼻衄，口舌生疮，咽喉肿痛。又治小便赤涩，或癃闭不通，及热淋，血淋。

【宜忌】《新医学》（1975，5：262）：孕妇及虚寒病者忌用。本方多服会引起虚弱的症状，如头晕、心跳、四肢无力，胃口欠佳。

葵根饮

【来源】《圣济总录》卷九十五。

【组成】葵根一大握 胡荽二两 滑石一两（为末）

【用法】上将前二味细锉，以水二升，煎取一升，入滑石末，分三次温服。

【主治】小肠积热，小便不通。亦治血淋。

透泉散

【来源】《圣济总录》卷九十六。

【组成】滑石末一两 甜消（研） 甘草末各半两 琥珀（研）一分

【用法】上为细末。每服二钱匕，空心、食前煎灯心汤调下。

【功用】通利小肠。

【主治】小便赤涩。

滑石丸

【来源】《圣济总录》卷九十六。

【组成】滑石 车前子 海蛤各一两 瞿麦穗 牡蛎（烧） 海金砂 木通（锉） 甘草（炙）各半两

【用法】上为末，炼蜜为丸，如梧桐子大。每服二十丸，小蓟汤送下，不拘时候。

【主治】小便出血疼痛。

大黄散

【来源】《圣济总录》卷九十八。

【组成】大黄（略蒸熟，切，焙）二两 乱发（烧

灰）一两

【用法】上为散。每服二钱匕，温熟水调下，一日三次。

【主治】血淋，热痛不可忍。

木通汤

【来源】《圣济总录》卷九十八。

【组成】木通（锉）二两半　鸡苏叶　石膏（碎）各二两　刺蓟根一握（洗，切，焙）　生干地黄（切，焙）三两

【用法】上为粗末。每服三钱匕，水一大盏，煎至七分，去滓温服，不拘时候。

【主治】血淋疼痛。

石韦汤

【来源】《圣济总录》卷九十八。

【组成】石韦（去毛）三分　葛根（锉）　甘草（炙、锉）　桑根白皮（锉）　独活（去芦头）　防风（去叉）各半两　冬葵子（略炒）一两　木通（锉）一两　滑石（碎）三分

【用法】上为粗末。每服三钱匕，水一盏，煎至七分，去滓温服，不拘时候。

【主治】血淋，小肠涩痛，烦闷。

石韦汤

【来源】《圣济总录》卷九十八。

【组成】石韦（去毛）一两　甘遂（炒）三分　木通（锉）二两半　冬葵子一两半　车前子二两　滑石一两　蒲黄二两　赤芍药　当归（切，焙）各一两半　大黄（锉，炒）一两

【用法】上为粗末。每服三钱匕，水一盏，煎至七分，不拘时候，去滓温服。

【主治】血淋，小肠内结痛。

旱莲子汤

【来源】《圣济总录》卷九十八。

【组成】旱莲子　芭蕉根（细锉）各二两

【用法】上为粗末。每服五钱匕，水一盏半，煎至八分，去滓温服，每日二次。

【主治】

1.《圣济总录》：血淋。
2.《普济方》：血淋心烦，水道涩痛。

鸡苏汤

【来源】《圣济总录》卷九十八。

【组成】鸡苏一两半　石膏（碎）　淡竹叶（切）　木通（锉）　甘草（生，锉）　滑石（碎）　小蓟根各一两　生地黄半斤（锉，焙）

【用法】上为粗末。每服六钱匕，水二盏，煎至一盏，去滓，空心温服。

【主治】血淋。

金黄散

【来源】《圣济总录》卷九十八。

【组成】大黄（煨，锉）　黄蜀葵花（切，焙）　人参　蛤粉各等分

《普济方》有黄芩。

【用法】上为散。每服一钱匕，煎灯心汤调下，一日三次。

【主治】小便血淋疼痛。

羚羊角饮

【来源】《圣济总录》卷九十八。

【别名】羚羊角散（《医钞类编》卷十四）。

【组成】羚羊角屑　栀子仁　冬葵子（炒）各一两　青葙子　红蓝花（炒）　麦门冬（去心，焙）　大青　大黄（锉，炒）各半两

【用法】上为粗末。每服三钱匕，以水一盏，煎至七分，去滓温服，不拘时候。

【主治】血淋。小便出血，热结涩痛。

葵根汤

【来源】《圣济总录》卷九十八。

【组成】葵根一握　胡荽一握　淡竹叶一握　滑石末三钱匕

【用法】上将前三味锉细，分作三服。每服水一盏

半，滑石末一钱匕，煎至八分，去滓温服，甚者不过二剂。

【主治】血淋。

榆皮汤

【来源】《圣济总录》卷九十八。

【组成】榆皮（锉） 滑石各二两 冬葵子一合半（炒） 石韦（去毛）一两 瞿麦穗一两半 笔头灰半两

【用法】上为粗末。每服三钱匕，水一盏，煎至七分，去滓温服，不拘时候。

【主治】血淋热痛。

瞿麦汤

【来源】《圣济总录》卷九十八。

【组成】瞿麦穗 生干地黄（焙）各三两 郁金二两 车前叶（切，焙）三两 滑石（碎）五两 芒消一两

【用法】上为粗末。每服三钱匕，水一盏，煎至七分，去滓温服，不拘时候，一日三次。

【主治】血淋热结，不得通利。

鸡苏汤

【来源】《圣济总录》卷一八四。

【组成】鸡苏一握（去根，锉，晒） 石膏（碎）二两 竹叶一握（切） 蜀葵子（别为末）一两 葵子（为末，每服旋入）一钱

【用法】上除葵子外为粗末。每服二钱匕，水一盏半，煎至一盏，去滓，下葵子末一钱匕，更煎至八分，温服，一日二次。

【主治】乳石发动，血淋不止。

通神散

【来源】《幼幼新书》卷三十引《聚宝方》。

【组成】石燕子一枚（先为细末，再研） 石苇半两

【用法】上为细末。每服一字，煎三叶酸浆草汤调下。甚者再三服。

【主治】

1. 《幼幼新书》引《聚宝方》：小儿五疳淋。
2. 《幼幼新书》引《谭氏殊圣》：血淋。

【宜忌】忌食生冷，油腻。

阿胶汤

【来源】《鸡峰普济方》卷十。

【别名】阿胶散（《古今医鉴》卷八）。

【组成】猪苓 茯苓 泽泻 滑石 阿胶各四分 车前子二分

【用法】上为粗末。每服五钱，水二盏，煎至一盏，去滓温服，不拘时候。

【主治】血淋。血随小便出，每便辄痛，由心气留热，搏于小肠，盖心主血，遇热即流散，渗于脬中，诊其心脉大散而数疾。

子芩伏龙肝散

【来源】《鸡峰普济方》卷十八。

【组成】甘草 芎藭 伏龙肝各一两 子芩 赤芍药

方中子芩、赤芍药用量原缺。

【用法】上为粗末。用水一升，药半两 煎至七分，去滓，分作三次温服。

【主治】血淋。

木通子芩汤

【来源】《鸡峰普济方》卷十八。

【组成】白茅根三两 赤芍药一两 滑石 木通各二两 子芩 乱发灰各一两半 葵子半两

【用法】上为粗末。每服四钱，水一盏，同煎至六分，去滓，食前温服。

【主治】尿血，水道中痛不可忍。

茯苓散

【来源】《鸡峰普济方》卷十八。

【组成】五味子 阿胶 茯苓各半两 黄耆一两

【用法】上为细末，米饮调下，不拘时候。

《普济方》引《十便良方》：每服二钱。

【主治】

1.《鸡峰普济方》：血淋。

2.《普济方》引《十便良方》：血淋不可进凉药者。

通秘散

【来源】《鸡峰普济方》卷十八。

【组成】陈皮　香附子　赤茯苓各等分

【用法】上为粗末。每服二钱，水一盏，同煎至六分，去滓，食前服。

【主治】

1.《鸡峰普济方》：气淋。

2.《类编朱氏集验方》：血淋痛不可忍者。

菩萨散

【来源】《鸡峰普济方》卷十八。

【组成】菩萨退　犀角末各半两　独扫二十穗

【用法】上为细末。每服一钱，空心米饮调下。

【主治】血淋。

鹿茸地黄煎

【来源】《鸡峰普济方》卷十八。

【组成】鹿茸　熟地黄　当归　蒲黄各半两　龙骨　发灰各一分

【用法】上为末，炼蜜为丸，如弹子大。每服一丸，水一盏，入青盐一撮，食后服。

【主治】血淋。

滑石散

【来源】《鸡峰普济方》卷十八。

【组成】王不留行　滑石各五分　甘遂三分　石韦四分　葵子六分　通草十分　车前子　芍药（赤者）　蒲黄　桂　当归各六分

【用法】上为细末。每服二钱，空心茶汤送下。

【主治】石淋，血淋。

僵蚕散

【来源】《小儿卫生总微论方》卷十六。

【组成】白僵蚕（炒去丝咀）　当归（去芦，洗净）各等分

【用法】上为细末。每服半钱或一钱，煎车前子汤调下；若砂淋者，煎羊蹄草汤调下，不拘时候。

【主治】小儿小便赤涩不通；亦治血淋、砂淋。

保安丸

【来源】《普济方》卷三二八引《海上方》。

【组成】白豆蔻　赤茯苓　牡丹皮　红芍药　沉香　诃子皮　槟榔　朱砂　石茱萸各三两　马鸣退（炒）　生地黄各一两　人参　当归　官桂　牛膝（酒浸）　白芷　木香　藁本　麻黄（去节）　黑附子（炮）　川芎　细辛（去叶）　兰香叶　甘草　桔梗（去芦）　寒水石（烧粉）　防风（去芦）　蝉壳　乳香　没药　白术各五钱　龙脑一钱　麝香少许

【用法】上为细末，炼蜜为丸，如弹子大。每服一丸，空心细嚼，温酒送下。

【功用】催生。

【主治】产前产后诸证。血淋，胎衣不下，产前产后腹痛，子死腹中，脐下如刀刺，遍身生黑斑，经脉不通，产前产后伤寒。

桃胶散

【来源】《杨氏家藏方》卷二十。

【组成】石膏　木通　桃胶（炒作末）各半两

【用法】上为细末。每服二钱，水一盏，煎至七分，食前通口服。

【主治】血淋。

柿灰散

【来源】《本草纲目》卷三十引《叶氏方》。

【组成】干柿三枚（烧存性）

【用法】上为末。陈米饮调服。

【主治】小便血淋。

伏龙肝饮

【来源】《普济方》卷二一五引《十便良方》。

【组成】甘草　川芎　伏龙肝　黄芩各一两　赤芍药一两

【用法】上为粗末。用水一升，药半两，煎至七分，去滓，分作三服，温服之。

【主治】血淋。

当归汤

【来源】方出《是斋百一选方》卷十五引郑媪方，名见《普济方》卷二一五。

【组成】淡竹叶　灯心　当归（去芦）　红枣　竹猥绥　麦门冬（并根苗用）　乌梅　甘草　木龙（又名野葡萄藤）各等分

方中竹猥绥，《普济方》引《是斋百一选方》作竹葳蕤，《证治准绳·类方》作竹园荽。

【用法】上药或多少亦不妨，煎汤作熟水，患此疾者多渴，随意饮之。

【主治】血淋及五淋等疾。

利水散

【来源】《医方类聚》卷一三三引《经验良方》。

【组成】山栀子　白药子　滑石　木通

【用法】上为末。每服一钱，血淋，酸浆水、甘草煎汤下；石淋，灯心汤下；砂淋，木通汤下；冷淋，新汲水下。

【主治】诸淋。

神效汤

【来源】《家庭治病新书》引《经验良方》。

【组成】海螵蛸　生地　茯苓　侧柏炭各三钱　车前子一两

【用法】水煎服。

【主治】血淋或尿血。

小蓟饮子

【来源】《玉机微义》卷二十八引《济生方》。

【别名】小蓟汤（《医学正传》卷六）、小蓟饮（《明医指掌》卷三）。

【组成】生地黄　小蓟根　通草　滑石　山栀仁　蒲黄（炒）　淡竹叶　当归　藕节　甘草各等分

【用法】上锉。每服半两，水煎，空心服。

【功用】《中医方剂学讲义》：凉血止血，利水通淋。

【主治】

1.《玉机微义》引《济生方》：下焦结热，尿血成淋。

2.《医宗金鉴》：尿血同出，茎中不时作痛。

3.《医方新解》：小便频数，赤涩热痛，血尿，舌红，脉数有力。

【方论】

1.《医方考》：下焦结热血淋者，此方主之。下焦之病，责于湿热。法曰：病在下者，引而竭之。故用生地、栀子凉而导之，以竭其热；用滑石、通草、竹叶淡渗渗之，以竭其湿；用小蓟、藕节、蒲黄消而逐之，以去其瘀血；当归养血于阴，甘草调气于阳。古人治下焦瘀热之病，必用渗药开其溺窍者，围师必缺之义也。

2.《医方集解》：此手、足太阳药也。小蓟、藕节退热散瘀，生地凉血，蒲黄止血，木通降心肺之火下达小肠，栀子散三焦郁火由小便出，竹叶凉心而清肺，滑石泻热而滑窍，当归养阴，能引血归经，甘草益阳，能调中和气也。

3.《医林纂要探源》：小蓟苦甘寒，坚肾水，泻心火，去血热；……蒲黄清血热，炒黑亦能止妄行之血；藕味甘咸微涩，散瘀血，退血热，其节亦能止血；滑石滑关窍，行水道，泻三焦之火；栀子去心及三焦之火，炒黑亦能止妄血；木通导心、小肠之火而通之于下；淡竹叶行相火之郁，而散之于膻中；甘草和中，亦能泻火；当归滋阴而行阳，以萃津液于肝，使血得所归，血得所归则不妄行于小便矣；生地黄以滋肾水，安相火，且上升以济心火，退血热。火上行者，而或热结下焦，热在血分，阳不足也。邪凑所虚，肾阴不足。热随水道下行，而侮所不胜，相火合焉，二腑皆热，火沸而血妄行，则或从溺以出，热结而艰出，故血淋也。去血分之热，止其妄行，而君以生地，佐以当归，水壮而血有所滋，热清而下焦不结矣。

4.《成方便读》：山栀、木通、竹叶，清心火下达小肠，所谓清其源也；滑石利窍，分消湿热从膀胱而出，所谓疏其流也；但所瘀之血决不能

复返本原，瘀不去则病终不能瘳，故以小蓟、藕节退热散瘀；然恐瘀去则新血益伤，故以炒黑蒲黄止之，生地养之；当归能使瘀者去而新血生，引诸血各归其所当归之经；用甘草者，甘以缓其急，且以泻其火也。

5.《汤头歌诀详解》：本方是由导赤散（生地、木通、甘草、淡竹叶）加味组成。导赤散原能凉血清心，泻下焦小肠之火，具有利尿通淋的作用。现加小蓟、藕节、蒲黄、当归，功在凉血散瘀，和血养阴止血，是专为尿血而设；加滑石是增强泻热、利尿的作用；加山栀是增强清热泻火的功能。热退血止，淋通尿畅，则自然痛止病除。

6.《中医方剂学讲义》：方用小蓟、生地、蒲黄、藕节凉血止血；木通、竹叶降心肺之火，从小便而出；栀子泄三焦之火，引热下行；滑石利水通淋；当归引血归经；甘草协调诸药。合用成为凉血止血、利水通淋之剂。

7.《方剂学》：《素问·气厥论》云：胞移热于膀胱，则癃溺血。说明血淋、尿血是由热聚膀胱，损伤血络所致。邪热蕴结，膀胱气化失司，则小便频数，赤涩热痛。治宜凉血止血，利尿通淋。方中小蓟、生地清热凉血止血，共为君药。藕节、蒲黄凉血止血而消瘀；滑石、木通、竹叶清热利尿而通淋，俱为臣药。栀子能清三焦之火，导热下行；当归养血和血，其性辛温，用之尚有防诸药寒凉滞血之意，合而为佐。甘草调药和中，用以为使。纵观全方，凉血止血而无留瘀之弊；通淋利尿而兼益血养阴之能，实为治疗下焦热结之血淋、尿血的有效方剂。

【验案】

1. 急性肾小球肾炎　《新中医》（1982，9：46）：陈某，男，13岁。感冒发热、咽喉肿痛半月后，发现头面、下肢浮肿，头晕，小便不利，尿少黄，口渴心烦，口角生疮，咽红肿，舌尖红苔少，脉浮数。方用小蓟饮子加减：小蓟15g，生地10g，藕节15g，蒲黄10g，木通6g，竹叶10g，滑石12g，当归10g，山栀子10g，钩藤20g，夏枯草20g，水煎服。6剂药后全身浮肿消退，尿量增多，色转淡。尿镜检正常。继服上方3剂，诸证悉除。

2. 血尿　《山西中医》（2005，5：38）：以本方加减：生地、小蓟各20g，滑石、木通、蒲黄、藕节、当归、炒山栀子、白茅根各10g，生甘草5g，琥珀3g（调服），水煎服，治疗杀虫脒中毒血尿22例。结果：22例全部治愈，临床症状消失，尿常规正常。其中3剂而愈者7例，6剂而愈者14例，8剂而愈者1例。

地骨酒

【来源】方出《本草纲目》卷三十六引《简便方》，名见《仙拈集》卷二。

【组成】新地骨皮（洗净）

【用法】捣自然汁（无汁则以水煎汁），每服一盏，加酒少许，食前温服。

【主治】

1.《本草纲目》引《简便方》：小便出血。

2.《仙拈集》：血淋。

甘豆汤

【来源】《仁斋直指方论》卷十五。

【组成】黑大豆二合　甘草二钱

【用法】加生姜七片，井水煎汁服。

【主治】诸热烦渴，大小便涩；及内蓄风热入肾，腰痛，大小便不通；血淋，诸淋。

加味金花丸

【来源】《仁斋直指方论》卷十五。

【组成】黄连　黄柏　黄芩　山栀（炒）各二两　桔梗　半夏（泡）　陈皮　人参（去芦）各一两

【用法】上为细末，滴水为丸，如小豆大。每服五十丸，淡姜汤送下。

【主治】内外诸热，气壅痰涎，溺血淋闭。

海金散

【来源】《仁斋直指方论》卷十六。

【组成】黄烂浮石

【用法】于草阴地为末。每服二钱，生甘草煎汤调下。小肠气，茎缩囊肿，用木通、灯心、赤茯苓、麦门冬煎汤调下。

【主治】血淋、沙淋，小便涩痛；亦治小肠气，茎缩囊肿。

增味导赤散

【来源】《仁斋直指方论》卷十六。

【别名】加味导赤散（《普济方》卷三八八）。

【组成】生干地黄（洗、晒） 木通 黄芩 生甘草 车前子 山栀仁 川芎 赤芍药各等分

【用法】上为末。每服三钱，加竹叶十片，生姜三片，水煎服。

【主治】

1.《仁斋直指方论》：血淋，尿血。

2.《普济方》引《如宜方》：黄疸有热，小便赤涩，面目黄。

瞿麦汤

【来源】《仁斋直指方论》卷十六。

【别名】瞿麦散（《奇效良方》卷三十五）。

【组成】烂滑石 赤芍药 瞿麦穗 车前子（不炒） 赤茯苓 石韦（去毛） 桑白皮（炒） 阿胶（炒酥） 黄芩 生干地黄（洗，焙） 甘草（炙） 白茅根各等分

【用法】上为细末。每服二钱，加生发（烧灰）一钱，沸汤调下。如无茅根，止用茅花。

【主治】血淋，尿血。

百补汤

【来源】《女科万金方》。

【组成】阿胶 地榆 陈皮 川芎 当归 白芍 熟地

【用法】水煎，食前服。

【主治】妇人血淋白浊。

姜黄散

【来源】《活幼口议》卷二十。

【组成】姜黄

【用法】上为末。每服半钱，用红酒调下，连二三服。以通为度。

【主治】小儿血淋。

猪苓汤

【来源】《云岐子脉诀》。

【组成】猪苓 滑石 泽泻 阿胶（炒）各等分

【用法】上锉。水二盏，先用前三味煎至一盏，去滓，后入阿胶化开，食前温服。

【主治】淋沥失血，脉芤者。

八物汤

【来源】《云岐子保命集》卷下。

【组成】四物内加玄胡 苦楝各一两 槟榔 木香各半两

【主治】

1.《云岐子保命集》：妇人经事欲行，脐腹绞痛。

2.《中国医学大辞典》：痛经及血淋。

乳石散

【来源】《世医得效方》卷八。

【组成】乳香（中夹石者）

【用法】上为细末。以米饮或麦门冬汤调下，每服以饥饱适中时服；空心亦可。

【主治】血淋及五淋等。

【验案】血淋 《普济方》：韩安伯参议，名元修，尊人偶患此疾，数日痛楚不可言，服之遂愈。

淡竹叶汤

【来源】《世医得效方》卷八。

【组成】淡竹叶 甘草 灯心 枣子 乌豆 车前子

【用法】上不拘多少，以水浓煎汤，代熟水服。

【主治】

1.《世医得效方》：诸淋。

2.《普济方》：砂、血淋。

发灰散

【来源】《丹溪心法》卷三。

【组成】乱发不以多少（烧灰）

【用法】入麝香少许，每服用米醋泡汤调下。

【主治】血淋；小便出血。

五淋散

【来源】《脉因证治》卷二。
【组成】牛膝根　葵子　滑石　瞿麦
【主治】五淋
【加减】冷淋，加附子；热淋，加黄芩；血淋，加栀子；膏淋，加秋石、石韦；气淋，小腹满闭，加沉香、木香。

血余散

【来源】《医学纲目》卷十四。
【组成】乱发（皂角水洗净，晒干，烧灰）
【用法】上为末。每服二钱，以茅根、车前叶煎汤送下。
【主治】血淋，内崩，吐血，舌上出血，便血。

青麻汤

【来源】《普济方》卷二一四。
【组成】青麻根（一寸，洗去土）七根
【用法】以水五升，煮取三升。冷服，分六服。
【主治】淋瘀血，及下血不止。

郁金散

【来源】《普济方》卷二一五。
【组成】生干地黄　郁金　蒲黄各等分
【用法】上为细末。每服一钱，食前以车前子叶汤调下；酒调下亦得。
【主治】血淋。心头烦，水道中涩痛，小肠积热，尿血出者。

抵圣散

【来源】《普济方》卷二一五。
【组成】多年煮酒瓶头箬叶（惟福建过夏酒有之，三五年至十年者为佳）七个（烧存性）　麝香少许
【用法】上为极细末。空心、临卧陈米饮煮浓汤调下。
【主治】男子妇人血淋便涩，水道疼痛。

独连丸

【来源】《普济方》卷二一五。
【别名】大脏丸（《赤水玄珠全集》卷九）、脏连丸（《医学六要·治法汇》卷一）。
【组成】黄连末四两（或五两）
【用法】于猪大肠头内煮熟，去肠，将药末用糕并米饮汤为丸，如梧桐子大。空心米汤送下。

《赤水玄珠全集》：每服百丸。

【主治】

1.《普济方》：血淋下血。
2.《赤水玄珠全集》：肠风下血及痔疾。

清泉汤

【来源】《普济方》卷二一五。
【组成】棕榈皮不拘多少（一半生炒为末，一半烧灰为末）
【用法】每服生熟各半钱，空心温酒调下。
【主治】血淋不止。

解毒散

【来源】《普济方》卷二一五。
【组成】百药煎　黄连　滑石　木香　车前子各等分
【用法】上为细末。每服方寸匕，空心灯草汤调下。重者日进二服。
【主治】血淋。

柿蒂散

【来源】《奇效良方》卷三十五。
【组成】干柿蒂（烧存性）
【用法】上为末。每服二钱，空心米饮调下。
【主治】血淋。

神效方

【来源】《奇效良方》卷三十五。
【组成】海螵蛸　生干地黄　赤茯苓各等分
【用法】上为细末。每服一钱，用柏叶、车前草煎

汤调下。

【主治】血淋。

清热汤

【来源】《万氏家抄方》卷二。

【组成】车前子 灯心 侧柏叶 栀子 黄芩 滑石 乌梅 竹叶 大黄（酒蒸熟） 蒲黄 猪苓 甘草 赤茯苓

【用法】加生姜，水煎服。

【主治】赤浊，便血，血淋。

导热散

【来源】《万氏家抄方》卷三。

【组成】侧柏叶 山栀 车前子 灯心 黄芩 滑石 乌梅 竹叶 大黄（炒） 猪苓 泽泻 蒲黄 赤茯苓 甘草

【用法】加生姜，水煎服。

【主治】血淋，便血。

琥珀散

【来源】《活人心统》卷下。

【组成】滑石（飞过）一两 甘草梢六分 琥珀一钱

【用法】上为末。每服二钱，空心以汤调服。

【主治】血淋涩痛。

黄金散

【来源】《古今医统大全》卷七十一。

【组成】大黄（煨） 人参 蛤粉 黄蜀葵花（焙）各等分

【用法】上为细末。每服一钱，灯心煎汤调服，一日三次。

【主治】小便血淋疼痛。

琥珀散

【来源】《古今医鉴》卷八。

【组成】琥珀二两 当归一两半 蒲黄二两 生地黄一两半 瞿麦一两 血余四两（烧灰） 栀子一两 大蓟 小蓟各一两半 甘草三钱 酸浆草自然汁五碗

【用法】上用好酸浆草汁和诸药晒干为末。每服三钱，空心米饮调下。

【主治】血淋。

香儿散

【来源】方出《种杏仙方》卷二，名见《东医宝鉴·内景篇》卷四。

【组成】真麝五分 葱白一根（捣取汁） 孩儿茶三钱半 琥珀二分半

【用法】上药各为细末。用百沸汤调前药，入葱汁，空心服。

【主治】小便淋血或砂膏如条，其痛如刀割。

牛膝膏

【来源】《医方考》卷三。

【组成】牛膝三斤

【用法】煎膏一斤。每服四钱，空心盐水化下。

【主治】血淋。

三生益元散

【来源】《医方考》卷四。

【组成】生柏叶 生藕节 生车前汁各一杯 益元散三钱

【用法】调服。

【主治】血淋。

【方论】淋虽有五，皆主于热。此知要之言也。是方也，三物之生，皆能疗热；析而论之，则柏叶凉心，藕节消血，车前导利。益元散者，滑石、甘草也。滑石能清六腑之热，而甘草者，和中泻火，能协木石之性者也。

牛膝膏

【来源】《赤水玄珠全集》卷十五。

【组成】牛膝四两（去芦，酒洗一宿） 桃仁一两（去皮尖，炒） 当归尾二两（酒洗） 赤芍药一两

半　生地一两半（酒洗）　川芎五钱

【用法】用水，以炭火慢熬到二钟，入麝少许，分作四次，空心服。如夏月用凉水换，此膏不坏。

【主治】死血作淋。

朴消牛膝汤

【来源】《赤水玄珠全集》卷十五。

【组成】杜牛膝二两　朴消一两

【用法】以雪水二碗，煎杜牛膝至一碗，调朴消空心服。

【主治】小便不通，或血淋。

血余散

【来源】《赤水玄珠全集》卷二十六。

【组成】发灰二钱　生蒲黄　生地黄　赤茯苓　甘草各一钱

【用法】水煎，调发灰，空心服。

【主治】血淋。

鸾凤散

【来源】《鲁府禁方》卷二。

【组成】公鸡一只，用二腿骨共六节，烧灰存性

【用法】上为末。每服一钱，黄酒调下。

【主治】淋血。

清带四物汤

【来源】《鲁府禁方》卷三。

【组成】当归（酒洗）　川芎　熟地黄　枳壳（麸炒）　香附（炒）各一钱　白附子　防风各五分　橘红一钱　良姜五分　荆芥七分　甘草三分

【用法】上锉。加大枣三枚，酒二钟，煎七分，入白面一撮，入净肉汁，再煎二三沸，空心服。

【主治】血淋、赤白带下。

【加减】白带多，加均姜（炮）、吴茱萸（炒）。

当归饮

【来源】《丹台玉案》卷五。

【组成】牛膝　蒲黄　当归　黄连　生地各二钱　麦冬（去心）　木通　扁柏叶（微炒）　山栀仁各一钱

【用法】加灯心三十茎，水煎，食前服。

【主治】血淋。

小蓟琥珀散

【来源】《医学入门万病衡要》卷五。

【组成】小蓟　琥珀各等分

【主治】血淋。

【方论】蓟根能治下焦瘀血，琥珀能治膀胱血热。

水火两通丹

【来源】《辨证录》卷三。

【组成】车前子三钱　茯苓五钱　木通一钱　栀子三钱　黄柏一钱　当归五钱　白芍一两　扁蓄一钱　生地一两

【用法】水煎服。

【主治】色欲受惊，小便溺血，尿道涩痛，马口如刀割刺触而难忍者。

通溺饮

【来源】《辨证录》卷三。

【组成】黄柏　车前各三钱　茯苓　白术各五钱　王不留行二钱　肉桂三分　黄连一钱

【用法】水煎服。

【主治】小便溺血，其症痛涩，马口如刀割刺触而难忍。

玄车丹

【来源】《辨证录》卷八。

【组成】玄参　车前子各一两

【用法】水煎服。

【主治】血淋。

牛膝散

【来源】《嵩崖尊生全书》卷十三。

【组成】桃仁　归尾各五分　牛膝（酒浸）二钱

赤芍　生地各七分　川芎三分　麝香少许　瞿麦　炒山栀　甘草各五分
【主治】血淋。

五淋散

【来源】《良朋汇集》卷二。
【组成】赤茯苓六钱　当归五钱　生地　泽泻　条芩各一钱　生甘草　木通各五钱　赤芍药　车前子　滑石　山栀各一两
【用法】上锉散，作五剂。水二钟，煎八分，空心服。滓再煎服。
【主治】肺气不足，膀胱有热，水道不通，淋沥不出，或尿如豆汁，或如砂石，或冷淋如膏，或热淋尿血。

槐子散

【来源】《良朋汇集》卷四。
【组成】槐子（炒黄）　管仲（炒黄）各等分
【用法】上共为末。每服五钱，用严醋一钟，煎滚三五沸，去滓温服。
【主治】血淋，并妇人血山崩漏不止。

茅根汤

【来源】《胎产心法》卷下。
【组成】茅根一两　滑石一钱（煅）　甘草五分　紫贝一个（煅）　石首鱼脑砂一个（焙干，研为末，一方用二个，煅）　阙字姜一块
【用法】加灯心三十寸，煎，入鱼头末，空心温服。
【主治】赤、白、沙、石诸淋。

代抵当丸

【来源】《医学心悟》卷三。
【组成】生地　当归　赤芍各一两　川芎　五灵脂各七钱五分　大黄（酒蒸）一两五钱
【用法】砂糖为丸。每服三钱，开水送下。
【主治】血淋。瘀血停蓄，茎中割痛难忍。

地王止血散

【来源】《惠直堂方》卷二。
【别名】地黄赤茯散（《不知医必要》卷二）。
【组成】海螵蛸　生地　赤茯苓各等分
【用法】上为末。每服一钱，柏叶、车前子煎汤送下。
【主治】
1.《惠直堂方》：尿血。
2.《不知医必要》：血淋

茯苓琥珀散

【来源】《医略六书》卷二十五。
【组成】人参一两半　琥珀三两　川楝三两（酒炒）　泽泻一两半　延胡一两半（醋炒黑）　丹皮一两半　归梢三两　茯苓三两　甘草一两半
【用法】上为散。长流水煎，去滓热服。
【主治】血淋。茎中涩痛，牵引胁下，脉弦涩者。
【方论】血滞膀胱，气不施化，故茎中痛引胁下，小便淋血不止焉。人参扶元化气以通血脉，茯苓渗湿利水以通水道，琥珀屑散瘀血通淋，延胡索活血滞止血，川楝子泻湿热除涩痛，牡丹皮凉血热退相火，归梢破宿血，泽泻利膀胱，草梢泻火缓中以除茎中之痛也。为散，长流水煎，是急方通剂，速其瘀化水行，俾膀胱之气化，则津液四布而水润木荣，小便淋血无不自止，何茎中痛引胁下之不痊哉。此扶元活血之剂，为血淋茎痛引胁之专方。

马鞭酒

【来源】《仙拈集》卷二引《类编》。
【组成】马鞭草不拘多少（洗净）
【用法】石臼内捣烂，绞自然汁半盏，对生酒一钟，顺热温服。
【主治】血淋不止。

药鸡蛋

【来源】《仙拈集》卷二。
【组成】鸡蛋一个　熟大黄末三钱

【用法】将鸡蛋顶开一孔，以熟大黄末三钱入蛋内，银簪搅匀，蒸熟，黄酒下。
【主治】血淋。

药核桃

【来源】《仙拈集》卷二。
【组成】核桃一个　芝麻一把　马齿苋一撮
【用法】共捣烂，滚酒服。
【主治】血淋，沙淋。

葱豆酒

【来源】《仙拈集》卷二。
【组成】赤小豆三合（微炒）
【用法】上为末。捣连根葱白二根，热酒调服。
【主治】热淋，血淋。

赤淋丸

【来源】《妇科玉尺》卷五。
【组成】茯苓　生地　知母　黄柏　续断　杜仲　丹参　甘草　白芍
【主治】赤淋。

柿蒂汤

【来源】《杂病源流犀烛》卷九。
【组成】柿蒂　黄柏　黄连　生地　侧柏叶　丹皮　白芍　木通　茯苓　泽泻
【用法】水煎服。
【主治】心与小肠实热而致血淋，血色鲜红，脉数而有力。

血淋散

【来源】《续名家方选》。
【组成】无患子二钱　白沙糖一钱
【用法】上锉，水煎服。
【主治】血淋。

生地四物汤

【来源】《笔花医镜》卷二。
【组成】生地三钱　归身　赤芍各一钱五分　川芎一钱
【主治】血淋。

生地四物汤

【来源】《医钞类编》卷十四。
【组成】生地　川芎　当归　白芍　红花　桃仁　花蕊石
【用法】水煎服。
【主治】血淋。

牵牛散

【来源】《卫生鸿宝》卷一。
【组成】木通　滑石各一两　黑丑五钱
【用法】上为末。每服二钱，食前灯心、葱白汤下。
【主治】小便出血，痛不可忍。

通淋膏

【来源】《理瀹骈文》。
【组成】玄参　麦冬　当归　赤芍　知母　黄柏　生地　黄连　黄芩　栀子　瞿麦穗　萹蓄　赤苓　猪苓　木通　泽泻　车前　甘草　木香　郁金　萆薢　乱发各一两
【用法】麻油熬，黄丹收，滑石八两搅匀。贴脐下。
【主治】膀胱积热，淋秘尿血。

加味六一散

【来源】《不知医必要》卷二。
【组成】滑石三钱　车前一钱　甘草梢四分
【用法】加生柏叶、生藕节捣汁半茶杯，冲药服。
【主治】血淋。

清下汤

【来源】《医方简义》卷三。

【组成】大黄（醋炒）三钱　牡丹皮三钱　归身三钱　白芍一钱　苦参一钱　焦栀子三钱　生甘草八分　北细辛二分　通草一钱五分

【用法】上加鲜荷叶一片，水煎服。如无鲜荷叶，以藕一斤煎汤代水。

【主治】大小便血，血淋，舌上出血。

【加减】小便尿血，加琥珀一钱，滑石三钱；血淋症小腹滞痛，湿热内蕴，加琥珀一钱，滑石、瞿麦各三钱，去细辛；舌上无故出血，加川连八分，炒蒲黄七分，乌贼骨一钱，去细辛；痰血交互，去苦参、细辛，加姜半夏一钱，川贝二钱，真化橘红一钱。

【方论】方中用大黄以入阳明经驱瘀荡热，丹皮清血中之热，白芍泻肝，归身养血，细辛温经，勿使寒凉伤血，苦参清湿火，栀子泄三焦之火，通草渗湿清热，生甘草解毒以和诸药之性。

理血汤

【来源】《医学衷中参西录》上册。

【组成】生山药一两　生龙骨（捣细）六钱　生牡蛎（捣细）六钱　海螵蛸（捣细）四钱　茜草二钱　生杭芍三钱　白头翁三钱　真阿胶（不用炒）三钱

【主治】血淋及溺血、大便下血证之由于热者。

【加减】溺血者，加龙胆草三钱；大便下血者，去阿胶，加龙眼肉五钱。

【方论】血淋之症，大抵出之精道也。其人或纵欲太过而失于调摄，则肾脏因虚生热。或欲盛强制而妄言采补，则相火动无所泄，亦能生热，以致血室中血热妄动，与败精溷合化为腐浊之物，或红或白，成丝成块，溺时杜塞牵引作疼。故用山药、阿胶以补肾脏之虚，白头翁以清肾脏之热，茜草、螵蛸以化其凝滞而兼能固其滑脱，龙骨、牡蛎以固其滑脱而兼能化其凝滞，芍药以利小便而兼能滋阴清热。

妇科五淋丸

【来源】《全国中药成药处方集》（天津方）。

【别名】妇科分清丸（《中国药典》）。

【组成】当归　生地各四两　川芎　滑石各三两　木通　甘草　生栀子　生白芍各二两　石苇（去毛）　黄连各一两　海金砂五钱

【用法】上为细粉，凉开水泛小丸。每次三钱，白开水送下。

《中国药典》：先将石苇加水煎煮二次，滤过，余药粉碎成细粉，混匀，用石苇煎液泛为丸。每服三钱，每日二次。

【功用】清热利水。

【主治】膀胱湿热，淋漓不断，混浊带血，小便不利，尿道刺痛。

【宜忌】孕妇忌服。

十九、石　淋

石淋，淋证之一，又称砂淋、沙石淋，是指小便涩痛，尿出砂石的病情。《诸病源候论·石淋候》："石淋者，淋而出石也。肾主水，水结则化为石，故肾客砂石。肾虚为热所乘，热则成淋。其病之状，大便则茎里痛，尿不能卒出，痛引少腹，膀胱里急，沙石从小便道出，甚者塞痛合闷绝。"病发多因下焦积热，煎熬水液所致。治宜清热活血，通淋排石。

石韦散

【来源】《外台秘要》卷二十七引《范汪方》。

【组成】石韦（去毛）　滑石各三分

【用法】上为散。每服一刀圭，用米汁或蜜下，一日二次。

【主治】石淋。

石韦散

【来源】《外台秘要》卷二十七引《集验方》。

【别名】长将散（《鸡峰普济方》卷十八）、石韦饮（《赤水玄珠全集》卷十五）。

【组成】石韦二两（去毛） 瞿麦一两 滑石五两 车前子三两 葵子二两

【用法】上为散。每服方寸匕。一日三次。

【主治】

1.《外台秘要》引《集验方》：淋，小便不利，阴痛。

2.《圣济总录》：热淋，小便热涩。

3.《医方考》：沙淋痛盛者。

【方论】

1.《医方考》：沙淋者，溺出沙石也，此以火灼膀胱，浊阴凝结，乃煮海为盐之象也。通可以去滞，故用石韦、瞿麦；滑可以去着，故用滑石、车前、冬葵。

2.《医略六书》：湿热蕴蓄膀胱，其气不得施化而结成沙石，故小便涩痛，淋沥不止焉。石韦通淋，涤小肠之结热；葵子滑窍，利膀胱之壅塞；瞿麦清心通淋闭，滑石通窍化沙石，车前子清热利水以快小便也。为散，白汤调下，使热结顿化，则沙石自消而小便如其常度，安有涩痛胀闷、淋沥不止之患乎？此滑窍通淋之剂，为沙淋胀闷涩痛之专方。

石韦散

【来源】《外台秘要》卷二十七引《古今录验》。

【组成】通草二两 石韦二两（去毛） 王不留行一两 滑石二两 甘草（炙） 当归各二两 白术 瞿麦 芍药 葵子各三两

【用法】上为散。每服方寸匕，食前以麦粥清下，一日三次。

本方改为丸剂，名“石韦丸”（《摄生众妙方》卷七）。

【主治】

1.《外台秘要》引《古今录验》：石淋、劳淋、热淋，小便不利，胞中满急痛。

2.《太平惠民和济局方》：肾气不足，膀胱有热，水道不通，淋沥不宣，出少起数，脐腹急痛，蓄作有时，劳倦即发，或尿如豆汁，或便出沙石。

滑石散

【来源】《外台秘要》卷二十七引《古今录验》。

【组成】滑石二十分 石韦（去毛） 当归 通草 地胆（去足、熬） 钟乳（研）各二分 车前子三分 瞿麦三分 蛇床子二分 细辛 蜂房（炙）各一分

【用法】上为散。每服方寸匕，以葵汁麦粥下，一日三次。

【主治】石淋。茎中疼痛沥沥，昼夜百余行，内出石及血。

桃胶汤

【来源】方出《备急千金要方》卷二十一，名见《小儿卫生总微论方》卷八。

【组成】桃胶枣许大

【用法】夏以三合冷水，冬以三合汤，和一服，一日三次。当下石子如豆，石尽止。

【主治】

1.《备急千金要方》：石淋，小便出血。

2.《小儿卫生总微论方》：疮疹黑魇，发搐危困。

【方论】《千金方衍义》：桃胶散结血，通津液，不独治石淋也。

木通散

【来源】《太平圣惠方》卷五十八。

【组成】木通三两（锉） 葵根二握（锉） 葳蕤二两 大青一两 桔梗二两（去芦头） 栀子仁半两 白茅根一握（锉）

【用法】上为粗散。每服三钱，以水一中盏，煎至六分，去滓，不拘时候温服。以利为度。

【主治】石淋涩痛。

王不留行散

【来源】《太平圣惠方》卷五十八。

【组成】王不留行一两 甘遂三分（煨令微黄） 石韦一两（去毛） 葵子一两半 木通二两半

（锉） 车前子二两 滑石一两 蒲黄一两 赤芍药一两半 当归一两半（锉，微炒） 桂心一两
【用法】上为散。每服三钱，以水一中盏，煎至六分，去滓温服，不拘时候。以利为度。
【主治】石淋及血淋，下砂石及碎血片，小腹结痛闷绝。

车前子草散

【来源】方出《太平圣惠方》卷五十八，名见《普济方》卷二一五。
【组成】车前草二两 榆白皮一两（锉） 乱发如鸡子大（烧灰）
【用法】上锉细。以水二大盏，煮取一盏半，去滓，入乱发灰，更煎二三沸，食前分为三服。
【主治】石淋，小便涩痛，频下沙石。

茅根汤

【来源】方出《太平圣惠方》卷五十八，名见《圣济总录》卷九十八。
【组成】白茅根三两（锉） 露蜂房一两（微炙） 葛花一两
【用法】上捣碎，以水二大盏，煮取一盏半，去滓，食前分为三服。当下石出。
【主治】石淋，脐下妨痛。

神效琥珀散

【来源】《太平圣惠方》卷五十八。
【别名】琥珀散（《观聚方要补》卷六）。
【组成】琥珀半两 磁石半两（烧酒淬七遍，细研，水飞过） 桂心半两 滑石半两 葵子半两 川大黄半两（锉碎，微炒） 腻粉半两 木通半两（锉） 木香半两
【用法】上为细散。每服二钱，食前以葱白、灯心汤调下。
【主治】石淋，水道涩痛，频下沙石。

滑石膏

【来源】《太平圣惠方》卷五十八。
【组成】滑石二两（细研） 木通一两（锉） 灯心十束（锉） 大麦半两 小麦半两 酥半斤 葱白二七茎 桑根白皮半两（锉）
【用法】上药以酥和诸药，慢火煎，候葱白黄色，绵滤去滓，次入滑石末，更煎五七沸，收入瓷盒中。每服半匙，食前以温水调下。
【功用】利水道。
【主治】膀胱虚热，下砂石涩痛。

鸡粪白散

【来源】《太平圣惠方》卷九十二。
【组成】鸡粪白一两（炒令黄）
【用法】上为细散。以水一大盏，露一宿。每用此水一合，调散半钱服之，一日三四次。当下沙石。
【主治】

1.《太平圣惠方》：小儿五六岁石淋，茎中有沙石子不可出者。

2.《普济方》：遗尿。

葵子散

【来源】《太平圣惠方》卷九十二。
【组成】冬葵子 石楠 榆白皮（锉） 石韦（去毛） 木通（锉）各半两 滑石一两（细研）
【用法】上为细散。每服半钱，以葱白汤调下，一日三四次。
【主治】小儿石淋，水道中涩痛不可忍。

人参散

【来源】《医方类聚》卷一三三引《神巧万全书》。
【组成】人参 桂心 葵子 磁石（火烧红，醋淬，研，水飞过） 滑石 川大黄（炒） 腻粉 木通 琥珀 木香各半两
【用法】上为散。每服二钱，食前以葱白、灯心汤调下。
【主治】石淋，水道涩痛，频下砂石。

犀角散

【来源】《医方类聚》卷一三三引《神巧万全方》。

【组成】犀角屑　石韦　王不留行　滑石　蒲黄各一两　黄芩　大黄各三分　木通　葵子　赤芍药　当归各一两半　车前子二两

【用法】上为末。每服三钱，以水一中盏，煎至六分，去滓温服。以利为度。

【主治】石淋及血淋。下砂石兼碎血片，小腹结痛，闷绝。

八正散

【来源】《太平惠民和济局方》卷六。

【别名】八珍散（《世医得效方》卷十六）。

【组成】车前子　瞿麦　萹蓄　滑石　山栀子仁　甘草（炙）　木通　大黄（面裹煨，去面，切，焙）各一斤

【用法】上为散。每服二钱，水一盏，加灯心，煎至七分，去滓，食后、临卧温服。小儿量力少少与之。

【功用】

1.《中医方剂学》：清热泻火，利水通淋。

2.《中医方剂选讲》：消炎，利水散结，通便。

【主治】

1.《太平惠民和济局方》：大人、小儿心经邪热，一切蕴毒，咽干口燥，大渴引饮，心忪面热，烦躁不宁，目赤睛疼，唇焦鼻衄，口舌生疮，咽喉肿痛。又治小便赤涩，或癃闭不通，及热淋，血淋。

2.《医宗金鉴》：石淋，尿则茎中作痛，常常砂石，因膀胱蓄热日久所致。

【宜忌】《新医学》（1975，5：262）：孕妇及虚寒病者忌用。本方多服会引起虚弱的症状，如头晕、心跳、四肢无力，胃口欠佳。

【验案】泌尿系结石　《浙江中医杂志》（1983，2：59）：以八正散加减为基本方（海金沙 50 克，金钱草 50 克，牛膝 30 克，滑石 50 克，大黄 20～30 克，木通 15 克，车前子 20 克，萹蓄 20 克，瞿麦 20 克，石韦 20 克，甘草 10 克），每日 1 剂，冲服消石散（地龙、鸡内金、琥珀，按 3：2：1 比例配制，共为细末）15 克，治疗泌尿系结石 34 例。结果：治疗后排尿者 21 例，结石下移 2 厘米以上者 9 例，总有效率为 88.2%。本组中，共排出结石 28 块，平均排石时间为 6.2 天，最短 3 天，最长为 108 天。《福建中医药》（1999，6：29）：用本方加鸡内金、海金沙；血尿者，加白茅根、地榆炭，发热者加蒲公英、黄芩、连翘；腰腹绞痛者加枳壳、元胡、郁金；石淋日久，血尿不止，阴血亏损者去大黄，加黄芪、熟地、当归；气滞血瘀者加红花、赤芍、丹参。治疗泌尿系结石 48 例。结果：治愈（症状体征消失，B 超及 X 线摄片检查证实结石消失）41 例，好转（症状体征消失或减轻，经 B 超或 X 线摄影片检查部分结石消失，体积明显化小）7 例，有效率 100%。一般服药 2d 后开始见效，治疗时间最短 3d，最长 35d，平均 15.5d，48 例病人均排出不同大小的结石，直径最大 0.8cm，最小 0.2cm。

五淋散

【来源】《太平惠民和济局方》卷六（添诸局经验秘方）。

【组成】木通（去节）　滑石　甘草（炙）各六两　山栀仁（炒）十四两　赤芍药　茯苓（去皮）各半斤　淡竹叶四两　山茵陈（去根，晒干）二两

【用法】上为末。每服三钱，水一盏，煎至八分，空心服。

【主治】肾气不足，膀胱有热，水道不通，淋沥不宣，出少起多，脐腹急痛，蓄作有时，劳倦即发，或尿如豆汁，或如砂石，或冷淋如膏，或热淋便血。

【方论】《医略六书》：热结膀胱，气化有伤而溺窍不利，故茎痛溺赤，淋沥不止焉。茵陈清湿热以治淋，滑石通窍门以利溲，生草泻火缓茎中之痛，木通降火利小肠之水，山栀清三焦之热，赤芍利膀胱之血，赤苓渗血分之湿以清水府，竹叶清膈上之热以快水道也。为散，灯心汤下，使热结顿开，则膀胱无不化之气，而水府无不清之液，何患淋沥不快，涩痛不痊哉。此通利之剂，为淋沥涩痛之专方。

二拗散

【来源】《圣济总录》卷九十八。

【组成】胡椒　朴消各一两

【用法】上为细散。温汤调下二钱匕，并二服。
【主治】小肠淋，沙石难出，疼痛。

人参散

【来源】《圣济总录》卷九十八。
【组成】人参　木通（锉）　青盐（研）　海金沙（别研）各一分　莎草根（炒去毛）半两
【用法】上药除海金沙、青盐外，捣罗为散，合研匀。每服二钱匕，空心米饮调下。
【主治】
1. 《圣济总录》：沙石淋。
2. 《普泽方》：妊娠子淋。

木通汤

【来源】《圣济总录》卷九十八。
【组成】木通（锉）　滑石（碎）各一两　冬葵子二两
【用法】上为粗末。每服五钱匕，水一盏半，同煎至八分，去滓温服。
【主治】沙石淋。

木通散

【来源】《圣济总录》卷九十八。
【组成】木通（锉）　干地黄（切，焙）　黄蜀葵花各半两　鲮鲤甲（炙）一分　芫青（去头足翅）斑蝥（去头足翅）各一钱　糯米一分（与芫青、斑蝥慢火同炒，以米黄为度）
【用法】上为散。每服一钱匕，空心食前煎蜀葵根汤放冷调下。
【主治】沙石淋，疼痛不可忍。

车前子散

【来源】《圣济总录》卷九十八。
【组成】车前子　槟榔（锉）各一两
【用法】上为散。每服二钱匕，煎木瓜汤调下。
【主治】沙石淋。

石韦散

【来源】《圣济总录》卷九十八。
【组成】石韦（去毛）　当归（切，焙）　木通（锉）　地胆（去足翅，炒）　钟乳粉　车前子　瞿麦穗　蛇床子（炒）　细辛（去苗叶）　露蜂房（炙）各半两
【用法】上为散。每服三钱匕，食前煎冬葵子汤调下。
【主治】石淋，疼痛淋沥，昼夜不利。

乳香丸

【来源】《圣济总录》卷九十八。
【组成】乳香（别研）　斑蝥（去翅足，炒）　海金沙　硇砂（别研）各一分　麝香（别研）半钱　鲮鲤甲（炙焦）半两　葵菜子（炒）一合
【用法】上药除乳香、麝香、硇砂外，共为末，合研匀，米醋煮面糊为丸，如绿豆大。每服十丸，煎木通汤送下；第二服用续随子二七粒（烂研），水、酒各半盏，同煎沸放温，并服三服，沙石即下。小儿量减丸数。
【主治】沙石淋涩，疼痛不可忍。

独圣散

【来源】《圣济总录》卷九十八。
【组成】黄蜀葵花（炒）一两
【用法】上为细散。每服一钱匕，食前米饮调下。
【主治】沙石淋。

胜金散

【来源】《圣济总录》卷九十八。
【别名】郁金散（《普济方》卷二一六）。
【组成】甘草（炙，锉）　滑石（碎）　郁金各半两
【用法】上为散。每服一钱匕，温水送下，一日三次。
【主治】
1. 《圣济总录》：沙石淋。
2. 《普济方》：卒小便淋涩不通。

海金沙散

【来源】《圣济总录》卷九十八。

【组成】海金沙　滑石（碎）　石膏（碎）　木通（锉）　甘草（炙、锉）　井泉石（碎）各等分

【用法】上为散。每服二钱匕，煎灯心汤调下，不拘时候。

【主治】沙石淋涩，疼痛不可忍。

海金沙散

【来源】《圣济总录》卷九十八。

【组成】海金沙　滑石（碎）各一分　腻粉一钱匕

【用法】上为散，再研匀。每服一钱匕，温汤调下。

【主治】沙石淋。

通神散

【来源】《圣济总录》卷九十八。

【组成】粟米一合　故笔头二枚（烧灰）　马蔺花七朵（烧灰）

【用法】上为细散。每服二钱匕，温酒调下。痛不可忍者，连进三服。

【主治】气淋，结涩不通；砂石淋。

菝葜散

【来源】《圣济总录》卷九十八。

【组成】菝葜二两

【用法】上为细散。每服一钱匕，米饮调下。服毕用地椒煎汤，浴连腰浸，须臾即通。

【主治】沙石淋重者。

鳖甲散

【来源】《圣济总录》卷九十八。

【组成】鳖甲（去裙襕，烧灰存性）

【用法】上为散。每服三钱匕，空心温酒调下。

【主治】沙石淋。

桂心蜂房散

【来源】《圣济总录》卷一七九。

【组成】桂（去粗皮）一分　蜂房（炙）半两

【用法】上为散。三四岁儿每服半钱匕，空心、午时煎小麦汤或酒调服。

【主治】小儿石淋、气淋。

七宝散

【来源】《鸡峰普济方》卷十。

【组成】琥珀　没药　乳香　蒲黄　百部末　桃胶　郁李仁（汤浸，去皮，研，入面少许，研匀令干，入温水和作饼子，焙，为末）各等分

【用法】上为末。酒调下一钱，空腹服。服前先用引药好胡桃一个，烧存性，细研，酒一盏调服。移时服七宝散。

【主治】石淋。热伏留肠间，与水液相搏，结而成石，沙石自小便出，出辄欲死，脉散涩而无常度。

琥珀散

【来源】《鸡峰普济方》卷十。

【别名】琥珀汤（《普济方》卷二一五）。

【组成】淋石二分　琥珀半两　当归半两

【用法】上为细末。每服二钱匕，米饮调下。

【主治】

1.《鸡峰普济方》：小便涩痛。
2.《普济方》：石淋。

石燕子煎

【来源】《鸡峰普济方》卷十八。

【别名】石燕丸（《三因极一病证方论》卷十二）。

【组成】石燕子一两　滑石　石韦　瞿麦穗各等分

【用法】上为细末，水煮面糊为丸，如梧桐子大。每服十丸，食前煎瞿麦、灯心汤送下，一日二三次。

本方方名，据剂型当作石燕子丸。

【主治】沙石淋，每发不可忍者。

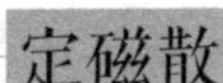

定磁散

【来源】《鸡峰普济方》卷十八。

【组成】真定磁　赤芍药各等分

【用法】上为细末。每服二钱，浓煎灯心汤调下，不拘时候。

【主治】沙石淋。

滑石散

【来源】《鸡峰普济方》卷十八。

【组成】王不留行　滑石各五分　甘遂三分　石韦四分　葵子六分　通草十分　车前子　芍药（赤者）　蒲黄　桂　当归各六分

【用法】上为细末。每服二钱，空心茶汤送下。

【主治】石淋，血淋。

虎杖散

【来源】《普济本事方》卷十。

【别名】苦杖散、地髓汤（《世医得效方》卷八）。

【组成】苦杖根（俗称为杜牛膝。净洗，碎）一合

【用法】用水五盏，煎一盏，去滓，用麝香、乳香少许，研调下，温服。

【主治】妇人诸般淋症。

【方论】《本事方释义》：苦杖即虎杖，其根气味苦微温，入足厥阴；麝香气味辛温，入手足少阴，能引入经络；乳香气味辛微温，入手足少阴，能逐瘀浊，无论男女淋症，小溲疼痛，此药神效。盖下焦本属至阴之处，此方取通则不痛之意。

【验案】砂石淋　鄞县武尉耿梦得其内人患砂石淋者十三年矣，每发痛楚不可忍，溺器中小便下砂石剥剥有声，百方不效，偶得此方，啜之一夕而愈。

二石散

【来源】《小儿卫生总微论方》卷十六。

【组成】滑石　石韦（去毛）各一两（一方有瓜蒌根一两）

【用法】上为末。每服半钱，煎大麦汤清调下。无大麦，米饮亦得。

【主治】小儿沙石淋，痛不可忍。

僵蚕散

【来源】《小儿卫生总微论方》卷十六。

【组成】白僵蚕（炒去丝咀）　当归（去芦，洗净）各等分

【用法】上为细末。每服半钱或一钱，煎车前子汤调下；若砂淋者，煎羊蹄草汤调下，不拘时候。

【主治】小儿小便赤涩不通；亦治血淋、砂淋。

胡桃粥

【来源】《本草纲目》卷三十引《海上方》。

【组成】胡桃肉一升

【用法】细米煮浆粥一升，相和顿服。即瘥。

【功用】《长寿药粥谱》：补肾益肺润肠。

【主治】

1. 《本草纲目》引《海上方》：石淋痛楚，便中有石子者。

2. 《长寿药粥谱》：老年肾亏腰疼，腿脚软弱无力，肺虚久咳，气短喘促，慢性便秘，小便淋漓不爽，病后衰弱。

【宜忌】《长寿药粥谱》：宜作早晚餐或点心服食；大便稀薄之老人不宜食用。

益元散

【来源】《宣明论方》卷十。

【别名】太白散（《伤寒直格》卷下）、天水散（《伤寒标本》卷下）、六一散（《伤寒标本》卷下）、神白散（《儒门事亲》卷十三）、双解散（《摄生众妙方》卷四）。

【组成】桂府腻白滑石六两　甘草一两（炙）

【用法】上为细末。每服三钱，加蜜少许，温水调下，不用蜜亦得，一日三次；欲饮冷者，新汲水调下；解利伤寒，发汗，煎葱白、豆豉汤调下；难产，紫苏汤调下。

【功用】利小便，宣积气，通九窍六腑，生津液，去留结，消蓄水，止渴宽中，补益五脏，大养脾肾之气，安魂定魄，明耳目，壮筋骨，通经脉，和血气，消水谷，保元，下乳催生；久服强志轻

身，驻颜延寿。

【主治】身热，吐利泄泻，肠澼，下痢赤白，癃闭淋痛，石淋，肠胃中积聚寒热，心躁，腹胀痛闷；内伤阴痿，五劳七伤，一切虚损，痫痓，惊悸，健忘，烦满短气，脏伤咳嗽，饮食不下，肌肉疼痛；并口疮牙齿疳蚀，百药酒食邪毒，中外诸邪所伤，中暑、伤寒、疫疠，饥饱劳损，忧愁思虑，恚怒惊恐传染，并汗后遗热劳复诸疾；产后血衰，阴虚热甚，一切热证，兼吹奶乳痈。

【宜忌】孕妇不宜服。

鸡白散

【来源】《普济方》卷二一五引《十便良方》。

【组成】鸡粪白一两（微炒） 雄鸡胆半两

【用法】上同研令细。每服一钱，食前以温酒调下。以利为度。

【主治】膀胱虚热，下沙石，水道涩痛。

六味汤

【来源】《医方类聚》卷一三三引《经验良方》。

【组成】破故纸（水浸半日，焙干）四两 川楝子（净肉，微炒）四两 舶上茴香（酒浸半日，焙干）四两 南木香一两 沉香一钱 麝香二字（别研）

【用法】上为末。每服三钱，空心青盐沸汤调下。

【主治】男子惊滞疼痛，砂淋，或小便出血。

如圣散

【来源】《普济方》卷二一五引《经验良方》。

【组成】马蔺花 麦门冬 甜葶苈 白茅根 车前子 檀香 连翘各等分（炒）

【用法】上为末。每服四钱，水煎，临热入烧酒少许服。

【主治】沙淋。

【加减】如渴，加黄芩。

本方加苦葶苈，名“如胜散”（《医方类聚》卷一三三）。

利水散

【来源】《医方类聚》卷一三三引《经验良方》。

【组成】山栀子 白药子 滑石 木通

【用法】上为末。每服一钱，血淋，酸浆水、甘草煎汤下；石淋，灯心汤下；砂淋，木通汤下；冷淋，新汲水下。

【主治】诸淋。

葵子散

【来源】《医方类聚》卷一三三引《经验良方》。

【组成】冬葵子 滑石各三两

【用法】上为末。每服半钱，熟水调下。

【主治】肾为热所乘，热结则成石淋，水茎中痛，尿不能出，引膀胱里急，痛甚则闷绝，小便中出石。

草豆汤

【来源】方出《仁斋直指方论》卷十六，名见《普济方》卷三八八。

【别名】草豆饮（《明医指掌》卷七）。

【组成】黑豆一百二十粒 甘草一寸（生，锉）

【用法】上以新水煎，乘热入滑石末一钱调和，空腹服。

【主治】砂石淋。

海金散

【来源】《仁斋直指方论》卷十六。

【组成】黄烂浮石

【用法】于草阴地为末。每服二钱，生甘草煎汤调下。小肠气，茎缩囊肿，用木通、灯心、赤茯苓、麦门冬煎汤调下。

【主治】血淋、沙淋，小便涩痛；亦治小肠气，茎缩囊肿。

硼砂散

【来源】《仁斋直指方论》卷十六。

【组成】硼砂（细研） 琥珀 赤茯苓 蜀葵子

陈橘皮（不去白）各等分

【用法】上为末。每服二钱半，用葱头二片，去心麦门冬二十一粒，蜜二匙，新水煎取清汁调下；或绿豆水浸，和皮研，清汁调下。

【主治】沙石淋，急痛者。

灵苗汤

【来源】《医方类聚》卷一三三引《吴氏集验方》。

【组成】瓦松（即屋上无根种草是也）

【用法】上捣细、浓煎汤，乘热熏洗小腹，约两时辰即通。

【主治】沙淋。

淡竹叶汤

【来源】《世医得效方》卷八。

【组成】淡竹叶　甘草　灯心　枣子　乌豆　车前子

【用法】上不拘多少，以水浓煎汤，代熟水服。

【主治】

1. 《世医得效方》：诸淋。
2. 《普济方》：砂、血淋。

通神散

【来源】《医方类聚》卷一三六引《烟霞圣效》。

【组成】白茯苓三钱　泽泻三钱　木猪苓半两（去黑皮）　白术二钱　滑石五钱　甘草二钱　肉桂一钱（去粗皮）

【用法】上为细末。每服二钱，沸汤调下。后多饮热水三两盏，多利小便效。

【主治】小便壅闭，脐下结硬，小便状如撒火，或变砂石淋，脓血淋，疼痛不可忍者。

金沙散

【来源】《普济方》卷二一六引《德生堂方》。

【组成】真琥珀　海金沙各三分　麝香　当门子一个（大者）

【用法】上为末。每服二钱，食前好酒调服；或灯心、萱草根熬汤调服亦可。

【主治】小便不出，茎中有物塞硬疼痛，甚至为急。

通草散

【来源】《普济方》卷二一四。

【组成】通草二两　白芍一两　王不留行半两　甘遂三钱　石韦一两　葵子一两半　滑石半两　蒲黄一两　桂心一两

【用法】上为末。每服三钱，沸汤调下。

【主治】肾气不足，膀胱有热，水道不通，淋沥砂石，痛不可忍，或出鲜血。

金葵散

【来源】《普济方》卷二一五。

【组成】葵子（微炒）

【用法】用五月五日葵子微炒为末，每服一钱，食前以温酒调下，当下石出。拾取淋石，遇有人患石淋，以水研淋石吃佳。

【主治】石淋。

青金丹

【来源】《普济方》卷二五六。

【组成】川乌头（炮）　草乌头（炮）　巴豆（去皮油）　干姜（炮）各等分

【用法】上为末，酢糊为丸，如梧桐子大，青黛为衣。每服二丸。若痟疮，黄连汤送下；一切膈气，木瓜汤送下；口吐酸水，生姜汤送下；诸风气，防风汤送下；疥癣，姜汤送下；胸膈内痛，杏仁汤送下；一切砂淋，瞿麦汤送下；大小便血，大黄汤送下；阳毒伤寒，麻黄汤送下；阴毒伤寒，葱白汤送下；夜多小便，吴茱萸汤送下；心热胀，金银花汤送下；肺气喘息，紫苏汤送下；胃气不和，盐汤送下；溺血块，豉汤送下；舌上疮，柳枝汤送下；肠风发痛，五灵脂汤送下；宿食不消，米汤送下；咽喉痛，薄荷汤送下；疟疾，桃心汤送下；眚目，夜明砂汤送下；暑气，井花水送下；眼疾，米泔水送下。

【主治】痟疮，膈气，口吐酸水，诸风气，疥癣，胸膈内痛，砂淋，大小便血，阳毒、阴毒伤寒，夜尿多，心热胀，肺气喘息，胃气不和，溺血块，舌疮，肠风，宿食，咽喉痛，疟疾，眚目，暑气，眼疾等一切诸病。

五淋散

【来源】《奇效良方》卷六十四。

【组成】赤茯苓六钱　赤芍药　当归（去芦）　甘草（生用）各二钱

【用法】上锉碎。每服三钱，水一盏，煎至六分，空心服。

【主治】小儿肾气不足，膀胱有热，水道不通，淋沥不出，或尿如豆汁，或如砂石，或冷淋如膏，或热淋便血。

鱼石散

【来源】方出《医学正传》卷六，名见《东医宝鉴·内景篇》卷四。

【组成】石首鱼脑骨五对（火煅，出火毒。即白鲞脑中骨也）　滑石五钱

【用法】上为细末。分作二服，煎木通汤调下。未愈，再服数剂，必待沙出尽乃安。

【主治】沙淋，茎中有沙作痛。

生车前草饮

【来源】《古今医统大全》卷七十一。

【组成】鲜车前草（不拘多少）

【用法】洗净捣烂，少入井水调搅取汁，食前饮一盏。

【主治】小肠有热，血淋急痛。

【加减】沙淋，加寒水石末一钱调服。

麻黄牵牛汤

【来源】《古今医统大全》卷七十一。

【组成】麻黄（去节）　羌活　射干　荆芥穗　紫菀茸　防风　知母　蔓荆子　牵牛各一钱　半夏二钱

【用法】上为末。每服二钱，以水一盏煎，热服。

【主治】石淋。水道不通，头痛昏闷。

香儿散

【来源】方出《种杏仙方》卷二，名见《东医宝鉴·内景篇》卷四。

【组成】真麝五分　葱白一根（捣取汁）　孩儿茶三钱半　琥珀二分半

【用法】上药各为细末。用百沸汤调前药，入葱汁，空心服。

【主治】小便淋血或砂膏如条，其痛如刀割。

五淋散

【来源】《丹台玉案》卷五。

【组成】当归　小蓟　赤芍　山栀仁（炒黑）　赤茯苓各二钱　甘草八分　灯心三十茎

【用法】水煎，空心服。

【主治】肾气不足，膀胱有热，水道不通，淋沥不断，或尿如豆汁，或出砂石，或下膏糊，或便鲜血。

通淋琥珀丸

【来源】《丹台玉案》卷五。

【组成】琥珀三钱　鳖甲五钱　滑石　黄连各八钱　石首鱼脑骨三对（煅）　牛膝八两（熬膏）

【用法】上为细末，以牛膝膏为丸。每服二钱，空心清茶送下。

【主治】砂石淋，茎中涩痛不可忍。

消石神丹

【来源】《石室秘录》卷四。

【组成】熟地三两　茯苓五两　薏仁五两　车前子五两　山茱萸三两　青盐一两　骨碎补二两　泽泻三两　麦冬五两　芡实八两　肉桂三钱

【用法】上为末，蜜为丸。早、晚滚水吞下各一两。

【主治】石淋。小便中溺五色之石，未溺之前痛甚，已溺之后，少觉宽快。

化石汤

【来源】《辨证录》卷八。

【组成】熟地二两　茯苓一两　苡仁五钱　山茱萸一两　泽泻五钱　麦冬五钱　玄参一两

【用法】水煎服。

【主治】肾火煎熬而成砂石淋。

【方论】此方不去治淋，反去补肾，以茯苓、苡仁淡渗之药解其咸味；以麦冬、玄参微寒之品散其火气；以地黄、山萸甘酸之珍滋其阴水，又取其甘能化石，酸能消石也；又虑其性滞而不行，留而不走，益之泽泻之咸，咸以入咸，且善走攻坚，领群药趋于肾中，又能出于肾外，迅逐于膀胱之里，而破其块也。倘不补肾而惟治膀胱，则气不能出，乌能化水哉！

化沙汤

【来源】《辨证录》卷八。

【组成】熟地二两　山茱萸一两　甘草二钱　泽泻　车前子各三钱

【用法】水煎服。

【主治】肾火煎熬而成砂石淋。

加味葵子茯苓散

【来源】《张氏医通》卷十四。

【别名】加味葵子茯苓汤（《医略六书》卷二十五）、加味葵子散（《类证治裁》卷七）。

【组成】葵子三两　茯苓　滑石各一两　芒消半两　甘草（生）　肉桂各二钱半

【用法】上为散。饮服方寸匕，一日三次。

【主治】石淋，水道涩痛。

五淋散

【来源】《良朋汇集》卷二。

【组成】赤茯苓六钱　当归五钱　生地　泽泻　条芩各一钱　生甘草　木通各五钱　赤芍药　车前子　滑石　山栀各一两

【用法】上锉散，作五剂。水二钟，煎八分，空心服。滓再煎服。

【主治】肺气不足，膀胱有热，水道不通，淋沥不出，或尿如豆汁，或如砂石，或冷淋如膏，或热淋尿血。

茅根汤

【来源】《胎产心法》卷下。

【组成】茅根一两　滑石一钱（煅）　甘草五分　紫贝一个（煅）　石首鱼脑砂一个（焙干，研为末，一方用二个，煅）　阙字姜一块

【用法】加灯心三十寸，煎，入鱼头末，空心温服。

【主治】赤、白、沙、石诸淋。

草豆饮

【来源】《医略六书》卷二十五。

【组成】黑豆百粒　生草梢三钱　秋石五钱

【用法】水煎，去滓，入滑石末三钱，温服。

【功用】益肾通淋。

【主治】砂淋涩痛，脉沉涩。

【方论】热蕴脬中，气不施化，煎熬津液而成砂石，故溲溺淋沥涩痛异常焉。黑豆解毒润燥，益肾气以通津液；生草泻火，缓中和脾胃以资气化；秋石咸寒，益阴壮水，涤热除烦；更以滑石通窍利水，务使脬中气化，则砂石自消，而小便如常，何淋沥痛急之不痊哉！此益肾通淋之剂，为砂淋痛甚之专方。

药核桃

【来源】《仙拈集》卷二。

【组成】核桃一个　芝麻一把　马齿苋一撮

【用法】共捣烂，滚酒服。

【主治】血淋，沙淋。

牛麝通淋散

【来源】《医级》卷八。

【组成】牛膝五钱　麝香五厘

【用法】先用水煎牛膝，去滓，调麝香服。

【主治】沙淋、石淋，尿如屑块而胀痛者。

石淋散

【来源】《续名家方选》。

【组成】浮石　阿胶各一钱　木通　甘草各五分

【用法】上锉。水煎服。

【主治】砂石淋。

益气培元饮

【来源】《古方汇精》卷一。

【组成】大熟地　制杜仲各三钱　丹皮八分　茯苓一钱二分　淮山药二钱　建泽泻五分　柴胡六分　当归　山萸肉　枸杞子　炒白芍各一钱五分　甘草梢一钱

【用法】加姜皮半分，南枣三个，水煎服。

【主治】遗精白浊，溺下砂淋，茎中痒痛，腰膝酸痛诸证。

一味利关散

【来源】《古方汇精》卷三。

【组成】真赤茯苓五钱

【用法】上为末。空心豆腐浆调下。

【主治】赤白沙淋。

夺天造化丸

【来源】《饲鹤亭集方》。

【组成】针砂（煅）大麦粉各三两　红花　木香　泽泻　当归　赤芍　生地　牛膝　苏子　麦冬　川贝　陈皮　枳壳　香附　山楂　神曲　青皮　丹皮　地骨皮　五加皮　秦艽　川芎　乌药　玄胡　木通各一两

【用法】上为末，泛丸。每服三钱，开水送下。

【功用】《中药成药配本》：调理气血。

【主治】五劳七伤，九种心痛，诸般饱胀，胸膈肚痛，虚浮肿胀，内伤脱力，跌打损伤，行走气喘，遍身疼痛，精滑阳痿，肠红痞塞，面黄腰痛，妇女砂淋，白浊淫带，经水不调，产后恶露不尽，小儿疳膨食积。

砂淋丸

【来源】《医学衷中参西录》上册。

【组成】黄色生鸡内金一两　生黄耆八钱　知母八钱　生杭芍六钱　硼砂六钱　朴消五钱　消石五钱

【用法】上为细末，炼蜜为丸，如梧桐子大。每服三钱，食前开水送服，一日二次。

【主治】砂淋，亦名石淋。

【方论】鸡内金为鸡之脾胃，原能消化砂石；硼砂可为金银铜焊药，其性原能柔五金，治骨鲠，故亦善消硬物；朴消《本经》谓能化七十二种石，消石《本经》不载，而《别录》载之，亦谓其能化七十二种石，想此二味，性味相近，古原不分，即包括于朴消条中，至陶隐居始别之，而化石之能则同。然诸药皆取消破之品，恐于元气有伤，故加黄耆以补气分，气分壮旺，益能运化药力。犹恐黄耆性热，与淋证不宜，故又加知母、芍药以解热滋阴，而芍药之性，又善引诸药之力以至膀胱也。

五淋绕治散

【来源】《吉人集验方》下集。

【组成】银消

【用法】入锅内，隔纸炒至纸焦为度，研细，每次二钱，用温水冲化服。每用加飞滑石二钱，水调服更效。

【功用】能化七十二种石。

【主治】五淋；石淋尤效。

三金胡桃汤

【来源】《千家妙方》上册。

【组成】金钱草 30 ~ 60 克　炙鸡内金粉 6 克（分二次冲服）　海金沙 12 克　石苇 12 克　瞿麦 12 克　萹蓄 12 克　车前草 12 克　滑石 12 克　生地 15 克　天冬 9 克　怀牛膝 9 克　木通 4.5 克　生甘草 4.5 克　胡桃仁 4 枚（分两次嚼服）

【用法】加水 600 毫升，文火煎沸后 30 分钟，得约 400 毫升；二煎再加水 500 毫升，煎法如前，余约 300 毫升，两次药汁合总。早晚分服，每日一剂。

【功用】滋肾清热，渗湿利尿，通淋化结。

【主治】输尿管结石。肾虚而膀胱气化不行，湿热蕴积下焦，日积月累，尿液受湿热煎熬，以致浊质凝结而为结石。

【验案】输尿管结石　钱某某，女，39岁，干部。1970年5月间，突然感右腰部疼痛剧烈，辗转不宁，大汗肢冷，呕吐。查尿：红细胞（+++）。经用保守治疗，疼痛缓解。1970年9月25日腰痛复犯，在某医院检查：右侧输尿管下段有一块0.6cm×0.9cm结石阴影。于10月20日开始服上方，于11月3日排出一块结石如黄豆大。至1974年1月26日肾区绞痛复犯，仍服上方，于2月10日又排出有棱角如小花生米大之结石一块。又于1977年8月22日两肾区绞痛又复发，又服上方，于9月11日再排出结石，9月24日拍片检查，双侧输尿管无异常发现。

金海排石汤

【来源】《千家妙方》引江西万孟仪。

【组成】金钱草50克　海金沙15克　苡仁12克　甘草梢10克　冬葵子12克　乳香9克　牛膝15克　鸡内金10克　萆薢9克　木通5克　琥珀末1.5克（另包，吞服）

【用法】水煎服，每日一剂。

【功用】清热，利湿，排石。

【主治】输尿管结石，湿热蕴结下焦证。

【方论】方中苡仁、木通、萆薢、甘草梢清热利湿；金钱草、海金沙、冬葵子排石通淋；牛膝、乳香、琥珀化瘀止痛，引石下行。诸药配合，相得益彰。

【验案】输尿管结石　胡某某，女，30岁，农民，一九七八年十月二日初诊。曾经南昌某医院检查，诊断为输尿管结石，建议手术治疗。因病人恐惧，由南昌返回，试服中药。症见尿急尿频，尿道刺痛，尿中带血，小腹作胀，排尿时尿道如有砂石感，舌质红，苔黄腻，脉濡数，以金海排石汤治之。连服五剂。二诊，尿频明显减轻，尿色较前清亮，少腹微胀痛，排尿仍然刺痛，腰酸膝软，神疲乏力，舌质红，苔薄黄，脉细数，应以运化结石，导其外泄。上方加生地10克，服后从尿道排出一块结石，形如小蚕豆大。诸症顿消，病愈康复，免去了手术之苦。

三金汤

【来源】《中医症状鉴别诊断学》引上海曙光医院经验方。

【组成】金钱草　海金沙　鸡内金　石韦　冬葵子　瞿麦

【用法】水煎服。

【功用】清热利湿，通淋排石。

【主治】石淋。

【方论】《福建中医药》（1983，1：13）：以金钱草为君药，其性味微咸平，入肝、肾、膀胱经，具有利水通淋、清热消肿的功效，治疗石淋有特效，盖取其咸能软坚之意，有利于尿道结石的排出，故列为君药；海金沙性味甘寒，入小肠、膀胱经，有利水通淋作用，治石淋茎痛，助金钱草的排石之功，故列为臣药；炙鸡内金性味甘平，入脾、胃、小肠、膀胱经，具有健脾理肠的作用，防止消石之品碍胃之弊；再以冬葵子、石韦相辅，均具有通淋的功效。所以本方治疗尿路结石有良好疗效。

二十、尿　血

尿血，又名溺血、溲血，是指小便中混有血液或挟杂血块的病情。《黄帝内经·素问·气厥论》："胞移热于膀胱，则癃溺血。"《素问·痿论》："悲哀太甚，则胞络绝，胞络绝，则阳气内动，发则心下崩，数溲血也。"尿血与血淋相似而有别，若小便时不痛者为尿血，小便时点滴涩痛即为血淋。如《类证治裁》："溺血与血淋异，痛为血淋，出精窍，不痛为溺血，出溺窍。"本病多因热扰血分，热蓄肾与膀胱，损伤脉络，致营血妄行而致血从尿出。发病部位在肾和膀胱，但与心、小肠、肝、脾有密切联系。治宜凉血止血，补气摄血，滋阴降火。

都梁香散

【来源】《医心方》卷十三引《小品方》。

【组成】都梁香二两　紫菀一两　桂元一两　人参一两　生竹茹一两　肉苁蓉一两　干地黄二两

【用法】上药治下筛。每服方寸匕，水送下。

【主治】汗出如水浆，及汗血、衄血、吐血、溲血殆死。

菟丝丸

【来源】《外台秘要》卷二十七引《小品方》。

【组成】菟丝子　蒲黄　干地黄　白芷　荆实　葵子　败酱　当归　茯苓　芎䓖各二两

【用法】上为末，炼蜜为丸，如梧桐子大。每服二丸，饮送下，一日三次。不知，加至五六丸。

【主治】小便血。

【宜忌】忌酢物、芜荑。

龙胆草汤

【来源】方出《外台秘要》卷二十五引《集验方》，名见《杂病源流犀烛》卷十七。

【组成】草龙胆一握

【用法】上切。以水五升，煮二升半，分五服。如不愈，更服。

【主治】

1. 《外台秘要》引《集验方》：卒然下血不止。
2. 《杂病源流犀烛》：卒然尿血不止。

鹿茸散

【来源】《外台秘要》卷二十七引《古今录验》。

【组成】鹿茸（炙）　当归　干地黄各二两　葵子五合　蒲黄五合

【用法】上为散。每服方寸匕，酒调下，一日三次。

本方改为丸剂，名“鹿茸丸”（《太平圣惠方》卷三十七）。

【主治】尿血。

【宜忌】忌芜荑。

竹茹汤

【来源】《备急千金要方》卷三。

【别名】竹皮汤（《千金翼方》卷七）。

【组成】竹茹二升　干地黄四两　人参　芍药　桔梗　芎䓖　当归　甘草　桂心各一两

【用法】上锉。以水一斗，煮取三升，分三服。

【主治】妇人汗血、吐血、尿血、下血。

【方论】《千金方衍义》：竹茹为亡血发渴专药，芎䓖、芍、地为滋血专药，人参、甘草为扶胃专药，桂心专行四物之滞，桔梗专助人参之力。

芍药散

【来源】方出《备急千金要方》卷六，名见《鸡峰普济方》卷十。

【别名】芍药竹茹汤（《普济方》卷一九〇）。

【组成】生竹皮一升　芍药二两　芎䓖　当归　桂心　甘草各一两　黄芩二两

【用法】上锉。以水一斗，煮竹皮，减三升，下药，煎取二升，分三次服。

【主治】脏气虚，膈气伤，吐血、衄血、溺血，或起惊悸。

茅根饮子

【来源】《外台秘要》卷二十七引《延年秘录》。

【组成】茅根一升　茯苓三两　人参　干地黄各二两

【用法】上切。以水五升，煮取一升五合，去滓，分温五六服，一日食尽。

【主治】胞络中虚热，时小便如血色。

都梁散

【来源】《外台秘要》卷二十三引《延年秘录》。

【组成】都梁香二两　紫菀　人参　青竹茹　苁蓉各一两　干地黄二两（熬令燥）

【用法】上药治下筛。每服方寸匕，水送下，不效，须臾再服。

【主治】汗出如水，及汗出衄血、吐血、小便出血。

【宜忌】忌芜荑。

地黄汤

【来源】方出《太平圣惠方》卷四，名见《圣济总录》卷四十三。

【组成】生地黄一两　葱白五茎　白茅根一两

【用法】上切细。以水一大盏半，煎至八分，去滓，食前分二次温服。

【主治】小肠实热，心中烦闷，小便出血。

车前叶散

【来源】《太平圣惠方》卷二十九。

【组成】车前叶一两　石韦三分（去苗）　当归三分　白芍药三分　蒲黄三分

【用法】上为散。每服三钱，以水一中盏，煎至六分，去滓，加竹沥半合，藕节汁半合，更煎一两沸，食前温服。

【主治】虚劳内伤，小便出血，下焦客热。

麦门冬散

【来源】《太平圣惠方》卷二十九。

【组成】麦门冬一两半（去心，焙）　当归三分　黄芩三分　黄耆一两（锉）　熟干地黄一两　蒲黄半两　人参三分（去芦头）　白芍药三分　阿胶一两（锉碎，炒令黄燥）

【用法】上为粗散。每服三钱，以水一中盏，加淡竹茹一分，煎至六分，去滓，食前温服。

【主治】虚劳小便出血，心神烦热。

茅根散

【来源】《太平圣惠方》卷二十九。

【组成】茅根一两半（锉）　赤茯苓一两　瞿麦一两　生干地黄一两　滑石一两　黄芩一两

【用法】上为粗散。每服三钱，以水一中盏，煎至六分，去滓，食前温服。

【主治】虚劳小肠热，小便出血，水道中不利。

鹿茸散

【来源】《太平圣惠方》卷二十九。

【组成】鹿茸二两（去毛，涂酥炙微黄）　当归一两　熟干地黄二两　冬葵子一两　蒲黄一两　阿胶一两（捣碎，炒令黄燥）

【用法】上为细散。每服二钱，食前以暖酒调下。

【主治】虚劳内伤，小便出血，水道中痛。

蒲黄丸

【来源】《太平圣惠方》卷二十九。

【组成】蒲黄一两　菟丝子一两半（酒浸三宿，晒干，别捣为末）　熟干地黄一两　蔓荆子二两　葵子一两　续断一两　芎䓖二两　当归一两

【用法】上为末，炼蜜为丸，如梧桐子大。每服三十丸，食前以粥饮送下。

【主治】虚劳小便出血。

血余散

【来源】方出《太平圣惠方》卷三十五，名见《圣济总录》卷一二四。

【组成】乱发（烧灰）

【用法】上为细末。每服一钱，粥饮调下。

《仁斋直指方论》：衄者，更以少许吹入鼻。

【主治】

1. 《太平圣惠方》：食中发咽不下。
2. 《仁斋直指方论》：吐血、衄血。
3. 《济阴纲目》：产后小便出血。
4. 《青囊秘传》：崩漏下血不止。

生干地黄散

【来源】《太平圣惠方》卷三十七。

【组成】生干地黄二两　芎䓖二两　黄芩二两　赤芍药　茅根　车前　人参（去芦头）　甘草（生用）各一两

【用法】上为散。每服五钱，以水一中盏，加青竹茹一鸡子大，煎至五分，去滓，温温空腹服之。

【主治】心脏积邪，毒流于小肠，小便出血。

血余散

【来源】方出《太平圣惠方》卷三十七，名见《普

济方》卷一八八。

【组成】乱发一两

【用法】烧灰，细研。每服一钱，以温水调下。

【主治】

1.《太平圣惠方》：吐血不止。

2.《普济方》：心衄，或内崩，或舌上出血如簪孔者；及小便出血，汗血。

牡蛎散

【来源】《太平圣惠方》卷三十七。

【组成】牡蛎（烧为粉） 车前子 桂心 黄芩 熟干地黄 白龙骨（烧令赤）各一两

【用法】上为细散。每服二钱，食前以粥饮调下。

【主治】劳损伤中尿血。

刺蓟散

【来源】《太平圣惠方》卷三十七。

【组成】刺蓟 白芍药 白术 人参（去芦头） 生干地黄 鹿角胶（捣碎，炒令黄燥）各一两 芎藭 桂心 黄芩各半两

【用法】上为散。每服二钱，以生地黄汁调下，不拘时候。

【主治】吐血、衄血及大小便下血不止。

柏叶散

【来源】《太平圣惠方》卷三十八。

【组成】柏叶 黄芩 桂心 阿胶（捣碎，炒令黄燥）各一两 甘草半两（锉，生用） 熟干地黄一两

【用法】上为散。每服五钱，以水二大盏，煎至五分，去滓，温温频服。

【主治】虚损，小便出血。

麦门冬丸

【来源】《太平圣惠方》卷五十八。

【组成】麦门冬二两（去心，焙） 黄耆一两（锉） 茯神半两 栝楼根一两 子芩一两 人参半两（去芦头） 赤芍药半两 蒲黄一两 甘草半两（炙微赤，锉） 车前子一两 木通一两（锉） 生干地黄一两 滑石二两 石韦一两（去毛） 当归一两（锉，微炒）

【用法】上为末，炼蜜为丸，如梧桐子大。每服三十丸，食前以粥饮送下。

【主治】小便如血色，小腹胀满疼痛。

茅根散

【来源】《太平圣惠方》卷五十八。

【组成】白茅根三两（锉） 赤芍药一两 滑石二两 木通二两（锉） 子芩一两半 葵子二两 乱发灰一两半

【用法】上为粗散。每服四钱，以水一中盏，煎至六分，去滓，每于食前温服。

【主治】尿血，水道中痛不可忍。

郁金散

【来源】《太平圣惠方》卷五十八。

【组成】郁金一两 瞿麦一两 生干地黄一两 车前叶一两 滑石一两 川芒消一两

【用法】上为粗散。每服四钱，以水一中盏，煎至六分，去滓温服，如人行十里再服，以愈为度。

【主治】血淋及尿血，水道涩痛。

柏叶散

【来源】《太平圣惠方》卷五十八。

【组成】柏叶二两（微炙） 黄芩二两 车前子二两 甘草二两（炙微赤，锉） 阿胶二两（捣碎，炒令黄燥）

【用法】上为粗散。每服四钱，以水一中盏，入生地黄半两，竹叶二七片，煎至六分，去滓，食前温服。

【主治】小便出血，心神烦热，口干，眠卧不安。

秦艽散

【来源】方出《太平圣惠方》卷五十八，名见《圣济总录》卷九十五。

【组成】秦艽一两（去苗） 冬瓜子二两

方中冬瓜子，《圣济总录》作“冬葵子”。

【用法】上为细散。每服二钱，食前以温酒调下。

【主治】

1.《太平圣惠方》：小便不通。

2.《普济方》：小便出血。

蒲黄丸

【来源】《太平圣惠方》卷五十八。

【组成】蒲黄一两　生干地黄二两　葵子一两　黄耆一两（锉）　麦门冬二两（去心，焙）　荆实三分　当归三分（锉，微炒）　赤茯苓一两　车前子三分

【用法】上为末，炼蜜为丸，如梧桐子大。每服三十丸，食前以粥饮送下。

【主治】虚损，膀胱有热，尿血不止。

大黄散

【来源】《太平圣惠方》卷七十二。

【组成】川大黄半两（锉，微炒）　川芒消半两　蒲黄三分

【用法】上为细散。每服二钱，食前以冷水调下。

【主治】妇人卒伤热，尿血。

龙骨散

【来源】方出《太平圣惠方》卷七十二，名见《普济方》卷三二一。

【组成】羚羊角屑　龙骨　当归（锉，微炒）　蒲黄各半两　生干地黄一两

【用法】上为细末。每服二钱，食前粥饮调下。

【主治】妇人尿血不止。

生干地黄散

【来源】《太平圣惠方》卷七十二。

【组成】生干地黄二两　柏叶一两（微炙）　黄芩半两　阿胶一两（捣碎，炒令黄燥）

【用法】上为粗散。每服三钱，以水一中盏，加生姜半分，煎至五分，去滓，每于食前温服。

【主治】

1.《太平圣惠方》：妇人尿血不止。

2.《景岳全书》：血热小便出血。

当归散

【来源】《太平圣惠方》卷七十二。

【组成】当归半两（锉，微炒）　刺蓟叶三分　赤芍药半两　生干地黄一两　羚羊角屑半两

【用法】上为散。每服三钱，以水一中盏，煎至六分，去滓，食前温服。

【主治】妇人小便出血，或时尿血。

牡蛎散

【来源】《太平圣惠方》卷七十二。

【组成】牡蛎粉　车前子　桂心　黄芩各半两

【用法】上为细散。每服二钱，以粥饮调下，日三四次。

【主治】妇人伤中尿血。

茜根散

【来源】《太平圣惠方》卷七十二。

【组成】茜根　当归（锉，微炒）　甘草（炙微赤，锉）　贝母（煨，微黄）　牡丹　瓜蒂　羚羊角屑　柏叶（微炙）各一两　红蓝花二两　生干地黄三两

【用法】上为粗散。每服三钱，以水一中盏，煎至五分，去滓，食前温服。

【主治】妇人小便出血，心神烦闷。

鹿茸散

【来源】《太平圣惠方》卷七十二。

【组成】鹿茸一两（去毛，涂酥炙微黄）　当归一两（锉，微炒）　熟干地黄一两　葵子一两　蒲黄一两　续断一两

【用法】上为细散。每服二钱，以温酒调下，一日三四次。

【主治】妇人劳损虚羸，尿血。

阿胶散

【来源】《太平圣惠方》卷九十二。

【组成】阿胶一两（捣碎，炒令黄燥） 黄芩一分 栀子仁一分 车前子一分 甘草一分（炙微赤，锉）

【用法】上为细散。每服半钱，用新汲水调下，一日三四次。

【主治】小儿尿血，水道中涩痛。

生地黄粥

【来源】《太平圣惠方》卷九十六。

【组成】生地黄汁三合 蜜二合 米三合 车前叶（取汁）三合

【用法】先以水一大盏半，煮米成粥，次入诸药汁及蜜，更煎三两沸，分为二服。

【主治】小便出血，碜痛。

发灰散

【来源】《普济方》卷三二一引《太平圣惠方》。

【组成】乱发灰

【用法】上用二钱，以米醋二合，汤少许调服；井花水调服亦可。疮疖之毒，以空心温酒调服。鼻衄，吹鼻内。

【主治】妇人小便尿血，或先尿而后血，或先血而后尿；饮食忍小便，或走马房劳，致胞转脐下，急痛不通；肺疽。心衄、内崩，吐血一两口，或舌出血如针孔；久痢不安，下血成片；鼻衄。

芷归散

【来源】《仙拈集》卷二引《经验方》。

【组成】白芷 当归各五钱

【用法】上为末。每服二钱，米饮送下。

【主治】溺血。

生地黄散

【来源】《医方类聚》卷十引《简要济众方》。

【组成】生干地黄一两 白茅根一两 木通一两（锉）

【用法】上为粗散。每服三钱，水一中盏，入葱白五寸，同煎六分，去滓，空心、食前频服。

【主治】小肠实热，心中烦闷，少腹热痛，小便赤涩或出血。

苁蓉丸

【来源】《全生指迷方》卷四引《指南方》。

【组成】菟丝子（拣净，酒浸一宿，乘润捣烂，再焙） 肉苁蓉（洗，切，焙） 鹿茸（去毛，切片，酥炙） 干地黄各等分。

【用法】上为细末，煮糊为丸，如梧桐子大。每服三十丸，空心米饮送下。

【主治】小便纯血，血下则凝，亦无痛处，短气，由阳气不固，阴无所守，五液注下，其脉散失欲绝，而身冷者。

【加减】虚劳溺血，加桑螵蛸半两，炙焦，酒糊为丸，盐汤下。

苁蓉丸

【来源】《普济方》卷二一五引《指南方》。

【组成】肉苁蓉 菟丝子 桑螵蛸各半两 干地黄 鹿茸各一两

【用法】上为细末，酒糊为丸，如梧桐子大。每服三十丸，盐汤送下。

【主治】虚损溺血。

香附地榆汤

【来源】《普济方》卷二一五引《指南方》。

【组成】香附子（切） 新地榆（切）各不拘多少

【用法】上药各浓煎汤一盏，先呷附子三五呷，地榆汤以尽为度，未效再进。

【主治】尿血。

麦门冬汤

【来源】《普济方》卷四十一引《护命》。

【组成】麦门冬（去心，焙） 知母 蒲黄 黄芩（去黑心） 木通（锉） 升麻各一分 大黄（锉，炒）三分

【用法】上为末。每服三钱匕，水一盏，煎至八分，去滓，食后温服。

【主治】小肠实热，脉气盛实，小便下血。

玄胡索散

【来源】《普济方》卷二一五引《类证活人书》。

【别名】延胡散（《古今医统大全》卷十四）、玄胡散（《赤水玄珠全集》卷九）。

【组成】玄胡索一两　朴消三分

【用法】上为末。每服四钱，水二盏，煎至八分，温服。

【主治】

1. 《普济方》引《类证活人书》：溺血。
2. 《医方考》：阳邪陷入下焦，令人尿血。
3. 《赤水玄珠全集》：尿血作痛。

【方论】《医方考》：阳邪者，热病、伤寒之毒也。下焦者，阴血所居，阳邪入之，故令尿血。玄胡索味苦而辛，苦，故能胜热；辛，故能理血。佐以朴消，取其咸寒，利于就下而已。

竹茹汤

【来源】《圣济总录》卷二十六。

【组成】青竹茹　木通（锉）各一两　甘草（炙，锉）一分　连翘　芦根（锉）　蒲黄各半两

【用法】上为粗末。每服五钱匕，水一盏半，加灯心少许，生姜一枣大（拍碎），煎至八分，去滓，食前温服。

【主治】伤寒小便出血。

血余散

【来源】《圣济总录》卷二十六。

【组成】乱发灰二钱匕　大麻根（切）一两

【用法】上先将麻根以水一盏，煎至半盏，去滓，下乱发灰，搅匀，食前温服。

【主治】伤寒，小肠不通，便如血淋。

三物汤

【来源】《圣济总录》卷六十八。

【组成】生地黄七两半　阿胶（炙令燥）三分　白蔹八两

【用法】上药锉，如麻豆大。每服七钱匕，水二盏，煎至八分，去滓，空腹温服。

【主治】吐血及大小便血。

竹茹汤

【来源】《圣济总录》卷六十八。

【组成】青竹茹（锉）一升　芍药二两　芎藭　当归（切，焙）　桂（去粗皮）　甘草（炙，锉）各三两　黄芩（去黑心）三分

【用法】上为粗末。每服三钱匕，水一盏，煎至八分，去滓温服，不拘时候。

【主治】吐血、溺血、衄血。

竹叶芍药汤

【来源】《圣济总录》卷六十八。

【别名】竹叶芍药散（《普济方》卷一八八）。

【组成】竹叶六合　赤芍药　甘草（炙，锉）各一两　阿胶（炙燥）三两　当归（切，焙）一两半

【用法】上为粗末。每服五钱匕，水一盏半，煎至八分，去滓，食后温服，一日二次。

【主治】吐血、衄血，大小便出血。

车前草饮

【来源】《圣济总录》卷九十二。

【别名】车前汁饮（《古今医统大全》卷八十三）。

【组成】车前草一握

【用法】捣取汁，和蜜等分。空腹温服。

【主治】

1. 虚劳失精，小便余沥。
2. 《古今医统大全》：尿血不止。

人参汤

【来源】《圣济总录》卷九十六。

【组成】人参　生干地黄（锉）　芍药（锉）　桔梗（锉）　当归（切，焙）　甘草（炙，锉）　桂（去粗皮）　芎藭（锉）各一两　淡竹茹二两

【用法】上为粗末。每服四钱匕，水二盏，煎至一盏，去滓温服，不拘时候。
【主治】小便出血。

木通汤

【来源】《圣济总录》卷九十六。
【组成】木通(锉) 冬葵子各半两 灯心(切)一握
【用法】上为粗末。每服五钱匕，水二盏，煎至一盏，去滓温服，不拘时候。
【主治】小便失血，面色萎黄，饮食不进。

木通饮

【来源】《圣济总录》卷九十六。
【组成】木通（锉）一两半 冬葵子（炒）半两 滑石（碎）二两 石韦（去毛，炙）一两
【用法】上为粗末。每服五钱匕，水二盏，煎至一盏，去滓温服，不拘时候。
【主治】小便出血。

车前子散

【来源】《圣济总录》卷九十六。
【组成】车前子 木通（锉） 泽泻 当归（切、焙） 桑螵蛸（炙） 桂（去粗皮） 滑石各等分。
【用法】上为散。每服二钱匕，煎冬葵根汤下。
【主治】小便赤色，或小便鲜血。

车前叶汤

【来源】《圣济总录》卷九十六。
【组成】车前叶（干者） 茜根（洗、锉） 黄芩（去黑心） 阿胶（炒燥） 地骨皮（洗） 红蓝花（炒）各一两
【用法】上为粗末。每服三钱匕，水一盏，煎至七分，去滓温服，不拘时候。
【主治】小便出血。

地黄丸

【来源】《圣济总录》卷九十六。
【组成】生干地黄（焙） 菟丝子（酒浸一宿，晒，别捣） 白芷 牡荆实（去萼） 冬葵子（炒） 当归（切，焙） 芎䓖 赤茯苓（去黑皮） 败酱 蒲黄各一两
【用法】上为末，炼蜜为丸，如梧桐子大。每服二十丸，煎粟米饮送下，一日三次。
【主治】小便出血。

地黄饮

【来源】《圣济总录》卷九十六。
【组成】地黄汁一升 生姜汁一合
【用法】上并取自然汁相和，分作三服。每服煎一沸温服，自早至日中服尽。
【主治】

1.《圣济总录》：小便出血。
2.《仁斋直指方论》：骨蒸劳热，咯血。

阿胶汤

【来源】《圣济总录》卷九十六。
【组成】阿胶（炒燥） 黄芩（去黑心）各三分 甘草（炙）半两 生地黄（绞取汁） 车前叶（生者，绞取汁） 藕节（绞取汁） 生蜜一盏
【用法】上为粗末，同后四味搅匀。每服一大匙，水一盏，煎至七分，去滓温服，不拘时候。
【主治】肾客热连心，小便出血疼痛。

鸡苏汤

【来源】《圣济总录》卷九十六。
【组成】鸡苏(去土) 石膏各二两 竹叶(锉)一两
【用法】上为粗末。每服四钱匕，水一盏半，煎至一盏，去滓温服，不拘时候。
【主治】小便出血不绝。

金黄汤

【来源】《圣济总录》卷九十六。
【组成】郁金（锉） 瞿麦穗 生干地黄 车前叶 芒消 滑石各一两
【用法】上为粗末。每服五钱匕，水一盏半，同煎

至七分，去滓温服，不拘时候。

【主治】小便出血，水道中涩痛。

柏叶汤

【来源】《圣济总录》卷九十六。

【组成】柏叶（去梗，焙） 甘草（炙，锉） 阿胶（炒燥） 黄芩（去黑心，锉） 竹茹（切） 生干地黄（切）各一两

【用法】上为粗末。每服四钱匕，水一盏半，同煎至八分，去滓温服，不拘时候。

【主治】小便出血不止。

黄芩汤

【来源】《圣济总录》卷九十六。

【组成】黄芩（去黑心） 阿胶（炒燥） 甘草（炙，锉）各二两 柏叶一把（锉）

【用法】上为粗末。每服五钱匕，水一盏半，入生地黄一分（拍碎），同煎至八分，去滓，食前温服。

【主治】小便出血。

槐金散

【来源】《圣济总录》卷九十六。

【组成】槐花（炒） 郁金（锉）各一两

【用法】上为散。每服二钱匕，煎木通汤调下，不拘时候。

【主治】小便出血。

蒲黄散

【来源】《圣济总录》卷九十六。

【组成】蒲黄（微炒）二两 郁金（锉）三两

【用法】上为散。每服一钱匕，空心、晚食前粟米饮调下。

【主治】膀胱有热，小便血不止。

地榆饮子

【来源】方出《本草纲目》卷十四引《全生指迷方》，名见《鸡峰普济方》卷十。

【组成】香附子 新地榆各等分

【用法】各煎汤，先服附子汤三五呷，次服地榆汤至尽。未效再服。

【主治】

1. 《本草纲目》引《全生指迷方》：小便尿血。

2. 《鸡峰普济方》：小便凝涩。

槐子散

【来源】《中藏经》卷下。

【组成】槐（用中黑子）一升 槐花二升

【用法】上同炒焦，为末。每服二钱，用水调下，空心、食前各一服。病已止。

【主治】久下血，尿血。

车前散

【来源】《幼幼新书》卷三十引张涣方。

【组成】牡蛎半两（烧为粉） 车前子 甘草（炙微赤，锉） 川朴消各一分。

【用法】上为散。每服一钱，以水一小盏，煎至五分，去滓温服。量儿大小加减，不拘时候。

【主治】小儿热积小肠，甚则尿血。

玉屑膏

【来源】《三因极一病证方论》卷九。

【别名】玉屑散（《兰台轨范》卷五）。

【组成】黄耆 人参各等分

【用法】上为末，用萝卜大者，切一指厚，三指大，四五片，蜜淹少时，蘸蜜炙干，复蘸，尽蜜二两为度，勿令焦，炙熟。点黄耆、人参末吃，不拘时候，仍以盐汤送下。

【主治】尿血并五淋、砂石，疼痛不可忍。

箬灰散

【来源】《普济方》卷三八八引《全婴方》。

【组成】多时茶本中箬（烧灰存性）一两 滑石末半两

【用法】并为末。每服一钱，灯心煎汤调下。
【主治】小儿尿血，阴茎中痛。

归血散

【来源】《杨氏家藏方》卷二十。
【组成】荆芥（锉碎）一合　大麦一合（生）　黑豆一合（生）　甘草二钱（生）
【用法】上拌匀。用水一盏半，煎至一盏，去滓，食后、临卧作两次温服。
【主治】男子、妇人、老幼小便溺血。

双金自然液

【来源】《永乐大典》卷一〇三三引《十便良方》。
【组成】生地黄汁一升　生姜汁一升
【用法】上药相和顿服。不愈更作。
【主治】小儿尿血。

柏叶汤

【来源】《普济方》卷二一五引《十便良方》。
【组成】生地黄三两　柏叶小半握　黄芩一两　阿胶三升
【用法】上前三味切，以水二升，煮取七合，去滓，入阿胶，分作五六服。
【主治】小便下血。

荆芥散

【来源】《是斋百一选方》卷十四。
【别名】荆砂散（《仙拈集》卷二引《集简方》）。
【组成】荆芥穗　缩砂仁各等分
【用法】上为细末。每服三大钱，用糯米饮调下，不拘时候，一日三次。
【主治】

1. 《是斋百一选方》：肠风下血。
2. 《仙拈集》引《集简方》：溺血。

琥珀散

【来源】《女科百问》卷上。
【组成】琥珀　猪苓（去皮）　茯苓　泽泻　滑石各一两　阿胶（炒）三两　车前子一两
【用法】上为粗末。每服五钱，水二盏，煎至一盏，去滓温服。
【主治】小便出血。

如神散

【来源】《医方类聚》卷一三三引《经验良方》。
【组成】阿胶（蛤粉炒）二两　栀子　车前子　黄芩　甘草各三钱半
【用法】上为细末。每服半钱，加至一钱，井花水调下，日三服。

《金匮翼》：合犀角地黄汤用之良。

本方改为丸剂，名“如神丸”（《证治宝鉴》卷七）。
【主治】心脏有热，乘于血分，血渗小肠，尿血。

神效汤

【来源】《家庭治病新书》引《经验良方》。
【组成】海螵蛸　生地　茯苓　侧柏炭各三钱　车前子一两
【用法】水煎服。
【主治】血淋或尿血。

当归散

【来源】《普济方》卷二一五引《余居士选奇方》。
【组成】当归　白芷　川芎　蒲黄各等分
【用法】上为末。每服二钱，温米饮调下。
【主治】小便下血不止。

乌药汤

【来源】《兰室秘藏》卷中。
【组成】当归　甘草　木香各五钱　乌药一两　香附子二两（炒）
【用法】上锉。每服五钱，水二大盏，去滓，食前温服。
【主治】

1. 《兰室秘藏》：妇人血海疼痛。

2.《医部全录》：阳气内动，发则心下崩、数溲血。

3.《内科概要》：经前及经行腹痛，属瘀血挟逆气内阻。

鹿角胶丸

【来源】《赤水玄珠全集》卷九引《济生方》。

【别名】鹿胶丸（《嵩崖尊生全书》卷八）。

【组成】鹿角胶五钱　没药（另研）　油头发灰各三钱

【用法】上为末，用茅根汤打糊为丸，如梧桐子大。每服五十丸，盐汤送下。

【主治】房室劳伤，小便尿血。

地骨酒

【来源】方出《本草纲目》卷三十六引《简便方》，名见《仙拈集》卷二。

【组成】新地骨皮（洗净）

【用法】捣自然汁（无汁则以水煎汁），每服一盏，加酒少许，食前温服。

【主治】

1.《本草纲目》引《简便方》：小便出血。

2.《仙拈集》：血淋。

茯苓调血汤

【来源】《仁斋直指方论》卷十六。

【组成】赤茯苓一两　赤芍药　川芎　半夏曲各半两　前胡　柴胡　青皮　枳壳　北梗　桑白皮（炒）　白茅根　灯心　甘草（炙）各二钱半

【用法】上锉细。每服三钱，加生姜五片，蜜二匙，新水煎服。

【主治】酒面过度，房劳后，小便下血。

琥珀饮

【来源】《仁斋直指方论》卷十六。

【组成】琥珀

【用法】上为细末。每服二钱，加灯心一握，脑荷少许，煎汤调下。

【主治】尿血。

增味导赤散

【来源】《仁斋直指方论》卷十六。

【别名】加味导赤散（《普济方》卷三八八）。

【组成】生干地黄（洗、晒）　木通　黄芩　生甘草　车前子　山栀仁　川芎　赤芍药各等分

【用法】上为末。每服三钱，加竹叶十片，生姜三片，水煎服。

【主治】

1.《仁斋直指方论》：血淋，尿血。

2.《普济方》引《如宜方》：黄疸有热，小便赤涩，面目黄。

琥珀散

【来源】《类编朱氏集验方》卷六。

【组成】琥珀（研如粉）不拘多少

【用法】上为末。每服二钱，煎灯心汤送下。

【主治】老人小便纯血。

镜面散

【来源】《类编朱氏集验方》卷七。

【组成】镜面草（又名螺靥草）

【用法】上为末。调蜜少许，水冲服。

【主治】小便出血。

【验案】小便出血　余顷在章贡，时年二十六，忽小便后出鲜血数点，不胜惊骇，却不疼。如是一月，若不饮酒则血少，终不能断。偶得一器清汁，云是草药，添以少蜜，解以水，两服而愈。其名镜面草，又名螺靥草，其色青翠，所在阶缝中多有之。

当归承气汤

【来源】《内经拾遗方论》卷二。

【组成】当归尾一两　大黄（酒洗）　芒消　枳实各五钱　甘草（蜜炙）三钱　厚朴五钱

【用法】水二钟，先煎枳、朴、草、归至九分，次下大黄，煎三五沸，末下芒消，随即就起，去

滓服。

【主治】

1.《内经拾遗方论》：阳厥善怒。

2.《增补内经拾遗方论》：亦治男子妇人痰迷心窍，逾墙越壁，胡言乱走。

3.《丹溪心法》：溺血属实热者。

【方论】胃气为湿热所伤，必泻其上实，而元气乃得上下同流，此承气所由名也。三一承气汤外加当归，故名。

既济解毒丹

【来源】《活幼心书》卷下。

【组成】净黄连五分　黄柏（去粗皮）　黄芩（净者）　大黄各二钱半　肉桂（去粗皮）　枳壳（锉片，麸炒，清油润透一宿，焙干）　白茯苓（去粗皮）各二钱　甘草（生用）七钱

【用法】上除桂不过火，余药锉，焙，仍同桂共为末，滴水乳钵内熟杵为丸，如绿豆大，带润以水飞朱砂为衣，阴干。每服三十至五十丸，用麦门冬熟水送下，不拘时候；吐血、溺血，栀子仁煎汤送下；儿小者，薄荷汤磨化投服。

【主治】小儿中热，睡中咬牙，梦语，惊悸不宁；或吐血、溺血，口渴引饮，手足动摇。

石韦丸

【来源】《永乐大典》卷一〇三三引《方便集》。

【组成】石韦一两（刮去叶上毛，用叶）　滑石半两（不用青黑者）　木通半两　茅花（茅根可食者，用花）半两　猪苓（去皮）半两　黄芩二分　茯苓一两

【用法】上为细末，水煮薄荷米糊为丸，如绿豆大。每服二十丸，空心温白汤送下；小便少者，加车前草汤送下。

【功用】宽滑水道。

【主治】小儿尿血。

龙齿散

【来源】《永乐大典》卷一〇三三引《方便集》。

【组成】龙齿半两　赤茯苓三两　远志（去心取皮）半两　茯神（去木）半两　半夏曲半两　甘草半两

【用法】上为细末，和匀。每服一大钱，水一小盏，加生姜三片，葱一茎，与熟水同煎，食后、临卧温凉服。

【功用】镇心。

【主治】尿血涩痛因惊则甚。

姜蜜汤

【来源】《世医得效方》卷七。

【别名】姜蜜煎（《医略六书》卷二十八）。

【组成】生姜七片　蜜半盏　白茅根一握

【用法】用水同煎服。

【主治】

1.《世医得效方》：小便出血不止。

2.《医略六书》：妊娠尿血。

【方论】《医略六书》：妊娠冲脉内虚，挟寒邪而憎寒、口燥，经气漏泄，故尿血不止，谓之溺血。白蜜以润经燥，生姜以散经寒，茅根凉血以止血也；姜、茅煎汁，入蜜炼噙，使经寒外散，则经气完复，而血自归经，何有憎寒口燥，溺血不止之患？胎孕无不自安矣。

三汁丹

【来源】《脉因证治》卷上。

【组成】水杨树脑　老鸦饭草　赤脚马兰

【用法】各取自然汁，以水服之。

【主治】小便出血。

溺血丹

【来源】《脉因证治》卷上。

【组成】生地四两　苏木根　淡竹叶　山栀（炒）　滑石　甘草　蒲黄（炒）　藕节　当归

【主治】溺血之属热者。

冬荣散

【来源】《医学纲目》卷十七。

【组成】夏枯草（烧灰存性）

【用法】上为末。米饮或凉水调下。
【主治】小便出血，及肠风下血。

二神散

【来源】《普济方》卷一八八。
【组成】香附子一两（烧存性） 蒲黄一两（炒）
【用法】上为末。每服三钱，取大眼桐皮，刮去青取白，浓煎汤，调下一二服。
【主治】吐血、便血、尿血，及妇人血崩不止。

二圣散

【来源】《普济方》卷二一五。
【组成】芍药 黄柏各等分
【用法】上为末。每服三钱，食前温浆水调下。
【主治】小便出血。

车前子汤

【来源】《普济方》卷二一五。
【组成】车前子 茜根 黄芩（去黑心） 阿胶 地骨皮（洗） 红蓝花各一两
【用法】上为末。每服三钱，水一盏，煎七分，去滓温服，不拘时候。
【主治】小便出血。

棕榈汤

【来源】《普济方》卷二一五。
【组成】棕榈灰
【用法】上为细末。每服二钱，米饮送下；治转胞失血，以灰吹入鼻中。
【主治】小便下血，转胞失血。

棕榈汤

【来源】《普济方》卷二一五。
【组成】棕榈 葵子各等分
【用法】上为细末。每服二钱，米饮送下。
【主治】小便下血。

生滑汤

【来源】《普济方》卷三二一。
【组成】蒲黄一两（炒） 木通 黄芩各二两 瞿麦 滑石各半两 甘草二钱半（炒）
【用法】上锉。每服二钱，水一盏，煎至七分，温服之。
【主治】小便秘涩血。

秘传发灰丸

【来源】《松崖医径》卷下。
【组成】头发不拘多少(烧存性,用壮年无病者佳)
【用法】上为细末，别用新采侧柏叶捣汁，调糯米粉打糊为丸，如梧桐子大。每服五十丸，空心白滚汤送下；或煎四物汤送下。
【主治】尿血。

秘传加减芩连四物汤

【来源】《松崖医径》卷下。
【组成】黄芩 黄连 当归 生地黄 白芍药 山栀 陈皮 白术 人参 甘草
【用法】上细切。用水二盏，加生姜三片，大枣一枚，煎一盏，去滓温服。
【主治】大小便血。
【加减】尿血，加黄柏、知母、滑石；下血及肠风脏毒，加黄柏、子芩、槐角、阿胶、防风、荆芥。

发灰丸

【来源】《医学正传》卷九。
【组成】小儿胎发（如无，以壮年无病人头发，剪下者为上，自落者次之。烧灰）
【用法】上为末，别用新取侧柏叶捣汁，调糯米粉，打糊为丸，如梧桐子大。每服五十丸，空心白汤送下；或煎四物汤送下尤妙。
【主治】小便溺血。

七正散

【来源】《医学集成》卷二。

【组成】赤苓　木通　前仁　炒栀　萹蓄　胆草　甘草梢
【用法】加灯心、竹叶心为引，水煎服。
【主治】溺血，小便不痛者。

清肝散

【来源】《医学集成》卷二。
【组成】白芍　炒栀　丹皮　黄连　木通　滑石　甘草　车前
【主治】肝热溺血。

太极丸

【来源】《扶寿精方》。
【组成】黄柏（去皮，盐、酒浸三日，微炒褐色，净末）三两六钱　知母（去毛，酒浸一宿，微炒，净末）二两四钱　破故纸（新瓦炒香，净末）二两八钱　胡桃仁（去皮，研烂）三两二钱　砂仁一两（分作二分，五钱生用，五钱同花椒一两炒香，去椒不用）
【用法】上各为细末，炼蜜为丸，如梧桐子大。每服五七十丸，早晚沸汤、茶、酒任下。服至三年，百病消除。
【功用】《摄生众妙方》：调和五脏，长生益寿。
【主治】
1.《东医宝鉴》：肾虚。
2.《杂病源流犀烛》：尿血。
【方论】黄柏属水，滋肾，苦以坚精；知母属金，主润肺，苦以降火，佐黄柏为水金相生；破故纸属火，收敛神明，能使心包之火与命门之火相通，故元阳坚固，骨髓充实，涩以治脱也；胡桃仁属木，润血，血属阴，阴恶燥，故油以润之，佐故纸为木火相生；砂仁属土，醒脾开胃，引诸药归宿丹田，香而窜，和五脏中和之气。

立效散

【来源】《丹溪心法附余》卷二十二。
【组成】蒲黄　生地黄　生甘草　赤茯苓（去皮）各等分
【用法】上锉。用水煎，入发灰调匀，食前服。
【主治】小儿溺血。

防风黄芩丸

【来源】《校注妇人良方》卷十二。
【别名】防风子芩丸（《医略六书》卷二十八）、防风丸（《盘珠集》卷下）。
【组成】条芩（炒焦）　防风各等分
【用法】上为末，酒糊为丸，如梧桐子大。每服三五十丸，食远或食前米饮或温酒送下。
【主治】
1.《校注妇人良方》：肝经有风热致血崩、便血、尿血。
2.《医略六书》：漏胎，脉浮数者。
3.《叶氏女科证治》：肝经风热，妊娠吐衄。
【方论】《医略六书》：妊娠风热，干于血室，胎孕为之不安，致经血妄行，漏胎下血不止焉。子芩清热于里，防风疏风于外，二味成方，丸以粥糊，下以米饮，使风热两除，则经脉清和而经血无不固，胎孕无不安，何漏胎之不愈哉？

四物玄明饮

【来源】《古今医统大全》卷四十二。
【组成】四物汤加车前子　木通
【用法】水煎，调玄明粉二三钱，饥服。一剂即止，后以八珍汤调理。
【主治】血尿不止，须臾一二碗。

当归一物汤

【来源】《古今医统大全》卷七十一。
【组成】川当归四两（锉）
【用法】上以酒三升，煮取一升，空心顿服。
【主治】小便血；亦治小便涩。

干生地黄散

【来源】《古今医统大全》卷八十三。
【组成】干生地黄二钱　柏叶　黄芩各一钱　阿胶（炒）八分
【用法】上以水盏半，加生姜三片，煎七分，温服。

【主治】妇人尿血不止。

当归鹿茸散

【来源】《古今医统大全》卷八十三。

【组成】当归　鹿茸　熟地黄　葵子　蒲黄　续断各等分

【用法】上为末。每服二钱，酒调下，一日三次。

【主治】妇人劳损，虚弱尿血。

五苓散

【来源】《陈素庵妇科补解》卷三。

【组成】当归　川芎　白芍　生地　熟地　阿胶　泽泻　猪苓　白术　茯苓　黄连　黄柏　甘草

【用法】上为散。以白饮和服方寸匕，一日三次。多饮暖水，汗出愈。

【主治】妊娠劳伤经络，生内热，热乘血分而尿血，或痛或不痛，或发寒热，致胎不安。

清热滋阴汤

【来源】《古今医鉴》卷七。

【组成】当归(酒洗)三分　川芎(酒洗)七分生地(酒洗)二钱　黄柏(酒炒)三分　知母(酒炒)五分　陈皮(酒洗)三分　白术(炒)五分　麦门冬一钱五分　牡丹皮一钱　赤芍药七分　玄参一钱　山栀(炒黑)一钱半　甘草五分

【用法】上锉一剂。水煎，温服。

【主治】吐血、衄血、便血、溺血。

【加减】身热，加地骨皮一钱，柴胡五分，子芩一钱；吐、衄血，加炒干姜七分，柏叶、茜根、大小蓟各一钱；大便血，加炒槐花、地榆、百草霜各一钱；溺血，加炒黑山栀子、车前子、小蓟、黄连各八分。上四种血病俱用阿胶珠五分，姜汁、韭汁、童便同服。

三黄解毒汤

【来源】《片玉心书》卷五。

【组成】黄连　黄芩　黄柏　红花　木通　大黄　生地　归身　甘草

【用法】水煎服。

【主治】小儿热积于心肺，大小便出血。

凉血地黄汤

【来源】《片玉痘疹》卷十二。

【组成】黄连　生地　玄参　归尾　甘草　山栀仁

《外科正宗》本方用黄连、当归梢、生地黄、山栀子、玄参、甘草各等分。

【用法】《外科正宗》：水二钟，煎八分，量病上下服之。

【主治】

1.《片玉痘疹》：痘收靥后毒入于里，迫血妄行，致衄血、吐血、便血、溺血。

2.《外科正宗》：血箭。血痣内热甚而迫血妄行，出血如飞者。

【加减】鼻血，加片芩、茅花；吐血，加知母、石膏、童便、香附；尿血，加木通、滑石；便血，加秦艽、槐子、荆芥穗；血不止，加炒蒲黄、藕节、侧柏叶。

四物导赤散

【来源】《保命歌括》卷八。

【组成】四物用生地黄、赤芍，合导赤散，加条芩、山栀

【主治】溺血不痛者。

五倍汤

【来源】《赤水玄珠全集》卷九。

【组成】五倍子

【用法】煎汤，露一宿，次早取上面清者温服。

【主治】尿血不止。

生地黄散

【来源】《赤水玄珠全集》卷二十一。

【组成】生地二钱　黄芩（炒）五钱　阿胶（炒）侧柏叶（炒）各一钱

【用法】水煎，食前服。

【主治】血热尿血。

鹿角胶散

【来源】《赤水玄珠全集》卷二十一。

【组成】鹿角胶（炒）二两

【用法】上为末，作二服。长流水调下。

【主治】小便出血。

蒲黄鹿茸散

【来源】《赤水玄珠全集》卷二十一。

【组成】蒲黄（炒） 鹿茸（炙） 当归 生地 葵子（炒） 续断（酒炒）各等分

【用法】上为末。每服二钱，酒调下，日三服。

【主治】劳损尿血，发热内热，或寒热往来，口干作渴。

七正散

【来源】《医方考》卷六。

【组成】车前子 赤茯苓 山栀仁 生甘草梢 木通 萹蓄 龙胆草

【用法】《景岳全书》：加灯心、竹叶，水煎服。

【主治】

1.《医方考》：痘证小便秘涩。

2.《医部全录》：湿热溺血。

【方论】治痘而必欲利小便者，水循其道，而后地平天成故也。是方也，车前能滑窍，赤苓能渗热，木通能通滞，山栀能泻火，草梢能通茎，萹蓄能利水，胆草能利热。七物者，导其热邪，正其中气，故曰七正。

金黄散

【来源】《寿世保元》卷四。

【组成】槐花（净，炒） 郁金（湿纸包，火煨）各一两

【用法】上为细末。每服二钱，淡豆豉汤送下。

【主治】尿血。

凉血地黄汤

【来源】《寿世保元》卷四。

【组成】犀角（乳汁磨，临服入药内；或锉末煎）四分 生地黄（酒洗）一钱 牡丹皮二钱 赤芍七分 黄连（酒炒）一钱 黄芩（酒炒）一钱 黄柏（酒炒）五分 知母一钱 玄参一钱 天门冬（去心）一钱 扁柏叶三钱 茅根二钱

【用法】上锉。水煎，入十汁饮同服。

【主治】虚火妄动，血热妄行，吐血、衄血、溺血、便血。

【加减】吐血成块，加大黄一钱，桃仁十个（去皮尖，研如泥）；衄血，加栀子、沙参、玄参；溺血，加木瓜、牛膝、条芩、荆穗、地榆，倍知、柏；便血，加黄连、槐花、地榆、荆穗、乌梅；善酒者，加葛根、天花粉。

清肠汤

【来源】《寿世保元》卷四。

【组成】当归 生地黄（焙） 栀子（炒） 黄连 芍药 黄柏 瞿麦 赤茯苓 木通 萹蓄 知母各一钱 甘草减半 麦门冬一钱（去心）

【用法】上锉一剂。加灯心、乌梅，水煎，空心服。

【主治】心移热于小肠，小便出血。

【加减】尿血，茎中痛，加滑石、枳壳，去芍药、茯苓。

犀角解毒汤

【来源】《寿世保元》卷八。

【组成】真犀角一钱（如无，升麻代之） 生地黄五分 牡丹皮一钱 赤芍一钱 黄连 枯黄芩 黄柏 栀子

方中黄连，枯黄芩，黄柏，栀子用量原缺。

【用法】上锉。水煎服。

【主治】麻疹已出，大便下血，或小便下血，吐血，衄血；或二便闭涩，疮疹稠密，热浊赤痛。

【加减】如吐血、衄血，加炒山栀子，童便和服。

滑石散

【来源】《济阴纲目》卷十四。

【组成】滑石（研） 发灰各等分

【用法】上为末。每服一钱，生地黄汁调下。

【主治】产后小便出血。

大分清饮

【来源】《景岳全书》卷五十一。

【组成】茯苓 泽泻 木通各二钱 猪苓 栀子（或倍之） 枳壳 车前子各一钱

【用法】水一钟半，煎八分，食远温服。

【功用】《证治宝鉴》：清利。

【主治】

1.《景岳全书》：积热闭结，小水不利，或致腰腹下部极痛；或湿热不利，黄疸，溺血，邪热蓄血，腹痛淋闭。

2.《医学集成》：耳鸣属火盛者。

【加减】内热甚者，加黄芩、黄柏、草龙胆之属；大便坚硬胀满者，加大黄二三钱；黄疸小水不利热甚者，加茵陈二钱；邪热血腹痛者，加红花、青皮各一钱五分。

加味四物汤

【来源】《济阳纲目》卷六十二。

【组成】当归 川芎 芍药 生地黄 牛膝 栀子（一方加黄连 棕炭）

【用法】上锉。水煎，空心服。

【主治】

1.《济阳纲目》：血虚尿血。

2.《幼科金针》：小儿血淋。

茄树散

【来源】《济阳纲目》卷九十一。

【组成】茄树根

【用法】上锉。用童便煎汁，服之。

【主治】放尿有血，带血线。

仙露饮

【来源】《丹台玉案》卷四。

【组成】生地 蒲黄 黄连各二钱 升麻八分 小蓟 旱莲草 川芎各一钱

【用法】水煎，空心服。

【主治】小便出血。

桃仁汤

【来源】《瘟疫论》卷上。

【组成】桃仁三钱（研如泥） 丹皮一钱 当归一钱 赤芍一钱 阿胶二钱 滑石二钱

【用法】水煎服。

【主治】疫邪干扰血分所致的溺血。

【方论】《瘟疫论评注》：方以活血祛瘀的桃仁为主，配合丹皮清热凉血，赤芍、当归活血散瘀，再加滑石、阿胶滋阴清热利尿。全方纯从血分入手，对治疗疫邪干扰膀胱血分而引起尿血等具有一定作用。

【加减】小腹痛，按之硬痛，小便自调，有蓄血也，加大黄三钱

生地车前散

【来源】《痘疹仁端录》卷九。

【组成】木通 犀角 升麻 白芍 黄耆 紫草 地榆 生地 车前 甘草

【主治】溺血，或如痘汁，或如苏木水，或如屋漏水。

【加减】便血，加川芎、米仁；吐血，加炒黄连；痈，加滑石、山栀。

三效散

【来源】《何氏济生论》卷三。

【组成】山栀（炒）五钱 瞿麦穗一两 甘草三分

【用法】加葱白七根，灯心五十茎，生姜七片，水煎服。

【主治】下焦热，小便出血。

两地丹

【来源】《石室秘录》卷一。
【组成】生地一两　地榆三钱
【主治】便血与溺血。
【方论】盖大小便虽各有经络，而其源同，因膀胱之热而来也。生地清膀胱之火，地榆亦能清膀胱，一方而两用之，分之中又有合也。

鹿角胶丸

【来源】《证治汇补》卷八。
【组成】鹿角胶　熟地　发灰
【用法】上为末，茅根汁为丸。盐汤送下。
【主治】溺血。
【方论】《医略六书》：鹿角胶补精血以壮肾阳；熟地黄补肾水以养真阴；血余灰止血溢，生新血也。胶丸，淡盐汤下，使阳旺阴充，则阴阳既济，而血自归经，何患溺血久不止哉。此温肾止血之剂，为阳虚溺血久不止之专方。

导赤散

【来源】《郑氏家传女科万金方》卷二。
【组成】生地　木通　茯苓　山栀　甘草
【主治】妇人胎前内热，小便尿血。

阿艾五苓散

【来源】《嵩崖尊生全书》卷八。
【组成】五苓散加阿胶　川芎各一钱　炙草一钱　当归　艾叶各三钱　白芍　熟地各四分。
【用法】水煎服。
【主治】尿血，其人素好色，属虚者。

朱珀散

【来源】《幼科证治大全》。
【组成】滑石　朱砂　琥珀　甘草
【用法】上为末。每服一钱，灯心汤调下。
【主治】小儿尿血。

利金汤

【来源】《幼科直言》卷五。
【组成】车前子　桑白皮　黄芩　黄连　归尾　怀牛膝　甘草梢　木通　红花
【用法】加白果肉为引。
【功用】清热分利。
【主治】小儿肺热流于小肠，小便撒血。

阿胶散

【来源】《医学心悟》卷三。
【组成】阿胶（水化开冲服）一钱　丹参　生地各二钱　黑山栀　丹皮　血余（即乱发，烧灰存性）麦冬　当归各八分
【用法】水煎服。
【功用】清心。
【主治】心气热，则遗热于膀胱，阴血妄行而尿血。

犀角地黄汤

【来源】《麻科活人全书》卷三。
【组成】犀角　升麻　生地黄　木通　桔梗　京芍　甘草
【用法】水煎服。
【主治】失血、衄血、便血、尿血。

地王止血散

【来源】《惠直堂方》卷二。
【别名】地黄赤茯散（《不知医必要》卷二）。
【组成】海螵蛸　生地　赤茯苓各等分
【用法】上为末。每服一钱，柏叶、车前子煎汤送下。
【主治】

1. 《惠直堂方》：尿血。
2. 《不知医必要》：血淋。

山鹿丸

【来源】《不居集》上集卷十四。

【组成】山药一两　鹿角五钱　发灰二钱

【用法】上为末，苎根捣汁，打糊为丸，如梧桐子大。每服五十丸。

【主治】房室劳伤，小便出血。

补阴益气煎

【来源】《医略六书》卷二十五。

【组成】人参一钱半　生地五钱　黄耆三钱（蜜炙）　山药三钱（炒）　白芍一钱半（炒）　阿胶三钱（蒲黄灰炒）　茯神一钱半（去木）　草灰一钱半

【用法】水煎，去滓温服。

【主治】元阴虚弱，不能统摄血液而血不归经，偏渗前阴，溺血不止，脉软微数者。

【方论】方中人参扶元气以摄血，黄耆补中气以统血，山药补脾益气，生地滋阴凉血，白芍敛肝阴以吸血，阿胶补肺阴以止血，茯神渗湿清血室，草灰缓中除血漏也。水煮温服，使元阴内充，则气举而自归经，可无偏渗之患。

鹿角秋石丸

【来源】《医略六书》卷二十五。

【组成】鹿角八两（烧灰）　秋石一两（煅灰）

【用法】上为末，炼蜜为丸。每服三钱，乌梅汤送下。

【主治】溺血久不止，脉细数者。

【方论】鹿角温散，烧灰善鼓阳气以摄血液；秋石咸平，煅黑善全阴气以净溺红；白蜜之甘以缓之；乌梅之酸以收之。使阴气得全，则阳气秘，而血自归经，溺血无不止矣。此交济阴阳之剂，为阴虚阳不秘溺血之专方。

加减黑逍遥散

【来源】《医略六书》卷二十六。

【组成】生地五两　柴胡五钱（盐水炒）　白芍一两半（醋炒）　丹皮一两半（炒黑）　山药三两（炒）　茯苓一两半（入乳拌蒸）　阿胶三两（蒲灰炒）　荆芥灰一两半　地榆三两（炒炭）

【用法】上为散。每服三钱，童便调下。

【主治】小便溺血，脉弦数濡涩者。

【方论】热郁伤阴，冲任不摄，而血不能藏，故渗入膀胱溺出纯血焉。地黄滋阴壮水，生用最能止血；柴胡解热升清，盐炒引之达下；阿胶补阴益血，蒲灰炒珠更能散血定血；白芍敛阴益血，酽醋炒黄，引入肝脾敛血；茯苓渗利溺窍，乳拌不耗阴血；山药补益脾阴，炒黄兼能摄血；丹皮凉血止血；荆芥和血理血；地榆凉血涩血以止溺血也。为散童便调下，使小便清利，则热从溺泄而冲任完复，血室宁静，血无不归，岂有溺血之患乎。

牛膝四物汤

【来源】《医宗金鉴》卷四十。

【组成】四物汤倍加牛膝

【主治】溺血。

珀珠散

【来源】《医宗金鉴》卷四十。

【组成】琥珀末一钱　珍珠末五分　朱砂末五分　飞滑石六钱　甘草末一钱

【用法】上药合匀，分三服。每服三钱，引用整木通（去粗皮）煎汤调服。

【主治】溺血而诸药不效，所溺之血成块，窍滞不利，茎中急疼欲死者。

加味四物汤

【来源】《医宗金鉴》卷四十六。

【组成】四物汤加血余　白茅根

【主治】妊娠膀胱血热，尿血。

牛膝四物煎

【来源】《医宗金鉴》卷五十五。

【别名】牛膝四物汤。

【组成】牛膝　木通　郁金　甘草梢　瞿麦　当归　川芎　生地　赤芍药

【用法】水煎服。

【主治】尿血。

旱莲车前汁

【来源】方出《种福堂公选良方》卷二，名见《医学从众录》卷二。
【组成】旱莲草　车前子各等分
【用法】将二味捣自然汁，每日空心服一茶杯。
【主治】小便下血。

宁波汤

【来源】《四圣心源》卷五。
【组成】甘草二钱　桂枝　芍药　阿胶　茯苓　泽泻　栀子　发灰（猪脂煎，研）各三钱
【用法】水煎，温服。
【主治】溺血。
【加减】膀胱之热，若瘀血紫黑，累块坚阻，加丹皮、桃仁之类行之。
【方论】溺血与便血同理，而木郁较甚，故梗涩痛楚。苓、泽、甘草培土泄湿，桂枝、芍药达木清风，阿胶、发灰滋肝行瘀，栀子利水泄热。

三汁饮

【来源】《仙拈集》卷二。
【组成】生地黄汁　生姜汁　蜜各半钟
【用法】和匀，空心热服。
【主治】溺血，口鼻出血。

车莲饮

【来源】《仙拈集》卷二。
【组成】旱莲草　车前草
【用法】捣汁，各半茶钟，和匀，空心温服。
【主治】溺血。

茅姜煎

【来源】《仙拈集》卷二。
【组成】茅根　干姜（炒）各三钱
【用法】加蜜一匙，水煎服。
【主治】劳伤溺血。

加味小蓟饮子

【来源】《方症会要》卷三。
【组成】生地　小蓟　滑石　通草　淡竹叶　蒲黄（炒）　藕节　当归　山栀　甘草（炙）　车前　麦冬　陈皮　牛膝
【主治】小便出血。

二草丹

【来源】《杂病源流犀烛》卷十七。
【组成】金陵草（即旱莲草）　车前草各等分
【用法】捣汁。每空心服三杯。愈乃止。
【主治】溺血。

茅根汤

【来源】《杂病源流犀烛》卷十七。
【组成】茅根　姜炭各等分
【用法】加蜜一匙，水二杯，煎一杯服。
【主治】溺血。

郁金散

【来源】《杂病源流犀烛》卷十七。
【组成】郁金　槐花各一两
【用法】上为末。每服二钱，淡豉汤送下。
【主治】溺血。

参耆萝卜散

【来源】《杂病源流犀烛》卷十七。
【组成】人参　盐黄耆各等分
【用法】上为末。用红皮大萝卜一枚，切四片，用蜜二两，将萝卜逐片蘸炙令干，再炙，勿令焦，蜜尽为度。每用一片，蘸药食之。仍以盐汤送下。以愈为度。
【主治】阴虚溺血。

蒲茸散

【来源】《医级》卷八。

【组成】鹿茸（酥炙） 生地 当归各一两 蒲黄（炒）一合 冬葵子二两（炒）
【用法】上为末。每服一钱，温酒调下；若炼蜜为丸，如梧桐子大。每服二十丸，淡盐汤送下。
【主治】尿血日夜不止而不痛者。

生地汤

【来源】《伤科汇纂》卷八。
【组成】生地黄八两 柏叶一把 黄芩 阿胶（炙） 甘草（炙）各一两
【用法】上锉。以水七升，先煮四味，去滓，取汁三升，纳胶，煮取二升，分四服服之。
【主治】伤损小便出血。

生地黄饮

【来源】《医钞类编》卷七。
【组成】生地 黄芩(炒) 阿胶(炒) 柏叶(炒)
【用法】水煎服。
【主治】血热，小便出血。

茅根散

【来源】《证因方论集要》卷二。
【组成】人参 茯神 生地 茅根 车前子 发灰
【主治】惊气动心，溲赤如血。
【方论】人参、茯神定心，治病之本；生地泻心之火，茅根、车前泻小肠之火，发灰止血，治其标也。

清肺饮

【来源】《证因方论集要》卷二引黄锦芳方。
【组成】黄芩 生地 阿胶 甘草稍
【主治】肺热移于小肠，溺血，饮食如故。
【方论】黄芩以清肺热；阿胶以润肺燥；生地以泻心火；甘草稍以通小肠，直入血分，不杂气药。

秘制兔血丸

【来源】《春脚集》卷四。
【组成】藿香二两 乳香一两半 沉香一两半 木香一两 母丁香四两 麝香四钱
【用法】上为细末，于腊八日用活兔血，以手就荞麦面再沾老酒为丸，重五分。每服一丸或二三丸，以无灰老酒送下。
【主治】吐血，及男妇一切咳血、嗽血、便血、尿血，崩漏带下，产后恶露不行，或行血不止，或老妇倒开花症。
【宜忌】忌房欲、腥辣、生冷。

清阳膏

【来源】《理瀹骈文》。
【组成】薄荷五两 荆穗四两 羌活 防风 连翘 牛蒡子 天花粉 元参 黄芩 黑山栀 大黄 朴消各三两 生地 天冬 麦冬 知母 桑白皮 地骨皮 黄柏 川郁金 甘遂各二两 丹参 苦参 大贝母 黄连 川芎 白芷 天麻 独活 前胡 柴胡 丹皮 赤芍 当归 秦艽 紫苏 香附子 蔓荆子 干葛 升麻 藁本 细辛 桔梗 枳壳 橘红 半夏 胆南星 大青 山豆根 山慈姑 杏仁 桃仁 龙胆草 蒲黄 紫草 苦葶苈 忍冬藤 红芽大戟 芫花 白丑头 生甘草 木通 五倍子 猪苓 泽泻 车前子 瓜蒌仁 皂角 石决明 木鳖仁 蓖麻仁 白芍 生山甲 白僵蚕 蝉蜕 全蝎 犀角片各一两 羚羊角 发团各二两 西红花 白术 官桂 蛇蜕 川乌 白附子各五钱 飞滑石四两 生姜（连皮） 葱白（连须） 韭白 大蒜头各四两 槐枝（连花角） 柳枝 桑枝（皆连叶） 白菊花（连根叶） 白凤仙草（茎、花、子、叶全用一株）各三斤 苍耳草（全） 益母草（全） 马齿苋（全） 诸葛菜（全） 紫花地丁（全） 芭蕉叶（无蕉用冬桑叶） 竹叶 桃枝（连叶） 芙蓉叶各八两 侧柏叶 九节菖蒲各二两（生姜以下皆取鲜者，夏、秋合方全。药中益母、地丁、蓉叶、凤仙等，如干者一斤用四两，半斤用二两）
【用法】用小磨麻油三十五斤（凡干药一斤用油三斤，鲜药一斤用油一斤多），分两次熬枯，去渣，再并熬，俟油成（油宜老），仍分两次下丹，免火旺走丹（每净油一斤，用炒丹七两收）；再下铅粉（炒一斤）、雄黄、明矾、白硼砂、漂青黛、真轻粉、乳香、没药各一两，生石膏八两，牛膝四两

(酒蒸化)，俟丹收后，搅至温温，以一滴试之不爆，方取下，再搅千余遍，令匀，愈多愈妙，勿炒珠。头疼贴两太阳穴。连脑疼者，并贴脑后第二椎下两旁风门穴。鼻塞贴鼻梁，并可卷一张塞鼻。咳嗽及内热者，贴喉下（即天突穴）、心口（即膻中穴），或兼贴背后第三骨节（即肺俞也），凡肺病俱如此贴。烦渴者兼贴胸背。赤眼肿痛，用上清散吹鼻取嚏，膏贴两太阳。如毒攻心，作呕不食，贴胸背可护心。患处多者，麻油调药扫之。

【主治】四时感冒，头疼发热，或兼鼻塞咳嗽者；风温、温症，头疼发热不恶寒而口渴者；热病、温疫、温毒，风热上攻，头面腮颊耳前后肿盛，寒热交作，口干舌燥，或兼咽喉痛者；又风热上攻，赤糜、口疮、喉闭、喉风、喉蛾；热实结胸，热毒发斑，热症衄血、吐血、蓄血、便血、尿血，热淋，热毒下注，热秘，脚风，一切脏腑火症，大人中风热症；小儿惊风痰热，内热；妇人热入血室，血结胸，热结血闭；外症痈毒红肿热痛，毒攻心，作呕不食者。

清下汤

【来源】《医方简义》卷三。

【组成】大黄（醋炒）三钱　牡丹皮三钱　归身三钱　白芍一钱　苦参一钱　焦栀子三钱　生甘草八分　北细辛二分　通草一钱五分

【用法】上加鲜荷叶一片，水煎服。如无鲜荷叶，以藕一斤煎汤代水。

【主治】大小便血，血淋，舌上出血。

【加减】小便尿血，加琥珀一钱，滑石三钱；血淋症小腹滞痛，湿热内蕴，加琥珀一钱，滑石、瞿麦各三钱，去细辛；舌上无故出血，加川连八分，炒蒲黄七分，乌贼骨一钱，去细辛；痰血交互，去苦参、细辛，加姜半夏一钱，川贝二钱，真化橘红一钱。

【方论】方中用大黄以入阳明经驱瘀荡热，丹皮清血中之热，白芍泻肝，归身养血，细辛温经，勿使寒凉伤血，苦参清湿火，栀子泄三焦之火，通草渗湿清热，生甘草解毒以和诸药之性。

化血丹

【来源】《医学衷中参西录》上册。

【组成】花蕊石（煅存性）三钱　三七二钱　血余（煅存性）一钱

【用法】上为细末。分两次，开水送服。

【功用】理瘀血。

【主治】咳血，吐衄及二便下血。

【方论】世医多谓三七为强止吐衄之药，不可轻用，非也。盖三七与花蕊石，同为止血之圣药，又同为化血之圣药，且又化瘀血而不伤新血，以治吐衄，愈后必无他患。此愚从屡次经验中得来，故敢确实言之。即单用三七四五钱，或至一两，以治吐血、衄血及大、小便下血皆效。常常服之，并治妇女经闭成癥。至血余，其化瘀血之力不如花蕊石、三七，而其补血之功则过之。以其原为人身之血所生，而能自还原化，且煅之为炭，而又有止血之力也。

四红丹

【来源】《北京市中药成方选集》。

【组成】当归炭十六两　蒲黄炭十六两　大黄炭十六两　槐花炭十六两　阿胶珠十六两

【用法】上为细末，炼蜜为丸，重三钱。每服一丸，一日二次，温开水送下。

【功用】清热止血，引血归经。

【主治】肺热急怒，吐血、衄血、便血、溺血，妇女崩漏下血。

荷叶丸

【来源】《北京市中药成方选集》。

【组成】荷叶（酒蒸一半、炒炭一半）一百六十两（每荷叶十六两用黄酒八两，蒸炒相同）　藕节三十二两　大小蓟（炒炭）四十八两　知母三十二两　黄芩炭三十二两　生地（煅炭）四十八两　棕榈炭四十八两　栀子（炒焦）三十二两　香墨四两　白茅根（炒炭）四十八两　玄参（去芦）四十八两　白芍三十二两　当归（炒炭）十六两

【用法】上为细末，炼蜜为丸，重二钱。每服二丸，温开水送下，一日二次。

【功用】清热凉血，化瘀止血。

【主治】咳嗽吐血，痰中带血，咯血、衄血、溺血。

四红丹

【来源】《全国中药成药处方集》（济南方）。

【组成】当归（生、炭各半） 地榆炭 大黄（生、炭各半） 槐花炭（存性）各十斤

【用法】上为细末，炼蜜为丸，重三钱。每服一丸，白开水送下。

【主治】吐血、衄血、便血。

【宜忌】忌辛辣等有刺激性之食物。

红龙止血汤

【来源】《浙江中医杂志》（1993，11：507）。

【组成】红龙须 40g 地榆炭 槐花炭 大蓟 茅草根 山药各 30g

【用法】水煎服，每日 1 剂，2 次分服。

【主治】血尿症。

【验案】血尿症 《浙江中医杂志》（1993，11：507）：治疗血尿症 45 例，男 28 例，女 17 例；年龄最小 6 岁，最大 76 岁，平均 35 岁。结果：显效（小便检验红细胞转阴，自觉症状基本消失）共 30 例，有效（小便检查红细胞阳性、自觉症状缓解）共 12 例，无效（肉眼血尿存在，自觉症状如故）共 3 例；总有效率为 93.3%。

益阴凉血汤

【来源】《首批国家级名老中医效验秘方精选·续集》。

【组成】制首乌 15 克 生地 20 克 女贞子 12 克 旱莲草 12 克 生地榆 20 克 茅根 15 克 小蓟 15 克 丹皮 12 克 栀子 12 克 知母 10 克 黄柏 12 克 泽泻 12 克 车前草 12 克

【用法】每日一剂，水煎二次，早晚分服。

【功用】滋阴凉血，通利清热。

【主治】慢性肾炎血尿症。

【验案】张某某，男，26 岁。患无痛性血尿年余，曾做膀胱镜检查，肾盂造影检查，排除其他病变，诊断为 IgA 肾炎，证见肉眼血尿，腰痛，轻度浮肿，阴茎易勃起，每周遗精一次，舌红苔薄黄，脉弦细。为阴虚火旺，脉络受损。治宜滋养肾阴，清泻相火，导热外出。药用益阴凉血汤，共服 22 剂，诸恙悉平。

血尿胶囊

【来源】《部颁标准》。

【组成】棕榈子 100g 菝葜 70g 薏苡仁 50g

【用法】制成胶囊剂，密封。口服，每次 5 粒，1 日 3 次，饭后开水吞服或遵医嘱。

【功用】清热利湿，凉血止血。

【主治】急、慢性肾盂肾炎血尿，肾小球肾炎血尿，泌尿结石及肾挫伤引起的血尿及不明原因引起的血尿，亦可作为治疗泌尿系统肿瘤的辅助药物。

【宜忌】孕妇慎用。

二十一、尿 浊

尿浊，亦称淋浊，是指尿液浑浊不清的病情。《普济方》：“嗜欲过度，使水火不交，精元失守，由是为赤浊、白浊之患焉。赤浊者，是心虚有热也，常因思虑而得之。白浊者，肾虚有寒也，过于嗜欲而得之。其状凝而如油，光彩不定，小便溺浊，稠如膏糊，皆嗜欲思虑之所致耳。各分受病之由，旋以治法。坎离既济，阴阳协和，然后火不上炎而神自清，水不下渗而精自固，安有赤浊白浊之患哉？虽然，思虑过度，不特伤心，亦能病脾。脾土虚而肾不足，故土邪克水，亦令人便下混浊。史载之云。夏则土燥而水浊，冬则土坚而水清。医常峻补，则疾愈甚，若以中和之药疗之，水火既济，土自坚，其精固矣。”《万病回春》：“浊者，小便去浊也。有赤浊、有白浊，其状漩面如油光彩不定，漩脚澄下凝如膏糊，小便如米泔者，如粉糊者，如赤脓者，皆是湿热内伤，又肾经虚损而成浊也。瘦人是虚火，肥人是湿痰流下渗入膀胱，犹如天气寒则水澄清，天气热则水混浊。浊之为病，湿热之本明矣。”白如泔浆，或赤如苋汁，或赤白相混杂，或夹凝块，但排尿

时并无疼痛为证候特征的病症。本病多因湿热下注，脾肾亏虚等所致。治宜清热利湿，补气升阳。

干地黄散

【来源】方出《备急千金要方》卷二十，名见《圣济总录》卷五十三。

【组成】赤雄鸡肠两具　鸡肶胵两具　干地黄三分　桑螵蛸　牡蛎　龙骨　黄连各四分　白石脂五分　苁蓉六分　赤石脂五分

【用法】上药治下筛，纳鸡肠及肶胵中缝塞，蒸之令熟，晒干，合捣为散。以酒和方寸匕，日三服。

【主治】膀胱寒，小便数，漏精稠厚如米白泔。

【方论】《千金方衍义》：方中赤、白石脂固脱，龙骨、牡蛎、桑螵蛸涩精，地黄、苁蓉滋髓，鸡肠、肶利水消积，川连专治便如泔汁也。

干地黄丸

【来源】《圣济总录》卷九十四。

【组成】熟干地黄（焙）二两　钟乳粉半两　龙骨　菟丝子（酒浸一宿，别捣）　磁石（火煅，醋淬七遍）　芍药　黄芩（去黑心）各一两

【用法】上为末，酒煮面糊为丸，如梧桐子大。每服二十丸，温酒或盐汤送下，空心、日晚各一服。

【主治】蛊病。精气不守，便溺出白，少腹冤热而痛。

大建中汤

【来源】《宣明论方》卷一。

【别名】大建中黄耆汤（《普济方》卷二一七引《究原方》）、黄耆建中汤（《普济方》卷二一八）。

【组成】黄耆　远志（去心）　当归　泽泻各三两　芍药　人参　龙骨　甘草（炙）各二两

【用法】上为末。每服三钱，水一盏，加生姜五片，煎至八分，去滓温服，不拘时候。

【主治】

1.《宣明论方》：蛊病，小腹急痛，便溺失精，溲而出白液。

2.《普济方》引《十便良方》：思虑太过，心气耗弱，阳气流散，精神不收，阴无所使，热自腹中，或从背膂，渐渐蒸热，日间小剧，至夜渐退，或寐而汗出，小便或赤或白或浊，甚则频数尿精，夜梦鬼交，日渐羸瘦。

3.《普济方》引《究原方》：虚热盗汗，四肢倦怠，百节烦疼，口苦舌涩，心怔短气。

家韭子丸

【来源】《三因极一病证方论》卷十二。

【别名】韭子丸（《明医指掌》卷七）。

【组成】家韭子六两（炒）　鹿茸四两（酥炙）　苁蓉（酒浸）　牛膝（酒浸）　熟地黄　当归各二两　巴戟（去心）　菟丝子（酒浸）各一两半　杜仲（去皮，锉制，炒断丝）　石斛（去苗）　桂心　干姜（炮）各一两

【用法】上为末，酒糊为丸，如梧桐子大。每服五十丸，加至百丸，空心、食前、盐汤温酒送下。小儿遗尿，别作一等小丸服。

【功用】补养元气，进美饮食。

【主治】少长遗尿；男子虚剧，阳气衰败，小便白浊，夜梦泄精。

黄芩汤

【来源】《济生方》卷一。

【组成】泽泻　栀子仁　黄芩　麦门冬（去心）　木通　生干地黄　黄连（去须）　甘草（炙）各等分

【用法】上锉。每服四钱，水一盏半，加生姜五片，煎至八分，去滓温服，不拘时候。

【主治】

1.《济生方》：心劳实热，口疮，心烦腹满，小便不利。

2.《仁斋直指方论》：心肺蕴热，咽痛膈闷，小便淋浊不利。

鸡清丸

【来源】《仁斋直指方论》卷十。

【组成】圆白半夏（生）

【用法】上为末，用鸡子清为丸，如梧桐子大。稍干，以木猪苓末夹和，慢火同炒，丸子裂为度，

留木猪苓末养药，瓷器密收。每服三十丸，食前白茯苓煎汤送下；或用盐汤送下。

【主治】便浊。

归茸丸

【来源】《医方大成》卷四引《澹寮方》。

【组成】当归（酒洗） 鹿茸（盐酒炙） 北黄耆（盐水炙） 沉香 灵砂三两 北五味子（炒） 远志肉 酸枣仁 吴茱萸 茴香（炒） 破故纸（炒） 牡蛎（煅） 熟地黄 人参 龙骨（煅） 附子（炮） 巴戟各一两

【用法】上煅制如法，酒糊为丸，如梧桐子大。每服七十丸，空心盐汤送下。

【功用】补诸虚。

【主治】《医方类聚》：便浊。

【验案】白浊 《医方类聚》：曾省斋白浊耳鸣，以茯苓末下震灵丹之类，如石投水，服分清饮，虽暂觉小便清，而未免又浊，竟取效此药。

益元丸

【来源】方出《丹溪心法》卷四，名见《杏苑生春》卷七。

【组成】人参一两 白术 熟地 黄柏（炒黑）各二两 山药 海石 南星各一两 琐阳半两 干姜（烧灰）半两 败龟版（酒炙）二两

【用法】上为末，粥为丸服。一云酒糊为丸。

《杏苑生春》：为细末，酒糊为丸，如梧桐子大。每服五七十丸，盐汤送下。

【主治】血气虚，有痰，白浊，阴火痛风。

愈浊丸

【来源】方出《丹溪心法》卷五，名见《仙拈集》卷二。

【组成】良姜 芍药 黄柏各二钱（炒成灰） 椿树根皮一两半

方中良姜，《仙拈集》作“干姜”。

【用法】上为末，粥为丸。每服四五十丸，空心服。

【主治】带下赤白浊。

抟金散

【来源】《普济方》卷二一七。

【组成】人参一两 白茯苓二两 络石二两 龙骨一两（煅）

【用法】上为末。每服二钱，空心、临卧米饮调下。

【主治】

1.《普济方》：脱精自泄。

2.《奇效良方》：便浊。皆缘心肾水火不济，或因酒色，遂至以甚，谓之土淫。

秘传补阴汤

【来源】《松崖医径》卷下。

【组成】黄柏 知母 当归 熟地黄 人参 白术 白芍药 山栀仁 黄耆 莲肉 陈皮 白茯苓

【用法】上切细。用水二盏，加生姜一片，大枣二枚，煎一盏，去滓服；若作丸剂，加樗根白皮为细末，炼蜜为丸，如梧桐子大。每服五七十丸，空心淡盐汤送下。

【主治】便浊遗精及女人白带。

珍珠粉丸

【来源】《医方考》卷四。

【组成】牡蛎粉（取血色者，炙） 黄柏各一斤 珍珠三钱

【主治】湿热在中、下二焦，令人便浊者。

【方论】燥可以去湿，故用牡蛎粉；苦可以胜热，故用黄柏；滑可以去着，故用珍珠。

秘传二奇汤

【来源】《赤水玄珠全集》卷十一。

【组成】升麻 乌药

【用法】煎汤，食前服。

【主治】便浊疼痛，兼治偏坠。

【加减】若小便前痛者，以乌药三钱，升麻减半，加小茴香五分，黄柏五分，木通五分，龙胆草五分，汉防己三分；若小便后痛者，升麻三钱，乌药减半，仍加黄柏五分，柴胡五分。

真珠丸

【来源】《痘疹传心录》卷十八。

【组成】真珠一钱（另研） 玉蛤蜊壳四两（煅） 黄柏（末）四两（盐水炒） 知母四两（盐水炒）

【用法】上为末，炼蜜为丸，如梧桐子大，青黛为衣。每用二钱，空心盐汤送下。

【主治】遗精，白浊。

加味四苓散

【来源】《证治汇补》卷八。

【组成】茯苓 白术 猪苓 泽泻各等分 加山栀 麦冬 木通 黄芩

【用法】水煎服。

【主治】湿热不清便浊。

【方论】《医略六书》：湿热内伏，气化不清，不能分泌渗道，故溲溺浑浊，涩痛不已焉。方中生术利湿以清中道，泽泻通窍以利膀胱，猪苓利三焦之湿，山栀清三焦之热，茯苓渗脾肺之湿，黄芩清脾肺之热，麦冬清心润肺以滋水源，木通清心降热以利小水也。使湿热分化，则水府清和，而小便自长，何涩痛便浊之不痊哉！此清利之剂，为湿热白浊之专方。

地黄加减汤

【来源】《证治汇补》卷八。

【组成】地黄汤加知母 黄柏 麦冬

【主治】阴虚火旺，便浊。

二妙地黄丸

【来源】《冯氏锦囊秘录》卷十一。

【组成】熟地黄八两（微火炒燥） 山茱萸四两（去核，酒拌炒） 牡丹皮四两（焙） 白茯苓三两（焙） 怀山药四两（炒黄） 汉泽泻三两（淡盐水拌，晒干，炒） 川黄柏七钱 熟附子五钱（二味盐、酒同浸一宿，各拣开，黄柏炒褐色，附子焙燥） 茅山苍术二两（切大块，米泔水浸透，切片，黑芝麻拌，炒黄）

【用法】上为细末，用金石解四两，煎浓汁，入白蜜二十两，同炼为丸。每早、晚食前白汤送服三钱。

【主治】湿热内郁而为便浊。

【宜忌】忌食酒、面、鸡、鱼、湿热炙煿之物。

【加减】如湿多热少，用附子七钱、黄柏五钱；如湿少热多，用附子五钱、黄柏七钱。

秘精丸

【来源】《医学心悟》卷三。

【组成】白术 山药 茯苓 茯神 莲子肉（去心，蒸）各二两 芡实四两 莲花须 牡蛎各一两五钱 黄柏五钱 车前子三两

【用法】上为末，金樱膏为丸，如梧桐子大。每服七八十丸，开水送下。

【功用】

1. 《医学心悟》：理脾导湿。
2. 《笔花医镜》：固精。

【主治】相火湿热，梦遗精滑，尿浊。

【加减】气虚，加人参一两。

便浊汤

【来源】《脉症正宗》卷一。

【组成】黄耆一钱 白术一钱 陈皮八分 香附一钱 川芎八分 苍术一钱 车前八分 半夏一钱

【用法】水煎服。

【主治】便浊。

二术二陈汤

【来源】《女科切要》卷二。

【组成】白术 苍术 陈皮 半夏 茯苓 甘草 升麻 柴胡

【用法】水煎服。

【主治】便浊。

鹿茸补涩丸

【来源】《杂病源流犀烛》卷九。

【组成】人参 黄耆 菟丝子 桑螵蛸 莲肉 茯苓 肉桂 山药 附子 鹿茸 桑皮 龙骨 补

骨脂　五味子

【主治】浊病。下元虚冷，茎中不痛，脉来无力。

加减六味丸

【来源】《类证治裁》卷七。

【组成】熟地黄　茯苓　丹皮　山茱萸　山药　莲须　芡实　菟丝子各二两　龙骨　牡蛎　泽泻各一两　五味子五钱

【用法】蜜为丸服。

【功用】滋补下元。

【主治】劳倦伤中气，酒色伤肾阴，尿浊或赤或白，尿短欠而无痛涩者。

通府保精丸

【来源】《鸡鸣录》。

【组成】粉萆薢　荷叶蒂　槐米　黄柏（盐水炒）各三两　海金砂二两五钱　象牙屑（酒炒）　扁蓄各二两　滑石（飞）一两五钱　甘草梢　赤苓各一两

【用法】上为末，用车前子五两煎汤为丸，如梧桐子大。每服三钱，土茯苓汤送下；开水亦可。

【主治】肾家经火，败精阻窍，内热溺艰，结痂淋浊。

加味附桂地黄汤

【来源】《不知医必要》卷三。

【组成】熟地三钱　淮药（炒）　茯苓各二钱　丝饼四钱　萸肉　车前各一钱五分　泽泻（盐水炒）丹皮各一钱　附子（制）八分　肉桂（去皮，另炖）四分

【主治】命门火衰，以致败精为浊。

白龙丸

【来源】《饲鹤亭集方》。

【组成】生军二两　生半夏一两　北辛二两

【用法】上为末，鸡子清为丸。每服三钱，开水送下。此丸不宜久服。

【主治】湿热下注，淋浊初起，小便涩痛。

海金沙丸

【来源】《疡科纲要》卷下。

【组成】真川黄柏（研细末）　净海金砂各等分

【用法】上以鲜猪脊髓，去皮，只用髓质生打为丸，晒干。每服二三钱，淡盐汤吞服。

【主治】淋浊，不论新久。

白龙丸

【来源】《中国医学大辞典》。

【组成】川大黄　穿山甲　雄黄　僵虫各四两　乳香　没药各三两

【用法】上为细末，酒泛为丸，滑石六两为衣。每服二钱，熟汤送下。不宜多服。

【主治】湿热下注，淋浊初起，小便涩痛。

珠珀滋阴淋浊丸

【来源】《药奁启秘》。

【组成】珍珠粉一分　琥珀四钱　茯神五钱　龟版胶五钱　黄柏一两　淮山药五钱　猪脊髓六条

【用法】上为细末，打为丸。每服三钱。

【主治】小便淋浊，溺时刺痛，及肾虚淋浊者。

二十二、白浊

白浊，又名便浊、溺浊、尿浊，是指小便浑浊色白的病情。《诸病源候论》：“胞冷肾损，故小便白而浊也。”《妇人良方大全》基本承继前意：“夫妇人小便白浊、白淫者，皆由心肾不交养，水火不升降；或由劳伤于肾，肾气虚冷故也。肾主水而开窍在阴，阴为溲便之道，胞冷肾损，故有白浊、白淫。”并将白浊白淫并列是。《景岳全书》指出“白浊证，有浊在溺者，其色白如泔浆。凡

肥甘酒醴，辛热炙爆之物，用之过当，皆能致浊，此湿热之由内生者也。又有炎热湿蒸，主客时令之气，侵及脏腑者，亦能致浊，此湿热之由外入者也。然自外而入者少，自内而生者多。总之，必有热证热脉，方是火证。清去其火，则浊无不愈矣。有浊在精者，必由相火妄动，淫欲逆精，以致精离其位，不能闭藏，则源流相继，淫溢而下，移热膀胱，则溺孔涩痛，清浊并至，此皆白浊之因热证也。及其久也，则有脾气下陷，土不制湿，而水道不清者；有相火已杀，心肾不交，精滑不固，而遗浊不止者，此皆白浊之无热证也。有热者，当辨心肾而清之；无热者，当求脾肾而固之、举之。治浊之法无出此矣。"对白浊一证成因与证型治疗，甚为全面。治疗要在明辨外因内因之所由，邪实正虚之所在，或清热利湿，或健脾固肾。

秘真丸

【来源】《普济方》卷二一七引《孟氏诜诜方》。

【组成】白龙骨一两　绵黄耆（生，切，焙干）　白茯苓　大朱砂（另研）　桑螵蛸（炒）一两　白霜梅肉五钱　家韭子三两（陈酒浸一宿，捣碎，焙干）

【用法】上为末，酒糊为丸，如梧桐子大。每服四十丸，空心以盐汤送下。

【主治】梦遗白浊，真气不固。

韭子散

【来源】《外台秘要》卷十六引《深师方》。

【组成】韭子　菟丝子　车前子各一升　附子三枚（炮）　当归　川芎　矾石（烧）各三两　桂心一两

【用法】上为末。每服方寸匕，温酒送下，一日三次。亦可炼蜜为丸，如梧桐子大，每服五丸，酒送下。

【主治】虚劳尿精，小便白浊，梦泄。

肉苁蓉丸

【来源】《太平圣惠方》卷七。

【组成】肉苁蓉二两（酒浸一宿，刮去皴皮，炙令干）　鹿茸二两（去毛，涂酥炙微黄）　白龙骨二两（烧过）　泽泻一两　附子二两（炮裂，去皮脐）　补骨脂一两（微炒）　山茱萸一两　椒红二两（微炒）　菟丝子一两（酒浸三宿，晒干，别研为末）

【用法】上为末，炼蜜为丸，如梧桐子大。每服三十丸，食前，以温酒送下。

【主治】膀胱虚冷，小便滑数，白浊，梦中失精。

牡蛎丸

【来源】《太平圣惠方》卷七。

【组成】牡蛎二两（烧为粉）　附子一两（炮裂，去皮脐）　狗脊一两　白龙骨二两（烧过）　椒红一两（微炒）　泽泻一两　败子一两（微炒）　鹿茸二两（去毛，涂酥炙微黄）　肉苁蓉二两（酒浸一宿，刮去皴皮，炙令干）

【用法】上为末，炼蜜为丸，如梧桐子大。每服三十丸，食前以温酒送下。

【主治】膀胱虚冷，肾气衰微，小便滑数，白浊。

鸡膍胵散

【来源】《太平圣惠方》卷七。

【组成】鸡膍胵一两（微炙）　熟干地黄一两　牡蛎一两（烧为粉）　白龙骨一两（烧过）　鹿茸一两（去毛，涂酥炙微黄）　黄耆三分（锉）　赤石脂一两　桑螵蛸三分（微炒）　肉苁蓉一两（酒浸一宿，刮去皴皮，炙令干）

【用法】上为细散，用丹雄鸡肠三具，纳散在肠中，缝系了，于甑内蒸一炊久，取出焙干，为散。每服二钱，食前以温酒调下。

【主治】膀胱虚冷，小便滑数，漏精，白浊如泔。

韭子散

【来源】《太平圣惠方》卷七。

【组成】韭子一两（微炒）　赤石脂一两　土瓜根一两　狗脊一两　牛膝一两（去苗）　牡蛎二两（烧为粉）　黄耆一两（锉）　附子一两（炮裂，去皮脐）　鹿茸一两（去毛，涂酥炙令微黄）　肉苁蓉一两（酒浸一宿，刮去皴皮，炙令干）

【用法】上为细散。每服二钱，食前以温酒调下。
【主治】膀胱虚冷，小便白浊滑数，日夜出无节度。

菟丝子散

【来源】《太平圣惠方》卷七。
【组成】菟丝子三分（汤浸三宿，焙干，别捣，为末） 鹿茸一两（去毛，涂酥，炙令微黄） 肉苁蓉一两（酒浸一宿，去皱皮，炙令干） 桑螵蛸一两（微炒） 牡蛎一两（烧为粉） 五味子一两 鸡膍胵二两（微炙）
【用法】上为细散。每服二钱，食前温酒调下。
【主治】膀胱及肾脏虚冷惫伤，小便滑数，白浊不止。

蔆蔌散

【来源】《太平圣惠方》卷七。
【别名】菝葜散（《普济方》卷四十二）。
【组成】菝葜二两（锉） 土瓜根一两 黄耆一两（锉） 白龙骨二两（烧过） 牡蛎二两（烧如粉） 附子一两（炮裂，去皮脐） 沉香一两 五味子一两 肉苁蓉一两（酒洗，去皱皮，微炙）
【用法】上为散。每服四钱，以水一中盏，煎至六分，去滓，食前温服。
【主治】膀胱虚冷，小便滑数，其色白浊。

石斛散

【来源】《太平圣惠方》卷十四。
【组成】石斛一两半（去根，锉） 巴戟一两（去心） 桑螵蛸三分（微炒） 菟丝子一两（酒浸三日，晒干，别杵为末） 杜仲三分（去粗皮，炙微黄赤，锉）
【用法】上为细散，入菟丝末和匀。每服二钱，食前温酒调下。
【主治】

1.《太平圣惠方》：伤寒后肾气虚损，小便余沥，及夜梦失精，阴下湿痒。

2.《圣济总录》：阳气虚惫，小便白淫。

3.《普济方》：男子阴衰，腰背痛苦寒。

天雄丸

【来源】《太平圣惠方》卷二十九。
【组成】天雄一两（生用，去皮，为末） 盆口米半两
【用法】上为末，用韭根汁为丸，如绿豆大。每用刀豆壳（蜜涂，炙令熟）、粟米（炒熟）各等分，同捣罗为散，如茶点一钱，送下七丸。
【主治】虚劳，下元冷惫，风气攻注，腰筋脉拘急，小便白浊，色如米泔。

泽泻散

【来源】《太平圣惠方》卷二十九。
【组成】泽泻三分 白龙骨一两 桑螵蛸一两（微炒） 车前子一两 狗脊二两
【用法】上为细散。每服二钱，食前以温酒调下。
【主治】

1.《太平圣惠方》：虚劳内伤，肾气绝，小便余沥，不能自禁。

2.《圣济总录》：大虚损，内伤肾气，小便白浊。

韭子丸

【来源】《太平圣惠方》卷二十九。
【组成】韭子三合（微炒） 鹿茸二两（劈破，涂酥炙微黄） 杜仲一两半（去粗皮，微炙） 干姜一两（炮裂，锉） 桑螵蛸二两（微炒） 白龙骨一两 菟丝子二两（酒浸一宿，晒干，别捣为末） 天雄一两（炮裂，去皮脐）
【用法】上为末，炼蜜为丸，如梧桐子大。每服三十丸，食前以温酒送下。
【主治】虚劳，小便白浊，及遗泄不知。

菟丝子散

【来源】《太平圣惠方》卷二十九。
【组成】菟丝子二两（酒浸一宿，晒干，别捣，为末） 韭子二两（微炒） 附子一两（炮裂，去皮脐） 当归一两 芎藭一两 桂心一两 车前子二两 白矾二两（烧，为末）

【用法】上为细散。每服二钱，食前以温酒调下。
【主治】虚劳，小便白浊，及梦遗尿精。

黄耆丸

【来源】《太平圣惠方》卷五十三。
【组成】黄耆一两（锉） 肉苁蓉一两（酒浸一宿，刮去皱皮，炙令干） 鹿茸一两（去毛，涂酥，炙微黄） 熟干地黄三两 人参三分（去芦头） 枸杞子三分 白茯苓三分 甘草半两（炙微赤，锉） 地骨皮半两 泽泻三分 附子三分（炮裂，去皮脐） 巴戟三分 禹余粮三分（烧赤，醋淬三遍，细研） 桂心三分 牡丹三分 五味子三分 龙骨三分 磁石一两半（烧赤，醋淬七遍，捣碎细研） 赤石脂三分 麦门冬二两（去心，焙） 牡蛎三分（烧为粉）
【用法】上为末，入研了药令匀，炼蜜为丸，如梧桐子大。每服三十丸，食前以清粥饮送下。
【主治】大渴后，上焦烦热不退，下元虚乏，羸瘦无力，小便白浊，饮食渐少。

磁石散

【来源】《太平圣惠方》卷五十三。
【组成】磁石二两半（捣碎，水淘去赤汁） 熟干地黄三两 麦门冬一两（去心） 桑螵蛸三分（微炒） 黄耆三分（锉） 人参三分（去芦头） 桂心三分 白茯苓三分 五味子三分 甘草一分（炙微赤，锉） 龙骨三分 萆薢半两（锉）
【用法】上为粗散。每服用猪肾一对，切去脂膜，以水二大盏，煎至一盏，去滓，入药五钱，加生姜半分，煎至五分，去滓，空心温服，晚食前再服。
【主治】大渴后虚乏羸瘦，小便白浊，口舌干燥，不思饮食。

鹿茸丸

【来源】《太平圣惠方》卷七十二。
【组成】鹿茸一两（去毛，涂酥炙微黄） 椒红一两（微炒） 桂心一两 牡蛎一两（烧为粉） 附子一两（炮裂，去皮脐） 桑螵蛸三分（微炒） 补骨脂一两 沉香一两 石斛一两（去根，锉） 肉苁蓉一两（酒洗，去皴皮，微炙） 鸡膍胵一两（微炙）
【用法】上为末，酒煮面糊为丸，如梧桐子大。每服二十丸，食前以温酒送下。
【主治】妇人久积虚冷，小便白浊，滑数不禁。

姜黄散

【来源】《博济方》卷三。
【组成】姜黄二两 大附子一两（炮） 赤芍药半两 芫花一分（醋浸过，炒令黄色） 丹皮一分 红蓝子半两 郁李仁一分（去皮） 荆三棱半两 没药一分 木香一分 柳桂半两（去皮）
【用法】上为末。每服一大钱，如腹痛，用当归、没药酒煎服，水七分，酒三分，同煎及七分，热服。
【主治】血脏久冷，腹疼痛，小便浓白泔。

水陆丹

【来源】《证类本草》卷十二引《本草图经》。
【别名】水陆二仙丹（《洪氏集验方》卷三）、经验水陆二仙丹（《景岳全书》卷五十九）。
【组成】金樱子 鸡头实
【用法】煮金樱子作煎，鸡头实捣烂晒干，再治下筛，为丸服之。

《洪氏集验方》：鸡头去外皮取实，连壳杂捣令碎，晒干为末；复取糖樱子，去外刺并其中子，捣碎，入甑中蒸令熟，却用所蒸汤淋三两过，取所淋糖樱汁入银铫，慢火熬成稀膏，用以和鸡头末为丸，如梧桐子大。每服五十丸，盐汤送下。

《普济方》引《仁存方》：金樱膏同酒糊和芡粉为丸，如梧桐子大。每服三十丸，食前酒送下。一方用妇人乳汁为丸妙。

【功用】

1. 《证类本草》引《本草图经》：益气补真。
2. 《洪氏集验方》：固真元，悦泽颜色。

【主治】

1. 《普济方》引《仁存方》：白浊。
2. 《古今医统大全》引《录验》：精脱，肾虚梦遗。

【宜忌】《洪氏集验方》：此药稍闭，当以车前子末解之。

【方论】《医方考》：金樱膏濡润而味涩，故能滋少阴而固其滑泄；芡实粉枯涩而味甘，故能固精浊而防其滑泄。金樱生于陆，芡实生于水，故曰水陆二仙。

秘传玉锁丹

【来源】《太平惠民和济局方》卷五（续添诸局经验秘方）。

【别名】玉锁丹（《普济方》卷二十九引《仁存方》）、玉锁散（《不知医必要》卷二）。

【组成】茯苓（去皮）四两　龙骨二两　五倍子六两

【用法】上为末，水为丸。每服四十丸，空心以盐汤送下，一日三次。

【主治】心气不足，思虑太过，肾经虚损，真阳不固，漩有遗沥，小便白浊如膏，梦寐频泄，甚则身体拘倦，骨节痠疼，饮食不进，面色黧黑，容枯肌瘦，唇口干燥，虚烦盗汗，举动力乏。

清心莲子饮

【来源】《太平惠民和济局方》卷五。

【别名】莲子清心饮（《医方集解》）。

【组成】黄芩　麦门冬（去心）　地骨皮　车前子　甘草（炙）各半两　石莲肉（去心）　白茯苓　黄耆（蜜炙）人参各七两半

【用法】上锉散。每服三钱，加麦门冬十粒，水一盏半，煎取八分，去滓，水中沉冷，空心，食前服。

【功用】

1.《太平惠民和济局方》：清心养神，秘精补虚，滋润肠胃，调顺血气。

2.《方剂学》：益气阴，清心火，止淋浊。

【主治】

1.《太平惠民和济局方》：心中蓄积，时常烦躁，因而思虑劳力，忧愁抑郁，是致小便白浊，或有沙膜，夜梦走泄，遗沥涩痛，便赤如血；或因酒色过度，上盛下虚，心火炎上，肺金受克，口舌干燥，渐成消渴，睡卧不安，四肢倦怠，男子五淋，妇人带下赤白；及病后气不收敛，阳浮于外，五心烦热。

2.《校注妇人良方》：热在气分，口干，小便白浊，夜间安静，尽则发热，口舌生疮，口苦咽干，烦躁作渴，小便赤涩，下淋不止，或茎中作痛。

3.《保婴撮要》：心肾虚热，便痈，发热口干，小便白浊，夜则安，昼则发。

4.《外科正宗》心经蕴热，小便赤涩，玉茎肿痛，或茎窍作痛。

【验案】病毒性心肌炎《上海中医药杂志》(1990，1：28)：用清心莲子饮治疗病毒性心肌炎 30 例，结果：症状消失 10 例，减轻 18 例，无变化 2 例，治疗后 24 小时动态心电图及血流动力学各项参数均获明显改善，免疫学指标玫瑰花环和活性花环均获明显提高。

八味丸

【来源】《寿亲养老新书》卷四。

【组成】川巴戟一两半（酒浸，去心，用荔枝肉一两，同炒赤色，去荔枝肉不要）　高良姜一两（锉碎，用麦门冬一两半，去心，同炒赤色为度，去门冬）　川楝子二两（去核，用降真香一两，锉碎同炒，油出为度，去降真香）　吴茱萸一两半（去梗，用青盐一两，同炒后，茱萸炮，同用）　胡芦巴一两（用全蝎十四个，同炒后，胡芦巴炮，去全蝎不用）　山药一两半（用熟地黄同炒焦色，去地黄不用）　茯苓一两（用川椒一两，同炒赤色，去椒不用）　香附子一两半（去毛，用牡丹皮一两，同炒焦色，去牡丹皮不用）

【用法】上为细末，盐煮，面糊为丸，如梧桐子大。每服四五十丸，空心、食前盐汤送下；温酒亦得。

【功用】老人常服延寿延年，温平补肝肾，清上实下，分清浊二气，补暖丹田。

【主治】积年冷病，累岁沉疴，遗精白浊，赤白带下。

金樱子丸

【来源】《寿亲养老新书》卷四。

【别名】金樱子煎（《普济方》卷三十三）、金樱丸（《医学入门》卷八）。

【组成】金樱子一升（捶碎，入好酒二升，银器内熬之，候酒干至一升以下，去滓，再熬成膏） 桑白皮一两（炒） 鸡头粉半两（夏采，晒干） 桑螵蛸一分（酥炙） 白龙骨半两（烧赤，为末） 莲花须二分

【用法】上为末，入前膏子为丸，如梧桐子大。每服三十丸，空心盐汤温酒送下。如丸不就，即用酒、面糊为之。

【功用】补肾秘精，止遗泄，去白浊，牢关键。

白石英汤

【来源】《圣济总录》卷四十三。

【组成】白石英 人参 藿香叶 白术 川芎 紫石英各一分 甘草一钱半 细辛（去苗叶）一钱 石斛（去根） 菖蒲 续断各一分

【用法】上为粗末。每服二钱匕，水一盏，煎取七分，去滓，空心温服。

【主治】心气虚，精神不足，健忘，阴痿不起，懒语多惊，稍思虑即小便白浊。

七圣丸

【来源】《圣济总录》卷九十二。

【组成】原蚕蛾（炒） 牛膝（酒浸一宿，焙，锉） 龙骨 白石脂 桑螵蛸（炒）各半两 肉苁蓉（酒浸一宿，切，焙） 山芋各一分

【用法】上为末，酒煮面糊为丸，如梧桐子大。每服二十丸，空心、食前温酒下。

【主治】虚劳，十元虚冷，小便白浊，精滑不禁。

人参丸

【来源】《圣济总录》卷九十二。

【别名】磁石千金方（《普济方》卷三十三）。

【组成】人参 麦门冬（去心，焙） 赤石脂 远志（去心） 续断各三分 韭子（炒）一两 鹿茸（去毛，酥炙）三分 茯神（去木） 龙齿（研） 磁石（煅，醋淬） 肉苁蓉（酒浸，切，焙）各一两 丹参 柏子仁（炒，别研）各半两 熟干地黄（焙）一两半

【用法】上为末，炼蜜为丸，如梧桐子大。每日服二十丸，空腹温酒送下。

【主治】

1.《圣济总录》：精极虚寒，少腹拘急，耳聋发落，行步不正，梦寐失精。

2.《普济方》：惊悸遗沥，小便白浊，甚则劳弱咳嗽。

人参汤

【来源】《圣济总录》卷九十二。

【组成】人参 远志（去心） 泽泻 五味子 桂（去粗皮） 当归（切，焙） 芎穷 桑螵蛸（炙） 熟干地黄（焙）各一两 黄芩（去黑心） 白茯苓（去黑皮） 芍药 鸡内金里黄皮（炙）各半两 麦门冬（去心，焙）二两

【用法】上为粗末。每服五钱匕，水一盏半，加羊肾一枚（切），生姜半分，大枣三枚（擘），同煎至一盏，去滓，空心、食前温服。

【主治】虚劳，肾虚引饮，小便白浊，羸瘦腰疼。

五味子丸

【来源】《圣济总录》卷九十二。

【组成】五味子 石龙芮（炒） 乌头（炮裂，去皮脐） 石斛（去根） 萆薢 菟丝子（酒浸，别捣） 防风（去叉） 棘刺 小草 山芋 牛膝（去苗，酒浸，切，焙） 枸杞根（锉） 细辛（去苗叶）各一两 桂（去粗皮） 萎蕤 麦门冬（去心，焙） 干姜（炮） 厚朴（去粗皮，姜汁炙，锉）各半两

【用法】上为末，炼蜜为丸，如梧桐子大。每服三十丸，空心温酒送下。夜卧再服。渐加至五十丸。

【主治】虚劳，小便白浊，少腹拘急，梦寐失精，阴下湿痒。

补益椒红丸

【来源】《圣济总录》卷九十二。

【组成】蜀椒（去目并闭口，炒出汗，取红） 巴戟天（去心）各等分

【用法】上为末，醋面糊为丸，如梧桐子大。每服十五丸，加至二十丸，空心温酒或盐汤送下。
【主治】虚劳下元不足，小便白浊。

威喜丸

【来源】《圣济总录》卷九十二。
【别名】感喜丸（《丹溪心法》卷三），补虚威喜丸（《全国中药成药处方集》杭州方）。
【组成】白茯苓四两（去黑皮，锉作大块，与猪苓一分，瓷器内同煮三二十沸，取茯苓再细锉，猪苓不用） 黄蜡四两
【用法】上先捣茯苓为末，炼黄蜡为丸，如小弹子大。每服一丸，细嚼干咽下。小便清为度。
【功用】《成方便读》：调理阴阳，固虚降浊。
【主治】

1.《圣济总录》：精气不固，小便白淫，及有余沥，或梦寐遗泄，妇人血海久冷，白带白漏，日久无子。

2.《三因极一病证方论》：两耳虚鸣，口干。

3.《医学入门》：肾有邪湿，精气不固。

4.《张氏医通》：溲溺如泔，涩痛梦泄，便浊属火郁者。

5.《绛雪园古方选注》：肺虚痰火久嗽。

【宜忌】

1.《局方·续添诸局经验秘方》：忌米醋，只吃糠醋，切忌使性气。

2.《普济方》：忌腥气。

3.《绛雪园古方选注》：尤忌怒气劳力。

【方论】

1.《绛雪园古方选注》：《抱朴子》云，茯苓千万岁，其上生小木，状似莲花，名威喜芝。今以名方者，须择云茯苓之年深质结者，制以猪苓导之，下出前阴；蜡淡归阳，不能入阴，须用黄蜡性味缓涩，有续绝补髓之功，专调斫丧之阳，分理溃乱之精，故治元阳虚惫而为遗浊带下者。若治肺虚痰火久嗽，茯苓不必结，而猪苓亦可不用矣。

2.《成方便读》：诸症皆从虚而不固中来，治之者似宜纯用敛涩之剂，然淫浊带下，皆属离位之精，则又宜分消导浊。茯苓、黄蜡二味，一通一涩，交相互用，性皆甘淡，得天地之至味，故能调理阴阳，固虚降浊，以奏全功耳。

菟丝子丸

【来源】《圣济总录》卷九十二。
【组成】菟丝子（酒浸一宿，捣末） 麦门冬（去心，焙） 萆薢 厚朴（去粗皮，姜汁炙） 柏子仁（研） 肉苁蓉（酒浸，切，焙） 桂（去粗皮） 石斛（去根） 远志（去心） 细辛（去苗叶） 杜仲（去粗皮炙，锉） 牛膝（酒浸，切，焙） 防风（去叉）各一两 棘刺二两 石龙芮三两 乌头（炮裂，去皮脐）半两
【用法】上为末，以鸡子黄和丸，如梧桐子大。每服三十丸，空心、日午米饮送下。
【主治】虚劳，小便白浊，失精。

黄耆丸

【来源】《圣济总录》卷九十二。
【组成】黄耆（锉）一两半 栝楼二两 苦参二两半 羚羊角（镑）一两半 黄连（去须）二两 茯神（去木）一两半 泽泻一两半 桑螵蛸十枚（炙） 牡蛎粉一两半 鸡膍胵里黄皮五枚（炙） 甘草（炙）一两半
【用法】上为末，炼蜜为丸，如梧桐子大。每服三十丸，空心以米饮送下。
【主治】虚劳有热，虚烦口干，腰胯疼痛，小便白浊如米泔。

鹿茸丸

【来源】《圣济总录》卷九十二。
【组成】鹿茸（去毛，酥炙黄） 磁石（烧，醋淬七遍，研，水飞）各二两 山芋 远志（去心） 牛膝（去苗，酒浸，切，焙） 白茯苓（去黑皮） 熟干地黄（焙） 桂（去粗皮） 巴戟天（去心） 续断 肉苁蓉（酒浸一宿，去皴皮，炙） 泽泻 五味子 人参 山茱萸 菟丝子（酒浸三日，焙，别研） 补骨脂（炒） 杜仲（去粗皮，炙黄，锉） 附子（炮裂，去皮脐）各一两
【用法】上除磁石外，捣罗为末，入磁石拌匀，炼蜜为丸，如梧桐子大。每服三十丸，空心温酒

送下。

【功用】补下元，益精气，久服驻颜、补虚，长肌肉。

【主治】虚劳，肾气不足，小便白浊。

肉苁蓉丸

【来源】《圣济总录》卷九十四。

【组成】肉苁蓉（去皴皮，酒浸，切，焙） 白茯苓（去黑皮） 黄耆（锉） 泽泻 牡蛎（火煅，研） 五味子 龙骨 当归（切，焙）各一两

【用法】上为末，炼蜜为丸，如梧桐子大。每服三十丸，温酒送下，空心，日午、临卧各一次。

【主治】蛊病，少腹冤热而痛，便溺出白。

牡蛎丸

【来源】《圣济总录》卷一八七。

【组成】牡蛎（煅，醋淬七遍）四两 白术（锉，炒） 干姜（炮） 附子（炮裂，去皮脐） 乌头（炮裂，去皮脐）各一两

【用法】上为末，酒煮面糊为丸，如梧桐子大。每服二十丸至三十丸，空心、食前，丈夫盐汤送下，妇人炒姜酒送下。

【功用】补益。

【主治】丈夫元脏衰惫，小便白浊，妇人血脏虚冷，赤白带下。

桑螵蛸散

【来源】《本草衍义》卷十七。

【组成】桑螵蛸 远志 石菖蒲 人参 茯神 当归 龙骨 龟甲（醋炙）各一两

【用法】上为末。每服二钱，夜卧时以人参汤调下。

【主治】小便数，如稠米泔，色亦白，心神恍惚，瘦瘁食减，或男女虚损，阴萎梦遗。

地黄丸

【来源】《类编朱氏集验方》卷二。

【组成】熟地黄（九蒸）十两 菟丝子（淘洗，酒浸，蒸） 鹿角霜各五两 茯苓 柏子仁各三两 附子一两

【用法】上为末，鹿角胶煮酒为丸。每服百十丸，盐酒任下。

【主治】

1.《类编朱氏集验方》：白浊。

2.《世医得效方》：白浊。心肾水火不济，或因酒色，遂至已甚，谓之土淫，盖脾有虚热而肾不足，故土邪干水。

茯苓汤

【来源】《鸡峰普济方》卷十。

【组成】赤茯苓 沉香各一两

一方用琥珀代沉香。

【用法】上为细末。每服二钱，白汤点，食后、临卧服。

【主治】小便白浊，不利，时有作痛。

厚朴散

【来源】《鸡峰普济方》卷十。

【组成】厚朴 牡蛎 白术各半两

【用法】上为细末。每服二钱，空心米饮调下，一日二三次。

【主治】白浊。

牡蛎散

【来源】《鸡峰普济方》卷十六。

【组成】厚朴（去皮，姜制） 牡蛎 白术各半两

【用法】上为细末。每服二钱，一日二三次，空心米饮调下。

【主治】小便白浊。

黄耆丸

【来源】《鸡峰普济方》卷十九。

【组成】黄耆 肉苁蓉 鹿茸各一两 人参三分 枸杞子二分 熟干地黄二两 白茯苓三分 甘草半两 地骨皮半两 泽泻 附子 巴戟 禹余粮 桂 牡丹皮 五味子 龙骨各三分 磁石一

两　赤石脂三分　麦门冬半两　牡蛎三分

【用法】上为细末，入研了药令匀，炼蜜为丸，如梧桐子大。每服三十丸，食前以米饮送下。

【主治】大渴后，上焦烦热不退，下元虚乏，羸瘦无力，小便白浊，饮食微少。

猪苓丸

【来源】《普济本事方》卷三。

【别名】固真丹（《济生方》卷四引袁氏方）、半夏丸（《丹溪心法》卷三）、半苓丸（《东医宝鉴·内景篇》卷一）。

【组成】半夏一两（破如豆大）　木猪苓四两

【用法】先将一半猪苓炒半夏黄色，不令焦，地上出火毒半日，取半夏为末，糊为丸，如梧桐子大，候干，再用上猪苓末二两，炒微裂，同用不泄砂瓶养之。每服三四十丸，空心温酒盐汤送下；常服，于申、未间，冷酒送下。

【功用】《国医宗旨》：开郁滞。

【主治】

1.《普济本事方》：梦遗。

2.《济生方》：年壮气盛，情欲动心，所愿不得，意淫于外，梦遗白浊。

补脬汤

【来源】《三因极一病证方论》卷八。

【组成】黄耆　白茯苓各一两半　杜仲（去皮，锉，姜汁淹，炒断丝）三两　磁石（煅，淬）　五味子各三两　白术　白石英（捶碎）各二两半

【用法】上锉散。每服四钱，水一盏半，煎七分，去滓，空心温服。

【主治】膀胱虚冷，脚筋急，腹痛引腰背，不可屈伸，耳聋，目䀮䀮，坐欲倒，小便数，遗白，面黑如炭。

玄菟丹

【来源】《三因极一病证方论》卷十。

【别名】玄菟煎（《易简方论》）、茯菟丹（《仁斋直指方论》卷十七）、茯菟丸（《丹溪心法》卷三）。

【组成】菟丝子（酒浸通软，乘湿研，焙干，别取末）十两　白茯苓　干莲肉各三两　五味子（酒浸，别为末）七两

【用法】上为末，别碾干山药末六两，将所浸酒余者，添酒煮糊，搜和得所，捣数千杵，丸如梧桐子大。每服五十丸，空心、食前米汤送下。

【功用】常服禁精，止白浊，延年。

【主治】

1.《三因极一病证方论》：三消渴利，白浊。

2.《医方大成》：肾水枯竭，心火上炎，津液不生，消渴诸证。

3.《济阳纲目》：肾气虚损，目眩耳鸣，四肢倦怠，遗精尿血，心腹胀满，脚膝酸痿，股内湿痒，小便滑数，水道涩痛，时有遗沥等证。

4.《证治宝鉴》：下焦虚而不能摄水，以致小便多而有降无升。

【宜忌】《易简方论》：须是戒酒，并火上炙煿之物。

张真君茯苓丸

【来源】《三因极一病证方论》卷十二。

【组成】赤茯苓　白茯苓各等分

【用法】上为末，以新汲水挼洗，澄去新沫，控干，别取地黄汁，同与好酒银石器内熬成膏，搜和为丸，如弹子大。空心盐酒嚼下。

【功用】常服轻身延年。

【主治】心肾气虚，神志不守，小便淋涩，或不禁，及遗泄白浊。

破故纸散

【来源】《普济方》卷三十三引《三因极一病证方论》。

【组成】破故纸　青盐（同炒香）各等分

【用法】上为末。每服二钱，用米饮调下。

【主治】丈夫元气虚惫，精气不固，余沥常流，小便白浊，梦寐频泄，及妇人血海久冷，白带、白浊、白淫，下部常湿，小便如米泔，或无子息。

龙骨丸

【来源】《杨氏家藏方》卷九。

【组成】牡蛎（煅为粉） 熟干地黄（洗，焙） 菟丝子（酒浸一宿，别捣，焙干） 白茯苓（去皮）各半两 龙骨（五色者） 肉桂（去粗皮） 白石脂 五味子各二钱半

【用法】上为细末，炼蜜为丸，如梧桐子大。每服五十丸，空心、食前温酒或盐汤送下。

【主治】下虚胞寒，小便白浊，或如米泔，或若凝脂，腰重少力。

茯神丹

【来源】《杨氏家藏方》卷九。

【组成】朱砂半两（光明成颗块者） 豮猪心一枚

【用法】上将朱砂入在猪心内，却用麻皮缚定，汤煮一伏时取出，将朱砂细研，不用猪心，别研茯神末，糊为丸，如梧桐子大。每服五丸，空心、食前煎人参酸枣仁汤送下。

【主治】小便白浊，梦遗漏精，日久不愈。

萆薢分清散

【来源】《杨氏家藏方》卷九。

【别名】分清散（《济生方》卷四）、分清饮（《瑞竹堂经验方》卷一）、萆薢分清饮（《丹溪心法》卷三）、萆薢饮（《古今医鉴》卷八）、萆薢散（《寿世保元》卷五）、萆薢分清丸（《北京市中药成方选集》）。

【组成】益智仁 川萆薢 石菖蒲 乌药各等分

【用法】上为细末。每服三钱，水一盏半，入盐一捻，同煎至七分，食前温服。

【主治】真元不足，下焦虚寒，小便白浊，频数无度，漩面如油，光彩不定，漩脚澄下，漩如膏糊，或小便频数，虽不白浊。

【验案】

1. 慢性前列腺炎 《广西中医药》（1982，4：29）：李某，男，32岁，结婚五年无子，会阴部胀痛，小便频数短赤，尿后泌出米汤样黏液，滴沥难尽，遗精、早泄、阳萎，经检查诊断为慢性前列腺炎，拟方：萆薢15克，茯苓12克，车前子12克，黄柏10克，山栀子10克，益智仁、乌药、芡实各12克，桃仁8克，当归尾10克，甘草梢5克，共服药30余剂，病告痊愈。次年喜得一子。

2. 尿道炎 《新中医》（1995，6：48）：以本方为主治疗非淋菌性尿道炎58例，7天为一个疗程，结果：痊愈（临床症状消失，尿道口分泌物或前列腺液涂片阴性）45例，无效（2个疗程临床症状仍在，涂片阳性者）13例。

内金鹿茸丸

【来源】《杨氏家藏方》卷十六。

【组成】鸡内金 鹿茸（去毛，醋炒） 黄耆（蜜炙） 牡蛎（火煅） 五味子 附子（炮，去皮脐） 肉苁蓉（酒浸） 龙骨 远志 桑螵蛸各等分

【用法】上为细末，炼蜜为丸，如梧桐子大。每服五十丸，空心、食前温酒或米饮送下。

《医略六书》本方用内金皮一两半（炒炭），煎汁为丸，收入砂仁灰三分，煎汤化下三钱。

【主治】因产后劳伤血气，胞络受寒，小便白浊，昼夜无度，脐腹疼痛，腰膝少力。

【方论】

1. 《济阴纲目》：鹿茸、苁蓉、黄耆、附子有益精、益气温肾之功，内金、牡蛎、螵蛸、龙骨有固涩禁便之用，五味、远志生津液而入肾以补正气。其为补下无疑，男女俱可服。

2. 《医略六书》：阳气虚损，湿滞胞门，而带脉不能收引，故脐间隐痛，带下无度焉。鹿角补阳以壮督脉，附子补火以壮真阳，苁蓉温暖精血，远志交通心肾，黄耆补气举陷，五味子敛液生津，龙骨固涩精气，牡蛎收摄虚脱，桑螵蛸涩带脉以止带下也，内金皮汁丸，以化其滞，砂仁灰汤化下，以行其气。俾气阳内充，则滞气自化，而胞门清肃，带脉融和，何虑脐间隐痛不退，带下无度不愈乎。

大莲心散

【来源】《普济方》卷十六引《卫生家宝》。

【组成】石莲肉并心三两 赤茯苓一两 细辛半两 远志一两（并苗梗，浸，去心） 桔梗一两（炒） 人参半两 白术一两 甘草三钱（炙） 白芷半两 麦门冬一两半 青皮三钱 川芎半两

【用法】上为细末。每服三钱，水一盏，加生姜三片，大枣一个，煎至七分，空心食前服。

【主治】心气不足，白浊，遗精。

凉补风

【来源】《普济方》卷十七引《卫生家宝》。
【组成】肉苁蓉（薄切，用酒浸一宿，火焙干） 泽泻（切，焙干） 石菖蒲 菟丝子（用酒浸一宿，研烂，焙干） 黄耆（火炙，细锉为末） 川楝子（细锉） 山茱萸各半两 熟干地黄一两（净洗，焙干，为末）
【用法】上为细末，炼蜜为丸，如梧桐子大。每服三十丸，食前空心以盐酒、盐汤任下；如五淋病，用豆淋酒送服。
【功用】凉心膈，补元阳。
【主治】心经积热，思虑过多，一切漏精白浊，久则饮食减少，转成劳伤；五淋病。

五味子丸

【来源】《普济方》卷三十三引《卫生家宝》。
【组成】五味子四钱 半续断一钱 山药七钱 人参六钱 菟丝子一钱 白茯苓一钱 山茱萸 柏子仁二钱 川芎一钱 牛膝半两 远志半两 龙骨半两（生用）
　　方中山茱萸用量原缺。
【用法】上为末，炼蜜为丸，如梧桐子大。每服三十丸，盐汤送下。
【功用】补心肾，久服行步如少年。
【主治】白浊。

龙骨丸

【来源】《普济方》卷三十三引《卫生家宝》。
【别名】龙蛎丸（《医学入门》卷七）。
【组成】龙骨半两 牡蛎半两
【用法】上为细末，同入鲫鱼腹内，用纸裹，入火内炮熟为度，只用二味和鱼肉杵为丸。每日用鲫鱼（大小无拘）三四尾，只看上件药尽为度。每日二十丸，空心米饮送下。
【主治】肾虚白浊，赤浊。
【加减】服时看药效如何，更加茯苓半两，远志半两尤佳。

茯苓丸

【来源】《普济方》卷三十三引《卫生家宝》。
【组成】猪苓二两 茯苓半两 半夏半两
【用法】上药，半夏汤浸八九次，锉作二片，同木猪苓一处炒令黄色，去猪苓不用，只取半夏研细，同茯苓、粟米糊为丸，如梧桐子大。每服二十丸，食前、空心热水送下。
【主治】男子小便白浊，渐成淋沥，或痛或不痛，日久觉瘠瘦，四肢乏力，不思饮食。

既济丹

【来源】《普济方》卷二一七引《卫生家宝》。
【组成】天门冬（去心） 麦门冬（去心，焙干） 泽泻 桑螵蛸（蜜炙） 海螵蛸（蜜炙） 牡蛎（煅） 龙骨 黄连（去须） 远志（去心） 鸡膍胵（炒）各一两
【用法】上为末，炼蜜为丸，如梧桐子大，朱砂为衣。每服三十丸，空心、食前灯心或枣汤送下，一日三次。
【主治】水火不济，肾虚不能摄精，心有所感，白浊遗精，虚败不禁，腰脚无力，日渐羸弱。

聚宝丹

【来源】《普济方》卷二一七引《卫生家宝》。
【组成】牡蛎一两 硫黄二钱 龙骨二钱 白石膏五钱 白矾三钱（另研）
【用法】上为末。入锅子内，将白矾盖四味药上，二斤火煅无烟为度，乳细，酒糊为丸，如鸡头子大。每服一粒，空心盐枣子汤送下；妇人赤白带下血崩，淡竹叶葱汤送下；血海冷，艾醋汤送下。
【主治】诸虚，男子遗精白浊，淋病；妇人赤白带下，血崩。

驻精丸

【来源】《普济方》卷二一八引《卫生家宝》。
【组成】白龙骨 石莲肉（捶碎，和壳用）各等分
【用法】上焙为末，酒糊为丸，如梧桐子大。每服三十丸，米饮、温酒、盐汤任下，空心、日午、

晚服。

【功用】镇心安魂，涩肠胃，益气力，止泄泻。常服养神益力，轻身耐老，除百病。

【主治】泄泻，及夜梦邪交，小便白浊。

草还丹

【来源】《永乐大典》卷一一六二〇引《易简方论》。

【组成】补骨脂　熟地黄　远志　地骨皮　牛膝　石菖蒲各等分

【用法】上为末，酒糊为丸，如梧桐子大。每服三五十丸，空心、日午温酒送下。盐汤、熟水亦可。服之百日，百病除；二百日，精髓满，视听倍常，神聪气爽，瘟疫不侵；服三百日，步骤轻健，鬓须如漆，返老还童。

【功用】延年益寿，耐寒暑。

【主治】虚劳白浊。

白茯苓散

【来源】《普济方》卷二一六引《十便良方》。

【别名】茯苓散（《普济方》卷三十三）。

【组成】白茯苓　龙骨　甘草（炙，锉细）　干姜　桂心　续断　附子各一两　熟干地黄　桑螵蛸（微炒）

【用法】上为散。每服四钱，水一钟，煎至六分，去滓，每于食后温服。

【主治】小便不禁，日夜不止；白浊，甚至下血。

金锁丹

【来源】《是斋百一选方》卷十五。

【组成】真山茱萸不以多少（红肥者）

【用法】上以大萝卜切下青蒂，剜作瓮儿，以茱萸实盛，却用蒂盖，竹丁签定于饭内，蒸萝卜软烂为度，取出，不用萝卜，以茱萸晒干为末，面糊为丸，如梧桐子大。每服三四十粒，空心、食前温酒盐汤送下。

【主治】小便白浊。

京三棱散

【来源】《普济方》卷三八八引《汤氏宝书》。

【组成】京三棱　莪术各一两（炒）　益智子（去壳）　甘草（炙）　神曲（炒）　麦蘖（炒）　橘红各半两

【用法】上为末。白汤点下。

【主治】白浊。

金锁散

【来源】《魏氏家藏方》卷二。

【组成】鹿角霜一两半　白龙骨三分（米醋浸令黄赤色）　白茯苓（去皮）　益智仁各一两　菟丝子（淘净，酒浸，研成饼）　车前子（洗净）一分　牡蛎粉半两

【用法】上为末。每服三钱，用舶上茴香三十粒炒赤色香熟，入酒一盏，煎四五沸，放温调药服，不拘时候。

【功用】益血养气。

【主治】遗精，白浊。

三白丸

【来源】《魏氏家藏方》卷四。

【别名】素丹。

【组成】龙骨（煅，别研）　牡蛎粉各一两　鹿角霜二两

【用法】上为细末，滴水为丸，如梧桐子大，以滑石为衣。每服十丸，加至十五丸，盐汤吞下，空心服。

【主治】小便滑数，遗精，白浊，盗汗。

双白丸

【来源】《魏氏家藏方》卷四引朱叔通方。

【组成】雪白茯苓（去皮）　鹿角霜等分

【用法】上为细末，酒煮面糊为丸，如梧桐子大。每服三五十丸，空心盐汤送下。

【功用】秘精，清小便。

【主治】

1.《魏氏家藏方》：白浊。

2.《证治准绳·类方》：下焦真气虚弱，小便频多，日夜无度。

玉锁丹

【来源】《魏氏家藏方》卷四。

【组成】绛矾一钱（枯） 龙骨一钱（煅） 茴香一分（淘去沙，炒） 远志半两（去心，炒） 黑牵牛三分（炒） 牡蛎一两（童子小便浸三日，每日换取出，醋面裹，煨通红，别研） 菟丝子一分（酒煎蒸，再用酒浸一宿，研烂成饼）

【用法】上为细末，蒜煨取汁为丸，如梧桐子大。每服五丸，空心麝香酒送下。

【主治】白浊。

龙骨丸

【来源】《魏氏家藏方》卷四。

【组成】糯米饭（晒干）四两 赤石脂（炒令焦黄） 龙骨（煅，别研） 白茯苓（去皮）各二两

【用法】上为细末，醋煮面糊为丸，焙干。每服五十丸，空心、食前盐汤送下。

【主治】白浊。

夺命丸

【来源】《魏氏家藏方》卷四。

【组成】半夏（大者，各四破之，用石薜荔一握锉碎，同半夏炒令黄色，去石薜荔，只用半夏）四十九粒 莲子肉四十九个 龙骨（煅，别研） 白茯苓（去皮） 远志（去心） 白矾（枯）各半两

【用法】上为细末，以车前草取自然汁煮面糊为丸，如梧桐子大。每服四五十丸，空心盐汤送下。

【主治】白浊。

金锁丹

【来源】《魏氏家藏方》卷四。

【组成】鹿茸（去毛，酥炙） 桑螵蛸（炒） 白茯苓（去皮） 益智仁 石菖蒲（九节者，炒） 舶上茴香（拣净，炒） 钟乳粉 五色龙骨（煅，别研）各一两 阳起石（煅） 青盐各半两（并别研）

【用法】上为细末，枣肉为丸，如梧桐子大，每服四十丸，枣汤送下，日午、临卧服。

【主治】下弱胞寒，小便白浊，或如米泔，或若凝脂，梦漏精滑，关锁不固，腰痛气短。

茯苓丸

【来源】《魏氏家藏方》卷四。

【组成】白茯苓二两 木猪苓四两（锉）

【用法】水二升，同煮干，去猪苓，只用茯苓为末，以黄蜡二两熔化为丸，如弹子大。每服一丸，空心细嚼，盐汤送下。

【主治】小便白浊。

【宜忌】忌米醋。

韭子丸

【来源】《魏氏家藏方》卷四。

【组成】家韭子（炒） 巴戟（去心） 益智子（炒） 白茯苓（去皮）各等分

【用法】上为细末，酒煮面糊为丸，如梧桐子大。每服五十丸，食前温酒或米饮送下。

【主治】白浊。

胜金丸

【来源】《魏氏家藏方》卷四。

【组成】鹿茸（去毛，切片，酥炙青为度） 白茯苓（去皮） 桑螵蛸（酒浸一宿，瓦上焙） 龙骨（煅，别研） 川当归（去芦，酒浸） 熟干地黄（洗）各一两 附子一只（八九钱者，炮，去皮脐）

【用法】上为细末，以肉苁蓉三两，洗净切片子，用酒一升煮干，研作膏，为丸如梧桐子大。每服三十丸，食后酒、盐汤任下；妇人醋汤送下。

【主治】诸虚不足，小便白浊；妇人子宫久冷。

镇心丸

【来源】《魏氏家藏方》卷四。

【组成】益智仁二两 龙骨（煅）半两 牡蛎粉

茯神（去木）各一两　龙齿一分

【用法】上为细末，酒煮面糊为丸，如梧桐子大。每服三十丸，空腹盐汤送下；妇人艾醋汤送下。

【主治】白浊。

坎离丸

【来源】《魏氏家藏方》卷六。

【组成】酸枣仁（炒）　菟丝子（淘净，酒浸，研成饼）　柏子仁（炒，别研）　五味子（去枝）　薏苡仁（炒）　覆盆子　人参（去芦）　枸杞子　鹿茸（燎去毛，锉成片，酒浸，炙）　牛膝（去芦，酒浸）　肉苁蓉（酒浸）　当归（去芦，酒浸）　杜仲（姜制，炒去丝）　远志（去心）　地黄（洗）　茯神（去木）各一两　沉香（不见火）　附子（炮，去皮脐）　龙骨（煅）各半两　朱砂三钱（别研）　麝香一钱（别研）

【用法】上为细末，炼蜜为丸，如梧桐子大。每服五十丸，空心温酒或人参汤送下。

【功用】平补五脏，升降心肾。

【主治】小便白浊，腰腿无力，心神不宁，下焦虚寒，阴冷遗沥。

固真丹

【来源】《魏氏家藏方》卷六。

【别名】缩泉丸（《医方类聚》卷一三五引《济生续方》）、三仙丸（《世医得效方》卷七）。

【组成】天台乌药（细锉）　益智仁（大者，去皮，炒）各等分

【用法】上为末，别用山药炒黄为末，打糊为丸，如梧桐子大，晒干。每服五十丸，嚼茴香数十粒，盐汤或盐酒送下。

【主治】肾经虚寒，小便滑数、白浊。

【验案】

1. 遗尿　《内蒙古中医药》（1995，2：23）：以本方改为汤剂加味：茯苓、桑螵蛸、乌药、山药、益智仁，治疗遗尿症25例。结果：全部治愈，服药2剂3例，15剂2例，其余服药3～6剂痊愈。

2. 神经性尿频　《吉林中医药》（1998，2：28）：以本方（山药、益智仁、乌药）治疗小儿神经性尿频32例，结果：治愈27例，好转3例，总有效率93.8%。

五味子丸

【来源】《普济方》卷三十三引《经验良方》。

【组成】五味子一两（炒赤）

【用法】上为末，醋糊为丸。每服三十丸，醋汤送下；泻用蕲艾汤送下。

【主治】白浊及肾虚，两腰及背脊穿痛。

心肾丸

【来源】《普济方》卷三十三引《经验良方》。

【组成】苍术一斤（白酒糟三斤淹二宿，去糟）　肉桂二两　川椒四两（盐炒，去盐）　吴茱萸四两　茴香二两（同茱萸炒）　川楝子四两（用苍术糟半斤炒，去糟用）

【用法】上为末，酒糊为丸，如梧桐子大，朱砂为衣。每服五十丸，盐汤、温酒送下。

【主治】男子白浊，小便多滑；妇人血冷。

白糯丸

【来源】《普济方》卷三十三引《经验良方》。

【组成】大白芷一两（为末）　真糯米五钱（炒赤色）

【用法】上为末，糯米为丸。煎木馒头汤吞下。无木馒头，用根亦可，后用《太平惠民和济局方》补肾汤调补。

【主治】老人小便凝停白浊，卒死，头昏。

【加减】后生禀赋怯弱，房室太过，小便太多，水道蹇涩，小便如膏脂，加石菖蒲、牡蛎。

远志丸

【来源】《普济方》卷三十三引《经验良方》。

【组成】白茯苓一两　麦门冬（去心）一两　远志（去心）　石菖蒲各半两　人参（去芦）　益智仁（去皮）各二钱半

【用法】上为末，炼蜜为丸，如梧桐子大。每服三十丸，麦门冬、灯心煎汤送下。

【主治】白浊。

黄耆散

【来源】《普济方》卷三十三引《经验良方》。
【组成】黄耆（盐炒）半两　茯苓一两
【用法】上为末。每服一二钱，空心白汤送下。
【主治】白浊。

莹泉散

【来源】《续易简》卷三。
【组成】川厚朴一两（去皮，生用）　白茯苓一钱
【用法】上锉散，作一服。用酒二碗，如不能饮，入水酒各一碗，慢火煎至一小碗，分为二服，去滓，食前温服。
【主治】心脾不调，肾气独盛，便溺白浊。

玉兰丸

【来源】《济生方》卷一。
【组成】辰砂一两　鹿茸二两（作片，酥炙）　当归二两（酒浸，焙）　附子（七钱重者）四个（生，去皮脐，各切下项，挖空心，中安辰砂在内，以前项子盖定，用线扎）　木瓜大者两个（去皮瓤，切开项，入辰砂、附子四个在内，以木瓜原项子盖之，线扎定，蒸烂讫，取出。附子切作片，焙干，为末；辰砂细研，水飞；木瓜研如膏。宣木瓜为妙）　柏子仁（炒，别研）　沉香（别研）　巴戟（去心）　黄耆（去芦，蜜炙）　肉苁蓉（酒浸）　茯神（去心）　川牛膝（去芦，酒浸）　石斛（去根，酒浸）各一两　杜仲（去粗皮，酒浸）　菟丝子（水淘净，酒浸，焙，别研）　五味子各一两半　远志（去心，炒）二两
【用法】上为细末，用木瓜膏杵和，入少酒糊为丸，如梧桐子大。每服七十丸，空心米饮、温酒、盐汤任下。
【功用】闭精，补益。
【主治】诸虚不足，膀胱、肾经痼败，阴阳不交，致生膏淋、白浊、遗精之患。

羊胫灰丸

【来源】《济生方》卷四。
【别名】理脾丸（《世医得效方》卷七）、羊胫炭丸（《医方类聚》卷一三四）。
【组成】厚朴（去皮取肉，姜汁炒）二两　羊胫（炭火煅过通红，存性）一两
【用法】上为细末，白水面糊为丸，如梧桐子大。每服百丸，空心米饮送下。
【主治】思虑伤脾，脾不摄精，遂致白浊。

固精丸

【来源】《济生方》卷四。
【组成】肉苁蓉（酒浸，切薄片）　阳起石（火煅，研极细）　鹿茸（燎去毛，酥炙）　赤石脂（火煅七次）　川巴戟（捶去心）　韭子（炒）　白茯苓（去皮）　鹿角霜　龙骨（生用）　附子（炮，去皮脐）各等分

《绛雪园古方选注》有五味子。
【用法】上为细末，酒糊为丸，如梧桐子大。每服七十丸，空心盐酒、盐汤任下。
【主治】嗜欲过度，劳伤肾经，精元不固，梦遗白浊。
【方论】《绛雪园古方选注》：夫房劳过度，则精竭阳虚，阳虚则无气以制其精，故寐则阳陷而精道不禁，随触随泄，不必梦而遗也，与走阳不甚相远。治之必须提阳固气，乃克有济，独用补涩无益也。鹿茸通督脉之气舍，鹿角霜通督脉之精室，阳起石提陷下之真阳，韭菜子去淫欲之邪火，肉苁蓉暖肾中真阳，五味子摄肾中真阴，巴戟入阴，附子走阳，引领真阳运行阳道，不使虚火陷入于阴，白茯苓淡渗经气，使诸药归就肾经，用石脂、龙骨拦截精窍之气而成封固之功。

秘精丸

【来源】《济生方》卷四。
【别名】固精丸（《世医得效方》卷七）、固本丸（《嵩崖尊生全书》卷十四）、固髓丹（《一见和医》卷四）。
【组成】牡蛎（煅）　菟丝子（酒浸，蒸，焙，别研）　龙骨（生用）　五味子　韭子（炒）　桑螵蛸（酒炙）　白茯苓（去皮）　白石脂（煅）各等分
【用法】上为细末，酒糊为丸，如梧桐子大。每服

七十丸，空心以盐酒、盐汤任下。

【主治】

1.《济生方》：下虚胞寒，小便白浊或如米泔，或若凝脂，腰重少力。

2.《校注妇人良方》：小便无度。

四精丸

【来源】《古今医统大全》卷七十二引《济生方》。

【组成】鹿茸（制） 肉苁蓉（制） 山药 白茯苓各等分

【用法】上为细末，米糊为丸，如梧桐子大。每服三十丸，大枣汤送下。

【主治】白浊烦渴。

韭子丸

【来源】《袖珍方》卷二引《济生方》。

【组成】赤石脂（煅） 韭子（炒） 川牛膝（去芦，酒浸） 牡蛎（煅） 覆盆子（酒浸） 附子（炮，去皮脐） 桑螵蛸（酒炙） 鹿茸（酒蒸，焙） 肉苁蓉（酒浸） 龙骨（生）各一两 鸡膍胵（烧灰） 沉香（镑，不见火）各半两

【用法】上为细末，酒糊为丸，如梧桐子大。每服七十丸，空心盐汤、盐酒任下。

【主治】膀胱肾冷，小便白浊滑数无度。

凝真丹

【来源】《简易》引《诜诜书》（见《医方类聚》卷一四九）。

【组成】益智仁二两

【用法】治上丹不凝结，用饼饽药，搜面裹煨，令面焦，去面，为细末，每用少许搐鼻中。久用，清涕自止。治中丹不凝结，酸醋浸益智仁三宿，焙干，为细末，醋煮面糊为丸，如梧桐子大。每服三十丸至五十丸，盐汤送下。治下丹不凝结，以盐水浸益智仁三宿，焙干，为细末，盐煮面糊为丸，如梧桐子大。每服三十丸至五十丸，空心盐汤送下，不可用酒服，恐散真气。

【主治】治丈夫三丹不凝结，致真气不固，精清精滑，饮食不美，四肢怠惰，昏困嗜卧。上丹不凝结，则常多感冒，鼻流清涕，头目昏疼。中丹不凝结，则发热自汗，心悸惊，恍惚健忘，不能饮食。下丹不凝结，则真气不固，梦遗白浊，胸中短气，面黄体虚，形瘦瘁，情思不乐，饮食减少，惊悸恍惚。

分清饮

【来源】《仁斋直指方论》卷十。

【别名】分清散（《普济方》卷三二一）、萆薢分清饮（《郑氏家传女科万金方》卷一）。

【组成】益智仁一两（醋浸） 川萆薢 石菖蒲（去毛） 天台乌药 白茯苓各一两 甘草四钱

【用法】上为末。每二钱，盐少许，同煎，食前服。

【主治】

1.《仁斋直指方论》：思虑过度，清浊相干，小便白浊。

2.《郑氏家传女科万金方》：白带。

远志丸

【来源】《仁斋直指方论》卷十。

【组成】远志（水浸取肉，姜淹焙干） 山药（炒熟） 地黄（洗，晒） 天门冬（去心） 龙齿（研细）各一两半 白茯苓 茯神（去木） 地骨皮各一两二钱半 辣桂六钱一字

【用法】上为末，炼蜜为丸，如梧桐子大。每服五十丸，食前粳米汤送下。

【主治】心气不足，遗精白浊。

苍术难名丹

【来源】《仁斋直指方论》卷十。

【别名】茯苓苍术难名丹（《世医得效方》卷七）、苍术丸（《金匮翼》卷八）。

【组成】苍术（杵，去粗皮）一斤（米泔水浸一日夜，焙干） 舶上茴香（炒） 川楝子（蒸，去皮取肉，焙干）各三两 川乌（炮，去皮脐） 故纸（炒） 白茯苓 龙骨（别研）各二两

【用法】上为末，酒面糊为丸，如梧桐子大，朱砂为衣。每服五十丸，空心缩砂煎汤送下；或粳米

汤送下。

【主治】元阳气衰，脾精不禁，漏浊淋沥，腰疼力疲。

牡蛎丸

【来源】《仁斋直指方论》卷十。

【组成】圆白半夏一两（稗洗十次，每个作两片，以木猪苓去皮二两为粗末，同半夏慢火炒黄，放地出火毒一宿，不用木猪苓） 煅过厚牡蛎粉一两

【用法】同为末，以山药糊为丸，如梧桐子大。留木猪苓养药，瓷器密收。每服三十丸，茯苓煎汤送下。

【主治】精气不禁，白浊，梦遗。

金樱子丸

【来源】《仁斋直指方论》卷十。

【组成】真龙骨 厚牡蛎（煅） 桑螵蛸各一两

【用法】上以雄黑豆一盏淘湿，将前三件置豆上蒸半日，去豆，焙三件为末，入白茯苓一两（末），金樱子四十九枚，去刺并瓤蒂，洗净捶碎，瓷器内入水一盏，煮浓汁滤清，调茯苓末为糊丸，如梧桐子大。每服三十丸，食前用益智五枚（连壳捶碎），北五味子十粒，缩砂仁三个煎汤送下。

【主治】诸虚，漏精白浊。

炼盐散

【来源】方出《仁斋直指方论》卷十，名见《袖珍方》卷三。

【组成】雪白盐（入瓷瓶内筑十分实，以瓦盖顶，黄泥涂封，火煅一日，取出放阴地上一夜，用密器收） 白茯苓 山药（炒）各一两

【用法】上为末，入盐一两研和；用沸汤浸枣取肉，研，夹炼蜜再为丸，如梧桐子大。每服三十丸，空心枣汤送下。

【主治】

1. 《仁斋直指方论》：漏精白浊。

2. 《医方类聚》引《寿域神方》：思虑太过，心肾虚损，真阳不固，溺有余沥，小便白浊，梦寐频泄。

桑螵蛸散

【来源】《仁斋直指方论》卷十。

【组成】桑螵蛸（蒸过，略焙） 远志（水浸，取肉，晒，姜汁和，焙） 石菖蒲 人参 白茯神 当归 龙骨（别研） 鳖甲（醋炙黄）各半两 甘草（炙）二钱

【用法】上为末。每服二钱，夜卧时以人参、茯苓煎汤调下。

【主治】心肾不和，小便白浊，或如米泔，或为梦泄。

鹿茸益精丸

【来源】《仁斋直指方论》卷十。

【组成】鹿茸（去皮，酥炙微黄） 桑螵蛸（瓦上焙） 肉苁蓉 当归 巴戟（去心） 菟丝子（酒浸软，研） 杜仲（截碎，姜汁淹，炒断丝） 川楝子（蒸，去皮取肉，焙） 益智仁 禹余粮（煅红，醋淬，以碎为度）各三分 韭子（微炒） 故纸（炒） 山茱萸 赤石脂 龙骨（别研）各二分 滴乳香一分

【用法】上为细末，酒调糯米糊为丸，如梧桐子大。每服七十丸，食前白茯苓煎汤送下。

【主治】

1. 《仁斋直指方论》：心虚肾冷，漏精白浊。

2. 《杂病源流犀烛》：遗泄伤阳者。

秘传大补元丸

【来源】《仁斋直指方论·附遗》卷九。

【组成】黄柏（蜜炒褐色） 知母（乳汁浸，炒） 龟版（酥炙）各三两 淮熟地黄（酒洗）五两 牛膝（酒洗） 麦门冬（去心） 肉苁蓉（酒洗） 虎胫骨（好酒炙） 淮山药 茯神（去心） 黄耆（蜜炙）各一两半 杜仲（去粗皮，好酒炒断丝） 枸杞子（甘州者佳） 何首乌（篾刮去皮） 人参（去芦）各二两 当归身（酒洗） 天门冬（去心） 五味子（去枝核） 淮生地黄（酒洗）各一两 白芍药（酒炒）二两（冬月只用一两） 紫河车一具（一名混沌皮，即今之胞衣，取初产者为佳。如无初产者，或壮盛妇人胎者亦可。取一具，

用线吊于急流水中漂一昼夜，去其污浊血丝，取起，再用净米泔水一碗许，于小罐内微火煮一沸，取出勿令泄气，再用小篮一个，四周用纸密糊，将河车安于篮内，用慢火烘干，为末）。

【用法】上为极细末，入猪脊髓三条，炼蜜为丸，如梧桐子大。每服八十丸，空心以淡盐汤送下；寒月用温酒送下。

【主治】男妇诸虚百损，五劳七伤，形体羸乏，腰背疼痛，遗精带浊。

【加减】梦遗白浊，加牡蛎一两，白术，山茱萸各一两五钱，茯苓二两；冬加干姜五钱（炒黑色）。

茯苓散

【来源】《仁斋直指小儿方论》卷四。

【组成】京三棱　蓬莪术（煨）　缩砂仁　赤茯苓各半两　青皮　陈皮　滑石　甘草（微炙）各二钱半

【用法】上为末。每服一钱，麦门冬、灯心煎汤调下。

【主治】小儿尿如白米泔状，由乳哺失节，有伤于脾，致使清浊不分而色白也，久则成疳，亦心膈伏热兼而得之。

百补汤

【来源】《女科万金方》。

【组成】阿胶　地榆　陈皮　川芎　当归　白芍　熟地

【用法】水煎，食前服。

【主治】妇人血淋白浊。

朱砂鹿茸丸

【来源】《类编朱氏集验方》卷二。

【组成】龙齿七钱　鹿茸一两半（酒浸，炙）　鹿角胶一两（螺粉炒）

【用法】上为细末。用石菖蒲、远志锉碎，酒浸，煮山药糊为丸，以朱砂为衣，如梧桐子大。每服三十丸，用木香匀气散送下；如无白浊，平补只用盐汤、温酒空心服。

【主治】小便白浊。

锁精丸

【来源】《类编朱氏集验方》卷二。

【组成】破故纸（炒）　青盐各四两　白茯苓二两

《奇效良方》有五味子；《证治准绳·类方》有五倍子。

【用法】上为末，酒糊为丸。每服三十丸，空心酒或盐汤送下。

【主治】

1. 《类编朱氏集验方》：小便白浊。

2. 《奇效良方》：下元虚弱，小便白浊，或白带淋漓，小便频数。

石斛丸

【来源】《类编朱氏集验方》卷八引庐山刘立之方。

【组成】葫芦巴　荜茇　石斛　附子　巴戟（去心）　荜澄茄　茯苓　山药　沉香　鹿茸（蜜炙）各一两

【用法】上为细末，猪腰五味煮烂，同汁打米糊为丸，如梧桐子大。每服四五十丸，空心米饮送下；酒亦可。

【主治】肾经积寒，丹田凝阴，小肠时痛，腰膝时冷，小便白浊，头晕耳鸣，或痰涎壅塞，身或倦怠，膈满怔松，饮食化迟，肠鸣气走。

强志丸

【来源】《类编朱氏集验方》卷八。

【组成】菟丝子　熟地黄各二两　茯神　山药　黄耆　石莲　柏子仁　附子　远志　枸杞子　杜仲　破故纸　鹿角霜各一两

【用法】炼蜜为丸，如梧桐子大，或用朱砂为衣。每服四五十丸，空心酒送下；赤浊，用麦门冬煎汤送下。

【功用】益心血，活肾水。

【主治】虚损白浊。

珍珠粉丸

【来源】《内经拾遗方论》卷一。

【别名】真珠粉丸（《景岳全书》卷五十七）。

【组成】珍珠三两　蛤粉　黄柏（新瓦上炒赤）各一斤

【用法】上为末，水为丸，如梧桐子大。每服百丸，空心酒送下。

【主治】溲出白液。

王瓜散

【来源】《卫生宝鉴》卷十五。

【组成】王瓜根　桂心各一两　白石脂　菟丝子（酒浸）　牡蛎（盐泥裹，烧赤，候冷去泥）各二两

【用法】上为末。每服二钱，食前大麦煎粥汤调下，一日三次。

【主治】肾虚，小便自利如泔色。

固真丹

【来源】《杂类名方》。

【组成】沉香　丁香　木香　茴香（炒）　人参　当归（微炒）　滑石各半两　乳香（另研）五钱　没药（另研）五钱　干胭脂（另研，一半为衣）　琥珀（另研）五钱　川山甲（蛤粉炒）五钱　全蝎（微炒）五钱　代赭石（水飞）五钱　干莲心（微炒）二钱半　木通（头末）五钱　灯草三钱　桑螵蛸（炒，或炙酥）二钱半　麝香（另研）二钱半　血竭（另研）五钱（以上同川山甲捣）　腽肭脐一对（酒浸，炙酥）　蛤蚧一对（去头足，炙酥）　火并草（酒蜜洒，九蒸九晒）　晚蚕蛾　蜻蜓各五钱

方中干胭脂用量原缺。《奇效良方》有山药、破故纸、地龙、茯神，无代赭石、火并草、晚蚕蛾、蜻蜓。

【用法】上为细末，于辰火日合，醋浸蒸饼为丸，如樱桃大。每服二三丸，空心温酒送下，服讫干物压之。

【功用】实骨髓，养精神，永保遐龄。

【主治】《奇效良方》：水火不济，心有所感，白浊遗精，虚败不禁。

【宜忌】忌猪、羊血、蒜，骑马。

益荣丹

【来源】《瑞竹堂经验方》卷一。

【组成】当归二两（去芦，酒浸，焙）　紫石英（火煅醋淬七次，研细）一两　桑寄生　柏子仁（炒，另研）　酸枣仁（去壳）　小草　木香（不见火）　茯苓（去木）　桑寄生　卷柏叶（酒炙）　熟地黄（洗净，酒蒸，焙）　龙齿各一两（另研）　辰砂半两（另研）

【用法】上为细末，炼蜜为丸，如梧桐子大。每服七十丸，食前用麦门冬汤送下。

【功用】滋血助心。

【主治】思虑伤心，忧虑伤肺，血少气虚，目涩口苦，唇燥舌咸，怔忡，白浊。

通治还少丹

【来源】《瑞竹堂经验方》卷一。

【组成】山药（炮）　牛膝（去苗，焙）　山茱萸（水洗，去核）　白茯苓　舶上茴香（炒）各一两半　菟丝子（酒浸，焙，研）　续断（去芦）各一两

【用法】上为末，炼蜜为丸，如梧桐子大。每服三十丸，盐汤送下。

【主治】心肾俱虚，漏精白浊。

加减太乙金锁丹

【来源】《普济方》卷二二二引《瑞竹堂经验方》。

【组成】莲花蕊四两（未开者，阴干，秤）　五色龙骨五两（细研）　覆盆子五两　鼓子花三两（五月五日采）　鸡头子一百颗（生，取肉作饼子，晒干）

【用法】上为细末，取金樱子二百枚，去毛，木臼内捣烂，水七升，煎取浓汁一升，去渣和药，再入臼内，杵一千杵，为丸如梧桐子大，每服三十丸，空心盐酒送下。

【功用】秘精，益髓。

【主治】梦遗不禁，小便白浊，日渐羸瘦。

【宜忌】忌葵菜。

金锁丸

【来源】《普济方》卷二一七引《瑞竹堂经验方》。

【别名】金锁丹（《普济方》卷一八〇引《郑氏家传渴浊方》）、金锁匙丹（《古今医统大全》卷七十引《医林方》）、金锁子丸（《普济方》卷三十三）。

【组成】茯神二钱　远志（去心）三钱　五色龙骨三钱（煅红）　牡蛎四钱（左顾者，炒赤色）　坚白茯苓三钱

【用法】上为细末，酒糊为丸，如梧桐子大。每服三四十丸，空心盐汤或酒送下。

【主治】男子滑精，遗泄；妇人鬼交，小便白浊。

五子丸

【来源】《永类钤方》卷十三引《澹寮方》。

【组成】菟丝子（酒蒸）　家韭子（炒）　益智子仁　茴香（炒）　蛇床子（去皮，炒）各等分（一方加川椒）

【用法】上为细末，酒糊为丸，如梧桐子大。每服七十丸，米饮或盐汤送下。

【功用】《饲鹤亭集方》：温固下元，通阳补肾。

【主治】

1.《永类钤方》引《澹寮方》：小便频数，时有白浊。

2.《世医得效方》：小便夜多，头昏，脚弱，老人虚人多有此证，大能耗人精液，令人卒死。

入药灵砂丸

【来源】《世医得效方》卷七。

【组成】当归（酒洗）　鹿茸（去毛，盐、酒炙）　黄耆（盐水炙）　沉香（镑）　北五味（炒）　远志肉　酸枣仁（炒）　吴茱萸（去枝）　茴香（炒）　破故纸（炒）　牡蛎（煅）　熟地黄（蒸）　人参（去芦）　龙骨（煅）　附子（炮）　巴戟各一两（净）　灵砂二两（研）

【用法】上为末，酒糊为丸。每服五十粒至七十粒，空心温酒、盐任下。

【主治】诸虚，白浊，耳鸣。

四五汤

【来源】《世医得效方》卷七。

【组成】生料四君子汤　生料五积散

【用法】上和匀。每服二钱，灯心一握，水一盏，煎服。

【主治】小儿白浊。

蒜　丸

【来源】《世医得效方》卷七。

【组成】杜仲　川乌　破故纸　人参　巴戟各等分

【用法】上为末，蒜膏为丸，如梧桐子大。每服三十丸，盐汤温酒送下。

【主治】白浊。

二豆散

【来源】《世医得效方》卷十五。

【组成】肉豆蔻　白豆蔻　丁香　巴戟　丁皮　白茯苓　苍术　桂心　黑附（火煨）各一两　白术　人参　山药　桔梗　茴香　粉草各五钱

【用法】上锉散。每服三钱，水一盏半，加生姜三片，紫苏叶三片，煎，空腹温服。

【主治】湛浊证。耳鸣心躁，腰脚疼重，腹内虚鸣，脐下冷痛，频下白水如疳。

瑞莲丸

【来源】《丹溪心法》卷三。

【组成】酸枣仁（炒）　白术　人参　白茯苓　故纸（炒）　益智　大茴香　左顾牡蛎（煅）各等分

【用法】上为末，青盐酒为丸，如梧桐子大。每服三十丸，温酒送下。

【主治】小便白浊，出髓条。

坎离丹

【来源】《医方类聚》卷一五二引《澹寮方》。

【别名】坎离丸（《普济方》卷三十三引《仁存方》）。

【组成】辰砂一两（细研）　酸枣仁一两（净，酒

浸，去壳，细研） 附子一枚（端正者，炮，去皮脐） 乳香半两（细研）
【用法】研附子为末，入辰、酸、乳三件和匀，炼蜜为丸，如鸡头子大。每服一粒，空心温酒吞下。须是腊日合，瓷器收。
【功用】既济水火，滋补心肾。
【主治】白浊，梦遗。

金锁补真丹

【来源】《普济方》卷二一八引《德生堂方》。
【组成】川续断 川独活 谷精草 黄精草各五分 莲花蕊一两（干用） 鸡头粉一两（煮熟用） 鹿角霜一两 金樱子五两（去皮尖）
【用法】上为细末，次将金樱子捶碎，用水三升，煮至一升，去滓，银石器内用慢火熬至三合成膏，和匀，将药末为丸，如弹子大。每服止一丸，空心温酒送下。服数日，自然益气补丹田，精神加倍。若欲药行，早晨另丸药五十丸，如梧桐子大，温酒送下，应验。
【功用】升降阴阳，壮理元气，益气，补丹田，振奋精神，大能秘精。
【主治】梦遗白浊。

加减珠粉丸

【来源】《医学纲目》卷二十九。
【组成】蛤粉 青黛 樗皮末 滑石 黄柏 干姜（炒褐色，盐制）
【用法】上为末，炒神曲为丸服。
【主治】白浊。

羊肾丸

【来源】《普济方》卷一八〇引《郑氏家传渴浊方》。
【组成】大鸡头二两一分 家韭子 牡蛎（煅）各二两 半夏 木猪苓（赤者，同半夏炒）各三两
【用法】上为末，烂煮羊肾去膜，同药末为丸，如梧桐子大。入麝香一钱或朱砂为衣，瓦器盛之，每服二十丸，煎猪苓汤送下。
【主治】白浊。

沉苓丸

【来源】《普济方》卷一八〇引《郑氏家传渴浊方》。
【组成】白茯苓半斤（去皮净） 猪苓五两
【用法】将茯苓锉成大块，猪苓为皮片，用瓦器煮，以猪苓沉为度，取白茯苓以蜡为丸，如弹子大。每服一丸，用小瓦瓶煮清粥候沸，搅匀，空心啜服。
【主治】渴浊，有浊无渴。
【方论】凡渴浊必先看为何证，有浊无渴，先服百段锦散，后用白羊肾丸及沉苓丸。

三搏丸

【来源】《普济方》卷一八〇引《郑氏家传渴浊方》。
【组成】人参 五味子 黄耆各一两（蜜炒） 白矾 龙骨 五倍子 罂粟壳 川楝子（炒） 茴香 牡蛎（煅） 熟地黄 泽泻 牡丹皮 木鳖子各半两
【用法】上为末，炼蜜为丸。每服三十丸，盐汤或酒任下。
【主治】遗精，白浊。

支感丹

【来源】《普济方》卷一八〇引《郑氏家传渴浊方》。
【组成】菟丝子（酒炙） 白茯苓各五钱 秋石一两
【用法】上为末，百沸汤一盏，井花水一盏，为阴阳水，煮糊为丸。盐、酒汤送下。
【主治】白浊，遗精。

白羊肾丸

【来源】《普济方》卷一八〇引《郑氏家传渴浊方》。
【组成】半夏 猪苓各二两
【用法】上将半夏净洗，猪苓同炒。色褐为度。却用半夏为末，酒煮羊内外肾烂研，同杵为丸。却

以猪苓为末，入瓷瓶内养。每服五七十丸，温水或猪苓煎温汤空心送下。

【功用】除浊。

【主治】

1.《普济方》引《郑氏家传渴浊方》：小便白浊。

2.《丹溪心法附余》：遗精。

莲肉丸

【来源】《普济方》卷三十三引《海上良方》。

【组成】莲肉（去心） 白茯苓各等分

【用法】上为末。空心白汤调下。

【主治】梦泄白浊。

延寿水仙丹

【来源】《普济方》卷十六。

【别名】软朱砂。

【组成】人参 木通 白及各半两

【用法】上用真麻油二两，入三味药在油内，用建盏盛之，火上煎，频将柳枝打匀，候三味药黑焦色，即去之，再煎油，滴水上如珠不散为度。用透明朱砂不拘多少，研细如粉，将炼油搜成二剂，用皂角水洗去油，入新水中浸之，逐日换水，就水旋丸，如绿豆大。每服三丸，日正午时浸朱砂水送下。

【功用】养精神魂魄，益气明目，通血脉，止烦满消渴。久服令人健，气力康强，心神安静，夜卧平稳。

【主治】五脏六腑百病，心热多躁，心虚不足，夜卧不稳，口苦舌干，小便白浊，日夜无度，色如凝脂，其味或甜，肢体羸瘦，不生肌肉，有潮热，久坐生劳，倦怠乏力。

分清散

【来源】《普济方》卷三十三。

【别名】分清饮（《明医指掌》卷七）。

【组成】益智仁 萆薢 菖蒲各等分

【用法】上为末。每服三二钱。

【主治】白浊。

神仙巨胜子丸

【来源】《普济方》卷二二二。

【别名】巨胜子丸（《北京市中药成方选集》）。

【组成】熟地黄 生地黄 何首乌各四两 牛膝（酒浸三日） 官桂（研） 枸杞子 肉苁蓉（酒浸三日） 菟丝子（酒浸三日） 人参 天门冬（酒浸三日） 茯苓（去皮） 巨胜子（焙，去皮） 天雄（去皮脐） 覆盆子（炒） 山药 楮实 川续断 柏子仁 酸枣仁 破故纸（炒） 巴戟（去心） 五味子 广木香 韭子 鸡头实 莲蕊 莲肉各一两

《古今医统大全》有甘菊花八钱；《北京市中药成方选集》无天雄、胡桃，有香附、菊花。

【用法】上为细末，加胡桃十个研细，春、夏炼蜜为丸，秋、冬枣肉为丸，如梧桐子大。每服二十丸，渐加至三十丸，空心以温酒或盐汤送下，每日二次。服一月元气充足，六十日白发变黑，一百日容颜改变，目明可黑处穿针，冬月单衣不寒。

【功用】安魂定魄，改易容颜，通神仙，延寿命，补髓驻精，益气，治虚弱，展筋骨，润肌肤，头白再黑，齿落更生，耳聋复聪，目视有光，心力无倦，行疾如飞，寒暑俱不能侵，能除诸病。

【主治】《北京市中药成方选集》：气虚血亏，肾寒精冷，遗精白浊，腰腿无力。

【加减】如无天雄，可以附子（去皮脐）代之；久服，去天雄，用鹿茸。

解毒丸

【来源】《普济方》卷二八六。

【别名】三黄解毒丸（《万病回春》卷二）。

【组成】大黄 黄连 栀子 黄芩各五钱 牵牛 滑石各一两

【用法】上为细末，滴水为丸，如梧桐子大。每服三四十丸，温水送下。加减用服之。

【主治】

1.《普济方》：中外诸邪毒痈肿疮，筋脉拘挛，寝汗咬牙；一切热毒惊悸。

2.《万病回春》：五淋，便浊，痔漏。

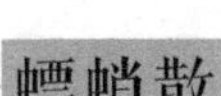

螵蛸散

【来源】《普济方》卷三八八。

【组成】桑螵蛸（炙，盐末） 远志（去心） 石菖蒲 龙骨 人参 茯神 当归 鳖甲（醋煮）各一两

【用法】上为末。夜卧时人参汤调吞。

【主治】婴孩小便频数白浊。

郁金黄连丸

【来源】《袖珍方》卷二引《秘方》。

【组成】郁金 黄连各一两 黄芩 琥珀（研） 大黄（酒浸）各二两 滑石 白茯苓各四两 黑牵牛（炒，取末）三两

【用法】上为末，水为丸，如梧桐子大。每服五十丸，空心沸汤送下。

【主治】心火炎上，肾水不升，致使水火不得相济，故火独炎上，水流下淋，膀胱受心火所炽而脬囊中积热，或癃闭不通，或遗泄不禁，或白浊如泔水，或膏淋如脓，或如栀子汁，或如沙石米粒，或如粉糊相似者，俱热证。

【加减】如用消导饮食，降心火，可加沉香五钱。

益智仁散

【来源】《袖珍小儿方》卷七。

【组成】益智仁 白茯苓各等分

【用法】上为末。每服一钱，空心米汤调下。

【主治】小儿遗尿；亦治白浊。

大茴香丸

【来源】《奇效良方》卷三十四。

【组成】大茴香 酸枣仁（炒） 破故纸（炒） 白术 白茯苓 牡蛎（用左顾者，砂锅内慢火煅爆为度） 益智仁 人参各等分

【用法】上为细末，用青盐、酒糊为丸，如梧桐子。每服二十丸，食前用温酒或米饮送下。

【主治】小便白浊，出髓条。

赤脚道人龙骨丸

【来源】《奇效良方》卷三十四。

【组成】龙骨 牡蛎各半两

【用法】上为末。入鲫鱼腹内，湿纸裹，入火内炮熟，取出去纸，将药同鱼肉搜为丸，如梧桐子大。每服三十丸，空心米饮送下。鲫鱼不拘大小，只着尽上件药为度。更加茯苓、远志各半两尤佳。

【主治】白浊。

金锁玉关丸

【来源】《奇效良方》卷三十四。

【组成】鸡头肉 莲子肉 莲花蕊 藕节 白茯苓 白茯神 干山药各二两

【用法】上为细末。金樱子二斤，去毛刺，捶碎，水一斗，熬至八分，去滓，再熬成膏，仍用少许面糊同和为丸，如梧桐子大。每服五七十丸，不拘时候，温米饮送下。

【主治】遗精白浊，心虚不宁。

莲肉散

【来源】《奇效良方》卷三十四。

【别名】石莲散（《医学入门》卷七）。

【组成】莲肉 益智仁 龙骨（五色者）各等分

【用法】上为细末。每服二钱，空心用清米饮调下。

【主治】小便白浊，梦遗泄精。

半苓丸

【来源】《医学正传》卷六。

【组成】神曲 半夏 猪苓各等分

【用法】曲糊为丸服。

【主治】白浊。

【加减】虚劳者，用补阴药；胃弱者，兼用人参及升麻、柴胡升胃中之清气。

治浊固本丸

【来源】《医学正传》卷六引东垣方。

【组成】莲花须 黄连（炒）各二两 白茯苓 砂仁 益智 半夏（汤泡七次，去皮脐） 黄柏（炒）各一两 甘草（炙）三两 猪苓二两五钱

【用法】上为末，蒸饼为丸。每服五十丸，空心以温酒送下。

【功用】《全国中药成药处方集》：固本兼利湿热。

【主治】

1.《医学正传》引东垣方：便浊遗精。

2.《医方考》：胃中湿热，渗入膀胱，浊下不禁。

3.《全国中药成药处方集》：湿热精浊，小便频数，白浊不止。

【方论】

1.《医方考》：半夏所以燥胃中之湿；茯苓、猪苓所以渗胃中之湿；甘草、砂仁、益智，香甘益脾之品也，益脾亦所以制湿；而黄连、黄柏之苦，所以治湿热；莲花须之涩，所以止其滑泄耳。名之曰固本者，胃气为本之谓也。

2.《医方集解》：此足少阴、太阳、太阴药也。精浊多由湿热与痰，黄连泻心火，黄柏泻肾火，所以清热；二苓所以利湿；半夏所以除痰；湿热多由于郁滞，砂仁，益智辛温利气，又能固肾强脾，既以散留滞之气，且少济连、柏之寒；甘草利中而补土；惟莲须之涩，则所以固其脱也。

3.《医方论》：寓涩于利，用意甚佳。湿热不去则浊无止时，徒用涩药反致败精塞窍矣。

秘真丹

【来源】《医学正传》卷六。

【别名】经验秘真丹（《古今医统大全》卷七十）、秘真丸（《不居集》上集卷十九）。

【组成】菟丝子（酒浸，炒） 韭子（炒） 柏子仁各一两 龙骨（煅） 牡蛎（煅，醋淬） 山茱萸（去核取肉） 赤石脂（煅）各五钱 补骨脂一两（炒） 远志（去心） 巴戟天（去心） 覆盆子 枸杞子 黄柏（盐酒炒黑色） 山药各七钱五分 芡实（去壳） 杜仲（姜汁炒丝断）各一两 金樱子（半青黄者，去刺核取肉，焙干）二两 干姜（炒黑色）一两 鹿角胶一两五钱（炒成珠）

【用法】上为细末，炼蜜为丸，如梧桐子大。每服一百丸，空心姜盐汤送下。

【主治】好色肾虚，遗精梦泄，白淫白浊。

秘方千金种子丹

【来源】《扶寿精方》。

【别名】秘传千金种子方（《仁术便览》卷三）、种子丹（《叶氏女科证治》卷四）。

【组成】沙苑蒺藜四两（净末，如蚕种，同州者佳，再以重罗罗，二两极细末，二两粗末，用水一大碗，熬膏） 莲须（极细末）四两（金色者固精，红色者败精） 山茱萸（极细末）三两（须得一斤，用鲜红有肉者佳，去核取肉，为细末） 覆盆子（南者佳，去核，取极细末）二两 鸡头实五百个（去核，如大小不一等，取极细末四两） 龙骨五钱（五色者佳，火煅。煅法：以小砂锅将龙骨入锅内，以火连砂锅煅红，去火毒）

【用法】上用伏蜜一斤炼，以纸粘去浮沫数次，无沫，滴水中成珠者伺候。只用四两，将前六味重罗过，先以蒺藜膏和作一块，炼蜜四两为丸，如黄豆大。每服三十丸，空心盐汤送下。

【功用】延年益寿，令人多子。

【主治】虚损，梦遗，白浊。

【宜忌】忌欲事二十日。

升阳益气复阴汤

【来源】《活人心统》卷下。

【组成】升麻 生地 黄连 黄柏（酒炒） 知母 人参 白术 泽泻 茯神（去木） 红花 苦参 生熟甘草 苡仁

【用法】水二钟，煎七分服。滓再煎。

【主治】三消久伤脾肾，白浊。

水火分清饮

【来源】《活人心统》卷六。

【组成】升麻 柴胡 白术 茯苓 人参 半夏（泡） 酒黄柏 酒知母 甘草 莲子（去心）

【用法】水二钟，煎一钟服，滓再煎服。

【主治】阳陷湿热白浊。

加味二陈汤

【来源】《万氏女科》卷一。

【组成】陈皮　半夏　白茯苓　白术　苍术　益智仁（盐水炒）各一钱　炙草五分　升麻四分　柴胡七分

【用法】加生姜为引，水煎服。

【主治】白浊。

补损百验丹

【来源】《摄生众妙方》卷二。

【组成】菟丝子一斤（拣净，以无灰腊酒浸一日一夜，次早去酒，以小甑蒸之，晒至暮，又换酒浸，蒸晒九次，然后在星月下碾为细末）　生地黄半斤（无灰酒浸三日三夜，再换酒洗净，放在瓷钵内捣至极烂用）

【用法】上为细丸。每服八九十丸，空心、食前用无灰酒或米汤、淡盐汤送下。

【主治】诸虚遗精白浊，血少无精神，四肢倦怠，脾胃不佳，大肠不实，虚寒虚眩，头眩目花。

兜肚方

【来源】《摄生众妙方》卷十一。

【组成】白檀香一两　零陵香五钱　马蹄香五钱　香白芷五钱　马兜铃五钱　木鳖子八钱　羚羊角一两　甘松　升麻各五钱　丁皮七钱　血竭五钱　麝香九分

【用法】上为末，用蕲艾絮绵装白绫兜肚内，做成三个兜肚。初服者，用三日后一解，至第五日复服，至一月后常服。

【主治】痞积，遗精，白浊，妇人赤白带下，及妇人经脉不调，久不受孕。

【宜忌】有孕妇人不可服。

益智丸

【来源】《保婴撮要》卷六。

【组成】益智仁　茯苓　茯神各等分

【用法】上为末，炼蜜为丸，如梧桐子大。每服五六十丸，空心白滚汤送下。

【主治】脾肾虚热，心气不足；亦治白浊。

分清饮

【来源】《保婴撮要》卷八。

【组成】益智仁　川萆薢　石菖蒲（盐炒）　乌药　茯苓　白芍药各三分

【用法】加灯心，水煎服。

【主治】小便余沥，并赤白浊。

珍珠粉丸

【来源】《古今医统大全》卷七十引丹溪方。

【组成】黄柏　真蛤粉各一斤　珍珠二两　樗根白皮一斤

【用法】上为末，滴水为丸，如梧桐子大。每服一百丸，空心温酒送下。

【主治】精滑白浊。

经验加味十全汤

【来源】《古今医统大全》卷七十二。

【组成】十全大补汤加益智仁

【用法】水煎，空心服。三服即愈。

【主治】白浊久而不愈者。

白龙骨丸

【来源】《古今医统大全》卷八十七。

【组成】白龙骨　牡蛎（大白者，火煅赤）各等分

【用法】上为末，酒糊为丸，如梧桐子大。每服十五至二十丸，赤茯苓汤送下。

【主治】小便白浊。

金樱煎丸

【来源】《医便》卷三。

【组成】芡实粉四两　白莲花须（末，开者佳）二两　白茯苓二两（去皮心）　龙骨（煅）五钱　秋石（真者）一两

【用法】上为末，听用。外采经霜后金樱子不拘多

少，去子并刺，石臼内捣烂，入砂锅内用水煎，不得断火，煎约水耗半，取出澄滤过。仍煎似稀饧，和药末为丸，如梧桐子大。每服七八十丸，空心盐酒送下。余膏每用一匙，空心热酒调服。

【主治】梦遗精滑，及小便后遗沥或赤白浊。

水火分清饮

【来源】《慎斋遗书》卷九。

【组成】茯苓　芡实　石莲　益智　萆薢　山药各等分　甘草减半

【用法】水煎服。

【主治】沥精白浊。

【加减】尿色赤，加麦冬、泽泻、黄芩；小便数，加乌药、菖蒲。

琥珀散

【来源】《慎斋遗书》卷九。

【组成】琥珀三钱　滑石二两　甘草一钱半　海金砂五钱

【用法】上为末。每服二钱，灯心汤送下。

【主治】沥精白浊。

真珠粉丸

【来源】《医学入门》卷七。

【组成】蛤粉　黄柏各等分

【用法】水为丸。酒送下。

【功用】滋阴降火。

【主治】遗精白浊。

【加减】或加樗皮、青黛、滑石、知母尤妙。

樗柏丸

【来源】《医学入门》卷七。

【组成】樗白皮一两　黄柏三两　青黛　干姜各三钱　滑石　蛤粉　神曲各五钱

【用法】上为末，神曲糊丸，如梧桐子大，每服七十丸，空心白汤送下；虚劳四物汤送下。

【主治】湿热痰火白浊症，兼治便毒。

【加减】痰甚，加南星、半夏。

三神汤

【来源】《古今医鉴》卷八。

【组成】苍术七钱　川萆薢七钱　小茴香一两

【用法】上锉。加生姜三片煎，入盐一捻同服。

【主治】遗精白浊。

济生丹

【来源】《本草纲目》卷二十二引魏元君方。

【组成】莜麦（炒焦）

【用法】上为末，鸡子白为丸，如梧桐子大。每服五十丸，盐汤送下，一日三次。

【主治】男子白浊。

白果浆

【来源】方出《本草纲目》卷三十，名见《卫生鸿宝》卷一。

【组成】生白果仁十枚

【用法】擂水饮，每日一服。

【主治】白浊。

秋石交感丹

【来源】《本草纲目》卷五十二引《郑氏家传方》。

【组成】秋石一两　白茯苓五钱　菟丝子（炒）五钱

【用法】上为末，用百沸汤一盏，井华水一盏，煮糊为丸，如梧桐子大。每服一百丸，盐汤送下。

【主治】白浊遗精。

珍珠粉丸

【来源】《云岐子保命集》卷下。

【别名】珍珠母丸（《医略六书》卷二十五）。

【组成】黄柏一斤（新瓦上烧令通赤为度）　真蛤粉一斤

【用法】上为末，滴水为丸，如梧桐子大。每服一百丸，空心温酒送下。

【主治】

1.《云岐子保命集》：白淫梦泄遗精及滑出而不收。

2.《医略六书》：阴虚白浊，脉涩数者。

【方论】阳盛乘阴，故精泄也。黄柏降火，蛤粉咸而补肾阴也，兼治思想所愿不得。

定志丸

【来源】《赤水玄珠全集》卷十一。

【组成】远志（去心芦净，以甘草汤煮） 石菖蒲 白茯苓 人参 山药

【用法】上打糊为丸。每服五六十丸，食远白汤送下。

【主治】心气不足，脾弱不能摄精，心肾不交，小便白浊。

燥湿固元养精汤

【来源】《仁术便览》卷三。

【组成】苍术一钱 赤茯苓一钱 萆薢二钱 山茱萸（去核）一钱半 泽泻七分 白术一钱 当归八分 益智仁一钱 牡蛎（煅）一钱 黄柏（炒）八分 乌药一钱 竹叶十片 灯心十茎

【用法】水煎，空心服。

【主治】白浊。

健步虎潜丸

【来源】《万病回春》卷二。

【组成】黄耆（盐水炒） 当归（酒洗） 枸杞子（酒洗）龟版（酥炙）各一两 知母（人乳汁、盐、酒炒） 牛膝（去芦，酒洗） 白术（去芦）白芍（盐、酒炒） 生地黄 熟地黄 虎胫骨（酥炙） 杜仲（姜、酒炒） 人参（去芦）各二两 破故纸（盐、酒炒）一两 麦门冬（水泡，去心）一两 白茯神（去皮木） 木瓜 石菖蒲（去毛）酸枣仁 远志（甘草水泡，去心） 薏苡仁（炒）羌活（酒洗） 独活（酒洗） 防风（酒洗）各一两 黄柏（人乳汁、盐、酒炒）二两 五味子 沉香 大附子（童便浸透，面裹煨，去皮脐，切四片，又将童便浸，煮干）各五钱

【用法】上为末，炼蜜和猪脊髓五条为丸，如梧桐子大。每服一百丸，温汤或酒送下。

【功用】

1.《鳞爪集》：祛风活血，壮阳益精。

2.《全国中药成药处方集》（沈阳方）：强筋壮骨，补肾填精，燥湿利下。

【主治】

1.《万病回春》：中风瘫痪，手足不能动，舌强謇于言。

2.《鳞爪集》：老年衰迈或壮年病后，筋骨无力，步行艰难，腿膝疼痛麻。

3.《全国中药成药处方集》（沈阳方）：筋骨痿弱，腰腿酸痛，四肢无力，阴虚盗汗，遗精白浊，肾虚脚气，一切肝肾不足。

水火分清饮

【来源】《万病回春》卷四。

【组成】益智 萆薢 石菖蒲 赤茯苓 猪苓 车前子 泽泻 白术（去芦） 陈皮 枳壳（麸炒）麻黄各一钱 甘草三分

【用法】上锉一剂。半酒半水煎，空心温服。

【主治】赤白浊。

【加减】久病，去麻黄，易升麻。

导赤汤

【来源】《万病回春》卷四。

【组成】木通 滑石 甘草梢 黄柏 茯苓 生地黄 枳壳 白术 栀子

【用法】水煎，空心服。

【主治】溺如米泔色。

滋肾散

【来源】《万病回春》卷四。

【组成】川萆薢 麦门冬（去心） 远志（去心）黄柏（酒炒） 菟丝子（酒炒） 五味子（酒炒）各等分

【用法】上锉一剂。竹叶三片，灯草一团，水煎，空心服。

【主治】白浊初起，或半月者。

澄清散

【来源】《万病回春》卷七。

【组成】白术　茯苓　白芍（炒）　黄连（姜汁炒）　泽泻　山楂（去子）各一钱　青皮四分　甘草（生）二分

【用法】上锉。水煎，空心服。

【主治】小儿大便白，小便浊，或澄之如米泔。

青龙银杏酒

【来源】《鲁府禁方》卷二。

【组成】天棚草（即瓦松嫩者，去根、尖）三钱　银杏（即白果，去壳）七个

【用法】上二味，共一处，顺研极烂，滚黄酒调饮。一服即愈。

【主治】五淋白浊，疼痛苦楚。

清浊锁精丹

【来源】《鲁府禁方》卷二。

【组成】白矾二两（飞过）　滑石二两

【用法】上为末，早米糊为丸，如梧桐子大。每服五十丸，空心米饮送下。

【功用】化痰。

【主治】白浊。

加味四七汤

【来源】《证治准绳·女科》卷一。

【组成】半夏（汤洗七次）一两　厚朴（姜汁制）　赤茯苓　香附子（炒）各五钱　紫苏　甘草各二钱

【用法】上锉，分四帖。每服水二钟，加生姜五片，煎八分，去滓，加琥珀一钱，调服。

【主治】

1.《证治准绳·女科》：妇女小便不顺，甚者阴户疼痛。

2.《女科指掌》：思虑伤脾，导致白浊白淫，胸痞虚浮，面色黄，多眠少食。

【方论】《济阴纲目》：此方治四气七情，故以为名。然以半夏为君，则知内外二因，皆能令气郁而生湿生痰也，香附治内，紫苏治外，其余又兼内外，以佐其成功，然不有琥珀为之通窍燥湿，则亦不能为效也。

香砂丸

【来源】《证治准绳·幼科》卷二。

【组成】香附子（炒）一两　缩砂（去壳）五钱　三棱（煨）　蓬莪术（煨）　陈皮　麦蘖（炒）　芦荟各二钱半

【用法】上为极细末，煮面糊为丸，如黍米大。食前用米饮、盐汤送服。

【主治】婴孩小便白浊。

心肾丸

【来源】《杏苑生春》卷七。

【组成】酸枣仁一两　白茯苓　破故纸各二两　益智仁一两　大茴香五钱　牡蛎一两　人参一两　白术三两

【用法】上锉，为细末，盐、酒打糊为丸，如梧桐子大。每服三五十丸，盐汤送下。

【主治】心肾虚损，小便白浊，溺出髓条。

闭精丸

【来源】《杏苑生春》卷七。

【组成】牡蛎　菟丝子　龙骨（生）　五味子　白茯苓　韭子　白石脂　桑螵蛸各等分

【用法】上为细末，酒煮面糊为丸，如梧桐子大。每服七十丸，空心以盐酒送下。

【主治】下虚，白浊如米泔或若凝脂。

建中汤

【来源】《杏苑生春》卷七。

【组成】黄耆　远志各一钱五分　当归　泽泻　人参　白芍　龙骨　甘草（炙）各五分

【用法】上锉。用生姜五片，水煎，空心服。

【主治】脾风传肾，小腹痛热，出白液，名曰蛊。

酸枣仁丸

【来源】《杏苑生春》卷七。

【组成】酸枣仁　台术　人参　白茯苓　破故纸　益智仁　八角茴香　左顾牡蛎各一两

【用法】上为末，青盐、酒煮面糊为丸，如梧桐子大。每服三十丸，空心温酒、米汤送下。

【主治】白浊，小便如髓条者。

加味威喜丸

【来源】《宋氏女科》。

【组成】白茯苓（去皮）四两（切碎，同猪苓二两煮半日，去猪苓）　牡蛎二两　黄蜡二两

【用法】上将黄蜡熔化，炼蜜为丸，如梧桐子大。每服八十丸，空心清汤送下。

【主治】带下，白浊。

十全大补汤

【来源】《寿世保元》卷四。

【组成】人参二钱　白术一钱五分　白茯苓三钱　当归二钱　川芎一钱五分　白芍二钱　熟地黄三钱　黄耆二钱　肉桂五分　麦门冬二钱　五味子三分　甘草（炙）八分

【用法】上锉一剂。加生姜、枣子，水煎，温服。

【主治】元气素弱，或因起居失宜，或因用心太过，或因饮食劳倦，致遗精白浊，盗汗自汗，或内热晡热，潮热发热，或口干作渴，喉痛舌裂，或胸乳膨胀，或胁肋作痛，或头颈时痛，或眩晕眼花，或心神不宁，寤而不寐，或小便赤淋，茎中作痛，或便溺余沥，脐腹阴冷，或形容不充，肢体畏寒，或鼻气急促，更有一切热症，皆是无根虚火。

定志丸

【来源】《寿世保元》卷五。

【组成】远志（甘草水浸，去心）　石菖蒲各二两　人参一两　白茯神（去木）二两　黄柏（酒炒）二两　蛤粉（炒）一两

【用法】上为末，炼蜜为丸，如梧桐子大，朱砂为衣。每服三十丸，空腹米汤送下。

【主治】白浊经年不愈，或时梦遗，形体瘦弱。

造化争雄膏

【来源】《疡科选粹》卷八。

【别名】五养保真膏。

【组成】炼松香（用小竹甑一个，用粗麻布一层，用明肥松香放其上，安水锅上蒸之，俟松香溶化，淋下清净者，初倾入冷水中，又以别水煮二三滚，又倾入水中，如此数次后，复用酒如前煮之，俟其不苦不涩为度；二次炼，不用铁锅尤妙）　飞黄丹（用好酒，入水中淘去底下砂石，取净，候干，炒之）　真麻油三斤　粉甘草四两（先熬数沸，后下药）　官桂（去粗皮）　远志（油浸一宿，去心，焙干，为末）六钱　菟丝子（淘去沙，酒煮极烂，捣成饼，为末）六钱　川牛膝（去芦，酒浸一宿，晒干，为末）　鹿茸（去毛，酥炙黄）　虎骨（酥炙黄）　蛇床子（拣净，酒浸一宿，焙干）　锁阳（酥炙）　厚朴（去皮）　淮生地（酒浸一宿，焙干）　淮熟地（酒浸一宿，焙干）　玄参（去芦头）　天门冬（去心）　麦门冬（去心）　防风（去芦）　茅香（拣净）　赤芍药（酒浸洗）　白赤芍（酒浸洗）　当归（酒洗）　白芷　北五味子　谷精草　杜仲（去皮，锉，盐酒炒去丝）　荜茇　南木香　车前子　紫梢花　川续断　良姜各六钱　黄蜂　穿山甲（锉，以灶灰炒，为末）二钱　地龙（去土，炙）四钱　骨碎补二钱　蓖麻子　杏仁（去皮尖）四钱　大附子二个（重二两，面裹火煨，去皮脐）　木鳖子（去壳）四十个（研，纸裹压去油）　肉苁蓉（红色者，酒浸，去甲，焙）七钱　桑、槐、桃、李嫩枝各七寸（一方有红蜻蜓十只）

方中松香、官桂、黄蜂、蓖麻子用量原缺。

【用法】上药各依法制度完备，锉，入油内，用铜锅桑柴火慢煎候枯黑，取起，滤以生绢，去滓，锅亦拭净，其药油亦须滴水成珠为度，每药油一斤，用飞过黄丹八两，徐徐加入，慢火煎熬，用桑、槐、柳枝不住手搅，勿使沉底，候青烟起，膏已成，看老嫩得中住火，入炼过松香半斤，黄蜡六两，此亦以一斤油为率，搅匀放冷，膏凝结后，连锅覆泥土三日，取起，用别锅烧滚水，顿药锅在上，隔汤泡融，以桑、槐、柳枝不住手搅

三五百遍，去火毒，入后药：麝香、蟾酥、霞片（疑鸦片）、阳起石（云头者）、白占各六钱，丁香、乳香、广木香、雄黄、龙骨、沉香、晚蚕蛾、倭硫黄、赤石脂、桑螵蛸、血竭、没药各四钱，黄耆（去皮头，蜜炙；为末）三钱。上件须选真正道地者，各制度过，为极细末，起手先熬药油，以上药渐投入药面中搅极匀和，即投膏入冷水中，捏成五钱一饼。如遇用时，入热水泡软，以手掌大紵系一方，摊药在上，不用火烘。贴之。

【功用】养精神，益气血，存真固精，龟健不困，肾海常盈，返老还童。

【主治】咳嗽吐痰，色欲过度，腰胯疼痛，两腿酸辛，行步艰难，下元不固，胞冷精寒，小便频数，遗精白浊，吐血鼻衄；妇人下寒，赤白带下，子宫冷痛，久不胎孕；恶毒痈疽顽疮，一切无名疔肿。

消息向导丸

【来源】《疡科选粹》卷八。

【组成】肉桂　蛇床子　川乌　马蔺花　良姜各五钱　丁香　韶脑　木鳖子（去壳）各二钱五分

【用法】上为极细末、炼蜜为丸，如弹子大，黄丹为衣。每用一丸，以生姜汁化开，先将腰眼温水洗净后，将此药涂腰眼上，令人以手搓磨往来千遍，药尽方止，然后贴造化争雄膏。即用兜肚护住，初贴时忌七日，不得行房事，如入房，再用三钱贴脐上，又服中和丸一丸，然后行房，纵泄亦不多；如种子者，候女人经后一、三、五日将腰肾上膏药俱揭去，早上用车前子为末一钱，温汤调服，至晚交合，方得全泄成孕。

【主治】腰胯疼痛，两足痠辛，下元不固，胞冷精寒，小便频数，遗精白浊，及妇人下寒，赤白带下，子宫冷痛，久不孕。

艾附丸

【来源】《济阴纲目》卷六。

【组成】当归　芍药　熟地黄　生地黄　香附子　蕲艾各一两　陈皮　藿香　白芷　牡丹皮　藁本各五钱　丁皮　木香各三钱

【用法】上为细末，酒糊为丸。每服三钱，子宫冷，热酒送下；白浊，盐汤送下；产后积血，艾醋煎汤送下。

【功用】暖子宫。

【主治】宫冷不孕，白浊，产后积血。

分清饮

【来源】《简明医彀》卷四。

【组成】益智　川萆薢（赤者）　石菖蒲　车前子　赤茯苓　猪苓　泽泻　白术　枳壳　陈皮各八分　升麻　甘草梢各三分

【用法】加灯心，水、酒各半煎，空心服。

【主治】赤白浊。

【加减】首帖，加麻黄八分，减升麻；如热甚作痛，加炒黄柏二钱，煎成调青黛七分、滑石末二钱，去枳、陈、智；不通，加木通、淡竹叶、达萹蓄、石韦等；变虚寒，加炮姜、肉桂三分；日久服凉药过多，真元耗损，肾虚有寒，频数无度，光彩如膏，益智、萆薢、菖蒲、乌药、茯苓等分水煎，入盐一分，空心服。

贴脐膏

【来源】《膏药方集》引《外科活人定本》。

【组成】大川芎　当归　白芍　地黄　人参　牡丹皮　白术　白苓　黄耆　厚桂　泽泻各二钱　大附子　知母各四钱　黄柏三钱　干姜　北细辛　胡芦巴　白芷　远志　巴戟　菟丝子　蛇床子　故纸　苁蓉　锁阳　木鳖子　蓖麻子　龙骨　石枣　山药　杏仁各四钱

【用法】水煎去滓，至大半干入油四两，桃、柳枝搅不住手，搅至水干，入密陀僧极细末一两半，成膏后入龙骨一钱五分，麝香一分，樟脑一钱五分，摊用。

【主治】男子遗精、白浊，女人赤白带、崩漏。

分清饮

【来源】《丹台玉案》卷五。

【组成】陈皮　半夏各一钱五分　白茯苓　萆薢　木通各二钱　山栀仁　泽泻各一钱

【用法】加灯心三十茎，水煎，空心服。

【主治】内有湿痰湿火，小便赤白混浊。

清心益元饮

【来源】《丹台玉案》卷五。

【组成】石莲肉　川萆薢　赤茯苓　石菖蒲各一钱　远志　麦门冬　黄柏　地骨皮　人参　滑石各八分　甘草二分

【用法】加灯心三十茎，淡竹叶十片，水煎，空心服。

【主治】一切白浊。

助胆导水汤

【来源】《辨证录》卷八。

【组成】竹茹三钱　枳壳一钱　车前子三钱　白芍五钱　苍术三钱　滑石一钱　木通二钱　苡仁三钱　猪苓二钱

【用法】水煎服。

【功用】抒胆导水。

【主治】胆气因惊阻塞，精不得泄，变为白浊，溺管疼痛，宛如针刺。

【方论】方中虽导水居多，然导水之中，仍是抒胆之味，故胆气开而淋症愈耳。

顺胆汤

【来源】《辨证录》卷八。

【组成】柴胡　黄芩各二钱　白芍　车前子各五钱　茯神　泽泻　炒栀子　苍术各三钱

【用法】水煎服。四剂愈。

【主治】胆气受惊，失于疏泄，变为白浊，溺管疼痛，宛如针刺。

桂车汤

【来源】《辨证录》卷八。

【组成】车前子一两　肉桂三分　知母一钱　王不留行二钱

【用法】水煎服。一剂即通。

【功用】泻膀胱之火以利水。

【主治】膀胱之火壅塞，以致小便流白浊，如米泔之汁，如屋漏之水，或痛如刀割，或涩似针刺，溺溲短少，大便后急。

散精汤

【来源】《辨证录》卷八。

【组成】刘寄奴一两　车前子五钱　黄柏五分　白术一两

【用法】水煎服。一剂即愈。

【主治】行房忍精，膀胱之火壅塞，致小便流白浊；如米泔之汁，如屋漏之水，或痛如刀割，或涩似针刺，溺溲短少，大便后急。

【方论】此方用白术以利腰脐之气，用车前以利水，用黄柏以泻膀胱之火，用寄奴以分清浊，而此味性速，无留滞之虞，取其迅速行水止血，不至少停片刻也。

莲子清心饮

【来源】《郑氏家传女科万金方》卷一。

【组成】石莲肉　麦冬　黄芩　地骨皮　人参　车前子　甘草　赤芍　黄耆

【主治】白浊。并治带下赤白，五心烦热。

【加减】如发热，加柴胡、薄荷；上盛下虚，加酒炒黄柏、知母。

金锁玉关丸

【来源】《张氏医通》卷十四。

【组成】芡实　莲肉（去心）　藕节粉　白茯苓　干山药各等分　石菖蒲　五味子各减半

方中白茯苓，《杂病证治》作“茯神”，并用生地汤送下。

【用法】上为末。金樱子熬蜜代蜜，捣二千下，丸如梧桐子大。每服五十丸，饥时以醇酒、米汤任下。

【功用】《医略六书》：实脾涩精。

【主治】心肾不交，遗精白浊。

【方论】《医略六书》：脾阴大亏，不能交媾水火，故心肾不交，无以统摄精舍而遗精。芡实实脾涩肾，莲肉清心醒脾，山药补脾阴以益肾，藕节凉心血以宁神，菖蒲通窍以慧神志，茯神渗湿以清精府，五味收敛津液而止遗精；更以金樱涩之，生地滋之，使心肾两交，则玉关自固，而精舍无漏泄之患，何遗精之有？此实脾涩精之剂，为心肾不交遗精之专方。

金沙益散

【来源】《幼科指掌》卷三。

【组成】真川郁金　海金沙各二钱

【用法】上为末。每服一钱，灯心汤调服，加六一散三钱。

【主治】小儿乳伤脾胃，致使清浊不分，尿如白浊者。

三仙散

【来源】《良朋汇集》卷二。

【组成】轻粉一钱　乳香二钱　地肤子二两

【用法】上为细末。每服二钱，热黄酒调服。出汗愈，如调白酒更妙。

【主治】下寒流白。

固精丸

【来源】《良朋汇集》卷二。

【组成】真龙骨（火煅）　石莲子（去心）各二两　木通　五味子各三钱　石榴皮（炒）一两五钱　蒺藜　韭菜子　防风各五钱　枯矾　莲须各一两

【用法】上为细末，米饭为丸。每服二钱，早、晚白滚水送下。临卧时细带系紧大腿上，早起解去。

【主治】梦遗白浊。

万灵丹

【来源】《良朋汇集》卷三。

【组成】沉香　乳香（去油）　砂仁　香附米（炒）　姜黄　丁香　藿香　白芷　黄连　枳实（麸炒）　甘草　巴豆霜　黄芩　厚朴（苏油炙）各六钱　木香　牙皂（去皮，炒）　青皮　连翘（去心）　大黄（酒炒）　草豆蔻　陈皮　黄柏　生地　南山楂（去核）　川芎　红花　栀子（炒）　杏仁（去尖，炒）各一两　雄黄　朱砂各四钱　血竭八钱

【用法】上为细末，醋糊为丸，如梧桐子大。每服大人二十丸，小儿十丸、五丸、六丸，水泻，姜汤送下，小儿米汤送下；红痢，甘草汤送下；白痢，灯心姜汤送下；疟疾，桃叶汤送下；气滞，乳香汤送下；酒滞，茶清送下；食滞，滚白水送下；胸膈嘈杂，茶清送下；胃脘疼，姜汤送下；心口疼，茶醋汤送下；眼目赤肿，菊花汤送下；大小便不通，茶清送下；五淋白浊，车前子汤送下；寒嗽，甘草汤送下；热嗽，桑白皮汤送下；疝气，小茴香汤送下；牙疼，细辛汤送下；口内生疮，薄荷汤送下；宿食宿酒，茶清送下；小儿疳症，竹叶、蜜汤送下；小儿惊悸，朱砂、乌梅汤送下；以上引俱凉用。

【主治】气滞、酒滞、食滞，胸膈嘈杂，胃脘疼，水泻，赤白痢，大便不通，五淋白浊，疝气，嗽，疟疾，眼目赤肿，牙疼，口内生疮；小儿惊悸、疳症。

九转灵丹

【来源】《灵药秘方》卷下。

【组成】灵砂　石菖蒲（一寸九节者佳）各一两　生矾九钱　制辰砂　制雄黄各五钱

【用法】上为细末，枣肉杵烂为丸，如粟米大，金箔为衣，阴干收固。每服二十丸，枣汤送下。

【功用】固精添髓，壮颜补虚。

【主治】四时伤寒，五劳七伤，哮痰喘，膈食，疟痢，痰嗽，男子遗精、白浊、劳瘵、盗汗，妇人崩漏，赤白带下。

小儿转灵丹

【来源】《灵药秘方》卷下。

【组成】制灵砂　芦荟各一两　制朱砂　洛阳花各五钱

【用法】上为细末，炼蜜为丸，如绿豆大，金箔为衣。每服三丸，男子遗精白浊，每清晨用灯心莲肉汤送下；小儿急惊，木研细末，姜汁竹茹汤调匀化下，以痰降为度；小儿急慢惊，人参、白术、当归、陈胆星、半夏、竹沥、姜汁化下；老人中

风，防风通圣散煎汤送下，如类中虚症，独参汤送下；结胸，大、小柴胡汤送下；伤寒有汗者，桂枝汤送下；阴症，附子、人参、肉桂、炮姜汤送下；痰嗽，半夏、茯苓汤送下；痰喘，当归、竹沥汤送下，虚喘加人参；脚气，防风、当归、木瓜、牛膝、羌活、秦艽汤送下；麻木不仁，黄耆、天麻汤送下；诸般疼痛，乳香、没药汤送下；黄疸，炒山栀、茵陈汤送下；诸虫积，桃仁、楝树根（朝南者）煎汤送下；耳病耳聋耳痛，黄柏、生地、石菖蒲汤送下；口破及痛烂等证，山豆根、黄芩、骨皮汤送下；三焦烦热作渴，人参、白术、麦冬、知母汤送下；赤淋白带，二陈汤送下；诸般肿毒，人参、麝香汤送下；癫症，蜈蚣、乳香、没药汤送下；中风不语，握拳咬牙，闭目不省人事者，人参、黄耆、白术、附子各五分，川乌四分，甘草少许，竹沥、姜汁三匙，大枣二个煎汤灌之，俟苏醒后再用竹沥、姜汁汤送下；中风不醒，服前药后更进三丸，再用顺气散数剂，相其虚实调理。

【主治】遗精白浊，小儿急慢惊风，老人中风，伤寒有汗，结胸，阴症，痰嗽痰喘，脚气麻木不仁，诸般疼痛，黄疸，虫积，耳聋耳痛，口破痛烂，三焦烦热作渴，赤淋白带，诸般肿痛，癫症，痢疾，疟疾。

六龙固本丸

【来源】《女科指掌》卷一。

【组成】山药　巴戟　萸肉各四两　人参　黄耆　莲肉　川楝　补骨脂各二两　小茴　川芎　木瓜各一两　青盐三钱

【用法】加猪、羊脊髓蒸熟，炼蜜为丸。每服五十丸，饮送下。

【功用】固本培元。

【主治】妇人脾虚下陷，气血亏虚，白浊、白淫，头晕心嘈，四肢乏力，时常麻木，精神少者。

加味逍遥散

【来源】《女科指掌》卷一。

【组成】当归　白芍　茯苓　白术　柴胡　香附　甘草　丹皮　山栀　薄荷

【主治】因郁怒伤肝所致白浊白淫，往来寒热，胁痛心烦，面带青，口苦，脉弦，小便数

连翘汤

【来源】《幼科直言》卷五。

【组成】连翘　白茯苓　车前子　甘草梢　陈皮　当归　黄芩　丹皮

【用法】水煎服。兼服犀角丸。

【主治】小儿白浊，疼痛者。

白华玉丹

【来源】《不居集》（上集）卷十九。

【组成】钟乳粉一两（炼）　白石脂五钱（煨红，水飞）　阳起石五钱（煅，酒淬，干）　牡蛎七钱（韭汁盐泥固济，火烧，取白）

【用法】上为极细末，和作一处，研一二日，以糯米粉煮粥为丸，如芡实大，入地坑出火毒一宿。每服一丸，空心人参汤送下。

【功用】清上实下，助养本元。

【主治】遗精，白浊。

星半蛤粉丸

【来源】《医略六书》卷十九。

【组成】南星二两（制）　苍术一两半（炒）　半夏一两半（制）　白术一两半（炒）　蛤粉三两（煅）　广皮一两半（炒）

【用法】上为末，神曲浆糊为丸。每服三钱，淡生姜汤送下。

【主治】温痰肿胀，泄泻、白浊，脉弦细者。

加减清心莲子饮

【来源】《医方一盘珠》卷四。

【组成】川连（酒炒）三分　生地　当归各二钱　志肉　茯神　枣仁　石莲肉各一钱　黄柏　麦冬　甘草各八分

【用法】灯心为引。

【主治】遗精，白浊，小便痛。

龙牡菟韭丸

【来源】方出《种福堂公选良方》卷二，名见《医学实在易》卷七。

【组成】生龙骨（水飞） 生牡蛎（水飞） 生菟丝粉 生韭菜子粉各等分

【用法】不见火，研末，生干面、冷水调浆为丸。每服一钱，或至三钱，晚上陈酒下，清晨服亦可。

【主治】色欲过度，精浊白浊，小水长而不痛者，并治妇人虚寒，淋、带、崩漏。

白果蛋方

【来源】《种福堂公选良方》卷二。

【组成】头生鸡子五个 生白果肉十枚

【用法】将鸡子开一小孔，每一鸡子内入白果肉二枚，放饭上蒸熟，每日吃一个，连四五次即愈。

【主治】白浊。

蚕沙黄柏汤

【来源】方出《种福堂公选良方》卷二，名见《医学实在易》卷七。

【组成】生蚕沙（研末）一两 生黄柏（末）一钱

【用法】每服三钱，空心开水调下。六七服即愈。

【主治】遗精白浊，有湿热者。

茯莲煎

【来源】《仙拈集》卷二。

【组成】莲肉 白茯苓各等分

【用法】上为末，白汤调服。

【主治】白浊，遗精。

内府秘授青麟丸

【来源】《同寿录》卷一。

【组成】锦纹大黄十斤或百斤（先以淘米泔水浸半日，切片，晒干，再入无灰酒浸三日，取出晾大半干，用后药逐次蒸晒。第一次用侧柏叶垫甑底，将大黄入甑，蒸檀条香一炷，取起晒干，以后每次俱用侧柏叶垫底，起甑去叶不用；第二次用绿豆熬浓汁，将大黄拌透，蒸一炷香，取起晒干；第三次用大麦熬汁，照前拌透，蒸一炷香，取起晒干；第四次用黑料豆熬汁，照前拌透，蒸一炷香，取起晒干；第五次用槐条叶熬汁拌蒸，晒干，每蒸以香为度；第六次用桑叶熬汁拌蒸，晒干如前；第七次用桃叶熬汁拌蒸，晒干如前；第八次用车前草熬汁拌蒸，晒干如前；第九次用厚朴煎汁拌蒸，晒干如前；第十次用陈皮熬汁拌蒸，晒干如前；第十一次用半夏熬汁拌蒸，晒干如前；第十二次用白术熬汁拌蒸，晒干如前；第十三次用香附熬汁拌蒸，晒干如前；第十四次用黄芩熬汁拌蒸，晒干如前；第十五次用无灰酒拌透甑蒸三炷香，取起晒干。）

【用法】以上如法蒸晒，制就为极细末，每末一斤，入黄牛乳二两，藕汁二两，梨汁二两，姜汁二两，童便二两（须取无病而清白者，并无葱蒜腥秽之气方可用，如无，以炼蜜二两代之），蜜六两，和匀捣药为丸，如梧桐子大。每服二钱，小儿一钱，照引送下。汤引：头脑虽疼，身不发热，口舌作渴，系火痰，薄荷汤送下；头疼牵连两眉棱，系痰火，用姜皮、灯草汤送下；头左边疼，柴胡汤送下；头右边疼，桑白皮汤送下；两太阳疼，白芷、石膏各二钱煎汤送下；头顶疼，藁本三钱、升麻一钱煎汤送下；头时作眩晕，此痰火，灯草汤送下；眼初起疼痛异常，先服羌活、甘菊花、香白芷各一钱二分，川芎一钱，生大黄三钱，枳壳、陈皮各八分，赤芍七分，甘草四分，红花三分，葱头二根，水二碗，煎至一碗，热服，次日再服丸药，菊花汤送下；害眼久不愈，归身、菊花各一钱煎汤送下；眼目劳碌即疼，内见黑花，龙眼七枚（去壳核）煎汤送下；鼻上生红疮、红点，乃心火上炎灼肺，桑皮、灯草煎汤送下，多服乃效；鼻孔生疮，枇杷叶三钱煎汤送下；耳暴聋，灯草汤送下；耳内作痒，灯草汤送下；耳鸣，乃心肾不足，痰火上升，淡盐汤送下；口舌生疮，乃胃火上升，竹叶、灯心汤送下（冬月去竹叶）；口唇肿硬生疮，用生甘草梢煎汤送下；舌肿胀满口，心经火盛，茯苓、灯心汤送下；咽喉肿痛，津唾难咽，桔梗、甘草煎汤调化下；乳蛾或单或双，俱牛膝汤送下；牙齿疼痛，石膏、升麻各三钱煎汤送下；年老牙齿常痛，虚火也，灯草汤送

下；吐血，用红花一钱、童便半酒杯，入红花汤送下；嗽血，麦冬汤送下；齿缝出血，甘草梢煎汤送下；鼻血出不止，灯心汤送下；吐紫血块，蓄血也，红花三钱，归尾一钱，童便送下；从高坠下，跌伤蓄血，不思饮食，苏木五钱煎汤，入童便半杯，酒半杯送下，每服五钱；溺血，人或身体壮实，平日喜饮食炙燥之物，灯心汤送下；溺血，人年老体弱，乃膀胱蓄热，肾水不足，宜早服六味地黄丸，晚服此药，淡盐汤送下，以愈为度；凡膏粱之人，自奉太谨，又诸烦劳，心肾不交，溺血盆中，少刻如鱼虾、如絮石，用牛膝一两，水二碗，煎至一碗，服此药三钱；管中作痛，溺血者，用麦冬（去心）三钱煎汤送下；大便粪前下血，用当归、生地、芍药、川芎各一钱煎汤送下；大便粪后下血，用槐花、地榆各一钱煎汤送下；大便或痢纯血，带紫者，红花汤送下，纯鲜血者，当归汤送下；遗精，淡盐汤送下；白浊，灯心汤送下；淋症，灯心汤送下；淋症兼痛者，海金沙三钱滤清服；胸膈有痰火，灯心姜汁汤送下；胃脘作痛，饮食减少，生姜汤送下；胸口作嘈，姜皮汤送下；胸口作酸，生姜汤送下；胸中时痛时止，口吐酸水，用橘饼半个切碎，冲汤送下；胸膈饱满，生姜汁汤送下；伤寒发热出汗后，倘有余热未清，白滚汤送下；伤寒后，胸膈不开，百药不效，用多年陈香橼一个捶碎，长流水二碗，煎至一碗，去滓，露一夜，炖热送下；黄疸，眼目皮肤俱黄如金者，茵陈三钱煎汤送下；伤风咳嗽，汗热俱清，仍然咳嗽不止者，用姜冲汤送下；久嗽服诸药不效，兼有痰，用陈皮、姜皮各一钱煎汤送下；久嗽无痰干咳者，用麦冬煎汤送下；咳嗽吐黄痰，生姜冲汤送下；咳嗽吐白痰，紫苏煎汤送下；久嗽声哑者，用诃子、麦冬各一钱同煎汤送下；发热久不退，柴胡煎汤送下；烦渴饮水不休，灯心汤送下，缫丝汤更佳；痢疾初起，或单红者，用槟榔、红花煎汤送下，单白者，生姜汤送下；痢疾红白相间者，茯苓、灯心汤送下；久痢不止，炙甘草汤送下；噤口痢，余食俱不下者，陈老米煎汤化下；翻胃，煨姜冲汤下；呕吐，煨姜汤送下；干呕，生姜、灯心汤送下；吐痰涎，姜汁冲汤送下；背心时常作疼，又作冷者，即伏天亦怕冷，乃五脏所系之处多有停痰，用煨姜煎汤送下；肥胖人素常善饮，无病忽然昏沉，如醉如痴，或蹲地下不能起，眼中生黑，乃痰也，用生姜汤送下；凡人眼眶下边忽然如煤色，乃痰也，生姜汁冲汤送下；噎膈，用生姜汤送下，至五十者，仙方莫治，此丸可救，用四物汤送下；中暑，姜皮、灯心同煎汤送下；中热，香薷煎汤送下；暑泻，香薷煎汤送下；寒伏暑霍乱，羌活煎汤送下；暑伏寒霍乱，姜皮冲汤送下；阴阳不和霍乱，生姜汤送下；惊悸怔忡，石菖蒲煎汤送下；不寐，酸枣仁煎汤送下；心神不安，夜梦颠倒，用茯苓、远志肉同煎汤送下；老年痰火，夜不能寐；气急，用真广陈皮三钱，磨木香五分冲汤送下；遍身时常作痒，累块如红云相似，乃风热也，久则成大麻风，菊花三钱煎汤送下；盗汗，用浮麦汤送下；自汗，用龙眼汤送下；哮吼，用大腹皮汤送下；伤酒，用葛根汤送下；眼目歪斜，出言无绪，詈骂不堪，顷刻又好，乃心胸经络有痰，遇肝火熏蒸，痰入心窍，故昏沉狂言，少刻心火下降，仍是清明，用茯苓三钱煎汤送下，多服乃愈；癫狂，用灯心汤送下；咳嗽吐痰，腥臭如脓血相似，胸中作痛，肺痈也，薏苡一合煎汤送下；小肠痈，腹中作痛，脐间出脓水，小便短少，灯心汤送下；大肠痈，肛门坠痛，每登厕无粪出，只出红白水，如痢疾一般，用槐花煎汤送下；湿痰流注，初起生姜汤送下，有脓忌服；水肿，赤芍、麦冬煎汤送下，久病发肿忌服；蛊胀，大腹皮煎汤送下；左瘫右痪，秦艽二钱，生姜一钱送下；小便不通，灯心汤送下；年老大便燥结，当归三钱煎汤送下；船上久坐生火，松萝茶服；遍身筋骨疼痛，四肢无力，不能举动，痛彻骨髓，反侧艰难，用木通一两，水二碗，煎至一碗，每服四钱，木通汤送下，三服即愈；妇女经水不调，四物汤送下；骨蒸发热，地骨皮煎汤送下；潮热盗汗，浮麦煎汤送下；胸膈不宽，香附三钱煎汤送下；胃脘作痛，生姜汤送下；胸膈有痰涎，生姜汤送下；常常嗳气，不思饮食，闷闷不乐，乃忧郁也，香附五钱，生姜三片煎汤送下；行经腹痛，色紫，苏木三钱煎汤，入姜汁三匙送下；行经发热，遍身作痛，益母草五钱煎汤送下；行经作渴，麦冬三钱煎汤送下；赤带，灯心汤送下；白带，生姜汤送下；手足心发热，益母草五钱煎汤送下；孕妇小便不通，灯心汤送下；孕妇遍身发肿，大腹皮煎汤送下。产后恶露

不尽，腹中作痛，益母草五钱煎汤，入童便三匙送下，或加苏木三钱同益母草煎汤亦可；产后头眩目暗，用四物汤送下；产后大便不通，肛门壅肿，当归三钱，红花一钱煎汤送下；产后小便不利，木通汤送下；乳汁不通，王不留行煎汤送下；产后胸膈不开，益母草三钱，香附三钱同煎汤送下；产后呕吐不止，藿香煎汤送下；产后发热，四物汤加益母草三钱送下；小儿初生啼声未出，急将口内污血拭净，用甘草五分冲汤，调丸药七厘灌下，能去一切胎毒。凡小儿后症，俱用此丸药加辰砂、麝香少许，另裹蜡丸：胎惊，用薄荷煎汤磨服；胎黄，用茵陈煎汤送下；胎热，用灯草汤送下；吐乳，用生姜汤送下；睡卧不安，梦中啼哭，用钩藤三分，薄荷三分同煎汤送下；小儿身上如红云相似，外以朴消、大黄等分，为极细末，用鸡子清调敷，内服此丸，用灯心汤送下；小儿痢疾诸症，俱照前款用引下；疳疾有五样，心疳，舌红发热体瘦，小便短少，如吃辛辣之物，面赤，用赤茯苓一钱，灯心五分同煎汤送下；肝疳，面青体瘦，目黄性急，发热不止，小便黄赤，喜食酸物，用银柴胡汤送下；脾疳，面黄体瘦，大便泄泻，唇口生疮，喜食甜物，或吃泥土，或饮食无厌，好睡，用炙甘草一钱，辉枣一枚同煎汤送下；肺疳，面白肌瘦，小便如米汤，鼻流清涕，周身毛发直竖，用桑白皮汤送下；肾疳，面黑体瘦，头发直竖，小便多热不退，喜食咸物，用黑料豆煮汤送下；呕吐，用生姜汤送下；伤风热退后作渴，薄荷汤送下；小儿虫积，楝树皮三钱煎汤送下；痧后久嗽不止，枇杷叶（去毛）汤；痧后发热不止，银柴胡三钱送下；夏月中暑，香薷煎汤送下；霍乱，藿香汤送下；小便不通，灯心汤送下；大便燥结，用蜜三匙冲汤下；疟疾，槟榔一钱，苏叶一钱煎汤送下；暑泻，灯心汤送下，寒泻忌服；角弓反张，天麻一钱煎汤送下；急惊风，钩藤一钱，薄荷一钱同煎汤送下；慢惊风，人参三分，钩藤一钱煎汤送下；喘症，灯心汤送下；黄疸，灯心汤送下；重舌，灯心汤送下；天吼，薄荷、钩藤煎汤送下；痫症，灯心汤送下；久雨乍晴，蹲地玩要，湿气入于阴中，肌肤肿痛，苍术煎汤送下；鼻血不止，茅根绞汁冲汤下。以上大人每服二钱，小儿每服一钱，月内小儿每服五分。

【主治】头痛，眩晕，鼻疮，耳聋，耳痒，口舌生疮，咽喉肿痛，牙痛，吐衄便溺诸血，跌伤蓄血，白浊，淋症，胃痛，嘈杂，发热久不退，痢疾，翻胃，呕吐，中暑，霍乱，伤酒，便秘，痹证；妇女月经不调，骨蒸发热，潮热盗汗，行经发热，赤白带，孕妇小便不通，遍身发肿，产后大便不通，小便不利，呕吐，发热；小儿初生胎惊，胎黄，胎热，吐乳，痢疾，便结，阴肿，鼻血。

分清饮

【来源】《女科切要》卷二。

【组成】芡实　茯苓　黄蜡

【用法】炼蜜为丸，如梧桐子大。每服一百丸，淡盐汤送下。

【主治】小便浊。

珍珠粉丸

【来源】《女科切要》卷二。

【组成】樗皮（炒黄）　黄柏（盐水炒）　青黛　蛤粉　滑石　珍珠各等分

【用法】上为末，神曲糊丸。

【主治】白浊不止。

【方论】方用樗皮、黄柏能燥湿清热，青黛能解郁热，蛤粉咸寒引下，滑石利窍，珍珠宁神定志。

萆薢分清饮

【来源】《女科切要》卷二。

【组成】智仁　萆薢　石菖蒲　乌药各等分　茯苓　甘草　飞滑石　盐少许

【用法】水煎服。

【主治】阳虚白浊。

龙齿丸

【来源】《杂病源流犀烛》卷八。

【组成】茯神　远志　人参　龙齿　菖蒲　知母　黄柏

【用法】《丸散膏丹集成》：研为细末，水泛为丸，如梧桐子大。每服三五十丸，熟汤送下。

【主治】精浊。

二苓清利饮

【来源】《杂病源流犀烛》卷九。
【组成】生地　麦冬　茯苓　牡蛎　泽泻　甘草　猪苓　黄芩　黄柏　车前子
【主治】男子白浊，茎中大痛，便赤口渴，脉来滑数者。

苍术二陈汤

【来源】《杂病源流犀烛》卷九。
【组成】苍术　白术　茯苓　陈皮　甘草　半夏
【主治】湿痰流注，尿浊。

拯肾汤

【来源】《会约医镜》卷二。
【组成】熟地四钱　枣皮　山药　枸杞　杜仲（盐水炒）　巴戟（去心）各一钱半　茯苓一钱　五味三分　补骨脂（盐水炒）一钱
【用法】空心服。服之而效可照分量加二十倍，再加菟丝子酒蒸四两，青盐五钱，炼蜜为丸，每服七八钱，空心淡盐汤送下。
【主治】肾阴虚，神昏身倦，或遗精白浊，玉茎隐痛。

分清饮

【来源】《胎产新书》卷四。
【组成】川萆薢　益智仁（去壳，盐水炒）　乌药　茯苓各二钱　石菖蒲（去毛，炒）　枳壳　生甘草各一钱
【用法】水煎，乘热入盐少许服。
【主治】下元虚损，精不能摄，小便白浊，时常流出清冷稠粘；或于小便后，来亦不多。

龙胆泻肝汤

【来源】《羊毛瘟症论》。
【组成】龙胆草三钱　黄芩二钱　山栀子二钱　木通一钱　车前一钱　银柴胡一钱　甘草一钱　当归二钱　生地黄五钱
【用法】水煎，去滓，下黄蜜三钱，和匀，温服。
【主治】温邪病退，余毒留于肝肾，胁痛耳聋，口苦咽干，筋痿阴汗，阴囊肿痛，白浊便血，忽寒忽热。
【加减】如伏邪未尽，加蝉蜕七枚、僵蚕二钱。

益气培元饮

【来源】《古方汇精》卷一。
【组成】大熟地　制杜仲各三钱　丹皮八分　茯苓一钱二分　淮山药二钱　建泽泻五分　柴胡六分　当归　山萸肉　枸杞子　炒白芍各一钱五分　甘草梢一钱
【用法】加姜皮半分，南枣三个，水煎服。
【主治】遗精白浊，溺下砂淋，茎中痒痛，腰膝酸痛诸证。

芦根白酒汤

【来源】《医学实在易》卷七。
【组成】新鲜芦根一把
【用法】白酒浆煎服。
【主治】白浊。

小茴香酒

【来源】《医林改错》卷下。
【组成】小茴香一两（炒黄）
【用法】上为细末。黄酒半斤烧滚冲，停一刻，去滓服酒。
【主治】白浊。

苋甲二仙种子膏

【来源】《良方集腋》卷上。
【组成】活甲鱼一个重二斤四两准　好黄丹二斤　红苋菜二斤四两（连根带叶，晒干、切）　真麻油五斤　新鲜桃柳桑榆槐条各十寸（切碎）
【用法】先将油入锅内，次入活甲鱼并苋菜、桃柳等条，用文武火将甲鱼等熬焦，去滓存油，再入

黄丹，熬成膏，即倾入凉水内，浸三昼夜，再熔再倾，如此五次。用时摊布上，贴两腰左右穴并肚脐，贴至一月即可见效。百日即可种子。

【主治】肾冷精寒，遗精白浊，一切下部虚损艰于得子以及妇女经水不调，赤白带下。

加味三才汤

【来源】《医醇剩义》卷一。

【组成】天冬二钱　生地四钱　沙参四钱　丹参二钱　柏仁二钱　萆薢二钱　泽泻一钱五分　车前二钱　甘草四分

【用法】用藕三两，苡仁三两，同煎汤代水。

【主治】虚体夹湿，淋浊不痛。

硫黄补火丸

【来源】《理瀹骈文》。

【组成】硫黄六钱　母丁香五钱　麝一钱

【用法】上研末，独头蒜为丸，如豆大，朱砂为衣。每次一丸，纳脐眼中，上贴红缎膏。

【主治】男子精寒痿弱，白浊遗精；女子宫寒虚冷，赤白带下；寒泄。

菟丝丸

【来源】《不知医必要》卷三。

【组成】菟丝子饼二两五钱　石莲仁（去心）六钱　白茯苓一两五钱

【用法】上为末，以酒为丸，如绿豆大。每服二钱，淡盐汤送下。

【主治】思虑太过，心肾虚损，真元不固，小便白浊，梦寐频泄，尿有余沥。

加味八味汤

【来源】《揣摩有得集》。

【组成】熟地三钱　山药三钱（炒）　山茱肉一钱半　丹皮一钱　云苓二钱　泽泻一钱　巴戟三钱（去心，盐水炒）　菟丝子一钱半　远志一钱半（去心，盐水炒）　韭子一钱（炒）　茵陈五分　附子五分　上元桂五分（去皮，研）　芡实五钱（炒）

【用法】竹叶、灯心为引，水煎服。

【主治】肾虚受寒，而带虚火，一切遗精，白浊。

秘真丸

【来源】《医学衷中参西录》上册。

【组成】五倍子一两（去净虫粪）　粉甘草八钱

【用法】上为细末。每服一钱，竹叶煎汤送下，日再服。

【主治】诸淋证已愈，因淋久气化不固，遗精白浊。

舒和汤

【来源】《医学衷中参西录》上册。

【组成】桂枝尖四钱　生黄耆三钱　续断三钱　桑寄生三钱　知母三钱

【主治】小便遗精白浊，因受风寒者，其脉弦而长，左脉尤甚。

【加减】服此汤数剂后未全愈者，去桂枝，加龙骨、牡蛎（皆不用煅）各六钱。

【验案】白浊　东海渔者，年三十余，得骗白证甚剧，旬日之间，大见衰惫，其脉左右皆弦，而左部弦而兼长。为拟此汤，服之一剂见轻，数剂后遂全愈。

澄化汤

【来源】《医学衷中参西录》上册。

【组成】生山药一两　生龙骨（捣细）六钱　牡蛎（捣细）六钱　牛蒡子（炒，捣）三钱　生杭芍四钱　粉甘草一钱半　生车前子（布包）三钱

【主治】小便频数，遗精白浊，或兼疼涩，其脉弦数无力，或咳嗽，或自汗，或阴虚作热。

灵验白浊丸

【来源】《丁甘仁家传珍方选》。

【组成】海金沙　甘草　滑石　生大黄　黄柏各一两　琥珀一钱

【用法】上为末，鸡蛋清为丸，如梧桐子大。

【主治】白浊。

水陆二仙丸

【来源】《中国医学大辞典》。

【组成】巴戟天　肉桂　没药　葫芦巴　琥珀　茴香　川杜仲　川萆薢　黑丑　补骨脂各一两

【用法】上为细末，酒糊为丸。每服三钱，温酒送下。

【主治】肾水不足，相火内动，男子遗精白浊，妇人赤白带下。

补阳固带长生延寿丹

【来源】《中国医学大辞典》引彭祖方。

【组成】人参　附子　胡椒各七钱　夜明砂　五灵脂　没药　虎骨　蛇骨　龙骨　白附子　朱砂　麝香各五钱　青盐　茴香各四钱　丁香　雄黄　乳香　木香各三钱

【用法】上为末，另用白面作条，圈于脐上，将前药分为三分，内取一分，先填麝香末五分入脐孔内，乃将一分药入面圈内，按药令紧，中插数孔，外用槐皮一片盖于药上，以艾火灸之，时时增减，壮其热气，或自上而下、自下而上，一身热透，病人必倦沉如醉，灸至骨髓，风寒暑湿，五劳七伤，皆尽拔除。苟不汗，则病未除，再于三五日后又灸，至汗出为度。灸至一百二十壮，疾必痊。

【功用】常服除百病，益气延年。

【主治】劳嗽、久嗽、久喘、吐血、寒劳，遗精白浊，阳事不举，下元极弱，精神失常，痰膈等疾。妇人赤白带下，久无生育，子宫极冷。

【宜忌】慎风寒，戒生冷、油腻。

【备考】妇人灸脐，去麝香，加韶脑一钱。

治浊子午丸

【来源】《鳞爪集》卷二。

【组成】榧子二两（去壳）　苦楮实一两　琥珀一两　赤苓一两　朱砂一两五钱　莲肉一两（去心）　补骨脂一两（炒）　芡实一两　白苓一两　杞子一两　巴戟一两（去心）　白牡蛎一两（煅）　龙骨一两　文蛤一两　枯矾一两　莲须一两（盐蒸）　肉苁蓉十八两（酒蒸烂）

【用法】研膏为丸，如梧桐子大，朱砂为衣。每服50丸，空心浓煎萆薢汤送下。

【主治】心肾俱虚，梦寐惊悸，体常自汗，烦闷短气，悲忧不乐，消渴引饮，旋下赤白，停凝浊甚；四肢无力，面黄肌瘦，耳鸣眼昏，头晕恶风，怯寒。

【宜忌】忌劳力、房事。

五淋白浊丸

【来源】《全国中药成药处方集》（大同方）。

【组成】赤茯苓五钱　猪苓　泽泻　瞿麦各四钱　草梢　白术各二钱　萆薢　萹蓄各三钱　车前子五钱　栀子二钱　椿皮一钱　荜澄茄一钱

【用法】水泛为丸，滑石为衣。每服三钱，白水送下。

【主治】淋病白浊。

【宜忌】孕妇忌服。

五淋白浊丸

【来源】《全国中药成药处方集》（吉林方）。

【组成】公英　地丁　瞿麦　萹蓄　木通　泽泻　金砂　灯心　竹叶　甘草　猪苓　土苓各六钱七分　萝茶　滑石　赤苓各一两三钱四分　赤芍　蝉退各三钱四分　车前　凤眼草　石韦　通草各一两　山栀　贡桂各二钱

【用法】上为细末，水泛为小丸，滑石为衣。每服二钱，白水送下，一日二次，早、晚用之。

【功用】搜毒，止淋，消浊，利下，祛炎，镇痛。

【主治】五淋白浊，女子赤白带下，横痃，下疳，膀胱发热，梦遗滑精，便溺不清，尿管混血，花柳诸症。

【宜忌】服后忌饮茶水，孕妇忌用。

五淋白浊散

【来源】《全国中药成药处方集》（重庆方）。

【组成】桂枝一两　萹蓄　胆草各二两　木香一两五钱　知母　地榆各五钱　海金砂六钱　苦参一两　前仁一两五钱　粉草一两　琥珀三钱　生地

四两　黄柏　滑石各一两

【用法】上为细末。每日二次至三次，用盐开水送下。

【功用】利小便。

【主治】五淋白浊。

归参丸

【来源】《全国中药成药处方集》（青岛方）。

【组成】当归　苦参　玄参　连翘　栀子　花粉　桔梗　生地　黄芩　桑叶各二两

【用法】上为细末，炼蜜为丸服。

【主治】肿胀，淋浊。

妇女香身丹

【来源】《全国中药成药处方集》（沈阳方）。

【组成】沉香　大黄　藿香　红花　檀香　青木香　甘松各二钱　细辛一钱　槟榔三钱　香附五钱　甘草　白芷　当归各一两　麝香五分　芎藭八钱　豆蔻五钱　藁本八钱　防风五钱　龙脑三分　公丁香四钱

【用法】上为极细末，炼蜜为丸，一钱重。每服一丸，每日服三次，饭后两小时，白开水送下。

【主治】腋臭狐臊，口臭气秽，白带白浊，恶气熏人。

【宜忌】孕妇勿服。

白带片

【来源】《中药制剂手册》。

【组成】白术（土炒）十五两　车前子十两　泽泻十两　椿根皮十两　茯苓十两

【用法】将白术等五味用煮提法提取三次，取上清液浓缩成膏约十五两，放冷。另取淀粉六两，掺入放冷的浓缩膏内搅拌成软材，制成颗粒，加入2% ~3% 滑石粉约5钱，混合均匀，压片，包滑石粉糖衣，打光，每片重约0.2克。每服6至8片，温开水送下，一日二三次。

【功用】补脾燥湿。

【主治】由于脾虚、湿热下注引起的白浊、带下及崩漏。

固精导浊汤

【来源】《首批国家级名老中医效验秘方精选·续集》。

【组成】粉革薢12克　菟丝子12克　沙苑子12克　益智仁10克　怀山药12克　牛膝10克　茯苓10克　泽泻10克　台乌药10克　石菖蒲6克　车前子10克　甘草梢3克

【功用】补肾固精，分清导浊。

【主治】慢性前列腺炎。

【方论】在方中菟丝子、沙苑子、益智仁、淮山药等补肾固精；茯苓、泽泻、车前子等清利导浊，且茯苓与菟丝子相配，固精与渗湿并施，车前子与菟丝子为伍，能专导败精之流；革解去浊分清，为治浊要药，得茯苓、泽泻、车前子之助，则其力更宏；牛膝引药下行，通膀胱涩秘，且能补肝肾、强腰膝；乌药能气化膀胱而解小便胀痛；石菖蒲宣窍导浊；甘草梢和中解毒，兼引诸药直趋精室。经临床验证，疗效堪称满意。

【加减】尿黄、尿道灼热疼痛加碧玉散或合导赤散；小腹、会阴、睾丸、精索胀痛明显加川楝子、元胡、荔枝核；腰骶酸痛加杜仲、川断；遗精不止加煅龙骨、煅牡蛎；性功能减退加五味子、仙灵脾、制黄精；口渴、便秘加天花粉、生山栀；口渴、小便不利加滋肾丸；会阴、睾丸坠胀明显加补中益气丸；前列腺液中脓细胞多者加蒲公英、马鞭草；前列腺液或精液中有红细胞者加女贞子、旱莲草；前列腺质地偏硬、高低不平或有结节者加三棱、莪术、鳖甲。

水蜈蚣颗粒

【来源】《部颁标准》。

【组成】水蜈蚣

【用法】制成颗粒，每袋装20g，密闭，防潮。温开水冲服或遵医嘱，1次20g，每日3次，1疗程为1～2月。

【功用】清利湿热。

【主治】乳糜尿，乳糜血尿。

【宜忌】服药期间，忌高脂肪及高蛋白饮食。

二十三、赤浊

赤浊，是指小便浑浊色赤的病情，亦有认为与血精同。《秘传证治要诀及类方》：“精者，血之所化，有浊去太多，精化不及，赤未变白，故成赤浊，此虚之甚也。”《万病回春》：“赤浊者，心虚有热也。”《寿世保元》“心不足而挟热者为赤浊。”病发多与心虚有火相关。治宜清心泻火，养血育阴。

瑞莲丸

【来源】《济生方》卷四。

【别名】金莲丸（《医学入门》卷七）。

【组成】白茯苓（去皮） 石莲肉（炒，去心） 龙骨（生用） 天门冬（去心） 麦门冬（去心） 远志（甘草水洗，去心） 柏子仁（炒，别研） 紫石英（火煅七次，研令极细） 当归（去芦，酒浸） 酸枣仁（炒，去壳） 龙齿各一两 乳香半两（别研）

【用法】上为细末，炼蜜为丸，如梧桐子大，朱砂为衣。每服七十丸，空心温酒、枣汤任下。

【主治】思虑伤心，便下赤浊。

莲子六一汤

【来源】《仁斋直指方论》卷十。

【别名】莲子六一散（《古今医统大全》卷七十二）、甘莲散《仙拈集》卷二。

【组成】石莲肉（连心）六两 甘草（炙）一两

【用法】上为末。每服二钱，食后灯心一小撮，煎汤调下。

【主治】心热，小便赤浊。

清心莲子饮

【来源】《仁斋直指方论》卷十。

【别名】加味清心饮（《世医得效方》卷七）。

【组成】石莲肉 白茯苓各一两 益智仁 远志（水浸，取肉，姜制，炒） 麦门冬（去心） 人参各半两 石菖蒲 车前子 白术 泽泻 甘草（微炙）各一分

【用法】上锉散。每服三钱，加灯心一握，水煎服。

【主治】心中客热烦躁，赤浊肥脂。

【加减】有热，加薄荷。

远志丸

【来源】《类编朱氏集验方》卷二。

【组成】远志（去心，用甘草水煮）半斤 茯神（去木） 益智仁各二两

【用法】上为末，酒糊为丸，如梧桐子大。每服五十丸，临卧枣汤送下。

【主治】小便赤浊。

赤茯苓散

【来源】《普济方》卷三十三引《医方大成》。

【组成】人参 白术 赤茯苓 香薷 泽泻 猪苓 莲肉 麦门冬（去心）各等分

【用法】上为散。每服四钱，水一盏煎服。

【主治】心经伏暑，小便赤浊。

香苓散

【来源】《世医得效方》卷七。

【别名】香砂散（《普济方》卷三十三）。

【组成】五苓散 辰砂妙香散

【用法】上和匀，用天门冬、麦门冬（去心）煎汤，空心调服一大钱，每日三次。当顿愈。

【主治】男子妇人小便赤浊，诸药不效者。

瑞莲丸

【来源】《丹溪心法》卷三。

【组成】人参 白术 赤茯苓 香薷 泽泻 猪苓 莲肉（去心） 麦门冬（去心）各等分

【用法】上锉。水煎服。
【主治】心经伏暑，小便赤浊。

清心莲子饮

【来源】《明医杂著》卷六。
【组成】黄芩（炒） 麦门冬 地骨皮 车前子（炒） 柴胡 人参各一钱
本方名清心莲子饮，但方中无莲子，疑脱。
【用法】水煎服。
【主治】热在气分，烦躁作渴，小便赤浊淋沥，或阴虚火旺，口苦咽干，烦渴，微热者。

萆薢散

【来源】《万氏家抄方》卷二。
【组成】黄柏（酒炒） 菟丝子 萆薢 远志（去骨）各一钱 麦门冬（去心）二钱 灯心七根 五味子（盐水洗）九粒 淡竹叶三枝
【用法】加盐少许，水煎，空心服。服导药后用此。
【主治】赤浊。

清热汤

【来源】《万氏家抄方》卷二。
【组成】车前子 灯心 侧柏叶 栀子 黄芩 滑石 乌梅 竹叶 大黄（酒蒸熟） 蒲黄 猪苓 甘草 赤茯苓
【用法】加生姜，水煎服。
【主治】赤浊，便血，血淋。

赤茯苓丸

【来源】《古今医统大全》卷八十七。
【组成】人参 白术 白扁豆（去皮，蒸）各十两 赤茯苓二两（切棋子大，白沙蜜浸透，蒸过令干，称一两半） 防己 木猪苓（去皮）各三钱 干葛三钱半
【用法】上锉。每服三钱，水一盏，磨沉香少许同煎，食前、临卧服。
【主治】小便赤浊。

加减清心饮

【来源】《杏苑生春》卷七。
【组成】石莲肉 白茯苓各一钱 益智仁 远志 麦门冬 石菖蒲 车前子 人参 白术 泽泻各七分 甘草（炙）四分
【用法】上锉。用灯心二分，水煎，空心温服。
【主治】心中客热烦躁，赤浊如肥脂。

导赤散

【来源】《丹台玉案》卷五。
【组成】当归 白芍 生地 川芎各五钱 甘草 半夏 陈皮 白茯苓 樗白皮各四钱 青黛 滑石各三钱
【用法】上为末。每服二钱，空心以灯心汤送下。
【主治】赤浊。

断血汤

【来源】《辨证录》卷八。
【组成】黄耆一两 当归五钱 三七根末三钱 茯苓三钱 丹皮三钱
【用法】水煎服。
【功用】补气止血。
【主治】气虚血壅，小便流赤浊，似血非血，似溺非溺，溺管疼痛。
【方论】此方用黄耆以补气，用当归以补血。气既旺，无难推送夫败浊矣。况所化精血，久已外出，所流者乃旧血，而非败血也。今用补气、补血之药，以生新血，新血一生，旧血自止，况有三七根之善于止血乎。方中丹皮清血中之火，茯苓以分其水中之血，自然清浊不至混杂，壅阻得以疏通也。

地骨皮汤

【来源】《杂病源流犀烛》卷九。
【组成】生地 麦冬 黄耆 山药 五味子 地骨皮 淡竹叶
【主治】赤浊，因思虑过度，心虚有热者。

二十四、赤白浊

赤白浊，是指小便混浊不清赤白相兼的病情，与尿浊大致相同。病发多因湿热下注，心火过旺，脾肾亏虚等所致。治宜清热利湿，补气固精。

宁志膏

【来源】《普济本事方》卷二。

【组成】人参（去芦）一两　酸枣仁（微炒，去皮，研）一两　辰砂（水飞）半两　乳香一分（以乳钵坐水盆中研）

【用法】上为细末，炼蜜为丸，如弹子大。每服一丸，薄荷汤化下。

本方方名，据剂型当作“宁志丸”。

【功用】《普济方》：宁神定志，安眠止痛。

【主治】

1.《普济本事方》：失心。

2.《普济方》：心气虚耗，赤白浊甚。

妙应丸

【来源】《仁斋直指方论》卷十。

【组成】真龙骨　辰砂　厚牡蛎（以腐草鞋重包插定，火煅，并研细）　石菖蒲各二钱半　白茯苓　益智仁　石莲肉　缩砂仁各三钱半　川楝子（蒸，去皮，取肉焙）　桑螵蛸（瓦上焙）　菟丝子（酒浸一宿，焙，杵）各半两

【用法】上为末，以山药碎炒末，面糊为丸，如梧桐子大。每服五十丸，日间煎人参、酸枣仁汤送下，临卧粳米汤送下。

【主治】赤白浊。

煮附丸

【来源】《医方大成》卷六引《澹寮方》。

【组成】香附子（去毛）一斤　老姜（不去皮）六两　盐二两（上三件安沙瓶内煮三昼夜，焙干）　茯神（去皮）　白茯苓（去皮）各四两　川椒（去目及闭口者，炒出汗）　北茴香（淘净，炒）各二两

【用法】上为末，陈米糊为丸，如梧桐子大。每服五十丸，空心煎紫苏汤送下；小便多者，研碎茴香浓煎汤下。

【主治】气虚膜胀，或胸膈停痰滞气，小便赤白浊。

三白散

【来源】《普济方》卷三十三。

【组成】远志（去心）　莲肉　白茯苓各等分

【用法】上为细末。每服二三钱，空心用好酒调下。

【主治】小便遗涩痛，赤白浊。

通灵散

【来源】《奇效良方》卷三十四。

【组成】益智仁　白茯苓　白术各等分

【用法】上为细末。每服二钱，用白汤或温酒调服，不拘时候。

【主治】心气不足，小便滑，赤白二浊。

定志珍珠粉丸

【来源】《医学正传》卷六引丹溪方。

【别名】定志真蛤粉丸（《医学入门万病衡要》卷六）。

【组成】人参　白茯苓各三两　远志（去心）　石菖蒲各二两　海蛤粉　黄柏（炒焦色）各三两　樗根皮二两　青黛二两

【用法】上为细末，面糊为丸，如梧桐子大，青黛为衣。每服五十丸，空心姜盐汤下。

【功用】《医学入门万病衡要》：补益心气，滋阴降火。

【主治】

1.《医学正传》引丹溪方：心虚梦泄，赤白浊。

2.《医学入门万病衡要》：心气亏败，相火妄

乘，致精走泄。

分清饮

【来源】《保婴撮要》卷八。

【组成】益智仁　川萆薢　石菖蒲（盐炒）　乌药　茯苓　白芍药各三分

【用法】加灯心，水煎服。

【主治】小便余沥，并赤白浊。

百补丸

【来源】《本草纲目》卷三十五引《杨诚经验方》。

【组成】川柏皮一斤（刮净，分作四份，用酒、蜜、人乳、糯米泔各浸透，炙干，切）

【用法】上为末，廪米饭为丸。每服五十丸，空心，温酒送下。

【主治】诸虚赤白浊。

柏皮丸

【来源】《本草纲目》卷三十五引陆一峰方。

【组成】黄柏一斤（分作四分，三分用醇酒、盐汤、童便各浸二日，焙，研；一分用酥炙，研末）猪脏一条

【用法】先将猪脏去膜，入药在内，扎紧，煮熟，捣为丸。每服五十丸，空心温酒送下。

【主治】诸虚赤白浊。

水火分清饮

【来源】《万病回春》卷四。

【组成】益智　萆薢　石菖蒲　赤茯苓　猪苓　车前子　泽泻　白术（去芦）　陈皮　枳壳（麸炒）　麻黄各一钱　甘草三分

【用法】上锉一剂。半酒半水煎，空心温服。

【主治】赤白浊。

【加减】久病，去麻黄，易升麻。

分清饮

【来源】《简明医彀》卷四。

【组成】益智　川萆薢（赤者）　石菖蒲　车前子　赤茯苓　猪苓　泽泻　白术　枳壳　陈皮各八分　升麻　甘草梢各三分

【用法】加灯心，水、酒各半煎，空心服。

【主治】赤白浊。

【加减】首帖，加麻黄八分，减升麻；如热甚作痛，加炒黄柏二钱，煎成，调青黛七分、滑石末二钱，去枳、陈、智；不通，加木通、淡竹叶、萹蓄、石韦等；变虚寒，加炮姜、肉桂三分；日久服凉药过多，真元耗损，肾虚有寒，频数无度，光彩如膏，益智、萆薢、菖蒲、乌药、茯苓等分水煎，入盐一分，空心服。

妙灵丸

【来源】《简明医彀》卷四。

【组成】白茯苓　菟丝子（煮饼）　龙骨（煅）各五钱　益智仁　石莲肉　桑螵蛸各三钱半

【用法】上为末，山药末调糊为丸，如梧桐子大。每服五十丸，空心人参、枣仁汤送下；白汤亦可。

【主治】赤白浊，遗精。

萆薢分清饮

【来源】《医学心悟》卷四。

【组成】川萆薢二钱　黄柏（炒褐色）　石菖蒲各五分　茯苓　白术各一钱　莲子心七分　丹参　车前子各一钱五分

【用法】水煎服。

【功用】《证因方论集要》：导湿理脾。

【主治】

1. 《医学心悟》：赤白浊属湿热者。
2. 《寿世青编》：诸淋。

珠粉丸

【来源】《医家四要》卷三引《医宗金鉴》。

【组成】椿根皮　黑姜　蛤粉　黄柏　滑石　神曲　青黛

【主治】湿热所致的赤白浊带下。

将军蛋

【来源】《种福堂公选良方》卷二。

【组成】生大黄三分　生鸡子一个

【用法】将鸡子顶尖上敲损一孔，入大黄末在内，纸糊煮熟。空心食之。

【主治】赤白浊；梦遗。

清浊饮

【来源】《仙拈集》卷二。

【组成】木通七钱　滑石三钱　粉草四钱　黄荆子二钱

【用法】水煎，空心服。

【主治】赤白浊。

葱白煎

【来源】《仙拈集》卷二。

【组成】葱白五六根　盐一撮

【用法】煎汤，熏阴处。

【主治】赤白浊。

松硫丸

【来源】《女科辑要》卷上。

【组成】松香　硫黄

【用法】铁铫内溶化，将醋频频洒上，俟药如饴，移铫置冷处，用冷水濡手，丸如豆大，必须人众方可，否则凝硬难丸。每服一钱。

【主治】赤白浊、赤白带日久不愈，无热症者。

【宜忌】《女科辑要》王士雄按：此方究宜慎用。

【方论】《沈氏女科辑要笺疏》：此必下焦无火，而虚不能固之浊带，方是对病。然此证极少，如其有之，则硫能温养肾火，而性滑利，非蚕钝封锁之比。

莲子清心饮

【来源】《王氏医存》。

【组成】莲子　潞党参　生箭耆　麦冬　条芩　骨皮　甘草　大车前子　云苓　远志　石菖蒲各一钱

【用法】水煎服。

【主治】酒后色欲受风所致的赤白浊。

四君子加远志汤

【来源】《医学摘粹》。

【组成】人参三钱　白术三钱　茯苓三钱　甘草二钱　远志二钱

【用法】水煎大半杯，温服。

【主治】心气不固而为赤白浊。

秘制白浊丸

【来源】《丁甘仁家传珍方选》。

【组成】海金沙　飞滑石　生甘草　生大黄　车前子　黄柏各一两　琥珀一钱　牛膝梢五钱

【用法】上为末，鸡蛋清五枚为丸。

【主治】赤、白二浊，久患不愈；或成淋症，为气淋、血淋、劳淋、石淋、热淋五淋；或有湿毒热毒积滞膀胱，以及小便不通，积患而成；及因花柳传染致病者，小便短少，尿管红肿，痛如针刺，膀胱疝气，白浊浊流不止，疳疔初发。

二十五、白　淫

白淫，是指夜间梦交而流出白色或黄色黏液，或白天耳闻目睹淫秽之事而不自止地流出黏液，在男子即为梦遗或滑精，所以白淫乃妇人之病，文献称妇女白淫。《黄帝内经·素问·痿论》："思想无穷，所愿不得，意淫于外，入房太甚，宗筋弛纵，发为筋痿，乃为白淫。"王冰注："白淫，谓白物淫衍，如精之状，男子因溲而下，女子阴器中绵绵而下也。"《秘传证治要诀及类方·遗精》："甚者耳闻目见，其精即出，名曰白淫。"《理虚元鉴·白浊白淫论》："初出茎中痛而浓浊如膏，谓之白浊。久之不已，精微弱而薄，痛亦渐减，至后闻淫声，见女色而精下流，清稀而不痛，则谓之白淫也。”《寿世保元》：“妇女下白而不甚稠者，曰白淫，与男子白浊同也，系出于相火，如龙雷之扰而不澄清故耳，属于足少阴、太阳，治当清补为主。”病发多由思虑过度，房室过甚，精不内守而成。治宜养心安神，补肾固精为基本。

七珍丸

【来源】《普济方》卷三十三引《博济方》。

【别名】四神煎（原书同卷）、草四神煎（《圣济总录》卷一八五）。

【组成】肉苁蓉半斤（细切，酒煮，烂研成膏） 补骨脂（炒） 巴戟天（去心） 附子（炮，去皮脐）各二两 杏仁（汤浸，去皮尖） 桃仁（汤浸，去皮尖） 胡桃仁（研）各一两

【用法】上将后六味捣研成末，与苁蓉膏同研匀，更入炼蜜捣三五百杵为丸，如梧桐子大。每服一丸，热酒化下，日三服。

【功用】补真益气，壮腰膝，进饮食。

【主治】小便白淫。

龙骨汤

【来源】《圣济总录》卷九十二。

【组成】龙骨（研）五两 人参 白茯苓（去黑皮） 甘草（炙） 牡蛎（煅） 桂（去粗皮） 熟干地黄（焙）各二两

【用法】上为粗末。每服五钱匕，水一盏半，煎至八分，去滓，空心、食前服。

【主治】小便白淫及遗泄，无故自出者。

白石英散

【来源】《圣济总录》卷九十二。

【组成】白石英（研） 肉苁蓉（酒浸，切，焙） 泽泻 韭子（炒）各一两 白粳米（淘）五合

【用法】上为散。每服二钱匕，食前米饮调下，一日三次。

【主治】小便白淫。

莲实丸

【来源】《圣济总录》卷九十二。

【组成】莲实（去皮） 附子（炮裂，去皮脐） 巴戟天（去心） 补骨脂（炒）各二两 山茱萸 覆盆子各一两 龙骨（研）半两

【用法】上为末，煮米糊为丸，如梧桐子大。每服二十丸至三十丸，空心盐汤送下。

【主治】下元虚冷，小便白淫。

秘真丸

【来源】《圣济总录》卷九十二。

【别名】秘精丸（《是斋百一选方》卷十五）、秘元丹（《御药院方》卷六）、秘精丹（《普济方》卷二一七）、秘真丹（《证治汇补》卷八）。

【组成】龙骨（研）一两 诃梨勒（炮，取皮）五枚 缩砂仁（去皮）半两 丹砂（研）一两（留一分为衣）

【用法】上为末，煮糯米粥为丸，如绿豆大，以丹砂为衣。每日空心热酒送下一丸，夜卧冷水送下三丸；或太秘欲通，用葱汤点茶服之。

《医略六书》本方用法：覆盆膏为丸。每服三钱，参汤送下。

【功用】

1. 《御药院方》：助阳消阴，正气温中。
2. 《明医指掌》：固精止尿。
3. 《医宗必读》：固精安肾。
4. 《医略六书》：镇坠固涩。

【主治】

1. 《圣济总录》：小便白淫不止。
2. 《宣明论方》：白淫，小便不止，精气不固，及有余沥，或梦寐阴人通泄。
3. 《御药院方》：内虚里寒，冷气攻心，胁肋胀满，脐腹刺痛，呕逆泄泻，自汗时出，小便不禁，阳气衰微手足厥，久虚下冷，真气不足。
4. 《古今医统大全》：精不禁，危急者。
5. 《医略六书》：心肾两虚，遗溺，脉短涩。

【宜忌】不可多服。

【方论】《医略六书》：龙骨固涩肾气，收束浮弱之脉；灵砂镇坠心神，降抑虚浮之气；砂仁炒黑归肾，调其蓄泄之权；诃子炒黄收脱，兜其遗失之

溺也。覆盆膏丸，人参汤下，使真气布护，则心肾相交，而脬气自固，安有遗尿之患乎。此镇坠固涩之剂，为心肾虚浮遗溺之专方。

黄连丸

【来源】《圣济总录》卷九十二。
【组成】黄连（去须） 白茯苓（去黑皮）各等分
【用法】上为末，酒面糊为丸，如梧桐子大。每服三十丸，煎补骨脂汤送下，一日三次，不拘时候。
【主治】心肾气不足，思想无穷，小便白淫。

磁石丸

【来源】《圣济总录》卷九十四。
【组成】磁石（火煅，醋淬七遍） 龙骨各一两 白茯苓（去黑皮） 牡蛎（火煅）各二两
【用法】上为末，炼蜜为丸，如梧桐子大。每服三十丸，盐汤送下，空心、日午、临卧各一次。
【主治】蛊病，少腹热痛，精液出白。

破故纸散

【来源】《普济方》卷三十三引《三因极一病证方论》。
【组成】破故纸 青盐（同炒香）各等分
【用法】上为末。每服二钱，用米饮调下。
【主治】丈夫元气虚惫，精气不固，余沥常流，小便白浊，梦寐频泄，及妇人血海久冷，白带、白浊、白淫，下部常湿，小便如米泔，或无子息。

水芝丸

【来源】《医学发明》卷七。
【别名】水芝丹（《本草纲目》卷三十三）。
【组成】莲实（去皮）不拘多少
【用法】用好酒浸一宿，入大猪肚内，用水煮熟，取出焙干，研为极细末。酒糊为丸，如鸡头子大。每服五七十丸，食前温酒送下。
【功用】
1. 《医学发明》：补肾益精。
2. 《医学入门》：补五脏诸虚。
【主治】
1. 《卫生宝鉴》：下焦真气虚弱，小便频多，日夜无度。
2. 《增补内经拾遗》：白淫。

艾附暖宫丸

【来源】《仁斋直指方论·附遗》卷二十六。
【组成】艾叶（大叶者，去枝梗）三两 香附（去毛）六两（俱要合时采者，用醋五升，以瓦罐煮一昼夜，捣烂为饼，慢火焙干） 吴茱萸（去枝梗） 大川芎（雀胎者） 白芍药（用酒炒） 黄耆（取黄色、白色软者）各二两 川椒（酒洗）三两 续断（去芦）一两五钱 生地黄（生用）一两（酒洗，焙干） 官桂五钱
【用法】上为细末，上好米醋打糊为丸，如梧桐子大。每服五七十丸，食前淡醋汤送下。
【功用】《中药制剂手册》：温暖子宫，调经止痛。
【主治】妇人子宫虚冷，带下白淫，面色萎黄，四肢酸痛，倦怠无力，饮食减少，经脉不调，血无颜色，肚腹时痛，久无子息。
【宜忌】戒恼怒、生冷。

黄连清心饮

【来源】《内经拾遗方论》卷二。
【别名】黄连清心汤（《古今医鉴》卷八）。
【组成】黄连 生地（酒洗） 归身（酒洗） 甘草（炙） 茯神（去木） 酸枣仁 远志（去骨） 人参（去芦） 石莲肉（去壳）
《观聚方要补》有川楝子。
【用法】水二钟，煎八分，食后服。
【主治】
1. 《内经拾遗方论》：白淫。
2. 《医学入门》：心有所慕而遗者。
3. 《杂病源流犀烛》：精滑。

金箔丸

【来源】《卫生宝鉴》卷十五。
【别名】金锁丸（《古今医统大全》卷七十）。
【组成】韭子（炒） 原蚕蛾 破故纸（炒） 牛

膝（酒浸） 肉苁蓉 山茱萸 龙骨 菟丝子 桑螵蛸各一两

【用法】上为末，炼蜜为丸，如梧桐子大。每服三十丸，空心、食前温酒送下。

【主治】下焦虚，小便白淫，夜多异梦，遗泄。

府判补药方

【来源】《卫生宝鉴》卷十五。

【组成】菟丝子三钱（酒浸） 肉苁蓉三钱（酒浸） 牛膝（酒浸） 巴戟（去心，酒浸） 没药（研）各二钱 麻黄（去节）一钱半 穿山甲（醋炙） 鹿茸（酥炙）各二钱 乳香（研） 麝香（研）各一钱 甘草（头末）五钱 通草三钱 海马两对（酥炙）

【用法】上为末，炼蜜为丸，如梧桐子大。每服三五十丸，空心温酒送下；盐汤亦得。

【主治】白淫。

附矾丸

【来源】《普济方》卷三十三。

【组成】附子（炮，去皮脐）二两 矾石二两（熬去汁）

【用法】上为末，水煮面糊为丸，如梧桐子大。每服十丸至二十丸，空心、夜卧清茶送下。

【主治】白淫过甚。

秘真丸

【来源】《普济方》卷二一七。

【别名】秘真丹（《奇效良方》卷三十四）。

【组成】羊胫骨（烧红，窨杀）三两 朱砂一两 厚朴三两（姜汁炒）

【用法】上为末，面糊为丸，如梧桐子大。每服五十丸，空心以温酒送下。

【主治】思想无穷，所愿不协，意淫于内，在外作劳，筋绝，发为筋痿，及为白淫，遗溲而下，故为劳弱。

木香丸

【来源】《普济方》卷三二八引危氏方。

【组成】木香半两 白茯苓 茴香（炒黄） 益智仁（醋浸三宿） 陈皮（去白）各一两 苍术三两（泔浸三夕，焙干） 香附子二两（净酒浸三夕，焙干）

【用法】上为末，酒煮面糊为丸，如梧桐子大。每服五十丸，不拘时候，米饮送下。多服收效尤速。

【主治】妇人气虚不能制血，时复淋沥，下浊，白淫，经候不调，漏下五色，形体瘦悴，饮食减少，不成胎也。

九龙丹

【来源】《医学正传》卷六引丹溪方。

【别名】九龙丸（《古今医统大全》卷七十）。

【组成】枸杞子 金樱子 山果子（又名山楂） 莲肉 佛座须（莲花心也） 熟地黄 芡实 白茯苓 川归各等分

方中山果子，《古今医统大全》作山茱萸肉。

【用法】上为末，酒面糊为丸，如梧桐子大。每服五十丸，或酒或盐汤送下。如精滑便浊者，服二三日，溺清如水，饮食倍常，行步轻健。妇人厌产者，二三服便住孕。如仍欲产，服通利之药。

【主治】

1. 《医学正传》：精滑。
2. 《增补内经拾遗》：白淫。
3. 《张氏医通》：斫伤太过，败精失道，滑泄不禁。

【方论】《医方考》：精浊者，宜滋肾清心，健脾固脱。是方也，枸杞、熟地、当归，味厚者也，可以滋阴，滋阴则是以制阳光；金樱、莲须、芡实，味涩者也，可以固脱，固脱则无遗失；石莲肉苦寒，可以清心，心清则淫火不炽；白茯苓甘平，可以益土，益土则制肾邪；而山楂肉者，又所以消阴分之障碍也。

秘真丹

【来源】《医学正传》卷六。

【别名】经验秘真丹（《古今医统大全》卷七十）、

秘真丸（《不居集》上集卷十九）。

【组成】菟丝子（酒浸，炒） 韭子（炒） 柏子仁各一两 龙骨（煅） 牡蛎（煅，醋淬） 山茱萸（去核取肉） 赤石脂（煅）各五钱 补骨脂一两（炒） 远志（去心） 巴戟天（去心） 覆盆子 枸杞子 黄柏（盐酒炒黑色） 山药各七钱五分 芡实（去壳） 杜仲（姜汁炒丝断）各一两 金樱子（半青黄者，去刺核取肉，焙干）二两 干姜（炒黑色）一两 鹿角胶一两五钱（炒成珠）

【用法】上为细末，炼蜜为丸，如梧桐子大。每服一百丸，空心姜盐汤送下。

【主治】好色肾虚，遗精梦泄，白淫白浊。

安神丸

【来源】《慎斋遗书》卷九。

【组成】龙骨一两 诃子肉七枚 砂仁五钱

【用法】面糊为丸，朱砂一两为衣。每服二三丸，空心温酒送下；大便闭，葱白汤送下。

【主治】虚劳白淫，小便不止，精气不固。

加味四七汤

【来源】《证治准绳·女科》卷一。

【组成】半夏（汤洗七次）一两 厚朴（姜汁制） 赤茯苓 香附子（炒）各五钱 紫苏 甘草各二钱

【用法】上锉，分四帖。每服水二钟，加生姜五片，煎八分，去滓，加琥珀一钱，调服。

【主治】

1.《证治准绳·女科》：妇女小便不顺，甚者阴户疼痛。

2.《女科指掌》：思虑伤脾，导致白浊白淫，胸痞虚浮，面色黄，多眠少食。

【方论】《济阴纲目》：此方治四气七情，故以为名。然以半夏为君，则知内外二因，皆能令气郁而生湿生痰也，香附治内，紫苏治外，其余又兼内外，以佐其成功，然不有琥珀为之通窍燥湿，则亦不能为效也。

闭真丸

【来源】《杏苑生春》卷七。

【组成】龙骨（另研）一两 诃子五枚 缩砂仁半两 朱砂一两（另研，一半为衣）

【用法】上为细末，面糊为丸，如绿豆大。每服一丸，空心以温酒送下。

【主治】白淫不止，及有余沥。兼治梦遗。

六龙固本丸

【来源】《女科指掌》卷一。

【组成】山药 巴戟 萸肉各四两 人参 黄耆 莲肉 川楝 补骨脂各二两 小茴 川芎 木瓜各一两 青盐三钱

【用法】加猪、羊脊髓蒸熟，炼蜜为丸。每服五十丸，饮送下。

【功用】固本培元。

【主治】妇人脾虚下陷，气血亏虚，白浊、白淫，头晕心嘈，四肢乏力，时常麻木，精神少者。

加味逍遥散

【来源】《女科指掌》卷一。

【组成】当归 白芍 茯苓 白术 柴胡 香附 甘草 丹皮 山栀 薄荷

【主治】因郁怒伤肝所致白浊、白淫，往来寒热，胁痛心烦，面带青，口苦，脉弦，小便数。

胜金余粮丸

【来源】《活人方》卷四。

【组成】余粮石（煅，净）六两 绿矾（煅红）四两 当归身（酒焙）三两 广陈皮三两 浮麦（炒）三两 川椒（出汗）二两 六安茶（焙）二两 砂仁（炒）二两 黑枣肉（去皮）三两

【用法】上为细末，即用枣肉捣烂，加熟蜜为丸，如梧桐子大。每早空心陈米汤或白沸汤送下一钱。

【主治】心胃疼，面黄肌瘦，白淫淋带，湿汗浮肿，二便不调。

内补丸

【来源】《女科切要》卷二。

【组成】鹿茸 丝子 沙蒺藜 紫菀茸 黄耆 肉

桂　桑螵蛸　肉苁蓉　附子（制）　茯神　白蒺藜

【用法】上为末，炼蜜为丸，如绿豆大。每服二十丸，食远酒送服。

【功用】益火之源。

【主治】女子白淫，属阳虚者。

【宜忌】有火者忌用，宜服清心莲子饮。

【加减】气虚带下加续断。

越鞠丸

【来源】《女科切要》卷二。

【组成】香附　山栀　半夏　神曲　川芎　郁金　胆草

【主治】妇女思想无穷，所欲不遂，带脉不约，发为白淫。

益智汤

【来源】《竹林女科》卷一。

【组成】陈皮　茯苓　白术（蜜炙）　甘草（炙）　苍术（制）二钱　益智仁（盐水炒）　柴胡各一钱　升麻五分

【用法】水煎，空心服。

【主治】胃中浊气渗入膀胱，白淫时常随小便而出，浑浊如米泔。

秘旨乌骨鸡丸

【来源】《卫生鸿宝》卷五。

【组成】丝毛乌骨鸡一只（男用雌，女用雄，溺倒，泡去毛，竹刀剖胁，出肫肝内金，去肠秽，仍入腹内）　熟地四两　北五味（碎）一两（二味入鸡腹内，陈酒、童便各二碗，砂锅内水煮，旋添至磨烂汁尽）　绵耆（去皮，蜜水拌，炙）　于术（饭上蒸九次）各三两　白茯苓（去皮）　归身（酒洗）　白芍（酒炒）各二两（五味为粗末，同鸡肉捣烂焙干，骨用酥炙，为粗末，入下项药）　人参三两（无力者，党参代）　川芎一两（童便浸，晒）　丹参二两（酒浸，晒）（三味研末入前药中）

【用法】用干山药末六两糊为丸，大便实者，蜜丸亦可，晒干瓶贮。清晨沸汤送下三钱，卧时醇酒送下二钱。

【主治】妇人郁结不舒，蒸热咳嗽，月事不调，或久闭，或倒经，产后蓐劳，及崩淋不止，赤白带下，白淫；男子斫丧太早，劳嗽吐血而致虚损。

【加减】骨蒸寒热，加炙七肋鳖甲三两，银柴胡、地骨皮各一两半；经闭，加肉桂一两，崩漏下血，倍熟地，加阿胶二两；倒经血溢，加麦冬二两；郁结痞闷，加童便制香附末一两，沉香五钱；赤白带下，加萆薢、四制香附各二两，蕲艾一两；白淫，倍参、耆、苓、术；血热，加生地二两；虚甚，倍加人参。

加减归脾汤

【来源】《医方简义》卷五。

【组成】炙绵黄耆三钱　白术一钱五分　炙甘草五分　枣仁（炒）一钱　远志肉（炒）　广木香各八分　归身　茯神　党参各三钱　煅龙骨二钱　乌贼骨一钱

【用法】水煎服。

【主治】白淫、白淋、白带。

丙种宝月丹

【来源】《药庵医学丛书·论医集》。

【组成】白薇一两八钱　泽兰一两二钱　当归六钱　白芷九钱　卷柏二两　桂心一两五钱　藁本一两二钱　川芎六钱（酒洗）　石膏二两　桃仁一两五钱　麦冬一两二钱　人参九钱　蜀椒一两八钱（炒出汗）　茯苓一两二钱　橘皮三钱　炒车前一两八钱　蒲黄一两五钱　赤石脂六钱　紫石英三两　菴䕡子二两　蛇床子六钱（炒）　覆盆子一两五钱　干地黄一两八钱　炮干姜一两八钱　白龙骨一两二钱　炙远志一两二钱　太乙余粮一两二钱　北细辛一两八钱

【用法】蜜为丸，如梧桐子大。每服两丸，空腹开水送下，一日一次。病重者每日早晚各一次，亦每次两小粒，不可间断。

【功用】调经种子。

【主治】月经不调，经行腹痛，色黑不多，或色淡如黄水，或经来腥臭，或经来结块如猪肝，或腰酸带下，或白淫赤带；并治痞块，癥瘕，乳岩，颈疬等痼疾。

二十六、尿 频

尿频，又称小便频数，是指排尿次数明显增多而无疼痛之症。《灵枢经·五癃津液别》：“水谷入于口，输于肠胃，其液别为五。天寒衣薄则为溺与气”。是言小便的多少与气温有关，天气寒冷，小便频数，非为病态。《医述》：“小便频数者，只是里气不守，频而复少，五液虚而注下，此精气、津液、血脉内夺之病。”指出内虚为小便频之根本。究其原因，或为禀赋不足，元气未充，或脾气不健，肾气不固，膀胱约束无能等所致。治宜补肺健脾，温阳固肾。

甘草干姜汤

【来源】《伤寒论》。

【别名】干姜甘草汤（《外台秘要》卷六引《备急》）、复阴汤（《鸡峰普济方》卷五）。

【组成】甘草四两（炙） 干姜二两

【用法】以水三升，煮取一升五合。去滓，分温再服。

【功用】复阳气。

【主治】

1.《伤寒论》：伤寒脉浮，自汗出，小便数，心烦，微恶寒，脚挛急，反与桂枝，欲攻其表，此误也，得之便厥，咽中干，烦躁吐逆者。

2.《金匮要略》：肺痿，吐涎沫而不咳者，其人不渴，必遗尿，小便数。所以然者，以上虚不能制下故也。此为肺中冷，必眩，多涎唾。

3.《外台秘要》引《备急》：吐逆水米不下。

4.《类聚方广义》老人小便频数，吐涎，短气眩晕，难以起步者。

【宜忌】《外台秘要》引《备急》：忌海藻、菘菜。

天雄散

【来源】《金匮要略》卷上。

【组成】天雄三两（炮） 白术八两 桂枝六两 龙骨三两

【用法】上为散。每服半钱匕，酒送下，一日三次。不知，稍增之。

【功用】《金匮要略心典》：补阳摄阴。

【主治】

1.《金匮要略》：虚劳。

2.《本草纲目》：男子失精。

3.《金匮要略今释》引《类聚方广义》：老人腰冷。小便频数，或遗溺，小腹有动者。

4.《方机》：失精，脐下有动而恶寒，或冲逆，或小便不利者。

5.《医醇剩义》：阳虚亡血，失精。

栀子汤

【来源】《外台秘要》卷三十七引《小品方》。

【组成】栀子仁二两 甘草（炙） 芒消（汤成下） 黄芩各二两

【用法】上切。以水五升，煮取二升，分二次温服。取利即愈。

【主治】因热食及啖诸热饼肉，致小便稠数者。

棘刺丸

【来源】《外台秘要》卷十六引《古今录验》。

【组成】棘刺二两 麦门冬（去心） 萆薢 厚朴（炙） 菟丝子 柏子仁 苁蓉 桂心 石斛 小草 细辛 杜仲 牛膝 防葵 干地黄各一两 石龙芮二两 巴戟天二两 乌头半两(炮,削去皮)

【用法】上为末，以蜜杂鸡子黄各半为丸，如梧桐子大。每服十丸，以饮送下，每日三次。稍增至三十丸，以知为度。

【主治】男子百病，小便过多，失精。

【宜忌】忌食猪肉、冷水、生葱、生菜。

【方论】《千金方衍义》：男子百病，不独指肾虚小便多而言，《本经》棘刺主治与皂刺不甚相远，《别录》治丈夫虚损，阴痿精自出，统领巴戟、苁蓉、菟丝子、牛膝、门冬、地黄、杜仲、小草、萆薢补肾益精，功司开合，足以充其所用，至于乌头、防葵、石龙芮、厚朴等味，非有固结滞气奚以及此。再详葳蕤、柏仁、石斛、细辛、桂心通风利窍之治，则乌头、防葵、石龙芮、厚朴等药可以默悟其微，总在攻补百病之列也。

阿胶汤

【来源】《外台秘要》卷十七引《深师方》。

【组成】阿胶二两　干姜二两　麻子一升（捣碎）　远志四两（去心）　附子一枚（炮）　人参一两　甘草一两（炙）

【用法】上切。以水七升，煮六味取三升，去滓，纳胶烊消，分三次服。

【主治】虚劳，小便利而多。

【宜忌】忌猪肉，冷水、海藻、菘菜。

小豆叶羹

【来源】方出《证类本草》卷二十五引《食医心鉴》，外见《太平圣惠方》卷九十六。

【组成】小豆叶一斤

【用法】于豉汁中煮，调和作羹食之；煮粥亦佳。

【主治】小便数。

鸡肠菜羹

【来源】方出《证类本草》卷二十九引《食医心鉴》，名见《医方类聚》卷一三六。

【组成】鸡肠草一斤

【用法】上于豉汁中煮，调和作羹食之；作粥亦得。

【主治】小便数。

薯蓣酒

【来源】方出《证类本草》卷六引《食医心镜》，名见《医方类聚》卷二十四。

【组成】生薯蓣（括去皮，以刀切碎，令细烂）　酒

【用法】以酒于铛中煮，酒沸，下薯蓣，更添酒，不得搅，待熟，着盐、葱白，空心服三二杯。

《医方类聚》引《食医心镜》有酥、蜜、椒。

【主治】

1.《证类本草》引《食医心镜》：下焦虚冷，小便数，瘦损无力。

2.《医方类聚》引《食医心镜》：头风口动，眼瞤，脚膝顽痹无力。

生薯药酒

【来源】《医方类聚》卷一三六引《食医心鉴》。

【组成】生薯药半斤（刮去皮，拍令碎用）

【用法】上于铛中煮酒，酒沸，微微下薯药，不得搅，候熟，着盐、椒、葱白，更入酒少许，空心服之。

【主治】下焦虚冷，小便多数无力。

羊肺羹

【来源】《医方类聚》卷一三六引《食医心鉴》。

【组成】羊肺一具

【用法】上细切。葱白一握，于豉汁中煮食之。

【主治】小便多数，瘦损无力。

秦艽散

【来源】《医心方》卷十二引《令李方》。

【组成】秦艽一分　陈芥子二分

【用法】上药治下筛。每服方寸匕，酒送下，一日三次。

【主治】小便利多。

鹿茸丸

【来源】《太平圣惠方》卷四。

【组成】鹿茸二两（去毛，涂酥炙令微黄）　白龙骨一两（烧过）　桑螵蛸三分（微炒）　椒红一两（微炒）　附子一两半（炮裂，去皮脐）　山茱萸一两

【用法】上为末，炼蜜为丸，如梧桐子大。每服二十丸，空心及晚食前以盐汤送下。

【主治】小肠虚冷，小便数多。

石斛散

【来源】《太平圣惠方》卷七。

【组成】石斛一两（去根，锉） 附子一两（炮裂，去皮脐） 五味子三分 泽泻三分 当归三分（锉，微炒） 牛膝三分（去苗） 白茯苓三分 沉香三分 人参三分（去芦头） 桂心三分 磁石二两（捣碎，水淘去赤汁） 黄耆三两 肉苁蓉一两（酒浸，去皱皮，微炒） 茴香子三分 枳实三分（麸炒微黄）

【用法】上为粗散。每服三钱，以水一中盏，加生姜半分，煎至五分，去滓，食前温服。

【主治】膀胱虚冷，两胁胀满，脚胫多疼，腰脊强痛，小便滑数。

牡蛎丸

【来源】《太平圣惠方》卷七。

【组成】牡蛎二两（烧为粉） 附子一两（炮裂，去皮脐） 狗脊一两 白龙骨二两（烧过） 椒红一两（微炒） 泽泻一两 败子一两（微炒） 鹿茸二两（去毛，涂酥炙微黄） 肉苁蓉二两（酒浸一宿，刮去皴皮，炙令干）

【用法】上为末，炼蜜为丸，如梧桐子大。每服三十丸，食前以温酒送下。

【主治】膀胱虚冷，肾气衰微，小便滑数，白浊。

鸡肶胵散

【来源】《太平圣惠方》卷七。

【组成】鸡肶胵一两（微炙） 熟干地黄一两 牡蛎一两（烧为粉） 白龙骨一两（烧过） 鹿茸一两（去毛，涂酥炙微黄） 黄耆三分（锉） 赤石脂一两 桑螵蛸三分（微炒） 肉苁蓉一两（酒浸一宿，刮去皴皮，炙令干）

【用法】上为细散，用丹雄鸡肠三具，纳散在肠中，缝系了，于甑内蒸一炊久，取出焙干，为散。每服二钱，食前以温酒调下。

【主治】膀胱虚冷，小便滑数，漏精，白浊如泔。

桑螵蛸散

【来源】《太平圣惠方》卷七。

【组成】桑螵蛸一两（微炒） 赤石脂二两 补骨脂二两（微炒） 狗脊三分 萆薢一两（锉） 白龙骨二两 韭子三分（微炒） 鹿茸二两（去毛，涂酥炙令微黄） 肉苁蓉四两（酒浸一宿，刮去皴皮，炙干） 兔丝子二两（酒浸三日，曝，别研为末）

【用法】上为细散。每服二钱，食前温酒调下。

【主治】膀胱虚冷，小便滑数，色如泔淀。

菟丝子散

【来源】《太平圣惠方》卷七。

【组成】菟丝子三分（汤浸三宿，焙干，别捣，为末） 鹿茸一两（去毛，涂酥，炙令微黄） 肉苁蓉一两（酒浸一宿，去皱皮，炙令干） 桑螵蛸一两（微炒） 牡蛎一两（烧为粉） 五味子一两 鸡膍胵二两（微炙）

【用法】上为细散。每服二钱，食前温酒调下。

【主治】膀胱及肾脏虚冷惫伤，小便滑数，白浊不止。

黄耆丸

【来源】《太平圣惠方》卷七。

【组成】黄耆一两（锉） 熟干地黄一两 土瓜根一两 玄参三分 栝蒌根一两 白龙骨一两 菝葜一两（锉） 牡蛎一两（烧为粉） 人参三分（去芦头） 桑螵蛸三分（微炒） 五味子一两 沉香一两

【用法】上为末，炼蜜为丸，如梧桐子大。每服三十丸，食前以粥饮送下。

【主治】膀胱及肾脏久虚积冷，上焦烦热，小便滑数，如米泔。

山茱萸散

【来源】《太平圣惠方》卷五十八。

【组成】山茱萸一两 赤石脂二两 萆薢一两（锉） 牛膝一两（去苗） 肉苁蓉二两（酒浸一宿，刮去粗皮，炙干） 狗脊一两 牡蛎一两（炮为粉） 黄耆一两（锉） 土瓜根一两

【用法】上为粗散。每服四钱，以水一中盏，煎至六分，去滓，食前温服。

【主治】小便数，日夜无时。

地骨皮饮子

【来源】《太平圣惠方》卷五十八。

【组成】地骨皮二两　生干地黄一两　人参一两（去芦头）　麦门冬二两（去心）　白龙骨一两　黄耆一两（锉）

【用法】上锉细。每服半钱，以水一大盏，加生姜半分，小麦半合，煎至五分，去滓，每于食前温服。

【主治】肾中虚热，虽能食，小便数多，渐加瘦弱。

鸡肶胵丸

【来源】《太平圣惠方》卷五十八。

【组成】鸡肶胵二两（微炙）　黄耆二两（锉）　龙骨一两　黄连半两（去须）　麦门冬一两（去心，焙）　土瓜根半两　熟干地黄一两

【用法】上为末，炼蜜为丸，如梧桐子大。每服三十丸，食前以粥饮送下。

本方原名鸡肶胵散，与剂型不符，据《普济方》改。

【主治】小便数而多。

熟干地黄丸

【来源】《太平圣惠方》卷五十八。

【别名】熟地黄丸（《普济方》卷二一六）。

【组成】熟干地黄一两　土瓜根一两　黄耆一两（锉）　菝葜一两（锉）　漏芦二两　地骨皮一两（锉）　栝楼根二两　桑螵蛸一两（微炒）　龙骨二两

【用法】上为末，炼蜜为丸，如梧桐子大。每服三十丸，食前以蜜水送下。

【主治】小便数，饮水多。

【宜忌】宜常服牛马乳。

龙骨丸

【来源】《太平圣惠方》卷七十二。

【组成】龙骨二两（烧过）　鹿茸一两（去毛，涂酥炙微黄）　椒红一两（微炒）　附子一两（炮裂，去皮脐）

【用法】上为细散，以酒煮面糊为丸，如梧桐子大。每服二十丸，食前温酒送下。

【主治】妇人小便滑数。

牡蛎散

【来源】《太平圣惠方》卷七十二。

【组成】牡蛎二两（烧为粉）　龙骨一两　鸡肶胵十个（微炙）　附子一两（炮裂，去皮脐）　吴茱萸一分（汤浸七遍，焙干微炒）　鹿角屑一两（微黄）

【用法】上为细散。每服一钱，食前以温酒调下。

【主治】妇人脏腑久冷，小便滑数。

鸡肶胵散

【来源】《太平圣惠方》卷七十二。

【组成】鸡肶胵十具（微炙）　桑螵蛸半两（微炙）　厚朴一两（去粗皮，涂生姜汁炙令香熟）　菝葜一两（锉）　当归一两（锉，微炒）　熟干地黄一两　甘草一两（炙微赤，锉）

【用法】上为粗散。每服三钱，以水一中盏，加生姜半分，煎至六分，去滓，食前温服。

【主治】妇人小便数。

桑螵蛸散

【来源】《太平圣惠方》卷七十二。

【组成】桑螵蛸三十枚（微炒）　鹿茸二两（去毛，涂酥炙微黄）　黄耆半两（锉）　牡蛎粉一两　甘草二两（炙微赤，锉）

【用法】上为细散。每服一钱，食前生姜汤调下。

【主治】妇人虚冷，小便数者。

菝葜散

【来源】《太平圣惠方》卷七十二。

【组成】菝葜（锉）　桑螵蛸（微炒）　附子（炮裂，去皮脐）　龙骨各一两　韭子半两（微炒）　桂心半两

【用法】上为细散。每服二钱，食前以温酒调下。

【主治】妇人虚冷，小便滑数。

生薯药羹

【来源】《太平圣惠方》卷九十六。

【组成】生薯药半斤(切)　薤白半斤(去须,切)

【用法】上于豉汁中煮作羹，如常调和食之。

【主治】下焦虚冷，小便多数，瘦损无力。

牡蛎丸

【来源】《太平圣惠方》卷九十八。

【组成】牡蛎粉一两　肉苁蓉一两（酒浸一宿，刮去皱皮，炙令干）　磁石一两（烧，醋淬七遍，细研，水飞过）　山茱萸一两　黄耆一两（锉）　熟干地黄一两　沉香一两　枳壳一两（麸炒微黄，去瓤）　怀香子一两　丁香一两　石斛一两（去根，锉）　干姜一两（炮裂，锉）　巴戟一两　桂心一两半　槟榔一两半　附子二两（炮裂，去皮脐）　吴茱萸一两（酒浸七遍，焙干微炒）

【用法】上为末，以枣肉为丸，如梧桐子大。每服二十丸，空心以盐汤送下，渐加至四十丸。

【功用】暖水脏，益元气。

【主治】虚损，小便滑数。

韭子丸

【来源】《太平圣惠方》卷九十八。

【组成】韭子二两（酒煮十余沸，炒令干）　肉苁蓉一两（酒浸一宿，刮去皱皮，炙干）　龙骨一两　厚朴一两（去粗皮，涂生姜汁炙令香熟）　附子一两（炮裂，去皮脐）　鹿角屑一两　山茱萸一两　桂心一两　车前子一两　天雄一两（炮裂，去皮脐）　补骨脂二两（微炒）　槐子一两（黑大者，炒令香）

【用法】上为末，炼蜜为丸，如梧桐子大。每服四十丸，空心以温酒送下。

【主治】下元虚惫，小便滑数，虚损不足。

固精丸

【来源】《丹溪心法附余》卷十一引《经验方》。

【组成】白茯苓（去皮）　秋石各四两　石莲肉（去壳皮，炒）　水鸡头（粉红花在上结子垂下）各二两

【用法】上为末，以蒸枣肉杵和丸，如梧桐子大。每服三十丸，盐汤送下；温盐酒下亦可。

【主治】思虑色欲过度，损伤心气，遗精盗汗，小便频数。

茸菟丸

【来源】《普济方》卷三十三引《经验方》。

【别名】茸菟丹（《医方类聚》卷一三四引《经验良方》）。

【组成】鹿茸　肉苁蓉　干地黄　萆薢　杜仲　五味子　白茯苓各二两　木瓜一两　巴戟　枸杞子　川牛膝　补骨脂　青盐各二两　菟丝子　金铃子各五两　莲肉八两

【用法】上为末，酒煮山药末糊为丸，如梧桐子大。每服五六十丸，空心、温酒或盐汤送下。

【主治】心肾不交，小便滑数，精神耗散，腰脚无力。

厚朴散

【来源】《医方类聚》卷十引《简要济众方》。

【组成】厚朴一两半（去皴皮，涂生姜汁，炙香熟）　附子三分（炮裂，去皮脐）　白龙骨一两　芎藭三分　当归一两（切碎，炒）

【用法】上为散。每服二钱，水一中盏，加生姜三片、大枣二个，同煎六分，去滓，食前温服。

【主治】小肠虚冷，脐下急痛，小便滑数。

鹿茸丸

【来源】《医方类聚》卷十引《简要济众方》。

【组成】鹿茸二两（去毛，涂酥炙令黄色）　白龙骨一两（烧过）　山茱萸三分（微炒）

【用法】上为末，炼蜜为丸，如梧桐子大。每服二十丸，空心盐汤送下，晚食前再服。

【主治】小肠虚冷，小便数多。

茴香丸

【来源】《普济方》卷二十九引《指南方》。

【组成】茴香一两　香附半两　菟丝子二两　桑螵蛸半两　盐（炒过）二钱

【用法】上为细末，酒糊为丸，如梧桐子大。每服三十丸，温酒送下。

【主治】肾虚寒，小便数。

益智酒

【来源】《普济方》卷二十九引《指南方》。

【组成】益智（为末）

【用法】用好酒浸两宿，去药，微温酒服。

【主治】肾虚寒，小便数。

羊肺羹

【来源】《寿亲养老新书》卷二。

【别名】羊肉羹（《医学入门》卷三）。

【组成】羊肺一具（细切）　羊肉四两（细切）

【用法】上加五味作羹。空腹食之。

【主治】下焦虚冷，小便频数。

牛膝丸

【来源】《普济方》卷四十一引《护命方》。

【组成】牛膝（酒浸，切，焙）　续断　芎藭各半两　萆薢二两

【用法】上为末，炼蜜为丸，如梧桐子大。每服四十丸，空心盐汤送下；或用盐煎服亦可。

【主治】小肠虚冷，小便频数，日夜五六十次。

牡蛎丸

【来源】《普济方》卷四十一引《护命方》。

【组成】牡蛎（火焙，细研）　萆薢　续断　益智子（去皮）　石斛（去根）　芎藭　牛膝（酒浸，切，焙）　狗脊（去毛）　五味子　石硫黄（另研）　山茱萸　巴戟天（去心）　龙骨各等分

【用法】上为末，炼蜜为丸，如梧桐子大。每服四十丸，空心盐汤送下。小便止即已，不必再服。一方杵为末，入盐煎，空心频频服，不止，再炼蜜丸服。

【主治】小肠虚寒，小便频数，便下久而有膜，如乳酪状。

萆薢散

【来源】《普济方》卷四十一引《护命方》。

【组成】萆薢一两（用水浸少时漉出，用盐半两相和，锅内炒干，去盐不用）　川芎一分

【用法】上为细末。每服三钱，水一盏同煎，取八分，和滓空心服二三盏后，便吃化毒汤。

【主治】小便频数，不计度数，临小便时疼痛不可胜忍。

山茱萸丸

【来源】《圣济总录》卷五十一。

【组成】山茱萸　山芋　巴戟天（去心）　菟丝子（酒浸，别捣，焙）　人参　天雄（炮裂，去皮脐）　褚实　覆盆子　五味子各一两半　萆薢　牛膝（酒浸，切，焙）　桂（去粗皮）各一两　熟干地黄（焙）二两半

【用法】上为末，炼蜜为丸，如梧桐子大。每服四十丸，空心、食前嚼酒送下。

【主治】肾脏风冷气，腿膝无力，小便数利。

五味子丸

【来源】《圣济总录》卷五十三。

【组成】五味子　磁石（煅，醋淬七遍）　杜仲（去粗皮，炙，锉）　附子（炮裂，去皮脐）各一两　木香半两　青橘皮（汤浸，去白，炒）　茴香子（炒）各一两　龙骨（煅）半两

【用法】上为末，酒煮面糊为丸，如梧桐子大。每服三十丸，温酒送下。

【主治】膀胱虚冷，小便频数。

石斛汤

【来源】《圣济总录》卷五十三。

【组成】石斛（去根）　附子（炮裂，去皮脐）

五味子　泽泻　肉苁蓉（酒浸，切，焙）　黄耆　白茯苓（去黑皮）　人参各一两　槟榔半两

【用法】上锉，如麻豆大。每服五钱匕，水一盏半，煎至八分，去滓，食前温服。

【主治】膀胱虚寒，小便频数，腰背及腹痛。

鹿茸丸

【来源】《圣济总录》卷五十三。

【组成】鹿茸（去毛，酥炙）　肉苁蓉（酒浸，切，焙）　石斛（去根）　茴香子（炒）各一两　龙骨（煅）　钟乳粉各半两

【用法】上为末，酒煮面糊为丸，如梧桐子大。每服三十丸，空心食前温酒送下。

【主治】膀胱虚，小便冷滑，少腹虚胀，腰背相引疼痛，遗精。

坚固丸

【来源】《圣济总录》卷九十二。

【组成】乌头（炮裂，去皮脐）　茴香子（炒）各等分

【用法】上为末，姜汁煮糊为丸，如梧桐子大。每服十五丸，空心温酒送下；妇人赤白带下，醋汤送下。加至三十丸。

【主治】虚劳极冷，阳气衰弱，小便数滑遗沥，及妇人赤白带下。

八味补骨脂丸

【来源】《圣济总录》卷九十六。

【组成】补骨脂（炒）　巴戟天（去心）　桑螵蛸（炒）　菟丝子（酒浸三日，别捣）　牛膝（酒浸，切，焙）　熟干地黄（焙）各一两　干姜（炮）半两　枳壳（麸炒，去瓤）三分

【用法】上为末，酒煮面糊为丸，如梧桐子大。每服二十丸，空心、食前温酒送下；粟米饮亦得。

【主治】小便滑数。

五味补骨脂丸

【来源】《圣济总录》卷九十六。

【组成】补骨脂（炒、研）五两　附子（炮裂，去皮脐）　桂（去粗皮）各二两　胡桃仁（烫，去皮膜，研）三两　安息香二两（酒化，滤去滓，熬成膏）

【用法】上药捣罗二味为末，与补骨脂、胡桃仁合研匀，用安息香膏和捣为丸，如梧桐子大。每服二十丸，空心、食前温酒送下；盐汤亦得。加至三十丸。

【主治】小便多利。

石菖蒲丸

【来源】《圣济总录》卷九十六。

【组成】石菖蒲（米泔浸半日，切片，焙）五两　肉苁蓉（酒浸半日，切，焙）　附子（炮裂，去皮脐）　蜀椒（取红）各二两

【用法】上为细末，酒煮面糊为丸，如梧桐子大。每服二十丸，加至三十丸，空心、食前温酒送下；盐汤亦得。

【主治】小便滑数，腰膝少力。

白术散

【来源】《圣济总录》卷九十六。

【组成】白术二两（米泔浸一宿，炒）　芍药　厚朴（去粗皮，姜汁炙）　吴茱萸（汤洗，焙，炒）　陈橘皮（汤浸，去白，焙）　细辛（去苗叶）各一两

【用法】上为散。每服二钱匕，入盐沸汤点服。

【主治】元脏虚冷，腹内雷鸣，夜多小便。

肉苁蓉丸

【来源】《圣济总录》卷九十六。

【组成】肉苁蓉（酒浸，切，焙）　鹿茸（去毛，酥炙）　附子（炮裂，去皮脐）各二两　萆薢　龙骨（煅，醋淬）　山茱萸各一两　补骨脂（炒）一两半

【用法】上为末，炼蜜为丸，如梧桐子大。每服三十丸，空心，食前姜汤送下。

【主治】膀胱久冷，小便数，泄精不止。

苁蓉牛膝丸

【来源】《圣济总录》卷九十六。
【组成】肉苁蓉（酒浸一宿，切，焙） 牛膝（酒浸一宿，切，焙） 补骨脂（酒浸一宿，炒） 巴戟天（去心） 羌活（去芦头） 附子（炮裂，去皮脐） 蜀椒（去目并闭口，炒出汗）各一两
【用法】上为末，用猜猪肾一只，去筋膜，细切，研烂，取浸牛膝酒，同面煮糊为丸，如梧桐子大。每服三十丸，空心、临睡温酒送下。
【功用】补益下元，壮强真气。
【主治】膀胱虚冷，小便频数。

牡蛎丸

【来源】《圣济总录》卷九十六。
【组成】牡蛎（火煅） 独活（去芦头） 狗脊（去毛）各三分 肉苁蓉（酒浸，切，焙）一两 龙骨半两
【用法】上为末，炼蜜为丸，如梧桐子大。每服三十丸，空心、食前盐汤送下。
【主治】膀胱虚寒，小便数。

厚朴汤

【来源】《圣济总录》卷九十六。
【组成】厚朴（去粗皮，姜汁炙）一两半 附子（炮裂，去皮脐） 芎䓖各三分 白龙骨 当归（切，焙）各一两
【用法】上锉，如麻豆。每服三钱匕，水一盏，加生姜三片，大枣二个（擘破），煎至七分，去滓，食前温服。
【主治】小肠虚冷，脐下急痛，小便滑数。

糯米糍

【来源】《圣济总录》卷九十六。
【别名】糯米糕（《寿亲养老新书》卷四）。
【组成】纯糯米糍一手大
【用法】临卧炙令软熟啖之，以温酒送下；不饮酒人，温汤送下，多啖弥佳。行坐良久，待心空便卧，一夜十余行者，服之即止。
【主治】小便频数及引饮不止。

地黄丸

【来源】《小儿药证直诀》卷下。
【组成】熟地黄八钱 山萸肉 干山药各四钱 泽泻 牡丹皮 白茯苓（去皮）各三钱
【用法】上为末，炼蜜为丸，如梧桐子大。每服三丸，空心温水化下。
【功用】

1. 《小儿药证直诀》：补肾，补肝。
2. 《校注妇人良方》：壮水制火。
3. 《保婴撮要》：滋肾水，生肝木。
4. 《东医宝鉴·内景篇》：专补肾水，能生精补精，滋阴。

【主治】

1. 《小儿药证直诀》：肾怯失音，囟开不合，神不足，目中白睛多，面色白。
2. 《校注妇人良方》：肾虚发热作渴，小便淋秘，痰壅失音，咳嗽吐血，头目眩晕，眼花耳聋，咽喉燥痛，口舌疮裂，齿不坚固，腰腿痿软，五脏亏损，自汗盗汗，便尿诸血。

【宜忌】

1. 《审视瑶函》：忌萝卜。
2. 《寿世保元》：忌铁器，忌三白。
3. 《医方发挥》：本方熟地滋腻滞脾，有碍消化，故脾虚食少及便溏者慎用。
4. 《中医方剂选讲》：阴盛阳衰，手足厥冷，感冒头痛，高热，寒热往来者不宜用。又南方夏季暑热湿气较盛时，宜少服用。

【验案】小儿神经性尿频 《实用中西医结合杂志》（1996，4：235）：宿氏等用本方治疗小儿神经性尿频（尿频、尿急，体检、尿液检查无异常，抗生素治疗无效者）26 例。原方（不作加减，仅根据年龄调整剂量）每日 1 剂，水煎，分 2～3 次口服。结果：26 例中除 1 例服 7 剂后症状改善，未能随访外，其余服药 7 剂后全部治愈，无任何毒副作用，经 3 个月随访均无复发。

固脬丸

【来源】《鸡峰普济方》卷十。

【别名】固脬丹（原书卷十八）。
【组成】益智仁二两半　石菖蒲一两　白龙骨三分　川乌头一两（生，去皮脐，锉，用牡蛎粉一两炒）（一方有覆盆子二两）
【用法】上为细末，酒煮面糊和丸，如梧桐子大。每服四十丸，空心煎益智汤送下。
【主治】脬寒，小便频数。

鹿角丸

【来源】《鸡峰普济方》卷十。
【组成】鹿角（劈开，炙黄焦）
【用法】上为细末，酒煮面糊为丸，如梧桐子大。每服五十丸，空心米饮送下，一日三次。

本方改为散剂，名“鹿角散”（《普济方》卷二一六引《十便良方》）。

【主治】小便数，日夜一斗。

菝葜汤

【来源】《鸡峰普济方》卷十九。
【组成】菝葜一两（锉如豆大）
【用法】用水二盏半，煎至八分，去滓温服，每日旦、中、暮各一次；觉减则每日二次，后以药调补。
【功用】温脾补肾。
【主治】肾虚小便数而渴，体虚清瘦，舌干枯。

黑锡丸

【来源】《普济本事方》卷二。
【组成】黑铅　硫黄各三两（谓如硫黄与黑铅各用三两，即以黑铅约八两，铫内熔化，去滓直净，尽倾净地上，再于铫内熔，以皮纸五重，撮四角如箱模样，倾黑铅在内，揉取细者于绢上罗过，大抵即损绢，须连纸放地上，令稍温，纸焦易之，下者居上，将粗铅再熔、再揉、再罗，取细者尽为度，称重三两，即以好硫黄三两，研细拌铅砂令匀，于铫内用铁匙不住搅，须文武火不紧不慢，俟相乳入，倾在净砖上）　葫芦巴（微炒）　破故纸（炒香）　川楝肉（去核，微炒）　肉豆蔻各一两　巴戟（去心）　木香　沉香各半两
【用法】上将砂子研细，余药末研匀入碾，自朝至暮，以黑光色为度，酒糊为丸，如梧桐子大，阴干，布袋内伴令光莹。急用枣汤吞一二百丸，但是一切冷疾，盐酒、盐汤空心吞下三四十丸；妇人艾醋汤下。
【功用】调治荣卫，升降阴阳，安和五脏，洒陈六腑，补损益虚，回阳返阴。
【主治】丈夫元脏虚冷，真阳不固，三焦不和，上热下冷，夜梦交合，觉来盗汗，面无精光，肌体燥涩，耳内虚鸣，腰背疼痛，心气虚乏，精神不宁，饮食无味，日渐瘦悴，膀胱久冷，夜多小便；妇人月事愆期，血海久冷，恶露不止，赤白带下；及阴毒伤寒，面青舌卷，阴缩难言，四肢厥冷，不省人事。
【方论】《本事方释义》：黑铅气味甘寒入足少阴，硫黄气味辛热入右肾命门，舶上茴香气味辛温入肝肾，附子气味辛咸大热入心肾，葫芦巴气味辛温入肾，破故纸气味辛温入脾肾，川楝子性味苦微寒入手足厥阴，肉豆蔻气味辛温入脾，巴戟气味甘温入肝肾，木香气味辛温入手足太阴，沉香气味辛温入肾。此方主治元阳虚脱，痰逆厥冷，非重镇之药，佐以辛热之剂不能直达下焦，挽回真阳于无何有之乡，乃水火既济神妙之方也。

附子鹿角霜丸

【来源】《杨氏家藏方》卷九。
【组成】鹿角霜二十两（为末）　杜仲（去粗皮，锉细，用生姜汁制，炒令断丝，为末）　青盐（研）　山药（为末）　附子（炮，去皮脐，为末）　阳起石（火煅醋淬七次，为末）　鹿角胶各二两
【用法】用好酒二升，慢火熬，先下鹿角胶，次逐味下，不住手搅，可丸即丸，如梧桐子大。每服五十丸，空心食前温酒、盐汤任下。
【功用】涩精养神，益阴助阳。
【主治】小便频数，遗泄诸疾。

双白丸

【来源】《魏氏家藏方》卷四引朱叔通方。
【组成】雪白茯苓（去皮）　鹿角霜等分
【用法】上为细末，酒煮面糊为丸，如梧桐子大。

每服三五十丸，空心盐汤送下。

【功用】秘精，清小便。

【主治】

1.《魏氏家藏方》：白浊。

2.《证治准绳·类方》：下焦真气虚弱，小便频多，日夜无度。

缩泉丸

【来源】《魏氏家藏方》卷四。

【组成】乌药　益智（炒）　川椒（去目并合口者，出汗）　吴茱萸（九蒸九晒）各等分

【用法】上为细末，酒煮面糊为丸，如梧桐子大。每服五六十丸，临卧盐汤送下。

【主治】丈夫小便频数。

固真丹

【来源】《魏氏家藏方》卷六。

【别名】缩泉丸（《医方类聚》卷一三五引《济生续方》）、三仙丸（《世医得效方》卷七）。

【组成】天台乌药（细锉）　益智仁（大者，去皮，炒）各等分

【用法】上为末，别用山药炒黄为末，打糊为丸，如梧桐子大，晒干。每服五十丸，嚼茴香数十粒，盐汤或盐酒送下。

【主治】肾经虚寒，小便滑数、白浊。

【验案】

1. 遗尿　《内蒙古中医药》（1995，2：23）：以本方改为汤剂加味：茯苓、桑螵蛸、乌药、山药、益智仁，治疗遗尿症25例。结果：全部治愈，服药2剂3例，15剂2例，其余服药3～6剂痊愈。

2. 神经性尿频　《吉林中医药》（1998，2：28）：以本方（山药、益智仁、乌药）治疗小儿神经性尿频32例。结果：治愈27例，好转3例，总有效率93.8%。

心肾丸

【来源】《普济方》卷三十三引《经验良方》。

【组成】苍术一斤（白酒糟三斤淹二宿，去糟）　肉桂二两　川椒四两（盐炒，去盐）　吴茱萸四两　茴香二两（同茱萸炒）　川楝子四两（用苍术糟半斤炒，去糟用）

【用法】上为末，酒糊为丸，如梧桐子大，朱砂为衣。每服五十丸，盐汤、温酒送下。

【主治】男子白浊，小便多滑；妇人血冷。

猪肚丸

【来源】《普济方》卷二一六引《经验良方》。

【组成】猪肚一个　莲子一升（与猪肚同煎一周日，干为末，去皮心）　母丁香　川楝子（打破）　破故纸　舶上茴香各一两

【用法】上为末，炼蜜为丸。每服五十丸。空心温酒送下。

【主治】小便频数。

水芝丸

【来源】《医学发明》卷七。

【别名】水芝丹（《本草纲目》卷三十三）。

【组成】莲实（去皮）不拘多少

【用法】用好酒浸一宿，入大猪肚内，用水煮熟，取出焙干，研为极细末。酒糊为丸，如鸡头子大。每服五七十丸，食前温酒送下。

【功用】

1.《医学发明》：补肾益精。

2.《医学入门》：补五脏诸虚。

【主治】

1.《卫生宝鉴》：下焦真气虚弱，小便频多，日夜无度。

2.《增补内经拾遗》：白淫。

萆薢丸

【来源】《济生方》卷四。

【组成】川萆薢（洗）不拘多少。

【用法】上为细末，酒和为丸，如梧桐子大。每服七十丸，空心、食前盐汤或盐酒任下。

【主治】小便频数，日夜无时。

菟丝子丸

【来源】《济生方》卷四。

【组成】菟丝子（淘净，酒蒸，焙）二两　五味子一两　牡蛎（煅，取粉）一两　肉苁蓉（酒浸）二两　附子（炮，去皮）一两　鸡膍胵半两（微炙）　鹿茸（酒炙）一两　桑螵蛸（酒浸）半两

【用法】上为细末，酒糊为丸，如梧桐子大。每服七十丸，食前盐酒、盐汤任下。

【主治】小便多，或不禁。

椒附丸

【来源】《医方类聚》卷十引《济生方》。

【组成】椒红（炒出汗）　桑螵蛸（酒炙）　龙骨（生用）　山茱萸（取肉）　附子（炮，去皮）　鹿茸（酒蒸，焙）各等分

【用法】上为细末，酒糊为丸，如梧桐子大。每服七十丸，空心盐汤送下。

【主治】

1.《医方类聚》引《济生方》：小肠虚冷，小便频多。

2.《丹溪心法》：五更泄泻，久而重，其人虚甚。

3.《济阳纲目》：肾脏虚寒，大便滑泻。

【方论】《医方考》：虚者，肾精不足也；寒者，命门火衰也。肾主二便，肾脏虚寒，则不能禁固，故令大便滑泻。味厚为阴中之阴，故用山茱萸、鹿茸以益肾家之阴；辛热为阳中之阳，故用椒红、附子以壮命门之火；味涩可以固脱，故用螵蛸、龙骨以治滑泻之脱。

暖肾丸

【来源】《仁斋直指方论》卷十五。

【组成】葫芦巴（炒）　故纸（炒）　川楝肉（用牡蛎炒，去牡蛎）　大熟地黄（洗，焙）　益智仁　鹿茸（酒炙）　山茱萸　代赭石（煮熟，醋蘸七次，研细）　赤石脂各三分　龙骨　海螵蛸　熟艾（米醋浸一宿，炙焦）　丁香　沉香　滴乳香各二分　禹余粮（煅，醋淬，碎为度，细研）三分

【用法】上为细末，水煮糯米糊为丸，如梧桐子大。每服五十丸，食前石菖蒲煎汤送下。

【主治】肾虚多溺，或小便不禁而浊。

七仙丹

【来源】《医方类聚》卷一五三引《瑞竹堂经验方》。

【别名】枳壳丸。

【组成】木香半两　枳壳一两（麸炒，去瓤）　白茯苓（去皮）　川楝子（酥炒）　知母（去毛）　小茴香（盐炒）　甘草（去皮）各一两

【用法】上为细末，炼蜜为丸，如弹子大。每服一丸，空心细嚼，温酒送下，干物压之。

【功用】健阳。

【主治】虚损，小便频数。

十补丸

【来源】《普济方》卷二一九引《瑞竹堂经验方》。

【组成】肉苁蓉（酒浸）　菟丝子（酒浸）　牛膝（酒浸）　干山药　熟地黄　川乌头（泡）　泽泻　人参　当归　官桂（不见火）各等分

【用法】上为细末，酒糊为丸，如梧桐子大。每服五十丸，空心温酒送下。

【功用】暖丹田。

【主治】阳损久虚下冷，夜频起。

五子丸

【来源】《永类钤方》卷十三引《澹寮方》。

【组成】菟丝子（酒蒸）　家韭子（炒）　益智子仁　茴香（炒）　蛇床子（去皮，炒）各等分（一方加川椒）

【用法】上为细末，酒糊为丸，如梧桐子大。每服七十丸，米饮或盐汤送下。

【功用】《饲鹤亭集方》：温固下元，通阳补肾。

【主治】

1.《永类钤方》引《澹寮方》：小便频数，时有白浊。

2.《世医得效方》：小便夜多，头昏，脚弱，老人虚人多有此证，大能耗人精液，令人卒死。

川方五子丸

【来源】《世医得效方》卷七。

【组成】菟丝子（酒蒸） 家韭子（略炒） 益智子（去皮） 茴香子（炒） 蛇床子（去皮壳，炒）各等分

【用法】上为末，酒糊为丸，如梧桐子大。每服五七十丸，糯米饮、盐汤任下。

【主治】小便夜多，脚弱，头昏。老人、虚人多有此证，令人卒死，大能耗人精液。

鸡肶胵丸

【来源】《普济方》卷二一六引《圣藏经验方》。

【组成】鸡肶胵一两（烧灰，存性） 益智子一两 石菖蒲一两 鸡肠一付（焙干）

【用法】上为末，酒糊为丸，如梧桐子大。每服五十丸，食前酒吞下。

【主治】小便多及遗尿。

益智丸

【来源】《普济方》卷二一六引《仁存方》。

【组成】益智仁四两（以盐二两同炒，为末）

【用法】糊为丸，如梧桐子大。每服三十丸，空心、食前用白茯苓、甘草煎汤送下。

【主治】心肾不足，夜多小便，眼见黑花。

快活丸

【来源】《普济方》卷二十二。

【组成】丁香 官桂 木香 茴香各三钱 干姜五钱 苍术（去皮，炒）五钱

【用法】上为末，醋糊为丸，如小豆大。每服五七丸，食前好酒送下。

【功用】疗脾胃，顺气建阳，住小便。

金锁丹

【来源】《普济方》卷三十三引《千金良方》。

【组成】肉苁蓉五两（酒浸三日成膏） 巴戟二两 破故纸四两 附子三两（炮，去皮脐） 胡桃三十个（同苁蓉研）

【用法】上为末。同前苁蓉膏为丸，如梧桐子大。每服五十丸，酒送下。

【功用】《瞿仙活人心方》：闭精。

【主治】肾冷及精滑，小便频数。

保元丹

【来源】《普济方》卷一二〇。

【组成】附子（炮，去皮脐） 肉豆蔻 白术 山药 干姜（炮） 赤石脂各一两 肉桂半两

【用法】上为细末，水糊为丸，如梧桐子大。每服二三十丸，空心酒送下。

【主治】老弱诸沉寒痼冷，小便滑数，大便时泄，腰腿脐腹疼痛，困倦，瘦虚食减。

人参鹿茸丸

【来源】《普济方》卷二一六。

【组成】人参 柏子仁 赤石脂 川续断 鹿茸 大当归 白茯苓 酸枣仁 代赭 萆薢 干莲肉 山药 天麻仁 桑寄生

【用法】上为末，炼蜜为丸，如梧桐子大，朱砂为衣。每服以莲肉（去皮心）煎汤，早、晚进三四十丸。

【主治】劳心过度，心肾不足，小便频数，津液随下，虚损食少，身体羸瘦。

龙骨散

【来源】《普济方》卷二一六。

【组成】龙骨 桑螵蛸 瓜蒌根 黄连

【用法】上为散。每服二钱，食前以粥饮调下。

【主治】小便数而多。

附子汤

【来源】《普济方》卷二一六。

【组成】白术 附子（炮裂，去皮） 干姜（炮） 桂 赤石脂一两

方中白术、附子、干姜、桂用量原缺。

【用法】上为末。每服一钱，空心生姜汤调下，一

日二次。

【主治】肾气虚寒，小便滑数。

萆薢丸

【来源】《普济方》卷二一六。

【组成】萆薢　菟丝子　白茯苓　鹿茸　肉苁蓉　黄耆　川巴戟　杜仲　金毛狗脊　益智仁

【用法】上为末，酒和为丸，如梧桐子大。每服四十丸，盐水送下。

【功用】益肾气。

【主治】小便频数。

雄黄丸

【来源】《普济方》卷二一六。

【组成】雄黄　干姜各等分

【用法】上为末，酒煮面糊为丸，如梧桐子大。每服二十丸，加至三十丸。空心温酒送下。

【主治】小便滑数。

四倍汤

【来源】《普济方》卷三二一。

【组成】人参　牡蛎半两（盐泥煅）　赤石脂一两（醋浸七次）　菖蒲三两

方中人参用量原缺。

【用法】上为细末。每服一钱，食前姜汤调下。

【主治】小便频数。

鸡肶胵丸

【来源】《普济方》卷三二一。

【组成】鸡肶胵十具（微炙）　桑螵蛸半两（微炙）　厚朴一两（去粗皮，涂生姜汁炙令香熟）　菝葜一两（锉）　当归一两（炙微赤，锉）　熟干地黄一两　甘草一两（炙微赤，锉）　沉香一两　肉苁蓉二分（酒洗，去皱，微炙）

【用法】上为细散，温酒煮面糊为丸，如梧桐子大。每服三十丸，食前以温酒送下。

【主治】妇人小便数。

益智子汤

【来源】《奇效良方》卷三十四。

【组成】益智仁二十四枚

【用法】上为末，水一中盏，加盐少许，同煎服。

【功用】益气安神，补不足，安三焦，调诸气。

【主治】遗精虚漏，小便余沥，夜多小便。

通灵散

【来源】《奇效良方》卷三十四。

【组成】益智仁　白茯苓　白术各等分

【用法】上为细末。每服二钱，用白汤或温酒调服，不拘时候。

【主治】心气不足，小便滑，赤白二浊。

肉苁蓉丸

【来源】《奇效良方》卷三十五。

【别名】四神丸（《古今医统大全》卷七十三引《医林集要》）、四味肉苁蓉丸（《景岳全书》卷五十九）、苁蓉丸（《证治宝鉴》卷四）。

【组成】肉苁蓉八两　熟地黄六两　五味子四两　菟丝（捣饼）二两

【用法】上为细末，酒煮山药糊为丸，如梧桐子大。每服七十丸，空心用盐酒送下。

【主治】禀赋虚弱，小便数，亦不禁。

益智散

【来源】《陈素庵妇科补解》卷五。

【组成】牡蛎　人参　厚朴　甘草　花粉　龙骨　白及　陈皮　赤芍　益智仁　黄耆　川芎　当归　熟地　雄鸡膍胵　山药　黄芩

【功用】补血固肾。

【主治】膀胱气虚，小便数，或遗尿不知。

【加减】肾气虚寒者，加补骨脂、肉豆蔻、远志肉，除黄芩、花粉。

【方论】是方参、耆、陈、草以补气，芎、归、芍、地以补血，牡蛎、白及、龙骨以止数固遗，益智仁、山药缩泉，鸡膍胵性涩而治便数遗溺，花粉、黄芩以清妄行之热，厚朴、陈皮行气温胃。

胃和水谷分利，荣卫平复矣。

白芷丸

【来源】《古今医统大全》卷七十三。

【组成】白芷一两　糯米半两（炒黑色）

【用法】上为末，糯米糊为丸，如梧桐子大。每服五十丸，用木馒头或根煎汤送下。

【主治】夜多小便。

鸡肠酒

【来源】《古今医统大全》卷八十七。

【组成】鸡肠一具

【用法】上洗如常法，锉碎，炒作臛，以酒着椒、葱、五味食之。

【主治】小便数。

益肾丸

【来源】《杏苑生春》卷七。

【组成】胡芦巴　破故纸　川楝子（同牡蛎炒，去蛎取肉）　鹿茸　熟地黄　益智仁　山茱萸　代赭石各七钱五分　海螵蛸　龙骨　熟艾　丁香（尚好者）　沉香　乳香各五钱　禹余粮　赤石脂各七钱五分

【用法】上为末，糯米粥为丸，如梧桐子大。每服五十丸，用菖蒲汤空心送下。

【主治】下元虚，小便频数者。

加味地黄丸

【来源】《济阳纲目》卷九十三。

【组成】熟地黄八两（杵膏）　山茱萸（酒蒸，去核）　干山药各四两　牡丹皮　白茯苓　泽泻　牡蛎　五味子各三两（一方，六味丸去泽泻，加益智仁）

【用法】上为末，地黄膏和炼蜜为丸，则梧桐子大。每服一百丸，空心滚汤送下。

【主治】内虚热者，小便频数不禁。

加减桑螵蛸散

【来源】《张氏医通》卷十四。

【组成】桑螵蛸三十枚（酥炙）　鹿茸一双（酥炙）　黄耆三两（蜜、酒炙）　麦门冬（去心）二两半　五味子半两　补骨脂（盐酒炒）　人参　厚杜仲（盐酒炒）各三两

《医略六书》有附子，无桑螵蛸。

【用法】上为散。每服三钱，空心羊肾煎汤调服，并用红酒细嚼羊肾；或羊肾汤泛为丸，每服三钱，空心以酒送下。

【主治】阳气虚弱，小便频数，或遗溺。

收束散

【来源】《嵩崖尊生全书》卷十三。

【组成】山药　莲须　益智仁各一钱

【用法】上为末。汤调服。

【主治】小便数而多。

海参粥

【来源】《老老恒言》卷五。

【组成】海参适量

【用法】先将海参煮烂，细切，入米，加五味。

【功用】

1.《老老恒言》：温下元，滋肾补阴。

2.《药粥疗法》：补肾，益精，养血。

【主治】

1.《老老恒言》：痿。

2.《药粥疗法》：精血亏损，体质虚弱，性功能减退，遗精，肾虚尿频。

固真丹

【来源】《医级》卷八。

【组成】菟丝　茯苓各四两　牡蛎（煅）　龙骨（煅）　桑螵蛸（炙）　白石脂（飞）　金樱（去毛子）　芡实　莲须各一两　五味子一两

【用法】上为末，山药糊作丸。每晨、晚服三钱，开水送下。

【主治】遗精，久浊，精隧不固，或膀胱不约，小

水频多。

滋阴散火汤

【来源】《一见知医》卷二。

【组成】生地　白芍　牛膝　麦冬　车前　地骨　青蒿　童便

【主治】膀胱血少，火邪妄动，小便数。

【加减】小便数而黄，加黄柏、知母。

附子都气丸

【来源】《饲鹤亭集方》。

【组成】六味地黄丸加附子二两　五味子三两

【用法】炼蜜为丸服。

【主治】

1.《饲鹤亭集方》：阳虚恶寒，小便频数，下焦不约，咳喘痰多。

2.《中药成方配本》：肺肾两亏，阴损及阳，虚火上升，喘息多汗。

加减桑螵蛸散

【来源】《医学探骊集》卷五。

【组成】桑螵蛸三钱　人参二钱　龙骨三钱　五味子一钱　白果七个　覆盆子三钱　人中白三钱　龟版四钱　黄柏四钱

【用法】水煎，温服。

【主治】膀胱结热，小便频数。

【方论】此方以人参、螵蛸补虚，以五味、龟版益肾，以黄柏、人中白清热，以龙骨、白果、覆盆子收涩。其热既减，便自不数矣。

澄化汤

【来源】《医学衷中参西录》上册。

【组成】生山药一两　生龙骨（捣细）六钱　牡蛎（捣细）六钱　牛蒡子（炒，捣）三钱　生杭芍四钱　粉甘草一钱半　生车前子（布包）三钱

【主治】小便频数，遗精白浊，或兼疼涩，其脉弦数无力，或咳嗽，或自汗，或阴虚作热。

保元丸

【来源】《北京市中药成方选集》。

【组成】鹿胶一百六十两　五味子（炙）二十两　补骨脂（炒）二十两　山药四十两　牛膝二十两　芦巴（炒）二十两　杜仲炭十二两　益智仁二十两　柏子仁二十两　茯苓四十两　全蝎三两　小茴香（炒）二十两　淫羊藿（炙）二十两　熟地四十两　川楝子二十两　沉香六两　菟丝子三十两　巴戟（炙）二十两　远志（炙）二十两　山甲（炙）六两　山萸肉（炙）二十两　苁蓉（炙）八十两

【用法】上为细末，炼蜜为丸，每丸重三钱。每服一丸，温开水送下，一日二次。

【功用】滋阴补肾，益智宁神。

【主治】气虚肾寒，腰膝无力，精神疲倦，小便频数。

培元益气汤

【来源】《辽宁中医杂志》（1990，9：39）。

【组成】益智仁　乌药　山药　金樱子各10g　党参　黄芪各12g　白术　陈皮各8g　升麻　柴胡　甘草各5g

【用法】水煎服，1日3次。

【主治】小儿神经性尿频。

【验案】小儿神经性尿频　《辽宁中医杂志》（1990，9：39）：治疗小儿神经性尿频36例，均系3～9岁儿童，以秋冬季发病为多；尿常规及细菌培养无阳性体征。结果：全部治愈（临床症状全部消失），其中有4例症状复发又服药3剂而愈。

清心莲子饮

【来源】《辽宁中医杂志》（1991，6：27）。

【组成】地骨皮25g　黄芩18g　车前草30g（或子15g）　麦冬　茯苓　党参　黄芪各12g　柴胡10g　甘草6g

【用法】水煎服。

【主治】尿道综合征。

【加减】咽干、咽痛、苔黄燥者，去参、芪，加白茅根、淡竹叶；心烦、失眠明显，去甘草，加栀

子、益元散；尿频、尿痛明显，加白芍、延胡索、乌药；白带多、色黄浊，合并妇科炎症者，加椿根皮、土茯苓、红藤、败酱草。

【验案】尿道综合征 《辽宁中医杂志》（1991，6：27）：治疗尿道综合征42例，均为成年女性，年龄最小18岁，最大64岁，30～40岁占85.6%；病程最长2年，最短3个月。结果：痊愈（治后泌尿系症状消失，全身症状缓解，随访6个月未复发）20例，显效（治后全身症状缓解，泌尿系症状基本控制）14例，有效（治后泌尿系症状减轻，全身症状缓解）6例，无效（连续服药2个月，全身症状及泌尿系症状均无缓解）2例。

温肺缩泉汤

【来源】《辽宁中医杂志》（1992，3：38）。

【组成】炙甘草20g 干姜 益智仁各15g

【用法】水煎服。

【主治】老年性夜尿频多症。

【加减】体倦短气较甚，加党参15g；畏寒肢冷，遇冷夜尿频多加剧，加淡附片6g，肉桂3g；咳喘、痰多清稀色白，自觉痰冷，加炙麻黄6g，细辛3g，桂枝8g。

【验案】老年性夜尿频多症 《辽宁中医杂志》（1992，3：38）：治疗老年性夜尿频多症32例，男23例，女9例；年龄55～60岁7例，60～70岁18例，70岁以上7例；病程1～5年25例，6～10年7例；实验室尿检无异常。结果：显效（服药后临床症状消失，小便每夜恢复1～2次）17例，好转（服药后临床症状明显改善，小便每夜2～3次）13例，无效（临床症状、小便次数无变化）2例。

杜仲补天素丸

【来源】《部颁标准》。

【组成】杜仲（盐水炒）31.25g 菟丝子（制）31.25g 肉苁蓉31.25g 远志（制）31.25g 当归（酒制）31.25g 莲子31.25g 泽泻31.25g 牡丹皮31.25g 白芍31.25g 淫羊藿28.125g 黄芪62.5g 熟地黄62.5g 山药62.5g 茯苓62.5g 白术62.5g 陈皮15.625g 砂仁15.625g 女贞子14.06g 金樱子14.06g 山茱萸3.125g 巴戟天3.125g 柏子仁3.125g 党参62.5g 枸杞子62.5g 甘草31.25g

【用法】水泛为丸，每瓶装100丸，净重22g，密闭，防潮。口服，每次10丸，1日3次。

本方制成片剂，名“杜仲补天素片”。

【功用】温肾养心，壮腰安神。

【主治】腰脊酸软，夜多小便，神经衰弱等症。

【宜忌】感冒伤风应暂时停服。

龟鹿补肾丸

【来源】《部颁标准》。

【组成】菟丝子（炒）51g 淫羊藿（蒸）43g 续断（蒸）43g 锁阳（蒸）51g 狗脊（蒸）64g 酸枣仁（炒）43g 何首乌（制）64g 甘草（蜜炙）21g 陈皮（蒸）21g 鹿角胶（炒）9g 熟地黄64g 龟板胶（炒）13g 金樱子（蒸）51g 黄芪（蜜炙）43g 山药（炒）43g 覆盆子（蒸）85g

【用法】上药制成大蜜丸，每丸重6g或12g。口服，水蜜丸每次4.5～9g，大蜜丸每次6～12g，1日2次。

【功用】壮筋骨，益气血，补肾壮阳。

【主治】身体虚弱，精神疲乏，腰腿酸软，头晕目眩，肾亏精冷，性欲减退，夜多小便，健忘失眠。

蛤蚧补肾丸

【来源】《部颁标准》。

【组成】蛤蚧6.5g 淫羊藿40g 麻雀（干）25g 当归40g 黄芪30g 牛膝40g 枸杞子40g 锁阳40g 党参50g 肉苁蓉35g 熟地黄60g 续断40g 杜仲60g 山药50g 茯苓50g 菟丝子40g 葫芦巴30g 狗鞭20g 鹿茸1.8g

【用法】制成胶囊，每粒装0.5g，密封。口服，每次3～4粒，1日2～3次。

【功用】壮阳益肾，填精补血。

【主治】身体虚弱，真元不足，小便频数。

二十七、水 肿

水肿，亦称水、水气、水胀等，是指水液潴留体内或泛滥于肌肤而呈肿胀之病。《黄帝内经》称为水，并有肾风、风水、石水、涌水等病名，如《素问·阴阳别论》："三阴结谓之水"，《素问·水热穴论》："肾者，胃之关也，关门不利，则聚水以从其类也，上下溢于皮肤，故为肿。肿者，聚水而生病也"。《灵枢经·水胀》篇对其症状做了详细的描述，如"水始起也，目窠上微肿，如新卧起之状，其颈脉动，时咳，阴股间寒，足胫肿，腹乃大，其水已成矣。以手按其腹，随手而起，如裹水之状，此其候也。"至于其发病原因，《素问·水热穴论篇》指出："其本在肾，其末在肺。"《素问·至真要大论篇》又指出："诸湿肿满，皆属于脾。"《金匮要略》称本病为"水气"，按病因、病证分为风水、皮水、正水、石水、黄汗五类。又根据五脏证候分为心水、肺水、肝水、脾水、肾水。《丹溪心法·水肿》将水肿分为阴水和阳水两大类，指出："若遍身肿，烦渴，小便赤涩，大便闭，此属阳水；若遍身肿，不烦渴，大便溏，小便少，不涩赤，此属阴水"。这一分类方法至今仍指导临床辨证治疗。《证治汇补·水肿》认为"宜调中健脾，脾气实，自能升降运行，则水湿自除，此治其本也。"同时又列举了水肿的分治六法：治分阴阳，治分汗渗，湿热宜清，寒湿宜温，阴虚宜补，邪实当攻。

本病成因，多为外感风寒湿热之邪，水湿浸渍，疮毒浸淫，饮食劳倦，久病体虚等致肺脾肾三脏功能失调，三焦决渎失司，膀胱气化不利，体内水液潴留，泛滥肌肤而成。《景岳全书》指出："凡水肿等证，乃肺脾肾三脏相干之病，盖水为至阴，故其本在肾；水化于气，故其标在肺；水唯畏土，故其制在脾。今肺虚则气不化精而化水，脾虚则土不制水而反克，肾虚则水无所主而妄行。"至于其治疗方法，《素问·汤液醪醴论篇》提出"去菀陈莝"，"开鬼门"，"洁净府"三条基本原则。张仲景宗《内经》之意，在《金匮要略·水气病篇》中提出："诸有水者，腰以下肿，当利小便；腰以上肿，当发汗乃愈。"辩证地运用了发汗、利小便的两大治法，对后世产生了深远的影响，一直沿用至今。故本病治疗原则应分阴阳而治，阳水主要治以发汗利小便，宣肺健脾，水势壅盛则可酌情暂行攻逐，总以祛邪为主；阴水则主要治以温阳益气，健脾益肾补心，兼利小便，酌情化瘀，总以扶正助气化为治。虚实并见者，则攻补兼施。

鸡矢醴

【来源】《素问》卷十一。

【别名】牵牛妙酒（《摄生众妙方》卷六）、鸡醴饮（《古今医鉴》卷六引刘同知方）、牵牛酒（《本草纲目》卷四十八引《积善堂经验方》）、鸡矢酒（《仙拈集》卷一）。

【组成】鸡矢

【用法】

1. 《圣济总录》：鸡屎（干者）为末。每用醇酒调一钱匕，食后、临卧服。

2. 《奇效良方》：鸡矢白半升，以好酒一斗渍七日，每服一盏，食后、临卧时温服。

3. 《摄生众妙方》：用干鸡屎一升，锅内炒黄，以好酒三碗淬下，煮作一碗，滤去渣，令病人饮之。少顷腹中气大转动作鸣，大便利下，于脚膝及脐上下先作皱起，渐渐消复。如利未尽，再服一剂。以田螺二枚，滚酒内绰熟，食之即止，后以温粥调理，安好如常。峨眉有一僧以此方治一人浮肿，一二日即愈，自能牵牛来谢，故名。

【主治】

1. 《素问》：鼓胀。心腹满，旦食则不能暮食。

2. 《摄生众妙方》：一切肚腹、四肢发肿，不问水肿、气肿、湿肿。

十枣汤

【来源】《伤寒论》。

【别名】三星散（《普济方》卷三八〇引《傅氏活

婴方》)、大枣汤(《伤寒大白》卷三)。

【组成】芫花(熬) 甘遂 大戟等分

【用法】上各为散，以水一升半，先煮大枣肥者十个，取八合，去滓，纳药末。强人服一钱匕，羸人服半钱，温服之。若下少病不除者，明日更服，加半钱。得快下利后，糜粥自养。

【功用】攻逐水饮。

【主治】

1.《伤寒论》：太阳中风，下利呕逆，其人汗出，发作有时，头痛，心下痞硬满，引胁下痛，干呕短气，汗出不恶寒，表里未和者。

2.《金匮要略》：悬饮；咳家，其脉弦，为有水；支饮家，咳烦胸中痛。

3.《宣明论方》：水肿腹胀，并酒食积胀，痃癖坚积，蓄热，暴痛，疟气久不已；风热燥甚，结于下焦，大小便不通；实热腰痛，及小儿热结，乳癖积热，作发惊风潮搐，斑疹热毒不能了绝者。

4.《普济方》引《傅氏活婴方》：积疳，遍身浮肿。

5.《妇科玉尺》：带下，湿而挟热，大便或泄或闭，小便塞，脉涩而气盛。

【方论】

1.《金镜内台方议》：下利呕逆者，里受邪也。若其人漐漐汗出，发作有时者，又不恶寒，此表邪已解，但里未和。若心下痞硬满，引胁下痛，干呕，短气者，非为结胸，乃伏饮所结于里也。若无表证，亦必烈快之剂泄之乃已。故用芫花为君，破饮逐水；甘遂、大戟为臣；佐之以大枣，以益脾而胜水为使。经曰：辛以散之者，芫花之辛，散其伏饮。苦以泄之者，以甘遂、大戟之苦，以泄其水。以缓之者，以大枣之甘，益脾而缓其中也。

2.《本草纲目》：十枣汤驱逐里邪，使水气自大小便而泻，乃《内经》所谓洁净府，去宛陈莝，法也。芫花、大戟、甘遂之性，逐水泻湿，能直达水饮窠囊隐僻之处，但可徐徐用之，取效甚捷，不可过剂，泻人真元也。陈言《三因方》以十枣汤药为末，用枣肉和丸，以治水气喘急浮肿之证，盖善变通者也。

3.《医方考》：芫花之辛能散饮，戟、遂之苦能泻水。又曰：甘遂能直达水饮所结之初。三物皆峻利，故用大枣以益土，此戎水之后而发巨桥之意也。是方也，惟壮实者能用之，虚羸之人，未可轻与也。

4.《金匮要略论注》：脉沉为有水，故曰悬饮；弦则气结，故痛。主十枣汤者，甘遂性苦寒，能泻经隧水湿，而性更迅速直达；大戟性苦辛寒，能泻脏腑之水湿，而为控涎之主；芫花性苦温，能破水饮窠囊，故曰破澼须用芫花；合大枣用者，大戟得枣既不损脾也。盖悬饮原为骤得之证，故攻之不嫌峻而骤，若稍缓而为水气喘息浮肿。

5.《伤寒附翼》：仲景利水之剂种种不同，此其最峻者也。凡水气为患，或喘或咳，或利或吐，或吐或利而无汗，病一处而已。此则外走皮毛而汗出，内走咽喉而呕逆，下走肠胃而下利。水邪之泛溢者，既浩浩莫御矣，且头痛短气，心腹胁下皆痞硬满痛，是水邪尚留结于中，三焦升降之气，拒隔而难通也。表邪已罢，非汗散所宜：里邪充斥，又非渗泄之品所能治，非选利水之至锐者以直折之，中气不支，亡可立待矣。甘遂、芫花、大戟，皆辛苦气寒，而秉性最毒，并举而任之，气同味合，相须相济，一举而水患可平矣。然邪之所凑，其气已虚，而毒药攻邪，脾胃必弱，使无健脾调胃之品主宰其间，邪气尽而元气亦随之尽，故选枣之大肥者为君，预培脾土之虚，且制水势之横，又和诸药之毒，既不使邪气之盛而不制，又不使元气之虚而不支，此仲景立法之尽善也。用者拘于甘能缓中之说，岂知五行承制之理乎？

6.《伤寒溯源集》：夫芫花性温而有小毒，能治水饮痰澼胁下痛；大戟苦寒而有小毒，能泻脏腑之水湿；甘遂苦寒有毒，而能行经隧之水湿。盖因三者性未驯良，气质峻悍，用之可泻真气，故以大枣之甘和滞缓，以柔其性气，裹其锋芒。

7.《绛雪园古方选注》：攻饮汤剂，每以大枣缓甘遂、大戟之性者，欲其循行经隧，不欲其竟走肠胃也，故不名其方而名法，曰十枣汤。芫花之辛，轻清入肺，直从至高之分去宛陈莝，以甘遂、大戟之苦，佐以大枣甘而泄者缓攻之，则从心及胁之饮，皆从二便出矣。

8.《成方切用》：芫花大戟之辛苦，以遂水饮，甘遂苦寒，能直达水气所结之处，以攻为用。三药过峻，故用大枣之甘以缓之，益土所以胜水，使邪从二便而出也。十枣汤、小青龙汤主水气干呕，桂枝汤主太阳汗出干呕，姜附汤主少阴下利干呕，吴茱萸汤主厥阴吐涎沫干呕。王海藏曰：表有水，用小青龙；里有水，用十枣。李时珍曰：仲景治伤寒太阳证，表未解心下有水气而咳，干呕，痛引两胁，或喘，或咳，十枣汤主之。盖青龙散表邪，使水从汗出，内经所谓开鬼门也。十枣主里邪，使水从二便出，没经所谓洁净腑，去宛陈莝也。或问十枣汤，桂枝去桂加茯苓白术汤，皆属饮家，俱有头疼项强之证，何也？张兼善曰：太阳经多血少气，病人表热微渴，恣饮水浆，为水多气弱，不能施化。本经血气因凝滞，致有头痛项强之患，不需攻表，但宜逐饮，饮尽则自安。杜壬曰：里未和者，盖痰与燥气，壅于中焦，故头痛干呕，汗出短气，是痰膈也。非十枣不能除，但此汤不宜轻用，恐损人于一忽。

9.《医方论》：十枣汤乃逐水之峻剂，非大实者不可轻试，至河间之三花神佑丸除大枣而加大黄、黑丑，已是一味峻猛，不复留脾胃之余地，更加轻粉，则元气搜刮殆尽，病虽尽去，而人亦随亡，可知仲景以十枣命名，全赖大枣之甘缓，以救脾胃，方成节制之师也。

10.《伤寒瘟疫条辨》：此汤与大陷胸汤相仿。伤寒种种下法，咸为胃实而设，今证在胸胁而不在胃，则荡涤肠胃之药无所取矣，故用芫花之辛以逐饮，甘遂、大戟之苦以泄水，并赖大枣之甘以运脾而助诸药，袪水饮于心胁之间，乃下剂中之变法也。

11.《成方便读》：观其表证已解，则知不因误下，并非水热互结而成胃实之比。故不用大黄、芒硝荡热软坚，但以芫花、甘遂、大戟三味峻攻水邪之品而直下之。然水邪所结，脾气必虚，故治水直，必先补脾，以土旺则自能胜水，脾健则始可运行，且甘缓其峻下之性，此其用大枣之意矣！凡杂病水鼓证正不甚虚者，皆可用之。

12.《伤寒论今释》：芫花、大戟，亦是全身性逐水药，峻烈亚于甘遂，而芫花兼主喘咳咽肿。大枣之用，旧注皆以为培土健脾，惟吉益氏云：主治挛引强急，旁治咳嗽。今验十枣汤证，其腹必挛，则吉益之说是也。

13.《中医方剂通论》：本方是峻下逐水的代表方剂。主要攻逐体内潴留的异常水液，以治悬饮、水肿腹胀等水饮内停之证。咳唾时胸胁疼痛，心下痞硬，是本方主证，因两胁为阴阳升降之道路，水停胸胁，气机受阻，故咳唾牵引胸胁作痛；水停心下，则心下痞硬；饮邪犯胃，胃气上逆则干呕；饮邪上泛，则头痛目眩；饮邪迫肺则短气，甚则胸背掣痛，倚息不得卧；内有水饮则苔滑，脉沉主里，弦主饮主痛，水饮结实，胸胁疼痛，故脉沉弦。方中芫花善理上部胸胁之水，甘遂善行经隧脉络之水，大戟善泻脏腑肠胃之水，三药药性峻烈，其逐水饮，除积聚，消肿满的功效虽同，但作用部位各别，三药合用，则经隧、脏腑、胸胁积水皆能攻逐，尤其对胸腹积水，疗效最速。然而三药均有毒，凡大毒治病，每伤元气，故用大枣十枚煎服，一则制其毒，缓其峻盟之势；二则益气护胃，使下不伤正，诸药相配，寓有深意。

14.《山西中医》（1985，2：50）：对于方中谁是主药的问题，历来看法不一，如王晋三认为：芫花之辛，轻清入肺，直从至高之分去宛陈莝，以甘遂，大戟之苦，佐以大枣甘而泄者缓攻之，则从心及胁之饮，皆从二便出矣。而陈蔚则认为：三味皆辛苦寒毒之品，直决水邪，大伤元气，柯韵伯谓参、术所不能君，甘草又与之相反，故选十枣以君之，一以顾其脾胃，一以缓其峻毒。后世医家多从柯琴、陈蔚之说，然据《方剂学》中说：主药是针对病因或主证而起主要治疗作用的药物。甘遂、芫花、大戟三味药都为苦寒峻下逐水之品，而大枣只具有补脾益胃，缓和药性的作用，故而用之益气护胃，缓和峻药之烈性，减少甘遂、芫花、大戟所引起的不良反应，使之下不伤正，只起因主药之偏而为监制之用的佐药作用。仲景之所以用十枣命名者，度因本方与他方相比佐药相当重要而已。

【验案】

1. 悬饮　《金匮玉函要略辑义》引《嘉定县志》：唐杲，字德明，善医。太仓武指挥妻，起立如常，卧则气绝欲死，杲言是为悬饮，饮在喉间，坐之则坠，故无害；卧则壅塞诸窍，不得出入而欲死也。投以十枣汤而平。

2. 肾炎水肿　《经方实验录》：南宗景先生曰：舍妹患腹胀病，初起之时，面目两足皆微肿，继则腹大如鼓，漉漉有声，渴喜热饮，小溲不利，呼吸迫促，夜不成寐，愚本《内经》开鬼门，洁净府之旨，投以麻黄、附子、细辛合胃苓散加减，服后虽得微汗，而未见何效。西医诊为肾脏炎症，与以他药及朴硝等下利，便泻数次，腹胀依然，盖以朴硝仅能下积，不得下水也。翌日，忽头痛如劈，呕吐痰水则痛稍缓。患曰，此乃水毒上攻之头痛，即西医所谓自家中毒。乃拟方用甘遂0.9g（此药须煨透，服后始未致作呕，否则吐泻并作），大戟、芫花炒各4.5g。因体质素不壮盛，改用枣膏和丸，欲其缓下，并令侍役先煮红米粥以备不时之需。药后4～5小时，腹中雷鸣，连泻粪水10余次，腹皮弛缓，头痛也除，惟神昏似厥，呼之不应，进已冷之红米粥1杯，即泻止神清；次日腹中微有水气，因复投十枣丸4.5g，下其余水，亦祛疾务尽之意。嗣以六君子汤补助脾元，调理旬日，即获痊愈。

3. 胃酸过多症 《福建中医药》（1963，3：42）：用十枣汤：将大戟、芫花、甘遂各7.5g研细末，大枣10个，先将大枣煎汤2碗，早晨空腹服1碗，1小时后，将药末投入另1碗中服下。服后可有胸中呕恶，腹内嘈杂感，2小时后开始泻下2～3次，泻后自觉疲倦，可用大枣煮粥食之，再用党参、茯苓、橘红、半夏、大枣煎服善后。治疗胃酸过多症14例。结果：痊愈14例，无1例复发。

4. 肝硬化腹水 《上海中医药杂志》（1963，6：14）：用逐水法为主，治疗肝硬化腹水25例，从逐水效果看，十枣汤较好。

5. 小儿肺炎 《山东中医杂志》（1981，1：26）：应用大戟、芫花、甘遂各等量（剂量按病儿年龄及身体状况定），用醋煮沸后晾干，研成细粉（分别包装为0.5g、0.75g、1g、2g，置干燥处备用）。服用方法：每日服1次，用大枣10枚煎汤约50ml，将药粉用枣汤冲服送下。如服后吐药者，可将上药再重复1次。治疗小儿肺炎45例，患儿均有明显的临床症状及体征的改善，并经胸部X线透视或摄片证实。结果：除1例入院时已垂危而死亡外，其余44例全部治愈。

6. 结核性胸膜炎 《中医药学报》（1994，1：53）：应用芫花、甘遂、大戟各等分，研为细末备用，另用肥大枣15枚煎汁3000ml备用，于清晨空腹先服枣汤150ml，5分钟后将配制的药末4g用剩余枣汤送服，并配合抗结核药，治疗结核性胸膜炎28例。结果：胸水24小时内吸收者13例，48小时内吸收者9例，72小时以上吸收者6例。

7. 重症流行性出血热少尿期肾功能衰竭 《中国中西医结合杂志》（1995，5：373）：用十枣汤为主，治疗重症流行性出血热少尿期肾功能衰竭33例。另设对照组30例（只用西药，不用中药）。结果：治疗组治愈（每日尿量＞3000ml，尿毒症症状、体征消失，BUN、Cr恢复正常）30例，好转2例，死亡1例，总有效率为97%；对照组总有效率73.3%。

8. 渗出性胸膜炎 《陕西中医》（1998，5：279）：用甘遂、大戟、芫花研末各1～4g，大枣10枚，同水煎，清晨顿服或早晚分服，患结核者配抗结核药，肺炎者加抗生素，压迫症状严重者配合抽液；治疗渗出性胸膜炎27例。结果：总有效率为79.2%。

9. 高眼压 《陕西中医》（2007，5：533）：对31例37只眼急性闭角型青光眼术前顽固性高眼压的病人在常规应用降眼压西药疗效不明显的病人，口服“十枣汤”胶囊3次以内。疗效显示：服药1～3次眼压下降至20毫米汞柱以下者16例19只眼，服药3次眼压下降至24毫米汞柱左右者12例14只眼，服药3次眼压下降不显著者3例4只眼。结果提示：十枣汤应用于急性闭角型青光眼术前顽固性高眼压是一种新的行之有效的方法。

10. 骨折肿胀 《四川中医》（2009，1：90）：将140例四肢新鲜骨折后肿胀的病人随机分为两组，分别采用十枣汤和消肿散治疗，进行疗效评价。结果：两组显效率比较有显著性差异（$\chi^2=37.17$，$P<0.01$）。说明十枣汤治疗四肢新鲜骨折肿胀的疗效明显优于消肿散。

五苓散

【来源】《伤寒论》。

【别名】猪苓散（《太平圣惠方》卷九）、五苓汤（《宣明论方》卷五）、生料五苓散（《仁斋直指方论》卷五）、五苓饮子（《类编朱氏集验方》卷二）。

【组成】猪苓十八铢（去皮）　泽泻一两六铢　白术十八铢　茯苓十八铢　桂枝半两（去皮）

【用法】上为散。以白饮和服方寸匕，一日三次。多饮暖水，汗出愈。

【功用】

1.《古今名医方论》引程郊倩：开结利水，化气回津。

2.《慈禧光绪医方选议》：健脾祛湿，化气利水。

【主治】

1.《伤寒论》：太阳病，发汗后，脉浮，小便不利，微热，消渴者；中风发热，六七日不解而烦，有表里证，渴欲饮水，水入则吐者；霍乱头痛发热，身疼痛，热多欲饮水者。

2.《金匮要略》：瘦人脐下有悸，吐涎沫而颠眩。

3.《宣明论方》：瘟疫、瘴疟烦渴。

4.《外科经验方》：下部湿热疮毒，小便赤少。

5.《医方集解》：通治诸湿腹满，水饮水肿，呕逆泄泻；水寒射肺，或喘或咳；中暑烦渴，身热头痛；膀胱积热，便秘而渴；霍乱吐泻，湿疟，身痛身重。

【宜忌】

1.《医方集解》：若汗下之后，内亡津液，而便不利者，不可用五苓，恐重亡津液，而益亏其阴也。

2.《成方切用》：一切阳虚不化气，阴虚而泉竭，以致小便不利者，若再用五苓以劫其阴阳，祸如反掌，不可不慎。

【验案】

1. 水逆证　《名医类案》：一仆19岁，患伤寒发热，饮食下咽，少顷尽吐，喜饮凉水，入咽亦吐，号叫不定，脉洪大浮滑。此水逆证，投五苓散而愈。

2. 急性肾炎　《哈尔滨中医》（1959，12：19）：以本方治疗急性肾炎40例，病人均为较重病例，有明显的水肿、高血压、血尿及肾功能减退，部分病例伴有腹水和肾性心力衰竭。一日总药量重症者9g，中等者6g，轻症者3g，7日为1疗程。并配合保温（尤其肾区保温）、减盐饮食及安静休息等。结果：40例全部有效，平均住院日数为164天。

3. 化疗性肾衰　《中医杂志》（1993，1：42）：以本方：白术10g，桂枝10g，茯苓15g，泽泻10g，猪苓10g为基本方；气虚加黄芪15g，党参15g；浮肿加桑白皮20g，茯苓皮15g；便秘加大黄10g；腰痛加杜仲15g；平均服药11.9剂，治疗化疗引起的急性肾功能衰竭24例。结果：临床缓解（以临床症状消失，实验室检查BUN、Cr正常）21例；显效（临床症状改善，BUN或Cr有一项恢复正常，另一项降低30%以上）1例；无效2例。临床缓解率为87.5%，总有效率为91.7%。治疗前后比较均有非常显著的差异（$P<0.01$）。

4. 尿潴留　《浙江中医学院学报》（1997，3：26）：用本方加黄芪、当归、木通、路路通为基本方；恶露不畅者加益母草、王不留行、桃仁、红花，气虚甚者加党参或人参，阳虚甚者加附子，血虚甚者加阿胶，便秘者加肉苁蓉、火麻仁等。治疗产后尿潴留35例。结果：全部有效。

牡蛎泽泻散

【来源】《伤寒论》。

【别名】牡蛎散（《永类钤方》卷二十一）。

【组成】牡蛎（熬）　泽泻　蜀漆（暖水洗去腥）　葶苈子（熬）　商陆根（熬）　海藻（洗去咸）　栝楼根各等分

【用法】上为散。每服方寸匕，白饮和服，一日三次。小便利，止后服。

【主治】大病瘥后，从腰以下有水气者。

【方论】

1.《金镜内台方议》：大病瘥后，脾胃气虚，不能制约肾水，水溢下焦，腰以下为肿也，故当利其小便。以牡蛎为君，泽泻、海藻为臣，三味之咸，能入肾而泄水气；以葶苈、商陆为佐，以苦坚之；以栝楼根之苦寒，蜀漆之酸寒为使，酸苦以泄其下而降湿肿也。

2.《绛雪园古方选注》：牡蛎、泽泻名其散者，治湿取重咸也。盖逐水宜苦，消肿宜咸，牡蛎、泽泻、海藻之咸，蜀漆、葶苈、栝楼、商陆之酸苦辛，相使相须，皆从阴出阳之药也。咸软之，苦平之，辛泄之，酸约之，其性必归于下，而胜湿消肿。服法用散者，以商陆水煎能杀人也。

3.《医宗金鉴》：此方施之于形气实者，其肿可随愈也。若病后土虚不能制水，肾虚不能行水，则又当别论，慎不可服也。

4.《古方新解》：治腰以下水气不行，必先使商陆、葶苈从肺及肾开其来源之壅，而后牡蛎、海藻之软坚，蜀漆、泽泻之开泄，方能得力；用栝楼根者，恐行水之气过驶，有伤上焦之阴，仍使之从脾及阴，还归于上，如常山之蛇，击其首则尾应，击其尾则首应者不殊也。

5.《伤寒方苑荟萃》：本方为排决逐水之剂。方中牡蛎软坚行水，泽泻渗湿利水，蜀漆祛痰逐水，葶苈子宣肺泄水，商陆、海藻润下行水，以使水邪从小便排出；瓜蒌根生津止渴，为本方之反佐，可使水去而津不伤。

真武汤

【来源】《伤寒论》。

【别名】玄武汤（《备急千金要方》卷九）、固阳汤（《易简方论》）。

【组成】茯苓　芍药　生姜各三两（切）　白术二两　附子一枚（炮，去皮，破八片）

【用法】以水八升，煮取三升，去滓，温服七合，每日三次。

本方改为丸剂，名“真武丸”（中国医学大辞典）

【功用】

1.《注解伤寒论》：益阳气，散寒湿。

2.《医方集解》：散寒利水，济火而利水。

【主治】

1.《伤寒论》：太阳病发汗，汗出不解，其人仍发热，心下悸，头眩，身瞤动，振振欲擗地者；少阴病腹痛，小便不利，四肢沉重疼痛，自下利者，此为有水气，其人或咳，或小便利，或下利，或呕者。

2.《医方类聚》引《易简方论》：虚劳之人，憎寒壮热，咳嗽下利。

3.《普济方》引《仁斋直指方论》：治少阴肾证，水饮与里寒合而作嗽，腹痛下利。

【宜忌】

1.《外台秘要》：忌酢、猪肉、桃、李、雀肉。

2.《医门法律》：暴病之呕即用真武尚不相当。

【加减】若咳者，加五味子半斤，细辛一两，干姜一两；若小便利者，去茯苓；若下利者，去芍药，加干姜二两；若呕者，去附子，加生姜，足前为半斤。

【方论】

1.《注解伤寒论》：脾恶湿，甘先入脾、茯苓、白术之甘，以益脾逐水；寒淫所胜，平以辛热，湿淫所胜，佐以酸平，附子、芍药、生姜之酸辛，以温经散湿。

2.《伤寒明理论》：青龙汤主太阳病，真武汤主少阴病。少阴，肾水也，此汤可以和之，真武之名得矣。茯苓味甘平，白术味甘温。渗水缓脾，必以甘为主，故以茯苓为君，白术为臣。芍药味酸微寒，生姜味辛温。湿淫所胜，佐以酸辛，除湿正气，是用芍药、生姜酸辛为佐也。附子味辛热，寒淫所胜，平以辛热，温经散湿，是以附子为使也。水气内渍，至于散，则所行不一，故有加减之方焉。若咳者，加五味子、细辛、干姜。咳者，水寒射肺也，肺气逆者，以酸收之，五味子酸而收也；肺恶寒，以辛润之，细辛、干姜辛而润也。若小便利者，去茯苓，茯苓专渗湿泄者也。若下利者，去芍药，加干姜，酸之性泄，去芍药以酸泄也；辛之性散，加干姜以散寒也。呕者，去附子加生姜，气上逆则呕，附子补气，生姜散气，两不相损，气则顺矣。增损之功，非大智孰能贯之？

3.《金镜内台方议》：其病腹痛者，寒湿内胜也，四肢沉重疼痛者，寒湿外胜也。小便不利，又自下利者，湿胜而水谷不化也，或咳或呕者，水气在中也。故用茯苓为君，白术为臣，二者入脾走肾，逐水祛湿；以芍药为佐，而益脾气；以附子、生姜之辛为使，温经而散寒也。又发汗汗出不解，其人仍发热，邪气未解也。心下悸，头眩身瞤动，振振欲擗地者，为真气内虚而亡其阳，亦用此汤。正气温经，而复其阳也。

4.《医方考》：汗多而心下悸，此心亡津液，肾气欲上而凌心也；头眩身瞤，振振欲擗者，此汗多亡阳，虚邪内动也。真武，北方之神，司水火者也。今肾气陵心，虚邪内动，有水火奔腾之象，故名此汤以主之。茯苓、白术，补土利水之物也，可以伐肾而疗心悸；生姜、附子，益卫回阳之物也，可以壮火而祛虚邪；芍药之酸，收阴气也，可以和荣而生津液。

5.《伤寒缵论》：真武汤方本治少阴病水饮内

结，所以首推术、附兼茯苓、生姜之运脾渗水为务，此人所易明也。至用芍药之微旨，非圣人不能。盖此证虽曰少阴本病，而实缘水饮内结，所以腹痛自利，四肢疼重，而小便反不利也。若极虚极寒，小便必清白无禁矣，安有反不利之理哉？则知其人不但真阳不足，真阴亦已素亏，或阴中伏有阳邪所致。若不用芍药固护其阴，岂能胜附子之雄烈乎？即如附子汤、桂枝加附子汤、芍药甘草附子汤，皆芍药与附子并用，其温经护营之法，与保阴回阳不殊。

6.《伤寒来苏集·伤寒论注》：真武，非北方水也。坎为水，而一阳居其中，柔中之刚，故名真武。是阳根于阴，静为动本之义。盖水体本静，动而不息者，火之用也，火失其位，则水逆行。君附子之辛温，以奠阴中之阳；佐芍药之酸寒，以收火上之用。茯苓淡渗，以正润下之体；白术甘苦，以制水邪之溢。阴平阳秘，少阴之枢机有主，升阖得宜，小便自利，腹痛下利自止矣。生姜者，用以散四肢之水气与肤中之浮热也。

7.《古今名医方论》：真武一方，为北方行水而设，用三白得以其燥能制水，淡能伐肾邪而利水，酸能泄肝木以疏水故也。附子辛温大热，必用为佐者何居？盖水之所制者脾，水之所行者肾也。倘肾中无阳，则脾之枢机虽运，而肾之关门不开，水虽欲行，孰为之主？故脾家得附子，则火能生土，而水有所归矣；肾中得附子，则坎阳鼓动，而水有所摄矣。更得芍药之酸，以收肝而敛阴气，阴平阳秘矣。若生姜者，并用以散之水气而和胃也。盖五苓散行有余之水，真武行不足之水，两者天渊。总之，脾肾双虚，阴水无制而泛溢妄行者，非大补坎中之阳、大健中宫之气，即日用车前、木通以利之，岂能效也？是为正治，法不可易。

8.《医宗金鉴》：小青龙汤治表不解有水气，中外皆寒实之病也；真武汤治表已解有水气，中外皆寒虚之病也。真武者，北方司水之神也，以之名汤者，赖以镇水之义也。夫人一身制水者脾也，主水者肾也；肾为胃关，聚水而从其类者；倘肾中无阳，则脾之枢机虽运，而肾之关门不开，水虽欲行，孰为之主？故水无主制，泛溢妄行而有是证也。用附子之辛热，壮肾之元阳，而水有所主矣；白术之苦燥，建立中土，而水有所制矣；生姜之辛散，佐附子以补阳，温中有散水之意；茯苓之淡渗，佐白术以健土，制水之中有利水之道焉。而尤妙在芍药酸敛，加于制水、主水药中，一以泻水，使子盗母虚，得免妄行之患；一以敛阳，使归根于阴，更无飞越之虞。然下利减芍药者，以其阳不外散也；加干姜者，以其温中胜寒也。水寒伤肺则咳，加细辛、干姜者，散水寒也；加五味子者，收肺气也。小便利者去茯苓，以其虽寒而水不能停也。呕者，去附子倍生姜，以其病非下焦，水停于胃也。所以不须温肾以行水，只当温胃以散水，佐生姜者，功能止呕也。

9.《寒温条辨》：白术、茯苓，补土利水之物也，可以伐肾而疗心悸；附子、生姜，回阳益卫之物也，可以壮火而制虚邪；白芍酸以收阴，用白芍者，以小便不利，则知其人不但真阳不足，真阴亦已亏矣，若不用白芍，以固护其阴，岂能用附子之雄悍乎！

10.《成方便读》：夫肾象为坎，一阳居于二阴之中，人之真阴真阳皆寓于此。若人真阴耗竭，阴虚火动，即真火化为邪火，龙雷之势，莫可底止。或真阳衰微，阳虚阴胜，即真水亦化为邪水，其汪洋之势，浩浩难当，况可更加外寒侵夺者哉！故水动于里，而见腹痛下利，小便不利，水溢于表，而见四肢沉重疼痛，真武，北方之神，能镇摄真阳，祛除邪水。故君以大辛大热之附子，直入肾经，奠安阴中之阳。水本润下，逆则上行，故用白芍之酸苦，以收炎上之气。然后以生姜之辛，散之于外；茯苓之淡，渗之于下；白术之扶土胜湿，宣之于中，使少阴之枢机有主，则开阖得宜，小便得利，下利自止，腹中、四肢之邪均解矣。

11.《汉方简义》：名真武者，全在镇定坎水以潜其龙也。故以茯苓之淡渗者，从上行下以降水；白术之甘辛温者，崇脾土以防水；芍药之酸苦寒者，助肝木以疏水；更以姜、附之辛热者，拨开阴霾以回真阳。

【实验】利水作用机制 《北京中医药大学学报》(1999，2：68)：利用注射醋酸氢化考的松制造肾阳虚模型，研究真武汤的利尿作用。结果证实，真武汤能够调整实验大鼠的渗透压调定点，减少ADH的分泌；促进 Na^+、K^+ 的排泄，使动物体内水液、电解质含量保持在正常水平，拮抗外源性糖皮质激素对动物肾上腺皮质分泌功能的抑制，促进 ALd 分泌，发挥正常“保钠排钾”的作用。能够通过兴奋受抑 HPA 轴，增加机体有效循环血容量，促进 ANP 分泌恢复至正常水平；明显改善 HCA 肾阳虚大鼠的肾功能，改善肾小球滤过膜的通透性，促使代谢产物 BCr、BUN 的排出，减少血浆白蛋白的大量丢失。

【验案】

1. 水肿 《中医杂志》（1965，7：39）：魏某某，男，59 岁。于 1963 年 7 月诊治。病人初病时，因头面及下肢午后浮肿，曾服中西药两月余仍未见效，病日增重，而来就诊。现症：全身除胸腹及手心未肿之外，均浮肿，按之凹陷不起，小便稀少，饮食不进，口虽渴，但不饮，神倦体寒，着衣被而不暖，面色灰黯无华，舌苔黑而滑润，舌质红色娇艳，脉浮大无根，此乃真阳衰极，土不制水所致。拟方：炮附子 60 克，白术 24 克，白芍 24 克，茯苓 24 克，潞党参 60 克，玉桂 6 克，炙甘草 24 克，生姜 30 克，水煎三次，头煎一次顿服，二三煎不论次数，频频饮服，一日尽一剂。上药连进三剂，浮肿已消退十之六七，查其苔已不黑，脉不浮而反沉，此乃虚焰渐衰，正气渐复之佳象，上方附片、党参、玉桂、生姜量减半，续服四剂而愈。

2. 喘证 《哈尔滨中医》（1965，2：53）：王某某，女，61 岁，病人有慢性咳喘病史，逢寒病作。时值秋末冬初，其病发作，喘息抬肩，动则喘息更甚，伴有咳嗽，吐痰色白，痰稀量多，形瘦神惫，时而汗出。观其面有微绛，舌苔薄白，脉沉弱无力，投二陈、青龙皆不收效，后服白果定喘汤，但只能缓解，不能根除，停药病仍发，百医不效。余诊之曰：此仍肾中真阳不足，水寒射肺也。痰生于饮，治痰必驱其饮。处方：真武汤重用茯苓 60 克，加干姜 6 克，细辛 24 克，服一剂知，二剂病大减。复诊：咳喘已平，吐白痰仍多，纳食不佳。前方加五味子 6 克，白术 9 克，三剂而痊愈。

3. 大汗亡阳 《新医药杂志》（1979，12：17）：张某某，男，34 岁。1963 年 8 月 17 日就诊。素体虚弱，外感风寒，服解表药后高热退，但午后潮热不退，继服辛凉解表之剂，则发热渐高，持续不退，又投凉药泻下，则大汗不止，诸法救之无效，抬来我院诊治。症见形体消瘦，精神萎靡，汗出如雨，担架衣被浸湿，低热仍不退，筋脉拘急，眩晕不能站立，二便均无，四肢厥冷，脉沉细。此表阳不固，虚阳外越，治宜温阳固表。处方：炮附片（先煎）、白芍、白术、茯苓、生姜各 30 克，大剂频频饮之，汗出稍止而神气复，继服上方 7 剂，发热亦随之而愈。

4. 经闭《辽宁中医杂志》（1982，2：46）：应用本方加味：附子 15g，干姜 10g，肉苁蓉 15g，茯苓 15g，白术 15g，桃仁 15g，白芍 15g，水煎服，治疗肾阳虚经闭 60 例。结果：自觉症状消失，月经复潮且周期正常持续达 3 个月以上，为临床治愈，共 54 例；月经虽已复潮，但量少周期不准，自觉症状未完全消失，为有效，共 4 例；自觉症状无改变，月经未复潮，为无效，共 2 例；总有效率为 96.7%。

5. 痉病 《伤寒解惑论》：张某某，女，47 岁，1976 年 4 月 28 日初诊。病人于产后 40 天，始觉两臂振颤，以后逐渐加重，发展至全身不自主震颤，已两个半月，阵发性加剧，影响睡眠及进食，病人就诊时亦不能稳坐片刻，并伴有舌颤，言语不利，憋气，以长息为快，食欲差，舌质尖部略红，左侧有瘀斑，舌苔白，两手脉俱沉滑弱。治宜温阳镇水，真武汤加味：茯苓 30 克，白术 24 克，制附子 12 克，白芍 15 克，生姜 12 克，桂枝 9 克，半夏 12 克，生龙牡各 30 克，炙甘草 6 克。水煎服二剂。4 月 30 日复诊：病人自述，29 日晨 8 时服第一剂药，至当日下午 6 时许，颤动基本停止，腹内鸣响，当晚又进第二剂，颤动停止，晚上睡眠明显好转，仅有时自觉头有阵阵轰鸣，上方白芍药改用 30 克，加钩藤 12 克，磁石 30 克，再服三剂，以巩固疗效。

6. 眩晕 《新中医》（1991，9：26）：附子 15g，白术（捣）30g，白芍、茯苓各 50g，生姜 50～100g，以水 1750ml，先煎附子 40 分钟以上，再入他药，煎至 500ml，分 3 次饭前服，1 日服完。重症呕吐不止者，去附子，加重生姜至 100～150g；小便频数者去茯苓；治疗眩晕病 162 例，男 35 例，女 127 例。结果：痊愈 102 例（63%），好转 35 例（22%），无效 25 例（15%），总有效率为 85%。

7. 老年缓慢型心律失常 《四川中医》（1997，

11：28）：用真武汤治疗缓慢型心律失常64例。结果：显效22例，占34%；有效39例，占61%；无效3例，占5%。总有效率95%。

8. 肾阳虚白带 《陕西中医》（2005，5：444）：用真武汤化裁：茯苓30g，白芍、白术各20g，干姜12g，炮附子8g，随症加减，治疗肾阳虚白带60例。结果：痊愈30例，显效22例，无效8例，总有效率87%。治愈时间最短的3周，最长的达6个月。

9. 老年慢性心力衰竭 《山西中医》（2004，6：26）：将老年慢性心力衰竭73例随机分为治疗组35例，对照组38例。两组病人均接受内科针对心力衰竭以及病因和诱因、并发症的对症治疗、吸氧等。对照组采用西药常规治疗，治疗组在对照组基础上加服真武汤治疗。结果：治疗组临床显效5例，有效25例，无效4例，加重1例，总有效率为85.7%；对照组临床显效5例，有效20例，无效9例，加重4例，总有效率为65.8%。

一物瓜蒂汤

【来源】《金匮要略》卷上。

【别名】瓜蒂汤（原书卷中）、一物瓜蒂散（《医略十三篇》）。

【组成】瓜蒂二七个（一本云二十个）

【用法】上锉。以水一升，煮取五合，去滓顿服。

【主治】

1.《金匮要略》：太阳中暍，身热疼重，而脉微弱。此以夏月伤冷水，水行皮中所致。

2.《医宗金鉴》：身面四肢浮肿。

【方论】

1.《张氏医通》：此方之妙，全在探吐，以发越郁遏之阳气，则周身汗出表和，而在内之烦热得苦寒涌泄，亦荡涤无余。

2.《金匮要略心典》：瓜蒂苦寒，能吐能下，去身面四肢水气，水去而暑无所依，将不治而自解矣。此治中暑兼湿者之法也。

3.《医宗金鉴》：瓜蒂治身面浮肿，散皮中水气，苦以泄之耳。

4.《温病条辨》：此热少湿多，阳郁致病之方法也。瓜蒂涌吐其邪，暑湿俱解，而清阳复辟矣。

【验案】

1. 太阳中暍 《伤寒九十论》：毗陵一时宫得病，身疼痛，发热，体重，其脉虚弱。人多作风湿，或作热病，则又疑其脉虚弱不敢汗也，已数日矣。予诊视之，曰中暍证也。仲景云：太阳中暍者，身热体疼而脉微弱。此以夏月伤冷水，水行皮中所致也。予以瓜蒂散治之，一呷而愈。

2. 身重呕吐 《伤寒发微》：予治新北门永兴隆板箱店顾五朗，时甲子六月也。予甫临病者卧榻，病者默默不语，身重不能自转侧，诊其脉则微弱，证情略同太阳中暍，独多一呕吐。考其病因，始则饮高粱大醉，醉后口渴，继以井水浸香瓜五六枚。卒然晕倒。因念酒性外发，遏以凉水浸瓜，凉气内簿，湿乃并入肌腠。此与伤冷水，水行皮中正复相似。予乃使店友向市中取香瓜蒂四十余枚，煎汤进之，入口不吐。须臾尽一瓯，再索再进，病者即沉沉睡，遍身微汗，迨醒而诸恙悉愈矣。

泽漆汤

【来源】《金匮要略》卷上。

【组成】半夏半升 紫参五两（一作紫菀） 泽漆三斤（以东流水五斗，煮取一斗五升） 生姜五两 白前五两 甘草 黄芩 人参 桂枝各三两

【用法】上锉。内泽漆叶中，煮取五升，温服五合，至夜尽。

【功用】

1.《金匮要略方义》：泻水逐饮，止咳消疾。

2.《张仲景药法研究》：逐水通阳，止咳平喘。

【主治】

1.《金匮要略》：咳而脉沉者。

2.《脉经》：寸口脉沉，胸中引胁痛，胸中有水气。

3.《张氏医通》：上气咽喉不利。

4.《金匮释按》：久病咳喘，肺气不利，水道失于通调，水饮内蕴，泛溢肌肤而出现浮肿。

甘草麻黄汤

【来源】《金匮要略》卷中。

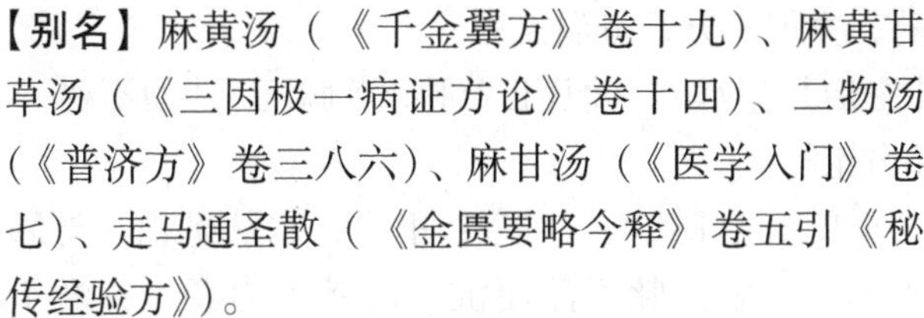

【别名】麻黄汤（《千金翼方》卷十九）、麻黄甘草汤（《三因极一病证方论》卷十四）、二物汤（《普济方》卷三八六）、麻甘汤（《医学入门》卷七）、走马通圣散（《金匮要略今释》卷五引《秘传经验方》）。

【组成】甘草二两　麻黄四两

【用法】以水五升，先煮麻黄，去上沫，纳甘草，煮取三升，温服一升。重覆汗出，不汗再服。

【主治】里水，一身面目黄肿，其脉沉，小便不利。

【宜忌】

1.《金匮要略》：慎风寒。

2.《外台秘要》：忌海藻、菘菜。

泽泻汤

【来源】《金匮要略》卷中。

【别名】泽泻散（《普济方》卷一九一）、泽泻饮（《杏苑生春》卷四）、白术汤（《医钞类编》卷九）。

【组成】泽泻五两　白术二两

【用法】上二味，以水二升，煮取一升，分温再服。

【功用】《金匮辨解》：利水除饮，健脾制水。

【主治】

1.《金匮要略》：心下有支饮，其人苦冒眩。

2.《普济方》：水肿。

3.《医灯续焰》：胸中痞结，坚大如盘，下则小便不利。

4.《证治汇补》：饮水太过，肠胃不能传送。

5.《会约医镜》：咳逆难睡，其形如肿。

【验案】水肿　《江苏中医杂志》（1984，6：35）：王某某，女，60岁，水肿二年余，时轻时重，晨起见于眼睑，入暮甚于下肢，按之凹陷难复。伴头晕目眩，胃纳不振，四肢倦怠。舌苔白滑，脉沉细。此脾气虚弱，水湿不化。治以健脾利湿，泽泻汤主之。炒白术45克，泽泻30克，每日煎服1剂。连服5剂，水肿渐消。原方续进10剂后，头目转清，胃纳亦充，脉舌俱平。

桂枝去芍药加麻黄细辛附子汤

【来源】《金匮要略》卷中。

【别名】桂枝去芍加麻辛附子汤（原书同卷）、桂姜草枣黄辛附汤（原书涵芬楼本）、附子汤（《外台秘要》卷八引《深师方》）、桂附汤（《三因极一病证方论》卷十四）、桂枝去芍药加麻黄附子细辛汤（《赤水玄珠全集》卷五）、桂甘姜枣麻辛附子汤（《金匮要略心典》卷中）、桂甘姜枣麻附细辛汤（《金匮悬解》卷十）、桂姜枣草黄辛附汤（《类聚方》）、桂枝去芍药加麻辛附子汤（《医门法律》卷二）、桂枝去芍药加黄辛附子汤（《方剂辞典》引）。

【组成】桂枝三两　生姜三两　甘草二两　大枣十二枚　麻黄二两　细辛二两　附子一枚（炮）

【用法】以水七升，煮麻黄，去上沫，纳诸药，煮取二升，分三次温服。当汗出，如虫行皮中，即愈。

【功用】

1.《金匮要略方义》：振奋阳气，调和营卫，外解风寒，内化水饮。

2.《金匮要略讲义》：温阳散寒，通利气机。

【主治】

1.《金匮要略》：气分，心下坚，大如盘，边如旋杯，水饮所作。

2.《金匮要略方义》：心肾阳虚，外感风寒，水饮内停，头痛身痛，恶寒无汗，手足逆冷，心下痞坚，腹满肠鸣，相逐有声，或矢气，或遗尿，脉沉迟而细涩无力。

【宜忌】《外台秘要》引《深师方》：忌海藻、菘菜、生葱、猪肉、冷水、生菜。

【方论】

1.《金匮要略论注》：药既用桂、甘、姜、枣以和其上，而复用麻黄、附子、细辛少阴的剂以治其下，庶上下交通而病愈，所谓大气一转，其气乃散也。

2.《古今名医方论》引柯琴：用附子、姜、桂以生阳之气，麻黄、细辛以发阳之汗，甘草、大枣以培胃脘之阳，使心下之水饮外达于皮毛，必如虫行皮中，而坚大如盘者始散。

3.《金匮要略方论》：本方是桂枝去芍药汤合麻黄细辛附子汤两方相合而成，桂枝去芍药汤主治表证而兼心阳不足者；麻黄细辛附子汤主治素体阳虚（主要为肾阳虚）而外感风寒者。今两方合用，殆为心肾阳虚、外感风寒之证而设。方中桂枝配伍麻黄，辛温发汗，宣散水气；附子温经助阳，与细辛相合可祛寒化饮。盖阳虚之体，邪客较深，取细辛可通彻表里，搜邪外出。佐以生姜、大枣，伍麻黄发越水气，合桂枝温通营卫；佐以甘草，调和诸药。

【验案】

1. 阴水 《福建中医医案医话选编》：陆某，女，24岁。全身浮肿，面色苍白，恶寒，四肢冰冷，脉象沉迟，舌苔白腻，渴不多饮。此证系阴盛阳微，水气泛滥，病名阴水。盖病人脾肾阳气素虚，水湿内蕴，脾主健运，肾主排泄，脾虚不能制水，肾虚不能化水，故水聚而成胀也。治宜消阴救阳、祛寒逐水，主以桂枝去芍药加麻辛附子汤：桂枝三钱，麻黄二钱，甘草二钱，细辛一钱，附子二钱，生姜二钱，大枣十枚。连服二剂，药后得微汗，四肢转温，恶寒已减，药已中肯，当乘胜再追，用前方再服一剂。恶寒已罢，小便通利，腹胀减小，脉象转缓，阳气亦有渐升之象，前方再服一剂。上部浮肿已消，腹胀再有减小，两足仍浮。后以鸡鸣散、实脾饮出入治愈。

2. 窦性心动过缓 《实用中西医结合杂志》(1996，10：637)：用本方加味（黄芪、丹参、当归、炙麻黄、炙甘草、炒枣仁、麦冬），治疗窦性心动过缓46例。结果：治愈34例，好转9例，总有效率92%。服药最少者4剂，最多者16剂，平均服药10剂。

麻黄附子汤

【来源】《金匮要略》卷中。

【组成】麻黄三两　甘草二两　附子一枚（炮）

【用法】以水七升，先煮麻黄，去上沫，纳诸药煮取二升半，温服八分，一日三次。

【功用】《金匮要略释义》：温经发汗，兼顾肾阳。

【主治】水病，其脉沉小。

越婢加术汤

【来源】《金匮要略》卷中。

【组成】麻黄六两　石膏半斤　生姜三两　大枣十五枚　甘草二两　白术四两

【用法】上以水六升，先煮麻黄，去上沫，纳诸药，煮取三升，分温三服。

【主治】里水。一身面目黄肿，其脉沉，小便不利。

【方论】

1. 《金匮要略心典》：里水，水从里积，与风水不同，故其脉不浮而沉，而盛于内者，必溢于外，故一身面目悉黄肿也。水病，小便当不利，今反自利，则津液消亡，水病已而渴病起矣。越婢加术是治其水，非治其渴也。以其身面悉肿，故取麻黄之发表；以其肿而且黄，知其湿中有热，故取石膏之清热，与白术之除湿。不然，则渴而小便利者，而顾犯不可发汗之戒郁。

2. 《医宗金鉴》：里字当是皮字，岂有里水而用麻黄之理，阅者自知是传写之讹。皮水表虚有汗者，防己茯苓汤固所宜也；若表实无汗有热者，则当用越婢加术汤；无热者，则当用甘草麻黄汤发其汗，使水外从皮去也。

3. 《金匮要略方义》：本方乃越婢汤加白术而成。白术乃脾家正药，健脾化湿是其专长，与麻黄相伍，能外散内利，祛一身皮里之水。本方治证，乃脾气素虚，湿从内生复感外风，风水相搏，发为水肿之病。方以越婢汤发散其表，白术治其里，使风邪从皮毛而散，水湿从小便而利。二者配合，表里双解，表和里通，诸症得除。

4. 《金匮悬解》：里水一身面目黄肿，小便自利而渴者，以皮毛外闭，湿气不得泄路，郁而生热，湿热淫蒸，是以一身面目黄肿。若小便不利，此应表里渗泄以祛湿。今小便自利而渴者，则湿兼在表，而不但在里，便利亡津，是以发渴。甘草、姜、枣补土和中，麻黄泄经络之湿热，白术补脏腑之津液也。

【验案】

1. 急性肾炎 《南京中医药大学学报》(1995，5：47)：用本方加减：生麻黄、生石膏、生甘草、大枣、生姜、白术、浮萍、泽泻为基本方；偏风热者加板蓝根、连翘；风寒偏盛者去石膏，加苏叶、桂枝；血尿或尿检有红细胞者加大小蓟、白茅根；治疗急性肾炎32例。结果：痊愈27例，好转3例，总有效率93.75%。

2. 变形性膝关节病 《日本东医学杂志》(1995，5：150)：以越婢加术汤颗粒剂7.5g，饭前分3次服用，疗程8周，治疗变形性膝关节病25例。结果：临床症状中疼痛步态、疼痛级别升降、肿胀三项明显改善（$P<0.05$）。但膝关节的屈曲角度几乎无改变。关节液中的白细胞数明显减少，过氧化氢酶活性明显降低，滑脱炎症的程度减轻。提示本方对骨膜炎症有抗炎作用，能减轻关节水肿，而且可能对多核细胞从有炎症的滑膜血管内渗出具有抑制作用。

3. 风湿热痹《陕西中医》（1998，5：205）：用本方加减，风胜者加防风、薏苡仁、防己、赤茯苓；湿热偏盛者加赤芍、虎杖、秦艽、忍冬藤；上肢痛者加桑枝、桂枝；下肢疼痛者加海桐皮、牛膝；治疗风湿热痹47例。结果：显效40例，有效5例，总有效率为95.74%。

桑根白皮汤

【来源】《医心方》卷十引张仲景方。

【别名】桑根白皮饮（《普济方》卷一九二）。

【组成】桑根白皮（切）二升　桂一尺　生姜三颗　人参一两

【用法】上切。以水三斗，煮取桑根得一斗，绞去滓，纳人参、桂、生姜、黄饴十两煮之，得七升。每服一升，消息更服。

【主治】脾胃水，面目手足跗肿，胃管坚大满，短气，不能动摇。

大黄丸

【来源】方出《肘后备急方》卷三，名见《千金翼方》卷十五引靳邵方。

【别名】细丸（《备急千金要方》卷十六）。

【组成】大黄　葶苈　豉各一合　杏仁　巴豆各三十枚

【用法】上为末，炼蜜为丸，如胡豆大。旦服二丸。利者减之，痞者加之。

【主治】

1.《备急千金要方》：客热结塞不流利。

2.《千金翼方》引靳邵方：服寒食散成痰水气，心痛，百节俱肿。

大戟丸

【来源】方出《肘后备急方》卷三，名见《普济方》卷一九三。

【组成】大戟　乌翅　术各二两

【用法】上为末，炼蜜为丸，如梧桐子大。旦服二丸。当下渐退，更取令消，乃止之。

【主治】肿入腹，苦满急，害饮食。

甘遂方

【来源】方出《肘后备急方》卷三，名见《普济方》卷一九三。

【组成】猪肾一枚（分为七脔）　甘遂一分（以粉之）

【用法】火炙令熟，剥去皮食之，一日一食。至四五，当觉腹胁鸣，小便利，不尔更进。须尽为佳，不尔再之。

【主治】

1.《肘后备急方》：卒身面肿满。

2.《普济方》：身面背洪肿，大小便涩。

【宜忌】勿食盐。

羊肉臛

【来源】方出《肘后备急方》卷三，名见《太平圣惠方》卷九十五。

【组成】章陆根一斤（刮去皮，薄切）　羊肉一斤

【用法】煮章陆根令烂，去滓，纳羊肉，下葱、豉、盐如食法，随意食之，肿愈后亦宜作此。亦可常捣章陆与米中拌蒸作饼子食之。

【主治】

1.《肘后备急方》：卒肿满，身面皆洪大。

2.《太平圣惠方》：水气洪肿。

豆　酒

【来源】方出《肘后备急方》卷三，名见《外台秘要》卷二十引《范汪方》。

【别名】大豆汤（《医心方》卷十引《小品方》）、大豆煎（《备急千金要方》卷二十一）。

【组成】大豆一升

【用法】以水五升，煮取二升，去豆，纳酒八升，更煮九升，分三四服。

【主治】风气水肿，及妇人新产受风，短气咳嗽。

1.《肘后备急方》：卒身面肿满。

2.《外台秘要》引《范汪方》：风虚，水气肿。

3.《备急千金要方》：男子女人新久肿，得暴恶风入腹，妇人新产上圊，风入脏，腹中如马鞭者，嘘吸短气，咳嗽。

【宜忌】肿愈后渴，慎不可多饮。

葶苈子丸

【来源】方出《肘后备急方》卷三，名见《鸡峰普济方》卷十九。

【组成】葶苈子七两　椒目三两　茯苓三两　吴茱萸二两

【用法】上为末，炼蜜为丸，如梧桐子大。每服十丸，一日三次。

【主治】肿入腹，苦满急，害饮食。

马鼠膏

【来源】方出《肘后备急方》卷四，名见《仙拈集》卷一。

【组成】鼠尾草　马鞭草各十斤

【用法】水一石，煮取五斗，去滓，再煎令稠，以粉为丸，如大豆大。每服二丸，加至四五丸。

【主治】水肿腹大。

【宜忌】猪肉、生冷勿食。

中候黑丸

【来源】《肘后备急方》卷四。

【别名】中军候黑丸（《备急千金要方》卷十八）、中候姜黑丸（《普济方》卷一七五）。

【组成】桔梗四分　桂四分　巴豆八分（去心皮）杏仁五分（去皮）　芫花十二分

【用法】并熬令紫色，先捣三味药为末，又捣巴豆、杏仁如膏，合和为丸，如胡豆大。服一丸取剂，至二三丸。儿生十日欲痫，皆与一二丸如粟粒大。诸腹内不便，体中觉患便服。得一两行利，则好也。

【主治】

1.《肘后备急方》：诸癖结痰饮，小儿欲发痫。

2.《备急千金要方》：澼饮停结，满闷目暗。

3.《普济方》：水从头面至脚肿，头眩痛，身虚热，名曰元水，体肿，大小便涩。

【宜忌】《普济方》：忌猪肉、芦笋、生葱等。

【方论】《千金方衍义》：取杏仁熬黑，以涤胸中宿垢，与巴豆破积不殊；并取芫花利水，桂心散血，桔梗上通肺金，下走大肠。所以水肿先从头面至足，头眩身热，亦取用之。《本经》治腹满肠鸣幽幽，岂非下走大肠之一验乎！

甘草丸

【来源】方出《肘后备急方》卷四，名见《圣济总录》卷七十九。

【组成】防己　甘草　葶苈各二两

【用法】上为末，苦酒为丸，如梧桐子大。每服三丸，一日三次。

【功用】消肿。

【主治】大腹水病。

白鸭方

【来源】方出《肘后备急方》卷四，名见《普济方》卷一九三。

【组成】白鸭一只（去毛肠，洗）　饭半升

【用法】以饭、姜、椒酿鸭腹中缝定，如法蒸，候熟食之。

【主治】水气，胀满浮肿，小便涩少。

葶苈散

【来源】方出《肘后备急方》卷四，名见《圣济总录》卷七十九。

【组成】葶苈一两　杏仁二十枚（并熬黄色）

【用法】上为末。分十服。小便去立愈。

【主治】卒大腹水病。

葶苈子回神酒

【来源】方出《肘后备急方》卷四，名见《医心方》卷十。

【别名】葶苈酒（《圣济总录》卷八十）。
【组成】春酒五升　葶苈子二升
【用法】以春酒渍葶苈子隔宿，稍服一合。小便当利。
【功用】《圣济总录》利小便。
【主治】大腹水病。

鼠尾草丸

【来源】方出《肘后备急方》卷四，名见《普济方》卷一九四。
【组成】鼠尾草　马鞭草各十斤
【用法】水一石，煮取五斗，去滓，更煎，以粉和为丸，如大豆大。每服二丸，加至四五丸。

《普济方》：为丸如小豆大，轻粉为衣。每服三丸至六丸，米饮送下。
【主治】卒大腹水病。
【宜忌】禁食肥肉、生冷。

千金丸

【来源】《外台秘要》卷二引《范汪方》。
【组成】矾石十分（熬）　踯躅花十分　细辛十分　半夏十分（洗）　藜芦十分　丹参十分　承露十分（承露是落葵）　巴豆十枚（去心皮，熬）　苦参十分　雄黄十分　大黄十分　芒消十分　大戟十分　乌头二十分（炮）　狼毒十分　野葛二分
【用法】上药治下筛，炼蜜为丸，如黍米大。以置钟上，并服三丸，每日三次。欲取下者，服五丸。
【主治】水肿大腹，水癥。
【宜忌】禁食生鱼、生菜、肥肉。

大槟榔丸

【来源】《外台秘要》卷二十引《范汪方》。
【别名】槟榔丸（《千金翼方》卷十九）。
【组成】槟榔三两　桂心三两　附子二两（炮）　栝楼三两　杏仁三两（熬）　干姜二两　甘草（炙）二两　麻黄三两（去节）　黄耆三两　茯苓三两　厚朴二两（炙）　葶苈三两（熬）　椒目三两　吴茱萸五合　白术三两　防己二两
【用法】上药治下筛，炼蜜为丸，如梧桐子大。每服二丸，一日三次。不知，稍增至四丸；不知，又加二丸；不下，还服四丸。得小下为验。
【主治】老小水肿；虚肿；大病客肿作喘病。
【宜忌】忌海藻、菘菜、猪肉、冷水、生葱、桃李、雀肉、大醋。

木防己汤

【来源】《外台秘要》卷二十引《范汪方》。
【组成】木防己三两　甘草二两（炙）　桂心二两　茯苓六两　黄耆三两　生姜二两　白术三两　芍药二两
【用法】上切。以水八升，煮取三升二合，分为四服。
【主治】水气，四肢肿，聂聂动。
【宜忌】忌海藻、菘菜、桃、李、雀肉、生葱、大醋。
【加减】胃寒患下，加当归三两、人参二两半、龙骨二两。

郁李核丸

【来源】《外台秘要》卷二十引《范汪方》。
【组成】郁李核仁三分　松萝三分　海藻二分　桂心　大黄五分　葶苈五分（熬）　黄连二分　通草一分　石韦一分（去毛）

方中桂心用量原缺。
【用法】上药治下筛，炼蜜为丸，如梧桐子大。每服七丸，食前以饮送下，一日三次。
【功效】得小便，消水肿。

葶苈丸

【来源】《外台秘要》卷二十引《范汪方》。
【别名】二利丸。
【组成】葶苈一升（熬）　吴茱萸一升
【用法】上为末，炼蜜为丸，如梧桐子大。每服二丸。不知增之，当以小便利及下为度。若下者，但可清旦一服。若不下，但小便利者，日可再三服。常服肿消。
【主治】水肿。

蒲黄酒

【来源】《外台秘要》卷二十引《范汪方》。
【组成】蒲黄一升　小豆一升　大豆一升
【用法】以清酒一斗，煮取三升，去豆，分三服。
【主治】风虚水气，通身肿，亦治暴肿。

十水丸

【来源】《医心方》卷十引《范汪方》。
【别名】十水丹（《鸡峰普济方》卷十九）。
【组成】大戟　葶苈　甘遂　藁本　连翘　芫花　泽漆　桑根　白皮　巴豆　赤小豆各等分
方中泽漆，《鸡峰普济方》作泽泻。
【用法】上药随病形所主倍之，为末，炼蜜为丸，如小豆大。先食服一丸，每日三次。欲下病，服三丸；人弱者，以意节之。
【主治】水肿。
【宜忌】《续本事方》：忌盐一百二十日，缘盐能化水故也。外忌鱼鲊、面食一切毒物及生冷等物。不得行房事。
【方论】大戟主青水，先从面目肿遍一身，其根在肝；葶苈主赤水，先从心肿，其根在心；甘遂主黄水，先从腹肿，其根在脾；藁本主白水，先从脚肿，其根在肺；连翘主黑水，先从足趺肿，其根在肾；芫花主玄水，先从面肿至足，其根在胆；泽漆主风水，先从四肢起肿满，身尽肿，其根在胃；桑根白皮主石水，四肢小，其腹肿独大，其根在膀胱；巴豆主里水，水从肠满，其根在小肠；赤小豆主气水，乍盛乍虚，乍来乍去，其根在大肠。

大戟洗汤

【来源】《医心方》卷十引《范汪方》。
【组成】大戟四两　莽草二两　茵芋二两　大黄二两　黄连二两　芒消二两　葶苈二两　皂荚二两
【用法】上锉。以水一斗五升，煮得一升，绞去滓，洗肿上，一日三次。
【主治】身面卒洪肿。

香薷煎

【来源】《本草图经》引《胡洽方》（见《证类本草》卷二十八）。
【组成】干香薷五十斤
【用法】上锉，纳釜中，以水淹之，水出香薷上一寸，煮使气力都尽，清澄之，严火煎令可丸，即丸如梧桐子大。每服五丸，日渐增之。以小便利为度。
【主治】
1.《本草图经》引《胡洽方》：水病洪肿。
2.《普济方》引《十便良方》：水病肿胀，不消食。

小女曲散

【来源】《外台秘要》卷二十引《小品方》。
【别名】女曲散（《备急千金要方》卷十五）。
【组成】女曲一升（生用）　干姜　细辛　椒目　附子（炮）　桂心各一两
【用法】上为散。每服方寸匕，酒调下；不知，服二三匕，一日三次。
【主治】利后虚肿、水肿；产后虚满。
【宜忌】忌猪肉、生葱、生菜。

桃皮酒

【来源】《外台秘要》卷二十引《小品方》。
【组成】桃皮三斤（削去黑皮，取黄皮）　麦曲一升　秫米一升
【用法】上以水三斗，煮桃皮令得一斗，以五升汁渍女曲，五升汁渍饙饭，酿如酒法，熟，漉去滓。可服一合，一日三次，耐酒者增之。以体中有热为候，小便多者即是病去便愈。
【功用】《本草纲目》：利小便。
【主治】水肿。
【宜忌】忌生冷、酒、面、一切毒物。

商陆膏

【来源】《外台秘要》卷二十引《小品方》。
【组成】商陆根一斤（生者）　猪膏一斤（先煎，

可有二斤）

【用法】上药合煎令黄，去滓。以摩肿；亦可服少许。

【主治】水肿。

【宜忌】忌犬肉。

麝香散

【来源】《外台秘要》卷二十引《小品方》。

【组成】麝香三铢　芫花三分（熬）　甘遂三分

【用法】上药合下筛。酒服钱半边匕。老小钱边三分匕；亦可丸服之，强人如小豆十丸，老人五丸。

【主治】水肿。

甘遂散

【来源】《外台秘要》卷三十三引《小品方》。

【组成】太山赤皮甘遂二两

【用法】上为末，以白蜜二合和，每服如大豆粒，多觉心下烦。得微下者，每日一次，下后还服猪苓散；不得下，一日二次。渐加可至半钱匕，以微下为度。

【主治】妊娠子淋，大小便并不利，气急，已服猪苓散不愈者。

十水丸

【来源】《医心方》卷十引《小品方》。

【组成】椒目　甘遂　大戟　芫花　玄参　赤小豆　桑根白皮　泽漆　巴豆　葶苈各等分

【用法】上十种，随其病始所在，增其所主药一分，巴豆四分（去心皮），为末，合下筛，炼蜜为丸，如梧桐子大。每服三丸。得下为度。不下，日三服亦可。亦可作散服，每用半钱匕。如大便利，明朝复服如法，再服病愈。

【主治】十种水肿。

【加减】肿从头起名白水，加椒目一分：从胸起名黄水，加甘遂一分；从面起名青水，加大戟一分；从腹起名气水，加芫花一分；从股起名黑水，加玄参一分；从面起至足名悬水，加赤小豆一分；从内起坚块四肢肿名石水，加桑根一分；从四肢起腹肿名风水，加泽漆一分；从腹起名冷水，加巴豆四分；从胸起名赤水，加葶苈一分。

十水散

【来源】《医心方》卷十引《小品方》。

【组成】葶苈子　泽漆　蜀椒　桑根　巴豆　大戟　荛花　茯苓　甘遂　雄黄各等分

【用法】随肿所从始，按方偏加药二分，合捣下筛。空腹以水服方寸匕。下水多者减服，下少者益之。

【主治】水肿。

【方论】水肿，先从脚肿，名曰清水，其根在心，葶苈子主之；先从阴肿，名曰劳水，其根在肾，泽漆主之；先从腹肿，名曰冷水，其根在大肠，蜀椒主之；先从面目肿，名曰气水，其根在肺，桑根主之；先从手足肿，名曰心水，其根在小肠，巴豆主之；先从口唇肿，名曰黄水，其根在胃，大戟主之；先从胁肿，名曰饮水，其根在肝，荛花主之；先从腰肿，名曰肝水，其根在肠，甘遂主之；先从胸肿，名曰石水，其根在脾，茯苓主之；先从背肿，名曰鬼水，其根在胆，雄黄主之。

牵牛丸

【来源】《医心方》卷十引《小品方》。

【别名】牵牛子丸（原书卷八引《经心录》）。

【组成】大黄二两　朴消三两（炼）　牵牛子七两（熬）　桃仁二两（去心，熬）　干姜二两半　人参二两　橘皮一两半

【用法】上为末，炼蜜为丸，如梧桐子大。每服二十丸。以微利为度，肿愈即止，不必尽剂。

【主治】脚肿满，步行不能，众恶毒水肿。

【宜忌】忌冷水、猪肉。

泽漆根汤

【来源】《外台秘要》卷二十引《深师方》。

【组成】生鲤鱼一头（重五斤，粗锉）　麦门冬二两（去心）　甘草二两（炙）　人参二两　茯苓二两　泽漆根八两（生者）

【用法】上切。以水一斗七升煮鱼，取一斗，去鱼以煮药，取四升，分服，一日三次，小便利为度，

不利增服之；大便如利而小便未利者，增至四合。服一日气即下，得安卧。

【功用】利小便。

【主治】水在五脏，令人咳逆喘上气，腹大响响，两脚肿，目下有卧蚕，微渴，不得安卧，气奔短气，有顷乃复，小便难，少而数，肺病胸满引痛，水气迫肺，吸吸寒热。

【加减】有寒，可纳干姜八两。

香薷术丸

【来源】《外台秘要》卷二十引《深师方》。

【别名】香薷丸（《鸡峰普济方》卷十九）。

【组成】干香薷一斤　白术七两

【用法】上白术为末，浓煮香薷取汁，和术为丸，如梧桐子大。饮服十丸，日夜四五服。夏取花、叶合用亦佳。

【功用】利小便。

【主治】暴水风，水气水肿；或疮中水，通身皆肿。

十水散

【来源】《医心方》卷十引《深师方》。

【组成】芫花三分　决明三分　大戟三分　石韦三分（去毛）　巴豆三分（去心）　泽泻三分　大黄三分　鬼臼三分　甘遂三分　葶苈三分

【用法】上药治下筛。以大麦粥清汁服方寸匕，每日三次。

【主治】身体浮肿。

西王母玉壶赤丸

【来源】《医心方》卷十四引《深师方》。

【别名】仙人玉壶丸（《备急千金要方》卷十二）、耆婆丸（《医心方》卷十四）。

【组成】武都雄黄一两（赤如鸡冠）　八角大附子一两（炮称）　藜芦一两　上丹砂一两（不使有石者）　白礜石一两（炼之一日一夜）　巴豆一两（去皮，炙令紫色称之）（一方有真朱一两）

【用法】先治巴豆三千杵；次纳礜石，治三千杵；次纳藜芦，治三千杵；次纳雄黄，治三千杵；次纳附子，治三千杵；次纳白蜜，治三千杵；若不用丹砂而纳真朱二两，勿令泄气。大人服之皆丸如小豆大，若本病将服者，禁食生鱼、生菜、猪肉；服以下病者，宿勿食，明旦服二丸，不知者，饮暖米饮以发之令下，下不止，饮冷水以止之；病在膈上吐，膈下者下，或但噫气而愈。或食肉不消，腹坚胀或痛，服一丸立愈；风疝、寒疝，心疝，弦疝，每诸疝发腹中急痛，服二丸；积寒热老痞，蛇痞，服二丸；腹胀不得食饮，服一丸；卒大苦寒热往来，服一丸；卒关格不得大小便，欲死，服二丸；瘕结，服一丸，一日三次，取愈；若微者，射罔丸甚良；下利重下，服一丸便断；或复天行下便断；卒上气，但出不入及逆气冲喉，暴积聚者，服二丸，一日二次；疟未发服一丸，已发，服二丸便断；小儿百病痞寒中及有热，一百日至半岁者，以如黍米大一丸着乳头与服之，一岁以上，服如麻子大一丸，一日三次，皆以饮服；小儿大腹及中热恶毒，食物不化，结成坚积，皆服一丸，亦可以涂乳头使小儿乳之；伤寒力色及时气病，以温酒服一丸，厚覆取汗，若不汗，复以酒服一丸，要取汗；欲行视病人服一丸，以一丸着头上，行无所畏；至死丧家，带一丸，辟百鬼；病苦淋露消瘦，百节痠疼，服一丸，一日三次；妇人产生余疾，及月水不通，及来往不时，服二丸，一日二次；卒霍乱心腹痛，烦满吐下，手足逆冷，服二丸；注病，百种病不可名，将服二丸，一日二次；若腹中如有虫，欲钻胁出状，急痛，一止一作，此是风气，服二丸；若恶疮不可名，瘑疥疽，以膏若好苦酒和药，先用盐汤洗疮去痂，拭令燥，以药涂之即愈；恶风遊心，不得气息，服一丸即愈；耳出脓血汁，及卒聋，以赤楮皮裹二丸塞耳孔中即愈；痈肿痤疖瘰疬及欲作瘘，以苦酒和药涂之，齿痛，以绵裹小丸着齿孔中咋之；苦寒热往来，服二丸，若蛇蝮蜂蝎蛎所中及猘犬狂马所咋，以苦酒和涂疮中，并服二丸即愈；卒中恶欲死不知人，以酒若汤水和二丸，强开口灌喉中，捧坐令下；澼饮、留饮、痰饮，服一丸，以蜡和一丸如弹丸，着绛囊中以系臂，男左女右；中溪水毒，服二丸；已有疮在身，以苦酒和三四丸涂疮上；忧患之气结在胸中，苦连噎及咳，胸中刺痛，服如麻子大三丸，一日三次；妇人胸中苦滞气，气息不利，小腹坚急，绕脐绞痛，浆服如麻子大一丸，稍增之如小豆大；心腹常苦切痛及中热，服一丸如麻子大，一日三次，五日愈；男女邪气鬼交通，歌哭无常，或腹大经绝，状如妊身，皆服如胡豆大三丸，日三次，夜一次，又以苦酒和之如饴，旦以涂手间使，暮又以涂足三阴交及鼻孔，七日愈，又将服如麻子大一丸，一日三次，三十日止；腹中三虫，宿勿食，明平旦进牛羊肉，炙三膊，须臾便服如胡豆大三丸，日中当下虫，过日中不下，复服二丸，必有烂虫下；小儿寒热，头痛身热及吐见，服如麻子大一丸；小儿消瘦丁奚不能食，食不化，服二丸，一日三次，又苦酒和如饴，涂儿腹良；风目赤或痒，视物漠漠，泪出烂眦，以蜜解如饴，涂注目眦头；卒风肿，以苦酒若膏和涂之，即愈；风头肿，以膏和涂之，以絮裹之；若为蛄毒所中，吐血，腹内如刺，服如麻子大一丸，稍益至胡豆大，亦以涂鼻孔中，以膏和，通涂腹背，亦烧之自熏；鼠瘘，以脂和涂疮，取交舌狗子舐之即愈也。

【功用】解毒。

【主治】《医心方》引《深师方》：尸注，卒恶，水陆毒螫万病，积聚，心腹痛，中恶，痈疡，水肿胀满。男女与鬼交通，歌哭无常，或腹大绝经，状如妊娠；恶风逆气不得气息；忧恚气结在胸心，苦连噫及咳，胸中刺痛；澼饮，痰饮；风疝，寒疝，心疝，弦疝；腹中三虫；卒关格，不得大小便，欲死；卒霍乱，心腹痛，烦满吐下，手足逆冷；下痢重下；疟未发或已发，寒热往来；伤寒敕涩，时气热病；淋沥瘦瘠，百节酸痛；头卒风肿；耳聋，脓血汁出及卒聋；风目赤或痒，视物漠漠泪出，烂眦；齿痛；妇人产后余疾，及月水不通，往来不时；妇人胸中苦滞气，气息不利，少腹坚急，绕脐绞痛；小儿百病，惊痫痞塞及有热；小儿大腹及中热恶毒，食物不化，结成积聚；小儿寒热，头痛身热及吐乳；小儿羸瘦；丁奚，不能食，食不化。

【方论】《千金方衍义》：辟除恶毒之药，非猛力峻攻，无以建克敌之功。方中雄黄治寒热死肌，杀精物恶鬼邪气，胜五兵；附子治风寒痿躄，破癥坚积聚；藜芦治蛊毒泄利，杀蛊毒，去死肌；丹砂治身体五脏百病，养精神，安魂魄，杀鬼精恶物，与礜石治寒热风痹、腹中坚癖邪气；巴豆破癥瘕积聚，坚积留饮，荡练五脏六腑，开通闭塞，除蛊毒鬼疰邪物，种种皆辟除邪毒峻药，无不本诸本经。治宿患痼疾，确有五兵荡练之绩。而方后有无丹砂，真朱代用之说，真朱即矾红，取其涤除积垢，以安神识也。

汉防己煮散

【来源】《备急千金要方》卷二十一引褚澄方。

【别名】防己煮散（《外台秘要》卷二十引《古今录验》）、汉防己散（《普济方》卷一九四）。

【组成】汉防己　泽漆叶　石苇　泽泻各三两　白术　丹参　赤茯苓　橘皮　桑根白皮　通草各三两　郁李仁五合　生姜十两

【用法】上为粗散。以水一升半，煮散三方寸匕，取八合，去滓顿服，一日三次。取小便利为度。

【主治】水肿上气。

赤小豆饭

【来源】方出《本草纲目》卷二十四引《梅师方》，名见《增补内经拾遗》卷三。

【组成】赤小豆一升

【用法】以东行花桑枝烧灰一升，淋汁，煮饭食之。

【功用】《增补内经拾遗》：健脾胃，消水肿。

【主治】水气肿胀。

香薷膏

【来源】《医心方》卷十引《耆婆方》。

【组成】香薷一百斤

【用法】以水煮之令熟，去滓更煎，令如饴糖。少少服之。当下水，小便数，即愈。

【主治】水病，四肢、脚、肤、面、腹俱肿。

蒴藋酒

【来源】方出《证类本草》卷十一引《梅师方》，名见《圣济总录》卷八十。

【组成】蒴藋根（刮去皮，捣汁）一合

【用法】上和酒一合，暖，空心服，当微吐利。

【主治】

1. 《证类本草》引《梅师方》：水肿，坐卧不得，头面身体悉肿。

2.《圣济总录》：水气，通身黄肿。

茯苓丸

【来源】《备急千金要方》卷二十一引《古今录验》。

【别名】茯苓煎（《鸡峰普济方》卷十九）。

【组成】茯苓　白术　椒目各四分　木防己　葶苈　泽泻各五分　甘遂十一分　赤小豆　前胡　芫花　桂心各二分　芒消七分（别研）

【用法】上为末，炼蜜为丸，如梧桐子大。一日五丸，稍加，以知为度，蜜汤送下。

【主治】

1.《备急千金要方》引《古今录验》：水肿。

2.《鸡峰普济方》：支饮上气，黄疸及脚气、消渴后成石水，腹胁坚胀，足胫浮肿，上气不得卧，口干，颈脉动，腹胀间冷，大小便不利。

【方论】《千金方衍义》：丸中芫花、甘遂、葶苈、芒消、椒目、防己兼走二便；佐以茯苓、白术、桂心、泽泻、前胡、赤小豆利水下气之味，深得峻药缓攻之妙。

小消化水丸

【来源】《外台秘要》卷二十引《古今录验》。

【别名】小消化丸（《圣济总录》卷八十）。

【组成】芫花一两（熬）　甘遂一两（熬）　大黄一两　葶苈一两（熬）　巴豆四十枚（去心皮，熬，研）

【用法】上药治下筛，炼蜜为丸，如梧桐子大。每服一丸。不知稍增，以知为度。

【主治】水病，通身微肿，腹大，食饮不消

【宜忌】忌芦笋、野猪肉。

牛黄桂枝丸

【来源】《外台秘要》卷二十引《古今录验》。

【组成】牛黄六铢（研）　桂枝十二铢（一方六铢）　牡蛎十二铢（熬，研）　椒目十二株（一方海藻二十四铢，不须椒目）　葶苈子半升（熬。一方用一升）

【用法】上为末，炼蜜为丸，如梧桐子大。饮服七丸，一日二次。小便利为度。

【主治】水病。

【宜忌】忌生葱。

泽漆汤

【来源】《外台秘要》卷二十引《古今录验》。

【组成】泽漆二两（炙）　知母二两　海藻二两　茯苓二两　丹参三两　秦艽二两　木防己二两　猪苓二两（去皮）　大黄三两　通草二两　青木香二两

【用法】上切。以水九升，煮取三升，分三服。

【主治】寒热当风，饮多暴肿，身如吹，脉浮数。

【宜忌】忌酢物。

桑　酒

【来源】《外台秘要》卷二十引《古今录验》。

【组成】桑枝（并心皮，细锉）

【用法】上以水八升，煮取四升，以四升米酿酒。每服一升。

【主治】水病。不下则满溢，下之则虚竭，还复，十无一活。

麻黄汤

【来源】《外台秘要》卷十九引《古今录验》。

【组成】麻黄四两　芎䓖一两　莽草一两　当归一两　杏仁三十枚

【用法】上切。以水五升，煮取二升，去滓，分三次服，每日三次。

【主治】头风湿，面如针刺之状，身体浮肿，恶风汗出，短气，不能饮食。

【宜忌】以糜粥将息佳。

鲤鱼汤

【来源】《外台秘要》卷二十引《古今录验》。

【组成】鲤鱼五斤　茯苓六两　泽漆五两（炙）　人参二两　杏仁一两　泽泻五两　甘草二两（炙）

【用法】上切。以水二斗五升，煮鱼取一斗半汁，纳药，煮取四升，未食服一升，一日三次。以小便利为度。

【主治】通身手足面目肿，食饮减少。

【宜忌】忌海藻、松菜、酢物。

诃黎勒丸

【来源】《医心方》卷三引《古今录验》。

【组成】诃黎勒皮八分　槟榔八分　人参三分　橘皮六分　茯苓四分　芒消四分　狗脊三分　豉四分　大黄八分　干姜十二分　桃仁八分　牵牛子十三两　桂心八分

【用法】上锉，下筛，炼蜜为丸，如梧桐子大。每服二十丸，食前以温酒或薄粥汁服。平旦得下利良。

【主治】诸风癖块，大便不通，体枯干燥，面及遍身黄；痔，赤白利，下部疼痛，久壮热；一切心痛，头旋闷，耳痛重听；身体痈疽，积年不瘳；痢不思食；痰冷在胸中，咳嗽，唇色白干燥；澼，小便稠数，腹胀痃气，初患水病；声破无，无颜色，色黄，腹内虫，脚气，上吐无力，肢节疼痛，血脉不通，心上似有物涌，健忘心迷。

耆婆万病丸

【来源】《备急千金要方》卷十二。

【别名】万病丸、牛黄丸、耆婆丸。

【组成】牛黄　麝香　犀角（一方云一铢）各一分　朱砂　雄黄　黄连　禹余粮　大戟　芫花　芫青六枚　人参　石蜥蜴一寸　茯苓　干姜　桂心　当归　芎藭　芍药　甘遂　黄芩　桑白皮　蜀椒　细辛　桔梗　巴豆　前胡　紫菀　蒲黄　葶苈　防风各一分　蜈蚣三节

方中朱砂、雄黄、黄连、禹余粮、大戟、芫花、人参用量原缺。

【用法】牛黄、麝香、犀角、朱砂、雄黄、禹余粮、巴豆别研，余者合捣，重绢下之，以白蜜和，更捣三千杵，为丸，如梧桐子大，密封之。每服三丸，破、除日平旦空腹酒送下。取微下三升恶水为良。若卒暴病，不要待平旦，无问早、晚即服，以吐利为度；若不吐利，更加一丸至三五丸，须吐利为度，不得限以丸数，病强药少即不吐利，更非他故；若其发迟，以热饮汁投之，若吐利不止，即以醋饭二三口止之。一日服，二日补之，得食新米，韭骨汁作羹粥臛饮食之，三四顿大良，亦不得全饱。吐利以后，常须闭口少语，于无风处温床暖室将息。若旅行卒暴，无饮，以小便送之佳；若一岁以下小儿有疾者，令乳母服二小豆，亦以吐利为度；近病及卒病皆用，多积久病即少服，常取微溏为度。卒病欲死，服三丸如小豆，取吐利即愈；卒得中恶口噤，服二丸如小豆，暖水一合灌口，令下微利即愈；五疰鬼刺客忤，服二丸如小豆，不愈，后日更服三丸；男女邪病，歌哭无时，腹大如妊娠，服二丸如小豆，日二夜一，间食服之；猫鬼病，服三丸如小豆，未愈更服；蛊毒、吐血、腹痛如刺，服二丸如小豆，不愈更服；疟病未发前，服一丸如小豆，不愈，后日更服；诸有痰饮者，服三丸如小豆；冷癖，服三丸如小豆，一日三次，皆间食，常令微溏利；宿食不消，服二丸如小豆，取利；癥瘕积聚，服二丸如小豆，日服三次，皆间食，以利愈止；拘急、心腹胀满、心痛，服三丸如小豆，不愈更服；上气喘逆，胸满不得卧，服二丸如小豆，不愈更服；大痢，服一丸如小豆，一日三次；疳湿，以一丸如杏仁，和酢二合灌下部，亦服二丸如小豆；水病，服三丸如小豆，一日二次，皆间食服之，愈止，人弱隔日服；头痛恶寒，服二丸如小豆，覆取汗；伤寒时行，服二丸如小豆，一日三次，间食服之；小便不通，服二丸如小豆，不愈，明日更服；大便不通，服三丸如小豆，又纳一丸下部中，即通；耳聋、聤耳，以绵裹一丸如小枣核，塞之愈；鼻衄，服二丸如小豆即愈；痈肿、疔肿、破肿，纳一丸如麻子，日一敷，其根自出愈；犯疔肿血出，猪脂和敷有孔内孔中，愈止；胸背腰胁肿，以酢和敷肿上，日一易，又服二丸如小豆；癞疮，以酢泔洗之，取药和猪脂敷之；瘘疮有孔，以一丸如小豆纳孔中，且和猪脂敷之；痔疮，涂绵箸上，纳孔中，日别易，愈止；瘰疬，以酢和敷上愈；诸冷疮积年不愈者，以酢和涂其上，亦饼贴，愈；癣疮，以布揩令汁出，以酢和敷上，日别一易，立愈；恶刺，以一丸纳疮孔中，即愈；蝮蛇螫，取少许纳螫处，若毒入腹，心闷欲绝者，服三丸如小豆；蝎螫，以少许敷螫处；蜂螫，以少许敷螫处；妇人诸疾。胞衣不下，服二丸如小

豆，取吐利即出；小儿客忤，服二丸如米，和乳汁敷乳头，令嗍之；小儿惊痫，服二丸如米，涂乳头，令嗍之，看儿大小量之；小儿乳不消，心腹胀满，服二丸如米，涂乳头，令嗍之，不愈更服。

【主治】七种癖块，五种癫病，十种疰忤，七种飞尸，十二种蛊毒，五种黄病，十二时疟疾，十种水病，八种大风，十二种㿗痹；并风入头，眼暗漠漠；及上气咳嗽，喉中如水鸡声，不得眠卧；饮食不作肌肤，五脏滞气，积聚不消，壅闭不通，心腹胀满及连胸背，鼓气坚结，流入四肢，或复心膈气满，时定时发，十年二十年不愈；五种下痢，疳虫、寸白诸虫；上下冷热，久积痰饮，令人多睡，消瘦无力，荫入骨髓，便成患滞，身体气肿，饮食呕逆，腰脚酸疼，四肢沉重，不能久行立；妇人因产，冷入子脏，脏中不净，或闭塞不通，胞中瘀血冷滞，出流不尽，时时疼痛为患，或因此断产；并小儿赤白下痢；及狐臭、耳聋鼻塞等病。

【宜忌】忌陈臭，生冷，酢、滑、粘食，大蒜，猪、鱼、鸡、狗、马、驴肉，白酒，行房，七日外始得。产妇勿服之。

【方论】《千金方衍义》：方中牛黄、麝脐开关利窍；犀角、黄连消瘀散热，朱砂、雄黄镇惊豁痰，蜈蚣、蜥蜴、芫青攻毒祛风，巴豆、芫花、甘遂、大戟、葶苈破积利水，干姜、桂心、蜀椒、细辛开痹逐湿，芎䓖、当归、芍药、蒲黄、紫菀和血通经，桑皮、前胡、防风、黄芩、茯苓、桔梗透表达气，人参助诸药力，禹余粮固诸药性，共襄搜根剔弊之功。凡系实证，便可谅用，不必拘以方例等治也。予尝用治十年二十年痼疾，如伏痰悬饮，当背恶寒，无不神应；肢体沉重，腰脚酸痛，服之即捷；而坚积痞块，虽未全瘳，势亦大减，惜乎世罕知用耳。

干枣汤

【来源】《备急千金要方》卷十八。

【组成】芫花　荛花各半两　甘草　大戟　甘遂　大黄　黄芩各一两　大枣十枚

【用法】上锉。以水五升，煮取一升六合，分四服，空心服。以快下为度。

【主治】肿及支满澼饮。

【宜忌】《外台秘要》：忌海藻、菘菜。

【方论】《千金方衍义》：此即十枣汤加用甘草之相反，激发大戟、芫花逐饮之性，更加荛花以佐芫花之破积，大黄、黄芩以佐大戟而攻悬饮坚澼也。

大豆散

【来源】《备急千金要方》卷二十一。

【组成】乌豆一斗

【用法】熬令香，勿令大熟，去皮，为细末，筛下。饧、粥皆得服之，初服一合。稍加之。若服初多，后即嫌臭。服尽则更造，取愈止。

【主治】久水，腹肚如大鼓者。

【宜忌】不得食肥腻，渴则饮羹汁；慎酒、肉、猪、鸡、鱼、生冷、酢滑、房室。得食浆、粥、牛、羊、兔、鹿肉，此据大饥渴得食之，可忍，亦勿食也。其所禁之食，常须少啖，莫恣意咸物、诸杂食等。

【方论】《千金方衍义》：黑大豆粥虽有清热解毒之功，毕竟气味壅浊，如何可治水肿腹大？以意推之，当是百药毒发，乃为合剂。

水银葶苈丸

【来源】方出《备急千金要方》卷二十一，名见《普济方》卷一九一。

【组成】水银三两（三日三夜煮）　葶苈子　椒目各一升　衣鱼二十枚　水萍　瓜蒂　滑石各一两　芒消三两

【用法】上药捣葶苈令细，下水银更捣，令不见水银止，别捣椒目令细，捣瓜蒂、水萍下筛，合和余药，炼蜜为丸，如梧桐子大。初服一丸，次服二丸，次服三丸，次服四丸，次服五丸，次服六丸，至七日，还从一丸起，次服二丸，如是每至六丸，还从一丸起。始服药，当咽喉上有历子肿起，颊车肿满，齿龈皆肿，唾碎血出，勿怪，不经三五日即消，所苦皆愈，亦止服药；若下多，停药以止利，药至五下止；病未愈，更服，病愈止。

【功用】利小便。

【主治】

1.《备急千金要方》：水肿，诸体肉肥厚，按之不陷，甚者臂粗，着衣袖不受，及十种大水。

2.《太平圣惠方》：水肿胀满，上气，坐卧不得。

平水丸

【来源】方出《备急千金要方》卷二十一，名见《家塾方》。

【别名】蕤宾丸（《家塾方》）。

【组成】商陆四两　甘遂一两　芒硝　吴茱萸　芫花各二两

【用法】上为末，炼蜜为丸，如梧桐子大。每服三丸，一日三次。

【功用】治水肿，利小便。

【主治】

1.《备急千金要方》：酒客虚热当风，饮冷水，腹肿阴胀满。

2.《家塾方》：脚气肿满，不大便者。

3.《奇正方》：水肿，通身洪肿，或脚气脚弱，悸动升逐者。

麦门冬饮

【来源】《备急千金要方》卷二十一。

【别名】麦门冬汤（《医方集解》）、麦冬粳米饮（《医宗金鉴》卷六十一）、麦门冬粳米汤（《医林纂要探源》卷四）。

【组成】麦门冬二十五个　米二十五粒

【用法】以水一升，和煮米熟，去滓，食后送下丸药（用葨菪子一升，羊肺一具。先洗羊肺，汤微渫之，薄切，晒干作末，以三年大酢渍葨菪子一晬时，出，熬令变色，熟捣如泥，和肺末，炼蜜为丸，如梧桐子大）四丸，一日三次。以喉中干，口粘浪语为候。数日小便大利，佳。

《医方考》、《医方集解》、《医宗金鉴》等用本方，均不用此丸。

【主治】

1.《备急千金要方》：水气肿鼓胀，小便不利。

2.《医方考》：肺热失其降下之令，不能通调水道，下输膀胱，渍于高源，淫于皮肤，肢体皆肿，少腹不急，初病便有喘满。

3.《医宗金鉴》：痈疽阴疮，法当艾灸，或灸太过者，或阳疮不应灸而误灸者，以致火毒入里，令病人头项浮肿，神昏痰涌，吁吁作喘。

【方论】《医方考》：方中麦门冬清肺，以开其降下之源；粮米益脾，而培乎金之母气。此治病必求其本也。

吴茱萸丸

【来源】方出《备急千金要方》卷二十一，名见《普济方》卷一九三。

【组成】吴茱萸　荜茇　昆布　杏仁　葶苈各等分

【用法】上为末，炼蜜为丸，如梧桐子大。气急服五丸。勿令饱食，食讫饱闷气急，服之即散。

【主治】水气，通身洪肿，气急，百药治之不愈者。

【方论】《千金方衍义》：吴茱萸、荜茇温中下气，专行固本；杏仁、葶苈泄肺利水，专行散标；昆布咸寒润下，为下十二种水之向导。

泽漆汤

【来源】《备急千金要方》卷二十一。

【别名】泽漆根汤（《千金翼方》卷十九）。

【组成】泽漆根十两　鲤鱼五斤（若无鲤鱼，鲖鱼亦可用）　赤小豆二升　生姜八两　茯苓三两　人参　麦门冬　甘草各二两

【用法】上锉。以水一斗七升，先煮鱼及豆，减七升，去之，纳药煮取四升半，每服三合，一日三次；人弱服二合，再服气下喘止，可至四合。晬时小便利，肿气减，或小溏下。若小便大利，还从一合，始大利便止。

【主治】水气，通身洪肿，四肢无力，或从消渴，或从黄疸支饮，内虚不足，营卫不通，气不消化，实皮肤中，喘息不安，腹中响响胀满，眼不得视。

【加减】水甚不得卧，卧不得转侧，加泽漆一斤；渴，加栝楼根二两；咳嗽，加紫菀二两，细辛一两，款冬花一合，桂三两，增鱼汁二升。

鬼箭羽散

【来源】方出《备急千金要方》卷二十一，名见《普济方》卷一九一。

【组成】丹参 鬼箭羽 白术 独活各五两 秦艽 猪苓各三两 知母 海藻 茯苓 桂心各二两

【用法】上锉，以酒三斗，浸五日。每服五合，每日三次，任性量力渐加之。岁久服之，乃可得力耳。愈后可长服。

【功用】微除风湿，利小便，消水谷。

【主治】终身水肿，腹大，四肢细，腹坚如石，小劳即苦足胫肿，小饮食便气急。

莨菪丸

【来源】方出《备急千金要方》卷二十一，名见《千金翼方》卷十九。

【组成】莨菪子一升 羯羊肺一具（青羊亦佳）

【用法】上二味，先洗羊肺，汤微渫之，薄切，晒干作末，以三年大酢渍莨菪子一晬时出，熬令变色，熟捣如泥，和肺末、蜜合捣三千杵作丸，如梧桐子大。每服四丸，食后一食久，以麦门冬饮服，一日三次。以喉中干，口粘浪语为候，数日小便大利佳。

【主治】水气肿，鼓胀，小便不利。

【方论】《千金方衍义》：莨菪走而不守，故须醋制稽留其性，以去痰涎垢腻；用羚羊肺为引，以通气化；服用麦门冬饮，以通肺之津液也。

徐王煮散

【来源】《备急千金要方》卷二十一。

【别名】徐玉煮散（《普济方》卷一九一）。

【组成】防己 羌活 人参 丹参 牛膝 牛角腮 升麻 防风 秦艽 谷皮 紫菀 杏仁 生姜屑 附子 石斛各三两 橘皮一两 桑白皮六两 白术 泽泻 茯苓 猪苓 黄连 郁李仁各一两

【用法】上为粗散。以水一升五合煮三寸匕，取一升，顿服，每日二次；不能者，每日一次，二三月以前可服。

【功用】《普济方》：利小便。

【主治】水肿，利多而小便涩者。

猪苓散

【来源】《备急千金要方》卷二十一。

【组成】猪苓 葶苈 人参 玄参 五味子 防风 泽泻 桂心 狼毒 椒目 白术 干姜 大戟 甘草各二两 苁蓉二两半 女曲三合 赤小豆二合

《千金翼方》有远志。

【用法】上药治下筛，每服方寸匕，酒调下，日三次，夜一次；老、小服一钱匕。以小便利为度。

【功用】利三焦，通水道。

【主治】虚满，通身肿。

【方论】《千金方衍义》：猪苓散中葶苈、大戟即前方（泽漆汤）泽漆之意，猪苓、泽泻、桂心、白术、椒目、干姜即前方鲤鱼、茯苓、生姜、赤小豆之意；苁蓉、五味子即前方麦门冬之意；且多防风、狼毒、法曲、玄参祛风攻积等药，而用人参、甘草助胃行药之意，则一药虽迥异而主治不殊。

麻子汤

【来源】《备急千金要方》卷二十一。

【组成】麻子五升 商陆一斤 防风三两 附子一两 赤小豆三升

【用法】上锉。先捣麻子令烂，以水三斗煮麻子，取一斗三升，去滓，纳药及豆，煮取四升，去滓，食豆饮汁。

【主治】遍身浮肿。

【方论】《千金方衍义》：五味药中，萃聚开鬼门、洁净府、宣布五阳之法，而实借附子、防风以振麻子、赤小豆、商陆之势。

摩 膏

【来源】《备急千金要方》卷二十一。

【组成】生商陆一斤 猪膏一斤（煎，可得二升）

【用法】上药和煎令黄，去滓。以摩肿，亦可服少许，并涂以纸覆之，燥辄敷之。不过三日愈。

【主治】水肿。

【方论】《千金方衍义》：用商陆、猪脂外摩消肿，其法最善，取服良非所宜，此瞑眩之品不减苦瓠，苟非水土刚强，禀质壮实，病邪全盛之时，难以任此。吾吴风气柔弱，每见愚医不审而率意妄投，未有不相引丧亡而已，因识此以为盲瞽之戒。

麝香散

【来源】《备急千金要方》卷二十一。

【组成】麝香三铢　雄黄六铢　芫花　甘遂各二分

【用法】上药治下筛。酒服一钱五匕。老小以意增减；亦可为丸，强人服小豆大七丸。

【主治】妇人短气虚羸，遍身浮肿，皮肤急，人所稀见。

紫葛帖方

【来源】《备急千金要方》卷二十二。

【别名】紫葛散（《普济方》卷二七八）。

【组成】紫葛十分　大黄五分　白蔹　玄参　黄芩　黄连　升麻　榆白皮　由跋各三分　赤小豆一合　青木香一分

【用法】上药治下筛，以生地汁和如泥。敷肿上，干易之。无地黄汁，与米醋和之。

【主治】诸肿。

瓜蒂汤

【来源】《外台秘要》卷四引《延年秘录》。

【组成】瓜蒂一两　赤小豆四十九枚　丁香二七枚

【用法】上为末。以水一升，煮取四合，澄清，分为两度，滴入两鼻中。

【主治】

1. 《外台秘要》引《延年秘录》：诸黄。

2. 《普济方》：身面四肢浮肿，有虫，鼻中息肉，阴黄、黄疸及暴急黄。

葶苈丸

【来源】《外台秘要》卷十九引唐临方。

【别名】葶苈牵牛丸（《圣济总录》卷八十三）。

【组成】葶苈子七分（生用）　牵牛子　泽漆叶　海藻（洗去咸，炙）　昆布（如上炙）　桑根白皮（炙）　甘遂（熬）　椒目　郁李仁各三分（去皮）　桂心一分

【用法】上为末，炼蜜为丸，如梧桐子大。每服十五丸，加至二十丸，用桑白皮（切）五合，赤小豆一合，通草一两（切），水二升，煮取一升送下，一日二次。

【主治】水气及脚并虚肿。

【宜忌】忌生葱。

大枣杏仁丸

【来源】方出《外台秘要》卷二十引《崔氏方》，名见《鸡峰普济方》卷十九。

【别名】大枣葶苈丸（《普济方》卷一九三）。

【组成】大枣四十枚（饭蒸，剥去皮核）　葶苈子五两（取苦者，熬令紫色）　杏仁三两（熬令黄色）（一方加萤火虫粪）

【用法】上三味，先捣葶苈子一万杵，泻出之；乃捣杏仁三百杵讫，总和合枣膏，捣一万杵药成，为丸如枣核大。平旦空腹服八丸，日晚食消更服五丸，以饭汁下之。三日后，每旦服五丸，日晚服三丸。若正服药，次忽患痢，即先食二三口饭，然后吃药；若利过多，停药即可，烂煮小豆，勿以盐食之。

【主治】大腹水病，身体肿，上气，小便涩赤，脐深，颈上有两大脉动，唾稠，不得眠睡；每肿先随脚肿，亦有在前头面肿，或大便涩者。

【宜忌】忌咸、粘、脂腻及大冷、热物等；唯得食杭粟饭及淡醋，不得吃稀粥，唯只得吃饭佳；如欲食粥，即稠煮，不得遣大便利。若先患大便利，脐凸腹大胀，手掌平满，即不可服此药。

葶苈子散

【来源】方出《外台秘要》卷十引《崔氏方》，名见《普济方》卷一六二。

【组成】葶苈子三升（微炒）

【用法】上为散。以清酒五升渍之，春、夏三日，秋、冬七日。初服如胡桃许大，日三夜一。冬日二夜二，量其气力，取微利为度。如患急困者，不得待日满，亦可以绵细绞即服。

【主治】上气咳嗽，长引气不得卧，或水肿，或遍身气肿，或单面肿，或足肿。

【宜忌】服药唯须慎酒面、生冷、鸡猪、鱼肉。必须好瘥平复，始可停药。

温白丸

【来源】《外台秘要》卷十二引《崔氏方》。

【别名】厚朴丸（《云岐子保命集》卷中）。
【组成】紫菀三分 吴茱萸三分 菖蒲二分 柴胡二分 厚朴二分（炙） 桔梗二分 皂荚三分（去皮子，炙） 乌头十分（熬） 茯苓二分 桂心二分 干姜二分 黄连二分 蜀椒二分（汗） 巴豆一分（熬） 人参二分
【用法】上为末，和白蜜为丸，如梧桐子大。每服二丸，不知，渐加至五丸，以知为度，食后姜汤送下。
【主治】心腹积聚，久癥癖，块大如杯碗，支满上气，时时腹胀，心下坚结，上来抢心，旁攻两胁，彻背连胸，痛无常处，绕脐绞痛，状如虫咬；又疗十种水病，八种痞塞，反胃吐逆，饮食噎塞；或五淋五痔；或九种心痛，积年食不消化；或妇人不产，或断续多年，带下淋沥；或痎疟连年不愈；又疗诸风，身体顽痹，不知痛痒，或半身疼痛，或眉发堕落；或癫或痫；或妇人五邪，梦与鬼交，四肢沉重，不能饮食，昏昏默默，终日忧愁，情中不乐，或恐或惧，或悲或啼，饮食无味，月水不调，身似怀孕，连年累月，羸瘦困弊。
【宜忌】禁生冷、饧、醋、猪、羊、鱼、鸡犬、牛、马、鹅肉、五辛、葱、面、油腻、豆及糯米粘滑、郁、臭之属。

大投杯汤

【来源】《千金翼方》卷十七。
【组成】麻黄（去节） 杏仁（去皮尖及双仁） 桂心 黄芩 橘皮 石膏各二两（碎） 生姜六两（切） 半夏（洗） 厚朴（炙） 枳实（炙）各三两 茯苓四两 秦艽一两半 大戟 细辛各一两 大枣二十枚（擘） 甘草二两（炙）
【用法】上锉。以水一斗二升，煮取四升，分五服，日三夜二。
【主治】脚弱，举体肿满气急，日夜不得眠。

麻豆汤

【来源】《千金翼方》卷十七。
【组成】大麻二升（熬研） 乌豆一斗（以水四斗，煮取汁一斗半，去豆） 桑白皮（切）五升
【用法】上以豆汁纳药，煮取六升，每服一升，每日二次，三日令尽。
【主治】遍身肿，小便涩者。

温肾汤

【来源】《千金翼方》卷十七。
【组成】茯苓 干姜 泽泻各二两 桂心三两
【用法】上锉。以水六升，煮取二升，分三次温服。
【主治】腰脊膝脚浮肿不遂。

石胆丸

【来源】《千金翼方》卷十九。
【组成】石胆（研） 吴茱萸 天雄（炮，去皮） 芫花（熬） 柏仁各一分 防风 荛花（熬） 杜仲（炙）各三分 菖蒲 葶苈（熬）各一两 菟丝子三合
【用法】上为末，炼蜜为丸，如蜱豆大。每服三丸，以饮送下，一日二次。
【主治】足胫肿，小便黄，胸痛烦，车骨筋解开痛。

麻豆煎

【来源】《千金翼方》卷十九。
【组成】大麻一石（末，入窖不郁浥者） 赤小豆一石（不得一粒杂）
【用法】上取新精者，仍净拣择，以水淘，晒令干；蒸麻子使熟，晒令干，贮净器中。欲服，取五升麻子，熬之令黄香，惟须缓火，勿令焦，为细末；以水五升，研取汁，令尽，净器密贮之。明旦欲服，今夜以小豆一升，净淘渍之，至晓干，漉去水，以新水煮，未及好熟，即漉出令干，纳麻子汁中煮，令大烂熟为佳，空腹恣意食之，每日三次。
【主治】大腹水肿。
【宜忌】陈郁麻子，益增其病，慎勿用之。一切水肿，皆忌饱食，常须少饥。

槟榔丸

【来源】《千金翼方》卷十九。

【组成】槟榔 桂心 栝楼 麻黄（去节） 杏仁（去皮尖双仁，熬） 茯苓 椒目 白术各三两 附子（炮，去皮） 吴茱萸五合 厚朴（炙） 干姜 黄耆 海藻 木防己 葶苈（熬） 甘草（炙）各二两
【用法】上为末，炼白蜜为丸，如梧桐子大。饮服二丸，一日三次，加至四丸。不知，又加二丸，可至十二丸。
【主治】老小水肿，虚肿，大病客肿作喘者。

海蛤丸

【来源】《外台秘要》卷二十引《广济方》。
【组成】昆布（洗） 橘皮 赤茯苓 汉防己 海蛤（研） 郁李仁 桑根白皮 泽漆（炙） 槟榔 杏仁（去皮尖）各四分 大黄六分 葶苈子二十分（微火熬令黄）
【用法】上为末，蜜为丸，如梧桐子大。每服十五丸，一日二次，加至二十五丸。以小便利为度。
【主治】小便涩，水肿，气妨闷，不能食。
【宜忌】忌食热面、冷滑、大酢。

脱气丸

【来源】《证类本草》卷二十五引《陈藏器本草》。
【组成】赤小豆 通草
【用法】煮食之。
【功用】下气。
【主治】水肿。

五灵汤

【来源】《圣济总录》卷八十引《膜外气方》。
【组成】诃黎勒皮 木通（锉） 赤茯苓（去黑皮） 防己（锉） 陈橘皮（汤浸去白，焙）各一两
【用法】上为粗末。每服五钱匕，水一盏半，煎至一盏，去滓，渴即饮之，觉热即吃好茶。
【主治】水气。

牛李子丸

【来源】《圣济总录》卷八十引《膜外气方》。
【组成】牛李子（微炒） 牵牛子（微炒） 吴茱萸（水浸一宿，炒干） 青橘皮（去白，焙）各半两 杏仁（汤浸，去皮尖双仁，生用）十五枚 葶苈（纸上炒）少许
【用法】上为末，用水浸蒸饼为丸，如小豆大。每服三十丸，夜后煎橘皮汤送下。以转下气为度。
【主治】膜外水气。

甘遂饼

【来源】《圣济总录》卷八十引《膜外气方》。
【组成】甘遂 大麦面各半两
【用法】上为末。以水和作饼子，烧熟热服之。如不利，以热饮投之。如利，以冷水洗手面即止。
【主治】膜外水气。

白牵牛散

【来源】《圣济总录》卷八十引《膜外气方》。
【别名】白牵牛子散（《医方类聚》卷一二九）。
【组成】白牵牛子（炒） 青橘皮（去白，焙，炒） 木通（锉）各一两
【用法】上为散。每服一钱匕，煎商陆汤调下。大便下黄水为度。
【主治】膜外水气。

防己汤

【来源】《圣济总录》卷八十引《膜外气方》。
【别名】防己饮（《圣济总录》卷七十九）。
【组成】防己 大戟 木香 赤茯苓（去黑皮） 海蛤 犀角屑 胡椒 白术 葶苈 防风（去叉） 木通 桑根白皮 紫苏 陈橘皮（炙） 牵牛子 诃黎勒（去核） 郁李仁 白槟榔各一两 大黄二两 麝香少许（汤成下，不用研）

方中胡椒，同书防己饮作“胡黄连”。

【用法】上二十味并须新药，锉后称为二剂。以水三升宿浸，明日五更用铛文火煎，减去一升，绞取饮可三盏，平旦空腹服一盏，如人行五里更服一盏，又如人行五里更服一盏，至第二第三服，如药冷用重汤暖之，不可冷服。若久病腹中虚，服至第三盏，即微利三两行。若腹中实者，至日

午即转泻，宜用盆盛验之，必有恶浊黄水，或青黑恶物出三五升，并气化为之。泻若不甚困，慎而止之，必自住，若觉力乏，即服浆水粥补之。后隔三五日，更服一剂，还依此法服之，小儿及老人，随意加减。

【主治】膜外气水病，不限年月深浅，洪肿大喘。亦治脚气，时时冲心。

泽漆丸

【来源】《圣济总录》卷八十引《膜外气方》。

【组成】泽漆（微炒）一两　水银（炼）　葶苈（纸上炒）　大戟（微煨）　郁李仁（汤浸，去皮，炒）　枳壳（去瓤，麸炒）各一两半　甘遂　椒目（微炒）各一两

【用法】上为末，炼蜜为丸，如小豆大。每服十丸，空腹米饮送下；未利，加至十五丸。

【主治】膜外水肿。

大干枣三味丸

【来源】《外台秘要》卷九《许仁则方》。

【别名】枣杏仁（《乐氏集验方》卷五）。

【组成】大枣六十枚（擘，去核）　葶苈子一升（熬）　杏仁一升（去皮尖、两仁者，熬）

【用法】上药合捣令如膏，可作丸。如硬燥不相著，细细下蜜作丸。依前以桑白皮饮下之，初服七八丸，日再服。稍稍加之，以大便通为度。病重者，时令鸭溏佳。亦有以前三味煮汤服之。

饮气嗽，已服细辛八味汤、葶苈子十五味丸，不觉可，见证如下者，服此方。

【主治】饮气嗽，经久不已，渐成水病，大小便秘涩，头面身体浮肿。

巴豆丸

【来源】《外台秘要》卷九引《许仁则方》。

【组成】巴豆仁二十枚（熬，去心皮）　杏仁一百颗（去皮尖两仁，熬）　牵牛子五合（熬）　葶苈子六合（熬）　大枣六十个（擘，去核）

【用法】上药合捣令如膏可为丸，如硬，加蜜为丸。每服三四丸，还以桑白皮饮送下，一日二次。如利即减，秘即加，常以大便调为候。病甚，时时取鸭溏亦佳。

【主治】饮气嗽，经久不已，渐成水病，大小便秘涩，头面身体浮肿，服大干枣三味丸，虽觉气暂歇，然病根深固者。

【宜忌】忌芦笋、野猪肉。

葶苈子十五味丸

【来源】《外台秘要》卷九引《许仁则方》。

【组成】葶苈子六合（熬）　细辛　五味子各五两　干姜　当归各四两　桂心　人参　丁香　大黄　商陆根各三两　橘皮四两　桑白皮六两　皂荚肉二两（炙）　大腹槟榔二十枚　麻黄二两（去节）

【用法】上为末，炼蜜为丸，如梧桐子大。初服十丸，稍加至十五丸，煮桑白皮饮下，一日二次。若利则减，秘则加，以大便通滑为度，时时得鸭溏亦佳。

【主治】饮气嗽，经久不已，渐成水病，其状亦不限四时，昼夜咳嗽不断，遇诸动嗽物，便致困剧，甚者乃至双眼突出，气即欲断，汗出，大小便不利，吐痰饮涎沫，无复穷限，气上喘急肩息，每旦眼肿不得平眠。

【宜忌】忌生葱、生菜。

桑　煎

【来源】《外台秘要》卷十八引《近效方》。

【组成】桑条二两

【用法】上细锉如豆大。以水一大升，煎取三大合，每服半大合，空腹时当茶或羹粥饮。

【主治】水气袭肺，肺气壅肿，兼风气者。

【方论】桑枝性平，不冷不热，疗遍体风痒干燥，脚气风湿，四肢拘挛，上气眼晕，肺气咳嗽，消食，利小便。久服轻身，悦耳目，令人光泽；兼疗口干，可以常服。

商陆粥

【来源】方出《外台秘要》卷二十引《近效》，名见《圣济总录》卷一八八。

【组成】商陆根（去皮取白色，不用赤色，切如小

豆）一大盏

【用法】上以水三升，煮取一升以上，即取粟米一大盏煮成粥，仍空腹服。若一日两度服，即恐利多，每日服一顿，即微利。

【主治】水气。

【宜忌】不得吃生冷等。

葶苈丸

【来源】《外台秘要》卷十一引《近效方》。

【组成】甜葶苈（隔纸炒） 栝楼仁 杏仁（去皮尖双仁，麸炒黄） 汉防己各一两

【用法】上为末，炼蜜为丸，如梧桐子大。每服三十丸，食前以茯苓煎汤送下，一日三四次。

【主治】消渴，成水病浮肿。

大麝香丸

【来源】《深师方》引华佗方（见《外台秘要》卷二十）。

【组成】麝香三铢（研） 雄黄六铢（研） 甘遂十二铢（熬） 芫花十二铢（熬）

【用法】上药治下筛，炼蜜为丸，如大豆大。每服二丸，酒送下，一日三次。可至四丸。

【主治】水病。三焦决漏，水在胁外，腹独肿大，水在腹里。

【宜忌】节饮食，禁肥肉、生菜。

鲤鱼汤

【来源】《外台秘要》卷二十引《传效方》。

【组成】鲤鱼一枚（重三斤） 桂心三两 紫菀一两 木防己二两 黄芩一两 消石二两 干姜二两 人参二两

【用法】上切。以水一斗五升，煮鱼如食法，取汁一斗二升，出鱼纳药，煮取三升，去滓，先食温服一升，一日三次。

【主治】水肿腹大，面目身体手足尽肿，喘咳短气，又胁满不得卧。

【宜忌】忌生姜。

海藻丸

【来源】《外台秘要》卷二十引《深师方》。

【组成】海藻一两（洗） 水银一两 椒目一两 芒消一两 葶苈一两（熬） 大黄一两 甘遂一两（熬） 杏仁三十枚（去皮尖，熬） 桂心一两 附子一两（炮） 茯苓一两 大戟一两 松萝一两 干姜一两 巴豆三十枚（去心皮，熬）

【用法】上药治下筛。蜜和服如小豆二丸，一日三次。不知，稍稍加之。

【主治】水症。腹内胸胁牢强，通身肿，不能食。

【宜忌】忌食猪肉、大酢、生葱，芦笋。

防己汤

【来源】《元和纪用经》。

【组成】汉防己一两半 赤茯苓 百合 郁李仁（别研）各一两 桑白皮（切）三两

【用法】上锉，分八服。每服以水一升半，煮取强半升，分二次温服，明日准此。一剂尽，更作一剂，揆度多少。

【主治】水气。

【宜忌】不得闻灯油烟气及食盐。

大戟汤

【来源】方出《本草图引》引《兵部手集方》（见《证类本草》卷十），名见《普济方》卷一九一。

【组成】大戟 当归 橘皮各一大两

【用法】上切。以水二大升，煮取七合，顿服。利水二三斗勿怪，至重不过再服便愈。水下后更服，永不作。

【主治】水病，无问年月深浅。

【宜忌】禁毒食一年。

胡椒丸

【来源】《普济方》卷一九一引《海上名方》。

【组成】巴豆十枚（去皮膜心，用竹纸数重，出油尽为度，频换纸） 胡椒二百粒（生用）

【用法】上为末，醋糊为丸，如绿豆大。每日一丸，淡姜汤下，食后服，实者日二服，虚者一服。

如小便频数为效，服一两月大效。

【主治】十种水气，脚肿胀，上气喘满。

【宜忌】忌面食咸物，大忌湿面。

郁李仁粥

【来源】《医方类聚》卷二四七引《食医心鉴》

【组成】郁李仁四分

【用法】以水八合，研滤取汁，以白米一合煮粥，空心食之。

【功用】润肠通便，利水消肿。

【主治】

1.《医方类聚》引《食医心鉴》：小儿水气，腹肚妨痛胀满，面目肿，小便不利。

2.《圣济总录》：大便不通。

杏仁粥

【来源】方出《证类本草》卷二十三引《食医心鉴》，名见《医方类聚》卷一八四。

【组成】杏仁一两（去皮尖）

【用法】熬研，和米煮粥极熟。每空心吃二合。

【主治】气喘促，浮肿，小便涩；五痔下血不止。

鹜　粥

【来源】方出《类证本草》卷十九引《食医心镜》，名见《古今医统大全》卷八十九。

【别名】鸭粥（《药粥疗法》）。

【组成】青头鸭　粳米

【用法】用青头鸭一只，细切，煮极熟，入粳米，加五味作粥食。

【功用】补虚劳，滋阴血，健脾胃，消水肿。

【主治】

1.《证类本草》引《食医心镜》：十种水病。

2.《药粥疗法》：身体虚弱，骨蒸潮热。

黄芩汤

【来源】《幼幼新书》卷三十二引《婴孺方》。

【组成】黄芩　泽泻　通草各八分　柴胡　桑白皮各七分　杏仁（汤去皮尖）　猪苓（去皮柴）各六分　泽漆叶四分

【用法】以水五升，煮取一升半，四五岁儿为三服，一二岁服二合。

【主治】

1.《幼幼新书》引《婴孺方》：小儿肿满。

2.《普济方》：小儿痫愈后血气尚虚，而热在皮肤，与气相搏，通身头面皆肿。

麻黄丸

【来源】《幼幼新书》卷十六引《婴孺方》。

【组成】麻黄　茯苓各三分　紫菀四分　五味子　杏仁（去皮尖）　细辛　桂心　干姜各二分

【用法】上为末，炼蜜为丸，如小豆大。三四岁儿每服二三丸，不知稍增之。

【功用】逐水。

【主治】少小胸中痰实嗽，及伤寒水气。

葶苈子散

【来源】《医心方》卷十引《效验方》。

【组成】蓝叶三两　大黄一两半　葶苈子二两(熬)

【用法】上为末。每服二方寸匕，食后酒送下。欲丸服，炼蜜为丸，如大豆大。每日二十丸。

【主治】大腹水肿。

汉防己丸

【来源】《太平圣惠方》卷六。

【组成】汉防己一两　商陆一两　麻黄一两（去根节）　赤芍药一两　桑根白皮一两半（锉）　甜葶苈一两（隔纸炒令紫色）　蛤蚧一对（头尾全者，涂酥炙微黄）　杏仁一两（汤浸，去皮尖双仁，麸炒微黄）

【用法】上为末。炼蜜为丸，如梧桐子大。每服二十丸，以生姜汤送下，粥饮下亦得，不拘时候。

【主治】肺脏气壅，面目四肢浮肿，喘促咳嗽，胸膈满闷烦热。

朴消丸

【来源】《太平圣惠方》卷六。

【组成】川朴消二两（炼熟） 川芒消二两（炼熟） 消石一两（以上三味同研令细） 犀角屑一两 椒目一两（微炒过，以上二味捣罗为末） 莨菪子一两（水淘去浮者，水煮令黄芽出，候干却炒令黑色） 甜葶苈一两（隔纸炒令紫色） 杏仁二两（汤浸，去皮尖双仁，麸炒微黄，以上三味同捣如膏）

【用法】上为末，以枣肉为丸，如梧桐子大。每服十五丸，以枣汤送下，不拘时候。

【主治】肺气喘急，不得眠卧，头不着枕，无间昼夜，长倚物坐；兼治十种水病。

赤茯苓散

【来源】《太平圣惠方》卷六。

【组成】赤茯苓一两 汉防己一两 川大黄一两半（锉碎，微炒） 槟榔三分 柴胡一两（去苗） 紫苏茎叶一分 甜葶苈三分（隔纸炒令黄色） 桑根白皮一两（锉） 陈橘皮一两（汤浸，去白瓤，焙）

【用法】上为散。每服四钱，以水一中盏，煎至六分，去滓，食前温服。

【主治】肺气攻注，遍身虚肿，按之没指，心气滞，大小便涩，状如水气。

陈橘皮散

【来源】《太平圣惠方》卷六。

【组成】陈橘皮一两（汤浸，去白瓤，焙） 射干三分 汉防己半两 赤茯苓一两 大腹皮一两（锉） 泽泻三分 泽漆半两 桑根白皮三分（锉）

【用法】上为散。每服四钱，以水一中盏，加黑豆五十粒，煎至六分，去滓，食前温服。

【主治】肺气攻四肢，肿满疼痛。

郁李仁散

【来源】《太平圣惠方》卷六。

【别名】郁李仁汤（《圣济总录》卷五十）。

【组成】郁李仁一两（汤浸，去皮尖，微炒） 汉防己一两 赤茯苓一两 贝母一两（煨令微黄） 商陆一两 木香一两 槟榔一两 桑根白皮一两（锉） 杏仁一两（汤浸，去皮尖双仁，麸炒微黄） 紫苏茎叶一两 陈橘皮一两（汤浸，去白瓤，焙）

【用法】上为散。每服四钱，以水一中盏，加生姜半分，大枣三个，煎至六分，去滓温服，不拘时候。

【主治】肺气，面目浮肿，咳嗽烦热，心腹壅滞，胸满气促。

【宜忌】忌生冷、鸡鱼、大蒜。

泽漆散

【来源】《太平圣惠方》卷六。

【组成】泽漆一两 羌活二两 杏仁一两（汤浸，去皮尖双仁，麸炒微黄） 旋覆花三分 贝母一两（煨令微黄） 半夏一两（汤浸七遍，去滑） 猪苓一两（去黑皮） 前胡三分（去芦头） 大腹皮三分（锉） 汉防己一两 桑根白皮一分（锉） 甜葶苈一两（隔纸炒令黄色） 陈橘皮一两（汤浸，去白瓤，焙）

【用法】上为散。每服三钱，以水一中盏，加生姜半分，大枣三枚，煎至六分，去滓温服，不拘时候。

【主治】肺气壅盛，攻头面四肢，浮肿，胸膈痰逆，不下饮食。

汉防己散

【来源】《太平圣惠方》卷三十。

【别名】防己汤（《圣济总录》卷三十二）。

【组成】汉防己三分 猪苓三分（去黑皮） 海蛤一两 陈橘皮一两（汤浸去白瓤，焙） 木香半两 白术半两 桑根白皮三分（锉） 赤茯苓三分 槟榔一两 紫苏茎叶一两 木通一两（锉）

【用法】上为粗散。每服三钱，以水一中盏，加入生姜半分，煎至六分，去滓温服，不拘时候。

【主治】

1.《太平圣惠方》：虚劳，四肢浮肿，喘息促，小便不利，坐卧不安。

2.《圣济总录》：伤寒或痢疾后，身体浮肿，喘息促急，小便不利，坐卧不安。

麻仁散

【来源】《太平圣惠方》卷三十。
【别名】麻仁汤（《圣济总录》卷七十八）。
【组成】大麻仁一两　商陆一两　防风一两（去芦头）　附子一两（炮裂，去皮脐）　陈橘皮一两（汤浸，去白瓤，焙）　汉防己一两
【用法】上为散。每服五钱，以水一大盏，加赤小豆一百粒，煎至五分，去滓，食前温服。
【主治】虚劳四肢浮肿。

泽泻散

【来源】《太平圣惠方》卷四十五。
【别名】泽泻汤（《医学入门》卷七）。
【组成】泽泻三分　赤茯苓三分　枳壳三分（麸炒微黄，去瓤）　木通一两（锉）　猪苓一两（去黑皮）　槟榔一两　牵牛子二两（微炒）
【用法】上为细散。每服二钱，用水煎生姜、葱白汤调下，一日二三次，以利为度。
【主治】

1.《太平圣惠方》：脚气，大小便秘涩，膀胱气壅攻，心腹妨闷。

2.《医学入门》：水肿，大小便秘涩。

汉防己丸

【来源】《太平圣惠方》卷四十六。
【别名】防己丸（《普济方》卷一六一）。
【组成】汉防己一两　苦葫芦子半两（微炒）　泽泻三分　陈橘皮半两（汤浸去白瓤，焙）　甜葶苈一两（隔纸炒令紫色）
【用法】上为末。炼蜜为丸，如梧桐子大。每服三十丸，以粥饮送下，一日三次。

本方原名汉防己散，与剂型不符，据《医方类聚》改。
【主治】咳嗽不愈，面目浮肿。

汉防己散

【来源】《太平圣惠方》卷四十六。
【组成】汉防己三分　桑根白皮一两（锉）　木通一两（锉）　赤茯苓一两　泽漆半两　百合一两　甜葶苈三分（隔纸炒令紫色）　郁李仁三分（汤浸，去皮，微炒）
【用法】上为粗散。每服三钱，以水一中盏，加生姜半分，煎至六分，去滓温服，不拘时候。
【主治】肺脏气壅，闭隔不通，致令面目浮肿，咳嗽喘急，坐卧不安。

泽漆散

【来源】《太平圣惠方》卷四十六。
【别名】泽漆汤（《圣济总录》卷四十八）。
【组成】泽漆半两　桑根白皮一两（锉）　赤茯苓一两半　木通一两（锉）　陈橘皮三分（汤浸，去白瓤，焙）　紫苏茎叶一两　甘草半两（炙微赤，锉）　大腹皮三分（锉）

《圣济总录》有紫菀一两半。
【用法】上为散。每服三钱，以水一中盏，加生姜半分，煎至六分，去滓温服，不拘时候。
【主治】咳嗽喘急，坐卧不得，面目浮肿。

海蛤散

【来源】《太平圣惠方》卷四十六。
【组成】海蛤一两（研细）　泽漆叶一两　汉防己一两　桑根白皮一两（锉）　百合一两　赤茯苓一两半　槟榔一两　木通一两（锉）　牵牛子一两（微炒）　甜葶苈一两（隔纸炒，令紫色）　郁李仁一两（汤浸，去皮，微炒）
【用法】上为粗散。每服三钱，以水一中盏，煎至六分，去滓温服，不拘时候。以利为度。
【主治】肺气咳嗽，面目浮肿，小便不通，喘息促急，欲成水病。

芫花丸

【来源】《太平圣惠方》卷五十一。
【组成】芫花半两（醋拌，炒令干）　甘遂半两（煨微黄）　甜葶苈一两（隔纸炒令紫色）　川大黄一两（锉碎，微炒）　枳壳一两（麸炒微黄，去瓤）　大戟半两（锉碎，微炒）　郁李仁一两（酒浸，去皮尖，微炒）　海藻一两（洗去咸味）　桂

心一两　杏仁一两（汤浸，去皮尖双仁，锉，研如膏）　巴豆三十枚（去皮心，研，纸裹压去油，细研）

【用法】上为末，入巴豆、杏仁同研令匀，炼蜜为丸，如梧桐子大。每服三丸，空心以粥饮送下。

【主治】痰冷癖饮，腹中结聚成块；亦疗大腹水肿。

细辛丸

【来源】《太平圣惠方》卷五十一。

【组成】细辛半两　桂心三分　甜葶苈半两（隔纸炒令紫色）　川大黄半两（锉碎，微炒）　黄芩半两　甘遂半两（煨微黄）　芫花半两（醋拌炒令干）　汉防己半两　赤茯苓三分　附子半两（炮裂，去皮脐）　白术三分　泽泻三分　杏仁三分（汤浸，去皮尖双仁，麸炒微黄）

【用法】上为末，炼蜜为丸，如梧桐子大。每服五丸，食前以粥饮送下，一日三次。以利为度。

【主治】痰冷癖饮，上气喘满，四肢浮肿。

萝苏散

【来源】方出《太平圣惠方》卷五十三，名见《普济方》卷一八〇。

【组成】萝卜子三两(炒令黄)　紫苏子六两(微炒)

【用法】上为细散。每服二钱，煎桑根白皮汤调下，一日三四次。

【主治】消渴后变成水气。

大戟丸

【来源】《太平圣惠方》卷五十四。

【组成】大戟一两（锉碎，微炒）　牵牛子一两（微炒）　皂荚一两（去皮，涂酥炙令黄焦，去子）　海蛤一两（细研）　甜葶苈一两（隔纸炒令紫色）　川大黄一两（锉碎，微炒）　桑根白皮一两（锉）　郁李仁一两（汤浸，去皮，微炒）

【用法】上为末，炼蜜为丸，如梧桐子大。每日空心服二十丸，以温水送下。以利为效。

【主治】十种水气，遍身肿满，上气喘息，大小便俱涩。

大戟丸

【来源】方出《太平圣惠方》卷五十四，名见《普济方》卷一九一。

【组成】大戟一两（锉碎，微炒）　甜葶苈一分（隔纸炒令紫色）　芫花一分（醋拌，炒令干）　甘遂一分（煨令微黄）　泽漆一分桑根白皮一分（锉）　赤小豆一分（炒熟）　巴豆一分（去皮心，炒令黄，研，以纸裹压去油）　泽泻一分

【用法】上为末，入巴豆研令匀，炼蜜为丸，如梧桐子大。每服三丸，空心粥饮送下。

【主治】十种水气，遍身肿满，喘息烦闷，心腹壅滞，大小便不利。

【宜忌】《普济方》：忌盐一百二十日，缘盐能化水故也。外忌鱼鲊、面食、一切毒物及生冷等物。

大戟丸

【来源】方出《太平圣惠方》卷五十四，名见《普济方》卷一九三。

【组成】大戟一两（锉碎，微炒）　皂荚一两（炙黄焦，去皮子）　乌扇一两

方中乌扇，《普济方》作“乌头”。

【用法】上为末，炼蜜为丸，如梧桐子大。每服五丸，空心温水下。当下利一两行，次日更服，以愈为度。

【主治】水气，肿入腹，膨胀，恶饮食。

大戟散

【来源】《太平圣惠方》卷五十四。

【组成】大戟（锉碎，微炒）　甘遂（煨令微黄）　续随子　牵牛子（微炒）　甜葶苈（隔纸炒令紫色）各半两

【用法】上为细散。每服半钱，煎灯心汤调下，空心服。得通利水下为效。

【主治】水气，心腹膨胀，喘息，大小便不利。

大麻子散

【来源】《太平圣惠方》卷五十四。

【组成】大麻子三斤（捣碎）　商陆四两　防风三

两（去芦头） 附子一两（去皮脐，生用） 赤小豆一斤 桑根白皮二两（锉）

【用法】以水二斗，先煮麻子至一斗，入药并小豆同煮，取四升，去滓，每于食前饮汁一小盏。相次任性随多少食小豆。

【主治】水气，遍身浮肿。

大腹皮散

【来源】《太平圣惠方》卷五十四。

【组成】大腹皮一两（锉） 槟榔一两 桑根白皮二两（锉） 前胡一两（去芦头） 赤茯苓一两 木通二两（锉） 汉防己一两 陈橘皮一两（汤浸，去白瓤，焙） 赤芍药一两 甘草半两（炙微赤，锉）

【用法】上为粗散。每服五钱，以水一大盏，煎至五分，去滓温服，一日三四次。

【主治】气水肿满，喘息，小便涩。

大戟芫花散

【来源】方出《太平圣惠方》卷五十四，名见《普济方》卷一九一。

【组成】大戟一两（锉碎，微炒） 芫花一两（醋拌，炒令干） 苦葫芦子一两（微炒） 甜葶苈一两（隔纸炒，令紫色）

【用法】上为细散。每服一钱，以陈大麦面二钱，水一中盏，煎至四分，每日空心和滓温服，良久腹内作雷声，更吃热茶投之，使大小肠利，不过三服效。

【主治】十种水病，肿满喘促，不得眠卧。

大神验木通散

【来源】《太平圣惠方》卷五十四。

【别名】木通汤（《圣济总录》卷八十）。

【组成】木通一两半（锉） 泽泻三分 苦瓠子一两半 猪苓一两（去黑皮） 汉防己三分 海蛤一两（细研）

【用法】上为散。每服四钱，以水、酒各半中盏，加葱白五寸，煎至六分，去滓。食前温服。当下小便数升，肿消。

【主治】水肿，遍身肿满。

川大黄丸

【来源】《太平圣惠方》卷五十四。

【组成】川大黄一分（锉碎，微炒） 川朴消一分 大戟一分（锉碎，微炒） 甘遂一分（煨令微黄） 芫花一分（醋拌，炒令干） 椒目一分（微炒去汗） 甜葶苈一分（隔纸炒令紫色）

【用法】上为末，炼蜜为丸，如梧桐子大。每服十丸，空心以粥饮送下。当得快利；如未利，晚食前再服。

【主治】十种水气。面目四肢肿满，心腹虚胀，三焦壅滞，坐卧喘急。

川朴消丸

【来源】《太平圣惠方》卷五十四引《神仙密藏经》。

【组成】川朴消二两（细研） 川芒消一两（细研） 马牙消半两（细研） 川乌头一两（生，去皮脐，捣罗为末） 椒目一两（微炒，捣罗为末） 甜葶苈一两（隔纸炒令紫色） 莨菪子一两（水淘去浮者，水煮牙出，候干，炒令黄黑色） 杏仁二两（汤浸，去皮尖双仁，麸炒微黄）

【用法】上药将葶苈、莨菪、杏仁等相和，先捣一千杵，取大枣十个，煮取肉，与上药细研令匀，然后入炼蜜为丸，如梧桐子大。每服二十丸，空心以桑根白皮汤送下。

【主治】十种水气。

【宜忌】忌咸物。

【验案】水病 有人先患脚气十余年，发盛便成水病。四时之中，遍身肿满，腹硬如石，水饮难下，靡觉饥渴，但喘粗不得睡卧，头不着枕，二百余日，无问昼夜，即呷粥饮，常须倚物而坐，羸弱异常。因服此药，当日气散。十日后肚硬消尽，二十余日后气力如旧。

木香丸

【来源】《太平圣惠方》卷五十四。

【组成】木香一两 海蛤一两（细研） 肉桂半两

（去皱皮） 槟榔一两 诃黎勒皮一两 汉防己一两 桑根白皮一两半（锉） 旋覆花半两 郁李仁一两（汤浸，去皮，微炒）

【用法】上为末，炼蜜为丸，如梧桐子大。每服二十丸，煎大腹皮汤送下，日四五次。

【主治】气水肿满，上气喘息。

乌扇丸

【来源】《太平圣惠方》卷五十四。

【组成】乌扇半两 蛤蚧一对（涂酥，微炙） 木通半两（锉） 汉防己半两 大戟三分（锉碎，微炒） 槟榔半两 陈橘皮三分（汤浸，去白瓤，焙） 附子半两（炮裂，去皮脐） 木香半两 当归半两（锉碎，微炒） 郁李仁三分（汤浸，去皮，微炒） 续随子一分 海蛤半两（细研） 肉桂半两（去皴皮） 赤茯苓半两 赤芍药半两

【用法】上为末，炼蜜为丸，如小豆大。每日五更初服三十丸，以桑根白皮汤送下。

【主治】水气肿满，咳逆上气。

巴戟丸

【来源】方出《太平圣惠方》卷五十四，名见《普济方》卷一九一。

【组成】巴豆十枚（去皮心，研，纸裹压去油） 大戟半两（锉碎，微炒） 甜葶苈半两（生用） 川大黄（锉碎，微炒）半两 桂心半两 芫花半两（醋拌，炒令干） 杏仁半两（汤浸，去皮尖双仁，麸微炒，别研）

【用法】上为末，入巴豆、杏仁研令匀，炼蜜为丸，如梧桐子大。每服七丸，空心以温茶送下。如人行五里，以热茶投，利下粘滑物为效。

【主治】十种水气，通身浮肿，食不消化，心腹胀满。

水银丸

【来源】《太平圣惠方》卷五十四。

【组成】水银一两（用少枣肉研令星尽） 甜葶苈一两半（隔纸炒令紫色） 椒目半两（微炒去汗） 浮萍草半两 滑石二两

【用法】上为末，研入水银令匀，煎皂荚子胶为丸，如梧桐子大。每服十五丸，以葱汤送下，一日三四次。

【主治】水气，腹胀气促，小便涩。

甘遂丸

【来源】方出《太平圣惠方》卷五十四，名见《圣济总录》卷八十。

【组成】郁李仁一两（汤浸，去皮，微炒） 陈橘皮一两（汤浸，去白瓤，焙） 甘遂一两（煨令微黄） 赤茯苓一两 甜葶苈二两（隔纸炒令紫色） 瞿麦一两

【用法】上为末，炼蜜为丸，如梧桐子大。每服十丸，空心以温水送下。良久，当利三两行；如不利，即加丸再服，以利即效。

【主治】水气遍身浮肿，皮肤欲裂，心腹气急胀大，小便不利。

甘遂丸

【来源】《太平圣惠方》卷五十四。

【组成】甘遂半两（煨令微黄） 蒜瓣半两（煨熟，研） 黑豆半两（炒熟）

【用法】上药除蒜外，捣罗为末，用蒜并枣肉为丸，如梧桐子大。每服十丸，以木通汤送下，一日二次。

【主治】卒身面浮肿，上气喘息。

甘遂散

【来源】《太平圣惠方》卷五十四。

【别名】甘遂汤（《普济方》卷一九四）。

【组成】甘遂一两（煨令微黄） 杏仁一两（汤浸，去皮尖双仁，麸炒微黄） 泽泻三两 黄芩一两 泽漆一两 赤茯苓二两 郁李仁一两（汤浸，去皮微炒） 陈橘皮一两（汤浸，去白瓤，焙） 川朴消二两

【用法】上为细散。每服一钱，五更初煎桑根白皮汤调下。以利为效。

【主治】水气遍身浮肿，心胸急硬，气满上喘，大小便涩。

甘遂散

【来源】方出《太平圣惠方》卷五十四，名见《普济方》卷一九三。

【组成】甘遂半两（煨令微黄） 槟榔半两 牛蒡子二分（微炒） 商陆一分

【用法】上为细散。每服半钱，用猪肾一只，切作四五片，掺药，用湿纸裹，煻火中煨熟，空心顿服，又微呷酒三二合。须臾，下利为效。

【主治】水气，心腹鼓胀，上气喘息。

甘遂麻黄散

【来源】方出《太平圣惠方》卷五十四，名见《普济方》卷一九三。

【组成】甘遂一两（煨令微黄） 麻黄一两（去根节） 桑根白皮一两半（锉）

【用法】上为细散。每服二钱，煮赤小豆汁调下，一日二次以利为度。

【主治】卒身面浮肿，喘息气促，小便赤涩。

汉防己散

【来源】《太平圣惠方》卷五十四。

【别名】防己汤（《圣济总录》卷八十）。

【组成】汉防己半两 桑根白皮一两（锉） 木通一两（锉） 赤茯苓一两 郁李仁半两（汤浸去皮，微炒） 泽漆半两 甜葶苈半两（隔纸炒令紫色） 陈橘皮一两（汤浸，去白瓤，焙） 百合一两

【用法】上为粗散。每服五钱，以水一大盏，加大枣四枚，煎至五分，去滓，食前温服。

【主治】水气，咳逆上气，四肢浮肿，坐卧不安。

汉防己散

【来源】《太平圣惠方》卷五十四。

【组成】汉防己一两 木通一两（锉） 桑根白皮一两（锉） 赤茯苓一两 甘草半两（炙微赤，锉） 大腹皮半两（锉） 牵牛子一两（微炒）

【用法】上为粗散。每服三钱，以水一中盏，加生姜半分，葱白七寸，煎至六分，去滓温服，不拘时候。

【主治】水气，四肢肿满，上气喘急，小便秘涩。

羊桃根散

【来源】方出《太平圣惠方》卷五十四，名见《普济方》卷一九三。

【组成】羊桃根半斤（锉） 桑根白皮半两（锉） 木通半斤（锉） 大戟半斤（锉碎微炒）

【用法】上为末，以水二斗，煮至五升，去滓，熬如稀饧。每服一茶匙，空心以茶清送下。得大小便一时通利，三两行为效，且宜吃浆水粥补之。

【主治】水气，心腹膨胀，大小便涩。

芫花散

【来源】《太平圣惠方》卷五十四。

【组成】芫花一分（醋拌，炒令干） 泽泻一分 郁李仁一分（汤浸，去皮，微炒） 牵牛子一分（微炒） 甜葶苈一分（隔纸炒令紫色） 滑石三分 汉防己一分 海蛤半两（细研） 甘遂半两（煨令微黄） 瞿麦半两 槟榔半两 大戟三分（锉碎，微炒）

【用法】上为细散。每服一钱，空心以橘皮汤调下。当先泻碧绿水，后下如烂羊脂即愈。如未愈，隔日再服之。

【主治】十种水气，证候极恶。

赤茯苓散

【来源】方出《太平圣惠方》卷五十四，名见《普济方》卷一九三。

【组成】赤茯苓一两 汉防己一两 川大黄二两（锉碎，微炒） 槟榔一两 甜葶苈一两（隔纸炒令紫色） 桑根白皮一两（锉） 木通一两（锉） 陈橘皮一两（汤浸，去白瓤，焙） 郁李仁一两（汤浸，去皮，微炒）

【用法】上为粗散。每服五钱，以水一大盏，煎至五分，去滓，食前温服。以大小便通利为效。

【主治】水气遍身浮肿，按之没指，心腹气胀，大小便涩。

赤茯苓散

【来源】《太平圣惠方》卷五十四。

【组成】赤茯苓二两　桂心一两　川大黄二两（锉碎，微炒）　甘草一两（炙微赤，锉）　大腹皮一两半（锉）　枳壳一两半（麸炒微黄，去瓤）　桑根白皮一两（锉）　细辛一两　前胡一两（去芦头）

【用法】上为粗散。每服五钱，以水一大盏，煎至五分，去滓温服，一日三四次。

【主治】大腹水肿，大便涩，气满闷。

赤茯苓散

【来源】《太平圣惠方》卷五十四。

【组成】赤茯苓一两　枳壳一两（麸炒微黄，去瓤）　陈橘皮半两（汤浸，去白瓤，焙）　牵牛子二两（微炒）　甘草半两（炙微赤，锉）

【用法】上为粗散。每服五钱，以水一大盏，煎至五分，去滓温服，一日三四次。

【主治】头面身体卒浮肿。

杏仁散

【来源】《太平圣惠方》卷五十四。

【组成】杏仁一两（汤浸，去皮尖双仁，麸炒微黄）　白茅根一两半（锉）　赤茯苓一两　陈橘皮一两（汤浸，去白瓤，焙）　桑根白皮二两（锉）　郁李仁二两（汤浸，去皮，微炒）　泽漆叶一两　川芒消一两　木通一两（锉）

【用法】上为粗散。每服四钱，以水一中盏，加生姜半分，煎至五分，去滓，空心温服。如人行十里，当下黄水一二升为效。

【主治】水气肿盛，咳逆上气，小便赤涩。

吴茱萸丸

【来源】方出《太平圣惠方》卷五十四，名见《普济方》卷一九三。

【组成】吴茱萸半两（汤浸七遍，焙干微炒）　甘遂半两（煨令微黄）　甜葶苈三两（隔纸炒令紫色）　椒目一两半（微炒去汗）　赤茯苓一两半　槟榔一两　皂荚一两（去黑皮，涂酥炙令黄焦，去子）

【用法】上为末，炼蜜为丸，如梧桐子大。每服二十丸，空心及晚食前以粥饮送下。以利为度。

【主治】水气，心腹鼓胀，上气喘息。

陈橘皮散

【来源】《太平圣惠方》卷五十四。

【组成】陈橘皮一两（汤浸，去白瓤，焙）　木香半两　牵牛子一两（微炒）　川大黄一两（锉碎，微炒）　枳实半两（麸炒微黄）　羌活半两　乌臼皮半两（锉）　汉防己一两

【用法】上为细散。每服三钱，空心浓煎桑根白皮汤调下。以利为度。

【主治】十种水气，皮肤肿满，三焦壅闭，上喘咳嗽，大便不通。

郁李仁丸

【来源】方出《太平圣惠方》卷五十四，名见《普济方》卷一九三。

【组成】郁李仁一两（汤浸，去皮，微炒）　陈橘皮一两（汤浸，去白，焙）　甘遂一两（煨令微黄）　赤茯苓一两　甜葶苈二两（隔纸炒令紫色）　瞿麦一两

【用法】上为末，炼蜜为丸，如梧桐子大。每服十丸，空心温水送下。良久当利三二行，不利即加五丸，再服，以利为效。

【主治】水气。遍身浮肿，皮肤欲裂，心腹气急胀大，小便不利。

郁李仁汤

【来源】方出《太平圣惠方》卷五十四，名见《圣济总录》卷八十。

【组成】桑根白皮三两（锉）　赤小豆一升（以水五升煮熟，取汁二升）　郁李仁二两（汤浸，去皮，微炒）　陈橘皮二两（汤浸，去白瓤，焙）　紫苏叶二两　白茅根三两（锉）

【用法】上为散。每服五钱，以小豆汁一大盏，煎至五分，去滓温服，一日三次。

【主治】水气，遍身浮肿，心胸急硬，气满上喘，大小便涩。

郁李仁散

【来源】《太平圣惠方》卷五十四。

【组成】郁李仁一两（汤浸，去皮，微炒） 桑根白皮一两（锉） 赤茯苓一两 泽漆叶一两 汉防己一两 泽泻一两 陈橘皮一两（汤浸，去白瓤，焙） 甘遂一两（煨令微黄）

【用法】上为粗散。每服二钱，用猪肾一对（切去脂膜），大豆半合，先以水二大盏，煮至一盏，去滓，入药又煎至五分，去滓，五更初温服，良久当利三两行。如未利，即再服。

【主治】水气，脚膝浮肿，上攻腹胁，妨闷。上气喘息，小便不利。

牵牛散

【来源】《太平圣惠方》卷五十四。

【组成】牵牛子二两（微炒） 甜葶苈一两（隔纸炒令紫色） 桑根白皮二两（锉） 槟榔一两 郁李仁二两（汤浸，去皮，微炒） 汉防己一两 猪苓一两（去黑皮） 木通一两（锉）

【用法】上为粗散。每服三钱，以水一中盏，加生姜半分，煎至六分，去滓，空腹温服。如人行十里，当利三二行，如未利即再服。

【主治】水气遍身浮肿，气息喘急，小便赤涩。

牵牛散

【来源】方出《太平圣惠方》卷五十四，名见《普济方》卷一九三。

【组成】牵牛子二两（微炒）

【用法】上为末，以乌牛尿一升，浸一宿，平旦入葱白一握，煎十余沸，分二服，去滓空腹服。水从小便利下大效。

【主治】水气，遍身浮肿，气促，坐卧不得。

牵牛散

【来源】《太平圣惠方》卷五十四。

【组成】牵牛子四两（微炒） 陈橘皮半两（汤浸，去白瓤，焙） 白术半两 木香一两 桑根白皮半两（锉） 木通半两（锉） 肉桂半两（去皴皮）

【用法】上为细散。每服二钱，五更初以生姜茶调下。至平明，更吃生姜茶粥，投转三二行自定。临时相度虚实增减服。

【主治】气水。身体浮肿，腹胁妨闷，大小便涩，上气喘息。

牵牛子丸

【来源】《太平圣惠方》卷五十四。

【组成】牵牛子三分（微炒） 汉防己一分 椒目一分（微炒） 滑石半两 瞿麦半两 槟榔半两 甘遂一分（煨令微黄） 泽漆一分（微炒） 桑根白皮半两（锉） 甜葶苈半两（隔纸炒令紫色） 郁李仁二分（汤浸，去皮，微炒）

方中泽漆，《普济方》作“泽泻”。

【用法】上为末，炼蜜为丸，如梧桐子大。每服二十丸，空腹以木通、灯心汤送下。以利为度。未得快利，即再服之。

【主治】十种水气，遍身浮肿，大小便涩，喘促不止。

神效葶苈散

【来源】《太平圣惠方》卷五十四。

【别名】神助散（《太平惠民和济局方》卷八）、葶苈散（《圣济总录》卷七十九）。

【组成】甜葶苈三两（隔纸炒令紫色） 牵牛子二两半（微炒） 猪苓二两（去黑皮） 泽泻二两 椒目一两半（微炒）

【用法】上为细散。取葱白三茎（切），以浆水一大盏，煎取半盏，入清酒半盏，搅令匀，稍热空腹，调下三钱，以人行五里已来，即煮浆水粥，切入葱白，煮令烂熟，更入清酒五合，搅匀，面向东，热吃令尽。至午后来，或小便下三五升，或大便通利，气喘即定，肿减七分，隔日后再服，百日内切好将息。

【主治】十水之病，百方不愈，面目四肢俱肿，气息喘急，寝卧不得，小便渐涩，肿胀气闷，水不入口，垂命欲死。

【宜忌】不得吃盐及诸面食。

海蛤丸

【来源】《太平圣惠方》卷五十四。

【组成】海蛤一两（研细） 甜葶苈一两（隔纸炒令紫色） 海藻一两（洗去咸味） 昆布一两（洗去咸味） 赤茯苓一两 汉防己二两 泽漆一两 桑根白皮二两（锉） 木通二两（锉）

【用法】上为末，炼蜜为丸，如梧桐子大。每服三十丸，以粥饮送下，不拘时候。

【主治】水气，遍身浮肿，上喘，小便不通。

海蛤丸

【来源】《太平圣惠方》卷五十四。

【组成】海蛤一两（研细） 甜葶苈一两（隔纸炒令紫色） 赤茯苓一两 桑根白皮一两（锉） 郁李仁一两（汤浸去皮，微炒） 汉防己一两 陈橘皮一两（汤浸去白瓤，焙） 甘遂半两（煨令微黄）

【用法】上为末，别捣葶苈如泥，纳药末中和匀，炼蜜为丸，如梧桐子大。每服二十丸，以粥饮送下，一日三四次。

【主治】大腹水肿，四肢洪满，小便涩少。

甜葶苈丸

【来源】《太平圣惠方》卷五十四。

【组成】甜葶苈二两（隔纸炒令紫色） 汉防己一两 海蛤一两（细研） 椒目一两（微炒去汗） 川芒消一两 赤茯苓一两

【用法】上为末，炼蜜为丸，如梧桐子大。每服以木通一两，桑根白皮一两，百合一两，郁李仁半两，捣粗罗为散，以水一中盏，煎至六分，去滓，送下三十丸，一日三次。

【主治】卒身面四肢浮肿，腹胁气胀满，小便不利。

猪苓散

【来源】《太平圣惠方》卷五十四。

【组成】猪苓半两（去黑皮） 赤茯苓半两 甜葶苈半两（隔纸炒令紫色） 川大黄半两（锉碎，微炒） 五味子半两 汉防己半两 泽泻半两 陈橘皮半两（汤浸，去白瓤，焙） 桂心半两 白术半两 狼毒半两（锉碎，醋拌炒熟） 椒目半两（微炒去汗） 熟姜半两（炮裂，锉） 大戟半两（锉碎，微炒）

【用法】上为散。每服二钱，食前以葱白汤调下。得大小便利为度。

【功用】利三焦，通水道。

【主治】水气遍身浮肿。

猪苓散

【来源】《太平圣惠方》卷五十四。

【别名】猪苓汤（《普济方》卷一九二）。

【组成】猪苓一两（去黑皮） 麻黄一两（去根节） 陈橘皮一两（汤浸去白瓤，焙） 桑根白皮一两（锉） 百合一两 赤茯苓一两 槟榔一两 滑石二两

【用法】上为粗散。每服五钱，以水一盏，煎至五分，去滓温服，不拘时候。

【主治】气水，肿满喘急，小便涩。

商陆丸

【来源】《太平圣惠方》卷五十四。

【组成】商陆一两 川芒消半两 甘遂半两（煨令黄色） 芫花半两（醋拌炒，令干） 荛花半两（微炒） 麝香一分（细研） 猪苓半两（去黑皮）

《普济方》有大黄。

【用法】上为末，研入麝香令匀，炼蜜为丸，如梧桐子大。每服三丸，食前以粥饮送下。

【功用】利小便。

【主治】水气遍身浮肿，及疗酒客虚热，当风饮冷水，腹胀满阴肿。

商陆丸

【来源】《太平圣惠方》卷五十四。

【组成】商陆一两 川芒消半两 甘遂一分（煨令微黄） 川大黄半两（锉碎，微炒） 芫花半两

（醋拌炒令干）　荛花半两（微炒）

【用法】上为末，炼蜜为丸，如梧桐子大。每服三丸，食前以粥饮送下。以利为度。

【功用】利小便，消胀满。

【主治】水肿。

商陆散

【来源】方出《太平圣惠方》卷五十四，名见《普济方》卷一九三。

【组成】商陆一两　赤小豆一合　木通半两（锉）　泽泻半两　赤茯苓半两　陈橘皮半两（汤浸，去白瓤，焙）　葱白三茎　生姜一分

【用法】上锉细。都以水三大盏，煎至一盏半，去滓，食前分温三服。

【主治】水气。脚膝浮肿，上攻心腹，妨闷喘息，小便不利。

商陆饮子

【来源】方出《太平圣惠方》卷五十四，名见《普济方》卷一九三。

【组成】商陆一两　构树根一两　嫩桑枝一两　桑根白皮一两　大麻仁三两（捣碎）　桂心一两

【用法】上药都锉细。每服半两，以水一中盏，煎至五分，去滓，空心温服。如人行五里，大小便当利；未利，晚再服之。

【主治】卒身面浮肿，腹胀，大小便不利，喘息稍急。

续随子丸

【来源】《太平圣惠方》卷五十四。

【组成】续随子　海蛤（细研）　甜葶苈（隔纸炒令紫色）　汉防己　甘遂（煨令微黄）　郁李仁（汤浸去皮，微炒）　滑石各半两　腻粉一分

【用法】上为末，炼蜜为丸，如梧桐子大。每服七丸，空心以粥饮送下。当得快利。如未利，晚食前再服。

【主治】十种水气，喘息，腹胁鼓胀，小便不通。

葶苈丸

【来源】《太平圣惠方》卷五十四。

【组成】甜葶苈一两半（隔纸炒令紫色，更别研如膏）　甘遂一两（煨令微黄）　牵牛子一两（微炒）　川大黄一两（锉碎，微炒）　羌活一两　陈橘皮一两（汤浸，去白瓤，焙）

【用法】上为末，炼蜜为丸，如梧桐子大。每服七丸，空心以温水送下。长取利三两行，以愈为度。

【主治】气水。肿满喘急，大小便难。

葶苈丸

【来源】《太平圣惠方》卷五十四。

【组成】甜葶苈半两（隔纸炒令紫色，捣如膏）　汉防己一两（末）　杏仁半两（汤浸，去皮尖双仁，生捣如膏）

【用法】上为末，以枣肉为丸，如梧桐子大。每服三十丸，煎橘皮汤送下，一日三四次。

【主治】卒身面四肢浮肿，喘息急。

槟榔丸

【来源】《太平圣惠方》卷五十四。

【组成】槟榔一两　甜葶苈一两（隔纸炒令紫色）　甘遂半两（煨令微黄）　汉防己半两　川朴消一两　当归一两（锉，微炒）　木通一两（锉）　川大黄一两（锉碎，微炒）　滑石二两　泽泻半两　猪牙皂荚半两（去皮，炙微黄）　商陆一两　牵牛子一两（微炒）　陈橘皮一两（汤浸，去白瓤，焙）

【用法】上为末，以醋饭为丸，如梧桐子大。每服二十丸，空心以粥饮送下。以利为度，未得快利，即再服之。

【主治】十种水气。腹胀喘嗽，大小便涩。

槟榔丸

【来源】《太平圣惠方》卷五十四。

【组成】槟榔一两　海蛤一两（细研）　桂心半两　诃黎勒皮一两　汉防己一两　木香一两　桑根白皮一两（锉）　郁李仁一两　旋覆花半两

【用法】上为末，炼蜜为丸，如梧桐子大。每服三十丸，煎木通汤送下，一日三服。

【主治】水气。心腹鼓胀，四肢羸瘦，喘息促急，

食饮渐减，小便涩少，脐下妨闷。

槟榔散

【来源】《太平圣惠方》卷五十四。

【组成】槟榔半两　木香半两　桂心半两　紫苏茎叶一两　郁李仁一两半（汤浸，去皮，微炒）　赤茯苓一两　木通一两（锉）　陈橘皮一两（汤浸，去白瓤，焙）　牵牛子二两（微炒）

【用法】上为细散。每服二钱，空心以桑根白皮汤调下，夜临卧时再服。

【主治】水气，脚膝浮肿，大小便不利，上气喘急。

瞿麦散

【来源】《太平圣惠方》卷五十四。

【组成】瞿麦一两　滑石一两　汉防己一两　川大黄一两（锉碎，微炒）　川芒消一两

【用法】上为粗散。每服三钱，以水一中盏，煎至六分，去滓温服，不拘时候。

【主治】水气。面目腿膝肿硬，小便赤涩。

汉防己散

【来源】《太平圣惠方》卷六十九。

【组成】汉防己三分　赤茯苓一两　桑根白皮一两（锉）　枳壳三分（麸炒微黄，去瓤）　槟榔一两　木通一两（锉）　川大黄一两（锉碎，微炒）　紫苏茎叶一两　甘草半两（炙微赤，锉）

【用法】上为粗散。每服四钱，以水一中盏，加生姜半分，葱白七寸，煎至六分，去滓温服，不拘时候。

【主治】妇人头面及四肢浮肿，心胸满闷，喘息，小便赤涩。

汉防己散

【来源】《太平圣惠方》卷六十九。

【组成】汉防己半两　当归半两（锉，微炒）　赤茯苓三分　大腹皮三分（锉）　前胡三分（去芦头）　木通三分（锉）　赤芍药半两　桑根白皮一两（锉）　桂心半两　羚羊角屑半两　青橘皮半两（汤浸，去白瓤，焙）　槟榔一两　川大黄一两（锉碎微炒）

【用法】上为散。每服四钱，以水一中盏，煎至六分，去滓，食前温服。

【主治】妇人血分，四肢浮肿，喘促，小便不利。

赤茯苓散

【来源】《太平圣惠方》卷六十九。

【组成】赤茯苓一两　汉防己一两　桑根白皮半两（锉）　枳壳三分（麸炒微黄，去瓤）　槟榔一两　木通一两（锉）　川大黄一两（锉碎，微炒）　紫苏茎叶一两　甘草半两（炙微赤，锉）

【用法】上为粗散。每服四钱，以水一中盏，加生姜半分，葱白七寸，煎至六分，去滓温服，不拘时候。

【主治】妇人水气，身体浮肿，喘息微促，小便不利。

赤茯苓散

【来源】《太平圣惠方》卷六十九。

【组成】赤茯苓一两　汉防己一两　桑根白皮半两（锉）　猪苓一两（去黑皮）　泽漆一两　木通一两（锉）　槟榔一两

【用法】上为粗散。每服四钱，以水一中盏，加生姜半分，煎至六分，去滓，食前温服，以利为效。

【主治】妇人水气，身体浮肿，喘息微促，小便不利。

赤茯苓散

【来源】《太平圣惠方》卷六十九。

【组成】赤茯苓三分　川大黄二两（锉碎，微炒）　鳖甲一两（涂醋炙令黄）　赤芍药三分　桂心半两　槟榔一两　桑根白皮三分（锉）　枳壳半两（麸炒微黄，去瓤）　郁李仁一两半（汤浸去皮，微炒）　牵牛子三分（微炒）

【用法】上为散。每服四钱，以水一中盏，加生姜半分，同煎至六分，去滓，食前温服。

【主治】妇人血分，腹胁鼓胀，四肢浮肿，肩背壅闷。

泽漆丸

【来源】《太平圣惠方》卷六十九。

【组成】泽漆一两　甜葶苈一两（隔纸炒令紫色，别捣）　桑根白皮一两（锉）　甘遂一两（锉，炒令黄）　牵牛子一两（生用）　昆布三分　郁李仁一两（汤浸，去皮，微炒，别捣）　枳实二两（麸炒微黄）　槟榔一两

【用法】上为细末，研入甜葶苈、郁李仁，令匀细，炼蜜为丸，如梧桐子大。每服十丸，食前以温酒送下。

【主治】妇人血分，通身浮肿，胸膈不利，腹胁胀闷，喘息气粗，不能饮食。

牵牛子散

【来源】《太平圣惠方》卷六十九。

【组成】牵牛子一两（微炒）　青橘皮一两（汤浸，去白瓤，焙）　槟榔一两　汉防己半两　赤茯苓半两　木通三分（锉）　桑根白皮三分（锉）

【用法】上为细散。每服三钱，空心煎生姜、葱白汤调下，以利为效，未利再服。

【主治】妇人水气，腹胁妨闷，四肢浮肿，喘气微利，小便不利。

商陆鲤鱼汤

【来源】《太平圣惠方》卷六十九。

【组成】商陆一两（锉）　木通一两（锉）　陈橘皮一两（汤浸，去白瓤，焙）　赤小豆半斤　鲤鱼一枚重一斤（理如食法）　桑根白皮二两（锉）

【用法】上以水五升，入生姜二两，葱白五茎，同煮令豆熟为度。每服吃汁一中盏，鱼豆任意食之，不拘时候。

【主治】妇人水病，头面及四肢浮肿，喘急，小便不利。

槟榔丸

【来源】《太平圣惠方》卷七十五。

【别名】茯苓丸（《圣济总录》卷一五七）。

【组成】槟榔一两　赤茯苓一两　白术三分　桑根白皮一两（锉）　郁李仁一两（汤浸，去皮尖，微炒）　枳壳三分（麸炒微黄，去瓤）　甜葶苈一两（隔纸炒令紫色）

【用法】上为末，炼蜜为丸，如梧桐子大。每服二十丸，食前以粥饮送下。

【主治】妊娠身体浮肿，心腹胀满，小便涩，喘息促。

木香散

【来源】《太平圣惠方》卷八十八。

【组成】木香半两　鳖甲半两（涂醋，炙令黄，去裙襕）　赤茯苓一分　牵牛子半两（微炒）　川大黄半两（锉碎，微炒）

【用法】上为细散。每服半钱，以温浆水调下，晚后再服。

【主治】小儿乳食过度，腹中胀满；小儿水气，四肢浮肿，腹胁妨闷。

甘遂散

【来源】《太平圣惠方》卷八十八。

【组成】甘遂一分（煨令微黄）　槟榔一分　川大黄一分（锉碎，微炒）　牵牛子半两（微炒）　甜葶苈一分（隔纸炒，令紫色）

【用法】上为细散。每服一字，以温水调下。以利为效。

【主治】小儿水气，遍身肿满，大小便难，喘促不得睡卧。

赤茯苓散

【来源】《太平圣惠方》卷八十八。

【组成】赤茯苓半两　桑根白皮半两（锉）　川升麻一分　甜葶苈一分（隔纸炒令紫色）　杏仁一分（汤浸，去皮尖双仁，麸炒微黄）　桔梗一分（去芦头）　贝母半两（煨令微黄）

【用法】上为粗散。每服一钱，以水一小盏，煎至五分，去滓温服，一日三四次。

【主治】小儿水气肿满，喘咳不止。

桑根白皮散

【来源】《太平圣惠方》卷八十八。

【组成】桑根白皮半两（锉） 海蛤一分 汉防己一分 赤茯苓一分 白术一分 甜葶苈一分（隔纸炒令黄色） 川朴消一两 猪苓一分（去黑皮）

【用法】上为粗散。每服一钱，以水一小盏，煎至五分，去滓，温服，一日三四次，量儿大小，加减服之。

【主治】小儿水气肿满，上气喘促，小便赤涩，大便稍难。

桑根白皮散

【来源】《太平圣惠方》卷八十八。

【组成】桑根白皮半两（锉） 射干半两 赤茯苓半两 黄芩半两 木通半两（锉） 泽漆半两 泽泻半两 汉防己半两

【用法】上为细散。每服半钱，煮赤小豆汤调下，一日三四次。

【主治】小儿水气，遍身肿满，喘促，小便不利。

甜葶苈丸

【来源】《太平圣惠方》卷八十八。

【组成】甜葶苈半两（隔纸炒令紫色） 牵牛子半两（微炒） 大戟一分 腻粉一钱（研入） 雄雀粪半两 巴豆十粒（去皮心，研，纸裹压去油）

【用法】上为末，用枣瓤为丸，如绿豆大。每服一丸，以温茶送下，一日二次。五岁以上，加丸服之。

【主治】小儿水气，通身肿满，心腹妨闷，坐卧不安。

猪苓散

【来源】《太平圣惠方》卷八十八。

【组成】猪苓一分（去黑皮） 桑根白皮一分（锉） 赤茯苓一分 海蛤一分（细研） 甜葶苈一分（隔纸炒令黄紫色）

【用法】上为粗散。每服一钱，以水一小盏，煎至五分，去滓温服，一日三四次。

【主治】小儿水气肿满，小便不利，脐腹妨闷，喘促。

楮皮汤

【来源】《太平圣惠方》卷八十八。

【组成】楮树白皮（锉）一合 赤小豆一合 赤茯苓一两（锉）

【用法】上药和匀。每取一分，以水一小盏，煎至五分，去滓，分为二服，一日三四次。

【主治】小儿水气，肿满不消。

鲤鱼粥

【来源】《太平圣惠方》卷九十五。

【组成】鲤鱼一头（可重一斤，去肠，洗净） 商陆二两（锉） 赤小豆三合 紫苏茎叶二两

【用法】上于净锅中，着水五大盏，都候鱼烂熟，空腹食之。其汁入葱白、生姜、橘皮，及少醋，调和作羹食之，其豆亦宜吃。甚效。

【功用】利小便。

【主治】水肿。

髓　煎

【来源】《太平圣惠方》卷九十五。

【组成】生地黄五十斤（捣绞取汁，以慢火煎减半） 牛髓五十斤（炼成者） 羊脂三斤（炼成者） 白蜜三升 牛酥三升 生姜汁二升

【用法】上药都入银锅中，以微火煎如稀饧，纳瓷器中。每服以温酒调如鸡子黄大，日二服，羹粥中食之。益精美发，白者摘去之，下有黑者再生，若未白者更不白。

【功用】填骨髓，治百病，补虚劳，换白发。

赤小豆羹

【来源】方出《太平圣惠方》卷九十六，名见《普济方》卷二五九。

【组成】赤小豆五合 桑根白皮三两（锉） 白术二两 鲤鱼一头（三斤者，净洗如常）

【用法】以水一斗，都一处煮，候鱼熟，取出鱼，

尽意食之；其豆亦宜吃，勿着盐味；其汁入葱白、生姜、橘皮，入少醋，调和作羹食之。
【主治】水气腹大脐肿，腰痛，不可转动。

牵牛子粥

【来源】《太平圣惠方》卷九十六。
【别名】牵牛粥（《圣济总录》卷一九〇）。
【组成】牵牛子一两（一半生，一半炒，并为细末） 粳米二合 生姜一分（细切）
【用法】上将米煮粥，候熟，抄牵牛子末三钱，散于粥上，并入生姜搅转，空腹食之。须臾通转，即效。
【功用】《药粥疗法》：泻水，消肿，通便，下气，驱虫。
【主治】
1.《太平圣惠方》：水气，面目及四肢虚肿，大便不通。
2.《药粥疗法》：小儿蛔虫病。

黑豆粥

【来源】《太平圣惠方》卷九十六。
【组成】黑豆半升 桑枝（锉）半升 构皮（锉）半升
【用法】以水五大盏，煮取二大盏，去滓，每取汁一盏，入米一分，煮作粥，空心食之。
【功用】利小便，除浮肿。
【主治】水气。

貒肉羹

【来源】方出《太平圣惠方》卷九十六，名见《养老奉亲书》。
【组成】貒猪肉半斤（细切）
【用法】用粳米三合，水三升，加葱、豉、椒、姜作粥。每日空腹食之。
【主治】
1.《太平圣惠方》：十种水病不愈，垂命。
2.《养老奉亲书》：老人水气浮肿，身皮肤痒燥，气急不能下食，心暖胀满，气欲绝。

郁李仁粥

【来源】《太平圣惠方》卷九十七。
【组成】郁李仁一两（汤浸，去皮尖，微炒） 桑根白皮一两（锉） 粟米一合
【用法】上为末，每服半两，以水一大盏，煎至七分，去滓，下米作粥，加少生姜汁，任意食之。
【主治】小儿水气，腹肚虚胀，头面浮肿，小便不利。

车前子叶羹

【来源】方出《太平圣惠方》卷九十八，名见《圣济总录》一九〇。
【别名】车前叶粥（《药粥疗法》）。
【组成】车前子叶一斤 葱白一握 粳米二合
【用法】上切车前子叶，和豉汁中，煮作羹，空腹食之。

《圣济总录》：以豉汁五升，煮令沸，先下米煮熟，次下车前叶，葱白和作羹，入少盐醋，空腹食之，或煮为粥亦得。
【功用】《药粥疗法》：利尿，清热，明目，祛痰。
【主治】
1.《太平圣惠方》：热淋，小便出血疼痛。
2.《药粥疗法》：水肿，泻利，黄疸，目赤肿痛，咳嗽痰多。

通灵玉粉

【来源】《太平圣惠方》卷九十八。
【别名】扁鹊玉壶丹（《中藏经》卷下）、通灵玉粉散（《普济方》卷一五四）、扁鹊玉壶丸（《普济方》卷二二六）、玉壶丹（《医级》卷八）。
【组成】硫黄半斤
【用法】上以桑柴灰五斗，淋取汁，煮三复，时时以铁匙抄，于火上试之，候伏火即止，候干，以火煅之，如未伏，更煮，以伏火为度，伏了即研为细散；又穿地作坑，深一尺二寸，投水于中，待水清取和硫黄末，水不得绝，于瓷锅内煎之，候欲干，即取铁鏊子一所，仰著纳细砂，砂上布纸，鏊下著微火，令鏊热，即于瓷锅内抄硫黄于纸上滴之，自然如玉色，光彩射人；为细末，以

饭为丸，如扣子大。每服十丸，空心盐汤送下。

《普济方》本方亦可作散，每服两字盐汤调下。

【功用】

1.《太平圣惠方》：暖水脏，益颜色。

2.《中藏经》：驻颜补暖，祛万痛。

【主治】

1.《太平圣惠方》；腰膝痛。

2.《医级》：命火衰微，阳气暴绝，及虚寒水肿，寒中等候。

【验案】《普济方》：余乡人王昭服之，年九十颜貌如童，夜视细字，力倍常人。

葶苈丸

【来源】《普济方》卷一九三引《太平圣惠方》。

【组成】葶苈子三两

【用法】上为末，炼蜜为丸，如梧桐子大。每服五丸，加至七丸。得利为佳。

【主治】水肿气满。

葶苈丸

【来源】《普济方》卷一九三引《太平圣惠方》。

【组成】葶苈七两　椒目三两　茯苓三两

【用法】上为末，炼蜜为丸，如梧桐子大。每服十丸，一日三次。

【主治】水肿。腹苦满急，妨碍饮食。

【宜忌】忌酢物。

舟车丸

【来源】《袖珍方》卷三引《太平圣惠方》。

【别名】舟车神祐丸（《医学纲目》卷四引河间方）、净腑丸（《医宗金鉴》卷三十）、神祐丸（《女科切要》卷二）。

【组成】大黄二两　甘遂（面裹，煮）　大戟（醋炒）　芫花（醋炒）各一两　青皮（去白）　槟榔　陈皮（去白）　木香各五钱　牵牛头末四两　轻粉一钱（张子和方无轻粉）

【用法】上为末，水为丸，如梧桐子大。每服三五十丸，临卧温水送下。以利为度。

【功用】

1.《医学纲目》：泄水湿。

2.《东医宝鉴·杂病篇》：疏导二便。

3.《济阳纲目》：湿胜气实者，以此宣通之。

【主治】

1.《袖珍方》：积聚。

2.《丹溪心法》：湿胜气实。

3.《普济方》：潮热有时，胃气不和，遍身肿满，足肿腹胀，大便不通。

4.《景岳全书》：气血壅满，不得宣通，风热郁痹，走注疼痛及妇人血逆气滞等证。

5.《济阳纲目》：咳嗽淋闷。

6.《杂病源流犀烛》：痰毒。

7.《医钞类编》：水胀口渴，面赤气粗，腹坚。

【宜忌】

1.《济阳纲目》：气虚者慎之。

2.《古方新解》：甚者忌食盐酱百日。

3.《全国中药成药处方集》（吉林、哈尔滨方）：勿与甘草同用，孕妇勿服。

【加减】一方取蛊，加芜荑半两。

【方论】

1.《医方考》：通可以去塞，牵牛、大黄、甘遂、芫花、大戟，皆通剂之厉者也；辛可以行滞，陈皮、青皮、木香，皆行滞之要药也。此方能下十二经之水，下咽之后，上下左右，无所不至，故曰舟车。

2.《医方集解》：此足太阳药也。牵牛、大黄、大戟、芫花、甘遂，皆行水之厉剂也，能通行十二经之水。然肿属于脾，胀属于肝。水之不行，由于脾之不运；脾之不运，由于木盛而来侮之，是以不能防水而洋溢也。青皮、木香，疏肝泄肺而健脾，与陈皮均为导气燥湿之品，使气行则水行，脾运则肿消也。轻粉无窍不入，能去积痰，故少加之。然非实证，不可轻投。

3.《医略六书》：水结热壅，三焦闭结，故腹胀溺塞、大便不通，与单腹膨胀不同。牵牛导水结，大黄通热闭，大戟去脏腑之水，甘遂去经络之水，芫花泻肠胃之水，青皮破结滞之气，槟榔导滞逆之气，陈皮调脾胃之气，木香醒中气，轻粉透经络。有虫加芜荑以杀虫化积也。此消积下水峻剂，为病实气壮之专方。

4.《医宗金鉴》：葶苈大枣汤、苏葶定喘丸、

舟车神祐丸，三方皆治肿胀之剂。然葶苈大枣汤治水停胸中，肺满喘急不得卧，皮肤浮肿，中满不急者，故独用葶苈之苦先泻肺中之水气，佐大枣，恐苦甚伤胃也。苏葶定喘丸，即前方加苏子以降气，气降则水降，气降则输水之上源，水降则开水之下流也。舟车神祐丸治水停诸里。上攻喘咳难卧，下蓄小便不利，外薄作肿，中停胀急者，故备举甘遂、大戟、芫花、牵牛、大黄，直攻水之巢穴，使从大小二便而出，佐青皮、陈皮、木香以行气，使气行则水行，肿胀两消。其尤峻厉之处，又在少加轻粉，使诸攻水行气之药迅速莫当，无微不入，无穷不达，用之若当，攻效神奇，百发百中。然非形实或邪盛者，不可轻投。苟徒利其有劫病之能，消而旋肿，用者慎之。

5.《成方便读》：此方用牵牛泻气分，大黄泻血分，协同大戟、甘遂、芫花三味大剂攻水者，水陆并行；再以青皮、陈皮、木香，通理诸气，为之先导；而以轻粉之无窍不入者助之。故无坚不破，无水不行，宜乎有舟车之名。

6.《中医大辞典·方剂分册》：方中甘遂、芫花、大戟，攻逐脘腹经坠之水，为主药；大黄、牵牛子，荡涤泻下为辅，主辅相配，使水热实邪从二便分消下泄；再以青皮破气散结，陈皮理气燥湿，木香调气导滞，使气畅水行，共为佐使。诸药合用，共成行气破滞、峻下逐水之方。

【验案】虫积经闭 《浙江中医杂志》（1964，11：17）：高某某，女，23 岁，已婚，1962 年 5 月 23 日入院。病人月经一向正常，结婚 3 年未育。1960 年初，曾患浮肿，继则腹胀经闭，以为妊娠；但腹胀善饥，便溏尿少，喜食盐粒，时吐涎沫，四肢沉重，周身乏力。诊时经闭已 2 年，面容虚胖少华，舌淡胖而大，苔白腻，脉弦滑，唇色白，内见丘疹，周身浮肿，下肢按之可容枣大之深陷，腹大而满，按之坚无压痛，脐周围可触到条状、索状结块，肝、脾均肿大，无压痛；腹泻日 2～3 次，多为未消化之软便。诊为虫积经闭。根据病情辨证，属大实有羸状，用舟车丸峻剂逐水，以治标急之实。5 月 28 日晨 8 时，空腹服下舟车丸 1.5g，2 小时后呕恶，腹绞痛；3 小时后排出水及虫体 1 大盆，数得活蛔虫 334 条，腹消大半。5 月 29 日晨 8 时再服舟车丸 1.5g，又大便 3 次，排出蛔虫 269 条，腹臌消失近常人。月经于入院第 18 天来潮。

茯苓琥珀丸

【来源】《袖珍方》卷三引《太平圣惠方》。

【组成】赤茯苓（去皮） 防己各一两半 苦葶苈三两半（隔纸炒） 紫苏子（拣净）一两 琥珀一两（别研） 郁李仁一两七钱半（汤浸，去皮） 陈皮一两三钱 杏仁（汤浸，去皮尖及两仁者，麸炒）一两三钱

【用法】上为末，炼蜜为丸，如梧桐子大。每服六七十丸，人参汤送下。

【主治】水气乘肺，遍身浮肿，中焦痞隔，气不升降，咳嗽喘促，小便不利。

牵牛汤

【来源】《袖珍方》卷三引《太平圣惠方》。

【组成】牵牛头末一两 厚朴五钱（姜汁制）

【用法】上药每服二钱，姜、枣汤下。水丸亦可，姜、枣汤送下亦得。

【主治】腹中有湿热气，足胫微肿，中满气急，咳嗽喘息，小便不利。

塌腹丸

【来源】《袖珍方》卷三引《太平圣惠方》。

【别名】塌胀丸（《杨氏家藏方》卷十）。

【组成】赤小豆五两 陈皮二两（去白） 木香一两 商陆三两（锉细）

【用法】上为末，水为丸，如梧桐子大。每服七八十丸，赤豆汤送下。

【主治】水病浑身肿胀，喘急，小便不利。

紫苏橘皮汤

【来源】《古今医统大全》卷三十一引《太平圣惠方》。

【组成】紫苏 橘皮 苏子 大腹皮 槟榔 桔梗各四分 五味子 甘草各二分

【用法】上锉。每服一两，水二盏，加生姜三片，煎一盏服。

【主治】遍身肿满，脏腑自利。

恶实散

【来源】方出《证类本草》卷九引《经验方》，名见《圣济总录》卷一二三。
【组成】恶实一合（半生半炒）
【用法】上杵为末。热酒调下一钱匕。立愈。
【主治】风热闭塞咽喉，遍身浮肿。

磁石丸

【来源】《博济方》卷二。
【组成】羌活　陈皮　木香　泽泻　赤茯苓（去皮）附子（炮，去皮脐）　槟榔　白术　诃子（炮，去皮用）　肉苁蓉　椒红　上好磁石（吸铁多者。烧赤，入醋淬十次，细研，水飞过，至极细为妙）　乌头（炮）　桑白皮（另研为末，不用筋滓）　鳖甲（醋炙令黄）　官桂（去皮）　黄耆（另研，取细末）各半两
【用法】上为末。用羊石子或豮猪石子（去筋膜，生，研细）和米再杵一二千下，如硬更入酒，糊为丸，如梧桐子大，焙干。每服二十丸至三十丸，空心、日午温酒送下。
【主治】诸气肿。
【宜忌】切忌房室并醃藏诸毒物，须至百日外。次用补药。

逐气散

【来源】《博济方》卷三。
【组成】樟柳根不拘多少（去皮，薄切，阴干，日晒，亦可为末）
【用法】上用黄颡鱼三头，大蒜三个，绿豆一合，以水一大碗同煮，以豆烂为度，先将豆任意吃后，却以汁调药末二钱。其水即化为气消也。
【主治】

1.《博济方》：水疾。

2.《苏沈良方》：水气，或四肢悉满，不能坐卧。

【验案】水气　《苏沈良方》：省郎王申病水气，四体悉满，不能坐卧，夜倚壁而立，服一剂顿愈。

槟榔散

【来源】《博济方》卷三。
【组成】白槟榔（煨令微黄）半两　芫花（醋拌令干）　泽泻　甜葶苈（隔纸于铫子内炒令紫色）郁李仁（汤浸，去皮，微炒）　汉防己各一两　陈皮（去白，炒）半两　瞿麦（只取花）半两　藁本一分　滑石三分　大戟三分（锉碎，微炒）
【用法】上为末。每服一钱，用桑白皮浓煎汤，空心调下。当时取碧绿水，后如烂羊脂，即愈。如未尽，隔日再服，看肿消如故，更不用服。
【主治】水疾及诸般气肿。

赤小豆汤

【来源】方出《证类本草》卷二十五引《本草图经》，名见《方剂辞典》。
【组成】赤小豆五合　大蒜一头　生姜一分　商陆根一条
【用法】赤小豆、大蒜、生姜并碎破，商陆根切，同水煮，豆烂汤成，适寒温，去大蒜等，细嚼豆，空腹食之，旋旋啜汁令尽。肿立消便止。
【主治】水气脚气。

木香丸

【来源】《普济方》卷一九三引《指南方》。
【组成】木香　槟榔　陈皮　商陆　木通各半两
【用法】上为末，面糊为丸，如梧桐子大。每服十丸，米饮送下。
【功用】《鸡峰普济方》：消滞积，行水。
【主治】

1.《普济方》引《指南方》：气鼓。

2.《鸡峰普济方》：水气。

天雄丸

【来源】《普济方》卷一九三引《指南方》。
【组成】天雄　枳实　橘皮各半两　甘遂一分　牵牛（酒浸一宿，煮令熟，即去酒，控干再炒，取起）一分　连皮大腹子一两（酒浸一宿，炒干）

方中牵牛用量原缺，据《鸡峰普济方》补。

【用法】上为细末，酒糊为丸，如梧桐子大。每服十粒，生姜汤送下。

【功用】《鸡峰普济方》：泻气散寒。

【主治】

1.《普济方》引《指南方》：脾胀。

2.《鸡峰普济方》：肤胀。皮肤壳壳然坚，腹大身尽肿，皮厚按之没指，陷而不起，腹色不变，大小便如故。

人参木香散

【来源】《古今医统大全》卷三十一引《良方》。

【组成】人参　木香　茯苓　白术　滑石　猪苓　泽泻　甘草　槟榔　琥珀各等分

【用法】上为末。每服五钱，水一盏半，加生姜三片，煎七分，不拘时服，一日三次。

【主治】水气肿病。

无碍丸

【来源】《苏沈良方》卷四。

【组成】大腹（炙）二两　蓬莪术　三棱（皆湿纸裹煨熟）各一两　木香（面裹煨熟）五钱　槟榔（生）一分

【用法】上为末，炒麦蘖擣粉为糊为丸如梧桐子大。每服二三十丸，生姜汤送下。

【主治】

1.《苏沈良方》：脾病，横泻四肢，喘，手足背肿。

2.《三因极一病证方论》：脾气横泄，四肢浮肿，心腹胀满，喘不得卧。

三和散

【来源】《太平惠民和济局方》卷三。

【别名】三和汤（《圣济总录》卷五十四）。

【组成】羌活（去芦）　紫苏茎叶（去粗梗）　沉香　宣州木瓜（薄切，焙干）　大腹皮（炙焦黄）各一两　芎藭　甘草（炒）　陈皮（去白）　木香　槟榔（面裹煨熟，去面）　白术各三分

【用法】上为粗末。每服二大钱，水一盏，煎至六分，去滓温服，不拘时候。

【主治】

1.《太平惠民和济局方》：五脏不调，三焦不和，心腹痞闷，胁肋膜胀，风气壅滞，肢节烦痛，头面虚浮，手足微肿，肠胃燥涩，大便秘难，虽年高气弱，并可服之；又治背痛、胁痛，有妨饮食；及脚气上攻，胸腹满闷，大便不通。

2.《圣济总录》：三焦病气不升降，水道不利，渐成水胀。

黑锡丹

【来源】《太平惠民和济局方》卷五（吴直阁增诸家名方）引桑君方。

【别名】医门黑锡丹（《中药成方配本》）。

【组成】沉香（镑）　附子（炮，去皮脐）　葫芦巴（酒浸，炒）　阳起石（研细，水飞）　茴香（舶上者，炒）　破故纸（酒浸，炒）　肉豆蔻（面裹，煨）　金铃子（蒸，去皮核）　木香各一两　肉桂（去皮）半两　黑锡（去滓称）　硫黄（透明者，结沙子）各二两

《普济方》引《海上方》无阳起石，有巴戟天；《普济方》引《如宜方》无木香。

【用法】上用黑盏，或新铁铫内，如常法结黑锡、硫黄沙子，地上出火毒，研令极细，余药并杵罗为细末，都一处和匀入研，自朝至暮，以黑光色为度，酒糊为丸，如梧桐子大，阴干，入布袋内，擦令光莹。每服三四十粒，空心姜盐汤或枣汤下；妇人艾醋汤下；风涎诸疾用此药百粒煎姜、枣汤灌之，压下风涎，即时苏醒。

【功用】

1.《太平惠民和济局方》（吴直阁增诸家名方）：克化饮食，养精神，生阳逐阴，消磨冷滞，除湿破癖，安宁五脏，调畅六腑。

2.《医门法律》：升降阴阳，补虚益元，坠痰。

【主治】

1.《太平惠民和济局方》（吴直阁增诸家名方）：脾元久冷，上实下虚，胸中痰饮，或上攻头目彻痛，目瞪昏眩；及奔豚气上冲，胸腹连两胁，膨胀刺痛不可忍，气欲绝者；及阴阳气上下不升降，饮食不进，面黄羸瘦，肢体浮肿，五种水气，脚气上冲；及牙龈肿痛，满口生疮，齿欲落者；

兼治脾寒心痛，冷汗不止；或卒暴中风，痰潮上膈，言语艰涩，神昏气乱，喉中痰响，状似瘫痪，曾用风药吊吐不出者；或触冒寒邪，霍乱吐泻，手足逆冷，唇口青黑；及男子阳事痿怯，脚膝痠软，行步乏力，脐腹虚鸣，大便久滑；及妇人血海久冷，白带自下，岁久无子，血气攻注头面四肢；兼疗膈胃烦壅，痰饮虚喘，百药不愈者。

2.《医门法律》：真元虚惫，阳气不固，阴气逆冲，三焦不和，冷气刺痛，饮食无味，腰背沉重，膀胱久冷，夜多小便：及阴证阴毒，不省人事。

【方论】

1.《成方便读》：欲补真阳之火，必先回护真阴，故硫黄、黑锡二味，皆能入肾，一补火而一补水，以之同炒，使之水火交恋，阴阳互根之意；而后一派补肾壮阳之药，暖下焦逐寒湿，真阳返本，阴液无伤；寒则气滞，故以木香理之；虚则气泄，故以肉果固之；用川楝者，以肝肾同居下焦，肝有内火相寄，虽寒盛于下，恐肝家内郁之火不净耳。故此方治寒疝一证，亦甚得宜。

2.《医方发挥》：此证见肾阳虚衰，下元虚冷之本虚，又见肾不纳气上气喘急，胸中痰壅标实之象，故治疗上应以治本为主，兼顾其标，标本兼顾为宜，故本方以硫黄、黑锡共为主药，硫黄大热，为火中之精，可扶阳益火，为温肾阳之良药。此乃针对肾阳虚之本而用。黑锡甘寒，为水中之精，与硫黄同炒既照顾到肾为水脏的特点，于阴中求阳，又本品能镇降浮阳，以治肾不纳气、上盛喘促之标。此二药虽均有毒但可相互制约，相反相成，合而用之，标本兼顾，使元阳得扶，虚阳得降，水火交恋，阴阳互根。方中又恐硫黄一味助之力不足，辅入大队温壮元阳之品；寒则气滞，故以木香、肉豆蔻理气、温中，又使诸阳补而不滞。沉香平冲降逆，纳气归肾，助黑锡降纳上浮之阳，诸药合用，使肾阳充足而阴寒自散，下元得固而纳气归肾。因本方药多纯阳温燥，恐更伤真阴，本方又用甘寒之川楝子为反佐，况本品可疏利肝气，肝气条达，则子不犯母，防范肾虚肝木犯侮之弊。本方用药特点是标本兼顾，补而不滞，温而不燥，诸药合用使肾阳充旺，阴霾自散，下元得固，冲逆自平。

3.《伤寒绪论》：此方用黑锡水之精，硫黄火之精，二味结成砂子为君。诸香燥纯阳之药为臣，以金铃子苦寒一味为反佐，用沉香引入至阴之分为使。凡遇阴火逆冲，真阳暴脱，气喘痰鸣之急证，用以镇固其阳，使坎离交于顷刻，真续命神丹也。

【验案】《成方切用》：昌每用小囊佩带随身，恐遇急证，不及取药。且欲以吾身元气，温养其药，藉手效灵，厥功历历可纪。即如小儿布痘，与此药迥不相值，然每有攻之太过，如用蜈蚣、穿山甲、桑虫之类，其痘虽勃然而起，然头面遍身，肿如瓜匏，疮形湿烂难干。乃至真阳上越，气喘痰鸣，儿医撒手骇去。昌投此丸，领其阳气下入阴中，旋以大剂地黄汤峻补其阴，以留恋夫真阳。肌肤之热反清，肿反消，湿烂反干而成厚靥。如此而全活者，不知凡几。因附本方项下，以广用方者之识。

絜矩三和汤

【来源】《医学正传》卷三引《太平惠民和济局方》。

【组成】陈皮（去白）　紫苏　甘草（炙）各七分　厚朴（姜制）　槟榔　白术各一钱　海金沙四分　木通二分

【用法】上细切，作一服。加生姜三片，水煎服。

《卫生宝鉴》云：“如鼻上有汗出，必气血和而自愈。”

【主治】

1.《医学正传》引《太平惠民和济局方》：脾湿肿满。

2.《卫生宝鉴》：病愈后面肿，或腰以下肿。

大豆方

【来源】《养老奉亲书》。

【组成】大豆二升　白术二两　鲤鱼一斤

【用法】上以水和煮，令豆烂熟。空心常食之。食鱼、豆，饮其汁，尤佳。

【主治】水气胀满，手足俱肿，心烦闷无力者。

水牛皮方

【来源】《养老奉亲书》。

【组成】水牛皮二斤（刮去毛，净洗） 橘皮一两

【用法】上药相和，煮令烂熟，切。以生姜、醋、五味渐食之。常作尤益。

【主治】老人水气，身体虚肿，面目虚胀。

赤豆方

【来源】《养老奉亲书》。

【组成】赤小豆三升（淘净） 樟柳根（好者，切）一升

【用法】上和豆煮烂熟，空心常食豆，渴即饮汁，勿别杂食。服三二服，立效。

【主治】老人水气胀闷，手足浮肿，气急烦满。

桑白皮饮

【来源】《养老奉亲书》。

【组成】桑白皮四两（切） 青粱米四合（研）

【用法】以桑汁煮作饮，空心渐食，常服尤佳。

【主治】老人水气，面目手足浮肿，腹胀气急。

麻子粥

【来源】《养老奉亲书》

【组成】冬麻子一升（研，取汁） 鲤鱼肉一两（切）

【用法】上取麻子汁，下米四合，和鱼煮作粥，以五味葱椒，空心食，每日二次，频作皆愈。

【主治】老人水气肿满，身体疼痛，不能食。

鲤鱼臛

【来源】《养老奉亲书》。

【组成】鲤鱼肉十两 葱白一握 麻子一升（熬、细研）

【用法】上以水滤麻子汁，和煮作臛，下五味、椒、姜调和，空心时渐服之，常服尤佳。

【主治】老人水气病，身体肿，闷满气急，不能食，皮肤欲裂，四肢常疼，不可屈伸。

木通汤

【来源】《圣济总录》卷三十二。

【组成】木通（锉）一两 桑根白皮（炙黄色） 泽泻 防己 赤茯苓（去黑皮） 石韦（去毛）各三分 大腹（微煨，锉）四枚

【用法】上为粗末。每服五钱匕，水一盏半，煎至八分，去滓，食前温服，一日二次。

【主治】病后脾肾不足，水道不利，腰脚浮肿。

槟榔汤

【来源】《圣济总录》卷三十二。

【别名】槟榔饮（原书卷七十九）。

【组成】槟榔（并皮锉）五枚 桑根白皮（炙令黄色，锉）一两 陈橘皮（汤浸，去白，焙干）三分 吴茱萸（水浸一宿，炒干）一分 防己一两 木通（锉碎）一两一分 郁李仁（汤浸，去皮，微炒）一两

【用法】上为粗末。每服三钱匕，水一盏半，煎取七分，去滓温服，一日二次。

【主治】伤寒病后，脾肾气虚，欲成水病，四肢面目浮肿，小便涩，喘急；水气，四肢不和，面目浮肿，小便涩，气急促。

人参汤

【来源】《圣济总录》卷四十四。

【组成】人参 石斛（去根） 白术 桂（去粗皮） 泽泻各一两 黄耆 五味子 陈橘皮（汤浸，去白，焙） 白茯苓（去黑皮）各一两半 草豆蔻（去皮）三枚

【用法】上为粗末。每服三钱匕，水一盏，加生姜三片，大枣一枚（擘破），同煎至六分，食前去滓温服。

【主治】脾气久虚，遍身浮肿，四肢不举，腹胀满闷；及水病后，气虚未平。

杏仁散

【来源】《圣济总录》卷五十。

【组成】杏仁 葶苈（隔纸炒） 马兜铃 柴胡（去苗） 麻黄（去根节，煎，去沫） 射干 贝母（去心）各一分 皂荚半两（烧存性） 甘草（炙）一钱半

【用法】上为末。每服二钱匕，食后以绵裹，含化，咽津。

【主治】肺脏积壅，气滞不通，面目浮肿，两鼻生疮。

蒲黄散

【来源】《圣济总录》卷五十三。

【组成】蒲黄　滑石各一两

【用法】上为散。每服二钱匕，鸡子清调下。

【功用】《医略六书》：通经利窍。

【主治】

1.《圣济总录》：胞转不得小便。

2.《医略六书》：男子跌扑，女子经停，致血结经络，经气不能施化，内连脏腑而腹痛浮肿，脉沉涩微数。

【方论】《医略六书》：蒲黄通经破瘀，滑石通闭利窍。使血化气调，则经府清和，而腹痛自退，安有浮肿之患。

大戟散

【来源】《圣济总录》卷五十四。

【组成】大戟一两半（锉碎，微炒）　木通半两（锉）　当归半两（锉碎，微炒）　陈橘皮三分（汤浸，去白瓤，焙）　木香半两

【用法】上为散。每服四钱，以水一中盏，煎至六分，去滓，空心温服。服后当利；未得快利，夜临卧时再服。

【主治】水气，脚膝肿满入腹，气喘烦闷，小便不利。

大戟散

【来源】《圣济总录》卷五十四。

【组成】大戟一两（锉碎，微炒）　陈橘皮一两（汤浸，去白瓤，焙）　商陆一两　木通一两（锉）　瞿麦一两

【用法】上为粗散。每服三钱，以水一中盏，煎至六分，去滓，空腹温服。如未通，即良久再服。

【主治】水气肿满，大小便涩壅。

木香枳壳散

【来源】《圣济总录》卷五十四。

【组成】木香　枳壳（去瓤，麸炒）　白芷　蓬莪术（锉，炒）　白术　甘草（炙，锉）　桂（去粗皮）各二两　益智子（炒）　青橘皮（汤浸，去白，焙）各三两　陈曲（炒）　京三棱（炮，锉）各四两

【用法】上为散。每服二钱匕，生姜、盐汤点服，不拘时候。

【主治】三焦病胀满，水道不利。

甘遂散

【来源】《圣济总录》卷五十四。

【组成】甘遂半两　槟榔（生锉）　木香　牵牛子（半生半炒）　莱菔子（研）各一两

【用法】上为散。每服半钱匕，煎紫苏木瓜汤调下，空心服。利下水为度。量人虚实加减。

【主治】三焦水气，甚者四肢虚肿。

泽漆汤

【来源】《圣济总录》卷五十四。

【组成】泽漆　防己　甜葶苈（纸上炒）　郁李仁（汤浸，去皮，炒）各半两　百合　陈橘皮（汤浸，去白，焙）　桑根白皮（锉）　木通（锉）　赤茯苓（去黑皮）各一两

【用法】上为粗末。每服三钱匕，水一盏，加大枣二枚（擘破），同煎至七分，去滓温服，不拘时候。

【主治】三焦不调，上乘于肺，时发喘咳，身体浮肿，坐卧不安。

牵牛子丸

【来源】《圣济总录》卷五十四。

【组成】牵牛子（微炒）二两　乌桕木根皮五两　木香三两　蜚蠊　大黄（锉，炒）各二两　防己　枳实（去瓤，麸炒）　陈橘皮（汤浸，去白，焙）　羌活（去芦头）各一两

【用法】上为末，炼蜜为丸，如绿豆大。每服十丸，稍增至二十丸，日中及鸡鸣后各用温甘草汤

送下。以知为度。

【主治】三焦病，胀满为水，小便不利。

槟榔汤

【来源】《圣济总录》卷五十四。

【组成】槟榔（生，锉）　大腹皮（锉）　白术　五味子（炒）　枳壳（去瓤，麸炒）　黄耆（锉）　桑根白皮　陈橘皮（汤浸，去白，焙）　防己　木通（锉）　厚朴（去粗皮，生姜汁炙）　桂（去粗皮）各一两　木香　大黄（湿纸裹煨）　人参各半两

【用法】上为粗末。每服三钱匕，水一盏，加生姜三片，大枣二枚（劈破），同煎至七分，去滓温服，早晨临卧服。

【功用】宽胸膈，利小肠。

【主治】三焦积气，渐成水病，腹胀，四肢浮肿。

槟榔饮

【来源】《圣济总录》卷五十四。

【组成】槟榔五枚（锉）　木香一两　生姜（切，焙）　青橘皮（汤浸，去白，焙）　芎藭各半两　前胡（去芦头）一分　丁香　山芋各半两

【用法】上为粗末。每服三钱匕，水一盏，煎至七分，空心温服。

【主治】三焦荣卫不通，气满水胀。

【加减】脚肿，加牵牛子半两；面目浮肿，加郁李仁半两。

葫芦饮

【来源】《圣济总录》卷六十一。

【组成】苦葫芦瓢不拘多少

【用法】上以水研服少许。须臾吐愈。

【主治】气黄。病人初得，先从两脚黄肿，大小便难，心中战悸，面目虚黄，不能食。

大戟散

【来源】《圣济总录》卷六十九。

【组成】大戟一两　前胡一两（去芦头）　木通一两（锉）　当归半两　陈橘皮三分（汤浸，去白瓤，焙）　桑根白皮半两（锉）　赤茯苓一两　紫苏茎叶三分　汉防己半两　槟榔一两

【用法】上为粗散。每服四钱，以水一中盏，加生姜半分，煎至六分，去滓，空腹温服。以利为效，未利再服。

【主治】妇人水气，四肢浮肿，心胸痞满，痰毒壅滞，喘息稍急，小便不利，坐卧不安。

五食丸

【来源】《圣济总录》卷七十二。

【别名】神效五食汤丸（《卫生宝鉴》卷十四）。

【组成】大戟（刮去皮）　甘遂各半两（生）　猪牙皂荚（生，去皮子）一两　胡椒一分　芫花半两（醋浸一宿，炒干）　巴豆半两（去皮心膜，醋煮三十沸，漉出，研）

【用法】上为末，合研匀，水煮面糊为丸，如绿豆大。每服五丸，用米、面、绿豆煎汤放温送下。量病人大小，加至七丸。

《卫生宝鉴》：每服五七丸，气实者十丸，夜卧，水一盏，用白米、白面、黑豆、生菜、猪肉各少许，煎至半盏，去滓，用汤温下。

【主治】虚积、食气，蛊胀，水气，年深癥癖。

【宜忌】《卫生宝鉴》：忌油腻、粘滑物。妇人有胎者，不可服。

海蛤汤

【来源】《圣济总录》卷七十四。

【组成】海蛤　紫菀（去苗土）　远志（去心）各一两　大戟　木香　防己各半两

【用法】上为粗末。每服二钱匕，水一盏半，煎至八分，热服。若取下恶水，即以白粥补之。

【主治】涌水。

【宜忌】禁盐一百二十日，兼不得服芫花、甘遂药。

木香汤

【来源】《圣济总录》卷七十八。

【组成】木香　五加皮（锉）　桑根白皮（锉）　槟榔（煨，锉）　桃仁（汤浸，去皮尖及双仁，微

炒） 郁李仁（汤浸去皮尖，微炒）各一两 松节（锉）二两 薏苡仁 陈橘皮（汤浸，去白，焙）各三分

【用法】上为粗末。每服三钱匕，以水一盏，煎至六分，去滓，不拘时候稍热服。

【主治】下痢后虚损，脐下痛，四肢浮肿。

泽漆汤

【来源】《圣济总录》卷七十八。

【组成】泽漆叶（微炒）五两 桑根白皮（炙令黄色，锉） 郁李仁（汤浸，去皮尖，炒熟）各三两 杏仁（汤浸，去皮尖双仁者，炒香） 人参各一两半 白术（锉，炒） 陈橘皮（汤浸，去白，焙干）各一两

【用法】上为粗末。每服五钱匕，水一盏，加生姜三片，煎取八分，去滓温服，后半时辰再服。取下黄水数升，或小便利为度。

【主治】水肿盛满，或痢后肿满，气急喘嗽，小便涩赤如血。

茯苓汤

【来源】《圣济总录》卷七十八。

【组成】赤茯苓（去黑皮） 白术（锉，微炒）各一两 防己 黄芩（去黑心） 射干 泽泻各三两 桑根白皮（炙黄色，锉）三两 泽漆叶（切，微炒）一两

【用法】上为粗末。每用五钱匕，先以水三盏，煮大豆一合，取二盏，去滓入药，煎取一盏，分为二服。未愈，频服两料。

【主治】痢后遍身浮肿。

香菽散

【来源】《圣济总录》卷七十八。

【组成】大豆（炒熟，挞去黑皮）一合

【用法】上为散。用粥清调服一钱匕，一日二次。

【主治】下痢身肿。

桑白皮汤

【来源】《圣济总录》卷七十八。

【组成】桑根白皮（炙令黄色，锉） 赤茯苓（去黑皮） 郁李仁（汤浸，去皮尖，麸炒，研）各二两 陈橘皮（汤浸，去白，焙）一两 海藻（洗去咸，炙）一两半 赤小豆（炒）半升

【用法】上为粗末。每服五钱匕，用水一盏半，煎取八分，去滓，温服，一日三次。

【主治】下痢后，脾胃虚弱，不能转输水气，致身肿胀满。

二气汤

【来源】《圣济总录》卷七十九。

【组成】牵牛子半两（生用） 甘遂（微炒）一钱

【用法】上为粗末，分作二服。每服水一盏，煎至五分，放温细呷，不拘时候。

【主治】水肿腹满。

三消丸

【来源】《圣济总录》卷七十九。

【组成】朴消（色青白者，炼熟）二两 芒消（色青白者） 消石（色青白，烧之有金色者）各一两（同上二味研令极细） 犀角（镑） 椒目（微炒）各一两（捣罗为末，合三消，重研令匀） 葶苈（纸上炒） 莨菪子(炒)各一两 杏仁(去皮尖双仁,炒)二两(以上三味别捣末,更与诸药合捣千杵)

【用法】上药用大枣十一个，煮熟去皮核，炒令水尽，和为剂，或硬即添少许熟蜜，杵千下为丸，如小豆大。每服十五丸，空心煎生姜汤送下，加至三十丸。以利为度。

【主治】十种水病。

【宜忌】不宜冲冒寒霜，并单衣服，受风冷，虽夏中亦宜就温；不宜饱食，禁食咸味难消之物，禁盐一年。唯宜吃粳米、粟米、葱、薤、生姜、橘皮。不宜悲喜忧伤。兼不得近生产房劳等事。

大黄丸

【来源】《圣济总录》卷七十九。

【组成】大黄（锉，炒） 消石 大戟（去皮，炒） 甘遂（炒） 芫花（醋炒焦） 椒目（炒出汗） 葶苈（炒）各一分

【用法】上为末，炼蜜为丸，如小豆大。每服一丸，空心桑根白皮汤送下，一日二次。渐增，以知为度。

【主治】十水。

大黄汤

【来源】《圣济总录》卷七十九。

【组成】大黄（锉碎，醋炒）二两　桂（去粗皮）　甘草（炙，锉）　人参　细辛（去苗叶）各一两　桑根白皮（炙黄色，锉）二两

【用法】上为粗末。每服用水三盏，药五钱匕，加大枣二枚（擘破），同煎至九分，去滓，入白饧一匙头，更煎一沸，温服，每日三次。利小便三五升即愈。

【主治】水肿

大戟丸

【来源】《圣济总录》卷七十九。

【组成】大戟（炒）　陈橘皮（去白，焙）各一分　巴豆七粒（去皮，大麦内炒熟，不用大麦）

【用法】上为末，用大麦面糊丸，如梧桐子大。每服三丸，空心、日晚生姜汤送下。

【主治】水肿久不愈。

大海藻汤

【来源】《圣济总录》卷七十九。

【组成】海藻（洗去咸，焙）　芫花（炒焦）　猪苓（去黑皮）　连翘　泽漆（炒）　郁李仁（去皮尖双仁，研）　陈橘皮（汤浸，去白，焙）　桑根白皮（锉，炒）　白蒺藜（炒）各一两　藁本（去苗土）　昆布（洗去感，焙）　大戟（炒）　防己　葶苈（炒）　朴消　甘遂（炒）　杏仁（去皮尖双仁，炒）各半两　槟榔（煨，锉）七枚

【用法】上为粗末。每服四钱匕，水一盏半，加生姜一枣大（拍碎），同煎至八分，去滓，空心温服，一日三次。以利为度。

【主治】十种水病。

大黄附子丸

【来源】《圣济总录》卷七十九。

【组成】大黄（锉炒）　旋覆花　附子（炮裂，去皮脐）　赤茯苓（去黑皮）　椒目　桂（去粗皮）　芫花（醋浸，炒焦）　狼毒　干姜（炮）　芍药　枳实（去瓤，麸炒）

【用法】上为末。炼蜜为丸，如梧桐子大。每服三丸，熟水送下，渐增之，早晚食前、临卧各一服。

【主治】涌水腹满。

比圣饼子

【来源】《圣济总录》卷七十九。

【组成】大戟　甘遂各一两

【用法】上为细末。每服一钱匕，以大麦面一两，新水和作饼子烧熟，每五更徐徐烂嚼茶下。移时小便多是效，未退再服。

【主治】十种水气腹胀。

【宜忌】孕妇忌贴。

木香丸

【来源】《圣济总录》卷七十九。

【组成】木香　青橘皮（汤浸，去白，焙）各一钱　蓬莪术二钱

【用法】上为末，面糊为丸，如绿豆大。每服十丸，白汤送下。

【功用】下水气。

【主治】水肿。

木香汤

【来源】《圣济总录》卷七十九。

【组成】木香　陈橘皮（汤浸，去白，焙）　白术　桑根白皮（炙，锉）　桂（去粗皮）各半两　木通（锉，炒）三分

【用法】上为粗末，别用牵牛子二两，于铁铫内，以纸衬手搅，乘热捣罗为末。每服以前药末三钱匕，同牵牛末一钱半匕，水一盏半，煎至八分，去滓，五更温服。平明时吃热生姜茶粥；次用芫荑、桑根白皮各一分，煮白羯羊肉半斤，烂熟

与吃。

【主治】十种水气。

五灵汤

【来源】《圣济总录》卷七十九。

【组成】葶苈（隔纸炒） 木通（锉） 赤茯苓（去黑皮） 防己 陈橘皮（去白，焙）各一两

【用法】上为粗末。每服二钱匕，水一盏，煎三两沸，去滓饮之，觉热即勿服。

【主治】水病不限年月深浅，洪肿大喘，几不能度日，服防己饮愈后，百日内更服此方。

丹参酒

【来源】《圣济总录》卷七十九。

【组成】丹参 鬼箭羽各一两半 秦艽（去苗土） 知母（冬月不用）各一两 猪苓（去黑皮）三分 白术一两半 海藻（洗去咸，炙）三分 赤茯苓（去黑皮）一两 桂（去粗皮） 独活（去芦头）各三分

【用法】酒九升，浸五日，急需者，置热灰上一日便可就。每服一盏，饮酒少者，随意减之，一日三次。

【功用】散除风湿，利小水。

【主治】久患大腹病，其状四肢细，腹大，有小劳苦，则足胫肿满，食则气急，此病服下利药极不瘥。

四石丸

【来源】《圣济总录》卷七十九。

【组成】滑石 井泉石（研） 白石英（研） 寒水石（研） 硇砂（研细，水和作饼子，用湿面四两裹药饼，烧紫色，去面）各二钱 白丁香半两 续随子仁二钱

【用法】上为末，面糊为丸，如梧桐子大。每服五丸，生姜汤送下；第一日三服，第二日四服，第三日五服。以利为度，利已，用木香丸补之。

【主治】十种水气。

再苏丸

【来源】《圣济总录》卷七十九。

【组成】大戟（炒） 甘遂（炒） 春大麦面（炒） 巴豆（去心膜，麸炒出油尽） 干姜（炒） 桂（去粗皮） 大黄（锉，炒）各半两

【用法】上为末，炼蜜为丸，如小豆大。每服十丸，空心茶送下。以利为度。

【功用】大通三焦。

【主治】水气。

夺命丸

【来源】《圣济总录》卷七十九。

【组成】大戟（麸炒） 甘遂（炒）各一分 苦葶苈半两（一半生，一半熟） 泽泻一分半

【用法】上为末，煮大枣肉为丸，如梧桐子大。每服三丸，若四肢肿者，名为顺水，星月上时温浆水送下，至天晓利下恶物；若四肢瘦而腹肿者，名为逆水，煎苦葫芦子、陈曲汤送下，小便频快是效。三日后，服补药矾石丸。

【主治】水气肿满。

防己丸

【来源】《圣济总录》卷七十九。

【组成】防己 海蛤（研）各一两 葶苈一升（蒸熟） 杏仁六十枚（汤浸，去皮尖，炒，别捣） 甘遂（微炒）一分

【用法】上先将葶苈、杏仁一处拌和，后以三味为末，再研匀，加枣肉为丸，如梧桐子大。每服二十丸，渐加至二十五丸，米饮送下。以微利为度。

【主治】水肿，眠卧不得。

防己丸

【来源】《圣济总录》卷七十九。

【组成】防己 陈橘皮（汤浸，去白，焙） 大戟（炒） 苦葶苈（纸上炒）各半两

【用法】上为细末，枣肉为丸，如梧桐子大。每服二十丸，温熟水送下，不拘时候。

【功用】定喘急。

【主治】十水喘急。

防己槟榔丸

【来源】《圣济总录》卷七十九。
【别名】槟榔丸（《普济方》卷一九一）。
【组成】防己　槟榔（煨，锉）　郁李仁（去皮尖，炒，研）各三分　葶苈（纸上炒）半两
【用法】上为细末，炼蜜和丸，如小豆大。每服十丸至二十丸，空心用葶苈汤送下。
【主治】十种水气。

芫花汤

【来源】《圣济总录》卷七十九。
【组成】芫花（炒黄色）　大黄（锉碎，醋炒）　甘遂（微炒）　甘草（炙，锉）　大戟（去皮，微炒）各一两
【用法】上为粗末。每服三钱匕，水二盏，加大枣二个（擘破），同煎至九分，下芒消半钱匕，更煎一沸，去滓温服，以利为度。
【主治】水肿及腹满澼饮。

苏合香丸

【来源】《圣济总录》卷七十九。
【组成】苏合香　水银（水煮一复时，后入）　白蔹（为末）各一两
【用法】上为末，炼蜜为丸，如小豆大。每服十丸，米饮送下，一日三次。
【功用】利小便。
【主治】大腹水肿。

补气丸

【来源】《圣济总录》卷七十九。
【组成】防己　犀角（镑）　葶苈（隔纸炒）　牵牛子（半生半熟）　赤茯苓（去黑皮）　诃黎勒（煨，去核）　海蛤　川芎　生干地黄（焙）各一两　大黄二两半　木通（锉）　桑根白皮（锉，炒）　陈橘皮（去白，焙）　大戟（炒）　防风（去叉）　郁李仁（去皮尖，炒）　木香各一两

《普济方》有“干姜”。
【用法】上为末，炼蜜为丸，如梧桐子大。每服十丸，空心米饮送下。若觉气壅，加至十五丸；如觉通，则减三丸至五丸；大小便不通，即服三十丸。
【主治】

1.《圣济总录》：水病不限年月深浅，洪肿大喘，服防己饮愈后用。此不独疗水气，但是气疾，皆治之。

2.《普济方》：三焦病水肿，腹胀不利，小水不利。

灵宝丸

【来源】《圣济总录》卷七十九。
【组成】滑石（好白者）二两　腻粉一两
【用法】上先捣研滑石令极细，次入腻粉和匀，熬木瓜浓汁成膏，为丸如绿豆大。每服七丸，五更空心温米饮送下，日只一服。服至五七日，觉脐腹撮痛，小便多为效。觉效便服补脾胃药。
【主治】十种水气。
【宜忌】忌盐一百日。

妙香汤

【来源】《圣济总录》卷七十九。
【组成】茴香子（炒）　乌药（生用）　高良姜（汤浸焙干）　青橘皮（去白）各一两
【用法】上为粗末。每服二钱匕，酒半盏，煎数沸，去滓稍热服。
【主治】一切水气，四肢肿满。

矾石丸

【来源】《圣济总录》卷七十九。
【组成】白矾半两　雄黄（研）　丹砂（研）各一分
【用法】上为末，粟米饭为丸，如绿豆大，丹砂为衣。每服五丸至九丸，食前姜汤送下。一日二次。
【主治】水病。

牵牛汤

【来源】《圣济总录》卷七十九。

【别名】牵牛五灵煮散（原书卷八十）、牵牛子汤（《方剂辞典》）。

【组成】牵牛子 槟榔（煨，锉） 木香 赤茯苓（去黑皮） 陈橘皮（去白，焙）各一两

【用法】上为粗末。每服二钱匕，水一盏，煎三二沸，去滓温服。

【主治】水肿，肺气、脚气、奔豚气上筑心胸不可忍。

神妙汤

【来源】《圣济总录》卷七十九。

【组成】茴香子（炒） 乌药 青橘皮（汤浸，去白，焙） 高良姜各一两

【用法】上为粗末。每服五钱匕，用童子小便半盏，酒一盏，同煎至一盏，去滓，稍热服，不拘时候。

【主治】十种水气。

海蛤丸

【来源】《圣济总录》卷七十九。

【组成】海蛤（研）一两半 消石（研）二两 葶苈（微炒，研）一两半 杏仁（汤去皮尖 双仁，炒黄，研）一两

【用法】上为细末，枣肉为丸，如梧桐子大。每服十丸，食前煎木通汤送下，一日二次。

【主治】水气，头面俱肿，四肢无力，小便涩。

桑白皮丸

【来源】《圣济总录》卷七十九。

【组成】桑根白皮（取上有白椹者，北阴下根白皮，锉，炙黄）二两 郁李仁（汤，去皮，炒） 商陆（微炙） 葶苈（纸上炒令紫色） 牵牛子（炒熟） 巴豆（清水煮一日，去皮心膜，出油尽）各一两

【用法】上为末，炼蜜为丸，如梧桐子大。每服十五丸，茶汤送下。利三五行即止。

【主治】水肿。

桑白皮饮

【来源】《圣济总录》卷七十九。

【组成】桑根白皮（锉，炒） 赤芍药 郁李仁（研） 百合各一两半 木通（锉）二两 大腹五枚

【用法】上为粗末。每服三钱匕，水一盏半，煎至一盏，去滓，食前温服，如人行五里再服。

【主治】水气。面目浮肿，胸满短气，小便不利。

通草饮

【来源】《圣济总录》卷七十九。

【组成】木通（锉）三两 桑根白皮（锉，炒） 石韦（去毛） 赤茯苓（去黑皮） 防己 泽泻各一两半 大腹（炮）四枚

【用法】上为粗末。每服三钱匕，水一盏半，煎至一盏，去滓，食前温服，如人行五里再服。

【主治】涌水，肠鸣腹大。

猪苓丸

【来源】《圣济总录》卷七十九。

【组成】猪苓（去黑皮）三分 牵牛子（炒）一两 葶苈（隔纸炒）半两 桑根白皮（锉）一两 赤小豆（炒）半合 郁李仁（汤浸去皮，炒） 防己各一两 大腹子（和皮锉）三个 生姜（切，焙）一两

【用法】上为末，炼蜜为丸，如小豆大。每服十五丸，米饮送下；未效，加至二十丸，每日两次。

【主治】涌水。

猪苓饮

【来源】《圣济总录》卷七十九。

【组成】猪苓（去黑皮） 桑根白皮（锉，炒） 防己 百合 郁李仁（研）各一两半 瞿麦一两 木通（锉）二两

【用法】上为粗末。每服三钱匕，水一盏半，煎至一盏，去滓，食前温服。如人行五里再服。

【主治】涌水。小便涩，卧即喘息。

商陆丸

【来源】《圣济总录》卷七十九。

【组成】商陆（切，焙）一斤　陈橘皮（汤浸去白，焙）二两　木香一两　赤小豆面四两

【用法】上为末，以新汲水为丸，如绿豆大。每服二十丸，橘皮汤送下。

【主治】涌水，诸般水肿。

商陆豆

【来源】《圣济总录》卷七十九。

【组成】生商陆（切如麻豆）　赤小豆各等分　鲫鱼三枚（去肠存鳞）

【用法】上三味，将二味实鱼腹中，以绵缚之；水三升，缓煮豆烂，去鱼只取二味，空腹食之，以鱼汁送下。甚者过二日，再为之，不过三剂。

【主治】水气肿满。

葶苈丸

【来源】《圣济总录》卷七十九。

【组成】葶苈（炒）　杏仁（不去皮）各一分

【用法】上为细末，面糊为丸，如小豆大。每服十五丸，煎杏仁汤送下。

【主治】十种水气。

葶苈丸

【来源】《圣济总录》卷七十九。

【组成】葶苈（隔纸炒）　泽泻各一两　猪苓（去黑皮）　椒目　桑根白皮　杏仁（去皮尖双仁，麸炒）　牵牛子（炒）各半两

【用法】上为末，炼蜜为丸，如梧桐子大。每服二十丸，葱白汤送下，不知加至三十丸。

【主治】涌水。腹满不坚，疾行则濯濯有声。

葶苈丸

【来源】《圣济总录》卷七十九。

【组成】葶苈子（炒）一两半　消石二两　杏仁（汤浸，去皮尖双仁，炒，研）二两半

【用法】上为细末，枣肉为丸，如梧桐子大。每服十丸，食前以木通汤送下，一日二次。

【主治】涌水。腹满，小便难。

葶苈汤

【来源】《圣济总录》卷七十九。

【组成】葶苈子（炒）　桑根白皮（炙，锉）　百合各一两

【用法】上为粗末。每服三钱匕，水一盏，煎至六分，去滓，送服防己槟榔丸，一日三次。以小便利为度。

【主治】十种水气。

【加减】若鼓气微结，加甘遂一两。

蓖麻饮

【来源】《圣济总录》卷七十九。

【组成】蓖麻子二十枚（成熟者，去皮）

【用法】上细研。以水半盏，调匀，一服令尽，至日中当吐下水汁，若水不尽，三日后更服三十枚，犹未尽者，更作。愈后节饮及减食，食糜粥以养之。

【功用】利小便。

【主治】大腹水肿。

暖肾散

【来源】《圣济总录》卷七十九。

【组成】巴戟天（去心，麸炒黑）　甘遂（炒黄）各一分　槟榔（一枚生，一枚炮）二枚　木香　苦葶苈（纸上炒）各一分　大麦蘖　芫花（醋浸，炒黄）　陈橘皮（去白炒）各半两　腻粉一钱　沉香（锉）　泽泻各一分

【用法】上为散。每服二钱匕，用猪腰子一只，以竹刀子割开，去筋膜，作三片，掺药末在内，用湿纸裹，慢火煨令香熟，先煮葱白三茎，令熟细切，将葱与粟米同煮粥一碗，临卧先食粥一半，方食腰子，药后再食粥令尽，至五更大便并小便下赤黄恶物乃验。

【主治】水气肿满。

槟榔丸

【来源】《圣济总录》卷七十九。

【组成】槟榔（炮，锉）三个　大戟（锉，炒）半两　牵牛子（炒）　滑石（碎）　海蛤　瞿麦穗　旋覆花　甘遂（炒）各一分

【用法】上为末，用软饭为丸，如绿豆大。每服七丸至十丸，煎商陆汤送下。若作散，每服一钱匕，亦煎商陆汤调下；如躁，米饮调下。如取利动，继服葶苈丸。

【主治】十种水气。

槟榔丸

【来源】《圣济总录》卷七十九。

【组成】槟榔（煨）　牵牛子（炒）　赤小豆（炒）　郁李仁（汤浸，去皮，炒）　桑根白皮（锉）　肉豆蔻（去壳）　杏仁（去皮尖双仁，麸炒）各一两

【用法】上为末，炼蜜为丸，如小豆大。每服十丸，以温水送下，一日二次。

【主治】涌水。

槟榔汤

【来源】《圣济总录》卷七十九。

【组成】槟榔（煨，锉）三枚　牵牛子（炒）　葶苈（隔纸炒）　桑根白皮（炙，锉）各一两　赤小豆（炒）半合　郁李仁（去皮尖，炒）一两　防己　猪苓（去黑皮）各三分

【用法】上为粗末。每服五钱匕，水二盏，加生姜一枣大（拍碎），同煎至一盏，去滓，空心温服，一日三次，以利为度。

【主治】十种水气。遍身洪肿，气喘，小便赤涩。

槟榔散

【来源】《圣济总录》卷七十九。

【组成】槟榔二枚（生）　郁李仁（去皮尖，炒）　芫花（炒）　甘遂（炒）　续随子　木通（锉）各二两　海蛤一钱　陈橘皮（去白，焙）　商陆各一分

【用法】上为散。每服一钱匕，温酒调下，临卧服。至五更取下恶物为验。

【主治】水气肿满。

藁本丸

【来源】《圣济总录》卷七十九。

【组成】藁本（去苗土）　葶苈（炒紫色）各一分　大戟（微炒）　蜀椒（去目及闭口者，炒出汗）　泽漆（微炒）　巴豆（去皮心，麸炒出油尽）　赤小豆（微炒）　泽泻各半两　甘遂（微炒）一两　牵牛子（炒熟）一分　连翘（微炒）半两

【用法】上为末，炼蜜为丸，梧桐子大。每日一丸，加至二丸，空心温酒送下。服后小便多白色即佳。

【主治】水肿久不愈。

鳖甲汤

【来源】《圣济总录》卷七十九。

【组成】鳖甲（去裙襕，醋炙焦）二两　人参　柴胡（去苗）　当归（切，焙）　枳壳（去瓤，麸炒）各二两　甘草（炙）半两　桃仁七个（汤浸，去皮尖）　白槟榔（煨）二个

【用法】上为粗末。先用童便二盏，浸药三钱匕，经半日，煎取七分，去滓温服，以愈为度。

【主治】水气。面目浮肿，因虚劳脚气所致。

【加减】妇人病状同者，加牛膝半两。

鳖甲饮

【来源】《圣济总录》卷七十九。

【组成】鳖甲（去裙襕，醋炙）　诃黎勒皮（煨）　郁李仁（研）　赤茯苓（去黑皮）各一两半　桑根白皮（锉，炒）　吴茱萸（汤洗，焙干，炒）各一两　槟榔（锉）四个

【用法】上为粗末。每服三钱匕，水一盏半，煎至一盏，去滓，食前温服，如人行五里再服。

【主治】水气。心下痞紧，喘息气急，大肠秘结。

麝香丸

【来源】《圣济总录》卷七十九。

【组成】麝香一钱（研）　甘遂（炒）　芫花（醋炒）各半两　人参一两

【用法】上为末，炼蜜为丸，如小豆大。每服二十丸，米饮送下。

【主治】水气，大腹肿。

一字汤

【来源】《圣济总录》卷八十。

【组成】甘遂　大戟（去皮）各一两

【用法】上锉，用慢火炒令黄色，为粗末。每服一字匕，以水半盏，煎三五沸，便须倾出，不得煎过，去滓温服，不过十服，大效。

【主治】水气通身肿满，喘急，小便涩。

十圣丸

【来源】《圣济总录》卷八十。

【组成】大戟（炒）　桑根白皮（锉，炒）　甘遂（炒）　甜葶苈（纸上炒）　巴豆（去皮心膜，炒黑，研）各半两　续随子（去皮）　乌头（去皮脐，细锉，慢火炒令焦黑烟出为度）　槟榔（锉）各一分　杏仁（去皮尖双仁，炒，研）三分　牵牛子二两（炒，取末三分）

【用法】上为细末，炼蜜为丸，如鸡头子大。每服一丸，生姜汤化下。更量病势加减。

【功用】消肿满。

【主治】水病喘急上气。

大豆散

【来源】《圣济总录》卷八十。

【组成】大豆黄（醋拌，炒干）　大黄（微煨，去皮）各一两

【用法】上为散。每服二钱匕，临卧时煎葱、橘皮汤调下。平明以利大肠为度。

【主治】水病通身肿满，喘急，大小便涩。

大枣散

【来源】《圣济总录》卷八十。

【组成】芫花（微炒）一分　甘遂（炙）半两　大戟（煨，去皮）一分

【用法】上为散。每服一钱匕，以大枣十枚，水一盏半，煮枣二十沸，去枣调药，空心顿服。当利勿止。如此三服后，可服海蛤丸。

【主治】

1. 《圣济总录》：遍体浮肿，腹胀上气，不得卧，大小便涩。

2. 《普济方》：太阳中风，下利，呕逆，短气，不恶寒，热汗出，发作有时，头痛，心下痞硬，引胁下痛。兼及水肿，腹胁胀，酒食积，肠垢积滞，痃癖肾积，蓄热极痛，上气久不已。并风热燥甚，结于下焦，大小便不通。

【宜忌】愈后三年，不得食肉、入房。不尔，病必重发。

大戟汤

【来源】《圣济总录》卷八十。

【组成】大戟（去皮，炒）　甘遂（炒）各等分

【用法】上为粗末。每服一钱匕，水一盏半，加大枣三枚（劈破），煎至七分，去滓温服。

【主治】水蛊，水肿。

大戟散

【来源】《圣济总录》卷八十。

【组成】大戟（去皮，细切，微炒）二两　干姜（炮裂）半两

【用法】上为散。每服三钱匕，用生姜汤调下，良久以糯米饮压之。以大小便利为度。

【主治】通身肿满，喘急，小便涩。

大葶苈丸

【来源】《圣济总录》卷八十。

【组成】葶苈一两一分（熬，研如泥）　泽漆茎（熬）　赤茯苓（去黑皮）　陈橘皮（汤浸，去白，焙）各半两　甘遂　牵牛子各三分　郁李仁（研）

半两

【用法】上为末，炼蜜为丸，如梧桐子大。每服五丸，稍加至七丸，以赤小豆饮及大麻子饮送下，一日二次。以大小便微利为度。若渴，即饮以小豆、麻子等汁。

【主治】水肿，上气不得卧，头面身体悉肿。

万灵丸

【来源】《圣济总录》卷八十。

【组成】苦葫芦子（焙干）五两　苦葫芦瓤（焙干）二两半　牵牛子三两（一半生，一半炒熟）

【用法】上为细末，醇糊为丸，如梧桐子大。每服三十丸，空心、临卧各一服，煎桑根白皮汤送下。

【主治】水气肿满。

木香丸

【来源】《圣济总录》卷八十。

【组成】木香　肉豆蔻（去皮）　青橘皮（去白，焙）　槟榔（煨，锉）各一两

【用法】上为细末，用枣肉为丸，如绿豆大。每服二十丸，空心温酒送下。渐加至三十丸。

【主治】通身洪肿。

水银丸

【来源】《圣济总录》卷八十。

【组成】水银（水煮一日）　芒消　椒目（微炒出汗）各三分

【用法】上为细末，炼蜜为丸，如绿豆大。每服十丸，空心米饮送下，一日二次。小便利，愈。

【主治】荣卫不通，遍身肿满，咳嗽足肿，小便不利；通治十水。

甘遂散

【来源】《圣济总录》卷八十。

【组成】甘遂(炒)　蓬莪术(炮)　青橘皮(汤浸，去白,焙)各一两　大戟(微煨)　桂(去粗皮)各三分　石菖蒲(米泔浸,炒干)　木香各半两

【用法】上为散。每服一钱匕，空腹用葱汤调下；渐加至二钱匕，微吐泻为度。

【主治】水蛊，水肿，脚气。

白丸子

【来源】《圣济总录》卷八十。

【组成】腻粉半两　粉霜　滑石末各四钱匕　硇砂　寒水石（火煅过，为末）　白丁香（直者，为末）各三钱匕

【用法】上六味，先将腻粉、滑石二味研匀，红纸裹，更和白面作饼子，再裹合，复用酒湿红纸裹二十四重，后用桑柴熟火烧，以面熟为度，取出，与前药四味一处研匀，用水浸蒸饼心，搦干，和为丸，如豌豆大。每服第一日三丸，第二日四丸，第三日五丸，第四日六丸，食前煎生姜水送下，一日三次。服后以小便无数，取下水为度；服四日，病未下，更加一日。如服药第二日，觉口气时，便用贯众汤漱之。

【主治】水气肿满，气息喘急，小便不利，并男子女人虚积，及遍身黄肿。

白前汤

【来源】《圣济总录》卷八十。

【组成】白前（去土）三分　紫菀（去土）一两半　半夏（汤洗七遍去滑）三两　泽漆根（细切，微炒）三两半　桂（去粗皮）一两半　人参　干姜（炮）各半两　栝楼一枚（去皮）　白术一两　吴茱萸（水浸一宿，焙干，炒）二两

【用法】上为粗末。每服五钱匕，水三盏，加大枣二个，生姜一枚（拍破），煎至一盏半，去滓，分二服。当小便利，或微溏，肿即减。

【主治】水咳逆上气，通身浮肿，短气胀满，昼夜倚壁不得卧，喉中水鸡声。

白雌鸡汤

【来源】《圣济总录》卷八十。

【组成】白雌鸡一只（去肠脏，治如食法）　泽漆（切碎）二两　半夏（汤洗七遍去滑）三两　白术一两　甘草（炙令赤色）一两半

【用法】上五味，除鸡外，粗捣筛，先用东流水五

升煮鸡令烂熟，去鸡，纳药末五钱匕，煮赤小豆一合，大枣三个（擘），生姜三片，候豆熟，去滓温服，日三夜一。

【功用】利小便。

【主治】胸中喘咳逆，水气身肿。

芍药汤

【来源】《圣济总录》卷八十。

【组成】芍药（锉，炒）一两　桂（去粗皮）半两　黄耆（锉）三分

【用法】上为粗末。每服五钱匕，用米醋一合，水一盏半，煎至一盏，去滓温服。烦心勿怪，六七日即愈。

【主治】通身水肿，其脉沉迟。

【宜忌】勿食盐。

防己丸

【来源】《圣济总录》卷八十。

【组成】防己　白前　五味子　紫菀（去苗土）各半两　桑根白皮（锉）　马兜铃　麻黄（去根节）　桔梗（炒）　柴胡（去苗）　大腹皮（锉）各三分　赤茯苓（去黑皮）　陈橘皮（汤浸去白，焙）各一两　甘草（炙，锉）一分　杏仁五十粒（汤浸，去皮尖双仁，炒）

【用法】上为细末，炼蜜为丸，如梧桐子大。每服十五丸至二十丸，温生姜汤送下，不拘时候。

【主治】水气肿满，肺气喘急，咳嗽胀闷，坐卧不得，喉中作声，心胸痞滞。

赤小豆汤

【来源】《圣济总录》卷八十。

【组成】赤小豆（微炒）一斤　桑白皮（炙，锉）一两　泽漆茎叶（切，炒）三分

【用法】上药将二味绵裹，用水九升，与小豆三味煮令熟，去绵裹诸药，只留小豆，饥则食小豆，渴则饮汁，以利为度。

【主治】水肿遍身，小便涩，胀满。

杏仁半夏丸

【来源】《圣济总录》卷八十。

【组成】杏仁（汤浸，去皮尖双仁，麸炒）　半夏（汤洗七遍去滑）各一两　椒目半两　贝母（去心，炒）　防己各一两　苦葶苈二两（隔纸微炒）

【用法】上为末，炼蜜为丸，如梧桐子大。每服二十丸，食后、临卧煎桑根白皮汤送下。

【主治】水气肿满，咳嗽喘痞，痰涎不利，眠睡不安。

苦葶苈丸

【来源】《圣济总录》卷八十。

【组成】苦葶苈（纸上炒）一两三分　杏仁（汤浸，去皮尖双仁，炒，研）三钱　陈橘皮（汤浸，去白，焙）四钱　防己一两　赤茯苓（去黑皮）　紫苏叶　郁李仁（汤浸，去皮尖，炒，研）各半两

【用法】上五味为末，与二味研者和匀，炼蜜为丸，如梧桐子大。每服二十丸，食后煎橘皮汤送下，一日二次。

【主治】水气喘满，小便赤涩，腰腿浮肿，不得眠睡。

郁李仁汤

【来源】《圣济总录》卷八十。

【组成】郁李仁（汤浸，去皮，炒干）一两　桑根白皮（炙令黄，锉）半两　泽漆茎叶（微炒，切）半两　葶苈（炒令紫色）二两　杏仁（汤浸，去皮尖双仁，炒熟）一百枚　赤茯苓（去黑皮）一两半

【用法】上为粗末。每服三钱匕，水二盏，加生姜一枣大（拍破），同煎至八分，去滓温服。小便利佳，可服三二料。

【主治】水气，身面肿满，气急喘嗽，小便赤涩。

泽泻丸

【来源】《圣济总录》卷八十。

【组成】泽泻　芫花（醋炒）　郁李仁（汤浸，去

皮尖，炒） 牵牛子（炒） 防己 苦葶苈（纸上炒）各一分 滑石（研） 大戟（锉，炒）各三分 海蛤（研） 甘遂（炒） 瞿麦穗 槟榔（锉）各半两

【用法】上为细末，炼蜜为丸，如梧桐子大。每服二十丸，食前煎陈橘皮汤送下。

【主治】水气腿股肿满，喘促咳嗽，坐卧不得。

贯众汤

【来源】《圣济总录》卷八十。

【组成】贯众 黄连（去须）各半两

【用法】上为粗末。每用一钱匕，水一盏，煎三两沸，加龙脑少许，温温漱之。白粥养百日。

【主治】水气肿满，气息喘息，小便不利；并男子、女人虚积，及遍身黄肿，服白丸子第二日觉口气者。

枳实汤

【来源】《圣济总录》卷八十。

【组成】枳实（去瓤，麸炒） 升麻 甘草（炙，锉） 桑根白皮（锉，炒） 知母（焙） 紫菀（去苗土） 白术 黄耆（细锉） 赤茯苓（去黑皮） 秦艽（去苗土） 黄芩（去黑心） 麦门冬（去心，焙干）各等分

【用法】上为粗末。每服三钱匕，用水一盏，葱白两茎，同煎至七分，去滓温服。

【主治】水气。

荜茇汤

【来源】《圣济总录》卷八十。

【组成】荜茇 荜澄茄 红豆蔻（去皮） 莲花 甘草各等分

【用法】上为粗末。每服三钱匕，水一盏，生姜一小块（切），枣一枚（擘），煎至七分，和滓温服。

【主治】水气病，经服轻粉丸，水退后，须此药补之。

牵牛子丸

【来源】《圣济总录》卷八十。

【组成】牵牛子（炒）一两半 葶苈（炒熟）二两 杏仁（去皮尖双仁，麸炒）一百枚（别研） 大枣（煮，去皮核）十个（研） 芒消半两（研） 牛酥半合

【用法】上药先将前二味为末，入杏仁等研匀，次入牛酥，为丸如绿豆大。每服八丸至十丸，空心粥饮送下。

【主治】水肿，上气，大便涩。

轻粉丸

【来源】《圣济总录》卷八十。

【组成】水银粉四钱 滑石二钱 凝水石三钱 海金沙一钱

【用法】上为细末，用白面裹，上用泥裹，以牛粪火烧，觉火稍炎便去之，取出药，恐粉走也。刮去泥及干面，就有湿者，烧面搜为丸，如绿豆大。每服第一日三丸，第二日六丸，一日二次；第三日十二丸，一日三次，煎浆水、灯心、生姜冷汤送下。若病势未行，第四日更服十二丸，然所服不可过多，若能不服第四服得行乃佳，恐药力太过，须慎此一服。若服第一服，牙齿便动水行，则不可治，不须与药；若得第二日、第三日小便行乃妙。服药腹中作声，背胛疼时牙欲动也，既动则用封渫牙方（封渫牙方：青黛、枣肉各等分，和研如泥，封牙龈，更以荆芥汤渫三五度，若逐动小肠中水，往往小便淋滴，一日夜，身便瘦而愈。若水行患渴者，则调生凝水石末一钱，新汲水下，渴自减，小便定，迭服后补药一月，方得平复）。

【主治】水气。

顺气丸

【来源】《圣济总录》卷八十。

【组成】防己一两半 大黄二两半 犀角（炙，镑） 诃黎勒皮 牵牛子 赤茯苓（去黑皮） 葶苈（炒） 海蛤 川芎 干地黄（焙） 木通（锉） 大戟 桑根白皮（锉） 陈橘皮（去白） 防风（去叉） 郁李仁（去皮） 木香各一两

【用法】上为末，炼蜜为丸，如梧桐子大。每服十丸，空腹米饮送下。觉壅不快则加至十五丸，觉

通则减至三五丸。大小便不通，即加至三十丸。此药不独治水气，其功与防己汤相类。若患水气人，服防己汤肿既消，便服此顺气丸，气顺血滑，体气轻健，即止。患脚气人，常合此药备急，服防己汤愈后，百日内即宜服五灵汤。

【主治】水气。

恶实丸

【来源】《圣济总录》卷八十。

【组成】恶实（微炒）一两

【用法】上为末，面糊为丸，如梧桐子大。每服十丸，米饮送下，勿嚼破。

【主治】水蛊，身体洪肿。

海蛤丸

【来源】《圣济总录》卷八十。

【组成】海蛤（别研） 赤茯苓（去黑皮）各一两 狼毒（煨熟）三分 桑根白皮（炙，锉） 玄参（微炙）各一两 腻粉半两 薏苡仁 陈橘皮（汤浸去白，焙） 防己 葶苈（炒紫色，研） 杏仁（汤浸，去皮尖双仁，炒）各一两

【用法】上药除海蛤外，捣罗为末，同海蛤再研匀，炼蜜为丸，如小豆大。每服三十丸，空心橘皮汤送下，一日三次，五日后觉齿痒即住药。先服大枣散，后服本方。

【主治】遍体浮肿，腹胀上气不得卧，大小便涩。

桑白皮汤

【来源】《圣济总录》卷八十。

【组成】桑根白皮（炙黄色，锉）五两 吴茱萸（水浸一宿，炒干）二两 甘草（炙）一两

【用法】上锉，如麻豆大。每服五钱匕，用水二盏，生姜一枣大（切），饴糖半匙，煎至一盏，去滓，温服，一日二次。

【主治】水肿。通身皆肿。

桑根白皮汤

【来源】《圣济总录》卷八十。

【组成】桑根白皮（锉）四两 葶苈（纸上炒） 泽漆茎叶 郁李仁（汤浸，去皮尖）各二两 杏仁一百枚（去皮尖双仁） 赤茯苓（去黑皮）三两

【用法】上为粗末。每服三钱匕，水一盏半，生姜一枣大（切），煎至八分，去滓，温服。以小便利为度。

【主治】水气肿满，气急喘嗽，小便赤涩。

黄耆丸

【来源】《圣济总录》卷八十。

【组成】黄耆（锉） 甘遂（炒） 青橘皮（汤浸去白，焙） 麦蘖 大戟（炒） 陈橘皮（汤浸去白，焙） 陈曲（炒）各半两

【用法】上为细末，炼蜜为丸，如梧桐子大。每服十丸，煎木通、桑根白皮汤送下。

【功用】消肿定喘。

【主治】水气。

黄耆汤

【来源】《圣济总录》卷八十。

【组成】黄耆（锉）三分 桑根白皮（炙，锉） 柴胡（去苗） 赤芍药（锉，微炒） 赤茯苓（去黑皮）各半两 陈橘皮（汤浸去白，焙） 麦门冬（去心，焙） 恶实（微炒） 甘草（炙）各三分

【用法】上为粗末。每服三钱匕，水二盏，煎至七分，去滓温服，不拘时候。

【主治】水气，面体浮肿，咳嗽气促；虚劳，上气喘息，不得安卧，咳唾，面目虚浮，小便不利。

麻黄汤

【来源】《圣济总录》卷八十。

【组成】麻黄（去根节）二两半 白术（锉碎，微炒）二两 甘草（炙）一两 石膏（碎）三分 赤茯苓（去黑皮）一两

【用法】上为粗末。每服五钱匕，以水二盏半，加大枣二枚（劈破），生姜一枣大（拍碎），同煎至一盏，去滓温服，每日三次。每服后盖覆，令汗出愈。

【主治】水气通身肿。

葶苈丸

【来源】《圣济总录》卷八十。

【组成】葶苈（炒令紫）半合 防己 椒目 大黄（锉碎，醋拌炒）各一两半 蓖麻子（去皮）半两 郁李仁（汤浸，去皮，炒）一两

【用法】上为末，炼蜜同枣肉为丸，如小豆大。每服十丸，空心以温酒送下，如不动加至十五、二十丸。

【主治】水肿。内虚外实，久有积聚，荣卫不通，甚者变为赤水。此为病从心起，入于皮肤，肿满皮厚，体重上气，卧烦而躁。

葶苈丸

【来源】《圣济总录》卷八十。

【组成】葶苈（微炒） 防己 陈橘皮（汤浸，去白，焙） 郁李仁 紫苏子 赤茯苓（去黑皮）各半两

【用法】上为末，炼蜜为丸，如梧桐子大。每服二十丸，麝香酒送下，一日三次。以小便利为度。

【主治】水气，通身黄肿。

紫苏煮散

【来源】《圣济总录》卷八十。

【组成】紫苏叶 防风（去杈） 桑根白皮（切） 白术（锉碎）各等分

【用法】上为散。如茶法煎三两沸，渴即饮之。

【主治】水气。

【加减】觉热，即去白术，加甘草。

鲤鱼汤

【来源】《圣济总录》卷八十。

【组成】鲤鱼一枚重三斤（净，去鳞肠肚） 桂（去粗皮） 紫菀（去苗土）各三两 防己 黄芩（去黑心） 消石（研如粉） 人参各二两

【用法】上七味，除鱼外，研末，用水一斗，煮鱼如食法，取汁五升，去鱼。每服药末五钱匕，汁一盏半，煎至一盏，去滓温服，一日三次。

【主治】水肿，腹大喘咳，胸胁满不得卧。

顺气丸

【来源】《圣济总录》卷八十一。

【组成】木香 青橘皮（汤去白，焙干） 槟榔（锉）各半两 黑牵牛（炒）一两半 郁李仁一分 麻仁三分（别研入）

【用法】上为细末，加麻仁炼蜜为丸，如梧桐子大。每服二十丸，麻仁汤送下。

【主治】风毒流注，脚膝肿满不消。

茯苓汤

【来源】《圣济总录》卷八十二。

【组成】赤茯苓（去黑皮） 桑根白皮（锉） 防己 陈橘皮（汤浸，去白，焙）各一两半 旋覆花半两 杏仁（汤浸，去皮尖双仁，炒） 麻黄（去根节） 白术 紫苏茎叶各一两

【用法】上为粗末。每服五钱匕，先以水煮黑豆，取汁一盏半，加生姜半分（拍碎），同煎至八分，去滓温服，不拘时候。

【主治】脚气上攻，身体肿满，小便赤涩。

桑白皮汤

【来源】《圣济总录》卷八十二。

【组成】桑根白皮（东引者，切）三合 茱萸根（东引者，锉，切）一合半

【用法】上以酒二升，煮取一升，空心分二次温服。

【主治】肾热，四肢肿满拘急。

海蛤汤

【来源】《圣济总录》卷八十三。

【别名】海蛤散（《奇效良方》卷三十九）。

【组成】海蛤 泽漆叶（新者） 防己 木通（锉） 百合各一两 桑根白皮（锉，炒）一两半 郁李仁（汤浸，去皮尖双仁，炒） 牵牛子（炒） 槟榔（锉）各半两

【用法】上为粗末。每服三钱匕，水一盏，煎至六分，去滓，空心、日午温服。

【主治】脚气变成水肿，小便不通，喘息。

猪苓汤

【来源】《圣济总录》卷八十三。

【组成】猪苓（去黑皮） 赤茯苓（去黑皮） 防己各三分 桑根白皮五两（炙） 郁李仁（汤浸去皮尖，炒） 泽泻（锉） 木香各二两 大腹皮七枚（和皮子锉）

【用法】上为粗末。每服五钱匕，加水一盏半，煎至八分，去滓温服，一日三次。

【功用】下小便。

【主治】脚气兼水气、膈气，通身肿满，气急，小便不通，坐卧不得。

槟榔散

【来源】《圣济总录》卷八十三。

【组成】白槟榔五枚（锉） 大腹皮七枚 木香一两三分

【用法】大腹皮细锉，木香、槟榔各捣为末。每服以童子小便一盏，先煎大腹皮一枚，木香末二钱匕，至八分，去滓，次下槟榔末三钱匕，更煎一两沸，和滓空心温服，一日二次。

【主治】脚气浮肿，渐变成水，心腹胀满，大小便不通，气急喘息。

大腹皮汤

【来源】《圣济总录》卷九十一。

【组成】大腹皮（锉） 槟榔（煨，锉） 前胡（去芦头） 赤茯苓（去黑皮） 防己 陈橘皮（汤浸，去白，焙） 赤芍药各一两 甘草（炮，锉）半两 桑根白皮（锉） 木通（锉）各二两

【用法】上为粗末。每服三钱匕，水一盏，煎至五分，去滓温服，一日二次。

【主治】虚劳，身体浮肿，上气喘促，小便不利。

五味子汤

【来源】《圣济总录》卷九十一。

【组成】五味子（炒） 黄耆（锉） 枳壳（去瓤，麸炒） 大腹（微煨，锉） 桑根白皮（炙，锉） 白术 桂（去粗皮） 槟榔（煨） 陈橘皮（汤浸去白，炒）各一两 厚朴（去粗皮，生姜汁炙熟） 防己各一两半

【用法】上为粗末。每服三钱匕，水一盏半，煎至七分，去滓，空心温服，日晚再服。微利即止。

【主治】虚劳，四肢浮肿，气急，大小便不利，坐卧不安。

防己丸

【来源】《圣济总录》卷九十一。

【组成】防己二两半 杏仁（去皮尖双仁，麸炒）三分 苦葶苈（炒香）三两一分 陈橘皮（汤浸，去白，焙）一两 赤茯苓（去黑皮） 郁李仁（汤浸，去皮尖，麸炒） 紫苏叶各一两一分

【用法】上为末，炼蜜为丸，如梧桐子大。每服三十丸，空心、食前温酒送下。

【主治】虚劳，脾肾不足，身面浮肿，卧即胀满，喘急痰嗽，胸膈痞闷，大小便不利，渐成水气。

赤茯苓汤

【来源】《圣济总录》卷九十一。

【组成】赤茯苓（去黑皮） 防己 槟榔（煨，锉） 甜葶苈（隔纸炒令紫色） 桑根白皮（锉） 木通（锉） 陈橘皮（汤浸，去白，焙干） 郁李仁（汤浸，去皮，炒）各一两

【用法】上为粗散。每服三钱匕，水一盏半，煎至七分，去滓，食前温服。以大小便利为度。

【主治】虚劳，遍身浮肿，心腹气胀，大小便涩。

附子丸

【来源】《圣济总录》卷九十一。

【组成】附子（炮裂，去皮脐） 人参 枳壳（去瓤，麸炒） 干姜（炮） 甘草（炙，锉） 当归（切，焙） 陈橘皮（汤浸，去白，焙） 厚朴（去粗皮，姜汁炙熟）各一两 荜茇 杏仁（汤浸，去皮尖双仁，炒） 桂（去粗皮） 吴茱萸（汤洗七遍，焙干，炒） 诃黎勒（微炒，去核） 柴胡（去苗）各半两

【用法】上为末，别用猪猪肝一具，头醋五升，煮令醋尽，细切晒干，为末，与药相和，炼蜜为丸，

如梧桐子大。每服二十丸，空心煎诃黎勒汤送下。服尽觉手脚冷麻，是劳气散也。

【主治】冷劳下痢，脐腹疼痛。

桑白皮汤

【来源】《圣济总录》卷九十二。

【组成】桑根白皮（炙，锉） 猪苓（去黑皮） 滑石（碎） 木通（锉） 郁李仁（汤浸，去皮尖，炒） 赤茯苓（去黑皮）各一两半 陈橘皮（汤浸，去白）半两 槟榔（微煨，锉）三枚 泽泻三分

【用法】上为粗散。每服五钱匕，水一盏半，煎至一盏，去滓，温服。

【主治】虚劳，脾肾气弱，水液妄行，四肢浮肿，小便不利。

陈漆丸

【来源】《圣济总录》卷九十三。

【组成】陈漆二升（以绵绞去滓） 大黄六两（为末） 薏苡仁五两（为末） 无灰酒五升 蔓菁子三升（为末）

【用法】上先以清酒和蔓菁子末煎，不住手搅至半日许，滤去滓后，用银石器盛，重汤煮之，以竹篦子不住手搅一复时，后下陈漆、大黄、薏苡仁等末，更煮一复时，候药可丸，即丸如梧桐子大，置于不津器中，蜜封。遇有病人，经宿勿食，明日清旦空心温酒送下十丸。年高或冷疾者，加至十五丸，服之百日后，须发如漆色，有积年疮痕皆灭。初服四五日至七日内，泻出宿食或鱼粘脓血瘀恶物，勿疑。

【功用】延年养性，黑须发。

【主治】传尸，飞尸，注气，癖块积气，上喘，水病，脚气，鬼注蛊毒，宿食不消，腹中如复杯，或九虫，妇人带下赤白，皮肤恶疮，腹大羸瘦，黄疸诸疾。

犀角汤

【来源】《圣济总录》卷一三五。

【别名】犀角饮（原书卷一三六）、犀角散（《普济方》卷二七八）。

【组成】犀角（镑屑） 玄参 连翘 柴胡（去苗）各半两 升麻 木通（锉）各三分 沉香（锉） 檀香（锉） 射干（去毛） 甘草（炙，锉）各一分 芒消 麦门冬（去心）各一两

【用法】上为粗末。每服五钱匕，水二盏，煎至一盏，去滓，食后温服，一日三次。

【主治】结阳。热郁不散，四肢肿满；诸风肿。

白杨汤

【来源】《圣济总录》卷一三六。

【组成】白杨皮（取东南面皮，去地三尺以来，去苍皮，勿令见风，细切）半斤

【用法】用水一升，煎至七分，去滓热洗。以肿消为度。

【主治】风毒攻肌肉，皮肤浮肿。

虎骨丸

【来源】《圣济总录》卷一三六。

【组成】虎胫骨（去筋肉，刷洗净，涂酥，炙黄） 黄耆（锉） 杜仲（去粗皮） 附子（炮裂，去皮脐）各二两 麝香（别研） 乳香（别研）各半两

【用法】上将四味为细末，入麝香、乳香，再研令匀，酒煮面糊为丸，如梧桐子大。每服二十丸，加至三十丸，空心温酒送下。

【主治】气肿，走注疼痛，不可忍者。

茯苓散

【来源】《圣济总录》（人卫本）卷一三六。

【别名】茯苓饮（原书文瑞楼本）。

【组成】赤茯苓（去黑皮） 郁李仁（去皮）赤芍药各一两半 大腹二个（并子） 百合 柴胡（去苗） 桑根白皮（锉） 陈橘皮（汤浸，去白，焙） 枳壳（去瓤，麸炒） 知母（锉，焙）各一两

【用法】上为粗末。每服五钱匕，水二盏，煎至一盏，去滓，入芒消末一钱匕，更煎沸，分二次温服，空心、夜卧各一次。

【主治】风气攻头面浮肿，烦渴，心中躁闷，肚腹胀满，小便秘涩。

海藻浸酒

【来源】《圣济总录》卷一三六。

【组成】海藻（洗去咸） 赤茯苓（去黑皮） 防风（去叉） 独活（去芦头） 附子（炮裂，去皮脐） 白术各三两 鬼箭（去茎用羽） 当归（切，焙）各二两 大黄（锉，醋炒）四两

【用法】上锉，如麻豆大，生绢囊贮，以酒二斗浸之，春、夏五日，秋、冬七日。初服三合，空心、午时、临卧各一服。若频利即减，未利加至四五合，以愈为度。

【主治】气肿，行走无定，或起如蚌，或大如瓯，或着腹背，或着臂脚。

桑枝汤

【来源】《圣济总录》卷一三六。

【组成】桑枝（切） 槐枝（切）各一升

【用法】上以水一斗，煮取七升，去滓淋洗。

【主治】风毒攻肌肉，皮肤浮肿，或在脚，或在手。

犀角汤

【来源】《圣济总录》卷一三六。

【组成】犀角（镑） 独活（去芦头） 生麦门冬（去心，焙） 大黄（锉，炒）各二两 枳壳（去瓤，麸炒） 木香 沉香 白蔹各三两 丁香一两半 玄参九两 连翘六两 漏芦半两 木通（锉） 甘草（炙） 朴消各一两

【用法】上为粗末。每服五钱匕，水一盏半，煎至八分，去滓温服。以利为度。

【主治】气肿不消。

蒺藜涂敷方

【来源】《圣济总录》卷一三六。

【组成】蒺藜子（炒，去角） 赤小豆各一两

【用法】上为散。用鸡子白调如糊，涂敷肿上，干即易之。

【主治】气肿。其状如痈，虚肿色不变，皮上急痛。

蒴藋汤

【来源】《圣济总录》卷一三六。

【组成】蒴藋苗（切）五升

【用法】上以水一斗，煮取七升，去滓，淋洗。

【主治】风毒攻肌肉，皮肤浮肿。

大腹皮丸

【来源】《圣济总录》卷一五三。

【组成】连皮大腹一两半 防己 泽泻 木香 蓬莪术（煨，锉） 枳壳（去瓤，麸炒）各一两 槟榔（煨，锉） 陈橘皮（汤浸，去白，焙） 牵牛子（微炒）各三分

【用法】上为末，炼蜜为丸，如梧桐子大。每服三十丸至四十丸，空心，日午、夜卧生姜汤送下。如减，即少服。

【主治】妇人水分，肿满水消，经水断绝。

甘遂丸

【来源】《圣济总录》卷一五三。

【组成】甘遂（微煨）一两一分 葶苈（隔纸炒）二两 黄连（去须） 天门冬（去心，焙）各一两半 苦葫芦一枚（取瓤）

【用法】上为末，炼蜜为丸，如小豆大。每服十丸至十五丸，空心温酒送下。得水利即疏服。

【主治】妇人水分，四肢浮肿，经水断绝。

芍药汤

【来源】《圣济总录》卷一五三。

【组成】赤芍药（锉，炒） 桑根白皮（锉）各三分 木通（锉）一两 百合三分 大腹（碎）五枚 郁李仁（汤浸去皮，炒）三分 甘遂半两

【用法】上为粗末。每服三钱匕，水一盏，煎至七分，去滓，空心、日午、临卧服。水通即止。

【主治】妇人水分，面目身体浮肿，胸满短气，小便不利。

防己饮

【来源】《圣济总录》卷一五三。

【组成】防己一两　葶苈（隔纸炒）　赤茯苓（去黑皮）各半两　陈橘皮（汤浸去白，焙）　玄参　黄芩（去黑心）　泽漆（炒）各一两　杏仁（汤浸，去皮尖双仁，炒）　猪苓（去黑皮）　白术（锉）大豆（炒）各一两半　桑根白皮（锉）二两

【用法】上为粗末。每服三钱匕，水一盏，煎至七分，去滓，空心、日午、临卧各一服。

【主治】妇人因经水断绝，水病浮肿，名曰水分。

赤茯苓丸

【来源】《圣济总录》卷一五三。

【组成】赤茯苓（去黑皮）一两　猪苓（去黑皮）一两半　泽泻一两　小海蛤一两半　陈橘皮（汤浸，去白，焙）　桂（去粗皮）各三分　防己　泽漆（微炒）各一两　木通（炙，锉）一分　赤芍药一两

【用法】上为末，炼蜜为丸，如梧桐子大。每服二十丸，煎桑白皮汤送下，一日三次。

【主治】妇人水气在皮肤浮肿，经水不通。

狗胆丸

【来源】《圣济总录》卷一五三。

【组成】狗胆一枚（入巴豆七粒，灶后挂三七日，干后用）　木香　丁香　硇砂　槐花各半两

【用法】上为细末，炼蜜为丸，如绿豆大。每服二丸，血风虚肿气急，煎薄荷酒送下；儿枕不散，疼痛不可忍，煎醋汤送下；产后通身走注痛疼，莲荷汤送下；吐血不止，刺蓟根煎汤入小便送下；血块，桂心酒送下；血游，蓖麻汤送下；热疾，地黄酒送下；败血冲心，蒲黄汤送下。

【主治】妇人血气。

黄耆散

【来源】《圣济总录》卷一五三。

【组成】黄耆（锉）　赤茯苓（去黑皮）　木香各一两半　草豆蔻（去皮）　桂（去粗皮）　当归（切，焙）　桑根白皮（锉）　防风（去叉）　紫葳根（炙，锉，凌霄花根是也）　甘草（炙，锉）　续断　泽泻各三分　甘遂半两

【用法】上为末。每服三钱匕，水一盏半，加小豆半匙，生姜一块（拍碎），煎至七分，去滓温服，空心日午临卧各一次。

【主治】妇人水分，遍身浮肿，烦闷喘渴，经水不利。

猪苓散

【来源】《圣济总录》卷一五三。

【组成】猪苓（去黑皮）　防己各一两　桑根白皮（炙，锉）　百合　郁李仁（汤浸去皮，炒）　瞿麦穗各三分　甘遂半两

【用法】上为末。每服三钱匕，用水一盏，煎至七分，去滓，于早食前、夜卧各一服。如疏利即减服。

【主治】妇人水病肿满，小便涩，经水断绝。

葶苈丸

【来源】《圣济总录》卷一五三。

【组成】葶苈（隔纸炒）二两　木香　陈橘皮（汤浸，去白，焙）　枳壳（去瓤，麸炒）　楮根白皮（炙，锉）　干姜（炮）　槟榔（煨，锉）　防己　马兜铃（去皮，微炒）　朴消（别研）　蓬莪术（煨，锉）各三分　甘遂（微煨）一两

方中楮根白皮，《普济方》作“桑根白皮”。

【用法】上为末，炼蜜为丸，如梧桐子大。每服二十丸，加至三十丸，空心、日午、夜卧时用桑根白皮煎汤送下，取利为度。如水利即减丸数。

【主治】妇人水分，浮肿不退，经脉不利。

甘遂丸

【来源】《圣济总录》卷一七四。

【组成】甘遂（炒）　葶苈（纸上炒）　车前子　猪苓（去黑皮）　杏仁（汤浸，去皮尖双仁，炒，研）　芍药各三分　泽漆叶　黄芩（去黑心）　鳖甲（去裙襕，醋炙）各半两

【用法】上为末，炼蜜为丸，如绿豆大。五六岁儿每服五丸，竹叶汤送下。以利为度。
【主治】小儿肿满结实，诸治不愈。

构皮汤

【来源】《圣济总录》卷一七四。
【组成】构木白皮（切）五合　赤小豆四合　赤茯苓（去黑皮）一两半
【用法】上锉，如麻豆大。五六岁儿每服一钱匕，水七分，煎至四分，去滓温服，一日二次。
【主治】小儿肿满。

郁李仁汤

【来源】《圣济总录》卷一七四。
【组成】郁李仁（汤浸，去皮尖，炒，捣研）　大黄（煨，锉）　柴胡（去苗）各一两半　芍药　猪苓（去黑心）　泽泻各一两　赤茯苓（去黑皮）　黄芩（去黑皮）各一两一分　麻黄（去根节）一分　升麻　杏仁（汤浸，去皮尖双仁，炒，研）　鳖甲（去裙襕，醋炙）各三分
【用法】上为粗末。五六岁儿每服二钱匕，水一盏，煎至五分，去滓，分温二服，一日二次。以利为度。
【主治】小儿通体肿满，腹胀气喘。

猪苓汤

【来源】《圣济总录》卷一七四。
【组成】猪苓（去黑皮）　海蛤　防己　白术　葶苈子（纸上炒）　朴消各一分　桑根白皮（锉）　赤茯苓（去黑皮）各半两
【用法】上为粗末。五六岁儿每服一钱匕，加水七分，煎至四分，去滓温服，一日两次。以愈为度。
【主治】小儿水气肿满。

葶苈煎

【来源】《圣济总录》卷一七四。
【组成】葶苈（纸上炒）三分　防己一两半　泽漆叶　郁李仁（去皮尖，炒）各一两一分　赤茯苓（去黑皮）　泽泻　杏仁（汤浸，去皮尖双仁，炒，研如膏）各三两　柴胡（去苗）二两
【用法】上为粗末，以水一斗，煎至二升半，去滓，入杏仁膏及白蜜一斤，慢火煎如稀饧。二岁儿每服半钱匕，温水调下。渐加之，更随儿大小加减。
【主治】小儿肿满，服药不退。

木通汤

【来源】《圣济总录》卷一八四。
【组成】木通（锉）　桑根白皮（炙，锉）各半两　桔梗（锉，炒）　赤芍药各三分　葶苈子（隔纸炒）　白茅根（微炒）各一两
【用法】上为粗末。每服五钱匕，水一盏半，煎至七分，去滓，空腹温服，一日二次。
【主治】服石人，水气内积，面目腿膝肿硬，小便涩。

紫苏子丸

【来源】《圣济总录》卷一八四。
【组成】紫苏子（微炒）一合半　陈橘皮（去白，焙）　杏仁（去皮尖双仁，炒）　赤茯苓（去黑皮）　防己各一两　葶苈（隔纸炒）三分
【用法】上为末，炼蜜为丸，如小豆大。每服十五丸，加至三十丸，空心用桑根白皮、赤小豆煎汤送下，一日二次。
【主治】服石人风湿外搏，水饮内停，身面微肿，小便涩。

烧冬瓜方

【来源】《圣济总录》卷一八八。
【组成】冬瓜
【用法】上以黄土厚泥冬瓜，火烧令熟，去土食之。
【主治】卒肿满，身面皆洪大。

海蛤索饼

【来源】《圣济总录》卷一八八。
【组成】海蛤（捣研如面）一两　甘遂三分（为

末，绢罗如面，用白面和作剂）　郁李仁（汤浸，去皮，微炒，研）一两一分

【用法】上药以桑根白皮一两，用水二升煮。如嗽，即加干枣三十枚（劈破），同煮取一升，去滓，入前药和，如作索饼法煮令熟，看冷暖得所，空腹服食。须臾快利，小便甚多，勿怪。

【主治】水气，头面浮肿，坐卧不安。或嗽喘者。

茯苓粥

【来源】《圣济总录》卷一九〇。

【别名】白茯苓粥（《长寿药粥谱》引《仁斋直指方论》）。

【组成】白茯苓（去黑皮，取末）半两　粳米二合

【用法】上药，以米淘净煮粥，米熟即下茯苓末。任意食之，必得睡也。

【功用】《长寿药粥谱》引《仁斋直指方论》：健脾益胃，利水消肿。

【主治】

1.《圣济总录》：产后无所苦，欲睡而不得睡。

2.《长寿药粥谱》引《仁斋直指方论》：老年性浮肿，肥胖症，脾虚泄泻，小便不利，水肿。

【宜忌】《长寿药粥谱》引《仁斋直指方论》：老年人脱肛和小便多者不宜服食。

葶苈丸

【来源】《全生指迷方》卷四。

【别名】血分葶苈丸（《女科撮要》卷上）。

【组成】甜葶苈（炒）　续随子（去皮，研）各半两　干笋一两

【用法】上为细末，熟枣肉为丸，如梧桐子大。每服七丸，煎扁竹汤送下。

【主治】先因小便不利，后身面浮肿，经水不行，此水乘淤血，名曰水分。

【加减】如大便利者，减葶苈、续随子各一分，加白术半两，食后服。

五皮散

【来源】《中藏经·附录》。

【别名】五皮饮（《三因极一病证方论》卷十四）。

【组成】生姜皮　桑白皮　陈橘皮　大腹皮　茯苓皮各等分

【用法】上为粗末。每服三钱，水一盏半，煎至八分，去滓，不拘时候温服。

【功用】疏理脾气，消退虚肿。

【主治】

1.《中藏经》：男子妇人脾胃停滞，头面四肢悉肿，心腹胀满，上气促急，胸膈烦闷，痰涎上壅，饮食不下，行步气奔，状如水病。

2.《妇人大全良方》引《指迷方》：胎水。

3.《三因极一病证方论》：皮水。四肢头面悉肿，按之没指，不恶风，其腹如故，不喘不渴，脉浮。

4.《御药院方》：他病愈后，或久痢之后，身体面目四肢浮肿，小便不利，脉虚而大。

5.《奇效良方》：小儿诸般浮肿，气急可食。

6.《仁术便览》：水肿烦渴，小便赤涩，大便闭，此属阳水，面肿尤妙。

【宜忌】忌生冷、油腻、硬物。

【方论】

1.《医方论》：此亦为水邪客于皮肤而设。以其病不在上，故不用发汗逐水之法，而但利小便也。

2.《成方便读》：水病肿满，上气喘急，或腰以下肿，此亦肺之治节不行，以致水溢皮肤，而为以上诸证。故以桑皮之泻肺降气，肺气清肃，则水自下趋；而以茯苓之从上导下，大腹之宣胸行水，姜皮辛凉解散，陈皮理气行痰。皆用皮者，因病在皮，以皮行皮之意。然肺脾为子母之脏，子病未有不累及其母也。故肿满一证，脾实相关，否则脾有健运之能，土旺则自可制水，虽肺之治节不行，决无肿满之患。是以陈皮、茯苓两味，本为脾药，其功用皆能行中带补，匡正除邪。一举而两治之，则上下之邪，悉皆涣散耳。

3.《医方概要》：此方因茯苓皮、陈皮、姜皮、桑白皮、大腹皮五皮同用，故名。功能利肺和脾，消肿利水。盖脾不能为胃行其津液，故水肿。半身以上宜汗，半身以下利小便。此方皆用皮者，以皮能入皮，并能利水也。

4.《病机临证分析》：此为消水肿之通剂。水肿之来，肺脾肾也。桑白、大腹消肺水，陈皮、

生姜消脾水，茯苓消肾水，而五药皆以气胜，气行则水行也。

5.《医方发挥》：脾虚不能运化水湿的水肿，当一面健运脾土，以御水邪之泛滥；一面疏通水道，使水有去路。本方体现了输脾与利水同用的配方法度。然水邪为患，不单由于脾虚，也责之于肺气失其宣降，肾脏失其主宰，故治疗虽着重在脾，或兼治肺，或兼治肾，临证权衡轻重，配伍施治。方中茯苓皮甘淡渗湿，实土而利水；生姜皮辛散，宣胃阳而散水饮；水湿阻滞，气机不畅，故加大腹皮辛温，行气宽胀，利水退肿；橘皮理气调中，醒脾化湿，脾气行则水行，脾运健而防水之堤自固；本证不仅水邪外泛作肿，且又兼见上气喘急，肺失宣降，水泛高源之象，故配桑白皮泻肺以清水源，源清流自洁，气降喘自宁。五药合用，共成利湿消肿，理气健脾之功。

【验案】妊娠水肿《赤脚医生杂志》（1978，5：3）：以本方加减：桑白皮15g，茯苓皮9g，大腹皮12g，陈皮9g，生姜皮6g，玉米须（干）30g或鲜品60g，玉米须治疗妊娠水肿43例。结果：疗效满意。

中庸饮子

【来源】《幼幼新书》卷三十二引《惠眼观证》。

【组成】海金砂　续随子各一分　姜　中庸各一两　蜜二两

《杂病广要》：中庸，樟柳根是也。

【用法】上为末，罨一宿，五更时绢帛滤汁，食前暖吃。下黄水，匀气药补后，樟柳根煮粥吃。

【主治】水气肿满，黄疸。

枣肉丸

【来源】《幼幼新书》卷三十二引《古氏家传》。

【组成】石燕子一枚　大枣肉七个（去核）　巴豆七粒（霜）

【用法】上二味入枣肉内，烧存性，细研，以蟾酥为丸，如麻子大。以所伤物汁送下。

【主治】遍身虚肿。

人参丸

【来源】方出《妇人大全良方》卷一引《养生必用》，名见《校注妇人良方》卷一。

【别名】葶苈丸（《济阴纲目》卷七）。

【组成】人参　当归　大黄（湿纸裹，三斗米下蒸，米熟去纸，切，焙）　桂心　瞿麦穗　赤芍药　白茯苓各半两　葶苈（炒，别研）一分

【用法】上为末，炼蜜为丸，如梧桐子大。每服十五至二三十丸，空心以米饮送下。

【主治】经脉不利，四肢肿满。

内消丸

【来源】《幼幼新书》卷三十二引汉东王先生方。

【组成】青橘五个（巴豆七个同炒苍色，去巴豆）木香（炮）一钱　防己一钱半　丁香十四粒

【用法】上为末，蒸饼为丸，如大麻子大。二三岁五丸，量加，男，陈皮汤，女，艾叶汤送下，一日三次。

【主治】小儿虚浮。

海蛤汤

【来源】《幼幼新书》卷三十二引张涣方。

【组成】海蛤　桑根白皮各一两　汉防己　白术（炮）　赤茯苓各半两　甜葶苈（隔纸炒紫色）　川朴消　木猪苓（去黑皮）各一分

【用法】上为细末。每服一钱，水一盏，煎至五分，去滓，乳食后温服。

【主治】小儿肿满，大小便不利。

塌气丸

【来源】《幼幼新书》卷二十六引茅先生方。

【组成】川巴豆壳（用醋煮，黑色为度）　青橘皮（去白）　萝卜子各等分

【用法】上为末，醋面糊为丸，如绿豆大。每服五丸至七丸，中庸赤小豆煎汤送下。

【主治】小儿疳肿。

【宜忌】气肿、水肿不用此药。

甘遂散

【来源】《幼幼新书》卷三十二引茅先生方。

【组成】甘遂　大戟　黑牵牛　槟榔　陈橘皮（去白）　木香各半两

【用法】上为末。每岁一钱，五更初用葱酒调下。不会吃酒用葱汤调下。天明通下黄水来，可依形证调理。

【主治】气肿，水肿。

塌气散

【来源】《幼幼新书》卷三十二引茅先生方。

【组成】中庸（樟柳根）　赤小豆　橘皮红　萝卜子　槟榔　甘草各半两　木香一分

【用法】上为末。每服二钱，水一小盏，生姜、大枣同煎至六分，通口服。

【主治】小儿肿后。

小茴香丸

【来源】《鸡峰普济方》卷二十。

【组成】舶上茴香　土茴香各二两　干生姜四两　附子一个　桃仁一两半　黄橘皮　川楝子（不去核）　胡芦巴　巴戟末　赤茯苓　木通各一两　丁香　木香各半两

【用法】上为细末，酒煮面糊为丸，如豌豆大。每服二三十丸，空心温酒或盐汤送下。

【主治】膀胱小肠留滞寒邪热邪，胁肋牵引，发渴，肿满痛。

桃花行气丸

【来源】《鸡峰普济方》卷四。

【组成】桃花七钱　染胭脂五钱　白附子　甘遂　天南星各二钱　大麦面十钱　威灵仙五钱　大戟三钱

【用法】上为末，生用，滴水为丸，如梧桐子大。每服二十丸，先用水一大盏煎桑白皮三寸，煎五七沸，去皮不用，纳药再煮五七沸，滤出并放温，将丸煮药汤下，食后临卧服。

【功用】疏风气。

【主治】温湿风毒，客伏经络，气壅血涩，肢体闷痛，懊烦壮热，气奔逆冲，心腹痞满，腰脊重痛，脚膝难举，痛不能动，肩背拘强，眩冒神昏；或将温过度，客热内盛，随气升降，游注疼痛，及肿满水气。

如圣丸

【来源】《鸡峰普济方》卷九。

【组成】草乌头　黄连各三分　官桂　干姜　桔梗　茯苓　川椒　茱萸　柴胡　厚朴　干地黄　菖蒲　紫菀　防风　人参　鳖甲　大芎　枳壳　贝母　甘草　甘遂各一两　巴豆一两半（取白霜）

【用法】上为细末，面糊为丸，如梧桐子大。每服五丸，食前米饮送下，每日只一服。

【主治】腹内诸积聚，岁久癖块不消，黄瘦宿水，朝暮咳嗽；及积年冷气，脐下绞结冲心，膀胱两胁彻背连腰痛无休息，绕脐似虫咬不可忍；及十种水病，五般痔疾，九种心痛，反胃吐逆，饮食减少；宿食不消；妇人月水不通，五邪八瘕，沉重欲死，恐惧歌笑不定，心神狂乱，形体羸瘦；一切风，遍身顽痹，不知痒痛，或似虫行，手足烦热，夜卧不安；小儿惊痫等。

【验案】

1. 跌打损伤　一人先因马坠，临老痛楚，不能饮食，命在须臾，日服五丸，经旬日取下血如鸡肝一二千片，与脓清水二升许，其病遂愈。

2. 虚劳　三原主簿妻病十五年羸瘦至甚，日服五丸，旬日取下青虫六十四个，脓血三四升，其病遂愈。

3. 大风病　一人患大风病，眉毛落尽，遍身生疮，服药百日，取下五色脓并清水各数升，遂得平复。

4. 食即吐逆　一人食即吐逆，羸病十年，服药半月，取下虾蟆七个，清水一升许，便愈。

5. 癖块　一人患癖块积年，服药二十日取肉蛇二条，各长尺余。

6. 带下　一人久患带下，服药二十日后汗出，取下鸡肝色恶物而病愈。

小豆散

【来源】《鸡峰普济方》卷十。

【组成】赤小豆（烧熟）

【用法】上为细末。每服二钱，食前温调下；葱白酒尤佳。

【主治】肿满，小便不利。

圣力丸

【来源】《鸡峰普济方》卷十一。

【组成】葶苈十二分（炒青，别研） 郁李仁五分 杏仁三分 汉防己 陈橘皮各四两 茯苓五分 紫苏五分

【用法】上为细末，炼蜜为丸，如梧桐子大。每服十五丸，一日二次，食后煎生姜、橘皮汤送下。

【主治】肺间有水，喘嗽，小便不利，面目浮肿。

如意丹

【来源】《鸡峰普济方》卷十二。

【组成】硫黄 赤茯苓 陈皮 猪苓 白术 泽泻各一两（一方有桂一两）

【用法】上为细末，汤浸蒸饼为丸，如梧桐子大，每服三十丸，空心米饮送下。

【主治】脾湿肿满，小便不利。

郁李仁散

【来源】《鸡峰普济方》卷十六。

【组成】郁李仁 牵牛子各一两 槟榔 干地黄各三分 桂 木香 青橘皮 延胡索各半两

【用法】上为细末。每服二钱，食前温酒调下。

【主治】血分。气血壅涩，腹胁胀闷，四肢浮肿，坐卧气促。

瞿麦丸

【来源】《鸡峰普济方》卷十七。

【组成】人参 当归 大黄（湿纸裹，三斗米下蒸，米熟去米，纸焙） 瞿麦穗 赤芍药 桂 白茯苓各半两 葶苈二分

【用法】上为细末。炼蜜为丸，如梧桐子大。每服十五丸，空心米饮送下。渐加至二十丸，止于三十丸。

【主治】妇人经脉不利，即为水，水流走四肢悉肿，病名曰血分，其候与水相类。

茯苓椒目丸

【来源】《鸡峰普济方》卷十八。

【组成】葶苈子七两 椒目 茯苓各三两 吴茱萸二两

【用法】上为细末，炼蜜为丸，如梧桐子大。每服十丸，米饮送下，一日三次。

【主治】身面浮肿，或是虚气，或是风冷气，或是水饮气，或肿入腹，苦满急，害饮食。

七百五十丸

【来源】《鸡峰普济方》卷十九。

【组成】葫芦巴 破故纸 丁香 荜澄茄 大椒各一百个 巴豆 乌梅各二十五个 木香半两

【用法】上为细末，水煮面糊为丸，如黍米大。每服五丸，食后茶汤送下。

【功用】行水，补虚，和气，进饮食，消滞积。

【主治】水气。

大豆散

【来源】《鸡峰普济方》卷十九。

【组成】大豆一升（炒焦，去皮） 白术二两

【用法】上为细末。米饮调下二钱，不拘时候。

【功用】消滞气，去湿。

【主治】水气。

万金散

【来源】《鸡峰普济方》卷十九。

【组成】川独活不拘多少

【用法】上为末。每服二钱，精肉四两，批大片，洗过，入药在内，麻线系定，银石器内，河水煮令熟，令患人吃尽，小肠取下泔糊之状。老人五七日再服。

【主治】十种水气。

万病散

【来源】《鸡峰普济方》卷十九。

【组成】牵牛子　桑白皮　白术　黄耆　丁香　陈橘皮　破故纸各等分

【用法】上为末。先煎生姜汤一盏半，先喝半盏，用半盏调药一大钱匕，服药后更喝半盏。

【主治】十种水病。

千斧丸

【来源】《鸡峰普济方》卷十九。

【组成】柳絮矾半斤　雷丸一两　柴胡二两　樟柳根一两　木瓜（片切，焙干）　干漆各半两　白矾二两　胆矾　芫花　槟榔　茴香　石斛　定粉　不蚛皂角　桂各半两　青皮二两

【用法】上为细末，用青州枣煮熟，去皮核，将药末用醋五升，熬成膏，后入枣同匀，用大斧捶一千下，逐旋丸，如绿豆大。每服十丸，食后用生姜汤送下，一日三次。

【主治】水气；兼治男子妇人五劳七伤，病势甚者。

小白术散

【来源】《鸡峰普济方》卷十九。

【组成】白术　甘草各一两　白茯苓半两　桑白皮三分

【用法】上为细末。每觉渴时点一钱服之，无拘服数。水消后，寻常可服补益散。

【主治】风寒之气客于肾经，风与气搏，面目卒然如水，身无痛，形不瘦，不能食，脉大紧。

小黄耆散

【来源】《鸡峰普济方》卷十九。

【组成】黄耆　赤小豆各一两　土蒺藜　枳实各半两　防风一两

【用法】上为细末。每服二钱，米饮调下；或温酒亦可。

【主治】风寒之气客于肾经，上乘于肺而气不下流，风与气搏，面目浮肿，身无痛，形不瘦，不能食，其脉大紧。

水银丹

【来源】《鸡峰普济方》卷十九。

【组成】水银　牙消　椒目　苦葶苈各一两

【用法】上为细末，炼蜜为丸，如梧桐子大。空心或临卧每服二十丸。其病当从大小便俱利出。以东引桑枝灰淋汁煮赤小豆令熟，每日空心吃一盏，如渴即饮。

【主治】水气。

艾曲散

【来源】《鸡峰普济方》卷十九。

【组成】艾曲一升（生）　干姜　细辛　椒目　附子　桂各一两

【用法】上为细末。每服二三钱，温酒调下。

【功用】利小便，消肿。

【主治】痢后或产后虚肿，水肿。

【宜忌】忌猪肉、生葱、生菜。

石韦散

【来源】《鸡峰普济方》卷十九。

【组成】石韦半两（去却上黄毛，去不尽即损肺）　木通　瞿麦各半两　桂府滑石一两　甘草半两

【用法】上为细末。每服四钱，水半升，灯心一束，同煎至一半，去滓，徐徐呷之。

【功用】利小便。

【主治】水气。

白丸子

【来源】《鸡峰普济方》卷十九。

【组成】龙脑　粉霜各一分　轻粉半两（以上同研匀，用白面一匕，同和作一球子，投火中烧黄，再研如粉）　海蛤二钱（烧红，研末）　寒水石一钱半　滑石二分　海金沙一钱　阳起石一分

【用法】上为细末，糯米饭为丸，如豌豆大。每服十丸，生姜汤送下，一日三次，不拘时候。五日后，牙缝中血出及臭涎，即住服。如涎血未出，

加十丸；又五日未下，更加十丸，直以涎出，即住药。未即，每五日更加丸数。

【主治】水气。

【宜忌】肿消，则尤要将息慎忌。

白丸子

【来源】《鸡峰普济方》卷十九。

【组成】轻粉　粉霜各一钱　玄精石一钱半　滑石半两　硇砂半钱　白直丁香二十个

【用法】上先次将粉霜、玄精、硇砂匀研，滴水为丸，用白面裹，草火内烧，面熟为度，不用裹药面，复同余药，丸如绿豆大，再用滑石为衣。第一日服三丸，一日三次；第二日五丸，第三日八丸，一日八次，熟水送下。不动脏腑，其水道小便出。

【主治】十种水气。

白术汤

【来源】《鸡峰普济方》卷十九。

【组成】白术　甘草各四分　桑白皮三分　茯苓二分

【用法】上为末。每觉渴时点一钱服之，不拘时候。

【主治】水气口渴；脾虚气上，食少发渴。

【宜忌】切不可饮冷。

朱砂水银煎

【来源】《鸡峰普济方》卷十九。

【组成】朱砂　水银　巴豆　粉霜各一分　代赭各五钱　蒌葱五钱

【用法】上为细末，蒸饼为丸，如弹子大。病人安脐中，以软纸一张，折盖之后，用裹肚系定，令病人卧，只一两食饭间，其疾自小便出水约二三斗，便住，取出药，恐过度。却用生姜汁调黄连末半两，作一枚安脐中，依前用纸盖裹肚系定。煎桑白皮汤煮大麦面馎饦吃之。愈后三日用药补之。

补药：海蛤、破故纸、白甘遂、木香各等分。上为细末，每服半钱，空心米饮调下。

【主治】水气。

【宜忌】忌醃藏、生冷、盐、醋等物。

补元散

【来源】《鸡峰普济方》卷十九。

【组成】人参　白术　白茯苓　黄耆（蜜炙）　苦葶苈　山药各一两　木香半两　附子一个

【用法】上为细末。每服二钱，以水一盏，加生姜、大枣，煎至六分，去滓温服，不拘时候。

【功用】水肿消后补益血气。

补益散

【来源】《鸡峰普济方》卷十九。

【组成】陈橘皮　大腹皮　茴香各一两　桂半两

【用法】上为细末。每服一钱，温米饮调下，一日三次。

【主治】水肿消后常服。

【宜忌】忌生冷、咸、酸、酒面、油腻、鸡、猪等发风物，大忌针灸、饮酒、毒物。

附子木香丸

【来源】《鸡峰普济方》卷十九。

【组成】附子　木香　石斛　桂　黄耆　磁石　椒目　当归　鹿茸　人参　茯苓　枳壳　诃子　黄橘皮　桃仁　白术　桑白皮　桔梗　牛膝　干姜　厚朴　吴茱萸各半两

【用法】上为细末。以猪肾三对生研，入酒三合，蒸饼少许为丸，如梧桐子大。每服二十丸，空心、食前温米饮送下。

【主治】水气下后，补药消积进食，凡水气已经利下，疾证往来不定者。

青龙丹

【来源】《鸡峰普济方》卷十九。

【组成】青黛　硼砂各一钱　白丁香　轻粉各二分

【用法】上为末，滴水作块子，用蒸饼剂裹一重，桑柴灰内煨，候熟，再裹一重，又煨熟放冷，剥去面，用水煮面糊为丸，如梧桐子大。茴香汤送下。前件药，先勘七日内合吃的确丸数，依样大小服之。第一日三丸，二日四丸，三日五丸，四日七丸，五日六丸、九丸，每日三次。自第一日至七日，水未尽，中间不可断续也。第四日第五日，其蓄水随小便出约一二斗，候肚皮塌是效，如有余证即服向后准备药。

【主治】水气，其势甚危者。

京三棱丸

【来源】《鸡峰普济方》卷十九。

【组成】青皮　黄皮各一两（汤浸一宿，次日淘赤小豆一合，滚煮二橘皮，候豆六七分熟去青皮，研黄皮赤小豆如泥；若干，旋添煮豆汁，再研极细，用后药）　赤茯苓一两半　猪苓　吴白术　蓬莪术各半两　半夏三钱　京三棱八钱　防己　枳实三钱

方中防己用量原缺。

【用法】上为细末，炼蜜和同小豆泥入臼杵成膏，为丸如梧桐子大。每服三十丸，熟水送下，不拘时候。

【主治】丈夫妇人头面手足肿。

泽泻汤

【来源】《鸡峰普济方》卷十九。

【组成】泽泻　天雄　白蒺藜半两　防风一两　枳实半两

方中泽泻、天雄用量原缺。

【用法】上为细末。每服五钱，水二盏，加生姜三片，煎至一盏，去滓，食前温服。

【主治】风寒之气客于肾经，上乘肺而气不下流，风与气搏，面目卒然浮肿，身无痛，形不瘦，不能食，切其脉大紧。

胜金煎

【来源】《鸡峰普济方》卷十九。

【组成】牛黄　昆布　海藻各二两半　牵牛二两　桂一两（冷者加作二两）　甜葶苈三两　椒目一两

【用法】上为细末，炼蜜为丸，如梧桐子大。每服二十丸，食前米饮送下，每日三次；渐加至四五十丸，每日三四次。以水利为效。寻常些小发动，觉气促痰盛，夜卧不安，数服见效。

【主治】大腹水气，背刺，喘急，息不能通。

神掌膏

【来源】《鸡峰普济方》卷十九。

【组成】巴豆　腻粉各半两　硫黄龙眼大一块子

【用法】上研匀，滴水成膏。用时作饼子，以绵裹数重，贴脐中，以带子勒之。初更用药，至中夜觉身似火热，水从小便下，候四更肿消，去药，然后服调气药补元散。

【主治】十种水气。

桂黄丸

【来源】《鸡峰普济方》卷十九。

【组成】硫黄四两　桂　白术　赤茯苓　泽泻　猪苓　黄橘皮各一两

【用法】上为细末，水煮面糊为丸，如梧桐子大。每服五十丸，空心橘皮汤送下。

【主治】水气肿满，小便不利。

逐水散

【来源】《鸡峰普济方》卷十九。

【组成】生章陆　赤豆各三两　鲫鱼三个

【用法】三味实鱼腹中，以麻线缚之，水三升，煮赤豆烂，去鱼，只取二物，空腹中食之，以鱼汁送下。不汗利即愈。甚者，过二日再作之，不过三剂。

【功用】消肿满。

海蛤丹

【来源】《鸡峰普济方》卷十九。

【组成】海蛤　腻粉　青滑石　寒水石　玄精石　白丁香各一分

【用法】上药滴水和为一块子，以湿纸三重裹，用白面包作球子，用塘灰火烧半日，球响为度，滴水为丸，如梧桐子大。第一日服三丸，第二日三服六丸，至第七日服七丸，方不加丸数，黑饴龙脑水送下。

【主治】水气。
【宜忌】忌食盐、鱼、湿面等物。

陷水散

【来源】《鸡峰普济方》卷十九。
【组成】大戟半两　当归　陈皮各一两
【用法】上为细末。每服五钱，水一大盏，煎至五分，去滓，临卧腹空时温服。
【主治】十种水气极甚，肿从脚起，入腹难忍。

桑皮豆

【来源】《鸡峰普济方》卷十九。
【组成】赤小豆一升　桑白皮二两
【用法】上以水同煮至软烂，去桑白皮，只服赤小豆，未已再服。
【主治】水肿，小便不利，疾轻者。

黄龙散

【来源】《鸡峰普济方》卷十九。
【组成】木通　瞿麦各一两　大黄半两　陈橘皮一分　槟榔四个
【用法】上为细末。每服二钱或三钱，用汤使三盏，同煎至八分，和滓热服。
【主治】水气，服青龙丹后至第五日水道涩滞不快。

蛇黄饼子

【来源】《鸡峰普济方》卷十九。
【组成】白丁香　蛇黄　南硼砂各等分（炒）
【用法】盒子盛，纸泥固济，用桑木火烧盒子通赤，取出放冷，研细，入少白面，滴水作饼子，如芡实大。空心嚼细，熟水送下，一日三次；第二日两饼，第三日三饼，第四日四饼，第五日五饼，第六日六饼，第七日七饼，第八日八饼，如水行即止。如不及八日，但水行，住服。如牙缝内有血，虽水出亦死。
【主治】水气所伤。

蛇黄紫金丹

【来源】《鸡峰普济方》卷十九。
【组成】蛇黄三两半（醋淬，研令无声）　禹余粮三两（同炒，醋淬）　木香　肉豆蔻　干姜　茯苓　当归　羌活　牛膝　青橘皮　芎藭　荆三棱　陈橘皮　蒺藜子　桂　附子　蓬莪术　茴香　针砂五两（先水淘极净，以铁铫子炒干，入米醋二升，煮醋令干，就铫中锻通赤，研末令极细，用之或三两）
【用法】上为细末，蒸饼为丸，如梧桐子大。每服三十粒，空心、食前米饮送下。
【主治】水气，支饮上气，欲变成水，心下坚硬者。

商陆逐水散

【来源】《鸡峰普济方》卷十九。
【组成】白商陆根（去粗皮，薄切，阴干或焙干，为末）
【用法】上用黄颡鱼三个，大蒜三瓣，绿豆一合，水一升同煮，以豆烂为度。先食豆，饮汁送下；又以汁下药二钱。水化为气内消。
【主治】水气。
【验案】水气《鸡峰普济方》：省郎王申病水气，四肢悉病，不能坐卧，昼夜倚壁而立，服此一剂，顿愈。

椒目煎

【来源】《鸡峰普济方》卷十九。
【组成】椒目　黄牵牛　桂各半钱　昆布　海藻　甜葶苈各三分　牛黄　人参各一分
【用法】上为细末，炼蜜为丸，如梧桐子大。每服十丸，加至二十丸，米饮送下，不拘时候，一日二次。以小便利为度。
【主治】大腹水肿，气息不通，睡卧不得，上喘气急。

葫芦散

【来源】《鸡峰普济方》卷十九。

【组成】木通　葫芦子各一两半　泽泻三分　防己二分　猪苓　海蛤各一两

【用法】上为细末。每服五钱，水七分，酒七分，入葱白五寸，煎至八分，去滓，食前温服。当下小便数升肿消。

【主治】遍身水肿。

紫金丹

【来源】《鸡峰普济方》卷十九。

【组成】丁香半钱　木香一钱　槟榔　肉豆蔻各一个　白丁香半钱　朱砂一钱　雄黄一钱半　轻粉一钱　粉霜半钱　桂府滑石一钱半　水银一钱（结砂子）　赤土三钱　斑蝥十个　巴豆三十个　乳香一钱　桃仁三十个　广鞍（此药不见用，疑传写之误）　牛黄各一字　麝香一钱　硼砂一字

【用法】上为细末，面糊为丸，如绿豆大。每服十丸至十五丸。盖欲行水，须先去滞积，未服玉龙丸，当先进此药，如不动，再加丸数服之，候取动可服玉龙丸。

【主治】水证。

滑石丸

【来源】《鸡峰普济方》卷十九。

【组成】木通　滑石各三两半　瞿麦一两半　海金砂六钱半　甘遂六钱　通草四钱　水蛭一钱　地胆十个

【用法】上为细末，糯米粥为丸，如梧桐子大。每服七丸，临卧煎灯草、滑石汤送下。

【功用】利小便。

【主治】水气。

腻粉滑石丸

【来源】《鸡峰普济方》卷十九。

【组成】腻粉　滑石　海蛤　大麦各二钱　粉霜　硇砂各一钱　班猫四十九个（以上末之，以石脑油和团面裹烧熟，再入）　白丁香　白鹰调　鹳鹊粪　燕子粪各二钱

【用法】上研匀，与前药再用石脑油和丸，如梧桐子大。每服一丸，用大瞿麦汤送下。

【主治】水气。

解带散

【来源】《鸡峰普济方》卷十九。

【组成】海带　海藻　昆布　益智　木香　雷元　萝卜子　皂皂黄各等分

【用法】上为细末。每服二钱，酒一盏，煎之。服后须分泄百次，不拘时候。

【主治】水肿，腹胀如鼓，上气喘急，前后心刺痞，小便不利。

碧霞丹

【来源】《鸡峰普济方》卷十九。

【组成】寒水石　滑石　腻粉各半两　粉霜　硇砂各三钱

【用法】上同研匀，滴水为膏，用湿纸一张裹在内，面一斤和作球，盛药于牛粪熟火内烧面匀翻焦熟为度，取药出，用青黛半两同研，滴水为丸，如豌豆大。第一日服三粒，一日三次。嚼龙脑或生姜、灯心、木通汤送下。

【主治】十种水气。

樟柳散

【来源】《鸡峰普济方》卷十九。

【组成】白樟柳一斤　陈皮二两　木香一两　赤小豆面四两

【用法】上为细末，加水和丸，如绿豆大。每服二十丸，橘皮汤送下；或为散，作鲤鱼羹，如料入用。

【主治】诸般水肿。

防己葶苈丸

【来源】《鸡峰普济方》卷二十。

【组成】葶苈　黑牵牛　白术各半两　防己三分　郁李仁　桑白皮　茯苓　羌活　黄橘皮　泽泻各三分

【用法】上为细末，炼蜜和丸，如梧桐子大。每次空腹服二十丸，熟水送下。五日未效，加五丸，

止于三十丸。

【主治】腹中湿热，并手足微肿，胸满气急。

大枣汤

【来源】《普济本事方》卷四。

【组成】白术三两　大枣三枚

【用法】白术咀片。每服半两，水一盏半，大枣拍破，同煎至九分，去滓温服，一日三四次，不拘时候。

【主治】四肢肿满。

【方论】《本事方释义》：白术气味甘温微苦，入足太阴；大枣气味甘酸微温，入手少阳、足太阴、阳明。四肢浮肿，由乎中宫气弱土衰，不能运湿，故用培土之药。得中焦气旺，脾胃不致失职，自然肿消而病安矣。

羌活散

【来源】《普济本事方》卷四引张昌时方。

【组成】羌活（洗去土）　萝卜子各等分

【用法】上药同炒香熟，去萝卜子不用，为末。每服二钱，温酒调下，一日一服，二日二服，三日三服。

【主治】

1. 《普济本事方》：水气。
2. 《魏氏家藏方》：一切腹胀急。

【方论】《本事方释义》：羌活气味辛甘平，入足太阳，善能行水；萝卜子气味苦辛温，入足太阴、阳明，善能导滞；以酒送药，取其温通也。因水气盘踞，滞浊阻痹不行，故行水之药与行滞之药兼而行之，厥功大矣。

知母汤

【来源】《普济本事方》卷四。

【组成】知母一两　麻黄（去根节）　黄耆（蜜炙）　甘草（炙）　羌活（洗去土）　白术　枳壳（去瓤锉，麸炒）各半两

【用法】上为粗末。每服四钱，水一盏半，牛蒡子百粒，研碎，煎至七分，温服，一日三四次。

【主治】游风攻头面，或四肢作肿块。

【加减】觉冷，不用牛蒡子。

【方论】《本事方释义》：知母气味苦寒，入足阳明、少阴；麻黄气味辛温发散，入足太阳；黄耆气味甘平，入足太阴；甘草气味甘平，入足太阴；羌活气味辛甘平，入足太阳；白术气味甘温微苦，入足太阴；枳壳气味苦寒，入足太阴；牛蒡子气味辛凉，入手太阴。此治游风攻头面，或四肢作肿发块致手足拘挛，以甘平之品护其正，以苦寒之药熄其风，以辛温表散之药泄其邪，则邪散风熄正旺气和而痊安矣。

【验案】面、手浮肿　有一达官，其母年七十中风，手足拘挛，平日只是附子之类扶养，一日面浮肿，手背亦肿。寻常有一国医供药，诊云是水病。欲下大戟、牵牛以导之，其家大惊忧惶。召予议之，予曰：《素问》称面肿曰风，足胫肿曰水。此服附子大过，正虚风生热之证。咽必噎塞，膈中不利。诚言，予乃进升麻牛蒡团参汤，继以知母汤，三日悉愈。

实脾散

【来源】《普济本事方》卷四。

【组成】大附子一个（去皮脐）　草果（去皮）　干姜（炮）各二两　甘草一两（炙）　大腹（连皮）六个　木瓜一个（去瓤，切片）

【用法】用水于砂器内同煮至水存半，劈开干姜，心内不白为度，不得全令水干，恐近底焦，取出，锉，焙为末。每服二钱，空心、日午用沸汤点服。

【主治】脾元虚，浮肿。

【方论】《本事方释义》：此温通之方也。大附子气味咸辛大热，入手足少阴；草果气味辛温，入足太阴；干姜气味辛温，入手足太阴；甘草气味甘平，入足太阴；大腹皮气味苦辛温，入手足太阴，能下气利温；木瓜气味酸平，入手足太阴。此脾元虚弱，不能运湿，致面浮足肿，非辛温通阳，则脾阳不能振也。

茯苓散

【来源】《普济本事方》卷四。

【组成】郁李仁（去皮尖，微炒）四钱　槟榔二个　赤茯苓（去皮）　白术　甘遂（切片，炒）各

一钱　橘皮一钱半（去白）

【用法】上为细末。每服一钱，姜、枣汤调下。

【主治】肿满，小便不利。

【方论】《本事方释义》：郁李仁气味辛平而润，入手、足太阴、阳明；槟榔气味苦辛温，入足太阴、太阳，能消积气；赤茯苓气味甘平，淡渗，入阳明；白术气味甘温微苦，入足太阴；甘遂气味苦寒，入足太阳，泄水之圣药；橘皮气味苦辛微温，入手太阴。此因湿邪肿满，小溲不利，故用分消群剂，使水气下泄，惟恐土衰，水不能去，以术培土，姜、枣和营卫，则溺得通利，岂有不奏绩耶。

葶苈丸

【来源】《普济本事方》卷四。

【组成】甜葶苈半两（炒令香）郁李仁（汤浸，去皮尖，熬紫色，秤三分，二味别研如膏，令极匀）三分　白术半两　牵牛子半两（一半生，一半熟用）赤茯苓（去皮）　桑白皮（蜜炙，锉）羌活（洗去土）　汉防己　陈橘皮（去白）　泽泻各三分

【用法】上为细末，炼蜜为丸，如梧桐子大。初服十丸，空心、晚食前以生姜、橘皮汤送下，一日二次。不知加至二三十丸，以知为度。

【主治】腹中有湿热气，目下作肿，如新卧起蚕之状，两足胫微肿。病在肾，肾者少阴也，标在肺，肺者太阴也。故中满气急咳嗽，喘息有音，每就卧则右胁有气上冲，肩腋与缺盆相牵引不快，少思饮食。

【方论】《本事方释义》：甜葶苈气味苦辛寒，入手太阴，性能行水下气；郁李仁气味辛平，入手足太阴、阳明；白术气味甘温，入足太阴；牵牛子气味苦寒，入手足阳明、足太阳，善能行水；桑白皮气味苦辛，入手太阴；赤茯苓气味甘平，淡渗，入足阳明、太阳；汉防己气味苦辛平，入足太阳，能行下焦，祛风利湿；羌活气味苦辛甘平，入足太阳，善能行水；陈橘皮气味辛温，入手足太阴；泽泻气味苦咸平，入足太阳。此药因湿热浮肿，本病在肾，标病在肺，致中满气急、咳喘不得卧者，非利湿行水，不能效也。送药以生姜、橘皮之辛通，则在上之邪从汗而去，在下之邪从溲而去也。

草神丹

【来源】《扁鹊心书·神方》。

【组成】川附子（制）五两　吴茱萸（泡）二两　肉桂二两　琥珀五钱（用柏子煮过另研）　辰砂五钱（另研）　麝香二钱（另研）

【用法】先将前三味为细末，后入琥珀、辰砂、麝香三味，共研极匀，蒸饼为丸，如梧桐子大。每服五十丸，米饮送下。小儿每服十丸。

【功用】大补脾肾。

【主治】阴毒伤寒，阴疽痔漏，水肿臌胀，中风半身不遂，脾泄暴注久痢，黄黑疸，虚劳发热，咳嗽咯血，两胁连心痛，胸膈痞闷，胁中如流水声；童子骨蒸，小儿急慢惊风，痘疹变黑缩陷；气厥卒仆；双目内障；吞酸逆气，痞积血块，大小便不禁；奔豚疝气；附骨疽，两足少力，虚汗不止；男子遗精、梦泄，砂石淋，溺血；妇人血崩血淋；暑月伤食、腹痛，呕吐痰涎。

圣饼子

【来源】《小儿卫生总微论方》卷十四。

【组成】大戟子半两　甘遂末一分　牵牛末一两

【用法】上共拌匀，每用半钱，以白面半钱，水和作饼子，如钱大，煮令熟。放冷细嚼，食前姜汤送下，小者一饼，大者二饼。

【主治】小儿气肿。

红粉散

【来源】《小儿卫生总微论方》卷十四。

【组成】朱砂一钱　槟榔一钱　轻粉半钱

【用法】上为末。每服一字或半钱，薄荷煎汤调下。一服利，止后服。

【主治】小儿浑身虚肿，气喘不食。

【宜忌】忌生冷、坚硬之物。

郁李仁丹

【来源】《小儿卫生总微论方》卷十四。

【别名】郁李丸（《普济方》卷三八六）。

【组成】郁李仁半两（汤浸，去皮，微炒）　槟榔

半两　牵牛子一钱（炒）

【用法】上为细末，滴水为丸。每服十丸，空心以葱白汤送下。

【主治】

1.《小儿卫生总微论方》：一切诸肿。
2.《普济方》：小儿痞食，气急肿满。

金华散

【来源】《小儿卫生总微论方》卷十四。

【组成】大黄末四钱　牵牛末四钱　朴消（研末）八钱　巴豆肉五个（研）

【用法】上药都拌匀。每服一字，生姜蜜水调下。此方猛烈，斟量所宜。

【主治】水气肿满，通身明亮。

通草散

【来源】《小儿卫生总微论方》卷十四。

【组成】通草（蜜涂，炙干，为末）　木猪苓（去黑皮，为末）各等分

【用法】上为细末，加土地龙、麝香少许。每服半钱或一钱，米饮调下。

【主治】一身黄肿透明，及肾肿。

葶苈丸

【来源】《小儿卫生总微论方》卷十四。

【组成】葶苈子半两（微炒）

【用法】上杵如泥，入枣肉再杵和丸，如绿豆大。每服五丸，空心、晚后枣汤送下。

【主治】小儿水气腹肿，小便涩滞。

塌气丸

【来源】《小儿卫生总微论方》卷十四。

【组成】胡椒半两　甘遂一分　黑牵牛一两（炒）木香一钱

【用法】上为细末，面糊为丸，如绿豆大。每服五七丸，生姜汤送下，不拘时候。

【主治】小儿腹胀气满如肿。

神仙紫金丸

【来源】《产宝诸方》。

【组成】生地黄三两（大而圆者，以新铫子盛，用炭火一秤煅通赤，钳铫子出火，急倾入醋二升，候冷取，研如粉）　针砂五两（真者，水淘净，控干，入生铁铫子同禹余粮三两一处，用酽醋二升煮，醋干，并铫子用炭火一秤煅赤，倾在净地上冷，研如粉）　羌活　木香（炒）　白茯苓（去皮）牛膝（去苗，酒浸一宿，焙干）　川芎　肉豆蔻（炮）　舶上茴香　蓬莪术（炮）　白术（炒）　桂（去皮）　干姜（炮）　青皮（去白，炒）　京三棱（炒）　陈皮（去白）　白蒺藜　附子（炮制）　当归（去芦须，浸，炒）各半两

【用法】上为细末，汤浸蒸饼为丸，如梧桐子大。每服三十丸，空心、食前温酒或白汤送下。虚人壮人均用诸药，壮人减半，病自小便去后，每日一服，别以温和调气补脾胃血气药将理。

【功用】逐阴固阳，扶危正命。

【主治】十种水气，足膝浮肿，上气喘满，小便不利者。

【宜忌】忌盐数月。

甘豆汤

【来源】《洪氏集验方》卷四。

【组成】黑豆一两　甘草半两

方中甘草原脱，据《普济方》补。

【用法】同煎汤服之。

【主治】脚肿。

【验案】脚肿　郭镇廷圭知县云，昔年太学士人，围闭中，多患脚肿，至腹则死。前后如此者非一人。后有施此方，服之皆愈。

三花神佑丸

【来源】《宣明论方》卷八。

【别名】神佑丸（《张氏医通》卷十六）。

【组成】甘遂　大戟　芫花（醋拌湿，炒）各半两牵牛二两　大黄一两（为细末）　轻粉一钱

【用法】上为末，滴水为丸，如小豆大。初服五丸，后每服加五丸，温水送下，每日三服。加至

快利，利后却常服，病去为度。病癖闷极甚者，便多服则顿攻不开，转加痛闷，则初服二丸，后每服加二丸，至快利为度。小儿丸如麻子大，随强弱增损，三四岁者三五丸，依前法。

【功用】

1.《宣明论方》：宣通气血，消进酒食。

2.《普济方》：进饮食，削痞满。

【主治】

1.《宣明论方》：中满腹胀，喘嗽淋闷，一切水湿肿满，湿热肠垢沉积，变生疾病；久病不已，黄瘦困倦，气血壅滞，不得宣通；或风热燥郁，肢体麻痹，走注疼痛；风痰涎嗽，头目旋运；疟疾不已，癥瘕积聚，坚满痞闷；酒积食积，痰饮呕逆；妇人经病不快，带下淋沥，无问赤白；男子妇人伤寒，湿热腹满实痛，久新瘦弱，久新腰痛，一切下痢；小儿惊疳积热，乳癖肿满。

2.《张氏医通》：阳水肿胀，大小便秘。

【方论】

1.《医方考》：甘遂能达痰涎窠匿之处，大戟、芫花能下十二经之饮，黑丑亦逐饮之物，大黄乃推荡之剂，佐以轻粉者，取其无窍不入，且逐风痰积热，而解诸药之辛烈耳。

2.《张氏医通》：此方守真本仲景十枣汤加牵牛、大黄、轻粉三味。较十枣倍峻，然作丸缓进，则威而不猛。

大戟丸

【来源】《宣明论方》卷八。

【组成】大戟　芫花（醋炒）　甘遂　海带　海藻　郁李仁　续随子各半两　樟柳根一两（上八味，为末，每料抄药末十五钱七分，便入后药）　硇砂　轻粉　粉霜各一钱　水银沙子一皂子大　龙脑半钱　巴豆二十一个（生用，去皮）

【用法】上八味以下同研匀，用枣肉为丸，如绿豆大。每服五丸至七丸，食后、临卧用龙脑、腊茶送下。

【主治】十种水气，肿胀喘满，热寒咳嗽，心胸痞闷，背项拘急，膀胱紧，肿于小腹，小便不通，反转大便溏泄，不能坐卧。

大橘皮汤

【来源】《宣明论方》卷八。

【组成】橘皮一两（去白）　木香一分　滑石六两　槟榔三钱　茯苓一两（去皮）　木猪苓（去皮）　泽泻　白术　官桂各半两　甘草二钱

【用法】上为末。每服五钱，水一盏，加生姜五片，煎至六分，去滓温服。

【主治】湿热内甚，心腹胀满，水肿，小便不利，大便滑泄。

【验案】顽固性肝硬化腹水　《河北中医》（2004，1：11）：用本方颗粒剂治疗顽固性肝硬化腹水者33例，对照组36例予速尿、安体舒通等药物治疗。结果：治疗组显效12例，好转18例，无效3例，总有效率90.91%；对照组显效9例，好转15例，无效12例，总有效率66.67%。

万胜散

【来源】《宣明论方》卷八。

【组成】海带　海藻　海蛤　芫花（醋浸，炒）　甘遂　大戟　甜葶苈　樟柳根　续随子　巴戟（去心）各等分

【用法】上为末。每服三钱至五钱，临卧温酒调下，一日二次。

【主治】十种水气。

白术木香散

【来源】《宣明论方》卷八。

【组成】白术　木猪苓（去皮）　赤茯苓　甘草　泽泻各半两　木香　槟榔各三钱　陈皮二两（去白）　官桂二钱　滑石三两

【用法】上为末。每服五钱，水一盏，加生姜三片，同煎至六分，去滓，食后温服。

【主治】喘嗽肿满，欲变成水病者，不能卧，不能食，小便闭。

苦葶苈丸

【来源】《宣明论方》卷八。

【别名】葶苈丸（《医学纲目》卷二十四）。

【组成】人参二两　苦葶苈四两（于锅内纸上炒黄色为度）

【用法】上为细末，用枣肉为丸，如梧桐子大。每服十五丸，空心、食前煎桑白皮汤送下，一日三次。

【主治】一切水湿气，通身肿满不可当者。

茯苓散

【来源】《宣明论方》卷八。

【别名】槟榔散（《普济方》卷一九二引《医方集成》）。

【组成】芫花（醋拌，炒）　泽泻　郁李仁　甜葶苈　汉防己　藁本各三钱半　陈皮（去白）　白茯苓　白槟榔　瞿麦各半两　滑石　大戟各七钱半

方中茯苓原脱，据《袖珍方》补。

【用法】上为末。每服三钱，桑白皮煎汤，空心调下，取下碧绿水如烂羊脂为度。

【主治】诸般气肿。

【宜忌】忌盐食百日。

牵牛丸

【来源】《宣明论方》卷八。

【组成】黑牵牛　黄芩　大黄　大椒　滑石各等分

【用法】上为细末，酒煮面糊为丸，如梧桐子大。每服五丸至七丸，食后生姜汤送下。

【主治】一切湿热肿满。

桂苓白术丸

【来源】《宣明论方》卷九。

【组成】拣桂　干生姜各一分　茯苓（去皮）　半夏各一两　白术　红皮（去白）　泽泻各半两（一法更加黄连半两，黄柏二两）

【用法】上为末，面糊为丸，如小豆大。每服二三十丸，生姜汤送下，一日三次。病在膈上，食后服；在下，食前服；在中，不拘时候。

【功用】消痰逆，止咳嗽，散痞满壅塞，开坚结痛闷，推进饮食，调和脏腑，流湿润燥，宣平气液，解酒毒。

【主治】寒湿，湿热呕吐泻利，肺痿劳嗽，水肿腹满。

葶苈膏

【来源】《宣明论方》卷八。

【组成】牛黄　麝香　龙脑各一分　昆布　海藻各二十分（洗）　牵牛　桂心各八分　椒目三分　葶苈六分（炒）

【用法】上为末，别捣葶苈熬成膏，为丸，如梧桐子大。每服十丸，一日二次。稍利小便为度。

【主治】水肿腹胀。

葶苈木香散

【来源】《宣明论方》卷八。

【别名】葶苈木香汤（《普济方》卷一九一）。

【组成】葶苈　茯苓（去皮）　猪苓（去皮）　白术各一分　木香半钱　泽泻　木通　甘草各半两　辣桂一分　滑石三两

《保命歌括》有桔梗，《医林绳墨》有栀子，均无辣桂。

【用法】上为末。食前服三钱，白汤调下。

【功用】下水湿，消肿胀，止泄泻，利小便。

【主治】湿热内外甚，水肿腹胀，小便赤涩，大便滑泄。

【宜忌】若小便不得通利，而反转泄者，此乃湿热痞闷极深，而攻之不开，是能反为注泄，此正气已衰，而多难救也，慎不可攻之。

趁痛丸

【来源】《宣明论方》卷十三。

【组成】甘遂　大戟　芫花　黑牵牛各等分

【用法】上为末，以荞面同末和作饼子，切作棋子，煮熟。每服一钱，以利为度。相虚实加减。

【主治】走注疼痛，妇人经脉注滞，水肿腹胀。

雄黄神金散

【来源】《宣明论方》卷八。

【组成】雄黄　葶苈一两（用糯米和炒半熟，米不用）　泽泻二两　椒目半两　大戟　巴戟（去心）

茯苓（去黑皮） 芫花（醋五升，浸一日炒） 甘遂 桑白皮各一两

方中雄黄用量原缺。《普济方》：除椒目减半外，余均为各一两。《古今医统大全》：所主药加倍，余各等分，量人虚实加减。主治十种水肿证候。

【用法】上为末，从病发时随证加药一分，空心用井花水调下。每服一钱加至五钱，以利为度。

【主治】水气。

【宜忌】忌盐、醋、生冷、油腻之物。

【加减】从脚肿，根在心，加葶苈；从肚肿，根在腹，加椒目；从阴肿，根在胸，加泽泻；从膝肿，根在肝，加芫花；从面肿，根在肺，加桑白皮；从心肿，根在肋，加雄黄；从肢肿，根在脾，加甘遂；从口肿，根在小肠，加巴戟；从腰肿，根在肾，加大戟；从四肢肿，根在胃，加茯苓。

川连茯苓汤

【来源】《三因极一病证方论》卷五。

【别名】黄连茯苓汤（《医方类聚》卷五十三引《永类钤方》）。

【组成】黄连 茯苓各一两 麦门冬（去心） 车前子（炒） 通草 远志（去心，姜汁制，炒）各半两 半夏（汤洗去滑） 黄芩 甘草（炙）各一分

【用法】上锉散。每服四钱，水一盏半，姜钱七片，大枣一个，煎七分，去滓，食前服。

【主治】心虚为寒冷所中，身热，心躁，手足反寒，心腹肿病，喘咳，自汗，甚则大肠便血。

大 丸

【来源】《三因极一病证方论》卷十四。

【组成】羌活 白术各半两 陈皮 木通 黄耆 桑白皮各三分 木香一分 黑牵牛十两（五两炒，五两生）

【用法】上为末，炼蜜为丸，如弹子大。治风痰，散腹胁壅滞，清头目，浓煎生姜汤送下；取食伤，止赤白痢，煎枣汤送下；小便不利，灯心汤送下；伤寒，葱茶送下；如未快，用稀粥投之，用热茶汤亦可。须七日后方可服。已得泻，急欲止之，投冷白粥，即自止。

【主治】通身肿满，及痰气食积，伤寒感风，脾气横泄。

【宜忌】不得吃生冷、荤腥及滋味一日，只软饭淡粥可也。

当归散

【来源】《三因极一病证方论》卷十四。

【组成】当归（洗） 木香（煨） 赤茯苓 桂心 槟榔 赤芍药 牡丹皮 陈皮 木通 白术（各锉，焙干）各等分

【用法】上为末。脚膝头面肿，大小便不快，每服二钱，水一盏，紫苏二叶，淡木瓜一片如指大，同煎八分温服，一日三次；如已愈，常服，早晚二次。觉气下，或小便快，是效。

【主治】水肿，喘息奔急，皮肤溢满，足胫尤甚，两目下肿，腿股间冷，口苦舌干，心腹坚胀，不能正偃，偃则咳嗽，小便不通，梦中虚惊，不能安卧。

【宜忌】忌乌鸡肉，咸酸海味物。

【加减】脏寒，去槟榔；脐已凸，加大腹皮、木猪苓各一两。

附子绿豆汤

【来源】《三因极一病证方论》卷十四。

【组成】大附子一枚（重七钱者，生，去皮脐，半破） 绿豆二两

【用法】上以生姜一两（切），水二碗，煎至一碗，绞去滓，分三服，空腹温服。次日，将前附子破作四片，再用绿豆二两，生姜一两，如前煎服。第三日，复将附子作八片，如前煎。

【主治】寒克皮肤，壳壳然而坚，腹大身肿，按之陷而不起，色不变。

枣仁散

【来源】《三因极一病证方论》卷十四。

【组成】枣仁 赤茯苓 桂心各等分

【用法】上为末。每服二钱，米饮调下。

【主治】水气浮肿，无问久新老少。

【宜忌】禁盐。

茯苓苏子丸

【来源】《三因极一病证方论》卷十四。

【组成】茯苓　苏子　杏仁（去皮尖）各二两　橘皮　防己　葶苈（纸炒）各一两一分

【用法】上为末，炼蜜为丸，如小豆大。每服三十丸，食后桑白皮汤送下。

【主治】面肿，小便涩，心腹胀满。

复元丹

【来源】《三因极一病证方论》卷十四。

【别名】复元散（《嵩崖尊生全书》卷十一）。

【组成】附子（炮）二两　南木香（煨）　茴香（炒）　川椒（炒去汗）　独活　厚朴（去皮，锉，姜制，炒）　白术（略炒）　陈橘皮　吴茱萸（炒）　桂心各一两　泽泻一两半　肉豆蔻（煨）　槟榔各半两

【用法】上为末，面糊为丸，如梧桐子大。每服五十丸，紫苏汤送下，一日三次，不拘时候。先是旋利如倾，次乃肿消喘止。

【功用】助真火，养真土，运动枢机。

【主治】

1.《三因极一病证方论》：水肿。真火气亏，不能滋养真土，故土不制水，水液妄行，三焦不泻，气脉闭塞，枢机不通，喘息奔急，水气盈溢，渗透经络，皮肤溢满，足胫尤甚，两目下肿，腿股间冷，口苦舌干，心腹坚胀，不得正偃，偃则咳嗽，小便不通，梦中虚惊，不能安卧。

2.《医方一盘珠》：脾肾两虚，发肿，怕风。

【宜忌】禁欲并绝盐半年。

禹余粮丸

【来源】《三因极一病证方论》卷十四。

【别名】神仙万金丸（《是斋百一选方》卷十二）、神授万金丹（《医方类聚》卷一二七引《澹寮方》）、万金丹（《世医得效方》卷九）、针砂丸、蛇含石丸（《兰台轨范》卷五）。

【组成】蛇黄（大者）三两（以新铁铫盛入，炭火中烧蛇黄与铫子一般通赤，用钳取铫子出，便倾蛇黄入酽醋二升中，候冷，取出研极细则止，即含石）　禹余粮三两　真针砂五两（先以水淘净，控干，更以铫子炒干，入禹余粮一处，用米醋二升，就铫内煮醋干为度，却用铫并药入炭火中，烧通赤，倾药净，砖地上候冷，研无声即止。以三物为主，其次量人虚实，入下项药）　羌活　木香（煨）　茯苓　川芎　牛膝（酒浸）　白豆蔻（炮）　土茴香（炒）　蓬术（炮）　桂心　干姜（炮）　青皮（去瓤）　京三棱（炮）　白蒺藜　附子（炮）　当归（酒浸一宿）各半两（虚人老人全用半两，实壮人减之）

【用法】上为细末，拌极匀，以汤浸蒸饼，捩去水和药，丸如梧桐子大。食前温酒、白汤送下三十丸至五十丸，每日三服。兼以温和调补气血药助之。

【功用】

1.《是斋百一选方》：逐阴固阳，扶危正命。

2.《医门法律》：暖水脏。

【主治】

1.《三因极一病证方论》：十种水气，凡脚膝肿，上气喘满，小便不利。

2.《丹溪心法》：中满气胀，喘满，及水气胀。

3.《兰台轨范》：有形之积块。

【宜忌】

1.《三因极一病证方论》：切须忌盐。

2.《中药成方配本》：孕妇忌服。

消肿丸

【来源】《三因极一病证方论》卷十四。

【组成】滑石　木通　白术　黑牵牛（炒）　通脱木　茯苓　茯神（去木）　半夏（汤洗去滑）　陈皮各一分　木香半分　瞿麦穗　丁香各半钱

【用法】上为末，酒糊为丸，如梧桐子大。每服三十丸，灯心、麦门冬汤送服。

【主治】水肿喘满，小便不利。

消肿散

【来源】《三因极一病证方论》卷十四。

【组成】大黄（蜜蒸） 山栀（炒） 甘草（炙） 干葛 橘皮 麻黄（去节，汤） 马牙消 川芎各等分

【用法】上为细末。每服三钱，蜜汤调下。

【主治】水气浮肿，喘呼不得睡，烦热躁扰，渴燥，大小便不利。

第一退水丸

【来源】《三因极一病证方论》卷十四。

【组成】蓬术（炮） 三棱（煨） 桂心 青皮 益智各半两 巴豆二两（去皮，出油，别研）

【用法】上为末，面糊为丸，如梧桐子大。每服二三丸，用黄栀十个（擘破），荆芥、黑牵牛、酸浆草各少许煎汤，空腹送下。

【功用】化气，退水肿，去菀莝，利湿，通小便。

【主治】水肿病。

第二退水饼

【来源】《三因极一病证方论》卷十四。

【组成】甘遂 大戟

【用法】上为末，入面打水调为饼，如棋子大，火煨熟。每服一饼，五更淡茶汤嚼下。

【主治】水肿病，服第一退水丸未效者。

第三大腹子散

【来源】《三因极一病证方论》卷十四。

【组成】大腹子（炒） 桂心 茴香（炒） 陈皮各半两

【用法】上为末。每服二钱，米饮送下。

【功用】水肿取转后，调正胃气，进食。

葶苈大丸

【来源】《三因极一病证方论》卷十四。

【别名】葶苈丸（《医学纲目》卷二十四）、小葶苈丸（《赤水玄珠全集》卷五）。

【组成】甜葶苈（隔纸炒） 荠菜根各等分

【用法】上为末，炼蜜为丸，如弹子大。每服一丸，陈皮汤嚼下。只三丸，小便清；数丸，腹当依旧。

【主治】肿满腹大，四肢枯瘦，小便涩浊。

十水丸

【来源】《杨氏家藏方》卷十。

【组成】远志（去心） 石菖蒲（一寸九节者） 椒目（炒焦） 羌活（去芦头） 巴戟（去心） 肉豆蔻（面裹煨香）各一两 泽泻 木猪苓（去皮） 甜葶苈（纸衬炒黄） 白牵牛（炒黄）各半两

方中巴戟，《奇效良方》作大戟。

【用法】上为细末，面糊为丸，如梧桐子大。每服二十丸，加至三十丸，空心、食前温米饮送下。

【主治】十种水气，四肢肿满，面目虚浮，以手按之，少时方起，喘急不得安卧，小便赤涩。

分水散

【来源】《杨氏家藏方》卷十。

【组成】土狗一枚 轻粉一字

【用法】上为细末。每用少许搐鼻中。其黄水尽从鼻中出。

【主治】面浮水肿。

冬瓜丸

【来源】《杨氏家藏方》卷十。

【组成】大冬瓜一枚（先于头边切一盖子，取去中间瓤不用。以赤小豆水洗净，倾满冬瓜中，再用盖子合了，用竹签签定，以麻绵系，纸筋、黄泥通身固济，窨干。用糯谷破取糠片两大箩，埋冬瓜在内，以火着糠内煨之，候火尽取出。去泥刮冬瓜令净，薄切作片子，并豆一处焙干）

【用法】上为细末，水煮面糊为丸，如梧桐子大。每服五十丸，煎冬瓜子汤送下，不拘时候。小便利为验。

【主治】十种水气，浮肿喘满。

导水丸

【来源】《杨氏家藏方》卷十。

【组成】人参（去芦头） 木香 丁香 槟榔 青橘皮（去白） 陈橘皮（去白） 香白芷 郁李仁（去皮） 杜仲（生用） 桔梗（去芦头） 大戟 泽泻 黑牵牛（生用） 木通 樟柳根 桑根白皮 大黄（湿纸裹，煨熟用） 干漆（炒烟尽） 甘遂（麸炒令黄） 榆根白皮各等分

【用法】上为细末，每药末二两，炼蜜为丸，分作四丸。每服一丸，临卧用荆芥茶清嚼下。

【主治】男子妇人水气肿满。

【宜忌】忌盐百日并甘草三日。

茯苓汤

【来源】《杨氏家藏方》卷十。

【组成】白茯苓（去皮） 泽泻 香附子 橘红 大腹皮 干生姜 桑白皮（细锉，炒）各等分

【用法】上锉。每服五钱，水一盏半，煎至七分，去滓温服，不拘时候。

【主治】脾气不实，手足浮肿，小便秘涩，气急喘满。

桃仁散

【来源】《杨氏家藏方》卷十。

【组成】桃仁（汤浸，去皮尖，麸炒黄） 大腹子（面裹煨黄色） 白术 赤茯苓（去皮） 紫苏子各一两 木香 甘草（炙）各半两

【用法】上为细末。每服二钱，煎紫苏汤调下，不拘时候。

【主治】脾弱下虚，气不升降，荣卫不调，水道不利，三焦不顺，面目虚浮，环脐肿胀，坐卧不安。

消肿丸

【来源】《杨氏家藏方》卷十。

【组成】淡豉二两（新好者；研） 巴豆一两（去壳，河水半升煮干，去心，去油取霜） 京山棱（煨，切） 大戟（新者） 杏仁（烧留性，研细）各半两 五灵脂（去砂石）一分

【用法】上为细末，以生面水调，搜和为丸，如绿豆大。每服五丸，食后浓煎桑白皮汤送下。大便秘者，加至十丸；喘息者，用杏仁去皮尖，研细，煎汤送下。

【主治】水气腹胀，小便赤涩，头面、四肢、阴囊皆肿，喘息咳嗽，睡卧不得。

【宜忌】忌甘草三日，并须忌盐、酱、藏淹之物。

海蛤汤

【来源】《杨氏家藏方》卷十。

【组成】海蛤 泽泻 木猪苓（去皮） 木通 滑石 桑白皮 葵菜子各一两

【用法】上为细末。每服二钱，水一盏，加灯心十茎，通草二寸，同煎至七分，食前温服。

【主治】水气，肢体肿满，元气发动，遍身壮热，小便不通。

商陆散

【来源】《杨氏家藏方》卷十。

【组成】商陆根（取自然汁）一盏 甘遂末一钱 土狗一枚（自死者，细研）

【用法】上药同调，只作一服。空心、日午水调下。

【功用】取水。

【主治】十种水气。

【宜忌】忌食盐一百日，忌食甘草三日。

白术散

【来源】《杨氏家藏方》卷十九。

【组成】木香一分 白术 青橘皮（去白） 黑牵牛（半生半炒） 桑白皮（生）各半两

【用法】上为细末。每服半钱，温米饮调下，不拘时候。

【主治】小儿脾肺不调，饮食无度，腹胀喘粗，头面手足虚浮。

抵圣丸

【来源】《普济方》卷一九三引《杨氏家藏方》。

【组成】苦葶苈子不拘多少（于火上隔纸炒过）

【用法】上为细末，枣肉为丸，如小豆大。每服十丸，一日三次，食前煎麻子汤送下。五七日小便

利，肿消为效。如喘嗽，煎桑白皮汤送下。如小儿须另丸小丸与服，看儿大小加减丸数服，煎枣肉汤送下。

【主治】男子妇人头面手足虚肿。

【宜忌】忌生冷、醋、粘滑食物及盐。

紫金膏

【来源】《传信适用方》卷三引赵师傲方。

【组成】蛇含石二两（用炭一秤，蛇含石用新铁铫盛，却入炭火中煅通红，用米醋二升，倾蛇含石入醋内） 针砂五两（用水淘净，焙干，用米醋二升，同余粮于砂锅内煮干为度，却再入铁铫内，于炭煅通红，取出令冷，吹去灰，细研，全无砂声） 禹余粮三两 赤石脂一两（细研，旋入） 木香一两（切作片子，怀干） 肉豆蔻一两（湿纸裹，炮香熟） 川白姜一两（炮） 川芎一两 白茯苓一两 羌活一两（去芦头） 当归一两（去芦头，切片子，酒浸一宿） 杜茴香一两（炒香） 白蒺藜一两 川附子一只（重七钱者，炮，去皮尖） 三棱一两（炮） 青皮一两（去瓤） 陈皮一两（去瓤） 牛膝一两（切，酒浸一宿） 官桂一两（怀干） 蓬术一两（炮）

【用法】上焙干为末，用无盐蒸饼汤泡为糊，为丸如梧桐子大。每服三十丸至五十丸，空心、食前温酒送下。如不能饮酒，白汤亦得。

本方方名，据剂型，当作“紫金丸”。

【主治】十种水气。

【宜忌】忌盐三月，房事一年。患人若甲错、眼黑、脐凸、肚皮光，有青筋起，并不可下药。

神禹疏凿丸

【来源】《普济方》卷二二六引《卫生家宝》。

【组成】吴茱萸六两（拣） 茴香（拣） 苍术（锉） 陈橘皮（锉） 青盐各四两 川椒（去子及闭目者） 厚朴（锉，先去皮） 干姜（锉）各三两（上以水一盏，同于瓷器内煮，水尽为度，取出培干） 附子（炮，去皮脐） 枳实（去瓤，麸炒焦黄）各六两 木瓜四两（干者） 川乌（炮） 赤茯苓各三两 木香一两半 天雄（如无，以大附子代之） 椒目（炒） 木通（炮） 石硫黄（舶上者，去沙石，别研）各三两 阳起石二两半（真者，酒煮半日，别研极细）

【用法】上为细末，然后入阳起石、硫黄二味拌匀，生姜自然汁打面糊为丸，如梧桐子大。每服五十丸，温酒或米汤饮送下。

【功用】壮元气，补脾肾，逐痰饮，除湿肿。

【主治】元气衰少，膀胱津液虽藏而不化，又遇上焦有寒，不能引导阴阳，开通闭塞，决渎之官，自失所司，水道无从而出，又与气相壅，停留膈间，久而为饮，渐渍脾土，脾即得湿，而化郁蒸淫于肢腹，上浮于肺，肾尤虚者，则独乘于下部，是以令人素盛而今衰瘦，膈间常有水声，胁肋胀闷，上气喘急，四肢沉重，遍身浮肿，或遍疰腰脚，小便减少，饮食不思。

桂苓甘露饮

【来源】《医学启源》卷中。

【别名】桂苓甘露散（《御药院方》卷二）。

【组成】白茯苓（去皮） 白术 猪苓 甘草（炙） 泽泻各一两 寒水石一两（别研） 桂（去粗皮）半两 滑石二两（别研）

【用法】上为末，或煎，或水调，二三钱任意，或入蜜少许亦得。

【功用】流湿润燥，宣通气液，解暑毒，兼利小水。

【主治】饮水不消，呕吐泻利，水肿腹胀，泄泻不能止者；兼治霍乱吐泻，下利赤白，烦渴。

大戟散

【来源】《洁古家珍》。

【组成】大戟 白牵牛（头末） 木香各等分

【用法】上为细末。每服三钱，以猪腰子一对，批开，掺药在内，烧熟，空心食之；如肿不能全去，于腹绕脐涂甘遂细末，饮甘草水，其肿尽去。

【主治】水肿，腹大如鼓，或遍身皆肿。

瓜桂散

【来源】方出《是斋百一选方》卷十二，名见《普济方》卷一九二。

【组成】冬瓜一枚　肉桂十两

【用法】上用着中冬瓜一枚，去瓤，以肉桂十两锉入冬瓜中，盖口湿纸裹数重，撅地坑，簇以炭火煅令存性为末。每服二钱，米饮调下，一日二次。

【主治】水气。

沉香附子汤

【来源】《魏氏家藏方》卷六。

【别名】沉附汤（《类编朱氏集验方》卷四）、二味沉附汤（《景岳全书》卷五十八引《全集》）。

【组成】沉香一块　附子一只（九钱重者，炮，去皮脐，切片子）

【用法】用水一盏，以沉香于砂盆内，旋以水少许，磨沉香三百匝，以余水洗下，将附子分作三服，以沉香水煎，每加生姜五片，煎至七分，去滓，食前服，以吞既济丹尤佳。

【主治】

1. 《类编朱氏集验方》肿病，喘满。

2. 《医方类聚》引《济生续方》：上盛下虚，气不升降，阴阳不和，胸膈痞满，饮食不进，肢节痛倦。

3. 《岭南卫生方》：瘴疾，上热下寒，腿足寒厥。

4. 《普济方》：风寒痞隔，中焦下焦不升降，水凝而不通，肿面满，小便不利。

【方论】《瘴疟指南》：是方用附子，乃肾经本药，加以沉香，能引上焦阳气入肾，肾中有阳气则下元暖，根本固而邪风自息矣。

内消丸

【来源】《魏氏家藏方》卷九。

【组成】焰消一两　胡椒四十九粒　虢丹一字

【用法】上为细末，饭为丸，如梧桐子大。每服十五丸至二十丸，用滑石、木通煎汤送下。

【功用】通水道。

狼毒丸

【来源】《魏氏家藏方》卷九。

【组成】雄黄（生）　狼毒　肉桂（去粗皮，不见火）四钱　大附子（炮，去皮脐）　汉椒（去目，炒出汗）　干漆（炒烟绝）　甘遂（生用）各一两二钱　当归半两（去芦）　芫花（醋炒）　川大黄（生）　槟榔（生用）各一两半　大戟（生）　桃仁（连皮炒）　茱萸（生）　厚朴（去皮，姜制）　干姜（炮，洗）　枳壳（生，去瓤）　犀角（生用）各一两　鳖甲（炙）　银川柴胡（生用）各一两四钱

方中雄黄、狼毒用量原缺。

【用法】上为细末，炼蜜为丸，如梧桐子大。每服十丸，以温汤送下。

【主治】腹胀水肿。

通气丸

【来源】《魏氏家藏方》卷九。

【组成】附子（大者）一只（生，去皮脐，切薄片）　大蒜头五枚（剥去皮苗，捶令碎）　赤小豆五两（拣净。以上三味放于砂锅内，加水三升煮，渐添至五升，慢火煮干为度，只取附子焙干为末，余药不用）　白花商陆根半两　南木香　沉香二钱（不见火）　车前子

方中南木香、车前子用量原缺。

【用法】上同附子为细末，用薏苡仁末水煮作糊为丸，如梧桐子大。每服四五十丸，空心、食前以薏苡仁煎汤送下，一日二至三次，病重者一日五次。

【主治】脾肾气虚，肾水流溢，四肢作肿，面目虚浮，腰脚肿胀，游走不定，小便赤涩，大便秘结，胀满气痞，脚膝无力，食少倦怠，渐成水肿。

椒巴丸

【来源】《魏氏家藏方》卷九。

【组成】胡椒二百粒　巴豆十粒（去皮膜心，用竹纸十余重出油尽，频频换纸，油尽为度）

【用法】上为细末，醋煮面糊为丸，如绿豆大。每服一丸，食后淡姜汤送下。实者二服，虚者一服，以小便频数为效。一两月不妨。

【主治】十种水气。

【宜忌】忌食盐物醃藏之品，大忌湿面。

橘姜丸

【来源】《魏氏家藏方》卷九。

【组成】蓬莪术（炮） 青橘皮（去瓤） 生姜各等分

【用法】用好醋煮令烂，只取青皮一味为末，煮粟米粥为丸，如梧桐子大。每服五十丸，食前淡姜汤吞下，茶酒亦得。此药不泻，不利小便，只泄气自退。须服半月，方见功效。

【主治】肿胀。

牛黄通膈丸

【来源】《儒门事亲》卷十二。

【组成】黑牵牛 大黄 木通各半两（各另取末）

【用法】上为细末，水为丸，如黍粒大。每服量儿大小，三五十丸或百丸，食后温水送下。

【主治】

1. 《儒门事亲》：小儿奶癖，身热吐下，腹满，不进乳者。

2. 《普济方》引《经验良方》：大人、小儿风痰喘咳，积聚诸病，水气浮肿。

玉井散

【来源】《儒门事亲》卷十二。

【组成】瓜蒌根二两 甘遂一两（制用）

【用法】上为细末。以麝香汤调下三钱，临卧服。

【功用】泻下。

【主治】《普济方》：水肿。

禹功散

【来源】《儒门事亲》卷十二。

【组成】黑牵牛（头末）四两 茴香一两（炒）（或加木香一两）

《世医得效方》用生姜自然汁调药少许灌之鼻中。

【用法】上为细末。以生姜自然汁调一二钱，临卧服。

【功用】《景岳全书》引子和：泻水。

【主治】

1. 《儒门事亲》：妇人大产后，败血恶物所致脐腹腰痛，赤白带下或出白物如脂。

2. 《世医得效方》：卒暴昏愦，不知人事，牙关紧硬，药不下咽。

3. 《丹溪心法》：阳水肿，若病可下而气实者。

4. 《普济方》：癞疝。

5. 《古今医鉴》：寒湿外袭，使内过劳，寒疝囊冷，结硬如石，阴茎不举，或控引睾丸而痛。

6. 《张氏医通》：阳水便秘，脉实，初起元气未伤者。

7. 《医方集解》：寒湿水疝，阴囊肿胀，大小便不利。

【宜忌】《医方论》：此方峻猛，不可轻用。

【方论】

1. 《医方集解》：此足少阴、太阳药也。牵牛辛烈，能达右肾命门，走精隧，行水泄湿，兼通大肠风秘、气秘；茴香辛热温散，能暖丹田，祛小肠冷气，同入下焦以泄阴邪也。

2. 《绛雪园古方选注》：禹功者，脾湿肿胀肉坚，攻之如神禹决水。牵牛苦热，入脾泻湿，欲其下走大肠，当从舶茴辛香引之，从戊入丙至壬，开通阳道，走泄湿邪，决之使下，一泻无余，而水土得平。

神祐丸

【来源】《儒门事亲》卷十二。

【组成】甘遂（以面包，不令透水，煮百余沸，取出，用冷水浸过，去面，焙干） 大戟（醋浸煮，焙干用） 芫花（醋浸煮）各半两 黑牵牛一两 大黄一两

【用法】上为细末，滴水为丸，如小豆大。每服五七十丸，临卧温水送下。

【主治】

1. 《儒门事亲》：瘴疠痃疾，昏瞀懊憹；胃脘当心而痛；足闪肭痛，肿起热痛如火者。

2. 《医碥》：肿胀。

【验案】胃脘痛 《续名医类案》：一教谕年五十一，因酒食过饱，胃脘作痛，每食后其气自两肩下及胸次，至胃口，痛不可忍，令人将手重按痛处，移时忽响动一声，痛遂止。如是八年，肌瘦

如柴，诊之六脉微数，气口稍大有力。以神祐丸一服下之，其痛如失。后以参苓白术散调理复元。

益肾散

【来源】《儒门事亲》卷十二。
【组成】甘遂（以面包，不令透水，煮百余沸，取出，用冷水浸过，去面，焙干）
【用法】上为细末。每服三钱，以猪猪腰子细批破，以盐、椒等物淹透烂切，掺药在内，以荷叶裹，烧熟，温淡酒调下。
【功用】泻下。

木通散

【来源】《儒门事亲》卷十五。
【组成】海金砂　舶上茴香　巴戟　大戟　甘遂　芫花　木通　滑石　通草各等分
【用法】上为细末。每服三钱，以大麦面和作饼子，如当二钱大，烂嚼，生姜汤送下。
【主治】水肿。

山柰汤

【来源】《经验良方》。
【组成】山柰　桂各三钱　野艾蒿　杜松实各一钱半　大黄一钱
【用法】水煎服。
【主治】虚证水肿。

桂铁散

【来源】《经验良方》。
【组成】铁粉　桂各三分一
【用法】上为末。每日服四五钱。
【主治】水肿愈后，因纤维弛缓易再发者。

海葱散

【来源】《经验良方》。
【组成】海葱五厘
【用法】上为末。顿服，每日一次。
【主治】虚证水肿。

藤黄炼

【来源】《经验良方》。
【组成】藤黄一分　生姜三分
【用法】烧酒炼和。一日服尽。
【主治】实证水肿。

大戟散

【来源】《普济方》卷一九二引《经验良方》。
【组成】红芽大戟（炒。主脾）　甜葶苈（炒。主肺）　黑牵牛（半生半熟。主肾）　续随子（炒，去壳。主肝）　甘遂（炒。主心）各一两
【用法】观其五脏病证，其病证之药加一两，共二两，并为末。煎灯心汤，五更初服一钱。用药多少，相老少虚实加减。至天明其水下三五次，其肿即消，却用生葱、姜煮粥止之，隔日服平胃散补贴。如体虚不堪再下者，只用前药面糊为丸，谓之磨化丸，每服二十丸，三日一服。
【主治】脾元虚惫，水气肿满。

甘甜丸

【来源】《普济方》卷一九三引《经验良方》。
【组成】甘遂半两（水煮）　甜葶苈一两（炒）　细辛（去苗）一两半　川椒二两（炒）
【用法】上为末。炼蜜为丸，如梧桐子大。每服十五丸，朝晨、日午、临卧白汤送下。
【主治】水肿腹胀。

赤茯苓散

【来源】《普济方》卷一九三引《经验良方》。
【组成】赤茯苓　桑白皮　贝母各一钱　升麻　甘草　桔梗（微炒）　杏仁　甜葶苈（炒）各半钱
【用法】上锉。每服三钱，水一盏，煎六分服，小儿作三服。
【主治】大人、小儿水气肿满，喘咳不止。

枳壳丸

【来源】《普济方》卷一九二引《经验良方》。
【组成】枳壳（炒） 香附子（炒，去毛） 茴香（微炒） 萝卜子（微炒）各等分
【用法】上为末，煮面糊为丸，如梧桐子大。每服五七十丸，空心煎橘叶汤送下。
【主治】遍身黄肿，外肾亦肿。

香茯苓散

【来源】《普济方》卷一九三引《经验良方》。
【组成】木香（炮） 赤茯苓各一钱 大黄 甘草 鳖甲（炙）各二钱 黑牵牛三钱（头末）
【用法】上为末。每服半钱，温热水调下。以利为度。
【主治】水气，四肢浮肿，腹胁妨闷，大便秘涩。

归表汤

【来源】《医方类聚》卷一二九引《经验良方》。
【组成】羌活二钱半 青皮半两（炒） 黑牵牛（头末）一两
【用法】上用末。每服一钱，以樟柳根、绿豆、桑白皮煎汤调下。
【主治】水气，四肢虚肿。

吴茱萸丸

【来源】《医方类聚》卷一二九引《经验良方》。
【组成】吴茱萸四两 甜葶苈二两（炒） 甘遂一两（水煮）
【用法】上焙干，为末，炼蜜为丸，如梧桐子大。每服十丸，晨、午、临卧米饮送下。
【主治】水肿腹胀。

中满分消丸

【来源】《兰室秘藏》卷上。
【组成】白术 人参 炙甘草 猪苓（去黑皮） 姜黄各一钱 白茯苓（去皮） 干生姜 砂仁各二钱 泽泻 橘皮各三钱 知母（炒）四钱 黄芩（去腐，炒，夏用）一两二钱 黄连（净，炒） 半夏（汤洗七次） 枳实（炒）各五钱 厚朴（姜制）一两
【用法】上除茯苓、泽泻、生姜外，共为极细末，入上三味和匀，汤浸蒸饼为丸，如梧桐子大。每服一百丸，焙热，白汤送下，食远服。量病人大小加减。
【主治】中满热胀，鼓胀，气胀，水胀。

麻黄白术汤

【来源】《兰室秘藏》卷下。
【别名】麻黄白术散（《东垣试效方》卷七）。
【组成】青皮（去腐） 酒黄连各一分 酒黄柏 橘红 甘草（炙，末） 升麻各二分 黄耆 人参 桂枝 白术 厚朴 柴胡 苍术 猪苓各三分 吴茱萸 白茯苓 泽泻各四分 白豆蔻 炒曲各五分 麻黄（不去节）五钱 杏仁四个
【用法】上锉，分作二服。以水一大盏半，先煮麻黄令沸，去沫，再入诸药，同煎至一盏，去滓，稍热食远服。
【主治】大便不通，五日一遍，小便黄赤，浑身肿，面上及腹尤甚，色黄，麻木，身重如山，沉困无力，四肢痿软，不能举动，喘促唾清水，吐哕，痰唾白沫如胶，时躁热，发欲去衣，须臾而过则振寒，项额有时如冰，额寒尤甚，头旋眼黑，目中溜火，冷泪，鼻不闻香臭，少腹急痛，当脐有时动气，按之坚硬而痛。
【方论】《医方集解》：此足三阳三阴通治之剂也。桂枝、麻黄解表祛风；升麻、柴胡升阳散火；黄连、黄柏燥湿清热，而黄柏又能补肾滋阴；蔻、朴、青、陈利气散满，而青、紫又能平肝，蔻、朴又能温胃；杏仁利肺下气；神曲化滞调中；吴萸暖肾温肝；参、耆、甘草、苍白二术补脾益气；二苓、泽泻通利小便，使湿去而热亦行。方内未曾有通大便之药，盖清阳升则浊阴自降矣。

导滞通经汤

【来源】《医学发明》卷六。
【别名】导气通经汤（《杏苑生春》卷六）。
【组成】陈皮 桑白皮 白术 木香 茯苓（去

皮）各一两

【用法】上锉。每服半两，水二盏，煎至一盏，食前去滓温服。

【主治】脾湿有余，及气不宣通，面目手足浮肿。

【加减】霖雨时加泽泻半两。

【方论】《卫生宝鉴》：《内经》曰，湿淫所胜，平以苦热，以苦燥之，以淡泄之。陈皮苦温，理肺气，去气滞，故以为主；桑白皮甘寒，去肺中水气，水肿胪胀，利水道，故以为佐；木香苦辛温，除肺中滞气；白术苦甘温，能除湿和中，以苦燥之；以茯苓甘平，能止渴除湿，利小便，以淡泄之，故以为使也。

赤茯苓丸

【来源】《医学发明》卷六。

【组成】葶苈四两　防己二两　赤茯苓一两　木香半两

【用法】上为细末，枣肉为丸，如梧桐子大。每服三十丸，食前煎桑白皮汤送下。

【主治】脾湿太过，四肢肿满，腹胀喘逆，气不宣通，小便赤涩。

海金沙散

【来源】《医学发明》卷六。

【组成】牵牛一两半（半生半炒）　甘遂　海金砂各半两。

《卫生宝鉴》有白术一两。

【用法】上为细末。每服二钱，煎倒流水一盏调下，食前服。得宣利，止后服。

【主治】脾湿太过，通身肿满，喘不得卧，腹胀如鼓。

续随子丸

【来源】《医学发明》卷六。

【组成】人参　木香　汉防己　赤茯苓（面蒸）　大槟榔　海金沙各五钱（另研）　续随子一两　葶苈四两（炒）

【用法】上为末，枣肉和为丸，如梧桐子大。每服二十丸至三十丸，食前，煎桑白皮汤送下。

【主治】

1.《医学发明》：通身肿满，喘闷不快。

2.《医门法律》：肺经有湿，通身虚肿。喘闷不快，或咳或喘。

天真丹

【来源】《医学发明》卷七。

【组成】沉香　巴戟（酒浸，去心）　茴香（盐炒香，去盐用）　萆薢（酒浸，炒）　胡芦巴（炒香）　破故纸（炒香）　杜仲（炒去丝）　牵牛（盐炒香黑，去盐）　琥珀各一两　肉桂半两

【用法】上为细末，用原浸药酒打面糊为丸，如梧桐子大。每服五十丸至七八十丸，空心温酒送下。

本方改为散剂，名“天真散”（《中国医学大辞典》）。

【主治】

1.《医学发明》：下焦阳虚。

2.《绛雪园古方选注》：下焦阳虚，脐腹痼冷，腿肿如斗，囊肿如升，肌肉坚硬，按之不窅。

七皮散

【来源】《济生方》卷四。

【组成】大腹皮　陈皮　茯苓皮　生姜皮　青皮　地骨皮　甘草皮各半两

【用法】上为细末。每服三钱，水一大盏，煎八分，温服，不拘时候。

【主治】水肿。

三仁丸

【来源】《济生方》卷四。

【组成】郁李仁　杏仁（炮，去皮尖）　薏苡仁各一两

【用法】上为细末，米糊为丸，如梧桐子大。每服四十丸，不拘时候，米饮送下。

【主治】水肿喘急，大小便不利。

加味肾气丸

【来源】《济生方》卷四。

【别名】金匮加减肾气丸（《保婴撮要》卷五）、

加味八味丸（《医学入门》卷七）、金匮肾气丸（《冯氏锦囊秘录》卷十一）、济生肾气丸（《张氏医通》卷十六）、资生肾气丸（《医宗金鉴》卷二十六）。

【组成】附子（炮）二个　白茯苓　泽泻　山茱萸（取肉）　山药（炒）　车前子（酒蒸）　牡丹皮各一两（去木）　官桂（不见火）　川牛膝（去芦，酒浸）　熟地黄各半两

【用法】上为细末，炼蜜为丸，如梧桐子大。每服七十丸，空心米饮送下。

本方改为汤剂，名“金匮肾气汤”（《证因方论集要》卷二）、“肾气汤”（《医林纂要探源》卷十）、“加减金匮肾气汤”（《医门八法》卷三）。

【功用】《中国药典》：温肾化气，利水消肿。

【主治】

1.《济生方》：肾虚腰重，脚肿，小便不利。

2.《医方集解》：蛊证，脾肾大虚，肚腹胀大，四肢浮肿，喘急痰盛，小便不利，大便溏黄；亦治消渴，饮一溲一。

【方论】《医方集解》：此足太阴、少阴药也。桂附八味丸滋真阴而能行水，补命火因以强脾，加车前利小便而不走气，加牛膝益肝肾借以下行，故使水道通而肿胀已，又无损于真元也。

【验案】

1. 慢性肾炎　《新中医药》（1957，9：30）：用本方（熟地四钱，山药、山萸、泽泻、丹皮、肉桂、车前子、淮牛膝各一钱，茯苓三钱，附子五分）治疗慢性肾炎 6 例。临床观察结果：本方能使浮肿逐渐减退或减轻，尿量逐渐增多，尿蛋白消失或减少，肾功能改善，病人食欲增加，体力增强，血压降低。治疗过程中未发现副作用。

2. 口疮　《辽宁中医杂志》（1994，6：268）：应用济生肾气汤全方，水煎，每日 2 次温服。治疗久治不愈的口疮 30 例，病例病程一般在数月至 15 年间，以 1 ~ 5 年者居多。结果：痊愈（治疗后，疮面愈合，停药半年以上不复发）10 例，显效（治疗后，疮面愈合，停药 3 个月未复发者）11 例，好转（治疗后，病程缩短，疮面数目减少，直径变小，间隙期延长）8 例，无效（连续服药 1 个月，症状未见明显改善）1 例。

3. 肾病综合征　《陕西中医》（1997，4：149）：用本方加味（八味地黄丸加车前子、牛膝、生黄芪、当归），水肿甚者加桑白皮、白茅根；腹胀纳差者加生苡仁、砂仁；大便干燥者加生大黄；肾阴虚阳亢者加知母、黄柏；面色苍白，神萎纳呆者加鹿角粉；面目红赤，痤疮者加五味消毒饮，每日 1 剂，水煎服，治疗肾病综合征 57 例。结果：完全缓解 19 例，好转 45 例，近期总有效率 95%。

疏凿饮子

【来源】《济生方》卷五。

【别名】疏凿散（《杏苑生春》卷六）。

【组成】泽泻　商陆　赤小豆（炒）　羌活（去节）　大腹皮　椒目　木通　秦艽（去芦）　茯苓皮　槟榔各等分

【用法】上锉。每服四钱，水一盏半，加生姜五片，煎至七分，去滓温服，不拘时候。

【主治】水气，通身洪肿，喘呼气急，烦躁多渴，大小便不利，服热药不得者。

【方论】

1.《医方集解》：此足太阳手足太阴药也。外而一身尽肿，内而口渴便秘是上下表里俱病也。羌活、秦艽解表疏风，使湿以风胜，邪由汗出，而升之于上；腹皮、苓皮、姜皮、辛散淡渗，所以行水于皮肤；商陆、槟榔、椒目、赤豆，去胀攻坚，所以行水于腹里；木通泻心肺之水，达于小肠，泽泻泻脾肾之水，通于膀胱。上下内外分清其势，亦犹神禹疏江凿河之意也。

2.《医略六书》：水积膀胱，气不施化，而心火不降，水精不能上奉，故浮肿、烦渴、小便不利焉。泽泻通利膀胱，商陆大泻积水，小豆降心气以利水，茯苓化肺气以澄源，槟榔破三焦之气，腹皮泻三焦之满，木通寒以利之，椒目温以行之，羌活行周身之气，秦艽活通体之血，生姜温散以行水湿。使水道如常，心火自降，则水积四布，而烦渴无不解，浮肿无不除矣。此通经络以泄水气之剂，为烦渴、浮肿、小便不利无火之方。

3.《医宗金鉴》：以商陆为君，专行诸水。佐羌活、秦艽、腹皮、苓皮、姜皮行在表之水，从皮肤而散，佐槟榔、赤豆、椒目、泽泻、木通，行在里之水，从二便而出。上、下、内、外，分消其势，亦犹神禹疏凿江河之意也。

4.《医方论》：疏凿饮，名色甚佳，用药亦较

舟车丸已轻一筹，然吾见服商陆者，必然大泻，胸腹骤宽，不逾时而复胀，万无生理。盖逐水自前阴而出者得生，自后阴而出者必死，学者慎之哉！

5.《汤头歌诀详解》：本方是发表、泻下，利尿等药复合组成的方剂。它是根据《内经》平治权衡，去宛陈莝，开鬼门，洁净府的理论创制而成。方中用羌活、秦艽发汗解表，以开鬼门（汗孔），使水从汗而出；用腹皮、姜皮、苓皮辛散淡渗，消散皮肤之水；用商陆、槟榔破结攻积，以去宛陈莝，使水从大便排出；更用椒目、赤豆、木通、泽泻利水道以洁净府，使水从小便而出。其泻水之功，有如疏江凿河，分减泛滥之水势，所以叫作疏凿饮子。可见本方是为阳水实证而设。如属阴水虚证，那应该采取温肾化气，健运脾土以利水湿的方法，切不可误投本方，造成虚虚之过。

【验案】肝硬化腹水　《山东中医杂志》（1997，10：447）：用本方为基础，气臌型，加香附、莱菔子、槟榔；血臌型，加益母草、郁金、赤芍、三七粉；水臌型，加猪苓、葶苈子、黄芪；水煎服，30天为1疗程；治疗肝硬化腹水100例。结果：腹水明显减少者15例，腹水消失者77例。

实脾散

【来源】《医方类聚》卷一二八引《济生方》。

【组成】厚朴（去皮，姜制炒）　白术　木瓜（去瓤）　木香（不见火）　草果仁　大腹子　附子（炮，去皮脐）　白茯苓（去皮）　干姜（炮）各一两　甘草（炙）半两

【用法】上锉。每服四钱，水一盏半，加生姜五片，大枣一个，煎至七分，去滓温服，不拘时候。

【功用】

1.《医方类聚》引《济生方》：实脾土。

2.《方剂学》：温阳健脾，行气利水。

【主治】

1.《医方类聚》引《济生方》：阴水。

2.《方剂学》：阳虚水肿，身半以下肿甚，手足不温，口中不渴，胸腹胀满，大便溏薄，舌苔厚腻，脉沉迟者。

【宜忌】《仁术便览》：忌食盐酱，甜物少用。

【方论】

1.《医方考》：用白术、茯苓、甘草之甘温者补其虚，用干姜、附子之辛热者温其寒，用木香、草果之辛温者行其滞，用厚朴、腹子之下气者攻其邪，用木瓜之酸温者抑其所不胜。

2.《医方集解》：此足太阴药也，脾虚故以白术、苓、草补之，脾寒故以姜、附、草蔻温之，脾湿故以大腹、茯苓利之，脾滞故以木香、厚朴导之。然土之不足，由于木之有余，木瓜酸温能于土中泻木，兼能行水，与木香同为平肝之品，使木不克土而肝和，则土能制水而脾实矣。经曰：湿胜则地泥。泻水正所以实土也。

3.《张氏医通》：治水以实脾为先务，不但阴水为然。方下所云，治阴水发肿，宜此先实脾土。俨然阴水当温散，阳水当寒泻之旨横于胸中。夫阴水因肾中真阳衰微，北方之水不能蛰藏，而泛溢无制，倘肾气不温，则真阳有灭顶之凶矣。实土堤水，宁不为第二义乎？何方中不用肉桂辛温散结，反用木瓜、厚朴、大腹子耶？即有滞气当散，厚朴尚可暂投，若大腹子之开泄大便，断乎不可妄用也。

4.《医略六书》：脾气虚衰，寒湿内滞，不能为胃行其津液，而输化无权，故大腹胀满，泄泻不止焉。附子补火，力能生土，白术健脾，性燥湿，干姜暖胃祛寒，茯苓和脾渗湿，草果消寒滞，厚朴散湿满，大腹泻满退胀，广木香调气和中，宣木瓜平肝木以舒脾，粉甘草缓中州以和胃，生姜散寒邪以温胃也。水煎温服，俾脾气内强，则为胃行其津气而寒湿自散，输纳有权，何腹胀泄泻之不退哉？此实脾退胀之剂，为脾虚寒湿胀泻之专方。

5.《医宗金鉴》：脾胃虚，则土不能制水，水妄行肌表，故身重浮肿，用白术、甘草、生姜、大枣以实脾胃之虚也。脾胃寒，则中寒不能化水，水停肠胃，故懒食不渴，二便不实，用姜、附、草果以温脾胃之寒。更佐大腹、茯苓、厚朴、木香、木瓜者以导水利气。盖气者水之母也，土者水之防也，气行则水行，土实则水治，故名曰实脾也。

6.《医林纂要探源》：阴水之作，由命火不壮，脾胃虚寒，而或外兼冷饮，身冒寒湿，土不能制水，则水妄行无制而浮肿也。白术实脾燥湿

之君药，茯苓佐白术以渗湿，甘草佐白术以厚脾，厚朴破土中之郁塞，草豆蔻暖脾胃，开郁积。大腹子苦涩，功专降泄，彻于下极，攻坚破积，燥湿除痰，而涩味亦能敛阴。按大腹子之力不及槟榔，然此不用槟榔而用大腹子，意以功专脾胃欤。木香亦以通理三焦之气，然槟榔降浊之意为多，木香升清之意为多。木瓜酸以泻肝邪于土中，敛水气以归化，故能舒筋消肿。土不能制水，肾不能摄水，皆以命门火衰故也，附子以大壮命火，则肾中有阳而脾暖能制水矣。黑姜色黑入肾，以佐附子补命门火，此二味又所以实脾之根本也。

7.《医方论》：主治条下，有色悴声短、口不渴、二便利数语，则此症乃脾肾虚寒。当用香砂六君，合温肾渗湿之剂。若徒事破气利湿，色悴者不更加憔悴乎。

8.《成方便读》：夫水有阴阳，治宜各别。阳水者，其人素禀阳盛，或酒饮蓄聚，或湿热蓄留，久则脾胃日虚，不能运化，或发于内，或溢于外，为肿为胀，所由来也。阴水者，纯是阳虚土败，土不制水而然。经云：湿胜则地泥。故脾旺则运化行而清浊分，其清者为气、为血、为津、为液；浊者则为汗、为溺，而分消矣。则知治水当以实脾为首务也。白术、甘草补脾之正药，然非姜、附之大辛大热助火生土，何以建其温补健运之功？而后腹皮、茯苓之行水，厚朴、木香之快气，各奏厥功。草豆蔻芳香而燥，治太阴独胜之寒；宣木瓜酸涩而温，疏脾土不平之木。祛邪匡正，标本得宜耳。

9.《方剂学》：本方所治之证，是谓阴水，缘于脾肾阳虚，阳不化水，水气内停所致。方中以附子、干姜为君，其中附子温脾肾，助气化，行阴水之停滞；干姜温脾阳，助运化，散寒水之常凝；二者合用，温养脾肾，扶阳抑阴。茯苓、白术健脾燥湿，淡渗利水，使水湿从小便而利；木瓜芳香醒脾，化湿利水，以兴脾主运化之功；厚朴、木香、大腹子、草果下气导滞，化湿行水，使气行则湿邪得化。使以甘草、生姜、大枣调和诸药，益脾和中。群药相伍，共奏温暖脾肾，行气利水之效。然本方温补脾土之功偏胜，确有脾实则水治之功，故以实脾名之。

【验案】

1. 水肿　《广西中医药》（1995，5：21）：以本方为基本方，水肿甚者加猪苓 12g，泽泻 10g；气虚者加黄芪 15g，党参 12g；肾阳虚者加巴戟天 15g，胡芦巴 10g；治疗老年功能性水肿 69 例，结果：痊愈 43 例，显效 10 例，有效 9 例，无效 7 例，总有效率 89.85%。以脾阳虚型疗效为好。

2. 急性羊水过多　《四川中医》（1995，7：36）：用本方以草豆蔻易草果仁，加泽泻、猪苓、苏梗为基本方；临症加减：腹胀甚者，加炒枳壳、陈皮；足肿甚者，加防己；口唇发绀，加当归、赤芍、丹参；喘甚，加葶苈子、桑白皮；治疗急性羊水过多 18 例。结果：18 例中，最多服药 22 剂，最少 5 剂。以水肿腹胀明显减轻，临床症状消失，羊水进展停止，可摸胎方位，胎心音清晰，无反复；产后随访婴儿发育良好为治愈。共治愈 16 例，无效 2 例（最后施行高位破膜引产）。

3. 癌性腹水　《山东中医杂志》（2002，11：652）：用实脾散辅助治疗癌性腹水 50 例。结果：完全缓解 21 例，部分缓解 20 例，无效 9 例，总有效率 82.0%。

4. 慢性肺心病急性加重　《中国中医急症》（2005，10：923）：研究观察了在西医常规处理基础上加用川芎嗪注射液合用实脾散治疗 66 例慢性肺心病急性加重期右心衰竭的临床疗效。结果：治疗组总有效率 91.18%；对照组 32 例，总有效率 71.88%。治疗组在缓解呼吸困难、改善肺微循环、肺部湿性啰音吸收和消除双下肢浮肿效果均优于对照组。

鸭头丸

【来源】《医方类聚》卷一二八引《济生方》。

【组成】甜葶苈（略炒）　猪苓（去皮）　汉防己各一两

【用法】上为细末，绿头鸭血为丸，如梧桐子大。每服七十丸，用木通汤送下。

【主治】水肿。面赤烦渴，面目肢体悉肿，腹胀喘急，小便涩少。

涂脐膏

【来源】《医方类聚》卷一二八引《济生方》。

【组成】地龙　猪苓（去皮）　针砂各一两

【用法】上为细末，擂葱涎调成膏。敷脐中，约一寸高阔，绢帛束之，以小便多为效，一日二次。
【主治】水肿，小便绝少。

木香丸

【来源】方出《仁斋直指方论》卷十七，名见《普济方》卷一九二。
【组成】青皮　木香　黄连　橘红各一分　胡椒一钱半
【用法】上为末，加巴豆肉（不用去油）一钱，面糊为丸，如胡椒大。每服三四丸，姜汤送下。大便利，肿自消，未利再服。
【主治】虚肿；停积痢滞。

木香二皮丸

【来源】方出《仁斋直指方论》卷十七，名见《古今医统大全》卷三十二。
【组成】木香　槟榔　陈皮　青皮　大戟　甘遂　肉豆蔻各二钱半　牵牛末一两半
【用法】上为末，水为丸，或商陆汁为丸，如绿豆大。每服五十丸，空心白汤送下。
【主治】水肿，气蛊。

行水丸

【来源】《仁斋直指方论》卷十七。
【组成】胡芦巴（炒）　故纸（炒）　缩砂仁　荜澄茄　真川椒（去目，纸上炒，出汗）　乌梅肉（焙干）各二钱半　木香　牵牛（炒，取末）各半两　巴豆肉（略去油）一钱半
【用法】上为末，面糊为丸，如绿豆大。每服五丸，食后生姜汤送下。
【主治】水肿，气肿。

防风散

【来源】《仁斋直指方论》卷十七。
【组成】麻黄（去节）　牵牛（炒，取末）　甘草（炙）各一分半　杏仁（去皮）　防风　半夏（制）　芍药　辣桂　白芷　防己　当归　川芎　羌活　独活　槟榔各一分
【用法】上锉。每服三钱，加生姜四片，紫苏三叶，煎服。
【主治】风肿皮粗，麻木不仁，或时疼痛。

桑皮饮

【来源】《仁斋直指方论》卷十七。
【组成】桑白皮（炒）　青皮　陈皮　槟榔（制）　枳壳　赤茯苓　青木香　当归　川芎　石苇（炙，去毛）　羌活各一分　牵牛（炒，末）　半夏（制）　葶苈（炒香）　甘草（炙）各一分半
【用法】上锉细。每服三钱，加姜四片，用水煎服。
【主治】肺间积水，头面浮肿。

萝卜子饮

【来源】《仁斋直指方论》卷十七。
【组成】萝卜子（生用）半两　赤茯苓（去皮）半两　牵牛末一两　葶苈（炒香）　甘草（炙）各四两　半夏（制）　川芎　槟榔（煨，锉）　青木香　辣桂　青皮　陈皮　白色商陆各三钱
【用法】上锉。每服三钱，水一盏，加生姜四片，煎服。
【主治】水病浮肿。

集香汤

【来源】《仁斋直指方论》卷十七。
【组成】沉香　丁香各二钱　木香　青木香　藿香　川芎　赤茯苓　槟榔　枳壳　甘草各三钱　乳香钱半　麝香一字（别研）
【用法】上为粗末。每服二钱半，加生姜三片，紫苏三叶，空心煎服。
【功用】透其关络。
【主治】虚肿。

分气饮

【来源】《仁斋直指小儿方论》卷四。
【别名】分气散（《幼科类萃》卷十三）。
【组成】北梗　赤茯苓　陈皮　桑白皮（炒）　大腹皮　枳壳（制）　半夏曲　真苏子（微炒）　紫

苏　甘草（炙）各二钱　草果仁一钱

【用法】上锉。每一钱半，水一小盏，加生姜三片，大枣一个，煎半服。

【主治】小儿肿胀作喘，气短而急。

葶苈散

【来源】《仁斋直指小儿方论》卷四。

【组成】甘葶苈（隔纸炒）　紫牵牛（略炒，取仁）　桑白皮（炒）　鸡心槟榔　川大黄（锉，焙）各等分

【用法】上为末。每服半钱，水半盏，加生姜二片，蜜半匙，煎汤调下。或煎大流气饮研青木香丸灌下。

【主治】小儿水气肿满。

葶苈散

【来源】《女科万金方》。

【组成】茯苓　白术　甘草　木通　厚朴　葶苈　木香　官桂　猪苓　泽泻（一方去厚朴，加滑石）

【用法】上水二钟，加生姜三片，大枣一枚，煎服。

【主治】水肿。

加减五苓散

【来源】《类编朱氏集验方》卷四。

【组成】木猪苓　白茯苓　白术　板桂各七钱　泽泻一两　南木香　丁香　沉香　槟榔各三钱　白豆蔻三钱半

【用法】上为细末。每服一钱半，煎白樟柳汤，空心温点服。

【主治】肿疾。

【加减】如要取水，加甘遂半钱在药内，利三五次，又当以匀气药止之。

加料五加皮散

【来源】《类编朱氏集验方》卷四。

【组成】五加皮饮加泽泻　生姜　大枣

【用法】水煎，先服三服。次用大戟、甘遂等分为末，面糊为丸，如弹子大。用樟柳、桑白皮，绿豆浓煎汤，细嚼、空心送下。

【主治】水肿。

过气丸

【来源】《类编朱氏集验方》卷四。

【组成】大蒜五枚（剥去皮，碎）　附子一枚（去脐，切作块）　赤小豆（拣）五两（上三味，同于砂锅内，用水五升，煮干为度，只取附子为末，余不用，却入后药）　白花商陆根半两　沉香二钱　木香三钱　车前子三钱半

【用法】上药同苡仁末煮糊为丸，如梧桐子大。每服五十丸，空心薏苡仁汤送下，一日三次。

【主治】脾胃气虚，肾水流溢，四肢作肿。

赤小豆粥

【来源】《类编朱氏集验方》卷四。

【组成】赤小豆（炒，倍加）　樟柳头（细切片）　黄丫鱼（生，细切）　猪腰一对（生，细切）　烧盐少许

【用法】先将赤小豆煮，滤去汁不用，将豆、樟柳头、大白陈米煮粥，若得大樟蓼尤妙，无亦可，候粥七分熟，却入黄丫鱼与豮猪腰同煮，觉鱼与猪腰皆熟，方入烧盐吃之。不过半月立愈，病轻者其效尤速。

【主治】水肿。

沉香大腹皮汤

【来源】《类编朱氏集验方》卷四。

【组成】沉香　陈皮　良姜　附子　丁香　川芎　白豆蔻　草豆蔻仁各半两　厚朴　大腹皮各一两（炙）　白术二两半

【用法】上为细散。每服三大钱，水一盏半，加生姜七片，煎至八分，去滓，食前通口服。

【主治】肿。

附豆丸

【来源】方出《类编朱氏集验方》卷四，名见《普

济方》卷三八六。

【组成】大附子十枚（生，削去皮，破四块，用赤小豆一盏藏附子于中，慢火煮，附子透熟软，去豆，焙干附子）

【用法】上为末，以薏苡仁粉煮糊为丸，如梧桐子大。每服百十丸，空心冬瓜汤送下，或萝卜汤送下。

【主治】脾虚受湿发肿；一切虚肿。

制绿豆

【来源】《类编朱氏集验方》卷四。

【组成】大附子一个（去皮脐，切作两片用） 绿豆二合半（水三碗半，入瓷器内煮，候干熟）

【用法】上取出，乘热空心只吃绿豆，其附子留住。次日将附子两片作四片，再用绿豆二合半，水三碗半，同煮干熟，乘热空心吃绿豆。第三日再别用附子一个，绿豆二合半，如前过度服之。又第四日亦如前第二日法度服之。每一日临卧时吃豆，但依此资次。凡服四日，其水从小便下，肿自消退。如未退，再以前药服之。

【主治】十种水气，脾肾气浮肿。

【宜忌】忌生冷毒物、盐、酒六十日。

胃苓丸

【来源】《类编朱氏集验方》卷四。

【组成】平胃散 五苓散

【用法】上各一帖，用大蒜蒸熟为丸。每服五十丸，煎木通汤吞下。

【主治】

1.《类编朱氏集验方》：水肿。

2.《普济方》：肿满因积而得，既取积而肿作，小便不利。

独胜散

【来源】《类编朱氏集验方》卷四引大理孙评事传方。

【组成】川独活（用巴豆炒，去巴豆）

【用法】上为细末。煮精猪肉蘸药服。

【主治】水气肿胀。

通津丸

【来源】《御药院方》卷六。

【组成】赤茯苓 木通 大腹子 木香 破故纸（炒） 荜澄茄 苦葶苈（隔纸炒）各半两 白牵牛五两（微炒，取头末二两半）

【用法】上为细末，水面糊为丸，如梧桐子大。每服五六十丸，渐加至七八十丸，食后或食远陈皮、灯芯汤送下。

【功用】宣导小水。

【主治】一切肿满，风湿脚气变成肿气。

引水散

【来源】《御药院方》卷八。

【组成】石燕子一双（醋淬） 海马 海蛤 滑石 琥珀 赤茯苓 川木通 通草 越桃（炒，系山栀子仁） 泽泻 猪苓（去黑皮） 车前子（微炒） 茴香（微炒） 瞿麦穗 萹蓄 苦葶苈（纸衬炒） 忘忧根 木香 白丁香 鬼棘针各一两

【用法】上为粗散。每服五钱，水一盏半，灯心三十茎同煎，取清汁八分，纳麝香一字，拌匀放温，食前服。

【主治】小水秘涩不快或不通，及肿满、脚气、一切湿证。

葶苈丸

【来源】《御药院方》卷八。

【组成】苦葶苈半两（微炒，研细） 郁李仁（去皮，研） 赤茯苓（去皮心） 桑白皮（锉，炙）各三分 黑牵牛（生，取头末）半两 汉防己 川羌活 陈橘皮（汤浸洗，去白，焙干） 泽泻各二分 白术半两

【用法】上为细末，炼蜜为丸，如梧桐子大。每服五十丸，温水送下，不拘时候。

【主治】脾胃受湿，流于四肢，足胫浮肿，小便涩少。

圣灵丸

【来源】《医方类聚》卷一二九引《吴氏集验方》。

【组成】木猪苓（去乌皮） 京三棱（去皮） 青皮（去瓤） 白茯苓（去皮） 白术 麦蘖各一两 川白姜三钱 黑牵牛半两（炒黄色） 泽泻一两
【用法】上为末，醋糊为丸，如梧桐子大，朱砂为衣。如早晨面上并眼胞上有气，巳时四肢皆肿，煎桑白皮汤，临卧送下十五丸；如头面脚手不肿，只腹肿，当分二气证候，腹带黑色，名脾胃气蛊，若腹黄色，肚上青筋见，名蛊气，煎用木通汤，食后送下二十丸。
【功用】消水气。
【主治】水肿。
【宜忌】忌盐。酱、面、糯米、虾蟹、无鳞鱼、花鸡、鸭、牛、羊、猪。

祛浮饮

【来源】《医方类聚》卷一二九引《吴氏集验方》。
【组成】川当归一两（洗去土，切） 郁李仁半两 白术一两 陈皮红半两 白茯苓一两 甘草半两（炙） 葶苈子半两（炒） 川木通半两 槟榔半两（鸡心） 益智半两 木香半两
【用法】上锉。每服半两，生姜三片，水一盏半，煎七分，不拘时候，一日三五次。以此下圣灵丸尤良。
【主治】四肢浮肿，将成水气。

截水丸

【来源】《医方类聚》卷一二九引《吴氏集验方》。
【组成】缩砂仁二两（炒） 蓬术一两半（汤浸一宿，炒） 汉椒一两（炒出汗，去目） 桂一两（不见火，去黑皮） 苍术一两（麦麸炒，去油） 青皮一两 茱萸一两（醋浸一宿，炒） 雄黄半两（通明者）
【用法】上为末，炼蜜为丸，如梧桐子大。每服二十丸，食后酒送下。
【主治】水肿；心痛，不消饮食。

丁香散

【来源】《医方类聚》卷一二九引《施圆端效方》。
【组成】丁香一钱 胡椒 益智各二钱 桂二钱半 青皮（去白） 陈皮（去白） 甘草（炒）各三钱 茯苓 白术 连翘 桑白皮 木香 枳壳（去瓤，麸炒） 木通 车前子（炒）各二钱
【用法】上为细末。每服三钱，水一盏半，加生姜五片，煎至七分，食前和滓温服，一日三次。
【主治】腹胀硬满，水肿遍身，小便涩少。

补虚千金散

【来源】《医方类聚》卷一二九引《施圆端效方》。
【别名】千金散（《普济方》卷一九二）。
【组成】藿香叶 甘草（炒） 干姜（炮） 神曲（炒） 茯苓（去皮）各一两 陈皮（去白） 厚朴（姜制）各二两 人参 桂枝各半两
【用法】上为细末。每服二钱，水一盏，加生姜五片，煎至七分，去滓，食前服，一日三次。
【主治】蛊胀水肿。

神效丸

【来源】《医方类聚》卷一二九引《施圆端效方》。
【组成】羌活 白术各半两 陈皮（去白）三分 木香一两 木通 黄耆 桑白皮（切，炒）各三分 黑牵牛（半生半炒，去头末）十两
【用法】上为细末，炼蜜为丸，如弹子大。每服一丸，风壅痰滞，清头目，生姜汤化下；食积，泄泻痢，枣汤化下；小便涩，灯心汤化下。得利为度，后服米粥三日。
【主治】通身肿满，痰气食积，泄泻痢疾，小便涩。

散肿丸

【来源】《医方类聚》卷一二九引《施圆端效方》。
【组成】葶苈二两（微炒）
【用法】上为细末，枣肉为丸，如梧桐子大。每服三十丸，桑白皮汤送下，每日二次。
【主治】水肿，小便涩。

人参葶苈丸

【来源】《卫生宝鉴》卷十四。

【组成】人参一两（去芦） 苦葶苈四两（炒）
【用法】上为末，枣肉为丸，如梧桐子大。每服三十丸，食前煎桑白皮汤送下。
【主治】一切水肿，及喘满不可当者。

木香通气丸

【来源】《卫生宝鉴》卷十四。
【组成】南木香 茴香各一两（炒） 槟榔二两 海金沙 破故纸（炒） 陈皮（去白）各四两 牵牛半斤（半生半熟）
【用法】上为末，清醋为丸，如梧桐子大。每服三十丸，食后熟水送下。
【功用】导滞宽膈，塌肿进食。
【主治】诸湿肿满。

圣灵丹

【来源】《卫生宝鉴》卷十四。
【组成】人参（去芦） 木香 汉防己 茯苓（寒食面煨） 槟榔 木通各二钱（炒） 苦葶苗半两（炒）
【用法】上为末，枣肉为丸，如梧桐子大。每服三十丸，食前煎桑白皮汤送下。
【主治】脾肺有湿，喘满肿盛，小便赤涩。

香苏散

【来源】《卫生宝鉴》卷十四。
【组成】陈皮（去白）一两 防己 木通 紫苏叶各半两
【用法】上为末。每服二钱，以水二盏，加生姜三片，煎至一盏，去滓，食前温服。
【主治】

1.《卫生宝鉴》：水气虚肿，小便赤涩。

2.《普济方》：久居卑湿，或为雨露所袭，致身重脚弱，关节疼，发热恶寒，小便涩，大便泄，自汗，或腹满。

海藻散

【来源】《卫生宝鉴》卷十四。
【组成】海藻 大戟 锦纹大黄 续随子（去壳）各一两（上锉碎，用好酒二盏，净碗内浸一宿，取出晒干后用） 白牵牛（头末，生用）一两 桂府滑石半两 甘遂（麸炒黄）一两 肉豆蔻一个 青皮（去白） 陈皮（去白）各半两
【用法】上为细末。大人每服二钱，气实者三钱，平明冷茶清调下。至辰时取下水三二行，肿减五七分，隔二三日平明又一服。小儿肿服一钱，五岁以下者半钱。
【主治】男子、妇人遍身虚肿，喘，满闷不快。
【宜忌】妇人有孕不可服。忌食咸鱼、肉百日。

葶苈木香丸

【来源】《卫生宝鉴》卷十四。
【组成】人参 汉防己各一两 苦葶苈（炒）四两 木香 槟榔 木通 白茯苓（去皮，面裹煨）各一两
【用法】上为末，枣肉为丸，如梧桐子大。每服三十丸，食前以温开水送下。
【主治】水气通身虚肿。

索矩三和汤

【来源】《卫生宝鉴·补遗》。
【组成】橘皮 厚朴 槟榔 白术各三两 甘草（炙） 紫苏各二两（去粗梗） 木通 海金沙各一两
【用法】上锉。每服五钱，水一盏，加生姜三片，煎至八分，温服。
【主治】病愈后面肿，或腰以下肿。

分气饮子

【来源】《活幼口议》卷十七。
【组成】五味子 桔梗 白茯苓 甘草（炙） 陈橘皮 桑皮 草果（去壳） 大腹皮 白术 枳壳（去瓤，切，炒） 川当归 紫苏 苏子 半夏曲各等分
【用法】上锉。每服二大钱匕，水一小盏，加生姜二小片，枣子半个，煎至半盏，去滓，通口服，不拘时候；兼八味理中丸煎服。
【主治】小儿肿胀作喘，气短促急，坐卧不任，四

肢浮肿，饮食呕逆，神困喜睡。

荣卫饮子

【来源】《活幼口议》卷十七。
【组成】川当归　熟干地黄（净洗）　人参　白茯苓　川芎　白术　甘草（炙）　白芍药　枳壳（炒，别研）　黄耆（蜜炙）　陈皮各等分
【用法】上锉。每服二钱匕，水一小盏，煎至半，去滓，通口服，不拘时候。
【主治】婴孩气血俱虚，荣卫不顺，四肢头面手足俱浮肿，以至喘急者。

南星腹皮散

【来源】《活幼心书》卷下。
【别名】南星腹皮汤（《幼科释谜》卷六）。
【组成】南星（制）一两　大腹皮（净洗，焙干）　生姜皮　陈皮（去白）　青皮（去白）　桑白皮（锉，炒）　甘草（炙）　扁豆（制）各半两
【用法】上锉。每服二钱，水一盏，加生姜二片，煎七分，温服，不拘时候。
【主治】肿疾欲愈未愈之间，脾胃虚慢，气促痰喘，腹胀胸满，饮食减，精神困，小便不利，面色痿黄。

香陆胃苓丸

【来源】《活幼心书》卷下。
【组成】丁香（去梗）　商陆　赤小豆　陈皮（去白）　甘草（炙）各二两　苍术（制）三两　泽泻（去粗皮）二两半　赤茯苓（去皮）　猪苓（去皮）　白术各一两半　肉桂（去粗皮）一两　厚朴（制）二两
【用法】上除丁香、肉桂不过火，余药锉焙，同前二味为末，用面微炒，水浸透，煮糊为丸，如绿豆大。每服二十丸至五十丸，或七十丸，空心温汤送下。儿小者，丸作粟米大，吞服。
【功用】实脾导水。
【主治】小儿肿疾日久不愈。

商陆丸

【来源】《活幼心书》卷下。
【组成】商陆一两　净黄连半两
【用法】上为末，姜汁煮面糊为丸，如绿豆大。每服三十丸至五十丸，空心用温紫苏熟水送下，或温葱汤送下。
【主治】水肿。小便不通，勿拘远近。

解肌汤

【来源】《云岐子脉诀》。
【组成】葛根　黄芩各一两　麻黄（去节）半两　赤芍药四钱
【用法】上锉。每用一两，生姜七片，水二盏，煎至一盏，食前去滓热服。
【主治】邪气在表，上气浮肿。

木香散

【来源】《云岐子保命集》卷下。
【组成】木香　大戟　白牵牛各等分
【用法】上为细末。每用三钱，猪腰子一对，批开，掺药在内，烧熟，空心服之。如水肿不能全去，于腹上涂甘遂末，在绕脐满胀，少饮甘草水，其肿便去。
【主治】水肿。

白术散

【来源】《云岐子保命集》卷下。
【别名】白术丸（《洁古家珍》）。
【组成】白术　泽泻各半两
【用法】上为细末。每服三钱，煎茯苓汤调下。或丸亦可，服三十丸。
【主治】水肿觉胀下者。
【宜忌】《洁古家珍》：忌房室、鱼、酒等物。

白茯苓汤

【来源】《云岐子保命集》卷下。
【组成】白茯苓　泽泻各二两　郁李仁二钱

【用法】上锉。作一服，水一碗，煎至一半，不拘时候常服，从少至多服。或煎得澄，加生姜自然汁在内，和面或做粥饭，顿食。五七日后，觉胀下，再加以白术散。

【主治】

1.《云岐子保命集》：蛊胀。

2.《普济方》：水肿。

十种丸

【来源】《医方类聚》卷一二九引《王氏集验方》。

【组成】雄黄（去砂石） 大戟 商陆 甘遂（去直者） 芫花（醋煮，焙） 椒目 槟榔 葶苈子（隔纸炒） 桑白皮各一两 巴豆（去油）半两（一法去椒目，用泽泻）

【用法】上为末，面糊为丸，如梧桐子大。每服三十丸，五更初温枣汤送下。利下黄水并恶物为效。

【主治】水气浮肿，上气喘急，手足头面腹肚皆肿，一切癥瘕积聚，两胁肋疼痛，小肠疝气，脬囊浮肿。

三圣丹

【来源】《医方类聚》卷一二九引《王氏集验方》。

【组成】甘遂三钱 胡椒三钱 巴豆（去油）一钱半

【用法】上为细末，醋煮面糊为丸，如梧桐子大。每服七丸或二七丸，五更初葱汤送下。

【主治】水肿。

大戟散

【来源】《医方类聚》卷一二九引《王氏集验方》。

【组成】白大戟（去粗皮）不拘多少

【用法】上为细末。每服一钱，空心温酒调下。利下，四肢水并从小便中去，其肿立消。

【主治】水溢四肢，浮肿。

乌梅丸

【来源】《医方类聚》卷一二九引《王氏集验方》。

【组成】乌梅（取肉）一两（细锉，炒干） 巴豆半两（去皮心膜，并油）

【用法】上为细末，醋煮面糊为丸，如绿豆大。每服七丸，枣汤送下。

【主治】水气痰喘。

槟榔散

【来源】《医方类聚》卷一二九引《王氏集验方》。

【组成】茯苓皮 槟榔 枳壳 桑白皮 紫苏叶 大腹皮 猪苓（去黑皮） 泽泻 白术 川羌活 川芎 葶苈子（隔纸炒） 陈皮 甘草 商陆 木通 生姜皮各等分

【用法】上为粗末。每服四钱，水一盏半，煎至一盏，一日三服。

【主治】水气浮肿。

退肿塌气散

【来源】《医方大成》卷十引汤氏方。

【别名】退肿消毒散（《仁术便览》卷二）。

【组成】萝卜子 赤小豆 陈皮 甘草（炙）各半两 木香（炮）一分

【用法】上锉。每服二钱。水一小盏，姜、枣煎服。

【主治】积水，惊水，或饮水过多，停积于脾，四肢肿而身热。

导水丸

【来源】《经验秘方》引范提举方（见《医方类聚》卷一五七）。

【组成】大黄（去皮，煨） 黄芩二两（去皮） 滑石 黑牵牛（头末）四两 木香 槟榔 郁李仁（去皮） 白芥子半两

方中大黄、滑石、木香、槟榔、郁李仁用量原缺。

【用法】上为细末，滴水为丸，如梧桐子大。每服五十丸至一百丸，以温水送下，病在上，食后服；病在下，食前服。

【主治】水癌虚肿。

四金丸

【来源】《普济方》卷二四四引《如宜方》。

【组成】草乌　生姜半斤（研姜，同草乌一处交盛一宿）　葱六两（同研苍术，交盛一宿）　苍术（制）

【用法】上为末，糊为丸，如梧桐子大。每服五十丸，空心服。

【主治】湿气留滞，脚腿肿浮，早轻晚重。

青鸭羹

【来源】《饮膳正要》卷二。

【组成】青头鸭一只（退净）　草果五个

【用法】上件用赤小豆半升，入鸭腹内煮熟，五味调，空心食。

【主治】十种水病不愈。

黄雌鸡方

【来源】《饮膳正要》卷二。

【组成】黄雌鸡一只（挦净）　草果二钱　赤小豆一升

【用法】上件同煮熟。空心食之。

【主治】腹中水癖，水肿。

猫肉羹

【来源】《饮膳正要》卷二。

【组成】猫肉一斤（细切）　葱一握　草果三个

【用法】上药用小椒、豆豉同煮烂熟，入粳米一合作羹，五味调匀。空腹食之。

【主治】水肿，浮气腹胀，小便短少。

貓肉羹

【来源】《饮膳正要》卷二。

【组成】貓肉一斤(细切)　葱半握(切)　草果三个

【用法】用小椒、豆豉同煮烂熟，加粳米一合作羹，五味调匀，空腹食之。

【主治】水肿浮气，腹胀，小便涩少。

五平散

【来源】《永类钤方》卷二十一。

【组成】五皮散　生料平胃散

【用法】打和煎，或汤或散皆可。

【主治】脾虚四肢浮肿。

商陆散

【来源】《永类钤方》卷二十一。

【组成】泽泻　商陆各等分

【用法】上为末。三岁一钱，桑白皮汤调下。商陆醋炒为末，调涂肿毒。醋调并治咽喉肿。

【功用】利小便。

【主治】小儿浮肿，肚胀，气急。

塌气散

【来源】《永类钤方》卷二十一引《汤氏方》。

【组成】赤小豆　陈皮　萝卜子　甘草（炙）各半两　木香（炮）一分

【用法】上锉。加生姜、大枣，水煎服。

本方原名“塌气丸”，与剂型不符，据《普济方》改。

【主治】

1. 《永类钤方》：小儿积水惊水，饮水多，停积于脾，肢肿而热。

2. 《奇效良方》：小儿一切浮肿。

加味控涎丸

【来源】《世医得效方》卷五。

【组成】大戟　芫花　甘遂　甜葶苈　巴豆（去壳）各一两　黑牵牛三两（炒，取头末）　白芥子（炒）二两

【用法】上为末，米糊为丸，如粟米大，每服三七粒，茶清吞下；或温水亦可。得利则效。

【功用】消浮退肿，下水。

【主治】风热上壅，或中脘停留水饮，喘急，四肢浮肿，脚气入腹，平常腹中痰热，诸气结聚。

【宜忌】服后未可服甘草药及热水。

大半夏汤

【来源】《世医得效方》卷六。

【组成】半夏（汤洗） 陈皮 茯苓 桔梗 槟榔 甘草各等分

【用法】上锉散。每服三钱，水一盏半，加生姜三片，水煎，温服。

【主治】水胀。脾土受湿，不能制水，水渍于肠胃，溢于皮肤，漉漉有声，怔忡喘息。

川活散

【来源】《世医得效方》卷九。

【组成】羌活 萝卜子（炒）各一两

【用法】上为末。用酒调下。

【主治】水气肿。

乌鲤鱼汤

【来源】《世医得效方》卷九。

【组成】乌鲤鱼一尾 赤小豆 桑白皮 白术 陈皮各一两 葱白五根

【用法】上用水三碗同煮，不可入盐。先吃鱼，后服药。

【功用】消肿。

【主治】水肿，四肢肿。

红豆散

【来源】《世医得效方》卷九。

【组成】丁香 木香各三钱 缩砂 红豆 白姜 桂枝 陈皮 青皮 桔梗 胡椒各五钱

【用法】上为末。每服二钱，秋石汤调下。

【主治】身肿皮紧。

芫花丸

【来源】《世医得效方》卷九。

【组成】大巴豆二七粒（去壳） 葶苈子 大黄 桂枝 芫花 杏仁各等分

【用法】上为末，米糊为丸。每服五十丸，空心温酒吞下。五更早吃，下水大效。

【功用】消水肿。

【主治】肿满。

苁蓉散

【来源】《世医得效方》卷九。

【组成】木香五钱 肉豆蔻（煨） 肉苁蓉（酒洗，炙）各一两

【用法】上为末。每服一大钱，米饮调下。

【功用】补益。

【主治】肿满。

【宜忌】忌生冷、油、面。

郁李仁散

【来源】《世医得效方》卷九。

【组成】陈皮 郁李仁 槟榔 茯苓 白术各一两 甘遂五钱

【用法】上为末。每服二钱，生姜、大枣汤下。

【主治】肿满，小便不利。

牵牛汤

【来源】《世医得效方》卷九。

【组成】巴豆 甘遂各三钱 槟榔 大戟 当归各五钱 青皮 黑牵牛（取头末）各一两

【用法】上为末。用一大钱葶苈子煎汤调下，五更初吃。

【功用】下水。

涂脐膏

【来源】《世医得效方》卷九。

【组成】地龙 猪苓（去皮） 甘遂 针砂各一两

方中甘遂原缺，据《东医宝鉴·杂病篇》补。

【用法】上为末，擂葱涎调成膏。敷脐中约一寸高，阔绢帛束之。以小便多为度，一日二次。

【主治】水肿，小便绝少。

紫金丸

【来源】《世医得效方》卷九。

【组成】白姜　香附子（炒去毛）　紫金皮　石菖蒲　青木香　针砂（煅红）各等分

【用法】上为末，米糊为丸。每服三十丸，第一茶清送下，第二商陆根汤送下，第三赤小豆汤送下，常吃用好酒吞下。

【主治】肿满。

十枣丸

【来源】《丹溪心法》卷三。

【组成】甘遂　大戟　芫花各等分

【用法】上为末，煮枣肉为丸，如梧桐子大。清晨热汤送下三十丸，次早再服。以利为度。虚人不可多服。

【主治】水气，四肢浮肿，上气喘急，大小便不利。

加味五皮散

【来源】《丹溪心法》卷三。

【组成】陈皮　桑白皮　赤茯苓皮　生姜皮　大腹皮　姜黄　木瓜各一钱（一方无陈皮、桑白皮，有五加、地骨皮）

【用法】上作一服。水煎服。

【功用】《衡要》：行气散水。

【主治】四肢胀满，不分阴水，阳水。

【方论】《衡要》：陈皮、生姜、大腹皮、姜黄等诸辛温以散郁气，赤茯苓、木瓜等以行水湿。

五味白术散

【来源】《东医宝鉴·杂病篇》卷十引《丹心》。

【组成】白术三钱　陈皮一钱半　木通　川芎　赤茯苓各一钱

【用法】上锉作一帖。入水煎服，吞下与点丸二十五丸。

【功用】补中导水行气。

【主治】产后肿。

木香槟榔丸

【来源】《医学启蒙》卷三。

【组成】广木香四两　黄连四两（吴茱萸汤泡，炒）　黄芩四两（酒炒）　青皮四两（醋炒）　黄柏（盐水炒）　槟榔八两（煨）　陈皮八两（炒）　莪术五两（煨）　枳壳八两（麸炒）　黑丑八两（炒）　厚朴四两（姜炒）　大黄四两（酒蒸）　香附（制）八两　当归八两（酒洗）　干姜三两（炮）

【用法】上为末，白水滴丸，如绿豆大，每服一钱或一钱半，白汤送下，不拘时候。

【功用】顺气宽胸，消积化滞，解宿酒，消宿食，除胀满，利水肿。

木香塌气丸

【来源】《脉因证治》卷下。

【组成】胡椒　草蔻（面裹，煨）　木香各二钱　蝎梢三钱五分（去毒）

【主治】肿胀。

变水汤

【来源】《脉因证治》卷下。

【组成】白术　茯苓　泽泻各二两　郁李仁二钱

【用法】水煎，入姜汁服。

【主治】肿胀。

补中治湿汤

【来源】《东医宝鉴》卷六引《医林》。

【组成】人参　白术各一钱　苍术　陈皮　赤茯苓　麦门冬　木通　当归各七分　黄芩五分　厚朴　升麻各三分

【用法】上锉，作一帖。水煎服。

【功用】补中行湿。

【主治】水病。

神应散

【来源】《医方类聚》卷一二九引《必用全书》。

【组成】广木香三钱　泽泻　槟榔　椒目各半两　大黄一两半　黑牵牛一两　黑附子一只（重一两者佳，半只湿纸裹，炮裂）

【用法】上为细末。每服五钱，樟柳根自然汁、蜜一大匙，将前附子同擂碎，取汁，放温，五更同药调，面东服。

【主治】十种水气，五蛊、水蛊、血蛊、酒蛊、气蛊，四肢浮肿，腹胀，小便不通，大便涩，黄蕴，不思饮食。

【宜忌】忌盐、酱、蜜、腥腻、房事一年。

八宝散

【来源】《医方类聚》卷一二九引《医林方》。

【组成】通草　灯心　木通　泽泻　瞿麦　车前子根　白茯苓各等分

此方疑少一味。

【用法】上锉，如麻豆大。每服三钱，水一盏同煎，去滓放冷，服烧青丸，第一日三丸，一服，二日四丸，二服，以此加至五日服足。后用管仲黄连散嗽之五七次。

【主治】水肿。

顺气丸

【来源】《医方类聚》卷一二九引《医林方》。

【组成】牵牛半两（一半生，一半熟）　桑白皮　赤茯苓　防己　羌活　陈皮　泽泻各三钱　甜葶苈　郁李仁（汤浸，去皮）　白术各半两

【用法】上为细末，炼蜜为丸，如梧桐子大。每服二三十丸，食后温水送下。加至微利为效。

【主治】水气。

烧青丸

【来源】《医方类聚》卷一二九引《医林方》。

【组成】轻粉　硇砂　鹰条　白丁香　铅白霜各一钱　石燕子（烧，醋蘸）　海马各三个　海金砂　青黛各三钱　滑石半两

【用法】上为细末，米粥为丸，如梧桐子大，青黛为衣。先用龙脑擦牙里外。每服三丸，煎八宝散下之。

【主治】水气。

紫苏散

【来源】《医方类聚》卷一二九引《医林方》。

【组成】木通　防己　陈皮　白术　紫苏叶　防风　桑白皮各等分

【用法】上锉如麻豆大。每服五钱，通草同煎，去滓温服。后服顺气丸。

【功用】利小便。

【主治】水气。

管仲黄连散

【来源】《医方类聚》卷一二九引《医林方》。

【组成】管仲　黄连　板兰根　山豆根各等分

【用法】上为粗末。每服三钱，水一大盏，熬汤漱之五七次。先用八宝散水煎，送服烧青丸五日后，再用本方漱之。

【主治】水气。

无名丸

【来源】《医方类聚》卷一二九引《急救仙方》。

【组成】赤茯苓　大戟　甘遂各一两（切忌甘草）　芫花　槟榔　青皮　黑牵牛各半两

【用法】上为末，薄面糊为丸，如梧桐子大。五更空心每服三十丸。汤使如后：水肿，海藻、破故纸、白术煎汤送下；面肿，陈皮煎汤送下；肚肿，升麻煎汤送下；腰肿，葶苈子煎汤送下；四肢肿，桑白皮煎汤送下；脚肿，生米一撮，将水洗过米，次擦洗擂碎，用沸汤泡饮送下；如若大便来多不住，用冷水浸脚手便住。如脚膝肿，服药后当阁起两足而卧，令水流至脚间，从大小便出，则肿自消。此药不可多服，亦不可连日服用，如一次取水不尽，当三日一次用药，其余二日，可服生料五苓散、嘉禾散，相和用姜、枣煎服，以能理脾进食，清利水道，肿自消矣。

【主治】水肿病，心腹坚胀，遍身肿痛，咳嗽喘急。

【宜忌】其日不可另服他药，更忌甘草，并断盐半年。妇人胎前产后忌服。

推车丸

【来源】《医方类聚》卷一二九引《急救仙方》。
【组成】白面半斤　明矾二两　青矾一两
【用法】三味同炒令赤色，醋煮米糊为丸。枣汤送下三十丸。
【主治】黄肿、水肿。

换神丹

【来源】《医方类聚》卷一一三引《烟霞圣效》。
【组成】黑牵牛一两　葛根一两（锉）　缩砂三十个（去皮）
【用法】上为细末。每服一大钱，用热酒调，空心送下，更用热酒一盏再服。
【主治】一切酒病，通身黄肿，不思饮食者。

导水茯苓汤

【来源】《普济方》卷一九一引《德生堂方》。
【别名】茯苓导水汤（《医宗金鉴》卷五十四）。
【组成】泽泻　赤茯苓　白术　麦门冬（去心）各三两　紫苏　木瓜　槟榔各一两　陈皮　砂仁　木香　大腹皮各七钱半
【用法】上锉。每服五钱，水二盏，加灯心二十五根，煎八分，去滓，空心服；服此药时，要如熬阿刺吉酒相似，水一斗，止取药一钱，服后小水行时，即渐添多，直至小便变清白色，方为痊愈。如病重者，前药可均作三大服，每服再加去心麦门冬二两，灯草一大把，均半两重，水一斗于砂锅内，下药五两，熬一大碗，再下小铫内煎至一大盏，五更空心服，滓再煎服，连进三服。
【功用】利小便。
【主治】水肿，头面手足遍身肿如烂瓜之状，手按而塌陷，手起随手而高突，喘满倚坐不得息，不能转侧，不能着床而睡，饮食不下，小便秘涩，溺出如割，便绝少，虽有而如黑豆汁，煮服喘嗽气逆诸药不效。

沉香琥珀丸

【来源】《普济方》卷一九一引《德生堂方》。
【别名】沉珀丸（《医级》卷八）。
【组成】琥珀　杏仁（去皮，炙）　赤茯苓各半两　泽泻半两　紫苏（真者）　沉香　葶苈（炒）　郁李仁（去皮、壳）各一两半　橘皮（去白）　防己各七钱半
【用法】上为末，炼蜜为丸，如梧桐子大，以麝香半钱为衣。每服二十五丸，加至五十丸，空心以前胡、人参汤送下。
【主治】

1. 《普济方》引《德生堂方》：水肿一切急难证，小便不通者。

2. 《张氏医通》：血结小腹，青紫筋绊，喘急胀痛。

神化利机丸

【来源】《普济方》卷一九三引《海岱居士秘方》。
【组成】泽泻一两二分半　椒目一两半　昆布　海金沙三两　木香半两　茴香五分（炒）　滑石一两　苦葶苈一斤（酒浸一宿，焙干）

方中昆布用量原缺。
【用法】上为末，用水一盏煎黄柏末成膏为丸，如梧桐子大。每服五十丸，食前温酒送下。服药得利则减。
【功用】利小便，调荣卫，利胃气。
【主治】阴阳不分，热结于中，胃气不能运，湿气乘虚而入于奇经八脉，以致腹胀水气，遍身作肿，旦食不能暮食，食则胀满，小便赤涩，大便结硬，淋涩癃闭等。

防己汤

【来源】《普济方》卷一九三引《鲍氏肘后备急方》。
【组成】防己四两　白术三两　甘草二两
【用法】上为末。每服三钱，加生姜三片，大枣一枚，水煎服。
【主治】湿气浮肿。

经验万病无忧散

【来源】《普济方》卷二五六引《医学切问》。

【组成】槟榔　雷丸　贯众　大腹皮各二两　京三棱　蓬莪术　鹤虱　木香各二钱　甘草四两　大黄十两（炒）　粉霜二钱　牵牛（头末）一两半（生者）

【用法】上为细末。每服五钱，五更初，鸡不叫，人不知，井华水调下，天明时取下，其病自出，恶物自下，然后补之。

【主治】沉重气块，水肿、血蛊、气鼓，小肠膀胱偏坠，奔豚气，胃胀，脚气，下膈气翻胃吐食，心气疼痛，肺胀咳嗽，吐血鼻衄，肠风下血，五淋腰疼，三十六种风，二十四般气；妇人赤白带下，癥瘕血块。

【宜忌】忌生冷。

神灵丹

【来源】《普济方》卷二五六引《医学切问》。

【组成】杏仁四十九枚　半夏四十九枚　巴豆四十九枚　防风（去芦）　滑石　草乌头（炮）　雄黄　木香　朱砂　百草霜各二钱

【用法】上为末，醋糊为丸，如绿豆大，朱砂为衣。每服十五丸，量深浅加减服之。喉痹，甘草桔梗汤送下；食牛肉毒，温水送下；泄泻，陈皮汤送下；五淋，灯心汤送下；白痢，干姜汤送下；赤痢，甘草汤送下；解一切毒，甘草汤送下；痈瘟疮毒，气血不消，生姜、升麻汤送下；疥癞疮毒，白蒺藜、甘草升麻汤送下；追取劳虫，空心桑白皮汤送下；脾积，三棱、蓬术煎汤送下；痰嗽，生姜汤送下；酒食所伤，随物送下；脚气，槟榔煎汤送下；血痢，乌梅煎汤送下；打扑损伤，瘀血在内，童子小便送下；十种水气，四肢浮肿，大戟汤送下；一切疟疾，桃柳梢叶七片煎汤送下；大便秘结，麻子仁汤送下。

【主治】喉痹，食牛肉毒，泄泻，五淋，赤白痢，血痢，一切毒，痈瘟疮毒疥癞，劳虫，脾积，痰嗽，酒食所伤，脚气，打扑损伤，瘀血在内，十种水气，四肢浮肿，一切疟疾，大便秘结。

大圣浚川散

【来源】《医学纲目》卷四引张从正。

【别名】浚川散。

【组成】大黄一两（煨）　甘遂半钱　牵牛一两（头末）　木香三钱　郁李仁一两　芒消三钱半

【用法】《医宗金鉴》：上为细末，姜汤调下。量儿大小用之。

【功用】下诸积。

【主治】《医宗金鉴》：阳水，身热盛，烦渴，大便难，小便赤涩，脉沉数。

牛黄琥珀丸

【来源】《医学纲目》卷二十四。

【组成】牛黄　琥珀　椒目（沉水者）　葶苈（炒紫色）各三分　昆布（洗，炙）　海藻（洗，炙）各一两一钱　牵牛（炒）　桂各一两

【用法】上七味，为末，另研葶苈如泥，一处拌匀，炼蜜为丸，如梧桐子大。每服十五丸，米饮送下，一日二次。以小便利为度。

【主治】水肿腹大，气息不通危急者。

郁李仁汤

【来源】《普济方》卷一四四。

【组成】郁李仁（汤浸，去皮尖，微炒）　大黄（锉碎，微炒）各一两柴胡（去苗）　桑根白皮（锉）各三分　山桃仁（汤浸，去皮尖，微炒）一两

【用法】上为末，炼蜜为丸，如梧桐子大。每服三十丸，以生姜、大枣汤送下，一日三次。

【主治】伤寒后身体洪满，腹坚胀，喘急，不能饮食。

十宝大安散

【来源】《普济方》卷一六九。

【别名】万病无忧散。

【组成】大黄（春、冬一斤，夏半斤，秋十二两）　甘草（春、冬六两，夏三两，秋四两）　牵牛（春、冬十二两生，夏八两半生，秋八两）　槟榔（春、冬十二两，夏八两，秋六两）

【用法】上药每一斤，用木香半两，夏加南木香，秋加天花粉为细末。每服三钱，五更鸡初鸣时，用冷水调下。十五岁以下作二服，小儿随意加减。

加黄耆（蜜炙七次）、陈皮（去白）、生胡椒、蓬莪茂（炮）、三棱（炮），自然有泻有补。

【主治】男子妇人老幼，年深日久，一切沉痰积气块，十种水气、血气。下部小肠偏坠，木肾，干湿脚气，十隔五噎，翻胃呕吐食，心气脾疼，喘急痰饮，咳嗽肺胀，吐血鼻衄，五淋，白癞，大风疮癣，腰腿疼痛，五种消渴，二十四种痔漏，肠风下血，三十六种风，七十二般气，恶毒赤肿，紫血癜风，痈疽疖毒，左右瘫，赤白泻痢，寒热痁疾，阴阳二毒，山岚瘴气，妇人赤白带下，经脉不调，崩中漏下，小儿疳气癫痫。

【宜忌】妊娠不可服。

万病无忧散

【来源】《普济方》卷一六九。

【组成】槟榔五钱　大黄一两　甘草二钱半　黑牵牛一两半（炒）

【用法】上为末。每服三钱，茶清调服，不拘时候，一日二次。

【主治】诸般气积肿胀。

木香分气汤

【来源】《普济方》卷一八一。

【别名】小流气饮。

【组成】木香　赤茯苓各一两　木猪苓（去皮）三分　泽泻　半夏（汤洗七次，汁浸三宿，炒）枳壳（去瓤，面炒）　紫苏子（炒）　槟榔（炒）各半两

【用法】上为末。每服三钱，水一盏半，灯心五寸长二十茎，煎至八分，去滓，入麝香少许，和药，食前服。

【主治】气滞留，四肢浮肿，腹急中满，膈胁膨胀急，虚气上冲，小便臭浊，神思不爽。

神仙一块气

【来源】《普济方》卷一八二。

【组成】川大黄（生）四两　白牵牛（生）三钱　黑牵牛（生）三钱　巴豆（去皮）五钱

【用法】上为细末，面糊为丸。每服一丸，空心姜汤或白汤送下。

【主治】气血流滞，下元虚寒，尿不通，四肢肿满，或疝气攻冲，四肢腹肋刺痛。

人参丸

【来源】《普济方》卷一九一。

【组成】人参　木防己各八分　杏仁八分（去皮尖双仁，熬紫色，捣细）　葶苈十分（熬）　川大黄八分（捣）

【用法】上为末，炼蜜为丸，如梧桐子大。每日服十二丸。

【主治】水肿。

大黄丸

【来源】《普济方》卷一九一。

【组成】大黄　白术　木防己

【用法】上为末，炼蜜为丸，如梧桐子大。每服十丸，米饮送下。小便利为度。不知增之。

【功用】利小便。

【主治】水肿。

木防己丸

【来源】《普济方》卷一九一。

【组成】木防己八分　川大黄八分（别捣）　人参八分　葶苈十分（熬）　杏仁八分（去皮尖双仁，熬紫色，别捣）

【用法】上为末，炼蜜为丸，如梧桐子大。食后以白饮送下，初服七丸，一日二次；日加一丸至十二丸，还日减一丸至七丸，复渐加至十二丸，循环服之。

【主治】水病。

【宜忌】忌酒、面、羊肉；其牛肉一色，永断不得食。

【加减】若病人热多，加黄芩八分；如病人冷多，加厚朴八分；如病人久心惊，加钩藤八分。

平胃散

【来源】《普济方》卷一九一。

【组成】附子（炮）　白术各一两　丁香半两

【用法】上为末，和匀。每服二钱，水一盏，加生

姜七片，大枣三枚，煎七分，不拘时候服，一日三五次。若肿未退，可灸三阴交穴及命门穴。
【主治】水肿。

导源饮

【来源】《普济方》卷一九一。
【组成】白茯苓皮二两　车前子　大腹皮（水洗）通草　木通　薏苡仁（炒）各一两　天仙藤　桑皮　郁李仁　冬瓜子（炒）　木香（纳怀内取燥）各一两半赤石脂　甜葶苈各八钱（用黑枣拌匀蒸用）　大杏仁一两（去皮尖双仁，炒令微黑，另捣）　当归一两半（去芦，酒洗）
【用法】上为细末，用真藕粉打糊为丸，如梧桐子大。每服三十丸，渐加至五六十丸，食前温酒送下；如患人素不饮，淡盐汤送下。
【主治】各种水气。

黄雌鸡方

【来源】《普济方》卷一九一。
【组成】雌鸡一只　赤小豆一升
【用法】同煮，候豆烂，即食其汁，日二夜一，每服四合；若瘦者，渐食之良。
【功用】补肾，扶阳气。
【主治】腹肿水癖，水肿，冷气。
【宜忌】先患骨热者，不可食也。

葶苈丸

【来源】《普济方》卷一九一。
【组成】葶苈（炒）　泽泻各一两　猪苓（去皮）椒目　桑根白皮　杏仁（去皮尖双仁，麸炒）　大戟（炒）　甘遂（炒）　大黄（炒）　黄芩各一两（去黑心）　芫花（炒焦，酒浸）一两　荛花半两
【用法】上锉，如麻豆大。每服五钱匕，水一盏，煎至七分，早、晚食前温服。以利为度。
【主治】涌水。腹满不坚，疾行则濯濯有声。

藿香散

【来源】《普济方》卷一九一。
【组成】草豆蔻　黄橘皮　藿香　川芎　甘草　干姜　赤小豆（煮熟焙干，杵为末）　牵牛各半两
【用法】上为细末。每服三钱，空心热汤调下，和滓服。
【主治】水病无肝热证候者。

十珍散

【来源】《普济方》卷一九二。
【组成】芫花（醋浸，焙）　赤茯苓　桑白皮（炒）　泽泻　葶苈（炒）　黑牵牛（炒）各三钱　川椒（并目）二钱　甘遂　雄黄　大戟各一钱
【用法】上为末。五更温酒下三钱匕。小便利则愈。
【主治】水气。
【宜忌】须审度病体强弱，久近冷热，不可轻投。
【加减】先从足起，倍葶苈；先阴肿，倍泽泻；先眼肿，倍牵牛；先腹肿，倍川椒；先口肿，倍大戟；先手肿，倍桑皮；先胁肿，倍甘草；先头肿，倍芫花；先腰肿，倍茯苓；先肾肿，倍雄黄。如在先小便不通者，先服通小便方，小便通病不退，再用此方。

十珍散

【来源】《普济方》卷一九二。
【组成】巴豆　玄参　干漆　青皮各等分
【用法】上为末。每服一钱匕，绿豆汤下。
【功用】消肿。
【主治】水气。

人参木香散

【来源】《普济方》卷一九二。
【组成】人参　甘草　滑石　木香　枳壳　茯苓琥珀　海金沙　槟榔　猪苓各等分
【用法】上为末。每服三钱，加生姜一片，同煎至七分，温服，日进三服。
【主治】水气病。

大戟散

【来源】《普济方》卷一九二。

【组成】大戟　大黄　木香　商陆各等分

【用法】上为末。每服一二钱，空心温酒调下；白汤亦可。

【主治】水气。

寸气丸

【来源】《普济方》卷一九二。

【组成】大蒜五枚（锉，去皮，碎）　附子一大只（去脐，切）　赤小豆（拣）五两

【用法】上同于砂锅中，先用水三升，渐添至五升，煮取干为度，只取附子为末，余不用，却入后药：白花商陆根半两，车前子二钱半，沉香二钱，木香三钱。上件同附子、薏苡仁末，煮糊为丸，如梧桐子大。每服五十丸，空心薏苡仁汤送上，一日三次。

【主治】脾肾气虚，肾水流溢，四肢作肿。

木香丸

【来源】《普济方》卷一九二。

【组成】木香三钱　槟榔二钱　半枳实一两　枳壳半两　萝卜子一两　黑牵牛一两　白豆蔻一两　檀香半两　甘草一两

【用法】上为末，醋糊为丸，如黍米大。每服四十丸，用淡姜汤送下。

【功用】退胀消肿。

【主治】诸肿。

牛榔丸

【来源】《普济方》卷一九二。

【组成】槟榔　枳壳　黑牵牛　白牵牛各半两（炒）

【用法】上为末，炼蜜为丸，如梧桐子大。每服二十丸，煎大腹皮汤送下。

【主治】水气肿满。

吹鼻散

【来源】《普济方》卷一九二。

【组成】瓜蒂　丁香各七个　小豆七粒

【用法】上为末。纳豆许于鼻中。少时黄水出，愈。

【主治】身面四肢浮肿，有虫，鼻中息肉，阴黄，黄疸及暴急黄。

沉香除气丸

【来源】《普济方》卷一九二。

【组成】当归　青皮　甘草　木香　沉香　白豆蔻　槟榔各等分

【用法】上为末，水打面糊为丸，如梧桐子大。每服二十丸，温水送下。

【主治】水气病愈后。

【宜忌】服白粥一百日，忌盐并房事。

胡椒宣气丸

【来源】《普济方》卷一九二。

【组成】厚朴（姜汁制，用巴豆二八粒，轻手破，同厚朴四两炒热，去豆用）　菌头萝子一两　羌活一两　藿香半两　木香一两

【用法】上为末，用蒜磨水打糊为丸，如绿豆大。每服三十丸，用灯心、枣汤下，用木通汤下亦得，不拘时候。

【主治】浮肿。

牵牛子散

【来源】《普济方》卷一九二。

【组成】牵牛子三两（炒）　桂心半两　羌活半两　当归半两（炒）　陈橘皮半两（浸，去白瓤，焙，炒）

【用法】上为末。每服二钱，生姜汤下，不拘时候。

【主治】水气肿满，喘急，小便涩。

神仙秘诀丸

【来源】《普济方》卷一九二。

【组成】酸皮　青皮　陈皮　三棱　巴豆　五灵脂　大黄　神曲　乌梅　大戟　芫花　甘遂　葶苈　杏仁　淡豆豉各一两

【用法】上锉，炒烟微起，为细末，醋糊为丸，如绿豆大。每服七丸，量虚实加减，五更生姜汤送下；百物所伤，仍用伤物汤送下。
【主治】水气浮肿，黄疸。
【宜忌】忌甘草。

消水肿归气饮子

【来源】《普济方》卷一九二。
【组成】苏叶（连嫩枝）一两二钱　大腹皮三钱　川木通四钱　茯苓皮　姜皮　陈皮　桑皮　桔梗　地骨皮　五加皮　茯苓　麦门冬　甘草　五味子　草果各二钱
【用法】上为末，分为六服。每服七八钱，用水二钟，加生姜三片，煎至八分，食前、临卧连滓服，日进四服。肿消药尽，六服全安。
【主治】面虚浮肿，四肢肿大，甚者入腹胁，致胸满气喘，微嗽，飧泄，眠卧不能。
【宜忌】宜只吃白粥十日、半月、二十日。大忌生冷、油腻、酒醋、咸鸡、鸭子、面食、硬饭、蔬菜。

十全汤

【来源】《普济方》卷一九三。
【组成】大麻子（新胀肥者佳）　赤小豆（不浮者）各一石
【用法】以新者拣净，水洗曝晒，蒸麻子熟，更晒干，贮净器中。欲服，取五升麻子，熬令黄香，宜慢火，休令焦，为细末，以水五升煮取汁尽，净器盛之；明旦饮服，今夜以小豆一升淘净，水浸至旦，滤去水，以新水煮豆大半熟，即滤出令干，纳麻子汁中，煮烂为度。空腹恣食。三日腹当小，心闷少时即止。五日后，小便数或赤而唾粘口干，不足为怪。服讫微行，不可便卧。十日后，针灸三里、绝骨。如气不泄尽，再服。
【主治】水气，通身洪肿。
【宜忌】慎房事，嗔怒大语；忌酒、面、油、醋、生冷、蕈茹，一切鱼、肉、盐、五辛。

白术丸

【来源】《普济方》卷一九三。
【组成】羌活　白术各半两　木通　黄耆　桑白皮各三两　木香二两　黑牵牛十两（半生半炒）　陈皮三两
【用法】上为末，炼蜜为丸。生姜汤送下。
【主治】通身肿满，及病气疾。

杏仁丸

【来源】《普济方》卷一九三。
【组成】杏仁十枚（去皮尖，熬）　苏子五分　白前六分　昆布八分（洗去咸）　李根白皮五分　橘皮六分　五味子六分　大麻仁五分（熬）　茯苓八分　生姜八分（切，晒燥）
【用法】上为末，炼蜜为丸，如梧桐子大。每服二十丸，稍稍加至三十丸，粥清送下，一日二次。
【主治】水气身肿胀满。

泽泻汤

【来源】《普济方》卷一九三。
【组成】泽泻三两（炒）　知母二两　海藻二两　丹参三两　秦艽二两　木防己二两　猪苓二两（去皮）　大黄三两　通草二两　青木香二两
【用法】上切。以水九升，煮取三升，分三服。
【主治】寒热当风，饮多暴肿，身如裂，脉浮数。
【宜忌】忌酢物。

甜葶苈丸

【来源】《普济方》卷一九三。
【组成】甜葶苈二两（隔纸炒令紫色）　海蛤一两（细研）　川大黄三两（锉碎，微炒）　甘草二两（煨令黄，焙）　杏仁一两半（汤浸，去皮尖双仁，麸炒黄）
【用法】上为细末，枣肉为丸，如梧桐子大。每服二十丸，空心煎木瓜、通草汤送下，以利为度。
【主治】头面四肢卒浮肿，小便涩，及前阴肾肿。

槟榔丸

【来源】《普济方》卷一九四。
【组成】槟榔　郁李仁各一两　续随子　甘遂各半

两（炒黄） 茼茹八钱 樟柳根 黑牵牛 大黄各一两 木通 海金砂各半两 滑石一两

【用法】上为细末，面糊为丸，梧桐子大。每服三十丸，温酒送下。如泻，白粥补之。常服只十丸至十五丸。

【主治】水蛊。

【宜忌】忌盐、醋、油、酱、油腻、生冷、面粉半年。

槟榔散

【来源】《普济方》卷一九四。

【组成】槟榔 白茯苓 白附子 白术 芫花 蓬术 大戟 甘遂 黑牵牛 巴戟 青皮 荆三棱（炒） 肉桂 茴香各等分

【用法】上为末。每服一钱，用樟柳根煎汤调服。一更前后取脚上水；二更煎升麻汤下，取面上水；三更煎赤小豆汤下，取手上水；四更煎桑白皮汤下，取肚中水；五更煎茶酒下，取膜中水。

【主治】男子、妇人蛊气，及下元腿膝虚肿。

神曲散

【来源】《普济方》卷二一三。

【组成】神曲一升 干姜 细辛 椒目 附子 桂心各一两

【用法】上为散。每服方寸匕，不知加至二三匕，酒调下，每日三次。服此药小便利得止，肿亦消。

【主治】痢后虚肿水肿者，兼治产后虚满者。

桑白皮汤

【来源】《普济方》卷二一三。

【组成】桑白皮 赤茯苓 郁李仁 陈橘皮各一两

【用法】上锉，如麻豆大。每服五钱，水一盏半，入赤小豆一百粒，同煎至八分，去滓，食前服。

【主治】下痢后，脾胃虚弱，不能制水气，以致身肿胀满。

桑白皮汤

【来源】《普济方》卷二四四。

【组成】乌豆五升 桑皮（切）四升（二物以水二斗，煮取一斗半，去滓） 橘皮二两 大麻子仁一升（炒） 蜀升麻二两 杏仁（去皮尖）二两 猪苓二两 丹参三两 生姜二两（切）

【用法】上切。将七物纳前桑皮、豆汁中，煮取四升，朝二服，相去如三食久，药消进食，食消，又更进二服。

【主治】遍身肿，小便涩及脚肿。

粉霜丸

【来源】《普济方》卷二五五。

【组成】丁香 木香 粉霜 五灵脂 朱砂各二钱 硇砂 乳香 麝香 信（湿纸裹，煨候烟尽）各一钱 肉豆蔻 巴豆（去壳，湿纸裹，煨香）各二两

【用法】上为细末，醋糊为丸，如黍米大。每服二丸，随汤引下；若心痹疼，石菖蒲汤送下；气刺撮痛，陈皮汤送下；腹胀满闷，萝卜汤送下；咳逆满闷，柿叶汤送下；小肠冷气疼，水盐汤送下；膈气翻胃，丁香汤送下；小儿羸瘦，藿香汤送下；脾寒疟疾，草果汤送下；癫狂失志，柳桃汤送下；小便频并，茴香汤送下；十种水气肿，猪苓汤送下；血痢，槐花甘草汤送下；五般淋沥，灯心汤送下；盗汗出，龙胆草汤送下，酒积肚腹痛，温酒送下；赤白痢，煎陈皮汤送下；中暑热者，沙糖水送下；水泻不调，生姜汤送下；山岚瘴气，不服水土，温酒送下，妇人赤白带下，艾醋汤送下。

【主治】心痹疼，气刺撮痛，腹胀满闷，咳逆满闷，小肠冷气疼，膈气翻胃，小儿羸瘦，脾寒疟疾，癫狂失志，小便频并，十种水气肿，血痢，五般淋沥，盗汗，酒积肚腹痛，赤白痢，中暑热，山岚瘴气，妇人赤白带下。

商陆丸

【来源】《普济方》卷二九二。

【组成】商陆 牵牛 赤小豆 萝卜子各等分

【用法】上为末，糯粥为丸，如梧桐子大。约量丸数，用萝卜子汤送下。

【主治】水气浮肿。

【宜忌】忌鱼、酢、面食。

三脘散

【来源】《普济方》卷三二〇。

【组成】大腹皮　紫苏　藿香　干木瓜　独活各一两　白术　川芎　木香　甘草　陈皮　槟榔各三两

【用法】上锉。每服三钱，水一盏，煎至七分，去滓，空心热服，日中服。

【主治】中焦虚痞，两胁气痛，面目手足浮肿，大便秘涩，兼治脚气。

参归丸

【来源】《普济方》卷三三三。

【组成】人参　当归　大黄　瞿麦　赤芍药　苦葶苈（制）　白茯苓　桂心各等分

【用法】上为末，蜜为丸，如梧桐子大。每服三十丸，空心米饮送下。

【主治】脾血受病，经水不通，血化黄水，流入肢体浮肿。

人参白术饮

【来源】《普济方》卷三三五。

【组成】人参　白术（炒）　草果（去皮）　厚朴（姜制）　川椒（炮）　半夏曲　大附子（炮）　甘草（炙）各一两　泽兰叶半两

【用法】上为粗末。每服四钱，水一盏，加生姜二十片，大枣一个，同煎至八分，去滓，食前服。

【主治】妇人水肿。

二牛丸

【来源】《普济方》卷三八六。

【组成】黑牵牛　白牵牛各四两（炒）

【用法】上为末，井花水为丸，如绿豆大。每服二十丸，萝卜子煎汤送下。

【主治】小儿肿病，大小便不利。

大戟丸

【来源】《普济方》卷三八六。

【组成】大戟　葶苈（炒）各一钱　青皮三钱　江子半钱

【用法】上为末，饭为丸。每服五丸，茶汤送下。如泻后，用人参白术散补之。

【主治】小儿水气浮肿。

白术散

【来源】《普济方》卷三八六。

【组成】白术　木香（炮）　甘草（炙）　茴香（炒）　青皮（浸，去皮，切；巴豆三十枚，去皮膜，同青皮一处炒了，去巴豆不用）各半两

【用法】上为末。饭饮调下。

【主治】小儿水气肿。

加味五苓散

【来源】《普济方》卷三八六。

【组成】猪苓　赤茯苓　白术　泽泻各一两　木香　沉香　槟榔各三钱　白豆蔻一钱　缩砂仁五钱

【用法】上为末。煎樟柳、木通、灯心汤调下。

【主治】肿满，因积而得，既取积而肿再作，小便不利者。

泽苓散

【来源】《普济方》卷三八六。

【组成】木通一两半　泽泻　萝卜子各半两　木猪苓　汉防己各一两

【用法】上锉。每服一钱，水、酒共半盏，葱白三寸，煎三分，去滓，温服，小便通利即愈。

【主治】小儿遍身浮肿，气急不食。

茯苓丸

【来源】《普济方》卷三八六。

【组成】赤茯苓　杏仁（汤浸，去皮尖双仁，麸炒微黄）　陈橘皮（汤浸，去白瓤，焙）　汉防己　紫苏子（微炒）　甜葶苈（隔纸炒令紫色）各半两

【用法】上为末，炼蜜为丸，如绿豆大。每服十丸，煎桑根白皮汤送下，一日三次。五岁以下，减丸服之。

【主治】小儿水气面目肿，小便涩，腹胀满。

香橘丸

【来源】《普济方》卷三八六。

【组成】杏仁十四个　巴豆十四个　青皮　陈皮各半两　麸半升

【用法】上一处炒白，为细末，醋糊为丸，如绿豆大。每服十丸至二十丸，冷生姜汤送下。

【主治】小儿四肢肿满。

宣气散

【来源】《普济方》卷三八六。

【组成】木香一分　槟榔　橘皮　甘草各半两　黑牵牛一两（半生半炒）

【用法】上锉。三岁者，每服一钱，水半盏，煎三分，去滓温服。止与一服，后补之。

【主治】小儿腹急气粗；风肿、气肿、通身肿；疮痘盛出，身热烦渴，腹胀喘促，大小便涩，面青闷乱；久泻不退，脾虚生热。

桑白皮散

【来源】《普济方》卷三八六。

【组成】桑根白皮半两（炒）　射干　赤茯苓　黄芩　木通（锉）　泽泻　泽漆　汉防己各半两

【用法】上为细散。每服半钱，煮赤小豆汤调下，一日三四次。

【主治】小儿水气，遍身肿满，喘促，小便不利。

葶苈散

【来源】《普济方》卷三八六。

【组成】葶苈（炒）　防己　甘遂　大戟各等分

【用法】上为末。三岁一钱，食前以桑白皮汤调下。

【主治】小儿水肿气粗。

葶苈散

【来源】《普济方》卷三八六。

【组成】葶苈（隔纸炒）　牵牛（炒）　桑白皮（炒）　槟榔各等分

【用法】上为末。生姜蜜汤调下。

【主治】小儿水肿。

塌气散

【来源】《普济方》卷三八六。

【组成】赤小豆　陈皮（去白）　萝卜子　白术（炒）　茴香（炒）各五钱　木香二钱（炮）　甘草一钱（炙）　青皮五钱（加以巴豆二钱，去壳炒，去巴豆不用）

【用法】上为末。饭汤调下，或生姜、大枣汤调下；治疳水，灯心汤调下。

【主治】小儿肿满因积而作，既积而肿再作，小便不利。

槟榔饼子

【来源】《普济方》卷三八六。

【组成】槟榔一分　郁李仁半两（浸，去皮，微炒）

【用法】上为末。以大麦面一两，和作饼子，扒灰内煨熟。量儿大小与吃，以温水下之。即得通利气下也。

【主治】小儿水气，四肢浮肿，腹胁妨闷。

牛榔散

【来源】《本草纲目》卷十八引《普济方》。

【别名】牛郎顶（《串雅内编》卷三）。

【组成】黑牵牛半两　槟榔二钱半

【用法】上为末，每服一钱，紫苏汤调下。

本方原名牛郎丸，与剂型不符。据《仙拈集》改。

【功用】追虫去积。

【主治】

1.《本草纲目》引《普济方》：气筑奔冲不可忍。

2.《仙拈集》：鼓胀，水肿，虫积。

半边散

【来源】《本草纲目》卷四十一引《普济方》。

【组成】芫花（醋浸，焙干）　大戟　甘遂　大黄各三钱　土狗七枚（五月内取会飞的）

【用法】上先以葱捣烂为饼，摊新瓦上，却将土狗安葱上焙干，去翅足嘴，每个剪作二片，分左右成对记之，再焙干为末，欲退左边肿，即以左边七片为末，入前药调服；右边依前四味末。每服二钱，入土狗末和匀，用淡竹叶、天门冬煎汤调，五更服。候左边退，至第四日服右边，如或未动，只以大黄三钱，煎至一半助之，如更不动，茶清助之。

【主治】水病。

绿豆粥

【来源】《本草纲目》卷二十四引《普济方》。

【组成】绿豆

【用法】煮汁，煮作粥。

【功用】

1.《本草纲目》解热毒，止烦渴。

2.《长寿药粥谱》：消水肿，预防中暑。

【主治】

1.《本草纲目》引《普济方》：消渴饮水。

2.《长寿药粥谱》：暑热烦渴，疮毒疖肿，老年浮肿，高热口渴。

木香塌肿散

【来源】《袖珍方》卷三。

【组成】海金沙二钱　猪苓　甘遂各三钱　大黄四钱（一方四两）　木香三钱　轻粉三钱　麝香少许

【用法】上为末。每服五钱，空心用樟柳根擂酒调下。量虚实服之。

【主治】水肿。

葶苈散

【来源】《袖珍小儿方》卷七。

【组成】甜葶苈（隔纸炒）　黑牵牛　槟榔　大黄（煨）各等分

【用法】上为末。每服半钱，用姜汤入蜜少许调下。

【主治】水气肿满。

四六神遗散

【来源】《袖珍小儿方》卷九。

【组成】猪苓　泽泻　白术各六分　赤茯苓　肉桂一分　枳壳（去白）五分　大腹皮（酒洗，炒）一钱　桑白皮一钱　杏仁（去皮尖）七分

方中赤茯苓用量原缺。

【用法】上切片。加生姜一片，灯心一团，水煎，温服。

【主治】小儿喘胀。

万全散

【来源】《医方类聚》卷二二七引《仙传济阴方》。

【组成】苍术（米泔浸，锉，炒）　厚朴各一斤（去粗皮，姜制，炒）　陈皮半斤（去白，锉，炒）　青皮半斤（去白，锉，炒）　军姜半斤（锉，炒）　良姜半斤（锉，炒）　砂仁六两（去膜，炒）　草果六两（锉，炒）　益智五两（炒）　香附一斤（洗，炒）　粉草半斤（炒）　杜乌药一斤（炒）　丁皮五两（不见火）　大腹皮四两（洗净，锉，姜汁炒）　紫苏一斤（炒）　桂皮（不见火）

【用法】水一盏半，加生姜五片，同煎七分，去滓，空心温服。

【主治】妇人妊娠，感风恶寒，头疼，腹痛，腰脚疼，四肢浮肿。

【宜忌】切忌生冷毒物。

【加减】腹疼，加小茴香一撮；四肢浮肿，加陈萝卜子（炒入）；冷气，加吴茱萸（炒入）；腰脚疼，加川牛膝（酒洗，不见火）、木瓜（锉）；头疼风证者，加防风（去芦）、北细辛（去叶），或加川乌（汤泡，去皮尖，生用，焙，姜汁煎）；四肢骨节痛，加小茴香（炒）；感风恶寒者，加葱白煎；潮热，加葱白，热退则止；心气不通、喘急，加麦门冬（去心），每三粒，或加灯心三寸；作渴，加乌梅，每半个，或加粉葛；咳嗽，加桑白皮（向东取，去粗皮，锉，蜜炒干，再入蜜炒）；伤肺者，加北五味子，或加桑叶一皮（向东取）；五心烦热，小便赤，加车前草、茆根蔗，或灯心；经脉来不已，加烧棕灰（存性）；泄泻，加炒糯米一撮，或肉豆蔻；催生，用苎根三茎；经脉败，

蛤　馔

【来源】《本草纲目》卷四十二引《寿域神方》。

【组成】活蛙三个（每个口内安铜钱一个，上着胡黄连末少许）

【用法】以雄猪肚一个，茶油洗净，包蛙扎定，煮一宿取出，去皮肠。食肉并猪肚，以酒送下。

【主治】水肿。

【宜忌】忌酸、咸、鱼、面、鸡、鹅、羊肉。宜食猪、鸭。

牵牛汤

【来源】《医方类聚》卷一二九引《御医撮要》。

【组成】牵牛子（微炒）一两半　白槟榔（微煨）一两半

【用法】上为细散。每服三钱，用水一盏半，煎至七分，温服，一日二次。

【主治】水气肿满。

【宜忌】忌牛、羊、猪肉，湿面，酱。

芫花丸

【来源】《奇效良方》卷四十。

【组成】芫花（醋浸，瓦炒七次）　牵牛（半生半炒）各七分

【用法】上为细末，醋煮面糊为丸，如梧桐子大。每服三十丸，相虚实，五更初用茶清咽下。天明其水即下。

【主治】女人脾元虚惫，水气肿满。

【宜忌】忌生盐、油酱、豉面、醋、羊、鹅等毒食生冷。只可食精肉，如欲食盐，炒盐食之，以少为贵，不食尤好。服药之时须忌甘草。

实脾散

【来源】《奇效良方》卷四十。

【组成】厚朴（去皮，姜制，炒）　木瓜（去瓤）　木香（不见火）　附子（炮，去皮脐）　干姜（炮）　草果仁　大腹皮各一钱半　甘草（炙）一钱

【用法】上作一服。水二钟，加生姜五片，大枣一个，煎一钟，不拘时服。

【功用】实脾土。

【主治】阴水发肿。

炮肾散

【来源】《奇效良方》卷四十。

【组成】巴戟（去心，麸炒）　甘遂（炒黄）　木香　苦葶苈（炒）　沉香（锉）　泽泻各一分　腻粉一钱　槟榔（一枚生，一枚炮）　陈皮（去白）　芫花（醋拌炒）　麦蘖各半两

【用法】上为末。每服二钱，用猪腰子一枚，以竹刀割开，去筋膜，切作三片，掺药末在内，用湿纸裹，慢火煨令香熟；先煮葱白三茎令熟，细切，将葱白与粟米同煮粥一碗。先食粥一半，方食腰子，药后再食粥令尽，临卧时服。至五更大小便下赤黄恶物是效。

【主治】水气肿满。

神助丸

【来源】《奇效良方》卷四十。

【别名】葶苈丸。

【组成】大戟（主青水，先从左边胁肿起，根在肝）　葶苈（主赤水，舌根肿起，一云脚根肿起，根在心）　甘遂（微炒。主黄水，腰腹肿起，根在脾）　桑白皮（主白水，从脚肿起，根在肺）　连翘（主黑水，从外肾肿起，根在肾）　芫花（醋炒。主玄水，从面肿起，根在外肾）　泽泻（主风水，从四肢肿起，根在骨）　藁本（主石水，从肾肿起，根在膀胱）　巴豆（去油。主蒿水，从小腹肿起，根在小肠）　赤小豆（主气水，或盛或衰，根在腹）

【用法】上用所主药一两，余者各半两，研为细末，炼蜜为丸，如梧桐子大。每服十丸，茯苓汤送下，每日三次。病痊后便服鸭头丸。

【主治】十种水气，面目四肢遍身俱肿。

【宜忌】忌盐百日外，忌鱼、虾、面食、一切毒物，房事。

退肿集贤丸

【来源】《奇效良方》卷四十。

【组成】商陆　猪苓　汉防己　苦葶苈　椒目　滑石　海金沙　黑牵牛（取末）　大腹皮　续随子（去油）　赤茯苓各一两　巴豆二十七粒（去油）

黄连半两（净）

【用法】上为细末，煨蒜捣为丸，如梧桐子大。每服二十五丸，五更温服，每两日一次。初服商陆汤，次服赤小豆汤，三服用木瓜汤送下。

【主治】诸肿。

雄黄木香散

【来源】《奇效良方》卷四十。

【组成】大鲫鱼一尾（去肠肚，入大戟、甘遂各二钱五分） 雄黄（另研）半钱 黑牵牛 木香各半两 土狗一个（另研）

【用法】上以大戟同甘遂一半入鱼肚内，煨令焦，取出焙干，同众药研为末。每服二三钱，冷水调下。

【主治】十种水肿。

秘传助脾渗湿汤

【来源】《松崖医径》卷下。

【组成】苍术 白术 人参 枳壳 枳实 黄连 山栀 厚朴 大腹皮 萝菔子（炒） 猪苓 泽泻

【用法】上细切。用水二盏，加生姜三片，灯心一握煎，再用生姜汁磨木香同服。

【主治】水肿，鼓胀。

【加减】大便燥结，加大黄；小便不利，加滑石。

加减金匮肾气丸

【来源】《明医杂著》卷六。

【别名】加减济生肾气丸（《内科摘要》卷下）。

【组成】白茯苓三两 附子五钱 川牛膝 桂 泽泻 车前子 山茱萸 山药 牡丹皮各一两 熟地黄四两（掐碎，酒拌杵膏）

【用法】上为末，和地黄、炼蜜为丸，如梧桐子大。每服七八十丸，空心米饮送下。

【主治】脾肾虚，腰重脚肿，小便不利；或肚腹肿胀，四肢浮肿；或喘急痰盛，已成蛊症。

遇仙丹

【来源】《婴童百问》卷九。

【组成】牵牛三斤 大腹子三斤 锡灰二两（炙干，为末） 大黄四两 雷丸四两 青木香 鹤虱各二两 干漆二两 皂角四条

【用法】后四味煎水，用粟米煮粥，初用牵牛末，次用大腹末，三用锡灰，四用大黄，五用雷丸，六用青木香和剂为丸，如梧桐子大。每服五七丸，用姜汤熟水送下。

【功用】取诸积，进饮食，除病悦颜色。

【主治】积虫气块，五劳七伤，赤白痢疾，便血注下，皮黄水肿，十般气，十一般恶虫。

【宜忌】伤寒、孕妇不可服。

鸡屎醴

【来源】《医学正传》卷三。

【别名】鸡屎醴饮（《东医宝鉴·杂病篇》卷六）。

【组成】羯鸡屎一升

【用法】上为细末，炒焦色，地上出火毒，再为极细末，百沸汤三升淋汁。每服一大盏，调木香、槟榔末各一钱，空腹服，一日三次。以平为期。

【主治】鼓胀、气胀、水胀等证。

九转灵丹

【来源】《医学集成》卷三。

【组成】黑丑 白丑 槟榔各五两 大黄二两 芫荑 雷丸各一两

【用法】上为末。每服三四钱，木香汤送下。晚食米粥，次服双和饮。

【主治】诸肿。

【宜忌】忌生冷、油荤。

双和饮

【来源】《医学集成》卷三。

【组成】熟地 山药 焦术各六钱 黄耆 当归 苡仁 故纸各一钱（生） 沙参 芡实 附子各三钱 甘草二钱

【用法】先服九转灵丹，次服本方。

【主治】诸肿。

和解导水汤

【来源】《医学集成》卷三。

【组成】焦术　茯苓　泽泻　陈皮　腹皮　桑皮　麦冬　紫苏　槟榔　砂仁　木瓜　木香

【主治】风湿两伤，通身水肿轻者。

分气饮

【来源】《万氏家抄方》卷五。

【组成】桔梗　茯苓　陈皮　桑皮　大腹皮　枳壳　草果　半夏　苏子　木瓜　木通　木香

【用法】加生姜、大枣、灯心，水煎服。

【主治】四肢浮肿，气喘短急。

【加减】小便不利，加猪苓、泽泻；泻，加肉果；腹痛，加肉桂；胸膈不宽，加砂仁、厚朴。

沉香丸

【来源】《万氏家抄方》卷五。

【组成】千金子肉（去油）　五倍子各八钱　木香　沉香各五钱　麝香二钱　山慈菇一两　红芽大戟七钱

【用法】上为细末，米糊为丸，如黍米大。淡姜汤送下。

【主治】小儿肿胀。

补脾饮

【来源】《万氏家抄方》卷五。

【组成】白术（炒）　茯苓　人参　厚朴（姜汁炒）　陈皮　木通　木瓜　青皮　木香　干姜　大腹皮　砂仁

【用法】加生姜、大枣、灯心，水煎服。

【主治】脾虚受湿，浮肿。

解肌汤

【来源】《万氏家抄方》卷五。

【组成】川升麻　甘草（生用）　干姜　黄芩各一钱　赤芍一钱五分　麻黄（去节）五分

【用法】上锉。每服二三钱，桃、柳枝各七根，水一钟，煎六分，不拘时候温服。

【主治】小儿遍身赤肿，不能睡卧。

葶苈猪苓散

【来源】《陈素庵妇科补解》卷一。

【组成】葶苈　茯苓　猪苓　白术　苍术　泽泻　瞿麦　车前子　川芎　当归　赤芍　生地

【功用】渗水利湿。

【主治】水分。脾虚不能制水，血与水散于皮肤、肠胃之间，发为浮肿，小水不通，而后经水断绝。

【方论】方以二术、二苓壮土制水，泽泻、车前、瞿麦、葶苈以行水消肿。水去则四肢皮肤、经络、肠胃之间，悉皆通利，经血乃循故道而复至矣。

加味五皮饮

【来源】《幼科类萃》卷十二。

【组成】五加皮　地骨皮　生姜皮　大腹皮　茯苓皮各一钱　姜黄一钱　木瓜（一方去五加皮，用陈皮、桑皮）

【用法】上作一服。水煎服。

【主治】小儿四肢肿满，阳水或阴水。

四苓五皮汤

【来源】《东医宝鉴·杂病篇》卷六引《辨疑》。

【组成】桑白皮　陈皮　地骨皮　茯苓皮　生姜皮　大腹皮　苍术　白术　泽泻　猪苓　青皮　车前子（炒）各一两

【用法】上锉，作一贴。水煎服。

【主治】浮肿。

五皮汤

【来源】《痘疹心法》卷二十三。

【组成】桑白皮　地骨皮　生姜皮　大腹皮　五加皮各等分

【用法】上锉细，取长流水一盏，灯心十二茎，煎七分，温服。

【主治】痘后面肿。

二术四苓汤

【来源】《古今医统大全》卷十七。

【组成】白术　苍术　茯苓　猪苓　泽泻　黄芩　羌活　芍药　栀子仁　甘草各等分

【用法】水三盏，加生姜三片，灯心一撮，煎服。

【主治】诸湿肿满，一身尽痛，发热烦闷，二便不利。

导水饮子

【来源】《古今医统大全》卷三十一引《集成》。

【组成】吴茱萸三钱　黄连　茯苓　苍术各一两　滑石七钱半

【用法】上为细末，滴水为丸。每服七十丸，食前车前子、灯心汤送下。

【主治】水饮肿胀。

鲤鱼汤

【来源】《古今医统大全》卷三十一。

【组成】鲤鱼二斤（去肠肚，鳞，洗净）　赤茯苓　猪苓　泽泻　紫苏各一两　杏仁（去皮尖及双仁者，炒）

【用法】上锉，先用水五升，煮鱼取汁三升，去鱼，纳药煮至二升。食前温服一盏，鱼亦食之。妙。

【主治】卒浮肿上气，喘急，小便急涩，大便难。

泄蛊丸

【来源】《古今医统大全》卷三十二引《集成》。

【组成】甘遂　黑丑　大黄　茯苓　泽泻各半两　丁香　滑石　枳壳　木香　一扫仙　沉香各二钱　续随子三钱

【用法】上为细末。醋糊为丸，如梧桐子大，雄黄为衣。

【主治】一切水肿气胀。

煮赤豆方

【来源】《古今医统大全》卷八十七。

【组成】赤小豆三升（淘净）　白樟柳根（细切）一升

【用法】上和煮烂，空心常食，渴即饮汁，勿食杂物。

【主治】老人水肿急胀。

煮水牛肉方

【来源】《古今医统大全》卷八十七。

【组成】水牛肉（鲜肥者）

【用法】上煮令极熟，切，以姜醋五味调和，空心任意食之。

【主治】老人水气病，四肢肿满，喘息不宁。

鼠　粥

【来源】《古今医统大全》卷八十七。

【组成】肥鼠一个（去皮，细切）

【用法】上用粳米四合煮粥。空心服。一二度愈。

【主治】水肿，腹胀身肿。

酿蒸鸭

【来源】《古今医统大全》卷八十七。

【组成】白鸭一只（去内外，洗净）　饋饭半斤

【用法】将勒饭加姜、椒、葱，入鸭腹中，缝定，烂蒸熟。食之。

【主治】水气胀满，浮肿，小便涩少。

鲤鱼煮豆

【来源】《古今医统大全》卷八十七。

【组成】大豆二升　白术一两　鲤鱼肉一斤

【用法】以水煮令豆烂熟。空心常食，以汁咽之。

【主治】老人水肿，手足俱胀。

参苓散

【来源】《古今医统大全》卷八十八。

【组成】人参　白术　猪苓　泽泻　干姜（炮）各二分　赤茯苓　木通各二钱

【用法】上锉。入灯心十茎，车前子一撮，水煎，

食前服。

【主治】小儿受湿，身痛面浮，发热恶风，多汗作呕，小便不利。

五积散

【来源】《周慎斋遗书》卷八。

【组成】白芷　桔梗　当归各三钱　陈皮六钱　川芎　甘草　茯苓　枳壳　半夏各二钱　麻黄二钱　肉桂　厚朴各四钱（姜汁炒）　生姜三片　葱白七枚

【用法】为散服。

【主治】肿病，脉浮无力。

猪肚丸

【来源】《慎斋遗书》卷八。

【组成】癞蛤蟆一只　胡椒一钱　猪肚一枚

【用法】上以胡椒纳癞蛤蟆口内，用猪肚一枚，包缝煮烂，为丸服。

【主治】食积停痰肿。

布海丸

【来源】《医学入门》卷七。

【组成】昆布　海藻各一斤（洗净，入罐文成膏）　枳实四两　陈皮二两　青皮一两　荜澄茄　青木香各五钱

【用法】上为末，入前膏为丸。空心沸汤送下。

【主治】水肿、痰肿、气肿、鼓胀、喘咳，及癥瘕瘿瘤。

【加减】气盛，加三棱、莪术各二两。

金　丹

【来源】《医学入门》卷七。

【组成】苍术四钱半　草乌二钱　巴豆一钱半　羌活二两　杏仁二十一个

【用法】上为末，面糊为丸，如梧桐子大。每服十一丸，临卧姜汤送下。

【主治】十种水气，膨胀。

【宜忌】忌盐、酱、房事。

香平丸

【来源】《医学入门》卷七。

【组成】香附　黑牵牛　三棱　莪术　干生姜各三两　平胃散一斤

【用法】上为末，醋糊为丸，或入鸭头鲜血为丸，如梧桐子大。生姜汤送下。

【主治】水肿、气肿、血肿。

紧皮丸

【来源】《医学入门》卷七。

【组成】荜澄茄三钱　干漆二钱　枳壳四两　苍术　乌药　香附　三棱　莪术　木香　砂仁　红豆蔻　草果　茯苓各一两

【用法】上为末，醋糊为丸。肿消后即服或千金养脾丸、枳术丸。

【主治】热肿。

浚川丸

【来源】《医学入门》卷七。

【别名】十水丸（《医学入门》卷七）。

【组成】桑白皮　大戟　雄黄　茯苓　芫花　甘遂　商陆　泽泻　巴戟　葶苈各五钱

【用法】上为末，醋糊为丸。每服三十丸，姜汤或木香汤送下。

【主治】十种水气初起。

【宜忌】忌鱼、面、盐百日。

【加减】从面肿起，根在肺，桑白皮加至一两；从四肢肿起，根在脾，大戟加至一两；从背肿起，根在胆，雄黄加至一两；从胸肿起，根在皮肤，茯苓加至一两；从胁肿起，根在肝，芫花加至一两；从腰肿起，根在胃，甘遂加至一两；从腹肿起，根在肺，商陆加至一两；从阴肿起，根在肾，泽泻加至一两；从手肿起，根在腹，巴戟加至一两；从脚肿起，根在心，葶苈加至一两。

葶归丸

【来源】《医学入门》卷八。

【组成】当归　人参　大黄　桂心　瞿麦　赤芍

白茯苓各三两　葶苈一钱

【用法】上为末，炼蜜为丸，如梧桐子大。每服十五丸，空心米饮送下。

【主治】妇人水肿。

回生丹

【来源】《古今医鉴》卷六。

【组成】青皮　陈皮　三棱　莪术　连翘各三钱（用巴豆去壳一两半，于砂锅同炒入药）　木香　甘遂（炒）　商陆　泽泻　木通（炒）　干漆（炒尽烟）　萝卜子（炒）各三钱　赤茯苓　桑白皮（炒）　椒目（炒）各五钱　胡椒（炒）一钱　黑牵牛一两（生）

【用法】上为末，醋糊为丸，如绿豆大。每服十五丸至二十丸。第一服用生葱二十四根，擂碎，同温酒五更送下；第二服用陈皮、桑白皮煎汤，第三服用射干汤送下。

【功用】退水。

【主治】浮肿腹胀。

【宜忌】忌食盐。

导水饼

【来源】《古今医鉴》卷六。

【组成】真水银粉二钱　巴豆肉（研去油）四钱　生硫黄一钱

【用法】上研成饼，令匀。先用新绵铺脐上，次以饼当脐掩之，外用帛缚。如人行三五里，自然泻下恶水，待行三五次，除去药，以温白粥补之。

【功用】去水。

【主治】肿胀。

苏沉破结汤

【来源】《古今医鉴》卷六引车少参方。

【组成】紫苏　薄荷　枳实　麦门冬　当归　川芎　大黄　木通　甘遂　白僵蚕　白豆蔻　木香　沉香减半（以上三味另为末）　牙皂　生姜　细茶各一钱

【用法】上作二服。水煎，五更早服。

【主治】水肿。

法蒸蓖麻膏

【来源】《古今医鉴》卷六。

【组成】蓖麻子（去壳）

【用法】用麻布包，压去油，薄摊在木勺内，仰放在锅中，水面上以锅排盖住，煮二十余沸，以药无白色为度，取出。每服六钱，滚水化开，空心温服。不过二三剂，以小便大利为效。

【主治】十种水气，五蛊瘴气。

消河饼

【来源】《古今医鉴》卷六。

【组成】大田螺四个　大蒜（去皮）五个　车前子三钱（为末）

【用法】上研成饼，贴脐中，以手帕缚之。贴药后少顷，小便出，一二饼即愈。

【主治】

1. 《古今医鉴》：水肿膨胀。
2. 《惠直堂方》：水肿，小便闭淋。

消肿调脾顺气汤

【来源】《古今医鉴》卷六。

【组成】苍术　陈皮　厚朴　草果　砂仁　猪苓　木香　槟榔　大腹皮　香附　枳壳　泽泻　桔梗　三棱　莪术　官桂　大茴香　木通　人参　木瓜　桑白皮　牵牛（女用黑，男用白）　大黄　甘草

【用法】上锉。加生姜，水煎服。

【功用】消胀满，顺气和脾，除湿利水。

【主治】水肿。

推车丸

【来源】《古今医鉴》卷六引毛惟中方。

【组成】沉香一钱　木香一钱　巴豆一钱（半生半熟）　胡椒一钱（炒爆）

【用法】上为末，枣肉为丸，如梧桐子大。每服五六十丸。消上，用葱白捣烂，热酒送下；次日消中，用陈皮汤送下；三次消下，用牛膝汤送下。去三五次，不补自止，后用十皮散紧皮。

【主治】水肿，气肿，单腹胀。

消水肿膏

【来源】方出《本草纲目》卷四十六引《仇远稗史》，名见《杂病广要》。
【组成】田螺　大蒜　车前子各等分
【用法】上捣膏。敷贴脐上。水从便旋而出。
【主治】水气浮肿。
【验案】水肿　象山县民病此，得是方而愈。

赤小豆粥

【来源】《本草纲目》卷二十五。
【组成】赤小豆　粳米
【用法】煮粥服。
【功用】利小便，消水肿脚气，辟邪疠。

荠苊菜粥

【来源】《本草纲目》卷二十五。
【组成】鲜荠苊菜　粳米
【用法】煮粥服。
【功用】
1.《本草纲目》：明目利肝。
2.《长寿药粥谱》：补虚健脾，明目止血。
【主治】《长寿药粥谱》：水肿，吐血，便血，尿血，目赤目暗。现用于乳糜尿，视网膜出血，老年性浮肿，慢性肾炎。

桑椹酒

【来源】《本草纲目》卷二十五。
【组成】桑椹（捣汁煎）
【用法】上同曲末如常法酿酒饮。
【功用】补五脏，明耳目。
【主治】水肿。不下则满，下之则虚，入腹则十无一活。

桑椹酒

【来源】《本草纲目》卷三十六。
【组成】桑心皮（切）　桑椹
【用法】上以水二斗煮桑心皮，取汁一斗，入桑椹再煮，取五升，以糯米五升，酿酒饮。
【主治】水肿胀满。

加减胃苓汤

【来源】《片玉心书》卷五。
【组成】猪苓　泽泻　赤茯苓　白术　官桂　五加皮　苍术　陈皮　厚朴　甘草　木通　大腹皮　防风　生姜皮
【用法】灯心、生姜为引，取顺流水煎服。
【主治】疟后汗出受风，遍身浮肿者。

加减胃苓汤

【来源】《片玉痘疹》卷十二。
【组成】猪苓　泽泻　白术　赤茯苓　官桂　五加皮　厚朴　陈皮　甘草　桑白皮　防风　藁本　羌活　人参
【用法】灯心为引，水煎服。
【主治】痘疮收靥已后，犯有风寒雨湿洗浴，以致四肢头面浮肿者。

胃苓五皮汤

【来源】《幼科发挥》卷三。
【组成】胃苓丸　五皮汤
【用法】上共锉，取长流水，加灯心，煎服。
【主治】小儿水肿。

胃苓丸

【来源】《幼科指南》卷上。
【组成】苍术（米泔水浸，去黑皮，焙）五钱　陈皮　白术（土炒）各五钱　厚朴（姜制）　猪苓　茯苓各三钱　甘草　草果仁各二钱　泽泻（去皮）四钱　官桂一钱
【用法】上为细末，米糊为丸，如粟米大。炒米汤送下；呕吐，煨姜汤送下；泄泻，车前子炒米汤送下；潮热，竹叶炒米汤送下；浮肿，长流水煎灯心、五加皮汤送下；黄疸，加真茵陈五钱，灯

心汤送下；白浊，盐汤下；疝气，茴香汤送下。

【功用】分阴阳，退潮热，止吐泻，消肿胀，退黄疸，调脾胃，止便浊。

加味复元丹

【来源】《保命歌括》卷二十六。

【组成】附子（炮） 桂心各五钱 白茯苓 巴戟（去心） 白术 草薢 山药 破故纸（炒） 砂仁 泽泻 茴香（炒） 肉苁蓉（酒浸，去甲、心，焙）各一两

【用法】上为细末，炼蜜为丸，如梧桐子大。每服七十丸，米饮送下。

【主治】脾肾俱虚，发为水肿。

加减八正散

【来源】《保命歌括》卷二十六。

【组成】木通 滑石 瞿麦 车前子 白术 山栀子 防己 白茯苓各等分 甘草减半

【用法】上锉。加灯心，水煎，食前服。

【主治】腰以下肿甚者。

【加减】大便不通，加大黄。

加减流气饮

【来源】《保命歌括》卷二十六。

【组成】陈皮 青皮 紫苏（茎叶） 厚朴（制） 木通 香附子（醋制） 甘草（炙） 大腹皮 草果仁 肉桂 藿香叶 白术 木瓜 茯苓 白芷 半夏 枳壳各等分

【用法】上锉。加生姜三片，水煎服。

【主治】气血诸肿。

【加减】气分，加木香、槟榔、石菖蒲；血分，加当归、川芎、莪术。

加减胃苓五皮汤

【来源】《保命歌括》卷二十六。

【组成】胃苓汤加桑白皮 大腹皮 茯苓皮 生姜皮 五加皮

【用法】上锉。加生姜三片，水煎服。

【主治】诸肿及喘。

五皮汤

【来源】《育婴家秘》卷四。

【组成】桑白皮 大腹皮 茯苓皮 生姜皮 五加皮各等分

【主治】小儿肿病。

【加减】喘甚者，加真苏子；上半身肿多者，加苏叶、诃子、葛根；下半身肿多者，加木通、木瓜；腹胀者，加木香、藿香、枳壳；大便秘者，加枳实、大黄微利之，或枳朴大黄丸亦效。

清热渗湿汤

【来源】《赤水玄珠全集》卷二。

【组成】黄连 茯苓 泽泻各一钱 黄柏（盐水炒）二钱 苍术 白术各一钱半 甘草五分

【用法】水煎服。

【主治】

1.《赤水玄珠全集》：湿证。

2.《景岳全书》：湿热浮肿，肢节疼痛，小水不利。

3.《张氏医通》：夏月湿热痿困，烦渴，泄泻，溺赤。

4.《医略六书》：湿热伤脾，不能化气，而口渴溺闭，面黄浮肿。

【加减】如单用渗湿，去连、柏，加陈皮、干姜。

【方论】《医略六书》：方中黄连清心火，燥脾湿；黄柏清肾火，燥膀胱；苍术燥湿强脾；白术健脾燥湿；甘草缓中和胃；茯苓渗湿和脾；泽泻泻三焦湿热以通利膀胱也。使热降湿消，则津液四布，而口渴自止，溺亦清长，何患黄肿之不退哉，此消热渗湿之剂，为脾亏湿热之专方。

二奇方

【来源】《赤水玄珠全集》卷五。

【组成】白术五钱 滑石三钱

【用法】水煎服。

【主治】水肿。

苏橘饮

【来源】《赤水玄珠全集》卷五。

【组成】陈紫苏十四叶　全陈皮二片　砂仁六枚　甘草六寸　生姜十片　大枣五个

【用法】水煎服。

【主治】气壅发虚浮肿。

酒肿丸

【来源】《赤水玄珠全集》卷五。

【组成】萝卜十枚　皂角五枚

【用法】上二味用水煮干，去皂角，将萝卜捣烂，蒸饼糊为丸，如芡实大。萝卜煎汤送下。

【主治】酒肿，及脾虚发肿。

消肿汤

【来源】《赤水玄珠全集》卷五。

【组成】白术　山栀各五钱　赤茯苓　萝卜子各三钱　葶苈　椒目　苏子各一钱　沉香三分　木香五分

【用法】水煎服。

【主治】水肿喘满，大小便不利。

消肿汤

【来源】《赤水玄珠全集》卷五。

【组成】葶苈二钱　椒目一钱　猪苓一钱半　泽泻八分　葱白三根

【用法】上药水煎，并用牵牛末为丸，用本方送下，则大小便俱通。

【主治】水肿喘满，大小便不利。

葶苈大枣泻肺汤

【来源】《赤水玄珠全集》卷五。

【组成】甜葶苈　苦葶苈各等分　大枣

方中大枣用量原缺。

【主治】面目浮肿，喘嗽痰涎。

紫菀散

【来源】《赤水玄珠全集》卷五。

【组成】木香　人参　白术　紫菀　川芎各二两

【用法】上为粗末。加生姜、乌梅，水煎服，次日又一服。

【主治】水肿。

薏苡根散

【来源】《赤水玄珠全集》卷五。

【组成】薏苡根　木香　槟榔　黑豆

【用法】上为末。酒调服。

【主治】水肿。

四苓五皮散

【来源】《仁术便览》卷二。

【组成】白术　泽泻　猪苓　苍术　木通　茯苓皮　五加皮　大腹皮　地骨皮　桑白皮　青皮

【用法】加灯心，水煎服。

【主治】病后虚肿，不服水土者尤宜。

【加减】如气胀，加木通磨人；不欲食，加砂仁、麦芽；心下闷，加槟榔、青皮，再加生姜皮尤好。

海金沙散

【来源】《仁术便览》卷二。

【组成】海金沙一钱　白术一钱　苍术八分　厚朴一钱　陈皮八分　泽泻七分　猪苓七分　茯苓皮一钱　五加皮五分　生姜皮五分　大腹皮五分　商陆七分　甘草皮五分

【用法】上用水二钟，煎至一钟，稍热服，滓再煎服。

【主治】水肿。

理气化滞健脾汤

【来源】《仁术便览》卷二。

【组成】木香七分　陈皮一钱　厚朴（炒）八分　猪苓一钱　葶苈（炒）七分　香附（炒）一钱　枳壳（炒）一钱　白茯苓一钱　大腹皮五分　白

术（炒）一钱　栀子（炒）七分　商陆五分　木通五分

【用法】加生姜三片，水煎服。

【主治】水肿。

消导宽中汤

【来源】《医学六要·治法汇》卷五。

【组成】白术一钱半　枳实（麸炒）　厚朴（姜制）　陈皮　半夏　茯苓　山楂　神曲　麦芽　萝卜子

方中除白术外，诸药用量原缺。

【用法】加生姜三片，水煎服。

【主治】水肿。

【加减】小便不利，加猪苓、泽泻。

加减胃苓汤

【来源】《万病回春》卷三。

【组成】苍术（米泔制）一钱半　陈皮（去白）一钱　厚朴（姜制）八分　猪苓（去皮）　赤茯苓（去皮）　泽泻　白术（去芦）各一钱　大腹皮六分　神曲（炒）八分　甘草（炙）三分　山楂（去核）七分　香附（姜炒）六分　木瓜一钱　槟榔八分　砂仁七分

【用法】上锉一剂。水二钟，加生姜三片，灯心一团，煎至一钟，食远温服，滓再煎服。

【主治】水肿。

实脾饮

【来源】《万病回春》卷三。

【组成】苍术（米泔制）　白术（土炒）　厚朴（姜汁炒）　茯苓（连皮用）　猪苓　泽泻　香附　砂仁　枳壳（麸炒）　陈皮　木香　大腹皮各等分

【用法】上锉一剂。加灯心一团，水煎，磨木香调服。

【主治】水肿。

【加减】气急，加苏子、葶苈、桑白皮，去白术；发热，加炒山栀、黄连，去香附；泻，加炒芍药，去枳壳；小水不通，加木通、滑石，去白术；饮食停滞，加山楂、神曲，去白术；恶寒，手足厥冷，脉沉细，加官桂少许；腰上肿，加藿香；腰以下肿，加牛膝、黄柏，去香附；胸腹肿胀，饱闷，加萝卜子，去白术。

牵牛散

【来源】《万病回春》卷七。

【组成】黑牵牛（半生半炒）

【用法】取头细末。每服一二匙，桑白皮煎汤，磨木香汁调服。

【主治】小儿诸般肿胀。

芫萎粥

【来源】《遵生八笺》卷十一。

【组成】赤豆　米

【用法】用砂罐先煮赤豆烂熟，候煮米粥少沸，倾赤豆同粥再煮。食之。

【功用】《药粥疗法》：利小便，通乳汁。

【主治】《药粥疗法》：水肿病，包括急慢性肾炎，肝硬化腹水，脚气浮肿，小便不利，以及产妇乳汁不通。

【宜忌】《药粥疗法》：作为一种辅助食疗方法，必须坚持长服多服，方能巩固疗效。

扶脾消肿汤

【来源】《鲁府禁方》卷二。

【组成】人参　白术（去芦）　茯苓　猪苓　泽泻　木通　滑石　木香　麦门冬（去心）　黄芩　大腹皮　桑白皮　茯苓皮　陈皮　生姜皮　灯草　甘草

【用法】水煎服。

【主治】水肿。

消肿四物汤

【来源】《鲁府禁方》卷三。

【组成】当归（酒洗）　川芎　赤芍各六分　车前子一钱　青木香五分　赤茯苓　猪苓　泽泻　大腹皮　葶苈一钱　防风　木通　槟榔各一钱

方中赤茯苓、猪苓、泽泻、大腹皮用量原缺。

【用法】上为末。葱三根，水煎，食前服。

【主治】遍身浮肿。

丑补散

【来源】《痘疹传心录》卷十五。

【组成】牛肉一斤（切片，先置于砂锅内） 三棱 蓬术各二两（醋煮） 吴茱萸四两（汤泡） 芫花四两（醋煮数沸，滤出，又水浸一宿，晒干）

【用法】将牛肉切片置锅内，次下三棱、蓬术、吴茱萸、芫花四药，加水同煮肉烂，取出晒干，加木香一两、黄连一两，共为末。每服三分，大人服五分，空心好酒调下。

【主治】水肿、胀满、食积下痢。

实脾饮

【来源】《痘疹传心录》卷十五。

【组成】白术 茯苓 陈皮 甘草（少用） 苍术 厚朴 猪苓 泽泻 木通 肉桂 山楂 麦芽

【主治】水肿。

【加减】喘，加桑皮、莱菔子；头面肿甚，加防风、白芷；腿脚肿甚，加汉防己；心火盛，加黄连。

稠柳饼

【来源】《痘疹传心录》卷十八。

【组成】稠柳子（梗叶似梅，七八月采子，晒干）

【用法】上为末。每用一两，以大米粉和作饼，蒸熟食之。

【主治】小儿水肿。

加味六君子汤

【来源】《证治准绳·杂病》卷二。

【组成】白术三钱 人参 黄耆各一钱半 白茯苓二钱 陈皮 半夏曲 芍药 木瓜各一钱 炙甘草 大腹皮各五分

【用法】加生姜、大枣，水煎服。

【主治】病后脾虚浮肿。

大橘皮汤

【来源】《证治准绳·类方》卷二。

【组成】橘皮 厚朴（姜制）各一钱半 猪苓 泽泻 白术各一钱二分 槟榔 赤茯苓 陈皮 半夏 山楂肉 苍术 藿香 白茯苓各一钱 木香五分 滑石三钱

【用法】水二钟，加生姜三片，煎八分，食前服。

【主治】湿热内甚，心腹胀满，小便不利，大便滑泄及水肿。

加味五皮汤

【来源】《证治准绳·类方》卷二。

【组成】五皮散加五加皮 木瓜 防己

【主治】脚肿。

【加减】水土不服者，入胃苓汤。

当归散

【来源】《证治准绳·类方》卷二。

【组成】当归 桂心 木香 赤茯苓 木通 槟榔 赤芍药 牡丹皮 陈皮 白术各一钱三分

【用法】上作一服。水二钟，加紫苏五叶，木瓜一片，煎一钟，不拘时服。

【主治】土不制水，水气盈溢，气脉闭塞，渗透经络，发为浮肿之证，心腹坚胀，喘满不安。

参术健脾汤

【来源】《证治准绳·类方》卷二。

【组成】人参 白茯苓 陈皮 半夏 缩砂仁 厚朴（姜制）各一钱 白术二钱 炙甘草三分

【用法】水二钟，加生姜三片，煎八分。

【主治】胀满。

【加减】加曲蘖、山楂肉，消胀尤妙。

除湿丹

【来源】《证治准绳·类方》卷二。

【组成】神佑丸（指三花神佑丸，即大戟、甘遂、芫花、牵牛、大黄、轻粉）加乳香 没药

【主治】水肿。

神效剪红丸

【来源】《证治准绳·类方》卷八。

【组成】一上末：槟榔（生，研细，取净末）一斤（以二两为母，余十四两上第一次，以一等罗筛过，取齐晒干） 二上末：商陆（即樟柳根，白者可用，赤者杀人） 金毛狗脊 贯众各四两（以上三味和一处，研极细末，上第二次，以二等罗筛过，取齐晒干）（一方不用贯众，则虫出来犹未死也） 三上末：三棱（醋煮） 莪术（醋煮）各八两 青木香 西木香各四两 雷丸（醋煮）二两半 南木香二两（以上六味和一处，研极细末，上第三次，以三等罗筛过，取齐） 四上末：大黄（铡碎，酒浸，晒干，研细，取净末）一斤（上第四次，以四等罗筛，取齐晒干） 五上末：黑牵牛（半生半炒，研细，取头末）一斤（上第五次，以五等罗筛过，取齐晒干）（一方有枳壳一斤为母，有藿香四两，和入诸香）

【用法】上作五处，另研极细末，要作五次上末。却用茵陈半斤，大皂角一斤煎汁，滤净，泛水为丸，如绿豆大，晒干后用丁香末一两，或加芦荟末一两亦妙，以前净汁煎一滚，洒入丸药，旋摇令光莹为度，再以阿胶二两（生），以前汁熬溶，洒入丸药，旋摇光莹，晒干。壮人每服五钱，弱人每服四钱，五更以茶清吞下，小儿减半。若病浅，即一服见效；若源深，更须再一服。药后用马桶盛粪于野地看之，庶见药功易辨，或虫，或积，或如烂鱼冻，或作五色等积。若一次未见虫积，更看第二三次下来，此即是病根。有积消积，有气消气，有虫取虫，有块消块。若病根去，其病自消。

【功用】宣导四时蕴积。春宣积滞，不生疮毒；夏宣暑湿，不生热痢；秋宣痰饮，不生瘴疟；冬宣风寒，不生瘟疫。

【主治】一切虫积。凡因饮酒过度，食伤生冷，致使脾胃不和，心膈胀满，呕恶咽酸，常吐清水，面色萎黄，不进饮食，山岚瘴气，水肿、蛊胀，薄抄咳嗽，痰涎壅滞，酒积、食积、气积、气块，反胃噎膈，呕逆恶心，肠风，痔漏，脏毒，酒痢，累蕴积热上攻，头目下生疮癣，妇人血气，寒热往来，肌体羸弱，月经不调，赤白带下，鬼气鬼胎，产后诸疾；小儿五疳，虫积；误吞铜铁，误食恶毒等物。

【宜忌】此药温和，不动元阳真气，亦无反恶。孕妇休服。

浚川丸

【来源】《证治准绳·幼科》卷七。

【组成】大戟 芫花（醋炒） 沉香 檀香 南木香 槟榔 蓬莪术 大腹皮（洗，焙干） 桑白皮（锉，炒）各半两 黑白牵牛（晒，研取生末）一两 巴豆（去壳膜心，存油）三十五粒

【用法】上药除牵牛末、巴豆外，前九味内沉香、檀香、木香、槟榔不过火，余五味焙干，同沉香等为末，就加牵牛末和匀，巴豆碎切在乳钵内，杵极细，入前药末，同再杵匀，水煮面糊为丸，如麻仁大。每服十七丸，浓煎葱汤候温，五更初空心送下。去水未尽，停一日减用十三丸，次减作九丸，再减至七丸，汤使下法如前，证退即止，仍投南星腹皮散。

【主治】水肿及单腹胀，气促食减，遍身面浮。

【宜忌】忌甘草。

【加减】如单腹肿甚，能饮食气壮者，加甘遂末同丸取效。

五苓五皮散

【来源】《瘴疟指南》卷下。

【组成】茯苓皮 白术 猪苓 泽泻 五加皮 肉桂 陈皮 生姜皮 大腹皮 地骨皮各等分

【用法】每服四钱，水煎，热服。

【主治】瘴疟后脾气凝滞，面目虚浮，四肢肿满，心腹膨胀，上气急促，小便不利。

【宜忌】忌生冷、油腻、坚硬诸物。

舟车丸

【来源】《杏苑生春》卷三。

【组成】大黄二钱 甘遂 牵牛各八分 芫花八分 陈皮八分 木香二分 大戟七分

【用法】上锉一剂。水一钟半，煎八分，温服。

本方方名，据剂型当作“舟车散。”

【主治】一切水湿肿满，腹大胀硬。

【方论】用大黄、甘遂、大戟、芫花以泻水湿；陈皮、木香、牵牛疏行郁气以治胀满。

三和饮

【来源】《杏苑生春》卷四。

【组成】木香　羌活各一两　川芎　白术　茯苓各一两一钱　槟榔　炙甘草　沉香各五钱　陈皮　紫苏　木瓜　大腹皮各二两

【用法】上为细末，每服一二钱，用淡姜汤调下。

【主治】湿气胀，浮肿，痞证。

【方论】本方用木香、槟榔、陈皮、川芎、羌活、紫苏、沉香、木瓜等，及大腹皮，诸辛剂疏壅散滞，佐白术、茯苓、甘草胜湿补中。

降气除湿汤

【来源】《杏苑生春》卷六。

【组成】沉香　木香　白术各二钱　泽泻　白茯苓　橘红各一钱五分　半夏一钱　防己一钱　甘草（炙）少许　白豆蔻五分　生姜五片

【用法】上锉。水煎，空心服。

【主治】下部水肿，囊湿足冷，气喘上促。

除湿消胀汤

【来源】《杏苑生春》卷六。

【组成】白术一钱五分　茯苓一钱　猪苓　泽泻各七分　厚朴　陈橘皮　瞿麦　扁蓄各五分　白豆蔻　木香　甘草各三分　木通四分　缩砂仁七枚　生姜三片

【用法】上锉。水煎，滤清，以一蛤壳磨沉香浓汁和服。

【主治】久病虚人，水肿胀急。

葶苈木香散

【来源】《杏苑生春》卷六。

【组成】葶苈　木香各五分　滑石　泽泻　猪苓　白术　赤茯苓　木通各一钱　官桂　甘遂　生姜三片

方中官桂、甘遂用量原缺。

【用法】上锉。水煎七分，不拘时候服。

【主治】暑湿伤脾，水肿腹胀，小便赤涩，大便滑利，上气喘急。

天命饮

【来源】《寿世保元》卷三。

【组成】白商陆根（似人形者）汁一合　生姜自然汁二合　黄酒一盏

【用法】上药和匀。空心服，三日服一次；元气厚者服五次，薄者三次。

【主治】肿胀。

【宜忌】忌盐、酱。凡人年五十以内者可服，五十以外者不必用。

加味补中益气汤

【来源】《寿世保元》卷三。

【组成】黄耆（炒）二钱　人参一钱　白术（去芦，炒）二钱　白茯苓二钱　陈皮八分　柴胡四分　升麻三分　白芍（酒炒）一钱五分　当归（酒炒）三钱　萝卜子（炒）三钱　厚朴（姜炒）一钱　甘草（炙）八分　枳实（麸炒）八分

【用法】上锉一剂。加生姜，水煎服。

【主治】脾胃虚弱，治失其宜，元气虚惫，脾胃伤损，肿胀尤甚。

金枣儿

【来源】《寿世保元》卷三。

【别名】金枣散（《医级》卷八）。

【组成】红芽大戟一斤　红枣三斤

【用法】水煮一日夜，去大戟，用枣晒干。食之。

【主治】肿胀。

蟠桃丸

【来源】《寿世保元》卷三。

【组成】沉香三钱　木香三钱　乳香三钱（箬上炙）　没药三钱（炙）　琥珀一钱或五分　白丑八钱（生用头末）　黑丑八钱（用牙皂煎浓汁浸半

日，铺锅底焙，一半生，一半熟，取出研末）八钱　槟榔一两（一半生，一半用牙皂煎汁浸透焙熟）

【用法】上为细末，牙皂水打稀面糊为丸，如梧桐子大。每服二钱七分，五更清晨砂糖煎汤送下。

【主治】男、妇浑身头面手足浮肿，肚腹胀满疼痛，上气喘急。

二蛟散

【来源】《外科正宗》卷四。

【组成】芒消三两（提净）　陈米（三年者，炒焦）

【用法】同入锅内溶化炒干为末。每用一平杯，和匀，再研极细。大人壮实者，每服三钱；小儿十岁上下者，一钱二分，俱用赤砂糖三茶匙和白滚汤半茶钟，空心调服。至午大便一次，至晚再便一次，其疾先从眼胞消起。日久元气虚者，与加味胃苓汤间服。至重者，不过数服愈。

【主治】生冷恼怒伤脾，致胸膈不宽，小水不利，面目四肢浮肿，诸药不效。

加味胃苓汤

【来源】《外科正宗》卷四。

【组成】陈皮　茯苓　白术　白芍各一钱　藿香　人参　厚朴　山楂　泽泻　半夏各五分　甘草　猪苓各三分　香附（女人加）一钱

【用法】加生姜三片，灯心二十根，水二钟，煎八分，食前服。

【主治】脾胃受伤，胸膈不宽，两胁膨胀，小水不利，面目四肢浮肿者。

五皮汤

【来源】《医部全录》卷四九二引《幼科全书》。

【别名】五加皮汤（《痘科辨要》卷六）。

【组成】五加皮　苍术　桔梗　木通　桑白皮　姜皮　防风　猪苓　泽泻

【用法】灯心为引，水煎服。

【主治】痘后表虚，受湿肿满。

正脘散

【来源】《济阴纲目》卷七。

【组成】白术　川芎　木香　槟榔　甘草各七钱半　大腹皮　紫苏　木瓜　陈皮　沉香　独活各一两

【用法】上锉。每服三钱，水煎，食后服。

【主治】中焦虚痞，两胁刺痛，面目手足浮肿，大便秘涩；兼治脚气。

实脾调气丸

【来源】《明医指掌》卷四。

【组成】白术二两　人参一两　广陈皮五钱　神曲一两

【用法】上为细末，水为丸。每服二钱，空心米饮送下。

【主治】脾虚水肿。

加减二陈汤

【来源】《济阳纲目》卷三十八。

【组成】陈皮（去白）　半夏　白茯苓　苍术（泔浸，炒）　白术　猪苓　泽泻　山栀子（炒）　麦门冬（去心）　黄芩（炒）各一钱

【用法】上锉。水煎服。

【主治】水肿。

【加减】腹胀，加厚朴；泻，加肉豆蔻、诃子；喘急，加桑白皮、杏仁；气壅，加香附；食积，加山楂、麦芽；阳水便秘，加甘遂少许；阴水气弱，加人参；风肿，加羌活、防风、白芷；夏月，加香薷；寒月，加姜、桂；气肿，加萝卜子、枳壳；血肿，加当归、芍药；痰，加贝母；上肿，加紫苏；下肿，加防己、木瓜；阴囊肿，加小茴香、木香；外肾如石，引胁痛，加巴戟；又太阳肿证，加藁本、赤小豆；少阳，加芫花、雄黄、木通；阳明，加茯苓、椒目；太阴，加甘遂、葶苈；少阴，加泽泻、连翘、巴戟；厥阴，加大戟、吴茱萸。

利水实脾汤

【来源】《简明医彀》卷二。

【组成】苍术　白术　茯苓　陈皮　猪苓　泽泻　滑石　香附　抚芎　厚朴　砂仁各八分　甘草三分

【用法】上加生姜三片，灯心二十枝，水煎，食前服。实人先以神佑丸下之。

【功用】通利小便。

【主治】湿由内生，面目浮肿，胸满喘急，大便溏泄，小便短涩，腿膝浮肿，其脉沉缓。

【加减】气急，加腹皮、枳壳、苏子、桑皮、萝卜子，去白术、甘草；面目虚浮，加山药、芍药，去抚芎。

人参四苓五皮散

【来源】《痘科类编释意》卷三。

【组成】人参　白术　茯苓　甘草　麦冬　猪苓　泽泻　陈皮　黄芩　木通　滑石　大腹皮　桑白皮　茯苓皮　姜皮各等分

【用法】水煎服。

【主治】痘后浮肿。腹觉不快，利而面目遍身皆肿。

清热泻湿汤

【来源】《丹台玉案》卷二。

【组成】茯苓　黄连　车前子各一钱二分　木通　猪苓　滑石　苍术各一钱　石苇　山药　黄柏各八分

【用法】上加灯心三十茎，水煎八分。空心服。

【主治】湿攻注四肢，周身发肿，面色痿黄，小便不利。

扶脾逐水丸

【来源】《丹台玉案》卷五。

【组成】白茯苓　云白术　山药　苦葶苈　花椒目　巴戟各五钱　黄连　黑丑各八钱　北五味二钱　海金沙　泽泻各一两

【用法】上为末，荷叶煎汤为丸。每服三钱，空心白滚汤送下。

【主治】通身水肿，气往上逆，小便竟无，日不能食，夜不能卧。

祛水饮

【来源】《丹台玉案》卷五。

【组成】麻黄（去节）　柴胡各一钱　升麻八分　防风　山楂各三钱　生姜五片

【用法】水煎服。

【功用】发汗。

【主治】腰以上肿，身热气在表。

消肿汤

【来源】《丹台玉案》卷五。

【组成】猪苓　泽泻　木通　车前子　葶苈子各二钱　地骨皮　五加皮　生姜皮　海金沙　枳壳各一钱

【用法】加灯心三十茎，空心服。

【主治】腰以下肿，小便不利。

琥珀丸

【来源】《丹台玉案》卷五。

【组成】大戟　芫花（醋炒）　海金沙（炒）　白丑（微炒，捣末，水牛尿浸，焙干）各二两　琥珀八钱　黄连（酒炒）　滑石各一两　肉桂五钱

【用法】上为末，以木通一斤煎浓汤为丸。每服二钱，空心白滚汤送下。

【主治】一切水肿，小便不通，大便溏泻，气喘。

尊重丸

【来源】《丹台玉案》卷五。

【组成】沉香　丁香　人参　槟榔　广木香　青皮　陈皮　枳壳　白芷　车前子　苦葶苈　木通　赤茯苓　胡椒　海金沙　全蝎尾　白豆蔻　滑石各三钱　萝卜子八钱　郁李仁一两五钱

【用法】上为末，姜汁打糊为丸。每服二钱，空心白滚汤送下。

【主治】一切肿胀，小便涩，大便闭，并单腹胀。

土狗散

【来源】方出《医宗必读》卷七，名见《仙拈集》

卷一。

【组成】土狗（一名蝼蛄）

【用法】焙干，为末服。

《卫生鸿宝》：水服半钱。

【功用】上半截消上身之水，下半截消下身之水，左可消左，右可消右。

【主治】

1.《医宗必读》：水肿。

2.《卫生鸿宝》：十种水病，肿满，气喘不得卧，小便闭者。

五皮饮

【来源】《幼科金针》卷上。

【组成】陈皮　桑皮　生姜皮　大腹皮　茯苓皮　云白术　白槟榔

【用法】加椒目，水煎服。

【主治】小儿水肿。

大腹皮散

【来源】《症因脉治》卷三。

【组成】青皮　陈皮　槟榔　川芎　羌活　大腹皮　防己

【主治】风寒身肿。

木香丸

【来源】《症因脉治》卷三。

【组成】木香五钱　槟榔五钱

【用法】上为末，水为丸。朱砂五分为衣。

【功用】和里气。

【主治】风寒身肿。恶寒身热，身首皆肿。

白术散

【来源】《症因脉治》卷三。

【组成】白术　猪苓　泽泻　山药　莲肉　白茯苓　人参　炙甘草

【功用】实脾利水。

【主治】脾虚身肿。

羌活胜湿汤

【来源】《症因脉治》卷三。

【组成】防风　羌活　柴胡　白芷　川芎　苍术　黄芩

【主治】身肿，湿热在表，宜汗之症。

泻心汤

【来源】《症因脉治》卷三。

【组成】黄连　半夏　甘草

【主治】肺热身肿，心火刑金。

栀连枳壳汤

【来源】《症因脉治》卷三。

【组成】枳壳　厚朴　广皮　甘草　山栀　川黄连

【主治】脾热身肿，面肿目黄，烦躁不卧，皮肤常热，小便赤，大便时泄时结，常肿不退，脉右关弦数。

荆芥汤

【来源】《症因脉治》卷三。

【组成】荆芥　防风　薄荷　地肤子

【功用】辛凉散表。

【主治】表有湿热，腹胀大，身热，脉浮。

清肺饮

【来源】《症因脉治》卷三。

【组成】骨皮　桔梗　甘草　黄芩　桑白皮

【主治】湿热身肿。身热目黄，小便赤涩，胸腹胀闷，四肢黄肿，口渴心烦。

葶苈清肺饮

【来源】《症因脉治》卷三。

【组成】葶苈子　桑白皮　地骨皮　甘草　大腹皮　马兜铃

【主治】肺热身肿，水饮射肺，面浮喘逆，不得卧者。

五皮汤

【来源】《痘疹仁端录》卷八。
【组成】羌活　防风　苍术　木通　桂枝　猪苓　防己　桑皮　甘草　灯心（一方无桂枝、羌活，有腹皮、厚朴）
【主治】痘后表虚，见风太早，风湿乘之，面目虚浮，一身皆肿者。

桑皮饮

【来源】《寿世青编·病后调理服食法》。
【组成】桑根白皮四两
【用法】上和米四合，煮烂食之。
【主治】水肿，腹胀喘急。

五子五皮饮

【来源】《医林绳墨大全》卷二。
【别名】五子五皮汤（《张氏医通》卷十三）。
【组成】紫苏子　萝卜子　葶苈子　香附子　车前子　陈皮　茯苓皮　大腹皮　桑白皮　生姜皮
【用法】水煎服。
【主治】咳喘，皮肤间水肿。

加减香砂养胃汤

【来源】《医林绳墨大全》卷三。
【组成】木香（磨，不见火）三分　砂仁五分（打碎）　厚朴（姜汁炒）四分　陈皮一钱　茯苓五分　炒黑姜二分　草果三分　木瓜五分　麦芽一钱（炒）　神曲一钱半　半夏（姜汁制）一钱　车前子八分　泽泻七分（炒）
【用法】加生姜二片，水一钟半，煎大半钟，热服，滓再煎。
【主治】脾胃虚弱，外发浮肿。

化水种子汤

【来源】《傅青主女科》卷上。
【别名】化水种玉丹（《辨证录》卷十一）。
【组成】巴戟一两（盐水浸）　白术一两（土炒）　茯苓五钱　人参三钱　菟丝子五钱（酒炒）　芡实五钱（炒）　车前二钱（酒炒）　肉桂一钱（去粗，研）
【用法】水煎服。
【功用】壮肾气，益肾火。
【主治】妇人膀胱气不化，水湿不行，渗入胞胎，小水艰涩，腹胀脚肿，不能受孕者。
【方论】此方利膀胱之水，全在补肾中之气；暖胞胎之气，全在壮肾中之火。至于补肾之药，多是濡润之品，不以湿而益助其湿乎？然方中之药，妙在补肾之火，而非补肾之水；尤妙于补火而无燥烈之虞，利水而非荡涤之猛，所以膀胱气化，胞胎不湿，而发荣长养无穷欤。

通肾消水汤

【来源】《傅青主男女科·男科》卷下。
【组成】熟地　山药　苡仁各一两　山萸一钱五分　茯神五钱　肉桂　牛膝各一钱　车前子三钱
【用法】水煎服。
【功用】通肾气。
【主治】水结膀胱。目突口张，足肿气喘。

消水神丹

【来源】《石室秘录》卷一。
【组成】牵牛三钱　甘遂三钱
【用法】水煎一服。
【主治】水肿。

牵牛散

【来源】《证治汇补》卷三。
【组成】黑牵牛　白牵牛各一两（半生半炒）　大豆一合　白术五钱　甘遂二钱五分
【用法】上为末。每服三钱，米饮调下。以利为度。
【主治】脾湿太过，遍身浮肿，喘不得卧，腹胀如鼓，大便不溏，小便涩滞。

琥珀丸

【来源】《证治汇补》卷三。

【组成】沉香（镑） 木香 乳香（箬上炙） 没药各三钱（箬上炙） 琥珀一钱半（研） 白丑六钱（生用） 黑丑一钱六分（去头末，一半生用，一半用牙皂水浸） 槟榔一两（一半生，一半用牙皂煎汁浸，焙熟）
【用法】上为末，牙皂水打糊为丸。每服二钱七分，砂糖汤送下。一服，稍行其水，即服补剂二三帖，再下琥珀丸一服，又去水后，仍复补剂二三帖，以行尽水为度。
【主治】水肿。

二天同补丹

【来源】《辨证录》卷五。
【组成】山药一两 芡实一两 茯苓五钱 白术二两 肉桂三分 诃子一钱 百合五钱
【用法】水煎服。
【主治】脾肾俱虚，水气泛滥，上身先肿，继而下身亦肿，久之一身尽肿，气喘嗽不得卧，小腹如光亮之色。

决水汤

【来源】《辨证录》卷五。
【组成】车前子一两 茯苓二两 王不留行五钱 肉桂三分 赤小豆三钱
【用法】水煎服。
【功用】利水。
【主治】水肿既久，遍身手足俱胀，面目亦浮，口不渴而皮毛出水，手按其肤如泥。
【宜忌】禁用食盐一月。
【方论】此方利水从小便而出，利其膀胱也。凡水必从膀胱之气化，而后由阴器以出，土气不宣，则膀胱之口闭，用王不留行之迅药以开其口，加入肉桂，引车前、茯苓、赤小豆直入膀胱而利导之。茯苓、车前虽利水而不耗气，而茯苓且是健土之药，水决而土又不崩，此夺法之善也。

芡术汤

【来源】《辨证录》卷五。
【组成】白术 芡实各二两 茯苓一两 肉桂一钱 车前子五钱
【用法】水煎服。二剂轻，四剂又轻，十剂愈。
【主治】上身先肿，因而下身亦肿，久之一身尽肿，气喘嗽不得卧，小腹如光亮之色。

温肾消水汤

【来源】《辨证录》卷五。
【组成】人参三钱 熟地五钱 山药一两 山茱萸三钱 茯苓一两 肉桂二钱 薏仁五钱
【用法】水煎服。
【主治】肺肾俱虚，气水不行，腰重脚肿，小便不利，或肚腹肿胀，四肢浮肿，喘急痰盛不可以卧。

实脾饮

【来源】《郑氏家传女科万金方》卷五。
【组成】厚朴 木瓜 木香 茯苓 白术 干姜 槟榔 草果 甘草
【用法】加生姜，水煎服。
【主治】泄泻阵阵作痛，脾虚发肿。

五子五皮饮

【来源】《幼科铁镜》卷六。
【组成】苏子 山楂子 萝卜子 葶苈子 香附子 桑皮 陈橘皮 大腹皮 茯苓皮 生姜皮
【主治】气肿。小儿脾胃虚弱，土弱不能生金，虚气上攻于肺，行于面目，遍身浮肿，先肿而后喘者。

藿香脾饮

【来源】《嵩崖尊生全书》（扫叶山房本）卷十一。
【别名】藿朴饮（原书锦章书局本）、藿香扶脾饮（《杂病源流犀烛》卷十六）。
【组成】厚朴 炙草 半夏 藿叶各一钱 陈皮二钱 木香 麦芽各五分
【用法】水煎服。每日三次。
【主治】

1.《嵩崖尊生全书》：腹胀渐至面，足肿及身。

2.《杂病源流犀烛》：黄疸。

人参大黄汤

【来源】《嵩崖尊生全书》卷七。

【组成】人参　当归　大黄（炒）各一钱　桂心　瞿穗　赤芍　茯苓各一钱　葶苈二分

【主治】经脉不利化水，身肿胀，皮肉赤纹。

五芝丸

【来源】《嵩崖尊生全书》卷九。

【组成】大黄五钱（酒浸）　礞石（煅）二钱　南星（矾水浸）　半夏　皂角（水浸）各二钱　枳壳一钱　风化消　黄芩各五分

【用法】神曲和丸。服百丸。服后小便赤，大便如胶，其验也。

【主治】痰盛癫狂，脚气走注，痞块，嘈呕喘肿，心痛连少腹，噎膈。

禹应丸

【来源】《嵩崖尊生全书》卷九。

【组成】槟榔一钱六分　商陆　金毛狗脊　贯众各四分　三棱　莪术（醋煮）各八分　青木香　西木香各四分　雷丸（醋煮）二分半　南木香二分　大黄（酒浸）　黑丑（半生半炒，取头末）枳壳各一钱六分　茵陈八分　丁香　芦荟各一分　皂角一钱六分　阿胶二分

【用法】水泛为丸。每服五钱，五更清茶送下。

【主治】一切虫病积块，水肿臌胀，痰盛酒痢。

水肿至神汤

【来源】《重订通俗伤寒论》引《随山宇方钞》。

【组成】浙茯苓二两（切小块）　生于术（黄土炒）杜赤小豆　车前草各一两　大麦须五钱　小枳实二钱　六神曲四钱

【用法】大罐浓煎，须一日夜服尽。连服三剂，尿畅肿消。

【主治】脾虚水肿。

七味枳术汤

【来源】《重订通俗伤寒论》。

【组成】枳实一钱（拌抄生晒术三钱）　六神曲　炒麦芽各三钱

【用法】先用浙茯苓二两、杜赤豆、车前草各一两，煎汤代水，将上药煎就，调服天一丸。

【功用】培元利水。

【主治】痰胀经逐水后，以此汤善其后，以杜复发。

百合茅根汤

【来源】《重订通俗伤寒论》。

【组成】苏百合　生桑皮　通草各一钱　鲜茅根五十支

【功用】清肺气以滋化源。

【主治】阳水肿，已用宣上发汗，通利小便，水肿已退者。

麻附五皮饮

【来源】《重订通俗伤寒论》。

【组成】麻黄一钱　淡附片八分　浙苓皮三钱　大腹皮二钱　细辛五分　新会皮一钱半　五加皮三钱　生姜皮一钱

【功用】温下发汗。

【主治】一身尽肿。

【方论】何秀山按：此以仲景麻附细辛汤合华元化五皮饮为剂。君以麻黄，外走太阳而上开肺气；臣以辛、附，温化肾气；佐以五皮，开腠理以达皮肤。

琥珀散

【来源】《重订通俗伤寒论》。

【组成】琥珀末五钱　黑丑（炒香）二两半　葶苈子（隔纸炒）二两　猪苓　泽泻（各炒，取末）一两半

【用法】上为细末。每服三钱，五更时用酸糯米泔水、长葱三根，煎至一碗，取起去葱，入好酒一杯送下。

【主治】便闭溺涩之实胀水肿。

补中行湿汤

【来源】《幼科证治大全》引《幼幼集》。

【组成】陈皮　人参　茯苓　白术　猪苓　肉桂　泽泻　苍术　厚朴　甘草

【用法】加生姜、灯心，水煎服。

【主治】小儿诸般虚肿，小水不利者。

羌活胜湿汤

【来源】《伤寒大白》卷二。

【组成】羌活　防风　苍术　黄柏　泽泻　茯苓　广皮　甘草

【功用】表里分消，散风胜湿。

【主治】风湿相持，身体疼痛，不能转侧；风湿相搏，身肿身痛，小便不利。

【加减】风湿兼寒，去黄柏，加桂枝。

药猪肚

【来源】方出《奇方类编》卷上，名见《仙拈集》卷一。

【组成】雄猪肚一具（洗净）

【用法】入虾蟆一个，胡椒一岁一粒，加砂仁少许，以酒煮熟，去蟆、椒，只将肚酒徐徐服尽。其肿自消。

【主治】水肿。

加味术苓汤

【来源】《幼科直言》卷五。

【组成】苍术（炒）　厚朴（炒）　木瓜（炒）　腹皮　柴胡　陈皮　猪苓

【用法】生姜一片为引。

【主治】小儿受湿，腿腹肿胀。

加减逍遥散

【来源】《幼科直言》卷五。

【组成】白术（炒）　白芍（炒）　白茯苓　陈皮　甘草　柴胡　当归　神曲（炒）　熟半夏　石斛

【用法】生姜一片为引。

【主治】小儿脾虚受湿，肿胀，或作泄泻，或兼呕吐。

健中汤

【来源】《幼科直言》卷五。

【组成】白术（炒）　白芍（炒）　苡仁　扁豆（炒）　陈皮　白茯苓　柴胡　神曲（炒）

【用法】水煎服。兼服肥儿丸。

【主治】小儿脾虚作肿。

健脾汤

【来源】《幼科直言》卷五。

【组成】广藿香　白芍（炒）　白术（炒）　白茯苓　苡仁　陈皮　甘草　车前子

【用法】水煎服。

【主治】小儿病后失调，元气有亏，脾虚作肿。

解肌汤

【来源】《幼科直言》卷五。

【组成】枳壳　干葛　陈皮　防风　川芎　桔梗　柴胡　薄荷

【用法】葱白一寸为引。兼服抱龙丸。微汗即愈。

【主治】小儿元气无亏，湿气蒸肺，致患肿症。

火枣散

【来源】《惠直堂方》卷二。

【组成】人中白（夜壶一个，内有人中白厚一寸以上者）　红枣若干

【用法】以人中白将红枣填满，盐泥封固一寸厚，三钉架起，用火煅一日夜，取枣，加麝香少许，为末。每服二钱，清汤下。

【主治】肿胀。

雄鸭酒

【来源】《惠直堂方》卷二。

【组成】鸭一只（绿头雄者，退洗去杂，候用）

南苍术三两　防风一两　荆芥五钱　雄黄三钱　砂仁三钱　广木香三钱　米仁三两

【用法】上为末，酒拌装鸭内，线缝，入瓷瓶，用无灰陈酒三四斤浸之，封口，入锅重汤煮，四柱香去药止，将鸭酒八九次热服。服完即愈，以放屁为验。

【主治】肿胀。

【宜忌】忌一切盐味、气恼、生冷百日。

星半蛤粉丸

【来源】《医略六书》卷十九。

【组成】南星二两（制）　苍术一两半（炒）　半夏一两半（制）　白术一两半（炒）　蛤粉三两（煅）　广皮一两半（炒）

【用法】上为末，神曲浆糊为丸。每服三钱，淡生姜汤送下。

【主治】温痰肿胀，泄泻、白浊，脉弦细者。

调气散

【来源】《医略六书》卷十九。

【组成】槟榔一钱半　紫苏一钱半　枳壳一钱半（炒）　青皮一钱半（炒）　郁金一钱半　乌药一钱半　香附三钱（炒）　厚朴一钱半（制）　泽泻一钱半　桔梗八分　生姜三片

【用法】水煎去滓，温服。

【主治】肢面浮肿，腹胀便闭，脉弦实者。

【方论】气实肝脾，邪更闭遏，而湿伏不化，故肢面浮肿，腹胀便闭。槟榔、枳实破滞宽胀，紫苏、厚朴散肿除满，乌药散浊气以顺气，青皮破滞气以平肝，郁金散气解郁，香附解郁调经，桔梗利咽膈，泽泻通利膀胱，生姜之温散，佐降药以通闭结也，使邪解气行则肝脾调和，而胃气无不化，安有大便不通腹胀不退乎？此散肿宽胀之剂，为气壅邪遏之专方。不论男妇，皆可施治。

五子五皮饮

【来源】《医略六书》卷二十。

【组成】苏子三钱（炒）　葶苈二钱（甜）　桑皮钱半　腹绒钱半　菔子三钱　车前三钱　陈皮钱半　地肤子三钱（炒）　苓皮三钱　姜皮钱半

【用法】水煎，去滓温服。

【主治】喘胀浮肿，脉滑实者。

【方论】痰气内壅，湿热外溢而肺胃气逆，故喘胀不眠，肤肿面浮焉。葶苈泻湿热以定喘，苏子降痰逆以散气，桑皮清肺肃金，腹绒泄滞宽胀，菔子消痰食；陈皮利中气，车前子利水以清热，地肤子利水以益阴，苓皮渗皮肤之湿热，姜皮散皮肤之浮肿，使滞散气行，则痰消而湿热自化，何患喘胀不除，浮肿不退乎。

实脾散

【来源】《医略六书》卷二十。

【组成】白术二两（炒）　附子一两（炮）　干姜一两（炒）　厚朴一两半（制）　木香一两　茯苓一两半　泽泻一两半　猪苓一两半　炙草五钱　姜皮一两

【用法】上为散。每服五钱，空心沸汤调下。

【功用】实脾利水。

【主治】命火衰微，不能生脾土而气滞不化，寒水侵浸，泛滥于肌肉之间，肿满如泥，脉沉迟者。

【方论】方中附子补火扶阳，白术实脾制水，干姜温中气以散寒，厚朴散滞气以除水，泽泻泻膀胱之水，茯苓渗脾肺之水，猪苓利三焦之水，姜皮散皮肤之水。为散，汤调，俾真火内充，则土暖水温而阴寒自散，滞气无不化，肿满无不除矣。

汉防己散

【来源】《医略六书》卷三十。

【组成】防己三两　猪苓两半　泽泻两半　商陆两半

【用法】上为散。生姜汤煎三钱，去滓温服。

【主治】浮肿，脉沉者。

【方论】产后离蓐太早，姿饮积湿而浸渍中外，遍满皮肤，故周身浮肿谓之水肿。防己泻血分之水，猪苓泻气分之水；泽泻泻膀胱之水，商陆泻肠胃之水。为散，姜汤煎，使水湿顿去，则肠胃廓清而经络通畅，岂有遍身浮肿之患乎。此邪盛攻实之剂，亦急则治标之法。凡体虚邪气不实者，慎勿轻试。

退肿汤

【来源】《种痘新书》卷十二引张氏方。

【组成】苍术　厚朴　陈皮　香附　木香　赤茯苓皮　大腹皮　泽泻　猪苓　木通　姜皮　山楂　神曲　牛子

【主治】痘后浮肿。

人参五皮散

【来源】《种痘新书》卷九。

【组成】人参　白术　官桂　麦冬　大腹皮　陈皮　桑皮　姜皮　茯苓皮　木香　泽泻　车前　木通

【主治】痘后脾气不行而浮肿，其皮如鼓，按之难下。

四苓五皮饮

【来源】《种痘新书》卷十二。

【组成】人参　白术　茯苓　甘草　麦冬　黄芩　大腹皮　桑白皮　生姜皮　茯苓皮　陈皮　猪苓　泽泻　木通　滑石　木香

【用法】水煎服。

【主治】痘后浮肿。

苍附五苓散

【来源】《医宗金鉴》卷三十八。

【组成】五苓散加附子　苍术

【主治】水停内寒。

实脾散

【来源】《医宗金鉴》卷五十四。

【组成】草果仁（研）　大腹皮　木瓜　木香（研）　厚朴（姜炒）　白术（土炒）　茯苓　甘草（炙）

【用法】加大枣二个，水煎服。

【主治】阴水。脾虚不能制水，肾虚不能主水，外泛作肿，内停作胀，二便不实，身不热，心不烦者。

五皮汤

【来源】《医宗金鉴》卷五十八。

【组成】地骨皮　五加皮　桑皮（蜜炙）　桂枝　姜皮　大腹皮（洗）

【用法】引用灯心，水煎服。

【主治】小儿痘后表气虚弱，见风太早，风邪乘虚而入，面目虚浮，遍身皆肿者。

寒湿相连汤

【来源】《脉症正宗》卷一。

【组成】黄耆一钱　白术一钱　苍术一钱　干姜八分　木瓜一钱　防己一钱　猪苓八分　腹皮一钱

【主治】寒湿相兼证。

补中益气汤

【来源】《医方一盘珠》卷三。

【组成】黄耆　当归各三钱　白术　广陈皮　川升麻各八分　人参　柴胡　甘草各六分　桂枝　防风　木通　木瓜

方中桂枝、防风、木通、木瓜用量原缺。

【用法】姜皮为引。

【功用】升清降浊。

【主治】体虚冒风发肿。

实脾丸

【来源】《医方一盘珠》卷三。

【组成】白术　附子　干姜　白茯苓　木瓜　广木香　草果仁　川厚朴　槟榔各等分

【用法】上为丸服。

【主治】脾虚发肿。

五皮散

【来源】《幼幼集成》卷二。

【组成】生姜皮二钱　大腹皮二钱　茯苓皮二钱　桑白皮二钱　五加皮二钱

【用法】灯心十茎、大枣三枚为引，水煎，空心服。

【主治】小儿中湿浮肿。

加味四君子汤

【来源】《幼幼集成》卷四。

【组成】人参　漂白术　黑炮姜　西砂仁　白豆蔻各一钱　白云苓一钱五分　上青桂八分　公丁香三分　炙甘草五分

【用法】加大枣三枚，水煎，半饥温服。以愈为度。

【主治】小儿气虚、脾败胃伤，浑身浮肿，四肢冷，不渴，小便清长，大便滑泄，不思饮食。

实脾饮

【来源】《医碥》卷六。

【组成】厚朴（去皮，姜制）　白术　木瓜（去瓤）　大腹皮　附子（炮）　木香（不见火）　甘草（炙）各半两

【用法】每服四钱，加生姜五片，大枣一个，水煎，温服，不拘时候。

【主治】遍身肿，不烦渴，大便自调，或溏泄，小便虽少而不赤涩。

治肿饮

【来源】《种福堂公选良方》卷三。

【组成】灯草一把（先将水四碗煎至二碗）　萝卜子一两（微炒）　砂仁二钱（微炒）

【用法】将二味研末，倾入灯草汤内，略滚即盛入茶壶内，慢慢吃下；吃尽不见效，如前再煎一服。俟腹响放屁，小便长而肿即退。

【主治】水肿。

胜湿丹

【来源】《活人方》卷一。

【组成】苍术四两　羌活二两　防风二两　川芎一两　厚朴一两　陈皮一两　藁本五钱　独活五钱　桂枝三钱　甘草三钱

【用法】上为末。每服二三钱，空心姜汤调服。

【主治】外感风湿、寒湿、湿热之邪，面目浮肿，肢沉着不能转侧，关节疼痛，脉濡自汗。

和中益气丸

【来源】《活人方》卷二。

【组成】人参二两　白术四两　茯苓一两　广橘红一两二钱五分　泽泻一两　丹皮七钱五分　沉香七钱五分　川椒五钱　肉桂五钱　桑皮一两　苏子一两　附子二钱五分

【用法】水叠丸。每服二三钱，早空心滚汤吞服。

【功用】培补三焦不足之正气，疏泄肠胃有余之浊气，温养在下之真火，消散凝结之至阴。

【主治】喘嗽，肿胀。

五龙丹

【来源】《活人方》卷四。

【组成】甘遂　大黄　赤豆　苦葶苈　木通各等分

【用法】醋糊为丸，如芥子大。每服二三分，量勇怯老弱增减，早空心滚汤吞服。肿胀已宽，利犹不止，米饮补之。

【功用】速去三焦之水。

【主治】外肿内胀初起。

苓桂阿胶汤

【来源】《四圣心源》卷五。

【组成】茯苓三钱　泽泻三钱　甘草二钱　桂枝三钱　阿胶三钱

【用法】水煎大半杯，热服。

【主治】水胀。

【加减】小便不清，加西瓜浆；热，加栀子；中虚，加人参；寒，加干姜。

苓桂浮萍汤

【来源】《四圣心源》卷五。

【组成】茯苓三钱　泽泻三钱　半夏三钱　杏仁三钱　甘草三钱　桂枝三钱　浮萍三钱

【用法】水煎大半杯，热服。覆衣取汗。

【主治】水胀。

【加减】中气虚，加人参；寒，加干姜；肺热，加

麦冬、贝母。

大蒜丸

【来源】《仙拈集》卷一。
【组成】大蒜十个
【用法】捣如泥，入蛤粉为丸，如梧桐子大。每服二十丸，食前白汤送下。小便下数桶即愈。若气不升降，即以大蒜每瓣切开，入茴香七粒，湿纸裹，煨烂嚼，白汤送下；如下不止，即以丁香照茴香煨服，每瓣用三粒。
【主治】水肿浮胀垂危。

利水煎

【来源】《仙拈集》卷一。
【组成】陈皮　木通　腹皮　茯苓各一钱　车前　米仁各三钱　茵陈一钱半　槟榔八分
【用法】水煎服。
【主治】臌胀，水肿。
【宜忌】忌盐，食淡。

养脾散

【来源】《仙拈集》卷一。
【组成】肉桂　干姜　肉蔻　赤茯苓　莪术　川芎　桔梗各等分
【用法】上为末。每服三钱，白汤调下，晨、午、晚各一服。
【主治】水肿。

五味五皮饮

【来源】《方症会要》卷二。
【组成】茯苓皮一钱五分　桑白皮　陈皮各八分　大腹皮　山楂各一钱　栀子七分　生姜皮五分
【用法】加生姜、大枣，同煎服。或兼用大顺丸。
【主治】浮肿太甚，肚腹肿急，小便不行，喘急难息。

截水肿丸

【来源】方出《串雅内编》卷一，名见《青囊秘传》。
【组成】葶苈子四两（炒）
【用法】上为末，以红枣肉为丸，如梧桐子大。每服十五丸，桑皮汤送下，一日三服。泻水，用苦葶苈；清肺热，用甜葶苈。
【功用】截水肿。
【主治】遍身肿满，手按之仍起者。

调中汤

【来源】《幼科释迷》卷六。
【组成】茯苓　当归　白芍　陈皮各一钱　白术一钱半
【主治】小儿一切浮肿。

参术健脾丸

【来源】《杂病源流犀烛》卷五。
【组成】人参　白术　陈皮　茯苓　当归　白芍　炙草　大枣
【功用】理气养脾。
【主治】水肿，蛊胀。

三豆饮

【来源】《医级》卷八。
【组成】赤小豆　绿豆　大豆黄卷等分
【用法】水煎服；或作末作散，日服。
【主治】水肿胀满，脉数而虚细，小便不利，不堪行水者。

五子五皮饮

【来源】《医级》卷八。
【组成】加皮　广皮　姜皮　茯苓皮　腹皮　萝卜子　白芥子　苏子　葶苈子　车前子
【用法】水煎服。
【主治】水病肿满，上气咳喘，肤胀者。
【加减】如肺受火刑，不得通调，而致泛溢成水者，当以桑皮、骨皮易加皮、广皮。

牛黄攻积丸

【来源】《医级》卷八。

【组成】白丑　黑丑各两半　大黄三两　槟榔　木香　陈皮　茴香各七钱半　山甲（炙）三钱　肉桂　桃仁　当归尾　雷丸各四钱　牙皂五钱（煎汤一盏，滤出滓，炒为末）

【用法】上为末，以皂汤煮神曲糊为丸，如梧桐子大。每服钱许，白汤送下。虚中挟实者，间补剂服。

【主治】积气肿胀，水病血积，虫痰食滞，一切壅滞实证。

乌珀散

【来源】《医级》卷八。

【组成】乌鲤鱼（斤许者）一尾　琥珀（真者）六钱　砂仁一两

【用法】先将鱼用竹条二根，从腮内取出肠杂，以琥珀、砂仁填灌腹内，用黄泥厚涂，以火围煅，俟烟将尽，即退火；俟冷，敲去泥，取药研末。每服一钱半，木香汤调下。

【主治】血分肿胀，溺涩短少，面目肢体尽皆浮肿者。

【加减】如腹胀硬，先病水后病经者，加沉香、木香、香橼末各二钱，研匀，开水下。

四草饮

【来源】《医级》卷八。

【组成】荷包草　平地蘑　三白草　神仙对坐草

【用法】水煎服。

【主治】酒浆过度，发黄肿胀，湿热侵脾，大小便不利。

金蝉散

【来源】《医级》卷八。

【组成】虾蟆（大者）一个　雄黄一钱　砂仁五钱

【用法】端午日，将雄黄、砂仁和匀，填塞虾蟆口内，用麻线扎口，悬挂风处俟干，黄泥涂，煅，研末。广皮汤调下，作三日服。

【主治】瘀涎内积，胀满疼痛，面目肿浮，爪甲皆黄者。

黄卷丸

【来源】《医级》卷八。

【组成】大豆黄卷一升（炒，勿令焦）

【用法】上为末，水法为丸。每服二钱，早、晚开水送下。食淡为妙。

【主治】水气为病，小便不利，通身浮肿。

白术膏

【来源】《名家方选》。

【组成】猪皮　桑白皮（生）各三钱　白术　瓢肉（为末）各二钱八分　黑豆三合

【用法】以水二升，煮取四合，去滓，入酒五合，更煮取三合，令如泥，更加术末。每服二钱，白汤送下。

【主治】水肿迫胸部者。

赤小豆汤

【来源】《名家方选》。

【组成】赤小豆一合　商陆三钱　木通　桂枝各七分五厘　茯苓一钱五分

【用法】以水三合，煮取二合服。

【主治】毒气内攻，水肿气急。

禹水汤

【来源】《名家方选》。

【别名】敦阜剂。

【组成】赤小豆一钱二分　大麦（炒）五分　地肤子七分（炒，阴干）　猪苓　泽泻　茯苓各四分（炒）　牵牛子一分（炒）

【用法】上合四钱八分为一剂，为细末。以水三合，煮取二合，日三夜二服。

【功用】平和而能疏通。

【主治】水肿。

仲吕丸

【来源】《家塾方》。
【别名】如神丸。
【组成】大黄六两　甘遂　牵牛子各三两
【用法】上为末，糊为丸，如绿豆大。每服二十丸，白汤送下。
【主治】水毒，大小便不通者。

桃花汤

【来源】《家塾方》。
【组成】桃花二钱　大黄一钱
【用法】以水二合，先纳桃花煮取一合二勺，纳大黄，煮取六勺，顿服。
【主治】浮肿，大小便不通。

加味葱鼓汤

【来源】《幼科七种大全治验》。
【组成】淡豆豉三钱　葱白三寸　桂枝六分　橘红　半夏各五分　赤苓一钱半　甘草三分
【用法】长流水煎服。
【主治】水肿已一月，小便不利，脉沉细。
【方论】淡豉，肾之谷也；葱白，肺之菜也；桂枝和卫去风；二陈宣布痰水；不专于利而水自利，所谓治病必求其本也。
【验案】水肿　族孙患水肿已经一月，头面、四肢、腹、背、阴囊无处不肿，腹现青紫筋，肤如熟李子，脉沉细。服利水健脾药，小便不利。予曰：利之不应，此风水也。经曰：肾汗出，逢于风，内不得入于脏府，外不得越于皮肤，客于玄府，传为胕肿，名曰风水。水无有不下，水之不利，实由于风，风去则水自行矣。为制加味葱豉汤。二剂松，又二剂汗出，水行病遂愈。

大补阴汤

【来源】《会约医镜》卷九。
【组成】熟地一两或五钱　附子三钱　肉桂三钱　白术二钱半　当归三钱　茯苓一钱　人参二钱　干姜（炒）一钱　甘草（炙）一钱
【用法】水煎服。大剂与之，必须多服，方得有效。
【功用】纯补水火。
【主治】水肿，肾中水火大亏，服肾气丸不效者。

利水渗湿汤

【来源】《会约医镜》卷九。
【组成】苍术二钱　黄柏一钱半　川牛膝二钱　赤茯苓　淮木通　建泽泻　汉防己各一钱二分　车前子（去壳）一钱　猪苓一钱半
【用法】水煎服。
【主治】水肿从脚而上，六脉细而迟，小便短少，脚膝疼痛。
【加减】如服此而小便不清不长，加萆薢五钱。
【验案】水肿　一人水肿皮破，用此一服，夜间小便遂多，以兽水从小便出也，来日肿消一半，再服四剂痊愈。

四苓散

【来源】《会约医镜》卷二十。
【组成】猪苓　茯苓　泽泻　木通
【主治】一切湿症。

金匮丸

【来源】《女科秘要》卷四。
【组成】香附（童便制，酒、醋、盐水各分制）四两　没药六钱　枣皮（焙，去油）　当归（童便制）　茯苓　白术（米泔水浸）　白薇（洗，去芦）　阿胶（蛤粉炒）　白芍各四两　生地（酒浸，洗，用益智仁二两，以酒同炒，去益智仁，净）八两　人参二两　川断（酒洗，五倍子炒，净）六两　黄芩（酒浸，洗，净）四两　砂仁（炒，去衣）二两
【用法】上为细末，用山药十二两为末，水打丸。每服五十丸，空心白汤送下。
【主治】浮肿症。因经闭，败血停积五脏，流入四肢，作浮肿者。

禹绩汤

【来源】《产科发蒙》卷三。

【组成】西瓜皮　赤小豆（冬瓜内蒸，晒干）各二大合　冬瓜子　西瓜子　猪苓　茯苓各一中合　大腹皮　冬瓜皮各一大合半　海金砂一小合

【用法】上以水一盏半，煮取一盏，温服，每日二次。

【主治】遍身肿满，皮肤光泽如莹，小便不利，诸药不能疗者。

气分香苏饮

【来源】《风痨臌膈四大证治》。

【组成】桑皮　陈皮　茯苓　香附各一钱　苏叶一钱半　桔梗　枳实各五分　草果一钱半

【主治】水肿，因气而肿者，其脉沉伏，或腹胀喘急。

苍戟丸

【来源】《风劳膨膈四大证治》。

【组成】大戟二两　苍术二两　沉香五钱

【用法】陈米糊为丸。每服二钱，酒送下。一法用陈大麦卡复煎，为末。每服二钱，酒下。

【功用】行水燥脾。

【主治】水肿。

佐金平肝健脾丸

【来源】《风劳臌膈四大证治》。

【组成】黄连　吴萸（制）各一两　皂矾八两（上药研匀，以草纸包紧，米醋浸透，入炭火中，煅过一夜，次日拔火炭，好好取起，已化朱色，如未变色，再如前法，然后研末听用）　木香五钱　山栀（炒）一两　苍术二两　扁豆五钱　草果三钱　槟榔五钱　人参五钱　莪术一两　厚朴一两　川芎七钱　山楂一两　甘草二钱　陈皮一两　香附一两

【用法】用红枣饭上蒸熟，去皮核，加元米少许，和前药为丸，如梧桐子大，晒干。每服三四十丸，食远米汤送下。

【主治】黄疸，气胀，水肿黄胖脾胃不健。

【加减】如左胁有块或是瘀血，加干漆、桃仁各一两，丸服。

肿胀丸

【来源】《风劳臌膈四大证治》。

【组成】真苍术一两　厚朴八钱　陈皮八钱　山楂二两　皂矾二两（煅白色）　香附八钱

【用法】枣肉为丸。白汤送下。

【主治】肿胀。

【宜忌】忌盐水百日方可。

秘方石韦散

【来源】《风痨臌膈四大证治》。

【组成】石韦（醋炒）二钱　杨树簟（炒）七钱　郁金二钱　木香三钱　蜗牛（烧灰）五分　麝香五厘（一方用石韦、木香二味）

【用法】上为末。每服一钱二分，以白汤调下。

【功用】利小便。

【主治】水肿，臌胀。

鹿附汤

【来源】《温病条辨》卷三。

【组成】鹿茸五钱　附子三钱　草果一钱　菟丝子三钱　茯苓五钱

【用法】上用水五杯，煮取二杯，一日二次，滓再煮一杯服。

【主治】寒湿，湿久不治，伏足少阴，舌白身痛，足跗浮肿。

【方论】湿伏少阴，故以鹿茸补督脉之阳。督脉根于少阴，所谓八脉丽于肝肾也；督脉总督诸阳，此阳一升，则诸阳听令。附子补肾中真阳，通行十二经，佐之以菟丝，凭空行气而升发少阴，则身痛可休。独以一味草果，温太阴独胜之寒以醒脾阳，则地气上蒸天气之白苔可除；且草果，子也，凡子皆达下焦。以茯苓淡渗，佐附子开膀胱，小便得利，而跗肿可愈矣。

苓术散

【来源】《慈航集》卷上。

【组成】焦白术三钱　云苓五钱　炒苡仁三钱　橘红一钱五分　炒冬瓜子二钱　炒五谷虫一钱五分　炒峡曲一钱五分　车前子二钱　老姜皮三分

【用法】水煎服。久服方见功效。

【主治】脾虚湿不行，头面足肿，腹胀。

【加减】如脉迟濡，加官桂八分；腹胀，加砂仁壳一钱五分；舌赤，加麦冬二钱。

培土分消饮

【来源】《慈航集》卷下。

【组成】冬白术二钱（土炒焦）　云苓三钱　苡仁三钱（炒）　冬瓜子二钱（炒）　五谷虫一钱五分（炒）　橘红一钱五分　川贝母八分（去心，研）　车前子二钱　神曲一钱五分（炒）

【用法】煨姜皮三分为引，水煎服。务须多服，方能见功。

【主治】痢疾后脾虚，头面四肢虚肿，肚腹膨胀。

【加减】如小便短，加好肉桂三五分；腹胀不消，加砂仁壳二钱。

香苏五皮饮

【来源】《湿温时疫治疗法》引《时方妙用》。

【组成】制香附　紫苏叶　广皮各一钱半　浙苓皮　大腹皮　五加皮　桑白皮各三钱　炙甘草五分

【用法】上加鲜生姜二片，葱白两枚，水煎服。

【主治】阳水肿。气郁不舒，肿由面目先起，自上而下，皮肤如灌气状，以手按之随手而起，大便不爽，小便黄热，时或赤涩，甚则气粗而喘。

禹功丸

【来源】《续名家方选》。

【组成】商陆四钱　芒消　芫花　吴茱萸各三钱　甘遂二钱

【用法】上面糊为丸，如梧桐子大。每晚数十丸，饮送下。

【主治】一切水肿，及脚气肿满者。

桃花水

【来源】《续名家方选》。

【组成】桃花十钱　大黄八钱　消石五钱

【用法】上以萝卜蒸取汁液，临服入沙糖水一匙服。

【主治】大小便不利，肿胀。

五苓加附子商陆汤

【来源】《观聚方要补》卷二。

【组成】五苓散　五味各一钱　附子七分　商陆二钱

【用法】水煎服。

【功用】利小便。

【主治】水气肿满，小便不利。

厚朴槟榔汤

【来源】《观聚方要补》卷二。

【组成】厚朴　槟榔　半夏　陈皮　泽泻　附子　木瓜各八分　木香四分　甘草一分　大腹皮一钱　珠参五分

【用法】加生姜，水煎服。

【主治】脾胃不和，成肿胀。

禹水汤

【来源】《观聚方要补》卷二。

【组成】赤小豆二十五钱　槟榔　泽泻各十五钱　猪苓　麦蘖各二十钱　神曲　木瓜　木通各十钱

【用法】上炒焦，水煎服。

【主治】

1.《观聚方要补》：水气肿满。

2.《家庭治病新书》：湿热腰重，肢重，小便不利者。

益脾散

【来源】《观聚方要补》卷十。

【组成】白术二钱半　甘草五分　苡仁　泽泻　神曲　半夏　茯苓各八分　赤豆一百粒　薄荷　茵

陈各二分
【用法】姜水煎服。
【功用】补中行湿。
【主治】小儿水肿。
【加减】元气不足，加人参。

二龙大串

【来源】《串雅补》卷二。
【组成】尖槟榔四两　黑白丑（头末）各一两五钱　锅灰一两　雷丸五钱　大黄一两五钱　枳壳一两　莪术八钱
【用法】上为末。每服三钱，砂糖调下。
【功用】追虫打积。
【主治】水肿，小儿腹大肚疼。

小二龙串

【来源】《串雅补》卷二。
【组成】黑白丑（头末）各一两　生大黄二两
【用法】上为末。每服二钱，沙糖调姜汤下。
【功用】追虫打积。
【主治】水积，小儿腹大肚疼。

五色大串

【来源】《串雅补》卷二。
【组成】黑丑　白丑各六两　姜黄二两　千面二两　榆面二两　神曲一两　木耳二两　楂肉二两　巴霜五钱　红曲六两
【用法】上为细末。每服五分，沙糖调，姜汤下。
【主治】虫积、水肿，小儿腹大肚疼。

水肿串

【来源】《串雅补》卷二。
【组成】芫花（醋炒）五钱　甘遂三钱　大戟一钱　千金霜二钱　荜茇三钱　槟榔三钱　牙皂二钱　黑白丑各三钱
【用法】上为末。每服一钱，白汤送下；或水泛为丸，白汤送下。
【主治】水肿。

臌胀串

【来源】《串雅补》卷二。
【组成】三棱　莪术　苍术　青皮　陈皮各三钱　商陆二钱　泽泻　甘遂　木通　赤茯苓各二钱　胡椒二两　黑丑头末二两　桑皮五钱
【用法】上为末，醋糊为丸，如绿豆大。每服十五丸至二十丸，要在五更服。二三夜三服，第一服，葱汤下；第二服，陈皮、桑皮汤下；第三服，射干汤下或姜汤下。
【主治】水肿。

如神丸

【来源】《眼科锦囊》卷四。
【组成】钢铁二十钱　大黄五十钱　荞麦粉五十钱　没药十五钱
【用法】上药糊为丸，如梧桐子大。每服五十丸，白汤送下。
【主治】积聚留饮，水肿经闭，及青白黑之内翳初起。

赤小豆汤

【来源】《奇正方》。
【组成】赤小豆五钱　商陆二钱　大黄六分　麻黄八分　连翘四分　木通六分　猪苓六分　反鼻三分　鸡舌二分
【用法】以水三合，先煮赤小豆，减一合，去滓，纳诸药，煮取一合服。
【主治】诸毒内攻肿满者。
【方论】赤小豆、商陆、木通皆利水之药，佐之以麻黄、鸡舌、反鼻者，强通窍之力也，其以大黄者，厚通利之势也，此方之所发动运输陷结之毒以奏神效也。不知者乃曰此方且发且利且泻，一剂三得之良剂者，妄也。盖此证毒内攻而结水气，水气浸毒，毒淫水气，于是乎毒与水混合皆毒，岂有以此一方除之于三途之理哉。

赤小豆煎

【来源】《奇正方》。

【组成】芫花　大戟各八分　桑白皮一钱　葶苈子一钱二分　商陆二十钱　生姜五钱　赤小豆一合

【用法】以水八合，先煮六物，取四合三勺，去滓，纳赤小豆更煮令熟，一日一夜吃尽。

【主治】脚气疝胀，产后肿满，水肿胀满，不论虚实。

【验案】水肿胀满　一男子患肿满，命悬旦夕，诸医袖手，遂作此方与之，十有余日，病脱然复故尔；后活几十人，皆用此方。

抽葫芦酒

【来源】《医林改错》卷下。

【组成】抽干葫芦（焙，为末）

【用法】每服三钱，黄酒调下。若葫芦大，以黄酒入内煮一时，服酒颇效。

【主治】腹大周身肿。

蜜葱猪胆汤

【来源】《医林改错》卷下。

【组成】猪胆一个（取汁）　白蜜四两四钱（调和一处）　葱头四个（带白一寸）　黄酒半斤

【用法】用酒煎葱二三沸，将酒冲入蜜胆内服之。立效。

【功用】《医林改错注释》：清热润燥，通阳开窍。

【主治】通身肿，肚腹不大。

甘露消毒丹

【来源】《医效秘传》卷一。

【别名】普济解疫丹（《温热经纬》卷五）、普济解毒饮（《续名医类案》卷五）、甘露消毒丸（《中药制剂手册》）。

【组成】飞滑石十五两　淡芩十两　茵陈十一两　藿香四两　连翘四两　石菖蒲六两　白蔻四两　薄荷四两　木通五两　射干四两　川贝母五两

【用法】神曲糊为丸。

【功用】《方剂学》：利湿化浊，清热解毒。

【主治】

1. 《医效秘传》：时毒疠气，病从湿化，发热目黄，胸满，丹疹，泄泻，其舌或淡白，或舌心干焦，湿邪犹在气分者。

2. 《温热经纬》：湿温疫疠，发热倦怠，胸闷腹胀，肢酸咽肿，斑疹身黄，颐肿口渴，溺赤便秘，吐泻疟痢，淋浊疮疡。并治水土不服诸病。

【验案】水肿　《福建中医药》（1986，1：20）：郭某，男，5岁。两周前患猩红热，近周来复见肌热，浮肿尿少，血尿明显，如洗肉水样，时见呕吐，头晕，大便稀溏，食欲减退。脸色苍白，呈急性病容，下肢Ⅱ度浮肿，按之不凹陷；心脏听诊，1～2级收缩期杂音，心率：140次/分，窦性心律，肝，剑突下一横指半，无压痛，质软，脾（－），血压130/90mmHg，尿常规：蛋白（±），红细胞10～15个/mm^3，颗粒管型3～4个/mm^3，口唇红，舌质红，苔黄腻垢，脉弦滑数。证属湿热毒邪交阻困脾，脾失健运，肺失宣肺，肾气开阖失司，湿浊上逆，形成水肿。治以清热解毒，宣肺利水，芳香化湿，并佐以凉血。方用甘露消毒丹加白茅根、夏枯草各10克。二剂后，尿量增加，头晕、呕吐好转，体温降至38℃。再二剂，24小时内排尿量达2000～2500毫升，诸症全消，继以原方加减治愈出院。半年后随访，未发。

蒜螺丹

【来源】《经验良方汇抄》卷下。

【组成】大田螺四个　大蒜五个　车前三钱

【用法】上研末，加麝香少许，再研为饼。每用一个贴脐中，将膏药盖之。水从小便出。

【主治】小儿水肿，腹胀，小便不利。

金蟾肚

【来源】《验方新编》卷十八。

【组成】虾蟆两个（一方加砂仁一钱，胡椒一岁一粒）

【用法】放在猪肚内，好酒煮一伏时，去虾蟆，将酒肚尽吃。大便屁放自多，其肿自消。

【主治】水肿。

五子五皮汤

【来源】《温热经纬》卷五。

【别名】五子五皮饮（《湿温时疫治疗法》）。
【组成】五加皮　地骨皮　茯苓皮　大腹皮　生姜皮　杏仁　苏子　葶苈子　白芥子　莱菔子
【主治】
1.《温热经纬》：喘胀。
2.《湿温时疫治疗法》：阴水肿而且喘。

加味五苓散

【来源】《治疹全书》卷下。
【组成】白术　茯苓　泽泻　猪苓　肉桂　木通　瞿麦　腹皮　滑石　甘草
【主治】疹后泻肿，小便不利。
【加减】气喘者，加桑白皮。

消浮散

【来源】《治疹全书》卷五。
【组成】木杏　厚朴各二钱　陈皮一钱　沉香五分　海金沙二钱五分
【用法】上为细末。每日二次，米汤调下。
【主治】疹后浮肿。

行水膏

【来源】《理瀹骈文》。
【组成】苍术五两　生半夏　防己　黄芩　黄柏　苦葶苈　甘遂　红芽大戟　芫花　木通各三两　生白术　龙胆草　羌活　大黄　黑丑头　芒硝　黑山栀　桑白皮　泽泻各二两　川芎　当归　赤芍　黄连　川郁金　苦参　知母　商陆　枳实　连翘　槟榔　郁李仁　大腹皮　防风　细辛　杏仁　胆南星　茵陈　白丑头　花粉　苏子　独活青皮　广陈皮　藁木　瓜蒌仁　柴胡　地骨皮　白鲜皮　丹皮　灵仙　旋覆花　生蒲黄　猪苓　牛蒡子　马兜铃　白芷　升麻　川楝子　地肤子　车前子　杜牛膝　香附子　莱菔子　土茯苓　川萆薢　生甘草　海藻　昆布　瞿麦　扁蓄木鳖仁　萆麻仁　干地龙　土狗　山甲各一两　发团二两　浮萍三两　延胡　厚朴　附子　乌药各五钱　龟版三两　飞滑石四两　生姜　韭白　葱白　榆白　桃枝各四两　大蒜头　杨柳枝　槐枝　桑枝各八两　苍耳草　益母草　诸葛菜　车前草　马齿苋　黄花地丁（鲜者）各一斤　凤仙草（全株，干者）二两　九节菖蒲　花椒　白芥子各一两　皂角　赤小豆各二两（共用油四十斤，分熬丹收，再入）　铅粉（炒）一斤　提净松香八两　金陀僧　生石膏各四两　陈壁土　明矾　轻粉各二两　官桂　木香各一两　牛胶四两（酒蒸化）
【用法】上贴心口，中贴脐眼并脐两旁，下贴丹田及患处。
【功用】通利水道。
【主治】暑湿之邪与水停不散，或为怔忡，干呕而吐，痞满而痛，痰饮水气喘咳，水结胸，阴黄疸，阳水肿满，热胀，小便黄赤，或少腹满急，或尿涩不行，或热淋，大便溏泄，或便秘不通，或肠痔；又肩背沉重肢节疼痛，脚气肿痛，妇人带下，外症湿热凝结成毒，成湿热烂皮。
【加减】如外症拔毒收水，可加黄蜡和用；又龙骨、牡蛎收水，亦可酌用。

健脾膏

【来源】《理瀹骈文》。
【组成】牛精肉一斤　牛肚四两（用小磨麻油三斤浸熬，听用）　苍术四两　白术　川乌各三两　益智仁　姜半夏　南星　当归　厚朴　陈皮　乌药　姜黄　甘草（半生半炙）　枳实各二两　黄耆　党参　川乌　白芍　赤芍　羌活　香白芷　细辛　防风　香附　灵脂　苏梗　苏子　延胡索　山楂　麦芽　神曲　木瓜　青皮　槟榔　枳壳　桔梗　灵仙　腹皮　醋三棱　醋莪术　杏仁　柴胡　升麻　远志肉　吴萸　五味　草蔻仁　肉蔻仁　巴戟天　补骨脂　良姜　荜茇　大茴　红花　黄连　黄芩　大黄　甘遂　苦葶苈　红芽大戟　巴仁　黑丑头　茵陈　木通　泽泻　车前子　皂角　木鳖仁　萆麻仁　全蝎　炮山甲　白附子　附子各一两　滑石四两　生姜　薤白　韭白　葱白　大蒜各四两　鲜槐枝　柳枝　桑枝各八两　莱菔子　干姜　川椒各二两　石菖蒲　艾　白芥子　胡椒　佛手干各一两　凤仙草（全株）　枣七枚
【用法】用油二十二斤，分熬丹收，再入官桂、木香、丁香、砂仁、檀香各一两，牛胶四两（酒蒸

化），俟丹收后，搅至温温，以一滴试之，不爆，方下，再搅千余遍，全匀，愈多愈妙，勿炒珠，炒珠无力，且不粘也。贴胸脐。

【主治】脾阳不运，饮食不化，或噎塞饱满，或泄痢腹痛，或为湿痰，水肿，黄疸，臌胀，积聚，小儿慢脾风。

豆卷腹皮汤

【来源】《引经证医》卷四。

【组成】大豆黄卷　枳实　白术　茯苓　白蔻仁　厚朴　姜渣　大腹皮　橘皮　白木香

【用法】水煎服。

【主治】脾虚湿着，腹膨足肿，纳谷大减，脉来沉弦带涩者。

药赤豆

【来源】《梅氏验方新编》卷二。

【组成】赤小豆半斤　大蒜头三个　生姜五钱　商陆根一两

【用法】用水三大碗，同煎，俟豆熟透，去姜蒜、商陆根，以汁拌豆，空心食之。食完肿自消。

【主治】水气肿胀。

大橘皮汤

【来源】《麻症集成》卷四。

【组成】赤苓　橘皮　槟榔　茵陈　泽泻　木香　川朴　猪苓

【主治】湿热内攻，心腹胀痛，小便不利，大便泄泻，水肿。

茯苓五皮散

【来源】《麻症集成》卷四。

【组成】赤苓　猪苓　泽泻　腹皮　陈皮　桑皮　姜皮

【用法】水煎服。

【主治】水肿，脾虚泻痢。

茯苓汤

【来源】《不知医必要》卷二。

【组成】白术（净）二钱　茯苓三钱　郁李仁（杵）一钱五分

【用法】加生姜汁，水煎服。

【主治】水肿。

冬瓜粥

【来源】《药粥疗法》引《粥谱》。

【组成】新鲜连皮冬瓜 80～100 克（或冬瓜子干的 10～15 克，新鲜的 30 克）粳米适量

【用法】先将冬瓜洗净，切成小块，同粳米适量一并煮为稀粥，随意服食。或用冬瓜子煎水，去渣，同米煮粥。

【主治】水肿胀满，小便不利，包括急慢性肾炎，水肿，肝硬化腹水，脚气浮肿，肥胖症，暑热烦闷，口干作渴，肺热咳嗽，痰喘。

香苏饮

【来源】《医方简义》卷四。

【组成】制香附　苏叶　防风各一钱五分　杏仁泥三钱　甘草　陈皮各五分

【功用】芳香疏气，微发汗。

【主治】肿病初起。两目下如卧蚕状，身重微喘者。

香附米丸

【来源】《揣摩有得集》。

【组成】香附米四两（用陈米醋泡七天七夜，以沙锅泡制七次）　小茴香四钱（黄酒炒）

【用法】上为细末，用陈米醋打浆为丸，如梧桐子大。每服三十丸，早、晚开水送下。

【主治】一切水肿肚大，两腿肿，不能行走，或因病误服凉药以致肿胀。

臌症神效散

【来源】《揣摩有得集》。

【组成】炒麦芽　槟榔　甘遂各一钱
【用法】上为细末。每服五分，黄酒冲服。到八十天买猪肝一付，去净白皮，以竹刀切片，放砂锅内焙干，为细末，开水冲服；至一百天吃鲫鱼补之，而调料不忌矣。
【主治】水肿胀满。
【宜忌】忌盐、醋百日。

致和丸

【来源】《青囊秘传》。
【组成】熟地五两　厚朴二两　胡桃肉十二两　茅术二两　胡椒一两　当归二两　甘草二两　砂仁一两　广皮一两　香附四两
【用法】上为末，黑枣煮烂为丸。每服二钱。
【主治】脾虚作肿，及气肿者。

天真丹

【来源】《饲鹤亭集方》。
【组成】肉桂五钱　琥珀　杜仲　萆薢　没药　芦巴　戟肉　小茴　黑铅　补骨脂各一两
【用法】酒糊为丸。每服三钱，空心温酒送下。
【主治】下元虚弱，阳虚湿胜，脐腹痼冷，腿肿如斗，囊肿如瓜，肌肉坚硬。

经验理中丸

【来源】《饲鹤亭集方》。
【组成】大戟二钱五分　木香二钱　牙皂三钱　黑丑一钱五分　甘遂一钱
【用法】用大枣打丸。每用三钱，匀三次进服。第一次葱白陈酒送下，二次莱菔子汤送下，三次牛膝木瓜汤送下。
【功用】益土胜水，去郁陈布，破癖蠲饮。
【主治】三十六种水气，湿郁中满膨胀。

加减肾气汤

【来源】《凌临灵方》。
【组成】大熟地（缩砂仁四分拌）　丹皮　怀牛膝　怀山药　带皮苓　车前子　陈萸肉　泽泻　地骷髅
【用法】水煎服，另用上瑶桂，熟附片各五分，二味研末，饭丸分吞。
【主治】寒水侮脾，水肿胀满，以分利不应，且又见喘，脉形濡缓者。

益气导源汤

【来源】《医学探骊集》卷五。
【组成】茯苓四钱　泽泻三钱　广缩砂三钱　大腹皮四钱　升麻三钱　茅苍术四钱　车前子四钱（炒）　木通三钱　猪苓三钱　通草一钱
【用法】水煎，温服。
【功用】健脾利水。
【主治】气水肿胀。
【宜忌】忌盐。
【方论】此方以苍术为君，大健其脾胃；以茯苓、广砂为臣，培养其脾胃；以泽泻、升麻、腹皮为佐，升降其上下内外之水气；以猪苓、车前、木通、通草为使，直导其水气由小便出，小便一利，肿胀自愈矣。

加减十皮饮

【来源】《镐京直指医方》。
【组成】茯苓皮五钱　大腹皮三钱　川朴一钱　制茅术二钱　蒲种壳一两　天仙藤三钱　冬瓜皮四钱　陈皮一钱　丝瓜络一钱五分　炒苡仁六钱　地骷髅一两
【主治】久泻伤脾，脾虚不能运湿，湿滞气阻，一身浮肿。

羌活风湿汤

【来源】《镐京直指医方》。
【组成】羌活一钱五分　防风一钱五分　藁本二钱　秦艽二钱　蝉蜕一钱　僵蚕三钱　苍耳子三钱　大豆卷二钱　炒车前三钱　泽泻三钱　赤苓三钱　晚蚕沙四钱（包）
【主治】风毒夹水，肿自头至足。

加减五皮饮

【来源】《镐京直指医方》卷二。

【组成】茯苓皮五钱　大腹皮三钱　丝瓜络一钱五　川朴一钱　炒车前三钱　冬瓜皮四钱　陈皮一钱五　炒桑皮二钱　广木香一钱　蒲种壳一两　地骷髅一两（先煎代水）

【功用】利水宽中。

【主治】肿从足起，自下升上，溲短便泄，咳逆脘闷。

利水调经汤

【来源】《镐京直指医方》卷二。

【组成】制茅术三钱　姜川朴一钱　带皮苓五钱　冬瓜皮四钱　车前子三钱　急性子三钱　大腹皮三钱　丝通草一钱五分　建泽泻三钱　蝼蛄虫五只（研，吞）　官桂五分

【功用】利水消肿。

【主治】妇女脾虚湿阻，先身肿而后经停。

加减术蔓汤

【来源】《女科指南》。

【组成】人参　白术　茯苓　苍术　厚朴　泽泻　木通　陈皮　半夏　桑皮　白芍　紫苏

【用法】加生姜五片，水煎服。

【主治】身发浮肿，大便不实，及治肺胀、胃泄之症。

加味苓桂术甘汤

【来源】《医学衷中参西录》上册。

【组成】于术三钱　桂枝尖二钱　茯苓片二钱　甘草一钱　干姜三钱　人参三钱　乌附子二钱　威灵仙一钱五分

【用法】上药煎服数剂后，小便微利，其脉沉迟如故者，用此汤送服生硫黄末四五厘。若不觉温暖，体验渐渐加多，以服后移时觉温暖为度。

【主治】水肿，小便不利，其脉沉迟无力，自觉寒凉者。

【方论】方用苓桂术甘汤，以助上焦之阳；用甘草协同人参、干姜以助中焦之阳；又用人参、附子（参附汤）协同桂枝更能助下焦之阳。三焦阳气宣通，水饮亦随之宣通，而不复停滞为患也。至人参与灵仙并用，治气虚小便不利甚效，而灵仙通利之性，又能运化术、草之补力，俾胀满者服之，毫无滞碍，故加之以为佐使也。

【验案】前列腺增生　《甘肃中医学院学报》（1995，1：22）：王氏用本方加橘核、荔枝核、川牛膝、黄芪为基础，并随证加减，治疗前列腺增生42例。结果：治愈9例，好转28例，总有效率88.1%。治疗最短34天，最长68天。

分消饮

【来源】《家庭治病新书》引《医道日用纲目》。

【组成】苍术　白术　茯苓　陈皮　厚朴　枳实各三钱　生香附　大腹皮　泽泻各一钱五分　缩砂仁一钱　广木香六分

【用法】生姜、灯心为引，水煎服。

【主治】水肿胀满者。

桑皮杏仁饮

【来源】《温热经解》。

【组成】桑皮一钱　杏泥三钱　五加皮一钱　车前子一钱　大腹皮一钱　陈皮一钱　茯苓皮一钱半　地骨皮一钱半

【用法】水煎服。

【主治】热饮外溢，久咳，面浮肢肿。

水蓬膏

【来源】《天津市固有成方统一配本》。

【组成】水蓬花五钱　大黄五钱　当归尾五钱　芫花五钱　大戟五钱　穿山甲五钱　三棱五钱　莪术五钱　秦艽五钱　芦荟五钱　血竭五钱　肉桂五钱

【用法】将水蓬花等前九味药碎断，另取麻油二百四十两，置锅内加热，将前药倒入，炸枯，去滓，过滤，炼油下丹，去火毒，再将芦荟、肉桂、血竭轧为细粉，和匀，取膏油加热熔化，待爆音停止，水气去尽，晾温，兑入细粉搅匀，将膏油分

摊于布褙上，微晾，向内对折，加盖戳记。用时温热化开，贴于患处。

【主治】胸腹积水引起的胀满疼痛，积聚痞块，四肢浮肿，腰背酸痛，及血瘀经闭。

五皮丸

【来源】《北京市中药成方选集》。

【组成】橘皮二两五钱　大腹皮二两五钱　桑皮二两五钱　茯苓皮二两五钱　干姜皮一两二钱五分

【用法】上为细末过罗，用冷开水泛为小丸。每服三钱，一日二次，温开水送下。

【功用】消胀利水。

【主治】脾湿胃弱，痞满腹胀，四肢浮肿，小便不利。

加减寿脾煎

【来源】《中医妇科治疗学》。

【组成】党参四钱　白术三钱　当归　山药　干姜（炮）　莲肉　苍术　白芷各二钱　焦艾三钱

【用法】水煎服。

【功用】健脾升阳，温化寒湿。

【主治】脾阳不运，寒湿下注，带下色黑质薄，月经后期，色淡质清，所下经带有清冷感，面色萎黄无华，或四肢浮肿，气短神疲，手足不温，纳少便溏，舌淡苔白腻，脉沉迟。

归参丸

【来源】《全国中药成药处方集》（青岛方）。

【组成】当归　苦参　玄参　连翘　栀子　花粉　桔梗　生地　黄芩　桑叶各二两

【用法】上为细末，炼蜜为丸服。

【主治】肿胀，淋浊。

沉香散

【来源】《全国中药成药处方集》（沈阳方）。

【组成】鸡内金二两　大盔沉一两　海蛤粉　海浮石各五钱

【用法】上为极细末。每服二钱，饭前以黄酒冲服。服后三小时微汗为宜。

【功用】消水止痛，镇咳去痰。

【主治】咳嗽气逆，胸胁刺痛，呼吸气促，肋部蓄水，背寒胸满，大便泄泻，小便不利，腹胀肢肿，夜不能卧，痰饮湿盛，脾不行水，遍身浮肿。

【宜忌】忌烟、酒、腥辣。

流气丸

【来源】《全国中药成药处方集》（沈阳方）。

【组成】人参　焦术　茯苓　炙甘草　清夏　广皮　丁香　沉香各二钱　木香　肉桂各一钱　香附四钱　白芷　紫苏　草果仁　青皮　大黄各二钱　枳壳　厚朴各三钱　槟榔　莪术　麦冬　木瓜　木通　白蔻仁各二钱

【用法】上为极细末，炼蜜为丸，二钱重。每服一丸，姜汤送下。

【功用】散寒通滞，行气健胃。

【主治】胸膈闷满，饮食不下，气滞作痛，周身浮肿，气郁痰喘，小便不利，疮毒气肿。

【宜忌】忌生冷硬物。

荷叶粥

【来源】《饮食治疗指南》。

【组成】荷叶二张

【用法】煎水后和粳米煮粥食。

《长寿药粥谱》：用荷叶煎汤同粳米二两、沙冰糖少许煮粥食。

【功用】升清、消暑、化热、宽中、散瘀。

【主治】

1.《饮食治疗指南》：暑热、水肿、瘀血症。

2.《长寿药粥谱》：高血压病，高血脂症，肥胖症，以及夏天感受暑热，头昏脑胀，胸闷烦渴，小便短赤者。

木香流气饮

【来源】《中医杂志》（1989，6：329）

【组成】半夏　陈皮　厚朴　青皮　甘草　香附　紫苏叶各500g　人参　赤茯苓　木瓜　石菖蒲　白术　白芷　麦门冬　草果仁　肉佳　莪术　大

腹皮　丁香皮　槟榔　木香　藿香叶各300g　木通400g

【用法】上诸药共为粗末，每次用10g，加生姜3片，大枣2枚，水煎服，每日2~3次。

【主治】特发性水肿。

【验案】特发性水肿　《中医杂志》（1989，6：329）：本组50例病人均为女性。其中35~45岁17例；45~55岁30例，占60%；55~60岁3例；病程1~2年者7例，2~3年者15例，3~5年者23例，5~10年者5例。痊愈（诸证悉除，随访1年以上未再复发者），6例，占12%；显效（水肿明显消失，体重减轻，他证均有改善，随访3~5月未再加重者）37例，占74%；好转（症状稍有改善，但体重时轻时重效不稳定）4例，占8%；无效（症状如故或加重）3例，占6%。

车前草汤

【来源】《实用中西医结合杂志》（1993，8：502）。

【组成】鲜车前草300g

【用法】加水10倍煎煮取汁，外洗患处，每日2次。

【主治】血管神经性水肿。

【验案】血管神经性水肿　《实用中西医结合杂志》（1993，8：502）：用本方治疗血管神经性水肿55例（药物过敏引起者21例，食物过敏引起者15例，周围环境过敏引起者19例）。年龄3岁以内8例，4~14岁20例，15岁以上27例。结果：1天以内治愈15例，1~3天治愈38例，余2例症状明显减轻。

黄柴汤

【来源】《辽宁中医杂志》（1991，12：22）。

【组成】黄芪40g　柴胡20g

【用法】水煎服。

【主治】功能性水肿。

【用法】虚损较重，可加大用药剂量；自汗气短重者，可加山药20~30g；伴头项痛者，加葛根20~25g；失眠者，加茯苓20~30g。

【验案】功能性水肿　《辽宁中医杂志》（1991，12：22）：治疗功能性水肿57例，均为女性，年龄41~50岁48例，51~60岁9例；病程在1年以内15例，2~3年33例，4年以上9例。均经中西医多方治疗确诊为功能性水肿而不愈者。结果：水肿症状完全消失为显效，共40例；水肿症状明显减轻，已不影响工作和学习为有效，共13例。

开瘀消胀汤

【来源】《首批国家级名老中医效验秘方精选》。

【组成】郁金10克　三棱10克　莪术10克　丹参30克　川军10克　肉苁蓉10克　仙灵脾10克　巴戟天10克

【用法】水煎服，每周服6剂。一般服用一个月可明显见效，治疗3个月左右瘀胀即可消退。同时，要调情志，使之心情舒畅。

【功用】开郁行气，活血化瘀，消肿除胀。

【主治】瘀胀症（类似现代医学的特发性水肿、更年期综合征、高脂血症、甲状腺功能减退症、冠心病、消化不良等）。

【加减】胁肋胀痛、烦躁易怒、腹胀嗳气者，加柴胡、白芍、青皮、枳壳、半夏之类；脾胃虚寒、大便溏泄者，去川军，或改用川军炭；瘀肿较重者，加山药、薏苡仁、茯苓；心悸怔忡者，加炒枣仁、炒麦芽、鸡内金；头晕目眩者，加夏枯草、珍珠母、黄柏；舌有瘀斑、行经腹痛、经下瘀血者，加泽兰叶、川牛膝、桃仁、红花、香附；甲状腺功用减退者，加海浮石、桃仁、红花之类。

【验案】鲁某，女，32岁，1974年5月24日初诊。病人全身肿胀7年，加重2年。来诊时全身瘀肿蹒跚，体重80公斤。肢体指压呈水肿样凹陷，但略有弹性，伴有腰腿酸软，动则汗出气短，失眠多梦，晨起腹泻，小腹发凉，经前面部发红，口唇发绀，经期面部皖白，瘀肿加重，月经量少色黑，脉沉细涩，舌暗有瘀斑，苔白腻。经做肝功、尿常规及妇科检查，均未发现器质性病变。询及病人早婚，且孕6次。辨证为生育不节，冲任损伤，肾阴阳俱亏，不能温煦五脏，正气不足，血瘀水停而为病，中医诊断为瘀胀症，给予开郁消胀汤去大黄，加杞果、桑寄生、肉桂、白术、茯苓、泽泻、乌药等，治疗20余天，月经来潮，虽仍量少色黑，但全身瘀肿、口唇发绀诸症显著减轻。在经期再予开瘀消胀汤加桃仁、红花、当归、川

芎、香附、白芍之类通经活血，腹冷便溏加吴茱萸、肉桂等调治3月余，瘀胀诸症消失，月经正常，体重减至67.5公斤。恢复工作。

升降麦门冬汤

【来源】《首批国家级名老中医效验秘方精选·续集》。

【组成】沙参30克　麦冬15克　法夏12克　甘草6克　升麻9克　泽泻20克　黄芪15克　厚朴12克　五加皮15克　冬瓜皮15克　车前仁各15克

【用法】每日1剂，水煎服，早晚分服。

【功用】益气生津，化气利水。

【主治】小儿脑积水。症见头大，神疲或烦躁，并见五迟、五软症。舌淡红有裂纹，苔薄白，脉沉。亦可用治多囊肾。

【加减】泄泻加白术6克，扁豆30克；小便不利，水肿加猪苓、茯苓、通花根各15克；腹胀甚加大腹皮10克，白蔻、小茴香各6克；脑积水消后加猪脊髓、兔脑髓各30克入药煎服。

【方论】本方参、芪、冬益气生津，升、朴、夏升清行气化湿，泽、二皮、车前行水，甘草和中，使宗气充足，津液润泽，阴阳协调，清升浊降。即《金匮要略·水气病篇》："阴阳相得，其气乃行，大气一转，其气乃散"，故积水尽消。

【验案】余某，男，1岁半。头颅及前囟增大6月余，CT检查示：脑积水。现头仍渐增大，头皮静脉怒张，额大面小，骨缝分离，颈软神疲，不能行走，体瘦，舌淡苔白腻，指纹淡紫滞。服上方6剂小便增多，神转佳，30余剂头围缩小，颈立能走，骨缝闭合。一年随访恢复生长，智力发育良好。

足胕消肿汤

【来源】《首批国家级名老中医效验秘方精选·续集》。

【组成】焦槟榔12～18克　茯苓20～30克　木瓜10克　苍术6克　紫苏梗9克　紫苏叶9克　生薏米30克　防己10克　桔梗4.5克　吴茱萸6克　黄柏10克　牛膝12～15克

【用法】每日一剂，水煎二次，早晚分服。

【功用】降气行水，祛湿消肿，散寒温经，舒筋活络。

【主治】风寒湿之邪流注于小腿、足踝而致两足及胕踝浮肿胀痛、沉重、麻木，筋脉挛急，行走障碍等。包括西医诊断的下肢淋巴或静脉回流障碍等引起的足、踝、小腿下部（胕）肿胀疼痛。

【加减】足踝肿胀灼热，口干口渴，舌质红，苔黄，脉滑数者，可去吴茱萸、苍术，加黄柏12克，另加木通、泽泻、连翘、滑石等；兼有肾虚而腰酸腿软，足跟疼痛，尺脉弱者，可去桔梗、黄柏，加桑寄生、川断、杜仲等，或兼服济生肾气丸；若足胕浮肿，并见青筋怒张或皮下青色脉络缕缕，舌质暗或有瘀斑者，可加红花、赤芍、泽兰、瞿麦、白茅根等。

【方论】本方据《证治准绳》鸡鸣散加减而成。方中以槟榔辛温降气，质重达下，破滞行水为主药；辅以茯苓、紫苏散寒行气，辟秽祛湿；佐以生薏米、木瓜理脾行湿，舒筋活络，苍术、黄柏、防己益肾祛水，吴茱萸温肝肾、燥湿浊，桔梗宣肺气而利水，牛膝引药下行直达病所为使药。全方共奏降气行水，祛湿消肿，舒筋活络，散寒温经之功效。

【验案】党某某，男，55岁，工人，1980年5月23日初诊。1966年始，左下肢浮肿10余年，以后渐至双足及下肢均浮肿胀痛，麻木筋挛，步履艰难，双足浮肿而至夏天不能穿单鞋需用穿棉鞋。近4年来加重，每到夏季即复发，逢雨天更加重。西医诊断为"下肢静脉回流受阻"。曾服多种中西药物均不效，西医建议手术治疗。今又发作如上述，且有头晕。观其舌苔薄白，切其六脉皆弦。约其每年夏季来治，连治3年。辨证：湿邪下注，络脉郁阻，气机不畅而致足胕肿痛。属中医脚气病范畴。治法：降浊利湿行气，佐以益肾。方药：焦槟榔12克，木瓜10克，茯苓20克，生苡米30克，吴茱萸6克，苍术6克，炒黄柏10克，桑寄生20克。1980年夏共服上述中药68剂，症状消失。1981年、1982年夏天服上述中药预防。追访3年，未见复发。

退肿方

【来源】《首批国家级名老中医效验秘方精选·续集》。

【组成】麻黄10克　桂枝10克　白术10克　黄芪15克　苡仁15克　通草6克　茯苓皮15克　赤

小豆 30 克　冬瓜皮 15 克　木香 6 克　陈皮 6 克　独活 6 克

【用法】每日一剂，水煎服。

【功用】宣肺健脾，温肾化气，燥湿利水。

【主治】肺源性心脏病以水肿为主要表现者。

【方论】方用麻、桂宣肺利水，使皮毛肌肤舒畅而不致滞下行之水；黄芪、白术健脾利水消肿；通草、冬瓜皮、赤小豆淡渗利湿；木香、陈皮行气通水；茯苓皮入肺、脾、肾诸经，上渗肺脾之湿，下伐肝肾之邪，善治水肿腹胀，行气而不耗气；尤妙在独活为伍，其入肾与膀胱，祛风胜湿，升中有降，能通达全身，导水归肾而下行于膀胱。全方组成，攻补兼施，内外分消，具有宣肺健脾，温肾化气，燥湿利水的作用，实为消水的良剂。

【验案】胡某，男，54 岁，农民。于 1975 年 11 月 6 日入院。素患咳已 10 余年，近因受寒后咳嗽气急、全身浮肿而入院。经胸透、心电图等有关检查，诊断为慢性支气管炎急性发作；阻塞性肺气肿；肺源性心脏病；心力衰竭Ⅲ度。入院后经西医抢救治疗，症状已见改善，但水肿消后复肿，且有增剧趋势，乃延中医治疗。诊见面色苍白稍青，口唇青紫，端坐呼吸，不能平卧，全身浮肿，以下肢为剧，按之没指，纳差腹胀，尿少便溏，舌淡胖而微紫暗、苔白腻，脉细数。辨证属脾肾阳虚，水气泛溢，上逆心肺。治宜温肾健脾，化气利水，用本方合真武汤加减：附片 10 克，麻黄 10 克，桂枝 10 克，白术 10 克，茯苓皮 15 克，黄芪 15 克，苡米仁 15 克，冬瓜皮 15 克，广木香 6 克，陈皮 6 克，通草 6 克。服药 5 剂，证情略减。继服 10 剂，尿量大增，肿势减退。再服 20 剂，水肿全消。咳喘心悸均已缓解，乃出院休养。

肾炎平颗粒

【来源】《部颁标准》。

【组成】金樱子 422g　菟丝子 281g　山药 615g　墨旱莲 253g　女贞子 253g　莲须 169g　黄芪 281g　党参 281g　白术 169g　茯苓 281g　紫苏叶 169g　蝉蜕 169g　益母草 422g

【用法】制成颗粒剂，密封。开水冲服，1 次 15g，每日 2 次，1～3 个月为 1 疗程。

【功用】疏风活血，补气健脾，补肾益精。

【主治】脾虚湿困及脾肾两虚之轻度浮肿，倦怠乏力，头晕耳鸣，纳呆食少，腰膝疲软，夜尿增多等症。

肾炎安胶囊

【来源】《部颁标准》。

【组成】山牡荆

【用法】制成胶囊，每粒装 0.3g（相当于原药材 20g），密封。口服，每次 1～2 粒，1 日 3～4 次。

本方制成颗粒剂，名“肾炎安颗粒”。

【功用】清热解毒，利湿消肿。

【主治】湿热蕴结之水肿，淋证，及符合本证候之急性肾炎，急性肾盂肾炎，尿路感染，慢性肾炎，肾病综合征等。

滋补健身丸

【来源】《部颁标准》。

【组成】车前子（清炒）480g　菟丝子（清炒）480g　楮实子 120g　茴麻子 120g　甘草 48g　肉桂 48g　大枣 60g　化橘红 24g　葶苈子 60g

【用法】制成大蜜丸，每丸重 9g，密封。口服，每次 1 丸，1 日 2 次。

【功用】补肾理脾，祛湿消胀。

【主治】脾胃虚弱，水不运化引起的精神倦怠，腰膝酸软，腹胀浮肿，肢体沉重，胸胀喘嗽。

二十八、风　水

风水，水肿病之一，是指因感受风邪而水肿起于上部者。《医宗金鉴》：“风水其脉自浮，外证骨节疼痛，恶风”，“风水得之内有水气，外感风邪，风则从上肿，故面浮肿，骨节疼痛恶风，风在经表也”。治宜疏风祛湿，利水消肿。

防己黄耆汤

【来源】《金匮要略》卷上。

【别名】木防己汤（《外台秘要》卷二十引《深师方》）、汉防己汤（《类证活人书》卷十七）、防己汤（《圣济总录》卷七十九）、逐湿汤（《永乐大典》卷一三八七九引《风科集验方》）、白术煎（《仙拈集》卷一）、黄耆防己汤（《杂病源流犀烛》卷五）。

【组成】防己一两　甘草半两（炒）　白术七钱半　黄耆一两一分（去芦）

【用法】上锉，如麻豆大。每抄五钱匕，加生姜四片，大枣一枚，水一盏半，煎至八分，去滓温服，良久再服。服后当如虫行皮中，从腰下如冰，后坐被上，又以一被绕腰下，温令微汗，愈。

【功用】《医碥》：固表以散风水。

【主治】

1.《金匮要略》：风湿或风水，脉浮身重，汗出恶风者。

2.《太平惠民和济局方》：风湿相搏，客在皮肤，一身尽重，四肢少力，关节烦疼，时自汗出，洒淅恶风，不欲去衣；及风水客搏，腿脚浮肿，上轻下重，不能屈伸。

3.《医方集解》：诸风诸湿，麻木身痛。

4.《治疫全书》：风温误汗，恐致亡阳者。

【加减】喘者，加麻黄半两；胃中不和，加芍药三分；气上冲者，加桂枝三分；下有陈寒者，加细辛三分。

【方论】肌表气虚，风湿外客，一身尽重，关节烦疼，或腿足浮肿，汗出恶风，脉浮者。

【验案】

1. 功能性水肿　《陕西中医》（1987，1：27）：赵某，女，46岁。半年前出现水肿，经检查肝、肾功能正常，心脏听诊及尿常规检查亦属正常，诊为功能性水肿。曾服西药利尿剂，水肿消，但不能巩固，且出现乏力。诊见下肢浮肿，按之没指，晨轻暮重，乏力肢麻，白带多，大便溏薄，舌苔白薄而腻，脉濡。用防己黄芪汤加味：生黄芪、防己各15g，生炒白术各10g，生姜3片，大枣5枚，赤小豆、玉米须各30g。煎服7剂后肿消，半个月后浮肿又起，仍投上药，再服7剂，病即痊愈。随访半年，未复发。

2. 更年期综合征《陕西中医》（1987，1：27）：王某，女，47岁。常自汗出，手足发麻，小便量少，下肢浮肿，舌质淡胖，月经错乱，舌苔薄白，脉濡。曾在内分泌科检查，未发现明显阳性指征，诊为更年期综合征。用生黄芪15g，白术、防己各12g，生姜3片，大枣3枚，煎服14剂，水肿消退。

3. 慢性肾炎蛋白尿　《河北中医》（1985，2：22）：以本方加党参、黄精、山药、芡实、金樱子为基本方，若表证较重加银花、连翘、野菊花；肾虚者加枸杞子、菟丝子、桑寄生、川续断；阳虚者加巴戟天、鹿角霜、附子、肉桂；脾虚者加茯苓、薏苡仁；兼血虚者加熟地、当归、何首乌；血瘀者加丹参、益母草、泽兰；尿中出现红细胞者加白茅根、小蓟；血压或胆固醇偏高者加钩藤、石决明、草决明、夏枯草。治疗慢性肾炎蛋白尿16例。结果：临床治愈14例，好转2例。

4. 狐臭　《贵阳中医学院学报》（1985，3：34）：以本方：防己、黄芪各30g，炒白术15g，甘草6g，生姜9g，大枣20g；若水湿甚者，加茅术、车前子（草）；脾虚明显者，加茯苓皮、泽泻；肥胖者，加茵陈、焦山楂各20g；治疗狐臭12例。结果：全部治愈。

5. 肩周炎《河北中医学院学报》（1988，2：12）：以本方加姜黄、红花、桃仁、鸡血藤、元胡、川芎，每日1剂，水煎服，同时配合针刺条口穴，治疗肩周炎30例。结果：痊愈（经治疗后无自觉症状，关节活动自如，用力及做一些特殊动作不受限，气候变化无影响，经3个月观察无再发）22例（73%）；显效（自觉症状消失，有时用力过猛或做一些特殊动作局部可有疼痛，对气候变化有影响，但较轻）5例（16.7%）；有效（自觉症状明显减轻，活动及气候变化症状加重）2例（6.7%）；无效（经过15次治疗，病情无改善者）1例（3.3%）；总有效率为96.7%。

6. 类风湿性关节炎《中医杂志》（1993，3：156）：将100例类风湿性关节炎病人随机分为4组，即淀粉组、消炎痛组、地塞米松组、防己黄芪汤组。其中防己黄芪汤组给予黄芪、防己、白术、甘草按1：0.7：0.7：0.7比例制成的粗结晶胶囊，每次口服1粒（220mg），每日2次，连服3周。结果表明，防己黄芪汤能缩短晨僵时间，减

少疼痛关节数和肿胀关节数，改善关节功能，降低血沉及黏蛋白水平，显著抑制T4细胞、提高T3细胞水平的作用，有转阴类风湿因子作用及抗炎作用。且优于激素及消炎痛。

7. 老年人充血性心力衰竭 《陕西中医》(1998，1：7)：用本方为主，气阴两虚型加生脉散；痰瘀互结型加半夏、茯苓、丹参、赤芍；阳虚水泛型加附子、桂枝、车前子；胸水加葶苈子；腹水加大腹皮；血瘀甚者加泽兰、赤芍；心阳虚脱型加参附汤；治疗老年人充血性心力衰竭35例。结果：总有效率91.7%。

越婢汤

【来源】《金匮要略》卷中。

【组成】麻黄六两 石膏半斤 生姜三两 大枣十五枚 甘草二两

【用法】上以水六升，先煮麻黄，去上沫，纳诸药，煮取三升，分温三服。

【主治】风水恶风，一身悉肿，脉浮不渴，续自汗出，无大热者。

【加减】恶风者，加附子一枚（炮）；风水，加术四两。

【方论】

1.《医方集解》：此足太阳药也，风水在肌肤之间，用麻黄之辛热以泻肺；石膏之甘寒以清胃；甘草佐之，使风水从毛孔中出；又以姜枣为使，调和营卫，不使其太发散耗津液也。

2.《金匮要略方义》：本方为治疗风水而肺胃有郁热之主要方剂。风水为病，乃风邪外袭，肺气不宣，水道失调，风水相击于肌表所致。治当解表祛风，宣肺行水。方中以麻黄为君药，发汗解表，宣肺行水；佐以生姜、大枣则增强发越水气之功，不仅使风邪水气从汗而解，尤可藉宣肺通调水道之力，使水邪从小便而去。因肺胃有热，故加石膏以清其热。使以甘草，调和药性，与大枣相伍，则和脾胃而运化水湿之邪。综合五药，乃为发越水气，清泄里热之剂。

【验案】

1. 风水 《江苏中医》(1965，11：2)：陆某，年逾四旬，务农，1954年6月，时值仲夏，犹衣棉袄，头面周身悉肿，目不能启；腹膨若瓮，肤色光亮，恶风无汗，发热微渴，纳呆溺少，咳嗽痰多，气逆喘促，不能正偃，倚壁而坐，寸口肿甚，难辨脉浮沉。诊为风水，用越婢加味，净麻黄18克，生石膏15克，粉甘草6克，飞滑石12克（分二次送服），鲜生姜4片，大枣12枚（劈），嘱服后厚覆取汗。药后一时许，周身透汗，三更内衣，小便亦多，气机转和，寒热消失，身肿腹胀消有十之八九，后以五苓散加味取愈。

2. 风疹 《河北中医》(1997，5：32)：用本方合桂枝汤，每日1剂，水煎服，10天为1疗程，治疗冷风疹43例。结果：服药2个疗程后痊愈（受凉后皮肤不再出现风团，或只有轻微痒感）23例，好转14例，总有效率为86.04%。

3. 特发性水肿《新中医》(2005，4：76)：以越婢汤加减，治疗特发性水肿81例，结果：痊愈48例，显效21例，有效9例，无效3例。

大豆汤

【来源】《外台秘要》卷二十引《深师方》。

【组成】大豆一升 杏仁一升（去皮尖，熬） 黄耆二两 防风三两 白术五两 木防己四两 茯苓四两 麻黄四两（去节） 甘草四两（炙） 生姜六两 清酒一升

【用法】上切。以水三斗，先煮豆，取一斗，去滓；纳酒及药，煮取七升，分七服，一日一夜令尽。当下小便极利。

【主治】风水气，举身肿满，短气欲绝。

【宜忌】忌海藻、菘菜、桃、李、雀肉、大酢等。

商陆酒

【来源】《医心方》卷十引《僧深方》。

【组成】商陆一斤（薄切）

【用法】以淳酒二斗，渍三宿。服一升，当下之；下者减从半升起，一日三次。不堪酒者，以意减之。

【主治】风水肿，癥癖，酒癖。

【宜忌】忌犬肉。

大豆煎

【来源】《医心方》卷十引《经心录》。

【组成】生桑根白皮（入土一尺者，细切）三升　大豆一斗

【用法】以水六斗，煮取一斗，去滓；下生姜汁二升更煎，取汁四升，每服五合，日三夜一。以知为度。

【主治】风水。

麻黄汤

【来源】《外台秘要》卷二十引《古今录验》。

【组成】麻黄五两（去节）　桂心四两　生姜三两　甘草二两（炙）　附子二枚（炮）

【用法】上切。以水一斗，先煮麻黄减二升，纳药，煎取三升，每服一升，每日三次。

【主治】风水，身体面目尽浮肿，腰背牵引髀股，不能食。

【宜忌】禁野猪肉、芦笋。

葱白膏

【来源】《外台秘要》卷二十引《古今录验》。

【组成】葱青白（切）半升　松菜子半升　葶苈子半升（破）　蒴藋（切）半升　青木香二两（切）　莽草一两（切）　丹参（切）半升　生蛇衔半升　蒺藜子一升（破）

【用法】上以猪肪五升，煎之三沸，令水气竭，去滓，敷痛处。

【主治】虚热及服石热，当风露卧，冷湿伤肌，热阻在里，变成热风水病。心腹肿满，气急不得下头，小便不利，大便难，四肢肿如皮囊盛水，晃晃如老蚕色，阴卵坚肿如升，茎肿生疮，臭如死鼠。

防风散

【来源】《备急千金要方》卷十三。

【组成】防风二两　白芷一两　白术三两

【用法】上药治下筛。每服方寸匕，酒送下，一日三次。

【主治】头面遍身风肿。

大豆汤

【来源】《备急千金要方》卷二十一。

【组成】大豆　杏仁　清酒各一升　麻黄　防风　木防己　猪苓各四两　泽泻　黄耆　乌头各三两　生姜七两　半夏六两　茯苓　白术各五两　甘遂　甘草各二两

【用法】以水一斗四升煮豆，取一斗，去豆；纳药及酒合煮，取七升。分七服，日四夜三。得小便快利为度，肿消停药，不必尽剂。

【主治】

1.《备急千金要方》：风水，通身大肿，眼合不得开，短气欲绝。

2.《三因极一病证方论》：风气通身大肿，眼合不得开，短气，骨节疼，恶风自汗，其脉浮。

【加减】若小便不利者，加生大戟一升，葶苈二两。

【方论】《千金方衍义》：甘遂、防己、乌头、半夏、甘草、生姜专为阴邪逆满，眼合不开，故用以通阳气，散阴结，且得乌头、半夏、甘遂、甘草反激之大力，可无藉于独活之祛风也。

大豆茯苓散

【来源】方出《备急千金要方》卷二十一，名见《普济方》卷一九二。

【组成】大豆三升　桑白皮五升（以水二斗，煮取一斗，去滓，纳后药）　茯苓　白术各五两　防风　橘皮　半夏　生姜各四两　当归　防己　麻黄　猪苓各三两　大戟一两　葵子一升　鳖甲三两

【用法】上锉。纳前汁中，煮取五升，一服八合，一日三次。每服相去如人行十里久。

【主治】风水肿。

麻黄煎

【来源】《备急千金要方》卷二十一。

【组成】麻黄　茯苓各四两　防风　泽漆　白术各五两　杏仁　大戟　清酒各一升　黄耆　猪苓各三两　泽泻四两　独活八两　大豆二升（水七升，煮取一升）

【用法】上锉。以豆汁、酒及水一斗合煮，取六

升，分六七服，一日一夜令尽。当小便极利为度。

【功用】利小便。

【主治】风水，通身肿欲裂。

麻子粥

【来源】方出《证类本草》卷二十四引《食医心镜》，名见《圣济总录》卷一八八。

【别名】麻子仁粥（《冯氏锦囊·杂症》卷六）。

【组成】冬麻子半斤（碎，水研，滤取汁）　米二合

【用法】以麻子汁煮米作稀粥，着葱、椒、姜、豉，空心服之。

【主治】风水，腹大脐肿，腰重痛不可转动。

大腹皮散

【来源】《太平圣惠方》卷五十四。

【组成】大腹皮二两（锉）　桑根白皮二两（锉）　芎藭一两　汉防己一两　羌活一两　青橘皮一两（汤浸，去白瓤，焙）　槟榔一两　桂心一两　川大黄一两半（锉碎，微炒）　甘草半两（炙微赤，锉）

【用法】上为散。每服五钱，以水一大盏，煎至五分，去滓温服，不拘时候。

【主治】风水，身体浮肿，发歇不定，肢节疼痛，上气喘息。

汉防己散

【来源】方出《太平圣惠方》卷五十四，名见《普济方》卷一九二。

【组成】汉防己　桑根白皮（锉）　苍术（锉，炒）　郁李仁（去皮尖）　羌活各一两

【用法】上为散。每服五钱，水一盏，煎至五分，去滓温服，如人行十里再服之。

【主治】风水面肿，脉浮而紧者。

防风散

【来源】《太平圣惠方》卷五十四。

【组成】防风一两（去芦头）　猪苓一两（去黑皮）　泽泻一两　赤茯苓一两　麻黄一两（去根节）　泽漆一两　白术一两半　大戟一两（锉碎，微炒）　黄耆一两（锉）　独活二两　杏仁一两（汤浸，去皮尖双仁，麸炒微黄）

【用法】上为散。每服五钱，以水一大盏，入煮赤小豆汁一合，煎至五分，去滓，每日早晨温服。良久，当小便极利；不利，晚再服之。

【功用】利小便。

【主治】风水，通身肿，皮肤欲裂。

海藻丸

【来源】《太平圣惠方》卷五十四。

【别名】牛黄丸（《圣济总录》卷七十九）。

【组成】海藻一两（洗去咸味）　椒目一两（微炒，去汗）　昆布一两（洗去咸味）　牵牛子一两（微炒）　桂心一两　牛黄一分（研细）　甜葶苈二两（隔纸炒令紫色，别研如膏）

【用法】上为末，入葶苈搅令匀，炼蜜为丸，如梧桐子大。每服二十丸，以蜜汤送下，一日三四次。

【主治】

1.《太平圣惠方》：风水，皮肤肿满，上气喘急，不能眠卧。

2.《圣济总录》：大腹水肿，气息不通，证候危笃者。

麻黄散

【来源】《太平圣惠方》卷五十四。

【组成】麻黄二两（去根节）　石膏三两（研）　白术二两　附子二两（炮裂，去皮脐）　汉防己二两　桑根白皮二两（锉）

【用法】上为散。每服五钱，以水一大盏，加大枣二枚、生姜半分，煎至五分，去滓温服，不拘时候。

【主治】风水。遍身肿满，骨节酸痛，恶风脚弱，皮肤不仁。

椒目丸

【来源】《太平圣惠方》卷五十四。

【组成】椒目一两半（微炒去汗）　汉防己一两

半　消石二两　杏仁二两（汤浸，去皮尖双仁，麸炒微黄，别研入）

【用法】上为末，炼蜜为丸，如梧桐子大。每服十五丸，食前用煎桑枝汤送下。

【主治】风水。面肿，小便涩。

防己饮

【来源】《圣济总录》卷七十九。

【别名】防己散（《普济方》卷一九二）。

【组成】防己　赤茯苓（去黑皮）　桑根白皮　羌活（去芦头）各一两　苍术（米泔浸一宿，切，焙）　郁李仁（去皮）各一两半

【用法】上锉，如麻豆大。每服五钱匕，水一盏半，煎取一盏，去滓温服，不拘时候，一日三次。

【主治】风水，面肿骨痛，恶风咳喘。

苍术饮

【来源】《圣济总录》卷七十九。

【组成】苍术（米泔浸，切，晒干）　杏仁（去皮尖双仁，炒）　赤茯苓（去黑皮）　桑根白皮各一两半　商陆根二两半　连皮大腹四枚　嫩楮枝（切）三合

【用法】上锉，如麻豆大。每服五钱匕，水一盏半，煎至一盏，去滓，食前温服，一日三次。

【主治】风水头重面肿。

麻黄石膏汤

【来源】《圣济总录》卷七十九。

【组成】麻黄（去根节）六两　石膏八两　甘草（炙）二两　白术三两　附子（炮裂，去皮脐）一枚

【用法】上锉，如麻豆。每服五钱匕，以水二盏，加生姜一枣大（拍碎）、大枣二枚（擘破），同煎至一盏，去滓温服，每日三次。服讫复令汗出愈。

【主治】风水遍身肿，骨节疼痛，恶风脚弱，汗出不仁。

橘皮汤

【来源】《圣济总录》卷七十九。

【组成】陈橘皮（汤浸，去白，焙）一两　楮白皮（炙，锉）一两半　桑根白皮（锉）二两半　紫苏子（炒）二两

【用法】上为粗末。每服三钱匕，水一盏半，加生姜一枣大（拍破），同煎至一盏，去滓温服，一日三次。

【主治】风水，遍身肿。

水煮桃红丸

【来源】《儒门事亲》卷十二。

【别名】水煮桃花丸（《普济方》卷一六九）。

【组成】黑牵牛（头末）半两　瓜蒂末二钱　雄黄一钱（水飞过用之）　干胭脂少许

【用法】上以黄酒调面为丸。以水煮令浮，熟取出，冷水拔过，麝香汤水送下。

【主治】风水郁滞，初起病疥爬搔，继则变而为肿，喘不能食，经吐后肿去八九，复用神祐丸，又续下水者，续服本方。

赤小豆散

【来源】《普济方》卷一九二。

【组成】赤小豆一升　桑根白皮三两（锉）　白术三两　生姜三两（切）　鲤鱼二斤（去鳞肠肚）　陈橘皮三两（汤浸去瓤）

【用法】上锉细。水一斗，都煮令熟，出鱼，量力食之，兼食小豆，勿着盐，便以任性食之。

【主治】风水，腹脐俱肿，腰不得转动。

楮白皮散

【来源】《普济方》卷一九二。

【组成】楮白皮二两（锉）　桑白皮三两（锉）　陈橘皮一两（焙，去白瓤）　紫苏叶三两　猪苓三两（去皮）　木通二两（锉）

【用法】上为散。每服五钱，用水一大盏，入生姜半分，煎至六分，去滓，不拘时候温服。

【功用】《中国医学大辞典》：逐水，利小便。

【主治】风水毒气，遍身肿满。

荆防败毒散

【来源】《医学正传》卷八。

【别名】消风败毒散（《医学六要·治法汇》卷五）。

【组成】柴胡　甘草　人参　桔梗　川芎　茯苓　枳壳　前胡　羌活　独活　荆芥穗　防风各四分

【用法】上细切，作一服。用水一盏，煎至七分，温服；或加薄荷五叶。

【功用】

1.《景岳全书》：发散痘疹。

2.《医宗金鉴》：疏解寒热。

【主治】

1.《医学正传》：伤寒温毒发斑重者。

2.《医门法律》：风水、皮水，凡在表宜从汗解者。

神仙九气汤

【来源】《增补内经拾遗方论》卷三引《保生备录》。

【组成】姜黄　香附（炒）

【用法】上为细末。每服五六钱，空心淡盐汤调服；或以温酒调服。

【主治】肤胀。

五子五皮汤

【来源】《增补内经拾遗》卷三引《明医指掌》。

【组成】紫苏子（炒）　香附子（炒）各七分　车前子　莱菔子（炒）各六分　葶苈子（醋炒）五分　栀子皮八分　陈皮七分　赤茯苓皮八分　大腹皮六分　生姜皮五分

【用法】用水二钟，煎八分，温服。

【功用】定喘，消皮肤间水。

【主治】风水。

消风败毒散

【来源】《医方集解》。

【组成】败毒散　消风散

【主治】风毒瘾疹，及风水，皮水在表，宜从汗解者。

杏子汤

【来源】《医略六书》卷二十。

【组成】杏子三钱（去皮）　麻黄一钱半　炙草八分

【用法】水煎，去滓温服。

【主治】风水浮肿，气喘脉浮者。

【方论】风伤皮腠，水积络中，而肺气不清，不能通调水道，故浮肿气喘焉。杏子降气以疏络脉，麻黄开表以通皮腠，炙草缓中益胃气也。水煎温服，使风水分消，则肺气清肃而经络宣通，安有浮肿不退，气喘不平乎？此疏风降气之剂，为风水肿喘之专方。

越婢加附子汤

【来源】《医宗金鉴》卷三十八。

【组成】越婢汤加附子

【主治】风水，阳虚恶寒者。

驱风败毒散

【来源】《医醇剩义》卷四。

【组成】人参一钱　独活一钱　桔梗一钱　柴胡一钱　枳壳一钱　羌活一钱　茯苓一钱　川芎一钱　前胡一钱　甘草一钱　荆芥一钱　防风一钱　生姜三片

【主治】风水、皮水，邪在表，宜从汗解者。

消阴利导煎

【来源】《医醇剩义》卷四。

【组成】当归二钱　茯苓三钱　白术一钱五分　广皮一钱　厚朴一钱　肉桂五分　附子八分　木通一钱五分　大腹皮一钱五分　牛膝一钱五分　泽泻一钱五分　车前二钱　鲜姜皮一钱　苡仁一两

【主治】目窠上微肿，如新卧起之状，其颈脉动，时咳，阴股间寒，足胫肿，腹乃大，其水已成，以手按其腹，随手而起，如裹水之状。

疏风利水汤

【来源】《医方新解》。

【组成】紫浮萍　紫苏各9克　桑皮　益母草　车前子各12克　白茅根30克　金银花　连翘各18克　甘草6克

【用法】水煎服。

【主治】风水恶风，一身悉肿，脉浮不渴，续自汗出，无大热者；亦治肺热咳嗽及风疹块。

【加减】若治急性肾炎，可酌加蜂房、赤小豆、玉米须；浮肿消退，正气未复，尿蛋白仍多者，酌加黄耆、当归、石韦、蝉衣；慢性肾炎浮肿不重者，可减去桑皮、车前子、茅根，并与六味地黄汤合方；尿蛋白多者，加首乌、蜂房、党参、黄耆；上呼吸道感染、扁桃体炎、支气管炎，酌加黄芩、桔梗、杏仁之类；荨麻疹，宜加生地、赤芍、蝉衣之属。

【方论】方中浮萍、紫苏、桑皮疏风利水，共为主药；益母草、车前子、白茅根利水消肿，银花、连翘清热解毒，均为辅药；甘草解毒调和，祛痰止咳为使。

二十九、皮　水

皮水，水肿病之一，是指水气泛溢于皮肤者。《金匮要略·水气病脉证并治》：“皮水，其脉亦浮，外证胕肿，按之没指，不恶风，其腹如鼓，不渴。”《诸病源候论·水肿病诸候》：“肾虚则水妄行，流溢于皮肤，故令身体面目悉肿，按之没指而无汗也。腹如故而不满，亦不渴，四支重而不恶风是也。脉浮者，名曰皮水也。”治宜通阳健脾利水。

防己茯苓汤

【来源】《金匮要略》卷中。

【别名】木防己汤（《外台秘要》卷二十引《深师方》）、防己汤（《圣济总录》卷三十二）、茯苓汤（《鸡峰普济方》卷十九）、防己加茯苓汤（《赤水玄珠全集》卷五）。

【组成】防己三两　黄耆三两　桂枝三两　茯苓六两　甘草二两

【用法】以水六升，煮取二升，分温三服。

【主治】

1.《金匮要略》：皮水为病，四肢肿，水气在皮肤中，四肢聂聂动者。

2.《圣济总录》：伤寒病后气虚，津液不通，皮肤虚满。

【方论】

1.《金匮要略论注》：（本方）药亦同防己黄芪汤，但去术加桂、苓者，风水之湿在经络近内，皮水之湿在皮肤近外，故但以苓协桂，渗周身之湿，而不以术燥其中气也。不用姜、枣者，湿不在上焦之营卫，无取乎宣之耳。

2.《金匮要略心典》：皮中水气，浸淫四末而壅遏卫气，气水相逐，则四肢聂聂动也。防己、茯苓善驱水气，桂枝得茯苓则不发表而反行水，且合黄芪、甘草助表中之气，以行防己、茯苓之力也。

3.《退思集类方歌注》：水在皮肤，卫阳必虚而汩没，故用桂枝宣卫阳以解肌；君茯苓，泄皮中水气；黄芪益卫气，生用亦能达表，治风注肤痛；汉防己大辛苦寒，通行十二经，开腠理，泄湿热。此治皮水之主方也。里无水气，故不须白术以固里。

4.《绛雪园古方选注》：汉防己，太阳经入里之药，泄腠理，疗风水，通治风湿、皮水二证。《金匮要略》汗出恶风者，佐以术；水气在皮肤中聂聂动者，佐桂枝。一以培土，一以和阳，同治表邪，微分标本。盖水湿之阳虚，因湿滞于里而汗出，故以白术培土，加姜枣和中，胃不和再加芍药。皮水之阳虚，因风水袭于表，内合于肺，故用桂枝解肌散邪兼固阳气，不须姜枣以和中也。黄芪汤方下云：服药当如虫行皮中，从腰下如冰，可知其汗仅在上部，而不至于下，即用白术内治其湿，尤必外用被围腰下，接令取汗，以通阳气也。余治太阳腰髀痛，审症参用两方，如鼓应桴，并识之。

5.《金匮要略方义》：此病多由卫阳不足，气不化水，水湿郁于皮肤所致。水湿壅盛，则按之没指，四肢聂聂动。阳气不足，失于温煦，加之水寒留滞，故身冷，状如周痹。治当温阳行水。本方君以茯苓渗湿利水，臣以桂枝温阳行气，与茯苓配伍更有化气利水之功。加黄芪以补卫气，得茯苓则有补气利水之效；芪桂相合，尤能鼓舞卫阳之气。三药合用，于渗湿之中寓有温阳助卫之力，俾邪气去而卫阳充，使水湿无伏匿之地。更加防己之祛风行水，非但助茯苓以利水，且有使皮水从外而解之效。使以甘草调和诸药，亦可助桂枝、黄芪温阳益气。药仅五味，配合恰当，实有温阳益气，行水退肿之功。

【实验】抗炎、镇痛作用 《中华中医药学刊》(2007，12：2489)：实验表明：本方有明显的抗炎作用，对二甲苯、蛋清所致急性炎症有明显抑制作用，能降低大鼠的毛细血管通透性，抑制肉芽肿增生；能显著降低炎症组织中 PGE_2 的含量而镇痛。

【验案】

1. 膝关节积液 《国医论坛》 (1989，4：29)：以本方加炒白术 15g，熟地 30g，麻黄 10g，丹参 30g，白芥子 10g，炮姜 6g，鹿角胶 10g（烊化，或以鹿角霜代），每日 1 剂，水煎服。服药期间一般不抽水，如积水过甚，胀痛难忍者可抽水 1 次，但不超过其蓄水的 1/3。共治 61 例，病程在 3 天至 4 个月。结果：痊愈 57 例，无效 4 例。一般服药 15～20 剂即可痊愈。

2. 特发性水肿 《山东中医杂志》(1989，6：16)：应用本方加减：防己 15g，生黄芪 30g，茯苓 15g，桂枝 9g，泽泻 12g；每日 1 剂，15 天为 1 疗程，间隔停药 5～7 天，再行下一疗程。治疗特发性水肿 50 例，病程为 2～10 年。结果：痊愈（水肿及全身症状消失，随访 1 年以上无复发）32 例，占 64%；基本痊愈（水肿消退，但在劳累后仍有轻度出现，然证情甚微者）12 例，占 24%；好转（水肿减轻，全身症状也有不同程度改善）5 例，占 10%；无效（用药 1～2 疗程无改善）1 例，占 2%。总有效率为 98%。

3. 膝关节慢性滑膜炎 《上海中医药杂志》(1996，9：9)：用本方加减，湿重者，加苍术 9g，薏苡仁 12g，木瓜 9g；热重者，加黄芩 9g，黄柏 9g，知母 9g；风重者，加羌活 9g，萆薢 9g；痛重者，加香附 12g，木香 6g；血虚者，加四物汤；治疗膝关节慢性滑膜炎 62 例。结果：痊愈 38 例，显效 16 例，好转 4 例，无效 4 例。

蒲灰散

【来源】《金匮要略》卷中。

【别名】蒲黄散（《张氏医通》卷十六）。

【组成】蒲灰七分 滑石三分

【用法】上为散。每服方寸匕，饮调下，每日三次。

【主治】小便不利；厥而皮水者。

【方论】

1.《金匮玉函经二注》：膀胱血病涩滞，致气不化而小便不利也。蒲灰、滑石者，本草谓其利小便，消瘀血。蒲灰治瘀血为君，滑石利窍为佐。皮水，用蒲黄消经络之滞，利小便为君；滑石开窍通水，通以佐之，小便利则水下行，逆气降。

2.《金匮要略心典》：蒲，香蒲也，能去湿热，利小便，合滑石为清利小便之正法也。

小鳖甲汤

【来源】《备急千金要方》卷七。

【组成】鳖甲 黄芩 升麻 麻黄 羚羊角 桂心 杏仁各三两 前胡四两 乌梅二十枚 薤白三十枚

【用法】上锉。以水一斗，煮取二升七合，分三服。

【主治】身体虚胀如微肿，胸心痞满有气，壮热，小腹厚重，两脚弱。

【宜忌】《外台秘要》：忌苋菜、生葱。

【加减】若体强壮欲须利者，加大黄二两。

汉防己散

【来源】《太平圣惠方》卷五十四。

【别名】防己散（《证治准绳·类方》卷二）。

【组成】汉防己一两 黄耆一两（锉） 桂心一两 赤茯苓二两 甘草半两（炙微赤，锉） 桑根白皮一两（锉）

【用法】上为散。每服五钱，以水一大盏，煎至五分，去滓温服，一日三次。

【主治】皮水肿。如裹水在皮肤中，四肢习习然动。

桑根白皮散

【来源】《太平圣惠方》卷五十四。

【组成】桑根白皮一两（煨令微黄） 杏仁一两（汤浸，去皮尖双仁，麸炒微黄） 陈橘皮一两（汤浸，去白瓤，焙） 赤茯苓一两 甘遂一两（煨令微黄） 泽泻一两 黄芩半两 赤小豆一升（以水五升，煮取汁一升）

【用法】上为粗散。每服三钱，以小豆汁一中盏，煎至六分，去滓，五更初温服，如人行十里，当利；如未利，即再服。

【主治】皮水。头面四肢浮肿，心胸不利，喘息烦闷，大小便涩。

天雄丸

【来源】《普济方》卷一九三引《指南方》。

【组成】天雄 枳实 橘皮各半两 甘遂一分 牵牛（酒浸一宿，煮令熟，即去酒，控干再炒，取起）一分 连皮大腹子一两（酒浸一宿，炒干）

方中牵牛用量原缺，据《鸡峰普济方》补。

【用法】上为细末，酒糊为丸，如梧桐子大。每服十粒，生姜汤送下。

【功用】《鸡峰普济方》：泻气散寒。

【主治】

1.《普济方》引《指南方》：脾胀。

2.《鸡峰普济方》：肤胀。皮肤壳壳然坚，腹大身尽肿，皮厚按之没指，陷而不起，腹色不变，大小便如故。

五皮散

【来源】《太平惠民和济局方》卷三（新添诸局经验秘方）。

【组成】五加皮 地骨皮 生姜皮 大腹皮 茯苓皮各等分

【用法】上为粗末。每服三钱，水一盏半，煎至八分，去滓，稍热服，不拘时候。

【主治】

1.《太平惠民和济局方》（新添诸局经验秘方）：男子、妇人脾气停滞，风湿客搏，脾经受湿，气不流行，致头面虚浮，四肢肿满，心腹膨胀，上气促急，腹胁如鼓，绕脐胀闷，有妨饮食，上攻下注，来去不定，举动喘乏。

2.《永类钤方》：皮水、胎水。

【宜忌】忌生冷、油腻、坚硬等物。

【方论】《医方集解》：此足太阳、太阴药也。五加祛风胜湿，地骨退热补虚，生姜辛散助阳，大腹下气行水，茯苓渗湿健脾，于散泻之中犹寓调补之意。皆用皮者，水溢皮肤，以皮行皮也。

防己汤

【来源】《全生指迷方》卷三。

【组成】防己三两 人参四两 桂心二两 茯苓四两

【用法】上为散。每服五钱，水二盏，煎至一盏，去滓温服。

【主治】皮水，由肺气久虚，为风邪所客，气不得运，百脉闭塞，气结阴聚成水。腹满，按之没指，随手而起，余与正水皆同，但四肢聂聂动，其脉亦浮。

五皮散

【来源】《中藏经·附录》。

【别名】五皮饮（《三因极一病证方论》卷十四）。

【组成】生姜皮 桑白皮 陈橘皮 大腹皮 茯苓皮各等分

【用法】上为粗末。每服三钱，水一盏半，煎至八分，去滓，不拘时候温服。

【功用】疏理脾气，消退虚肿。

【主治】

1.《中藏经》：男子妇人脾胃停滞，头面四肢悉肿，心腹胀满，上气促急，胸膈烦闷，痰涎上壅，饮食不下，行步气奔，状如水病。

2.《妇人大全良方》引《指迷方》：胎水。

3.《三因极一病证方论》：皮水。四肢头面悉肿，按之没指，不恶风，其腹如故，不喘不渴，

脉浮。

木香丸

【来源】《普济方》卷一九二。

【组成】木香一分　乳香一分　朱砂半钱（研）　甘遂半钱（炒微黄）　槟榔二枚（一生，一炮熟）　苦葫芦子一分（炒）

【用法】上为末，以烂饭和作四十丸，丸用面裹，于铫子内以水煮熟，令患人和汁吞之，以尽为度。从早晨服药至午时，其水便下，不计行数，水尽自止。

【主治】皮水，身体面目悉浮肿。

桑根皮散

【来源】《普济方》卷一九二。

【组成】桑根白皮一两（锉，炒）　杏仁一两（去皮尖双仁，炒）　陈橘皮一两（汤浸，去白）　甘遂一两（煨令微黄）　泽泻一两　赤茯苓二两　黄芩半两　赤小豆一升（以水五升，煮取二升）

【用法】上为散。每服三钱，以小豆汁一中盏，煎至六分，去滓，五更初温服。如人行十里当利，未利再服。

【主治】皮水。头面四肢浮肿，心跳呼吸不利，喘促烦闷，大小便涩。

荆防败毒散

【来源】《医学正传》卷八。

【别名】消风败毒散（《医学六要·治法汇》卷五）。

【组成】柴胡　甘草　人参　桔梗　川芎　茯苓　枳壳　前胡　羌活　独活　荆芥穗　防风各四分

《医学六要·治法汇》有生姜三片。

【用法】上细切，作一服。用水一盏，煎至七分，温服；或加薄荷五叶。

【功用】

1.《景岳全书》：发散痘疹。

2.《医宗金鉴》：疏解寒热。

【主治】

1.《医学正传》：伤寒温毒发斑重者。

2.《医门法律》：风水、皮水，凡在表宜从汗解者。

消风败毒散

【来源】《医方集解》。

【组成】败毒散　消风散

【主治】风毒瘾疹，及风水，皮水在表，宜从汗解者。

木香调胃散

【来源】《胎产新书》。

【别名】木香调胃汤（《竹林女科》卷一）。

【组成】木香　陈皮　甘草各钱半　三棱　莪术　车前子　大腹皮　红豆　砂仁　苍术　木通　山楂　草薢各一钱　姜皮五分

【用法】空心服。

【主治】经来遍身浮肿。

驱风败毒散

【来源】《医醇剩义》卷四。

【组成】人参一钱　独活一钱　桔梗一钱　柴胡一钱　枳壳一钱　羌活一钱　茯苓一钱　川芎一钱　前胡一钱　甘草一钱　荆芥一钱　防风一钱　生姜三片

【主治】风水、皮水，邪在表，宜从汗解者。

祛寒建中汤

【来源】《医醇剩义》卷四。

【组成】当归二钱　白芍一钱（酒炒）　茯苓二钱　白术一钱　附子八分　广皮一钱　厚朴一钱　枳壳一钱（麸炒）　白蔻六分　木香五分　大枣二枚　生姜三片

【用法】水煎服。

【功用】扶正祛寒，理气化浊。

【主治】肤胀。寒气客于皮肤之间，鼓鼓然不坚，腹大，身尽肿，皮厚，按其腹淋而不起，腹色不变。

铁屑丸

【来源】《青囊秘传》。

【组成】针砂一两（醋淬七次，去砂存醋） 黑枣五两（饭锅蒸二次，连皮去核捣若干，另加醋） 茵陈蒿酌加分量（梗叶连用） 皂矾（净）七钱（铜锅煅透）

【用法】后二味为细末，以黑枣肉打烂，针砂醋和入为丸。服至一料，小便多，为得力，四五料绝根。

【主治】黄疸，皮水，水肿。

【宜忌】忌腥、盐、濡润助水之品。

三十、正　水

正水，水肿病之一，是指水肿兼见腹满而喘者。《金匮要略·水气病脉证并治》："正水，其脉沉迟，外证自喘。"《医宗金鉴》："正水，水之在上病也；故在上则胸满自喘。"治宜温阳利水。至于《三因极一病证方论》："以短气不得卧，为心水；两胁疼痛，为肝水；大便鸭溏，为肺水；四肢苦重，为脾水；腰痛足冷，为肾水；口苦咽干，为胆水；乍虚乍实，为大肠水；腹急肢瘦，为膀胱水；小便秘涩，为胃水；小腹急满，为小肠水。各随其经络，分其内外，审其脉证，而甄别之。然此十水谓之正水，外有风水、皮水、石水、黄汗"，谓十种水病为正水，则概念不同。

正阳丹

【来源】《鸡峰普济方》卷十九。

【组成】宣州木瓜一斤（去皮核子，切碎，以童便、好酒各一斤，煮令烂，搅取汁） 大豆一升 附子半两 人参一两 银朱一钱

【用法】上将三味为细末，与银朱一处研匀，用木瓜汁为丸，如梧桐子大。每服三十丸，煎椒仁、木香汤送下。

【主治】正水。脾肾虚弱，肾虚水不能蓄，水气洋溢，脾胃虚则不能制水，水气流散于经络，皮肤紧急无纹，足胫皆肿，小便不利，其人喘急，脉沉大而疾。

桃红散

【来源】《三因极一病证方论》卷十四。

【组成】甘遂半两（半生半炮） 坯十文（别研）

【用法】上为末。每用一钱，以白面四两，水调，入药搜和，切作棋子，白水煮浮，更不得使盐料物，只淡食。候大小便利去五六分，却用平胃散调补。

【主治】正水。胀急，大小便不利，逆欲死。

银朱丹

【来源】《普济方》卷一九二。

【组成】硫黄四两（火焰过） 银朱三两

【用法】上为极细末，面糊为丸，如梧桐子大。每服三十丸，米饮送下。

【主治】正水，大便利者。

三十一、石　水

石水，水肿病之一，是指水肿脉沉腹满不喘者。《症因脉治》："肝肾虚肿之症，腹冷足冷，小水不利，或小腹肿，腰间痛，渐至肿及遍身，面色黑黄，此肝肾经真阳虚，即《内经》石水症也。"次指单腹胀。《医门法律》："凡有癥瘕积块痞块，即是胀病之根，日积月累，腹大如箕，腹大如瓮，是名单腹胀，不似水气散于皮肤面目四肢也。仲景所谓石水者，正指此也。"治宜温肾健脾，逐水消肿。

鲤鱼茯苓汤

【来源】方出《肘后备急方》卷三，名见《普济方》卷一九三。

【别名】鲤鱼泽漆汤（《金匮翼》卷四）。

【组成】鲤鱼一头五斤　泽漆五两　茯苓三两　桑根白皮（切）三升　泽泻五两

【用法】以水二斗煮鱼，取半斗，去鱼入药，煮取四升，分四服。服之小便当利，渐消也。

【主治】

1. 《肘后备急方》：肿入腹，苦满急，害饮食。

2. 《金匮翼》：石水。

【宜忌】《金匮翼》：忌酢物。

苦瓠丸

【来源】《备急千金要方》卷二十一。

【组成】苦瓠白瓤实（须好者，无厌翳，细理研净者，不尔有毒，不堪用）

【用法】捻如大豆，以面裹煮一沸，空腹吞七枚。至午当出水一升，三四日水自出不止，大瘦乃愈。

【主治】

1. 《备急千金要方》：大水。

2. 《医方考》：石水。

【宜忌】

1. 《备急千金要方》：三年内慎口味。

2. 《千金方衍义》：瓠最苦寒，大伤胃气，惟藜藿之人，病气俱实，方可应用。

【方论】《医方考》：经曰，苦能涌泄。故用之在上，则令人涌；用之在下，则令人泄。今以熟面裹之，空腹而吞，盖用之于下也，宜乎水自泄矣。

苦瓠丸

【来源】方出《备急千金要方》卷二十一，名见《增补内经拾遗》卷三。

【组成】大枣肉七枚　苦瓠膜如枣核大

【用法】捣为丸。一服三丸，如人行十五里又服三丸，水出，更服一丸即止。

【主治】

1. 《备急千金要方》：通身水肿。

2. 《增补内经拾遗》：石水，少腹独肿。

桑根白皮汤

【来源】方出《备急千金要方》卷二十一，名见《圣济总录》卷七十九。

【组成】桑白皮　谷白皮　泽漆叶各三升　大豆五升　防己　射干　白术各四两

【用法】上锉。以水一斗五升，煮取六升，去滓，内好酒三升，更煮取五升。白日二服，夜一服，余者明日再服。

【主治】膀胱石水，四肢瘦，腹肿。

白术散

【来源】《太平圣惠方》卷五十四。

【组成】白术一两　赤茯苓一两　桑根白皮一两半（锉）　楮白皮一两半（锉）　汉防己一两　泽漆茎叶（锉）二两半　射干一两　槟榔一两

【用法】上为散。每服三钱，以水、酒各半中盏，煎至六分，去滓温服，如人行十里再服。以疏利为度。

【主治】石水，四肢瘦细，腹独肿大，状如怀娠，心中妨闷，食即气急。

牵牛子丸

【来源】方出《太平圣惠方》卷五十四，名见《普济方》卷一九二。

【组成】牵牛子一两　陈橘皮三分（汤浸，去白瓤，焙）　京三棱一两（炮，锉）　诃黎勒皮一两　吴茱萸半两（汤浸七遍，焙干，微炒）　川大黄二两（锉碎，微炒）　鳖甲二两（涂醋炙令黄，去裙襕）　甘遂一两（煨令微黄）

【用法】上为末，炼蜜为丸，如梧桐子大。每服十丸，食前以生姜、橘皮汤送下。以利为度。

【主治】石水。腹胀坐卧不得，小便涩少。

海蛤丸

【来源】《太平圣惠方》卷五十四。

【组成】海蛤一两（研细）　汉防己半两　桂心半

两　木通一两（锉）　牵牛子一两（微炒）　白术半两　甘遂半两（煨令微黄）

【用法】上为末，以枣肉为丸，如梧桐子大。每服二十丸，煎香薷汤送下，以利为度，不利再服。

【主治】石水。脐腹妨闷，身体肿满，大小便不利，喘息。

桑根白皮散

【来源】方出《太平圣惠方》卷五十四，名见《普济方》卷一九二。

【组成】桑根白皮一两（锉）　大腹皮一两（锉）　汉防己一两　泽漆二两　赤茯苓二两　紫苏茎叶一两

【用法】上为散。每服四钱，以酒一大盏，入炒熟黑豆五十粒，煎至五分，去滓温服，不拘时候。

【主治】石水，四肢瘦，腹大，胸中满闷，食即喘急。

甜葶苈丸

【来源】方出《太平圣惠方》卷五十四，名见《普济方》卷一九二。

【组成】甜葶苈二两（隔纸炒令紫色）　川芒消三两　椒目二合（微炒去汗）　水银一两（以少枣肉研令星尽）　汉防己一两　海蛤一两（细研）

【用法】上为末，研入水银令匀，炼蜜为丸，如梧桐子大。每服三十丸，以粥饮送下，一日三四次。

【主治】石水，腹坚渐大，四肢肿满。

槟榔散

【来源】方出《太平圣惠方》卷五十四，名见《普济方》一九二。

【组成】槟榔末半两　甘草一分（炙微赤，锉）　生姜一两（切）　桑根白皮一两（锉）　商陆一两（切）

【用法】上除槟榔外，用水二大盏，煎取一大盏，去滓，五更初分作二服，每服调下槟榔末一分，至平明当利，如未利，即再服之。

【主治】石水病。腹肿，膀胱紧急如鼓，大小便涩。

杏仁丸

【来源】《圣济总录》卷七十九。

【组成】杏仁（汤浸，去皮尖双仁，炒）　苦瓠（取膜，微炒）各一两

【用法】上为末，煮面糊为丸，如小豆大。每服十丸，米饮送下，一日三次。水出为度。

【主治】石水。四肢瘦，腹肿。

海蛤丸

【来源】《圣济总录》卷七十九。

【组成】海蛤（研）三分　葶苈（隔纸炒）　桑根白皮（切）各一两　赤茯苓（去黑皮）一两　郁李仁（汤浸，去皮，炒）　陈橘皮（汤浸，去白瓤，炒）各半两　防己（锉）三分

【用法】上为末，炼蜜为丸，如小豆大。每服二十丸，渐加至三十丸，米饮送下，早、晚各一服。

【主治】石水。四肢细瘦，腹独肿大。

桑白皮汤

【来源】《圣济总录》卷七十九。

【组成】桑根白皮（切）三两　射干　赤茯苓（去黑皮）　黄芩（去黑心）　白术各二两　泽漆（炙，锉）　防己　泽泻各一两

【用法】上为粗末。每服三钱匕，以水三盏，煮大豆一撮，至一盏半，去豆下药末，煎至七分，去滓，温服，一日二次，夜一次。

【主治】膀胱石水，四肢瘦者。

楮皮汤

【来源】《圣济总录》卷七十九。

【组成】楮白皮（炙，锉）　桑根白皮（锉）　防己（锉）各一两半　泽漆茎叶（炙，锉）半两　射干　白术　赤茯苓（去黑皮）各一两　大豆（炒）半两

【用法】上为粗末。每服五钱匕，用水二盏，酒一盏，煎至一盏，去滓温服，日三夜一。

【主治】石水。四肢细瘦，腹独肿大，状如怀娠，心中妨满，食即气急。

葶苈丸

【来源】《圣济总录》卷七十九。

【组成】葶苈（隔纸炒） 桃仁（汤浸，去皮尖双仁，炒）各二两

【用法】上为末，面糊为丸，如小豆大。每服十丸，米饮送下，日三夜一。小便利为度。

【主治】石水。

鳖甲丸

【来源】《圣济总录》卷七十九。

【组成】鳖甲（去裙襕，醋炙） 吴茱萸（汤浸去涎，焙干，炒） 诃黎勒皮（锉，炒） 青橘皮（汤浸，去白，焙） 京三棱（炮）各二两 牵牛子（炒）一两

【用法】上为末，醋煮面糊为丸，如梧桐子大。每服二十丸，生姜、橘皮汤送下。微利为度。

【主治】石水。

椒仁丸

【来源】《全生指迷方》卷三。

【别名】治血分椒仁丸（《外科发挥》卷五）。

【组成】五灵脂 吴茱萸（炒） 延胡索（炒）各半两 芫花（醋浸一宿，炒）一分 续随子（去皮，研） 郁李仁（去皮，研） 牵牛（炒熟）各半两 石膏（火煅过）一分（研） 椒仁 甘遂（炒） 附子（炮，去皮脐） 木香各半两 胆矾一钱（研） 砒一钱（研）

《普济方》有巴豆。

【用法】上为细末，白面糊丸，如豌豆大。每服一粒，橘皮汤送下，早晨、日午、临卧服。

【主治】

1.《全生指迷方》：身体及髀股胻皆肿，环脐而痛，不可动，动之为水，亦名伏梁。

2.《鸡峰普济方》：石水，腹中如鼓，按之坚硬，腹中时痛，始起于目下微肿，时喘，小便不利，四肢瘦削，其脉自沉，大便利则逆。

3.《女科百问》：因经水断绝后致四肢面目浮肿，小便不通，名曰血分，水化为血，血不通则为水矣。

【加减】如妇人血分，去木香，加斑蝥、芫青各三十枚（去头足翅），炒当归半两。

【方论】《女科撮要》：此方药虽峻利，所用不多，若畏而不服，有养病害身之患，常治虚弱之人亦未见其有误也。

【验案】妇人血分 《女科撮要》：一妇人月经不调，晡热内热，饮食少思，肌体消瘦，小便频数，服济阴丸，月经不行，四肢浮肿，小便不通。余曰：此血分也。朝用椒仁丸，夕用归脾汤渐愈，乃以人参丸代椒仁丸，两月余将愈，专用归脾汤五十余剂而痊。

石英酒

【来源】《鸡峰普济方》卷十九。

【组成】白石英十两

【用法】碎如大豆，盛瓶中，用好酒一斗三升浸如泥，封口。以马粪、糠秕火烧之，从卯至午后，常令酒小沸，火尽即便添，烧毕，于平处安置。每日饮三次。如不饮酒，亦据器量少饮之。余石英以酒更一度烧煮，依前服。

【主治】石水。

葶苈煎

【来源】《鸡峰普济方》卷十九。

【组成】甜葶苈二两 川芒消一两 椒目二两半 水银一两（以枣肉少许研尽） 防己 海蛤各一两

【用法】上为细末，炼蜜为丸，如梧桐子大。每服三十丸，米饮送下，不拘时候。

本方方名，据剂型，当作“葶苈丸”。

【主治】石水。腹坚渐大，四肢肿满。

泽漆汤

【来源】《三因极一病证方论》卷十四。

【组成】泽漆（洗去腥）五两 桑白皮六两（炙） 射干（泔浸） 黄芩 茯苓 白术各四两 泽泻 防己各二两

【用法】上锉。每服五钱，水三盏，乌豆一合，煎二盏，纳药，同煎七分，去滓，空腹温服，一日三次。

【主治】石水，四肢瘦，腹肿，不喘，其脉沉。

桑白皮汤

【来源】《普济方》卷一九二。

【组成】桑白皮　楮白皮　泽漆叶各三升　大豆五升

【用法】上锉。每服五钱，水一盏半，煎至八分，温服。

【主治】膀胱石水，四肢瘦，腹肿。

三十二、黄　汗

黄汗，是以汗出沾衣，色如黄柏汁，口渴发热，胸部满闷，四肢头面浮肿，小便不利，脉沉迟等为主要临床表现的疾病。《金匮要略·水气病脉证并治》："黄汗之为病，身体肿，发热，汗出而渴，状如风水，汗沾衣，色正黄如蘗汁，脉自沉。"本病成因多为汗出入水，壅遏营卫；或脾胃湿热，郁伏熏蒸肌肤引起，是由风、水、湿、热交蒸所致。治宜实卫和营，行阳益阴，益气固表。

桂枝加黄耆汤

【来源】《金匮要略》卷中。

【别名】桂枝加黄耆五两汤（《三因极一病证方论》卷十）。

【组成】桂枝　芍药各二两　甘草二两　生姜三两　大枣十二枚　黄耆二两

《三因极一病证方论》本方用：桂枝（去皮）、芍药各三两，甘草二两（炙），黄耆五两。为散，每服四钱，水一盏半，加生姜五片，大枣三枚，煎七分，去滓温服。

【用法】以水八升，煮取三升，温服一升。须臾饮热稀粥一升余，以助药力，温覆取微汗；若不汗更服。

【功用】《金匮教学参考资料》：助阳散邪，以发郁阻之湿。

【主治】

1.《金匮要略》：黄汗之病，两胫自冷。若身重，汗出已辄轻者，久久必身瞤，瞤即胸中痛，又从腰以上必汗出，下无汗，腰髋弛痛，如有物在皮中状，剧者不能食，身疼重，烦躁，小便不利。

2.《证治准绳·类方》：黄疸，脉浮，而腹中和者。

【方论】

1.《医方考》：客者除之，故用桂枝之辛甘，以解肌表之邪；泄者收之，故用芍药之酸寒，以敛营中之液；虚以受邪，故用黄耆之甘温，以实在表之气；辛甘发散为阳，故生姜、甘草可为桂枝之佐；乃大枣者，和脾益胃之物也。

2.《医门法律》：用桂枝全方，啜热粥助其得汗，加黄耆固卫。以其发热，且兼自汗、盗汗，发热故用桂枝，多汗故加黄耆也。其发汗已仍发热，邪去不尽，势必从表解之。汗出辄轻，身不重也；久久身瞤胸中痛，又以过汗而伤其卫外之阳，并胸中之阳也；腰以上有汗，腰以下无汗，阳通而阴不通也，上下痞隔，更宜黄耆固阳，桂枝通阴矣。

3.《金匮要略方义》：以桂枝汤微解其表，和其营卫，使在表之湿随汗而解。表虚之人，虽取微汗，犹恐重伤其表，故少佐黄耆以实表，使之汗不伤正，补不留邪，此正为寓补于散，扶正祛邪之妙用。同时，黄耆与桂枝、生姜配伍，尤有化气行水之功。然黄耆固表，有碍桂枝之发散，故服后需饮热粥以助药力。其治黄疸者，因黄疸亦属湿郁之证，故其表虚者，亦一并主之。

4.《张氏医通》：黄汗皆由劳动气不和，水气乘虚袭入，所以有发热汗出身体重痛，皮肤甲错，肌肉僻动等证。至于胫冷髓弛，腰下无汗，《内经》所谓身半以下，湿中之也。脉沉迟者，水湿之气渗于经脉，而显迟滞不行之状。证加多歧，观其所治，咸以桂芍和荣散邪，即兼黄芪司开同之权，杜邪复入之路也。

5.《金匮要略心典》：小便利，则湿热除而黄自已，故利小便为黄家通法。然脉浮为邪近于表，则桂枝发散之中，必兼黄芪固卫，斯病去而表不伤，抑亦助正气以逐邪气也。

6.《金匮方歌括》：黄汗本于郁热，得汗不能透彻，则郁热不能外达，桂枝汤调和营卫，啜粥可令作汗，然恐其力量不及，故又加黄芪以助之。黄芪善走皮肤，故前方得苦酒之酸而能收，此方得姜、附之辛而能发也。前方止汗，是治黄汗之正病法，此方令微汗，是治黄汗之变证法也。

【验案】虚黄 《静香楼医案》：面目身体悉黄，而中无痞闷，小便自利，此仲景所谓虚黄也，即以仲景法治之。桂枝、黄耆、白芍、茯苓、生姜、炙草、大枣。

黄耆芍药桂枝苦酒汤

【来源】《金匮要略》卷中。

【别名】黄耆芍药桂心酒汤（《外台秘要》卷四）、耆芍桂酒汤（原书同卷）、黄耆苦酒汤（《圣济总录》卷六十一）、苦酒汤（《全生指迷方》卷三）、黄耆桂枝苦酒汤（《鸡峰普济方》卷十九）、耆芍桂苦酒汤（《证治准绳·类方》卷五）、耆桂酒（《丹台玉案》卷三）、黄耆芍药桂酒汤（《症因脉治》卷三）、黄耆芍桂酒汤（《医灯续焰》卷十）。

【组成】黄耆五两　芍药三两　桂枝三两

【用法】上三味，以苦酒一升，水七升，相和，煮取三升，温服一升。当心烦，服至六七日乃解；若心烦不止者，以苦酒阻故也。一方用美酒代苦酒。

【主治】

1.《金匮要略》：黄汗，身体肿，发热，汗出而渴，状如风水，汗沾衣，色正黄如柏汁，脉自沉。

2.《明医指掌》：伤寒脉沉，咽痛自汗。

【方论】

1.《千金方衍义》：水湿从外渐渍于经，非桂之辛温无以驱之达表；既用桂、芍内和营血，即以黄耆外壮卫气以杜湿邪之复入；犹恐耆、芍固护不逮，而用苦酒收敛津液不使随药外泄。服药后每致心烦，乃苦酒阻绝阳气不能通达之故，须六七日稍和，心下方得快，然非若水煎汤液之性味易过也。

2.《金匮要略心典》：黄耆、桂枝、芍药，行阳益阴，得酒则气益和而行愈固，盖欲使营卫大行，而邪气毕达耳。云苦酒阻者，欲行而未得遂行，久积药力，乃自行耳，故曰服至六七日而解。

【验案】黄汗 《山东中医杂志》（1982，1：34）：张某某，女，22岁。因家务劳作汗出，即用凉水浸毛巾擦洗身体，后发现上半身出汗，色黄，量多而黏，衣物均被黄染。自觉乏力，纳呆，微发热，有时干哕，月经正常，小便色略赤，大便色正常，巩膜皮肤无黄染，舌质正常，苔薄白，脉略滑。辨证：黄汗。时值盛夏，暑热当令，劳则阳气张，遂汗出，复受水寒之气，致热伏于内，酿成外寒湿，内郁热之势，交相蒸郁，汗液排泄障碍，或发热汗出而色黄。治则：调和营卫，清泄郁热。方药：耆芍桂酒汤去苦酒加栀子、黄柏，水煎分二次服。服三剂黄汗已止。随访三年未再发现黄汗。

麻黄醇酒汤

【来源】方出《肘后备急方》卷四，名见《备急千金要方》卷十。

【别名】麻黄酒（《世医得效方》卷三）。

【组成】麻黄一把

【用法】以酒五升，煮取二升半，可尽服，汗出愈。

【功用】《备急千金要方》：发汗。

【主治】

1.《肘后备急方》：大汗出入水，而致黄汗，身体四肢微肿，胸满不得汗，汗出如黄柏汁。

2.《备急千金要方》：伤寒热出，表发黄疸。

栀子丸

【来源】方出《太平圣惠方》卷五十五，名见《普济方》卷一九五。

【组成】栀子仁一两　栝楼子一两（炒）　苦参一两（锉）

【用法】上为末，以醋渍鸡子黄白二枚，用和药末，为丸如梧桐子大。每服三十丸，温水送下，一日四五次。

【主治】黄汗，体热，大小便不利。

茵陈蒿汤

【来源】方出《太平圣惠方》卷五十五，名见《圣济总录》卷六十一。

【组成】茵陈蒿　赤芍药　甘草（炙，锉）　木通（锉）　赤茯苓（去黑皮）　黄耆（锉）各一两　大黄（锉，炒）二两
【用法】上锉，如麻豆大。每服五钱匕，水一盏半，煎至八分，去滓温服，如人行十里再服。以大小便通利为度。
【主治】黄汗，身体热不退，大小便不利。

黄耆散

【来源】《太平圣惠方》卷五十五。
【别名】黄耆汤（《圣济总录》卷六十一）。
【组成】黄耆二两（锉）　赤芍药二两　茵陈一两　石膏四两　麦门冬一两（去心）　豉二两
【用法】上为散。每服半两，以水一大盏，加竹叶十四片，煎至五分，去滓温服，日四五次。
【主治】

1.《太平圣惠方》：黄汗病。身体重，汗出而不渴，其汗沾衣，黄如柏染。

2.《医宗必读》：黄汗身肿，发热不渴。

吴蓝汤

【来源】《圣济总录》卷六十一。
【组成】吴蓝　芍药　麦门冬（去心）　桑根白皮（锉）　防己　白鲜皮　山栀子仁各一两半
【用法】上锉，如麻豆大。每服三钱匕，水一盏，煎至八分，去滓，空心温服。未效再服。
【主治】黄汗，身肿发热，汗出而不渴，状如风水，汗出著衣皆黄。

蔓菁子散

【来源】《圣济总录》卷六十一。
【组成】蔓菁子二两
【用法】上为散。每服二钱匕，空心，食前井华水调下，一日三次。
【主治】黄汗。汗出如檗汁，沾衣，身体虚浮。

黄耆五两汤

【来源】《鸡峰普济方》卷十九。
【别名】黄耆建中汤（《易简》）、黄耆建中散（《济阴纲目》卷十三）。
【组成】黄耆五两　白芍药　桂　甘草各三两
【用法】上为细末。每服三钱，水一盏，加生姜七片，大枣一枚，同煎至七分，去滓，食后温服。
【主治】黄汗。

补中汤

【来源】《兰室秘藏》卷下。
【组成】升麻　柴胡　当归各二分　神曲三分（炒）　泽泻四分　大麦蘖面　苍术各五分　黄耆二钱五分　炙甘草八分　红花少许　五味子二十个
【用法】上锉，分作二服。水二盏，煎至一盏，去滓，空腹服。
【主治】面黄汗多目赤，四肢沉重，减食，腹中时时痛，咳嗽，两手寸脉短，右手脉弦细兼涩，关脉虚。

桂枝黄耆汤

【来源】《仁斋直指方论》卷十六。
【组成】白芍药一两半　辣桂　甘草（炙）各一两　黄耆（炙）二两　黄芩半两
【用法】上为散。每服四钱，水一盏半，加生姜五片，大枣三枚煎服。覆取微汗；未汗再服。
【主治】黄汗自出，发热身肿，小便不利。

耆陈汤

【来源】《医学入门》卷七。
【组成】黄耆　赤芍　茵陈各一钱　石膏二钱　麦门冬　豆豉各五分

《杂病源流犀烛》有甘草。
【用法】姜煎，温服。
【主治】黄汗。

黄耆茵陈散

【来源】《杏苑生春》卷五。
【组成】黄耆一钱二分　赤芍药一钱　茵陈一钱五分　石膏　麦门冬　豆豉各八分　甘草（炙）

五分

【用法】上锉。水煎熟，食前服。

【主治】黄汗不止及黄疸。

茵陈石膏汤

【来源】《简明医彀》卷二。

【组成】石膏二钱　茵陈　赤芍药　黄耆　麦冬各一钱　豆豉一撮　甘草（炙）五分

【用法】加生姜三片，水煎服。

【主治】黄汗。

加味玉屏风散

【来源】《医宗金鉴》卷四十二。

【组成】石膏　茵陈　黄耆　白术　防风

【主治】黄汗，汗出染衣者。

三十三、脚　肿

脚肿，又名足肿，水肿病的常见症状之一，是指浮肿足踝以下者。《医林绳墨大全》："足肿者，谓腿足作肿也。"病发或因感受时行疫毒，邪热壅阻；或为下元虚损，寒湿凝滞；俱可致使气机不利，水邪积聚而为肿。治宜清热解毒，调畅气机，温补下元，利水除湿等法。

大黄膏

【来源】《医心方》卷八引陶氏方。

【组成】大黄　附子　细辛　连翘　巴豆　水蛭各一两

【用法】苦酒淹一宿，以腊月猪膏煎三上三下，去滓，以敷患处；亦可酒服。

【主治】足肿。

白头翁酒

【来源】《医心方》卷八引陶氏方。

【组成】白头翁二两　甘草一两　牛膝二两　海藻二两　石斛一两　干地黄一两　土瓜根一两　附子三两　葛根一两　麻黄二两

【用法】以酒二斗，渍五日。服一合，稍至三四合。

【主治】足肿。

槟榔散

【来源】《类证活人书》卷十八。

【组成】橘叶一大握　沙木一握　小便小盏　酒半盏（同以上药煎）

【用法】煎数沸，调槟榔末二钱，食后服。

【主治】脚肿。

双和汤

【来源】《魏氏家藏方》卷八。

【组成】四物汤　小续命汤各一两

【用法】上药合和。每服四钱，水一盏半，加生姜三片，煎至七分，去滓，食前服。

【主治】脚肿。

木通散

【来源】《云岐子保命集》卷下。

【组成】木香　木通　槟榔　独活各一两　丹参七钱

【用法】上锉细。每服五钱，水煎服。

【主治】伤寒汗下后足肿，有湿气不除者。

槟榔散

【来源】《医学纲目》卷二十八。

【组成】陈皮一大握　苍术（炒）一握

【用法】上煎数沸，调槟榔末二钱，食后服。

【主治】脚肿。

消趺汤

【来源】《重订通俗伤寒论》。

【组成】生米仁　带皮苓各二两　绵茵陈　泽泻各三钱　酒炒防己　木瓜各一钱　官桂　苍术各一钱半

【主治】肢脱。由霉雨湿地，跣足长行，水气浸淫，留于肢节，隐隐木痛，足胕胖肿，趾缝出水不止者。

千里鞋

【来源】《串雅外编》卷四。

【组成】草乌　细辛　防风各等分

【用法】上为末，掺鞋底内。如草鞋，以水微湿掺之。而之可行千里。

【主治】远行足肿。

桑杏汤

【来源】《疡医大全》卷二十七。

【组成】桑白皮八钱　朴消一两　乳香　杏仁各二钱

【用法】上以水五大碗，先煎桑、杏至三碗，再入乳、消，封口化尽，先熏后洗。

【功用】小脚，使足大能小，其软如绵。

解郁丹

【来源】《青囊秘传》。

【组成】尖香附不拘多少

【用法】晒，磨为末服之。

【主治】一切气滞脚肿之症。

防己茯苓汤

【来源】《温热经解》。

【组成】木防己一钱　茯苓一钱　泽泻一钱　甘草八分　苍术八分　滑石二钱　酒黄柏八分　猪苓一钱

【主治】湿热跗肿。

三十四、鼓　胀

鼓胀，又称单腹胀、臌、水注、蜘蛛蛊等，是指水肿胀满腹大如鼓之病。《黄帝内经》对其病名、症状、治疗法则等都有所记载。如《素问·腹中论篇》："心腹满，旦食则不能暮食"，病发是因"饮食不节"，"气聚于腹"，"治之以鸡矢醴"。《灵枢经·水胀》："腹胀，身皆大，大与肤胀等也，色苍黄，腹筋起"《金匮要略·水气病篇》所论述的石水、肝水等与本病相似，如谓："肝水者，其腹大，不能自转侧，胁下腹痛。"《诸病源候论》水注候："注者，住也，言其病连滞停住，死又注易傍人也。人肾虚受邪，不能通传水液故也。肾与膀胱合，俱主水，膀胱为津液之腑，肾气下通于阴，若肾气平和，则能通传水液，若虚则不能通传。脾与胃合，俱主土，胃为水谷之海，脾候身之肌肉，土性本克水，今肾不能通传，则水气盛溢，致令脾胃翻弱，不能克水，故水气流散四肢，内溃五脏，令人身体虚肿，腹内鼓胀，淹滞积久，乍瘥乍甚，故谓之水注。"《肘后备急方·治卒大腹水病方》中首次提出放腹水的适应证和方法："若唯腹大，下之不去，便针脐下二寸，入数分，令水出，孔合，须腹减乃止。"

本病成因多为情志所伤，气滞血瘀，肝失疏泄；或酒食不节，脾胃受损，土不制水；或感受外邪，邪积正伤，病久及肾，水失所主；均会导致水液停留积聚而成，为本虚标实之症。其治疗，宜以攻补兼施为原则。偏于实者，着重祛邪治标，可选用行气、化瘀、健脾利水之剂，若腹水严重，也可酌情暂行攻逐，同时辅以补虚；偏于虚者，当以扶正补虚为先，兼以利水，可施以健脾温肾，滋养肝肾，祛邪利水。

雄黄丸

【来源】方出《肘后备急方》卷四，名见《普济方》卷一九三。

【组成】雄黄六分　麝香三分　甘遂　芫花　人参

各二分

【用法】捣，蜜和丸，如豆大。每服二丸，加至四丸，即愈。

【主治】卒大腹水病。

水银丸

【来源】《肘后备急方》卷四引《胡洽方》。

【组成】葶苈　椒目各一升　芒消六两　水银十两

【用法】水煮水银三日三夜，乃以合捣为丸，如大豆大。每服一丸，一日三次，日增一丸，至十丸，更从一起。愈后食牛羊肉自补，稍稍饮之。

【功用】利小便。

【主治】卒大腹水肿。

白鸡汤

【来源】方出《肘后备急方》卷四，名见《圣济总录》卷一八八。

【组成】小豆一升　白鸡一头（治如食法）

【用法】以水三斗煮熟，食滓饮汁，稍稍令尽。

【主治】大腹水病。

雄黄丸

【来源】《外台秘要》卷二十八引《小品方》。

【别名】万病丸（《备急千金要方》卷二十四）、五蛊黄丸（《圣济总录》卷一四七）。

【组成】雄黄（研）　巴豆　莽草（炙）　鬼臼各四分　蜈蚣三枚（炙）

【用法】上为细末，炼蜜为丸，药成，密器封之，勿令泄气。宿勿食，服如小豆一丸，不知，加一丸。当先下清水，虫长数寸，及下蛇，或如坏鸡子，或白如膏。下讫，后作葱豉粥、鸭羹补之。

《圣济总录》：用雄黄一两，以油从旦至夜煎之取出别研，莽草一两，鬼臼一两，蜈蚣大者一条，巴豆二十枚，去皮心炒黄。捣罗三味为末，别研巴豆、雄黄和匀，炼蜜为丸，如小豆大。每服三丸至五丸，米饮送下。

【主治】

1.《外台秘要》引《小品方》：蛊注。四肢浮肿，肌肤消索，咳逆腹大如水状，漏泄。死后注易家人。

2.《圣济总录》：食蟹中毒，烦乱欲死者。

【宜忌】忌生鱼、生菜、猪肉、芦笋、冷水，暖食将养。

鸡矢醴

【来源】《素问》卷十一。

【别名】牵牛妙酒（《摄生众妙方》卷六）、鸡醴饮（《古今医鉴》卷六引刘同知方）、牵牛酒（《本草纲目》卷四十八引《积善堂经验方》）、鸡矢酒（《仙拈集》卷一）。

【组成】鸡矢

【用法】

1.《圣济总录》：鸡屎（干者）为末。每用醇酒调一钱匕，食后、临卧服。

2.《奇效良方》：鸡矢白半升，以好酒一斗渍七日，每服一盏，食后、临卧时温服。

3.《摄生众妙方》：用干鸡屎一升，锅内炒黄，以好酒三碗淬下，煮作一碗，滤去渣，令病人饮之。少顷腹中气大转动作鸣，大便利下，于脚膝及脐上下先作皱起，渐渐消复。如利未尽，再服一剂。以田螺二枚，滚酒内绰熟，食之即止，后以温粥调理，安好如常。峨眉有一僧以此方治一人浮肿，一二日即愈，自能牵牛来谢，故名。

【主治】

1.《素问》：鼓胀。心腹满，旦食则不能暮食。

2.《摄生众妙方》：一切肚腹、四肢发肿，不问水肿、气肿、湿肿。

铺脐药饼

【来源】方出《备急千金要方》卷十一，名见《杂病源流犀烛》卷五。

【组成】商陆根

【用法】捣碎蒸之，以新布籍腹上，以药铺着布上，以衣物覆其上，冷复易之，数日用之，旦夕勿息。

【主治】

1.《备急千金要方》：卒暴癥。

2.《杂病源流犀烛》：水蛊。

莨菪丸

【来源】方出《备急千金要方》卷二十一，名见《千金翼方》卷十九。

【组成】莨菪子一升　羖羊肺一具（青羊亦佳）

【用法】上二味，先洗羊肺，汤微渫之，薄切，晒干作末，以三年大酢渍莨菪子一晬时出，熬令变色，熟捣如泥，和肺末，蜜合捣三千杵作丸，如梧桐子大。每服四丸，食后一食久，以麦门冬饮服，一日三次。以喉中干，口粘浪语为候，数日小便大利佳。

【主治】水气肿，鼓胀，小便不利。

【方论】《千金方衍义》：莨菪走而不守，故须醋制稽留其性，以去痰涎垢腻；用羖羊肺为引，以通气化；服用麦门冬饮，以通肺之津液也。

葶苈茯苓丸

【来源】方出《外台秘要》卷二十引《救急方》，名见《普济方》卷一九二。

【组成】葶苈子七两（熬）　茯苓三两　吴茱萸二两　椒目三两（沉水者）　甘遂五两（绝上者）

【用法】上为末，蜜和为丸，如梧桐子大。每服五丸，以米饮送下，一日三次。不知，稍加丸，以利为度。

【主治】水气，腹臌胀硬。

【宜忌】禁食如药法，并酢物。

郁李仁丸

【来源】《外台秘要》卷七引《广济方》。

【组成】郁李仁八分　牵牛子六分（熬）　甘遂（熬）四分　防葵三分　菴蔄子　桑白皮　槟榔各四分　橘皮　泽泻各二分　茯苓　泽漆叶（炙）　杏仁（去皮尖）各三分

【用法】上为末，炼蜜为丸，如梧桐子大。每服五丸，空腹饮送下，一日二次。服到十丸，微利为度。

【主治】心腹胀满，腹中有宿水，连两胁满闷，气急冲心，坐不得。

【宜忌】忌酢物生冷、油腻、热面、炙肉、蒜等。

茯苓汤

【来源】《外台秘要》卷七引《广济方》。

【组成】茯苓二两　防己一两半　橘皮一两　玄参一两　黄芩一两半　泽泻一两半　杏仁二两半（去尖皮）　白术一两半　大豆一升半　郁李仁二两半　桑白皮二两半　泽漆叶（切）一升　猪苓一两半

【用法】上切。以水一斗，先煮桑白皮、大豆、泽漆叶，取五升，去滓，澄去下淀，纳诸药，煎取二升，绞去滓，分三服。

【主治】鼓胀上下肿，心腹坚强，喘息气急，连阴肿，坐不得，仍下赤黑血汁，日夜不停者。

【宜忌】忌酢物、桃、李、雀肉、热面、蒜、炙肉、粘食、油腻。

【加减】咳者，加五味子二两。停二日服一剂。

通草汤

【来源】《外台秘要》卷七引《广济方》。

【组成】通草　茯苓　玄参　桑白皮　白薇　泽泻各三两　人参二两　郁李仁五两　泽漆叶（切）一升

【用法】上切。以水一斗，煮取三升，去滓，分四次温服。服别相去如人行六七里，进一服。

【主治】臌胀气急。

【宜忌】忌热面、油腻、酢、粘食等。

鳖甲丸

【来源】《外台秘要》卷七引《广济方》。

【组成】鳖甲（炙）　芍药　枳实（炙）　人参　槟榔各八分　诃黎勒　大黄各六分　桂心四分　橘皮四分

【用法】上为末，炼蜜为丸，如梧桐子大。每服二十丸，渐加至三十丸，空腹以酒送下，每日二次。微利为度。

【主治】鼓胀气急，冲心硬痛。

【宜忌】忌生葱、苋菜、炙肉、蒜、面等。

木通散

【来源】《太平圣惠方》卷四十三。

【组成】木通（锉） 赤茯苓 玄参 桑根白皮（锉） 白薇 泽泻 人参（去芦头） 郁李仁（汤浸，去皮尖，微炒）各一两 泽漆半两

【用法】上为散。每服三钱，以水一中盏，煎至六分，去滓，食前温服。如人行十余里当利，未利再服。

【主治】心腹鼓胀，气促，大小便秘涩。

芫花丸

【来源】《太平圣惠方》卷四十三。

【组成】芫花半两（醋拌，炒令干） 川大黄一两（锉碎，微炒） 甜葶苈半两（隔纸炒令紫色） 甘遂半两（煨令微黄） 黄芩一两 白术一两

【用法】上为末，炼蜜为丸，如梧桐子大。每服五丸，空心及晚食前以温水送下。

【主治】心腹鼓胀，肠胃秘结，喘促，不欲饮食。

桃仁散

【来源】《太平圣惠方》卷四十三。

【组成】桃仁一两（汤浸，去皮尖双仁，麸炒微黄） 桑根白皮一两 赤茯苓一两 槟榔一两 陈橘皮一两（汤浸，去白瓤，焙） 紫苏茎叶一两

【用法】上为散。每服四钱，以水一中盏，加生姜半分，煎至六分，去滓温服，不拘时候。

【主治】心腹鼓胀，喘促不欲食。

白术丸

【来源】《太平圣惠方》卷四十八。

【组成】白术一两 黄耆一两（锉） 牡蛎一两（烧为粉） 人参一两（去芦头） 赤茯苓一两 川乌头一两（炮裂，去皮脐） 干姜半两（炮裂，锉） 木香一两 当归一两（锉，微炒） 赤芍药三分 桂心一两 甘草半两（炙微赤，锉） 防葵半两 鳖甲一两（涂醋炙令黄，去裙襴） 紫菀半两（去苗） 槟榔一两 桔梗半两（去芦头） 枳壳一两（麸炒微黄，去瓤）

【用法】上为末，炼蜜为丸，如梧桐子大。每服三十丸，于食前以温酒送下。

【主治】

1.《太平圣惠方》：积聚，宿食不消，腹胁下妨闷，四肢羸瘦，骨节酸疼，多有盗汗。

2.《普济方》：血臌。

大戟丸

【来源】方出《太平圣惠方》卷五十四，名见《普济方》卷一九三。

【组成】大戟一两（锉碎，微炒） 皂荚一两（炙黄焦，去皮子） 乌扇一两

方中乌扇，《普济方》作“乌头”。

【用法】上为末，炼蜜为丸，如梧桐子大。每服五丸，空心温水下。当下利一两行，次日更服，以愈为度。

【主治】水气，肿入腹，臌胀，恶饮食。

大戟散

【来源】《太平圣惠方》卷五十四。

【组成】大戟（锉碎，微炒） 甘遂（煨令微黄） 续随子 牵牛子（微炒） 甜葶苈（隔纸炒令紫色）各半两

【用法】上为细散。每服半钱，煎灯心汤调下，空心服。得通利水下为效。

【主治】水气，心腹膨胀，喘息，大小便不利。

木香丸

【来源】《太平圣惠方》卷五十四。

【组成】木香半两 槟榔半两 硼砂三分（细研） 青橘皮三分（汤浸，去白瓤，焙） 吴茱萸半两（汤浸七遍，焙干，微炒） 巴豆三十枚（去皮心，研，纸裹，压去油）

方中硼砂，《医方类聚》引作“硇砂”。

【用法】上为末，以酽醋一大盏，熬硼砂、巴豆为膏，入末相和为丸，如绿豆大。每服五丸，食前煎青橘皮汤送下。

【主治】水气，心腹鼓胀。

甘遂散

【来源】方出《太平圣惠方》卷五十四，名见《普

济方》卷一九三。

【组成】甘遂半两（煨令微黄）　槟榔半两　牛蒡子二分（微炒）　商陆一分

【用法】上为细散。每服半钱，用猪肾一只，切作四五片，掺药，用湿纸裹，唐火中煨熟，空心顿服，又微呷酒三二合。须臾，下利为效。

【主治】水气，心腹鼓胀，上气喘息。

楮枝汤

【来源】《太平圣惠方》卷五十四。

【组成】细楮枝十两（锉）　黑豆一斗　细桑枝十两（锉）

【用法】上以水五斗，煎取一斗，去滓，别煎取三升，每服暖一小盏服之，一日三四次。

【主治】水蛊，遍身肿。

舟车丸

【来源】《袖珍方》卷三引《太平圣惠方》。

【别名】舟车神祐丸（《医学纲目》卷四引河间方）、净腑丸（《医宗金鉴》卷三十）、神祐丸（《女科切要》卷二）。

【组成】大黄二两　甘遂（面裹，煮）　大戟（醋炒）　芫花（醋炒）各一两　青皮（去白）　槟榔　陈皮（去白）　木香各五钱　牵牛头末四两　轻粉一钱（张子和方无轻粉）

【用法】上为末，水为丸，如梧桐子大。每服三五十丸，临卧温水送下。以利为度。

【功用】

1. 《医学纲目》：泄水湿。
2. 《东医宝鉴·杂病篇》：疏导二便。
3. 《济阳纲目》：湿胜气实者，以此宣通之。

【主治】

1. 《袖珍方》：积聚。
2. 《普济方》：潮热有时，胃气不和，遍身肿满，足肿腹胀，大便不通。

木香丸

【来源】《普济方》卷一九三引《指南方》。

【组成】木香　槟榔　陈皮　商陆　木通各半两

【用法】上为末，面糊为丸，如梧桐子大。每服十丸，米饮送下。

【功用】《鸡峰普济方》：消滞积，行水。

【主治】

1. 《普济方》引《指南方》：气鼓。
2. 《鸡峰普济方》：水气。

寸金丸

【来源】《圣济总录》卷五十四。

【组成】雄黄　京三棱（炮、锉）　石三棱　鸡爪三棱　蓬莪术（炮）　桂（去粗皮）　木香　沉香（锉）　干漆（炒烟出）　半夏（汤洗七遍，焙）　丁香　肉豆蔻（去壳）各半两　槟榔（锉）四枚　硇砂（研）一两　巴豆（去皮，出油尽，研）三十枚　茴香子二两（炒）　金铃子二两　大麦糵（炒）四两

【用法】上为末，同和匀，以糊饼剂作糊为丸，如梧桐子大，风干，用油炸令紫色为度，入瓷盒收贮，以研麝香一分熏之。每服先嚼枣一枚，下二丸干咽，不得嚼破，食后或临卧服。虚弱人有所伤，皆可服。

【主治】阴阳气不升降，心腹膨胀，胁肋刺痛，倦怠嗜卧，全不思食。

白术汤

【来源】《圣济总录》卷五十七。

【组成】白术一两半　木香　陈橘皮（汤浸，去白，焙）各一两　芍药一两半　桑根白皮（锉）木通（锉）各二两　牵牛子一两半（捣，取粉一两，旋入）

【用法】上药除牵牛粉外，锉如麻豆大。每服五钱匕，水一盏半，煎至八分，去滓，入牵牛粉半钱，空腹温服。

【主治】肠胃冷气，膨胀不能食。

牡丹汤

【来源】《圣济总录》卷五十七。

【组成】牡丹皮一两半　桃仁（汤浸，去皮尖双仁）二十一枚（炒）　槟榔（锉）　桑根白皮（锉）各二两　鳖甲（去裙襴醋炙，锉）一两二

钱　大黄（锉，炒）一两　厚朴（去粗皮，生姜汁炙）　郁李仁（汤浸，去皮尖）　枳壳（去瓤，麸炒）各一两半

【用法】上锉，如麻豆大。每服五钱匕，水一盏半，加生姜半分（切），煎至八分，去滓，空腹温服，如人行四五里再服。

【主治】膨胀。

茯苓汤

【来源】《圣济总录》卷五十七。

【组成】赤茯苓（去黑皮）　木通（锉）各二两　芍药一两半　吴茱萸（汤洗，焙干，炒）　郁李仁（汤浸，去皮尖）各一两　槟榔三枚（锉）　紫菀（去苗土）一两

【用法】上锉，如麻豆大。每服五钱匕，水一盏半，煎至八分，去滓，空心温服，一日二次。

【主治】鼓胀不食。

桔梗汤

【来源】《圣济总录》卷五十七。

【组成】桔梗（锉，炒）二两　防葵半两　大黄（锉，炒）一两半　桃仁（汤浸，去皮尖双仁，麸炒）四十九枚

【用法】上锉，如麻豆大。每服三钱匕，水一盏，煎至六分，去滓，加芒消末半钱匕，空腹温服，如人行五六里再服，一日三次。

【主治】膨胀。

柴胡汤

【来源】《圣济总录》卷五十七。

【组成】柴胡（去苗）　鳖甲（去裙襕，醋炙，锉）　郁李仁（汤浸，去皮尖，捣碎）　芍药　大黄（锉，炒）各一两半　桃仁二十一枚（汤浸，去皮尖双仁，炒）　诃黎勒皮一两半　桂（去粗皮）一两

【用法】上除郁李仁外，锉如麻豆大，再同和匀。每服四钱匕，水一盏半，煎至七分，去滓，加朴消少许，空腹温服，如人行四五里再服。

【主治】鼓胀坚块。

海蛤丸

【来源】《圣济总录》卷五十七。

【组成】海蛤（研）二两　木香一两一分　桂（去粗皮）半两　防己　诃黎勒皮　厚朴（去粗皮，生姜汁炙）各一两　槟榔一两半（锉）　旋覆花一两　鳖甲（去裙襕，醋炙）一两一分　郁李仁（汤浸，去皮尖，研）二两

【用法】上为末，炼蜜为丸，如梧桐子大。每服十五丸至二十丸，食前浓煎木通汤送下。

【主治】鼓胀。四肢羸瘦，喘急息促，食饮渐减，小便涩少，小腹妨闷。

五食丸

【来源】《圣济总录》卷七十二。

【别名】神效五食汤丸（《卫生宝鉴》卷十四）。

【组成】大戟（刮去皮）　甘遂各半两（生）　猪牙皂荚（生，去皮子）一两　胡椒一分　芫花半两（醋浸一宿，炒干）　巴豆半两（去皮心膜，醋煮三十沸，漉出，研）

【用法】上为末，合研匀，水煮面糊为丸，如绿豆大。每服五丸，用米、面、绿豆煎汤放温送下。量病人大小，加至七丸。

《卫生宝鉴》本方用法：每服五七丸，气实者十丸，夜卧，水一盏，用白米、白面、黑豆、生菜、猪肉各少许，煎至半盏，去滓，用汤温下。

【主治】虚积、食气，蛊胀，水气，年深癥癖。

【宜忌】《卫生宝鉴》：忌油腻、粘滑物。妇人有胎者，不可服。

水银丸

【来源】《圣济总录》卷七十九。

【组成】水银（水煮一日一夜，研）一两　葶苈（炒令紫色）　椒目各一升

【用法】上为末，炼蜜为丸，如小豆大。每服十丸，米饮送下，一日二次。

【功用】利小便。

【主治】大腹水肿。

大黄汤

【来源】《圣济总录》卷八十。

【组成】大黄（锉碎，醋拌炒干）一两半 麦门冬（去心，焙）三分 甘遂（微炒） 茅根（锉） 黄连（去须）各一两 贝母（炮，去心）三分

【用法】上为粗末。每服二钱匕，水一盏，煎至七分，去滓温服。

【主治】水蛊，大小便不通，急胀壅塞。

大戟汤

【来源】《圣济总录》卷八十。

【组成】大戟（去皮，炒） 甘遂（炒）各等分

【用法】上为粗末。每服一钱匕，水一盏半，加大枣三枚（劈破），煎至七分，去滓温服。

【主治】水蛊，水肿。

无比丸

【来源】《圣济总录》卷八十。

【组成】京三棱（煨，锉） 牵牛子 胆矾（研） 槟榔（锉） 芫花（醋浸，炒）各一两 腻粉一分 续随子（去皮） 硇砂（研） 木香各半两 铁粉（研）三分 大枣三十枚（汤内略煮过，剥去皮核，取肉烂研）

【用法】上药除胆矾、硇砂、枣肉外，同捣罗为末，用酽醋二大升，先下硇砂、胆矾、枣肉于银石器内，煎五、七沸，次下诸药末，一处搅匀，慢火熬，候可丸，即丸如豌豆大。每服十丸，丈夫温酒送下；妇人醋汤送下。

【主治】水蛊，通身肿满。

中膈丸

【来源】《圣济总录》卷八十。

【组成】芫花（醋浸，炒黄） 甘遂（炒黄为末） 大戟（煨）各一两 泽泻 青橘皮（汤浸去白，焙） 木香各半两 硇砂（研） 乳香（研）各一钱 巴豆（去皮膜，出油，研）二十一枚

【用法】上为末，炼蜜为丸，如绿豆大。每服三丸至五丸，温酒送下。

【功用】消肿满痞气。

【主治】水蛊腹胀。

分气散

【来源】《圣济总录》卷八十。

【组成】甘遂（炒） 商陆（锉，炒） 白牵牛（炒）各半两 槟榔（炮，锉）一枚 木香一分 白丁香（研）五十枚 腻粉（研）一钱

【用法】上为散。每服半钱匕，温酒调下；实者加至一钱匕。

【功用】利小便。

【主治】水蛊腹肿。

结水汤

【来源】《圣济总录》卷八十。

【组成】黄连（去须） 大黄（锉碎，醋拌炒干）各一两 甘遂（微炒） 葶苈（炒令紫）各一两

【用法】上为粗末。每服二钱匕，水一盏半，煎至七分，去滓温服，一日二次。

【主治】水蛊，内肿即冷，外肿即热，气急无力。

海蛤丸

【来源】《圣济总录》卷八十。

【组成】海蛤（烧灰）半两 滑石（研） 凝水石（研）各一两 白丁香（研）五十枚 腻粉 粉霜各一钱

【用法】上为末，面糊和作饼子，以湿纸裹，烧熟，捣罗为末，薄面糊为丸，如绿豆大。每服二十丸，温酒送下。

【功用】分水气。

【主治】水蛊，腹胀喘嗽。

瓠瓤煎

【来源】《圣济总录》卷八十。

【组成】瓠瓤一枚

【用法】以水二升，煮一炊顷，去滓煎，堪丸即丸，如小豆大。每服米饮送下十丸。取小便利，利后作小豆羹食之，勿饮水。

【主治】水蛊，遍体洪肿。

楮枝煎

【来源】《圣济总录》卷八十。

【组成】楮枝（锉）半升

【用法】上以水五升，煎取二升半，去滓取汁，入黑豆末半升，煎成煎。每用一匙，空腹服之。

【主治】蛊病水肿。

椒目丸

【来源】《圣济总录》卷八十。

【组成】椒目（微炒出汗） 牡蛎（煅） 葶苈（纸上炒） 甘遂（炒）各等分

【用法】上为末，炼蜜为丸，如小豆大。每服十丸，米饮送下。取利，利后服白米粥养之。

【主治】水蛊，遍身洪肿。

葶苈丸

【来源】《圣济总录》卷八十。

【组成】葶苈子（纸上炒令紫色）三两 牵牛子（微炒）一两半 海藻（洗去咸，炒） 昆布（洗去咸，炒） 猪苓（去黑皮） 泽漆各一两

【用法】上为末，炼蜜为丸，如小豆大。每服十五丸，稍加至二十丸，米饮送下，一日二次。以知为度。

【主治】水蛊。身体洪肿，喘满。

瞿麦汤

【来源】《圣济总录》卷八十。

【组成】瞿麦穗 车前子 滑石（碎） 茅根（锉） 甘遂（微炒） 苦参各等分

【用法】上为粗末。每服二钱匕，以水二盏，煎至七分，去滓温服，一日三次，以利为度。

【主治】水蛊。腹胀满急，小便不通，纵有，少而黄赤。

鳖甲丸

【来源】《圣济总录》卷八十四。

【组成】鳖甲（去裙襕，醋炙）三分 食茱萸（锉）半两 槟榔（锉）一两半 牵牛子（炒熟）三两

【用法】上为末，炼蜜为丸，如梧桐子大。每服三十丸，食前以郁李仁五十个，水一小盏，研取汁，煎汤送下。以大便通，心神快为度。未效，加至四十丸。

【主治】脚气、鼓胀，大小便不通，气急浮肿。

泽泻丸

【来源】《圣济总录》卷九十四。

【组成】泽泻（锉） 补骨脂（炒） 巴戟天（去心） 五味子 石斛（去根） 芍药 人参 甘草（炙）各一两

【用法】上为末，炼蜜为丸，如梧桐子大。每服三十丸，温酒或盐汤送下，空心、日午、临卧各一次。

【主治】蛊病，少腹冤热而痛，精气不守，溲便出白。

人参丸

【来源】《圣济总录》卷一四七。

【组成】人参 紫参 半夏（汤洗七遍去滑） 藜芦（炒） 代赭（研） 桔梗（炒） 白薇 肉苁蓉（酒浸，切，焙） 石膏（碎） 牡蛎粉 丹参各三分 干虾蟆 灰狼毒（炒） 附子（炮裂，去皮脐）各一两 巴豆七十枚（去皮心膜，出油尽）

【用法】上为末，炼蜜为丸，如梧桐子大。每服一丸至三丸，量虚实米饮送下。

【主治】蛊注，四肢浮肿，肌肤消瘦，咳逆，腹大如水状。

硫朱丹

【来源】《鸡峰普济方》卷十三。

【组成】炼熟硫黄一两 银朱一钱

【用法】上以水浸蒸饼和丸，如梧桐子大。每服三十丸，食前以饮送下。

【主治】腹胀如鼓，腹脉起甚苍黄，以指弹之，壳壳然坚，按之不陷，四肢瘦削，大便利者。

玉龙丸

【来源】《鸡峰普济方》卷十九。

【组成】阳起石　白滑石　寒水石各一分　硇砂　南硼砂各半钱　轻粉　粉霜各一钱

【用法】上七味都一处，先用纸裹了，次用面饼子，可半寸厚者裹上，更用数重湿纸裹之，文武火烧，经两时辰取出，上面纸尽作灰，悉去之，面如未焦色，再烧半时辰，已焦熟即止，地上掘一坑子，可五六寸深，取药球焙之一宿，出火毒，来日取出，剥去焦面，将药再研如粉，饭尖和丸，如绿豆大。饭尖亦须烂研，少与药末，用力和揉令匀，若饭尖多，即药力少；如丸，以青黛为衣。

【主治】胃热伏水，胃腹膨胀。

圣妙散

【来源】《鸡峰普济方》卷二十。

【组成】甘遂一分　白牵牛一分（一半生，一半熟）白槟榔一个（半个生，半个裹煨）

【用法】上为细末，每服一字至半钱，陈粟米汤调下。

【功用】利大小肠。

【主治】鼓气，并治胸膈气滞之疾。

【宜忌】如服补气药，不得服犯甘草，有盐气药；每日只得吃淡粥及温热之物，一月后食得盐。

养气丸

【来源】《鸡峰普济方》卷二十。

【组成】丁香　胡椒　荜茇　木香　干蝎各半两　萝卜子一两

【用法】上为细末，枣肉为丸，如梧桐子大。每服三十丸，食前米饮送下。

【主治】鼓胀。

羌活散

【来源】《普济本事方》卷四引张昌时方。

【组成】羌活（洗去土）　萝卜子各等分

【用法】上药同炒香熟，去萝卜子不用，为末。每服二钱，温酒调下，一日一服，二日二服，三日三服。

【主治】

1. 《普济本事方》：水气。
2. 《魏氏家藏方》：一切腹胀急。

【方论】《本事方释义》：羌活气味辛甘平，入足太阳，善能行水；萝卜子气味苦辛温，入足太阴、阳明，善能导滞；以酒送药，取其温通也。因水气盘踞，滞浊阻痹不行，故行水之药与行滞之药兼而行之，厥功大矣。

草神丹

【来源】《扁鹊心书·神方》。

【组成】川附子（制）五两　吴茱萸（泡）二两　肉桂二两　琥珀五钱（用柏子煮过另研）　辰砂五钱（另研）　麝香二钱（另研）

【用法】先将前三味为细末，后入琥珀、辰砂、麝香三味，共研极匀，蒸饼为丸，如梧桐子大。每服五十丸，米饮送下。小儿每服十丸。

【功用】大补脾肾。

【主治】阴毒伤寒，阴疽痔漏，水肿臌胀，中风半身不遂，脾泄暴注久痢，黄黑疸，虚劳发热，咳嗽咯血，两胁连心痛，胸膈痞闷，胁中如流水声；童子骨蒸，小儿急慢惊风，痘疹变黑缩陷；气厥卒仆；双目内障；吞酸逆气，痞积血块，大小便不禁；奔豚疝气；附骨疽，两足少力，虚汗不止；男子遗精、梦泄，砂石淋，溺血；妇人血崩血淋；暑月伤食、腹痛，呕吐痰涎。

保命延寿丹

【来源】《扁鹊心书·神方》。

【组成】硫黄　明雄黄　辰砂　赤石脂　紫石英　阳起石（火煅，醋淬三次）各二两

【用法】上为细末，同入阳城罐，盖顶，铁丝扎定，盐泥封固，厚一寸，阴干，掘地作坑，下埋一半，上露一半，烈火煅一日夜，寒炉取出，为细末，醋为丸，如梧桐子大。每服十粒，空心送下。童男女五粒，小儿二三粒。

【主治】痈疽，虚劳，中风，水肿，臌胀，脾泄，久痢，久疟，尸厥，两胁连心痛，梦泄遗精，女人血崩白带，童子骨蒸劳热，一切虚羸，黄黑疸，

急慢惊风。

鸡屎醴散

【来源】《宣明论方》卷一。

【别名】鸡屎散（《济阳纲目》卷三十九）、鸡屎醴饮（《医学正传》卷三）、鸡矢醴（《本草纲目》卷四十八）。

【组成】大黄　桃仁　鸡屎（干者）各等分

【用法】上为末。每服一钱，水一盏，加生姜三片，食后、临卧煎汤调下。

【主治】臌胀，旦食不能暮食，痞满。

二气散

【来源】《宣明论方》卷八。

【别名】二圣散（《普济方》卷一九四）。

【组成】白牵牛　黑牵牛各二钱

【用法】上为末，用大麦面四两，同一处为烧饼。临卧用茶汤一盏下。降气为验。

【主治】水、气蛊，胀满。

肉豆蔻丸

【来源】《宣明论方》卷八。

【组成】肉豆蔻　槟榔　轻粉各一分　黑牵牛一两半（取头末）

【用法】上为末，面糊为丸，如绿豆大。每服十丸至二十丸，食后，煎连翘汤送下，日三服。

【主治】水湿胀如鼓，不食者病可下。

粉霜丸

【来源】《宣明论方》卷八。

【组成】粉霜　硇砂　海蛤　寒水石（烧粉）　玄精石　白丁香　头白面各一钱　轻粉三钱　海金砂一钱

【用法】上为末，着纸裹数重，上使面裹，又纸裹，冷酒煎了，桑柴火烧，面熟为度，宿蒸饼为丸，如柏子大。每服三丸，生姜汤送下，一日三次；二日加一丸，至六日不加即止，以补之妙。

【主治】水鼓满不食，四肢浮肿，大小便闭，不进饮食。

木香散

【来源】《三因极一病证方论》卷十八。

【组成】木香　沉香　乳香（研）　甘草（炙）各一分　川芎　胡椒　陈皮　人参　晋矾各半两　桂心　干姜（炮）　缩砂各一两　茴香（炒）一两半　天茄五两（赤小者，晒干，秤）

【用法】上洗焙为末。每服二钱，空心、日午温陈米饮调下。

【主治】妇人脾气、血气、血蛊、气蛊、水蛊、石蛊。

【宜忌】忌羊肉。

石茎散

【来源】《三因极一病证方论》卷十八。

【别名】石英散（《医学纲目》卷二十四）。

【组成】石茎一两　当归尾　马鞭草　红花（炒）　乌梅肉各半两　蓬莪（炮）　三棱（炮）　苏木节　没药　琥珀（别研）各一分　甘草一钱

方中石茎，《医学纲目》作紫石英。

【用法】上为末。每服二钱，浓煎苏木酒调下。不饮酒，姜、枣煎汤调亦得。

【主治】妇人血结胞门，或为癥瘕在腹胁间，心腹胀满，肿急如石水状，俗谓之血蛊。

消胀丸

【来源】《杨氏家藏方》卷十。

【别名】木香丸（《普济方》卷一九四）。

【组成】法曲四两（焙）　干葛二两　肉桂（去粗皮）一两　蕤仁三十粒　巴豆二十五粒（去皮油，生用）　陈橘皮（去白）一两　槟榔半两　木香一两　缩砂仁一两　黑牵牛一升（用无灰酒半升浸一宿，取出焙干）

【用法】上为细末，用豮猪肚一枚，净洗，将牵牛盛在内，用无灰酒五升，慢火煮之，酒尽肚烂取出，于臼中捣极烂，和前药末一处，杵为丸，如绿豆大。每服五十丸，空心、日午、临卧温酒送下。

【功用】推气退肿。
【主治】蛊胀。

萝卜子丸

【来源】《杨氏家藏方》卷十。
【组成】萝卜子四两（炒令黄色） 雷丸一两（炒，煮） 白附子一两半（炮） 槟榔半两 陈橘皮（去白）二两 蓝根二两（炒黄）
【用法】上为细末，酒煮面糊为丸，如绿豆大。每服十丸至三十丸，橘皮汤送下。
【主治】蛊气胀满，四肢虚浮，上气喘急，大小便秘涩。

无忧丸

【来源】《伤寒标本》卷下。
【组成】黑牵牛一斤（取末十三两） 槟榔（好者）二两 猪牙皂角二两 三棱二两 莪术二两（各用好醋浸，湿纸裹煨香熟，取出切碎）
【用法】上药晒干为末，又用大皂角二两，煎汤打面糊为丸。每服二钱半，白汤送下，茶亦可，或姜汤送下。
【主治】一切食积、气积、茶积、酒积、泻痢、气蛊，腹胀膨闷、肚腹疼痛。

蒜红丸

【来源】《是斋百一选方》卷二引华宫使方。
【组成】拣丁香 木香 沉香 槟榔 青皮（去白） 陈皮（去白） 缩砂仁 蓬莪茂（炮） 牵牛 草果子各一两 肉豆蔻（面裹，煨） 粉霜各一钱 白茯苓（去黑皮） 人参各半两 蒜二百枚（一半生用，一半火煨熟）
【用法】上为细末，以生、熟蒜研细，生绢扭取汁，旋用药末为丸，如梧桐子大。每服五七丸至十五丸，食后淡盐汤送下。
【主治】脾积。腹胀如鼓，青筋浮起，坐卧不得者。
【宜忌】忌咸、酸、鱼、酢、茶、酱、淹藏鸡鸭、生冷、马牛杂肉之类，只吃淡白粥一百日。

神助丸

【来源】《女科百问》卷上。
【组成】三棱 草果子仁 川楝子各一两（醋一碗，煮干焙燥） 茴香 萝卜子 栗子内皮各一两
【用法】上为末，醋糊为丸，如梧桐子大。每服五十丸，虚者三十丸，萝卜汤送下。
【主治】妇人四肢瘦，肚大。

紫金丹

【来源】《女科百问》卷上引陈秀山方。
【组成】针砂十两 余粮石 硫黄各二两（上三件同好醋入铁锅内煮干，碾为末） 平胃散十两 蓬术二两 缩砂仁 丁香 木香 独活 黄耆 枳壳各一两 白茯苓 大黄 黄连 黑牵牛 甘草 茱萸 槟榔 破故纸各三两 干漆一两（须好者，生漆二两亦得）
【用法】上为细末，酒糊为丸，如梧桐子大。每日三五服，不拘数，如病重则多服。
【主治】气癖，气瘕，蛊胀病。
【宜忌】忌盐、酱油、面、生冷。

金雀花灰汁

【来源】《经验良方》。
【组成】金雀花十六钱
【用法】烧灰，用沸汤百钱浸一时，去滓，每服一合，一日数次。
【主治】腹水肿。

魏铁丸

【来源】《经验良方》。
【组成】阿魏二钱 芦荟 铁粉 生姜各一钱
【用法】上为末，取二厘为丸。每服十丸，一日三四次。
【主治】臌胀。

中满分消丸

【来源】《兰室秘藏》卷上。

【组成】白术　人参　炙甘草　猪苓（去黑皮）姜黄各一钱　白茯苓（去皮）　干生姜　砂仁各二钱　泽泻　橘皮各三钱　知母（炒）四钱　黄芩（去腐，炒，夏用）一两二钱　黄连（净，炒）半夏（汤洗七次）　枳实（炒）各五钱　厚朴（姜制）一两

【用法】上除茯苓、泽泻、生姜外，共为极细末，入上三味和匀，汤浸蒸饼为丸，如梧桐子大。每服一百丸，焙热，白汤送下，食远服。量病人大小加减。

【主治】中满热胀，鼓胀，气胀，水胀。

【方论】

1.《丹溪心法》：脾具坤静之德，而有乾健之运，故能使心肺之阳降，肾肝之阴升，而成天地交之泰，是为无病。今也七情内伤，六淫外侵，饮食不节，房劳致虚，脾土之阴受伤，转运之关失职，胃虽受谷，不能运化，故阳自升，阴自降，而成天地不交之否。清浊相混，隧道室塞，郁而为热，热留为湿，湿热相生，遂成胀满，经曰鼓胀是也。以其外虽坚满，中空无物，有似于鼓，其病胶固，难以治疗。又名曰蛊，若虫蚀之意，理宜补脾，又须养肺金以制木，使脾无贼邪之患。滋肾水以制火，使肺得清化。却厚味，断妄想，远音乐，无有不安。

2.《医方集解》：此足太阴、阳明药也。厚朴、枳实行气而散满；黄连、黄芩泻热而消痞；姜黄、砂仁暖胃而快脾；干姜益阳而燥湿；陈皮理气而和中；半夏行水而消痰；知母治阳明独胜之火，润肾滋阴；猪苓、泽泻泻脾肾妄行之水，升清降浊；少加参、术、苓、草补脾胃，使气运则胀消也。

3.《张氏医通》：东恒分消汤丸，一主温中散滞，一主清热利，原其立方之旨，总不出《内经》平治权衡，去宛陈莝，开鬼门，洁净府等法。其方下所指寒胀，乃下焦阴气逆满，郁遏中焦阳气，不似乎阴之象，故药中虽用乌头之辛热，宣布五阳，为辟除阴邪之向导，即用连、柏之苦寒以降泄之。苟非风水肤胀脉浮，证起于表者，孰敢轻用开鬼门之法以鼓动其阴霾四塞乎？热胀，用黄芩之轻扬以降肺热，则用猪苓、泽泻以利导之，故专以洁净府为务，无事开鬼门宣布五阳等法也。

4.《医林纂要探源》：中满热胀，中焦火也。中脘积湿，郁而为火，则气血不滋，小便癃秘，中气不快，经血不行，火逆在中，上下皆病，故为之宣畅其气，均其水火而分而消之。以辛散而升之，厚朴为之主，而砂仁、干姜、半夏、陈皮、姜黄之辛皆能升肝命之气，而破脾土之郁，能升脾胃之气以达之上焦；以苦燥而降之，亦厚朴可为之主，而枳实、姜黄、芩、连之苦，皆能降逆气，且燥脾土之湿。然后抑其妄热而清之。芩、连知母，决其湿热而去之，泽泻、二苓，亦所谓分沟洫也。由是而滋益其中气，以厚脾土，亦所以厚堤防也，堤防厚而后沟渎清，水湿不积，湿不郁则热不生，气无所逆，而胀满消矣。

5.《成方便读》：此方之治脾虚湿热为胀为满，则用六君之补脾，以芩、连之清热，枳、朴之辛苦以行其气，猪、泽之淡渗以利其湿。然湿热即结，即清之、行之、利之，尚不足以解其粘腻之气，故用干姜之辛热燥以散之，姜黄、砂仁之香烈热以动之，而后湿热之邪从兹解化。用知母者，因病起于胃，不特清阳明独胜之热，且恐燥药过多，借此以护胃家之津液也。丸以蒸饼者，助土以使其化耳。

6.《医方发挥》：经云“中满者，泻之于内”是也，宜以辛热散之，以苦泻之，淡渗利之，使上下分消其湿。故本方以辛散、苦泄、淡渗之药组成，是乃合六君、四苓、泻心、二陈、平胃而为一方者。方中重用厚朴、枳实，是取泻心之意，辛开苦降，分理湿热，又以知母治阳明独胜之火，润肾滋阴；泽泻、猪苓、茯苓与白术，义取四苓理脾渗湿，使决渎之气化达，则气血自然调和；少佐橘皮、砂仁，四君，是六君方法，在祛邪之中佐以扶正，亦是寓补脾胃之法于分消解散之中。诸药相合，可使湿热浊水从脾胃分消，使热清，水去，气行，中满除，诸证解。

沉香海金砂丸

【来源】《医学发明》卷六。

【组成】沉香二钱　海金沙一钱半　轻粉一钱　牵牛头末一两

【用法】上为细末，研独颗蒜如泥为丸，如梧桐子大。每服三十丸或五十丸，空腹食前煎百沸灯心、通草汤送下。取利为验。

【主治】一切积聚，脾湿肿胀，肚大青筋，羸瘦恶证。

加味肾气丸

【来源】《济生方》卷四。

【组成】附子（炮）二个　白茯苓　泽泻　山茱萸（取肉）　山药（炒）　车前子（酒蒸）　牡丹皮各一两（去木）　官桂（不见火）　川牛膝（去芦，酒浸）　熟地黄各半两

【用法】上为细末，炼蜜为丸，如梧桐子大。每服七十丸，空心米饮送下。

【功用】《中国药典》一部：温肾化气，利水消肿。

【主治】

1.《济生方》：肾虚腰重，脚肿，小便不利。

2.《医方集解》：蛊证，脾肾大虚，肚腹胀大，四肢浮肿，喘急痰盛，小便不利，大便溏黄；亦治消渴，饮一溲一。

气宝丸

【来源】《医方大成》卷六引《简易》。

【组成】黑牵牛二两　大黄一两半　槟榔　青皮（去白）各二两　木香　羌活　川芎　陈皮　茴香（炒）　当归各半两

【用法】上为末，用皂角膏为丸，如梧桐子大。每服一百丸，生姜、灯心汤送下。

【主治】腰胁俱病，如抱一瓮，肌肤坚硬，按之如鼓，两脚肿满，屈膝仰卧，不能屈伸，自头至膻中，瘠瘦露骨；一切气积、食积；并脚气走注，大便秘结，寒热往来，状如伤寒。

四炒丸

【来源】《医方大成》卷七引《简易方》。

【别名】四炒枳壳丸（《世医得效方》卷六）、四制枳壳丸（《古今医统大全》卷四十一）。

【组成】枳壳四两（去瓤，切作两指面大块，分四处。一两用苍术一两同炒黄，去苍术；一两用萝卜子一两炒黄，去萝卜子；一两用干漆一两炒黄，去干漆；一两用茴香一两同炒，去茴香）

【用法】只用枳壳为细末，同水二碗，煎至一碗，去滓，煮面糊丸，如梧桐子大。每服五十丸，食后米饮送下。

【功用】《医方类聚》引《臞仙活人方》：宽中快气，消导进食。

【主治】气血凝滞，腹内蛊胀。

桃溪气宝丸

【来源】《医方大成》卷六引《简易》。

【组成】黑牵牛二两　大黄一两半　槟榔　青皮（去白）各一两　木香　羌活　川芎　陈皮　茴香（炒）　当归各半两

【用法】上为末，用皂角膏为丸，如梧桐子大。每服一百丸，生姜、灯心汤送下。

【主治】腰胁俱病，如抱一瓮，肌肤坚硬，按之如鼓，两脚肿满，屈膝仰卧，不能屈伸，自头至膻中，瘠瘦露骨，一切气积、食积并脚气走注，大便秘结，寒热往来，状如伤寒。

木香二皮丸

【来源】方出《仁斋直指方论》卷十七，名见《古今医统大全》卷三十二。

【组成】木香　槟榔　陈皮　青皮　大戟　甘遂　肉豆蔻各二钱半　牵牛末一两半

【用法】上为末，水为丸，或商陆汁为丸，如绿豆大。每服五十丸，空心白汤送下。

【主治】水肿，气蛊。

消蛊汤

【来源】《仁斋直指方论》卷十七。

【组成】紫苏茎叶　缩砂　肉豆蔻（生）　枳壳（制）　青皮　陈皮　三棱　蓬术　槟榔　辣桂　白豆蔻仁　荜澄茄　木香各一分　半夏（制）　萝卜子（生）　甘草（炙）各一分半

【用法】上锉。每服三钱，加生姜、大枣，煎服。

【主治】气作蛊胀，但腹满，而四肢头面不肿。

圣惠丸

【来源】《仁斋直指方论》卷二十五。

【组成】朱砂（研）　雄黄（研细）各七钱半　黎

芦（去芦头） 莽草（微炙） 鬼臼（去须）各半两 肥巴豆肉十五个（去油） 麝香一钱 青色大虾蟆一个（烧存性） 斑蝥（去翅足，糯米炒黄）三钱

【用法】上为细末，炼蜜为丸，如小豆大。每服五丸，空心温酒送下。少刻，更吃粥饮一盏，利出虫蛇恶物。若不吐利，更服二丸。

【主治】蛊毒，心腹坚痛，羸瘁骨立，面目黄瘦。

水蛭丸

【来源】《古今医统大全》卷三十二引《仁斋直指方论》。

【组成】三棱（炮） 莪术（炮） 干漆（炒烟尽） 牛膝（酒洗） 虻虫（糯米炒） 琥珀 肉桂 硇砂 水蛭（石灰炒赤色） 大黄各等分

【用法】上为末，用生地黄自然汁和米醋调匀为丸，如梧桐子大。每服十丸，空心温酒或童便送下。

【主治】血蛊气蛊，腹硬如石。

缩砂饮

【来源】《类编朱氏集验方》卷四。

【组成】缩砂仁 萝卜子（研自然汁，浸缩砂仁一宿，炒干又浸，又炒，不压。萝卜子汁多，浸数次炒干）

【用法】以缩砂为细末。每服一大钱，米饮调下。

【主治】气胀，气蛊。

中经丸

【来源】《医方类聚》卷一二九引《施圆端效方》。

【组成】神曲（炒） 干姜（炮）各一两 麦蘖（炒）二两 吴茱萸半两（汤洗七次，焙干）。

【用法】上为细末，面糊为丸，如梧桐子大。每服三十丸，食前温酒送下，一日三次。

【主治】蛊胀，虚肿满胀，不思饮食。

补虚千金散

【来源】《医方类聚》卷一二九引《施圆端效方》。

【别名】千金散（《普济方》卷一九二）。

【组成】藿香叶 甘草（炒） 干姜（炮） 神曲（炒） 茯苓（去皮）各一两 陈皮（去白） 厚朴（姜制）各二两 人参 桂枝各半两

【用法】上为细末。每服二钱，水一盏，加生姜五片，煎至七分，去滓，食前服，一日三次。

【主治】蛊胀水肿。

调胃白术泽泻散

【来源】《医垒元戎》。

【别名】调胃白术散（《痈疽验方》）。

【组成】白术 泽泻 芍药 陈皮 茯苓 生姜 木香 槟榔各等分

【用法】上为末。

《普济方》：上为末。每服二钱匕，更量病势虚实加减，临时消息。

【主治】

1.《医垒元戎》：痰病化为水气，传变水蛊，不能食。

2.《痈疽验方》：痈疽声嘶色败，唇鼻青赤，面目浮肿。

【加减】若腹上肿，加白术，余药各半；若心下痞者，加枳实；若下实者，加牵牛末。

大茱萸丸

【来源】《活幼口议》卷十七。

【组成】蓬莪术 京三棱各一分(醋煮) 干姜(炮) 青皮 陈皮(并去白) 木香 丁香各二分 巴豆二十一粒(去壳心膜,出油) 绿小细吴茱萸二钱

【用法】上为末，醋糊为丸，如麻子大。每服七丸至十丸；大者加服；生姜、大枣汤送下。

【功用】大宽胸膈，平厚肠胃，正气温中，消痞磨积，止吐泻，进美饮食。

【主治】小儿饮食过度，膨胀，胸膈上下气不宣通，郁滞迷闷，情思少乐，大则作喘，强食不化，作渴烦躁，坐卧不任，肢体倦怠，腹胁疼痛。

大沉香尊重丸

【来源】《杂类名方》。

【组成】沉香　丁香　人参　槟榔　车前子　苦葶苈各二钱　青皮（去白）　陈皮（去白）　枳实（麸炒）　白牵牛　木通各四钱　胡椒　木香　海金炒　蝎尾（去毒）　赤茯苓　白豆蔻各二钱半　萝卜子六钱（炒）　白丁香一钱半　滑石三钱　郁李仁（汤浸，去皮）一两二钱半。

【用法】上为细末，生姜自然汁为糊丸，如梧桐子大。生姜汤送下，一日三次。

【主治】蛊胀，腹满水肿，遍身仰满，气逆呕逆，喘乏，小便赤涩，大便不调；一切中满下虚危困痛证。

【宜忌】忌盐、鱼、面等。只可食白粥。

白茯苓汤

【来源】《云岐子保命集》卷下。

【组成】白茯苓　泽泻各二两　郁李仁二钱

【用法】上锉。作一服，水一碗，煎至一半，不拘时候常服，从少至多服。或煎得澄，加生姜自然汁在内，和面或做粥饭，顿食。五七日后，觉胀下，再加以白术散。

【主治】

1.《云岐子保命集》：蛊胀。

2.《普济方》：水肿。

楮实子丸

【来源】《云岐子保命集》卷下。

【组成】楮实子一斗（以水二斗，熬成膏）　白丁香一两半　茯苓三两（去皮）

【用法】上为细末，用楮实膏为丸，如梧桐子大。不计丸数，从少至多，服至小便清利及腹胀减为度。

【功用】洁净腑。

【主治】水气鼓胀。

【宜忌】忌甘苦酸。

万应丸

【来源】《医方类聚》卷八十九引《王氏集验方》。

【组成】硇砂半两（水飞过，研）　阿魏（醛研，去砂土）　大黄　吴茱萸（去枝梗）　青礞石（研细末，用焰消拌和，于银锅内煅，取净）　肉桂　木香　青皮（去瓤）　玄胡索　五灵脂（酒淘，去沙）　小茴香（炒）　川山甲（蛤粉炒）　乳香　没药　当归　石菖蒲　皂角（去皮弦子）　干漆（炒烟尽）　槟榔　陈皮（去白）　枳壳（去瓤，炒）　京三棱（煨）　丁香　莪术（煨）　良姜（炒）　甘遂　芫花（醋煮，焙）　大戟　雄黄各半两　巴豆（去油膜）三钱

【用法】上为细末，醋煮面糊为丸，如梧桐子大。每服三十丸，空心生姜汤送下。利后以白粥补之。

【功用】破一切积，散一切气。

【主治】蛊气，血气，结块疼痛，癥瘕积聚，心气脾疼，食积、肉积、酒积，胃冷吐食，气膈噎塞不通，遍身水气浮肿，气急痰壅。妇人血气不行，腹肚疼痛，年深日久者。

【验案】蛊胀　一妇人年四十余岁，经脉不行十三个月，腹肚蛊胀而疼，时肿时消，医以行经动胎之药服之，如水浇石，脉息沉细而实。予曰：此非胎也，也作血气治之。予以此药，生姜汤下三十丸，大便如常，腹疼稍减。至次日五更初，再进五十丸，至天明粪下异名，腥臭难闻，腹蛊稍消，旋以白粥补之。第三日早，又以五十丸进之，至天明，粪下如故，腹胀又减。如是者服药十日，其病全获安矣。

木香槟榔丸

【来源】《丹溪心法》卷三引《痘麻绀珠》。

【组成】木香　槟榔　当归　黄连　枳壳　青皮　黄柏各一两　黄芩　陈皮　三棱　香附　丑末各二两　莪术　大黄各四两

【用法】上为细末，面糊为丸，如梧桐子大。每服五七十丸，临卧生姜汤送下。寻常消导开胃，只服三四十丸。

【功用】消导开胃。

【主治】

1.《丹溪心法》：臌胀，有热者。

2.《医方考》：痢疾初作，里急后重，肠胃中有积滞者。

遇仙如意丸

【来源】《普济方》卷一一五引《瑞竹堂经验方》。

【别名】遇仙如意丹（《古今医统大全》卷三十）。
【组成】白茯苓（去皮） 陈皮（去白） 青皮（去瓤）各一钱 丁香 木香 人参各二钱 白术（煨） 白豆蔻仁 缩砂仁 官桂（去皮） 京三棱（炮） 石菖蒲（炒去毛） 远志（去心） 广茂（炮）各三钱 干山药半两 甘草（去皮）少许 香附子三两 牵牛头末八两
【用法】上为细末，好醋为丸，如梧桐子大。每服一百二十丸，看老幼虚实加减丸数，临卧温水送下。气蛊水蛊，每服三百丸，一服立消。此药微利三五行，欲止脏腑，但吃凉水一口便住。利后服甘露散补之。
【主治】

1.《普济方》引《瑞竹堂经验方》：治诸风疾病，及患恶疮；妇人月事不见，产后腹中恶物，气蛊，水蛊。

2.《奇效良方》：气积，气胀，痃癖，水蛊。
【宜忌】凡食不可太饱，可食粥五七日。忌生冷、硬物、酒、肉、鱼、面。
【加减】若风疾，加地骨皮一两。

神应散

【来源】《医方类聚》卷一二九引《必用全书》。
【组成】广木香三钱 泽泻 槟榔 椒目各半两 大黄一两半 黑牵牛一两 黑附子一只（重一两者佳，半只湿纸裹，炮裂）
【用法】上为细末。每服五钱，樟柳根自然汁、蜜一大匙，将前附子同擂碎，取汁，放温，五更同药调，面东服。
【主治】十种水气，五蛊、水蛊、血蛊、酒蛊、气蛊，四肢浮肿，腹胀，小便不通，大便涩，黄蕴，不思饮食。
【宜忌】忌盐、酱、蜜、腥腻、房事一年。

石中黄散

【来源】《医方类聚》卷一二九引《医林方》。
【组成】石中黄（火烧，醋蘸七次）
【用法】上为细末。每服三钱，温酒调下。
【主治】血蛊。

白术泽泻散

【来源】《古今医统大全》卷三十一引《医林方》。
【组成】白术 泽泻 陈皮（去白） 木香 槟榔 茯苓各等分
【用法】上锉。每服七钱，水二盏，加生姜三片，煎至八分，食前服。
【主治】痰病化为水气，传变水鼓，不能食。
【加减】痞，加枳实；肿，加牵牛。

愈蛊散

【来源】《古今医统大全》卷三十二引《医林方》。
【组成】瞿麦 葛根 甘遂各五钱 牵牛 芫花 滑石 葶苈 胡椒各三钱
【用法】上为细末。每服一钱，加至二钱，空心好酒调服。
【主治】十种蛊气。

七圣君子散

【来源】《袖珍方》卷三引《烟霞圣效方》。
【组成】白樟柳根 葛根 桑白皮 甘遂 葶苈子 槟榔 牵牛各等分
【用法】上为末。每服三钱，病重服七钱，煎绿豆汤调下。如服药取下虫，或如病长虫相似。
【主治】一切水食鼓病。

要辨患人：面生黑色者，肝死；肩凹者，肺死；脐中突出者，脾死；两手无纹者，心死；下注脚肿者，肾死。此五证内显一证者，不治也。
【宜忌】忌生硬、油腻、荤腥、盐、酱、面、鱼、肉一切发病之物，房室一百日；宜服白粥米食补之。

经验万病无忧散

【来源】《普济方》卷二五六引《医学切问》。
【组成】槟榔 雷丸 贯众 大腹皮各二两 京三棱 蓬莪术 鹤虱 木香各二钱 甘草四两 大黄十两（炒） 粉霜二钱 牵牛（头末）一两半（生者）
【用法】上为细末。每服五钱，五更初，鸡不叫，

人不知，井华水调下，天明时取下，其病自出，恶物自下，然后补之。

【主治】沉重气块，水肿、血蛊、气鼓，小肠膀胱偏坠，奔豚气，胃胀，脚气，下膈气翻胃吐食，心气疼痛，肺胀咳嗽，吐血鼻衄，肠风下血，五淋腰疼，三十六种风，二十四般气；妇人赤白带下，癥瘕血块。

【宜忌】忌生冷。

万病无忧散

【来源】《普济方》卷一六九。

【组成】槟榔五钱　大黄一两　甘草二钱半　黑牵牛一两半（炒）

【用法】上为末。每服三钱，茶清调服，不拘时候，一日二次。

【主治】诸般气积肿胀。

桑椹方

【来源】《普济方》卷一九二。

【组成】桑椹子　楮皮

【用法】先将楮皮细切，以水二斗，煮取一斗，去滓，入桑椹重煮五升，以好糯米五升酿为酒。每服一升。

【主治】水胀。不下则满溢，水下则虚竭，还胀，十无一活。

万安散

【来源】《普济方》卷一九四。

【组成】大黄　雷丸　木香各一两　苦葶苈　樟柳根各半两　黑牵牛　白牵牛各一两半　槟榔七枚

【用法】上为末。每服五钱，用熟蜜五钱，酒一盏，空心、食前调服。

【主治】蛊病。

无价散

【来源】《普济方》卷一九四。

【组成】青皮　陈皮　桑白皮（炒）　猪苓　车前子（焙）　泽泻　续随子　甜葶苈（炒）　樟柳根　大戟　白牵牛末　甘遂　川椒　木香　木通（去皮，锉）　郁李仁各等分

【用法】上为末。每服三钱，加葱白二根（切），水二盏，煎至五分，去滓温服。

【主治】诸般蛊气。

水银丸

【来源】《普济方》卷一九四。

【组成】水银一两（以煮枣肉研令星尽）　川芒消一两　甜葶苈五两（炒紫）

【用法】上药相和，捣为丸，如梧桐子大。每服十丸，空腹粥饮送下。愈后食牛羊肉自补。

【功用】利小便。

【主治】大腹水蛊，坚硬如石。

石燕子丸

【来源】《普济方》卷一九四。

【组成】石燕子四个（煅）　木通　大戟　海金沙　石韦　苦楝根　猪苓　海藻　扁竹　茴香　白牵牛　海蛤　瞿麦　通草　元胡各半两

【用法】上为细末，灯心、竹叶煎汤，打面糊为丸，如梧桐子大。每服五十丸，食前用灯心竹叶汤送下。

【主治】妇人男子气蛊、血蛊之疾。

仙方万安散

【来源】《普济方》卷一九四。

【组成】黑牵牛三两（生熟各半，熟黄色，不用焦黄）　雷丸三个（生用）　大黄二两（生用）　管仲三两　槟榔三两（生用）

【用法】上为细末。每服四钱，重者五钱。用沸汤浸至明晨服。服毕，细嚼生姜三片过药，一时刻取下。四时着病，皆可服之，十岁者，分作二服。老幼衰弱，临时加减。

【主治】男子妇人，不以老幼，一切沉深积块，气蛊，水蛊，食蛊，小肠膀胱奔豚，疝气偏坠，木肾，脚气；十膈五噎，翻胃吐食，脾痛气喘，痰饮咳嗽，肺胀；吐血，咯血，淋血者；诸般疮癣，肠风泻血；妇人赤白带下，经脉不调，或后或前，

血崩，积聚。

【宜忌】忌鱼腥三五日。

权木丸

【来源】《普济方》卷一九四。

【组成】南康蛤粉一两　猪苓半两　泽泻半两　真平胃散一两

【用法】上为细末，同平胃散蛤粉和匀，用大蒜（连皮）灰火煨香熟，捣烂为丸，如梧桐子大。每服三十丸至五十丸，用温水送下，一日三次。

【主治】男子妇人，通身蛊胀，不能动作。

【宜忌】忌鱼腥、冷物、湿面。

夺命方丹

【来源】《普济方》卷一九四。

【组成】麝香一钱半　大黄（生用）五钱　黑牵牛半两　甘遂二钱　泽泻半两　香附子二钱

【用法】上为细末。每服一钱，用白樟柳根汁半盏，无灰酒半盏，调药末顿热空心服之。年龄在六十岁以上与十五以下者，只可服半贴。大便取下恶物为效。

【主治】气蛊、劳蛊、血蛊、筋蛊、水蛊。

【宜忌】服此药后三日内，不可食鱼腥、盐、酱、湿面发气等物。

苦蒿梨丸

【来源】《普济方》卷一九四。

【组成】苦蒿梨　木香　萝卜子各等分

【用法】上为细末，酒糊为丸，如梧桐子大。每服三二十丸，空心温酒送下。

【主治】水蛊气。

经验白术散

【来源】《普济方》卷一九四。

【组成】白术一两　苦葶苈一两　川山甲五钱　蛇退一条（全）　黑牵牛（末）二两　土牛儿一个（土坑内烧，焙干）

【用法】上为末。每服三钱，好酒调下。

【主治】水蛊、气蛊病。

枳壳丸

【来源】《普济方》卷一九四。

【组成】枳壳　芫花各等分

【用法】上用酽醋浸芫花透，将醋再煮枳壳烂，擂芫花为末，共和为丸，如梧桐子大。每服数丸，温白汤送下。

【主治】蛊胀。

香绵散

【来源】《普济方》卷一九四。

【组成】生漆滓一两半　春蚕绵三两　麝香五钱

【用法】上以漆滓放在铁锅炒作灰，绵用剪细，入此锅内，同漆滓炒作灰，同碾为末，后将麝香研细匀入。饭饮汤调下；好酒亦得。

【主治】蛊胀。

无忧散

【来源】《普济方》卷二三九。

【组成】白牵牛（取头末，净）二两半　白芜荑（用末）二两　槟榔（去皮，用末）二两　黑牵牛（炒去烟，头末）一两　大黄半两（生末）　雷丸（去皮，用末）半两

【用法】上为末，和匀一处。每服四钱，五更用葱白七根熬汤服。小儿或一钱、二钱。

【主治】男子、女人、小儿诸般虫积，已未成癥瘕痞疳，及膀胱阴囊肾肿，妇人血蛊，如怀鬼胎，月水不通，并一切危急之证。

硇砂丸

【来源】《普济方》卷三二四。

【组成】硇砂半两　虻虫四十九个　水蛭（炒黑）粉霜三钱　丁香　干漆（炒令烟出）　白丁香　甘遂（炮）　牡蛎　大麦（炒）　槟榔各五钱　胆矾三钱　阿魏一钱（研）　大枣五十枚（去皮核）木香五钱

方中水蛭用量原缺。

【用法】上为细末，用枣肉为丸。每服十丸。任汤

使下。

【主治】血蛊块等疾。

鲊汤丸

【来源】《普济方》卷三九二。

【组成】雷丸二钱　甘遂一钱　粉霜半钱（研）　滑石二钱　白墡土一钱　轻粉半钱　芫花少许（用醋炒，或醋调面裹煨）　青黛三钱　水银（同铅煅，入脑、麝少许）

方中水银用量原缺。

【用法】上为末，烂饭捣成丸，如菜子大。未周者随月数与之，半岁不可喂；如惊或奶疳，金钱薄荷汤送下，或葱白汤送下；三岁二十丸，疳瘦五十丸；满身浮肿、毛发黄坚，用净洗鱼鲊煎汤送下；疳痨腹大汤使如前；一日止可两服，不可连进。五六岁常服只十五丸。自然疏泄利去滞积，如未甚退，加一二服，积尽而泄自疏，但吃白粥补之，不可用甘草药调理，则成相反。

【主治】虚中坚积，外疾气蛊，腹大膨胀，遍身浮肿。

【宜忌】忌甜物一月。

牛榔散

【来源】《本草纲目》卷十八引《普济方》。

【别名】牛郎顶（《串雅内编》卷三）。

【组成】黑牵牛半两　槟榔二钱半

【用法】上为末，每服一钱，紫苏汤调下。

本方原名牛郎丸，与剂型不符。据《仙拈集》改。

【功用】追虫去积。

【主治】

1.《本草纲目》引《普济方》：气筑奔冲不可忍。

2.《仙拈集》：鼓胀，水肿，虫积。

秘传助脾渗湿汤

【来源】《松崖医径》卷下。

【组成】苍术　白术　人参　枳壳　枳实　黄连　山栀　厚朴　大腹皮　萝菔子（炒）　猪苓　泽泻

【用法】上细切。用水二盏，加生姜三片，灯心一握煎，再用生姜汁磨木香同服。

【主治】水肿，鼓胀。

【加减】大便燥结，加大黄；小便不利，加滑石。

加减金匮肾气丸

【来源】《明医杂著》卷六。

【别名】加减济生肾气丸（《内科摘要》卷下）。

【组成】白茯苓三两　附子五钱　川牛膝　桂　泽泻　车前子　山茱萸　山药　牡丹皮各一两　熟地黄四两（掐碎，酒拌杵膏）

【用法】上为末，和地黄、炼蜜为丸，如梧桐子大。每服七八十丸，空心米饮送下。

【主治】脾肾虚，腰重脚肿，小便不利；或肚腹肿胀，四肢浮肿；或喘急痰盛，已成蛊症。

香棱丸

【来源】《婴童百问》卷五。

【组成】木香　丁香　槟榔（去脐）　枳壳（炒）　甘松　使君子（去壳）　神曲（炒）　麦蘖（炒）各二钱半　京三棱（煨）　蓬莪术　青皮　陈皮　香附子（炒）各五钱　胡黄连一钱

【用法】上为细末，蒸饼为丸，如黍米大。空腹时用米饮送下。

【主治】小儿积气发热，肚腹膨胀，肢体瘦弱，饮食不滋肌肤。

鸡屎醴

【来源】《医学正传》卷三。

【别名】鸡屎醴饮（《东医宝鉴·杂病篇》卷六）。

【组成】羯鸡屎一升

【用法】上为细末，炒焦色，地上出火毒，再为极细末，百沸汤三升淋汁。每服一大盏，调木香、槟榔末各一钱，空腹服，一日三次。以平为期。

【主治】鼓胀，气胀、水胀等证。

尊重丸

【来源】《古今医统大全》卷三十二引《医学集

成》。

【组成】人参　沉香　丁香　木香　槟榔　车前子　葶苈各四钱　胡椒　蝎稍　滑石　海金沙　赤茯苓　白豆蔻一钱半　萝卜子六钱　郁李仁一两一钱

【用法】上为末，姜汁糊丸，如梧桐子大。每服三丸，生姜汤送下，一日三次。

【主治】蛊证。水肿、气肿，喘急，小便赤涩，大便秘结不通，一切中满单腹胀。

陈米消胀丸

【来源】《万氏家抄方》卷二

【组成】陈仓米二两（同巴豆四十九粒炒黄色，去巴豆）　莪术　三棱　青皮　陈皮各一两　香附一两半（醋炒）　干姜五钱

【用法】上为末，面糊为丸。每服七十丸，生姜皮汤送下。

【主治】鼓胀。

蒜红丸

【来源】《万氏家抄方》卷二。

【组成】槟榔　丁香　沉香　青皮（去瓤）　陈皮　莪术　砂仁　草果仁　茯苓各五钱　黑牵牛七钱　人参二钱　肉豆蔻（去油）　荜澄茄各三钱

【用法】上为细末，生蒜五十个，煨蒜五十个，取汁为丸。盐汤送下。

【主治】脾积胀如鼓，青筋浮起，坐卧不安。

仙传万灵膏

【来源】《万氏家抄方》卷四。

【组成】羌活　独活　山栀　官桂　玄参　大黄　当归　白芷　皂角　白附子　五倍子　赤芍　生地　熟地　防风　天花粉　黄连　川芎　山茨菇　连翘　红牙大戟　桔梗　白及　白药　苦参各六钱　川山甲十片　木鳖子二十粒（去壳）萆麻　麻子八十粒（去壳）　杏仁四十粒　巴豆三十粒（去壳）　血余四两　槐枝　柳枝　桑枝寸许长者各三十段

方中萆麻用量原缺。

【用法】麻油二斤四两，春、秋浸三日，夏浸二日，冬浸五日，熬枯黑色，去滓，再熬至滴水成珠，每油二斤，下飞丹一斤，松香三两，黄蜡二两，桐油二两，熬不老不嫩，稍冷入乳香、没药各六钱，血竭、阿魏、孩儿茶、百草霜、轻粉、马苋膏各三钱，桑枝搅匀。摊贴。痈疽发背疬疮，用火烘手热，摩百余下贴，已出脓者，不必摩；疥癣疮，搔痒贴；风癞，用木鳖子火煨研烂，置肿上贴；无名肿毒，贴患处；跌扑刀斧伤，贴患处；风痰壅塞，贴心上，热手摩百下；痞块，木鳖子研烂，置膏药上贴之，以皮消一两、鸽粪五钱、蒜二个捣匀，用面作一圈围，定在膏药外，熨斗火运药上，令气透；蛊胀，加煨木鳖，贴心下脐上，热手磨百次；瘫痪，湿气痛，加煨木鳖贴患处，手摩百下；月经不调，贴血海穴，手摩百下。

【主治】痈疽发背疬疮，疥癣疮，风癞，无名肿毒，跌扑刀斧伤，风痰壅塞，痞块，蛊胀，瘫痪，湿气痛，月经不调。

【宜忌】忌用铁锅煎。

回鹘五神散

【来源】《丹溪心法附余》卷八。

【组成】芫花　独根（以水净洗）　木香　青木香　商陆（白者，洗净）　乌臼根（取黄土内一寸深，用皮）各等分

【用法】晒干为末。每服二钱，如人弱服一钱半，临卧腊酒调下。至寅卯时利下水气，辰时以白粥补之，若病浅三日一服，病深隔日一服，限五六日后服金丹。

【主治】十种水气臌胀。

治蛊益气汤

【来源】《活人心统》。

【组成】大附子　车前子　香附子　萝卜子　葶苈子　大腹子　青皮　陈皮　姜皮

【用法】水二钟，煎七分服；滓再煎，煎讫磨木香汁入药服。

【主治】蛊气。

黄龙道水散

【来源】《活人心统》。

【组成】大戟　芫花　甘遂各五钱　牵牛　大黄各一两　苦葶苈三钱　轻粉一钱

【用法】上为末。每服一钱，茶清调下。

【主治】诸般蛊症初感者。

消瘀塌血汤

【来源】《活人心统》卷下。

【组成】青皮一钱　陈皮（去白）八分　木香六分　砂仁　黑丑　槟榔　厚朴各一钱　苏木七钱　红花一钱　枣木心三钱　川归三钱　使君壳　香附子（炒）　莱菔子（炒）　桃仁各一钱　莪术　三棱（煨）　赤苓　木通　白术　枳壳（炒）　黄连（炒）　栀子（炒）　苏子（炒）各一钱

【用法】水煎服。

【主治】妇人血蛊，胀满善食，肚如筲箕者。

麝香琥珀膏

【来源】《活人心统》卷下。

【组成】大黄四两　朴硝四两　麝香一钱

【用法】上为末，每服二两，以大蒜捣膏。敷患处。即令胀满断消。

【主治】男女积聚，胀满血蛊。

二消散

【来源】《摄生众妙方》卷六。

【组成】蝼蛔一个（大者佳）　大戟　芫花各二钱

【用法】上为细末。好酒调服。

【主治】十种臌症。

【宜忌】忌房事、辛辣、油腻、湿热之物。

十鼓通证散

【来源】《摄生众妙方》卷六。

【组成】大戟　甘遂　麻黄　乌梅　葫芦巴　葶苈　芫花　黑牵牛　细辛　汉防己　槟榔　海蛤　陈皮　桑皮

【用法】上为细末。每服一钱，或二三钱，五更用生姜汤调服。

【主治】十鼓证。气鼓、食鼓、热鼓、风鼓、劳鼓、湿豉、虫鼓、血鼓、痞鼓，胸腹肿胀，并四肢肿者。

【宜忌】忌盐、醋、酱一百日。

【方论】方中大戟取膀胱水；甘遂取肝水；麻黄取肤水；乌梅取腹水；葫芦巴取胃水；葶苈取心水；芫花取遍身水；黑牵牛子取遍身水；细辛取气水；汉防己取胃水；槟榔取血水；海蛤取肺水；陈皮去白取牙水；桑皮取肠水。

沉香快气丸

【来源】《摄生众妙方》卷六。

【组成】京三棱（泡去皮）　蓬术（煨）　白茯苓　青皮（去白）　砂仁　苍术（米泔水浸，炒）　益智（去皮）　白术　神曲　黑牵牛（头末）　商陆（白的）　大麦芽　连翘　藿香叶　草果（去皮）各四钱　丁香　肉桂　姜蚕各三钱　沉香　大腹皮各二钱　雄附子五钱（看病冷热，热者不用）

【用法】上为细末，面糊为丸，如梧桐子大。每服三十或四十丸。

【主治】

1.《摄生众妙方》：十种臌症。

2.《外科百效》：气蛊腹胀胸肿及单蛊胀。

【宜忌】忌房事、辛辣、油腻、湿热之物，避暑湿，并忌盐酱油醋。

和中散

【来源】《慎斋遗书》卷五。

【组成】炮姜四两　肉桂二两　吴茱萸二两

【用法】上为末。

《慎柔五书》本方用法：每服五分，用苦烈好大酒一杯，炖半热调下。

《风劳臌膈》：干姜四两（切片，分四份：一份用人参一两煎汤拌炒汁尽，一份用青皮煎汁拌炒，一份用紫苏煎汤拌炒，一份用陈皮煎汤拌炒，各炒焦黑）、肉桂二两（分三份：一份用益智仁三钱煎汤拌炒，一份用小茴香二钱同煎，一份用破

故纸同煎）、吴萸一两（分二份：一份用苡仁一两煎汤炒，一份用盐三钱同浸炒），共为末，苏叶煎汤，打神曲糊丸，名和中丸。随症轻重，作汤送下；虚者人参汤下。

【功用】《风劳臌膈》：上通下达，安胃和中。

【主治】

1.《慎柔五书》：中寒腹痛，或寒泻清水，或饮食伤，嗳麸气，或久痢虚寒。

2.《风劳臌膈》：臌胀属虚寒者。

布海丸

【来源】《医学入门》卷七。

【组成】昆布　海藻各一斤（洗净，入罐文成膏）　枳实四两　陈皮二两　青皮一两　荜澄茄　青木香各五钱

【用法】上为末，入前膏为丸。空心沸汤送下。

【主治】水肿、痰肿、气肿、鼓胀、喘咳，及癥瘕瘿瘤。

【加减】气盛，加三棱、莪术各二两。

外敷神膏

【来源】《医学入门》卷七。

【组成】川大黄　朴消各四两　麝香一钱

【用法】上为末，每二两，和大蒜捣成膏。敷患处。

【主治】男妇积聚胀满，血蛊。

金　丹

【来源】《医学入门》卷七。

【组成】苍术四钱半　草乌二钱　巴豆一钱半　羌活二两　杏仁二十一个

【用法】上为末，面糊为丸，如梧桐子大。每服十一丸，临卧姜汤送下。

【主治】十种水气，臌胀。

【宜忌】忌盐、酱、房事。

宽中健脾丸

【来源】《医学入门》卷七。

【组成】白术六两　人参　黄耆　苍术　茯苓　五加皮各二两　黄连（用茱萸水炒）　白芍　泽泻各二两半　陈皮（用盐水炒）　半夏　香附　薏苡仁　山楂各三两　草豆蔻　苏子　萝卜子各一两半　沉香六钱　大瓜蒌二个（每个镂一孔，用川椒末三钱，多年粪碱末二钱，装入瓜蒌内，纸糊瓜口，盐泥固济，晒干，煅红为度，去泥与黑皮）

【用法】上药同为末，用荷叶、大腹皮煎汤煮黄米糊丸，如梧桐子大。每服百丸，白汤送下。

【主治】单腹胀，及脾虚肿满，膈中闭塞，胃口作痛。

诸蛊保命丹

【来源】《医学入门》卷七。

【组成】肉苁蓉三两　青矾　红枣　香附各一斤　大麦芽一斤半

【用法】先将苁蓉、青矾入罐内，同煅烟尽，和前药为末，糊丸如梧桐子大。每服二十丸，食后以酒送下。

【主治】蜘蛛蛊胀。

漆雄丸

【来源】《医学入门》卷七。

【组成】真生漆一斤（锅内溶化，麻布绞去滓，复入锅内熬干）　雄黄一两（为末）

【用法】为丸如梧桐子大。每服四分，大麦芽煎汤送下。

【主治】水蛊。

四香散

【来源】《医学入门》卷八。

【组成】木香　沉香　乳香　甘草各一分　川芎　胡椒　陈皮　人参　白矾各五钱　桂心　干姜　砂仁　茴香各一两　大茄（焙）五两

【用法】上为末。每服二钱，陈米饮调服。

【主治】脾气、血气、血蛊、气蛊、水蛊、石蛊。

【宜忌】忌羊肉。

黄米丸

【来源】《东医宝鉴·杂病篇》卷六引《医学入门》。

【组成】干丝瓜一棒　巴豆肉十四粒　陈仓米如丝瓜之多少

【用法】丝瓜去皮剪碎，和巴豆肉同炒，以巴豆色黄为度，去巴豆，又以陈仓米同炒米黄色，去瓜取米，为末，水为丸，如梧桐子大。每服一百丸，以汤送下。数服即愈。

【主治】水蛊。

牛黄散子

【来源】《古今医鉴》卷六。

【别名】牛黄散（《丹台玉案》卷三）。

【组成】黑牵牛春八分，夏九分，秋七分，冬一钱　大黄春八分，夏九分，秋七分，冬一钱　槟榔春八分，夏九分，秋七分，冬四分　甘草春八分，夏九分，秋七分，冬四分

【用法】上为细末。每服五钱，五更时用井花水调服。后服乌药顺气丸一二帖，再服十全大补汤数贴。

【主治】酒疸，饮酒太过；食黄，宿食积久，面目甚黄，遍身浮肿；水气蛊证，肚大如盆。

【宜忌】忌生冷发物。

金蟾散

【来源】《古今医鉴》卷六引李桐峰方。

【别名】蟾砂散（《绛囊撮要》）、益欢散（《全国中药成药处方集》杭州方）、蟾香散（《全国中药成药处方集》上海方）。

【组成】大虾蟆一个　砂仁

【用法】以砂仁推入其口，使吞入腹，以满为度，用泥罐封固，炭火煅令透红，烟尽取出，候冷去泥，研末，为一服。或酒或陈皮汤送下。候撒屁多，乃见其效。

【功用】《中药制剂手册》：理脾和胃，舒气宽胸。

【主治】

1. 《古今医鉴》：气鼓。
2. 《全国中药成药处方集》（杭州方）：气郁膨胀，胸腹胀满，气急难卧，二便不畅，神倦肢瘦，肚腹单胀，无论新久。

金陵酒丸

【来源】《古今医鉴》卷六。

【组成】真沉香一两　牙皂一两　广木香二两半　槟榔一两

【用法】上为末。用南京烧酒浸十次，晒干，用京酒为丸。每服三钱，重者四钱，五更烧酒送下。水鼓，水自小便而出；气鼓放屁。

【主治】鼓肿。

【加减】水鼓，加苦葶苈五钱（炒），酒送下再服。

消胀饮子

【来源】《古今医鉴》卷六。

【组成】猪苓　泽泻　人参　白术　茯苓　半夏　陈皮　青皮　厚朴　紫苏　香附　砂仁　木香　槟榔　大腹皮　木通　莱菔子　甘草各等分

【用法】上锉。加生姜五片，大枣一枚，水煎服。

【主治】胀蛊，单腹胀。

调中健脾丸

【来源】《古今医鉴》卷六。

【组成】黄耆二两（蜜炙）　人参二两　白术六两（土水拌炒）　茯苓二两　陈皮三两（盐水制）　紫苏子二两半（炒）　萝卜子一两半（炒）　山楂肉三两（炒）　草豆蔻一两（酒炒）　泽泻三两半　薏苡仁三两（炒）　沉香六钱（另研）　五加皮三两（炒）　瓜蒌一两（用大瓜蒌二个，钻一孔，每个入川椒三钱，多年粪底一钱，敲米粒大，俱纳入瓜蒌内，外以绵纸糊完，再用绵筋、盐泥封固，炭火煅通红为度，取出择去泥，其黑皮一并入药）

【用法】上为细末，煎荷叶、大腹皮汤，打黄米糊为丸，如梧桐子大。每服百丸，日进三次，白汤送下。

【功用】此药不伤脾气，大有补益。

【主治】单腹胀及脾虚肿满，膈中闭塞及胃口作痛。

人参定喘汤

【来源】《保命歌括》卷二十五。

【组成】人参一两　陈皮（去白）　甘草各五钱　杏仁（去皮尖，炒）一两（另研）　木香三钱

【用法】上为末。每服三钱，浓煎苏叶汤调，食远服。三服喘即止。

【主治】蛊胀有喘。

开滞膏

【来源】《点点经》卷二。

【组成】车前　滑石　大云　木通　乌梅　杏仁各一两

【用法】上为细末，用分葱半斤，捣烂取汁二碗，蜜一斤，和药共捣成膏，常服。先下药，一会后入葱汁，以滴水成珠为度。

【主治】酒病成蛊，小便闭塞。

夺关将军散

【来源】《点点经》卷二。

【组成】大黄二钱　杏仁（去油）一钱　地龙（焙，研）三条　桃仁二钱　车前二钱

【用法】上为细末。水煎泡服，入麝香三分。

【功用】导阴夺关。

【主治】酒伤蛊胀，小便闭塞不通。

调阴养阳汤

【来源】《点点经》卷二。

【组成】茯蓉　羊藿　白术各一钱　当归　川芎　白芍　熟地　柏仁　玉竹各一钱半　天台六分　甘草六分

【用法】姜、枣为引，水煎，温服。

【主治】酒病成蛊。

固土车水丸

【来源】《点点经》卷三。

【组成】马房粪坑内马脚所常踏之处泥土马溺

【用法】上为丸，如梧桐子大。每服六十四丸，空心沸汤送下，以二十四日为度，晚服养阳济阴汤。

【主治】酒伤黄肿，气喘发咳，小腹肿满，臌胀。

【宜忌】白马尤佳。忌一切发物、生盐。

五蛊胀丸

【来源】《赤水玄珠全集》卷五。

【组成】官桂　归尾　槟榔　橘红　枳壳（炒）　莪术（炒）　三棱（炒）　大黄（酒煮）　青皮　黑丑（君）　白商陆（君）　芫花（君）　大戟　甘遂（去心，面包，煮）　赤小豆　椒目　木香　砂仁　干漆（炒烟尽，君）　枳实（炒）

【用法】醋糊为丸，如梧桐子大。初服三日，每服九十丸；过三日，服八九十丸；又过三日，服七十丸。空心用葱七根煎汤送下，又行四五次为度。行后以温粥补之。不行而吐者亦妙，次用补法。

【主治】蛊胀。

【宜忌】忌盐四十日。

四炒丸

【来源】《赤水玄珠全集》卷五。

【组成】木香　槟榔各一两五钱（二味锉如芡实大，四制。一份用莱菔子一两同炒深黄色，去莱菔子不用；一份用干漆一两炒烟尽，去漆；一份用茴香一两炒深黄色，去茴香；一份用莪术一两炒黄色，去术）

【用法】上只留木香、槟榔为末，以四味同炒药煎汤，打糊为丸，如绿豆大。每服七八十丸，米饮送下。

【主治】年高人患鼓胀，独只腹胀，肢体如柴，举动乏力。

壮原汤

【来源】《赤水玄珠全集》卷五。

【别名】壮元汤（《风劳臌膈》）。

【组成】人参　白术各二钱　茯苓　破故纸各一钱　桂心　大附子　干姜　砂仁各五分　陈皮七分

【用法】水煎，食远服。

【主治】下焦虚寒，中满肿胀，小水不利，上气喘急，阴囊两腿皆肿，或面有浮气。

【加减】有痰，加半夏一钱；喉中痰声，加桑白皮一钱，咳嗽亦加；脚趺面肿，加薏苡仁二钱；中气不转运，不知饿，加厚朴、木香；气郁不舒，加沉香、乌药，临服磨入；气虚甚者，人参加作五钱，大附子加作一钱半；汗多者，再加桂枝五分、白芍药（酒炒）过八分；若夏月喘乏无力，或汗多者，加麦门冬一钱、五味子十一粒；夜梦不安者，加远志一钱；两胁气硬，加白芥子八分；若面浮肿，胁下气硬，加白芥子、紫苏子五分；若身重不能转动，加苍术一钱、泽泻七分；湿盛，加桑白皮、赤小豆。

鸡屎醴饮

【来源】《赤水玄珠全集》卷五。

【组成】雄鸡屎（腊月取，晒干）一两　川芎一两

【用法】上各为极细末，和匀，面糊为丸，如梧桐子大。每服五十丸，温酒送下。

【主治】臌胀，旦食暮不能食，痞满壅塞。

定喘葶苈丸

【来源】《赤水玄珠全集》卷五。

【组成】葶苈　木香　贝母各等分

【用法】上为末，蒸饼糊为丸，如梧桐子大，朱砂为衣。煎桑白皮汤送下。或即以四味为末，仍以桑白皮汤送下尤妙。

【主治】鼓胀喘嗽。

紫金丹

【来源】《赤水玄珠全集》卷五。

【组成】大黄　槟榔各三两半　苍术　贯众　牙皂　香附各三两　三棱　雷丸　黑丑各二两　使君子一两半　白芜荑　苦楝根皮各二两半

【用法】上为末。每服三钱，小儿减半，五更时沙糖汤调下。至天明下虫积。

【主治】虫蛊、虫积。

大戟枣子

【来源】《医方考》。

【组成】大戟（连根叶）一握　大枣一斗

【用法】用水同煮一时，去大戟不用。旋旋吃枣，无时，服尽。

【功用】攻水。

【主治】膨胀。

【宜忌】忌甘草。

【方论】大戟气大寒而味苦甘，有小毒，能下十二经之水；大枣味甘，取其大补脾胃，而不为攻下伤耳。

三消丸

【来源】《万病回春》卷三。

【组成】甘遂　木香　巴豆（去壳）各一钱

【用法】上为末，寒粟米饭为丸，如梧桐子大。量人虚实用之，实者每服二分，虚者每服分半。先用五苓散加瞿麦、车前、木通、滑石煎服，后服此三消丸。消上用陈皮汤送下；消下用葱白汤送下。隔一日进一服，三服止。若动三五次，以冷粥补之。消完后用白术三两、陈皮三两、甘草（炙）三两、厚朴（姜炒）二两、皂矾三两，用面炒尽烟，或用醋炒皂矾三五次，同煎药研为末。醋糊为丸，如梧桐子大。每服五十丸，米汤送下，每日进三服，连服四十九日而安。

【主治】肿胀。

【宜忌】忌恼怒，戒煎炒及无鳞鱼、诸般发物。

五子散

【来源】《万病回春》卷三。

【组成】白萝卜子　紫苏子　白芥子各五钱　山楂子（去核）　香附子（去毛）各一钱

【用法】上各为细末，合一处，作芥末用。

【主治】气膈，鼓胀，噎食。

分消汤

【来源】《万病回春》卷三。

【组成】苍术（米泔浸，炒）　白术（去芦）　陈皮　厚朴（姜汁炒）　枳实（麸炒）各一钱　砂仁七分　木香三分　香附　猪苓　泽泻　大腹皮各八分　茯苓一钱

【用法】上锉一剂。加生姜一片，灯草一团，水煎服。

【主治】中满成鼓胀，兼治脾虚发肿满饱闷。

【加减】气急，加沉香；肿胀，加萝卜子；胁痛面黑是气鼓，加青皮，去白术；胁满小肠胀痛、身上有血丝缕是血鼓，加当归、芍药、红花、牡丹皮，去白术、茯苓；嗳气作酸、饱闷腹胀是食鼓，加山楂、神曲、麦芽、萝卜子，去白术、茯苓；恶寒、手足厥冷、泻出清水是水鼓，加官桂；胸腹胀满、有块如鼓者是痞散成鼓，加山楂、神曲、半夏、青皮、归尾、玄胡、鳖甲，去白术、茯苓、猪苓、泽泻。

四炒枳壳丸

【来源】《万病回春》卷三。

【组成】枳壳四两（米泔浸，去瓤，分四处炒之：一份苍术一两同煮干，炒黄色，去苍术；一份萝卜子一两水同煮干，炒黄，去萝卜子；一份小茴香一两水同煮干，炒黄色，去茴香；一份干漆一两水同煮干，炒黄色，去干漆） 香附二两 槟榔一两 玄胡索一两（微炒） 三棱二两（同莪术法制） 莪术一两（棱、莪二味，用童便一钟浸一宿，次日用巴豆仁去壳三十粒，同水煮干，炒黄色，去豆不用）

【用法】上为细末，用苍术、茴香、萝卜子、干漆煮汁，好醋一腕，同面糊为丸，如梧桐子大。每服七十丸，清米汤送下。

【功用】宽中快隔快气，消导饮食。

【主治】气血凝滞，腹内鼓胀积聚。

和荣顺气汤

【来源】《万病回春》卷三。

【组成】当归（酒洗）一钱 川芎六分 白芍（酒浸） 白术（土炒）各一钱 茯苓 乌药 苍术（米泔浸） 陈皮（去白） 枳实（炒） 神曲（炒） 香附（醋炒） 木瓜 牛膝（酒洗） 独活（酒洗） 泽泻 薏苡仁（炒） 木通各一钱 甘草三分

【用法】上锉一剂。生姜煎服。

【主治】鼓胀。脾弱血虚，心腹胀闷，两足虚肿。

白雪糕

【来源】《鲁府禁方》卷二。

【组成】干山药二两 人参二两 茯苓二两 莲肉二两 芡实二两 神曲（炒）一两 麦芽（炒）一两 大米半斤 糯米半斤 白沙糖一斤

【用法】上为末，蒸糕。当饭食之。

【主治】臌胀。

石干散

【来源】《痘疹传心录》卷十五。

【组成】木香一钱 甘遂五分 石干二钱 蛤蟆一只（火逼干）

【用法】上为末。每用三分，好酒下。

【主治】膨胀。

石干散

【来源】《痘疹传心录》卷十五。

【组成】石干 木香 黑丑各等分

【用法】上为末。每用一钱，姜汤调下。

【主治】膨胀。

浚川丸

【来源】《证治准绳·幼科》卷七。

【组成】大戟 芫花（醋炒） 沉香 檀香 南木香 槟榔 蓬莪术 大腹皮（洗，焙干） 桑白皮（锉，炒）各半两 黑白牵牛（晒，研取生末）一两 巴豆（去壳膜心，存油）三十五粒

【用法】上药除牵牛末、巴豆外，前九味内沉香、檀香、木香、槟榔不过火，余五味焙干，同沉香等为末，就加牵牛末和匀，巴豆碎切在乳钵内，杵极细，入前药末，同再杵匀，水煮面糊为丸，如麻仁大。每服十七丸，浓煎葱汤候温，五更初空心送下。去水未尽，停一日减用十三丸，次减作九丸，再减至七丸，汤使下法如前，证退即止，仍投南星腹皮散。

【主治】水肿及单腹胀，气促食减，遍身面浮。

【宜忌】忌甘草。

【加减】如单腹肿甚，能饮食气壮者，加甘遂末同

丸取效。

人参白术汤

【来源】《杏苑生春》卷六。

【组成】人参　白术各一钱五分　当归　白芍药　橘皮　茯苓各一钱　川芎八分　黄连三分　厚朴四分　甘草（生）二分

【用法】上锉，用水煎，空心服。

【主治】病久气虚腹胀，手足瘦而腹大如蜘蛛，脉弦而涩，重则大。

当归白术汤

【来源】《杏苑生春》卷六。

【组成】当归一钱二分　川芎　白术各一钱　黄连三分　黄芩　木通各四分　厚朴二分　白芍药八分　橘皮　熟地黄各五分　甘草（生）二分

【用法】上锉。水煎熟，空心热服。

【主治】血虚臌胀，腹胀形黑，时或见血，脉涩重似弱。

【加减】若产后血虚腹胀，去芩、连，加人参。

百消丸

【来源】《寿世保元》卷二。

【组成】黑丑（头末）二两　香附（米炒）　五灵脂各一两

【用法】上为细末，醋糊为丸，如绿豆大。每服二三十丸，或五六十丸，食后生姜汤送下。

【功用】消酒，消食，消痰，消气，消水，消痞，消肿，消胀，消积，消痛，消块。

化蛊丸

【来源】《寿世保元》卷三。

【组成】三棱（煨）　莪术（煨）　干漆（炒尽烟）　硇砂　虻虫（糯米炒）　水蛭（石灰炒）　琥珀　肉桂　牛膝（去芦，酒炒）　大黄各等分

【用法】上为末，用生地黄自然汁和米醋调匀为丸，如梧桐子大。每服十丸，空心温酒送下；童便亦可。

【主治】血蛊，腹如盆胀，积聚痞块。

石干散

【来源】《寿世保元》卷三。

【组成】石干一钱　黑丑一钱（头末）　沉香五分　木香五分　槟榔一钱　葶苈八分　琥珀五分　海金沙一钱

【用法】上为细末。先服五皮散一二帖，然后服此末药，实者一钱，虚者九分，空心葱白汤送下。隔一日一服，轻者二帖，重者不过三帖。全愈后，服健脾养胃之药。

【主治】《寿世保元》：蛊胀。

【宜忌】忌盐、荤腥二七天。

沉香快脾丸

【来源】《寿世保元》卷三。

【组成】青皮四钱　陈皮四钱　三棱（煨）四钱　莪术（煨）四钱　苍术（米泔浸，炒）四钱　白术（去芦）四钱　白茯苓四钱　砂仁四钱　草果仁四钱　木香四钱　沉香二钱　丁香二钱　藿香四钱　良姜四钱　大腹皮（洗）四钱　肉桂四钱　连翘四钱　商陆（白的）四钱　黑丑（头末）四钱　僵蚕三钱　神曲四钱　麦芽四钱　益智仁四钱　雄附子五钱（看病虚实，实者不用）

【用法】上为末，面糊为丸，如梧桐子大。先服木香流气饮，再与金不换木香丸同服。每服三四十丸，第一五更葱白汤下；第二五更陈皮汤下；第三五更桑白皮汤下。

【主治】蛊症脉沉细者。

金不换木香丸

【来源】《寿世保元》卷三。

【组成】大戟五钱　芫花（炒）五钱　甘遂五钱　黑丑头末二钱　生大黄五钱　青皮五钱　陈皮五钱　南木香五钱　青木香五钱　胡椒一钱（病合倍用）　川椒（去白）五钱　槟榔五钱　益智仁五钱　射干五钱　桑白皮五钱　苦葶苈五钱（炒）　大腹皮五钱　泽泻五钱　木通（去皮）五钱　连翘五钱　砂仁五钱　巴豆（去壳，半生半熟）

五钱

【用法】上为末，醋煮面糊为丸，如梧桐子大。每服五十丸，壮盛人加七八十丸，第一消头面肿，五更初用葱白酒送下；第二消中膈胸腹肿，五更初用陈皮汤送下；第三消脐以下脚肿，五更初用桑白皮汤送下。

【主治】蛊胀。

【宜忌】忌一切生冷毒物，油盐酱醋，鱼酢鹅鸭及房事等。

千金封脐膏

【来源】《寿世保元》卷四。

【组成】天门冬　生地黄　熟地黄　木鳖子　大附子　蛇床子　麦门冬　紫梢花　杏仁　远志　牛膝　肉苁蓉　官桂　肉豆蔻　菟丝子　虎骨　鹿茸各二钱

【用法】上为末，入油一斤四两，文武火熬黑色，去滓，澄清，入黄丹半斤，水飞过松香四两熬，用槐柳条搅，滴水不散为度。再下硫黄、雄黄、朱砂、赤石脂、龙骨各三钱，为末入内。除此不用见火，将药微冷定，再下腽肭脐一副、阿芙蓉、蟾酥各三钱，麝香一钱，不见火，阳起石、沉木香各三钱，俱不见火。上为细末，入内，待药冷，下黄蜡六钱，贮瓷器盛之，封口，放水中，浸三日，去火毒，取出摊缎子上，或红绢上亦可。贴之六十日，方无力，再换。

【功用】存精固漏，活血通脉，壮阳助气，返老还童。

【主治】男子下元虚冷，小肠疝气，痞疾，单腹胀满，并一切腰腿骨节疼痛，半身不遂，妇人子宫久冷，赤白带下，久不坐胎。

柿灵丹

【来源】《杂病广要》引《寿世仙丹》。

【组成】黑牵牛六钱（三钱炒，三钱生）　大黄六钱　广木香六钱　阿魏（瓦焙）　丁香　槟榔各二钱四分　香附（生用）四钱

【用法】上为极细末，每用柿饼七个，每个开孔，入药末三分半，仍以柿饼合口，放老米饭上蒸过，慢火瓦上焙干。每服一饼，早、午、晚各嚼食一枚，能饮，烧酒送下；不能饮，白滚汤下。数日即消。

【主治】十种蛊胀。

【宜忌】忌盐、醋百日。

莪术溃坚汤

【来源】《济阳纲目》卷三十九。

【组成】莪术　红花　升麻　吴茱萸各二分　生甘草　柴胡　泽泻　神曲　青皮　陈皮各三分　黄芩　厚朴（生用）　黄连　益智仁　草豆蔻仁　半夏　当归各三分

【用法】上锉，如麻豆大。水二大盏，煎至一盏，稍热服。二服之后，中满减半，有积不消，再服半夏厚朴汤。

【主治】中满腹胀，内有积聚，坚硬如石，其形如盘，令人不能坐卧，大小便涩滞，上喘气促，面色萎黄，通身虚肿。

【宜忌】忌酒面。

【加减】渴，加葛根四分。

利水益元散

【来源】《简明医彀》卷三。

【组成】茯苓　白术　人参　猪苓　泽泻各半两　滑石（水飞）六两　甘草三钱

【用法】上为末。每服三钱，食远，灯心汤调下。

【主治】湿热蛊证，二便不利，正气亏虚。

经验桃奴丸

【来源】《简明医彀》卷三。

【组成】桃奴（冬月树上小干桃）　猳鼠粪（雄鼠也，两头尖者是）　玄胡索　香附子　肉桂　五灵脂　桃仁（去皮尖，捣如泥）　砂仁各等分

【用法】上为末，水泛为丸，如绿豆大。每服三钱，空心温酒送下。

【主治】血蛊，腹上有血丝；妇女月经不通，腹中有块胀痛；男子坠马跌仆，瘀血留积胀痛。

遇仙丹

【来源】《虺后方》。

【组成】茵陈　槟榔　牙皂　三棱　莪术　枳壳　广木香各五钱　萝卜子一两　牵牛（头末，半生半熟）四两

【用法】大皂角煎水，打面糊为丸。每服三钱，茶送下。如血蛊，先服红花、桃仁、三棱、莪术、桂枝、芒消、大黄、甘草各等分，水煎服，后服此丸。

【主治】蛊症并气膈胀、食积。

二丑夺命丹

【来源】《丹台玉案》卷五。

【组成】木通　香附（醋炒）　大黄　草果（炒）　芫花　槟榔　泽泻（去毛）　红芽大戟　小牙皂　甘遂各一两　黑丑（炒）　白丑（生用）各五钱　雷丸三钱

【用法】上为末，以白酒浆同老米打糊为丸。每服二钱，白酒送下。泻三四次。第二日服补脾丸药，第三日又服一钱五分。看行下何物，如血蛊血下，气蛊屁多，水蛊水多，食蛊粪多。服此药，如胀肿不消，以陈臂土煎水服之，即消散矣。

【主治】气蛊、血蛊，大小便不通，面足浮肿，肚大青筋，痰喘气急，饮食不进。

【宜忌】忌盐、酱、发物、荤腥、房劳百日之外。

五子十皮汤

【来源】《丹台玉案》卷五。

【组成】茯苓皮　草果皮　牡丹皮　生姜皮　大腹皮　地骨皮　木瓜皮　木通皮　五加皮各一钱　甘草皮五分　大腹子　车前子　葶苈子　紫苏子　菟丝子各一钱二分

【用法】加灯心三十茎，水煎，空心服。

【主治】一切蛊胀，气虚中满，单腹胀。

破血散聚汤

【来源】《丹台玉案》卷五。

【组成】桃仁　红花　归尾　牛膝各一钱　三棱　蓬术各二钱　苏木　木通　官桂　青皮　穿山甲各八分

【用法】酒煎，空心服。

【主治】血臌肿胀，坚硬如石，朝宽暮急，脐凸发喘。

换金丹

【来源】《丹台玉案》卷五。

【组成】广木香　青皮（醋炒）　芦荟　肉豆蔻（面包煨）　麦芽（炒）　神曲（炒）　山楂肉　千金子（去壳、油）各三两　白术（土炒）　黄连各二两　槟榔一两　沉香七钱

【用法】黑蝉七只，洗净入雄猪肚内，扎口，煮半熟，取出去蝉骨与肠，再同煎极烂，和前药捣为丸。每服五分，白滚汤送下，加至一钱止；如上膈胀，白豆蔻汤送下；下膈胀，砂仁汤送下，此丸服后，要合参苓白术散间服。

【主治】一切鼓胀。

葫芦酒

【来源】《丹台玉案》卷五。

【组成】苦葫芦一个

【用法】上去蒂如盖，内盛老煮酒，以原蒂盖上，隔水炖滚。乘热饮酒。吐利后即愈。

【主治】单腹胀初起。

尊重丸

【来源】《丹台玉案》卷五。

【组成】沉香　丁香　人参　槟榔　广木香　青皮　陈皮　枳壳　白芷　车前子　苦葶苈　木通　赤茯苓　胡椒　海金沙　全蝎尾　白豆蔻　滑石各三钱　萝卜子八钱　郁李仁一两五钱

【用法】上为末，姜汁打糊为丸。每服二钱，空心白滚汤送下。

【主治】一切肿胀，小便涩，大便闭，并单腹胀。

鸡金散

【来源】《医宗必读》卷七。

【组成】鸡内金一具（焙）　真沉香二钱　砂仁三钱　陈香橼（去白）五钱

【用法】上为末。每用一钱五分，生姜汤送下，虚者人参汤送下。

【主治】

1.《医宗必读》：水肿胀满。

2.《仙拈集》：鼓胀。

3.《青囊秘传》：小儿疳积，湿臌阴胜之病。

【宜忌】《青囊秘传》：虚火者忌服。

红花桃仁汤

【来源】《症因脉治》卷二。

【组成】红花　桃仁　丹皮　楂肉　赤芍药　泽兰　归尾　红曲

【主治】外感内伤吐血，血紫成块，胸痛；上焦蓄血，血膨腹胀不减，紫筋血缕在上者。

【加减】大便结，加酒煮大黄；血膨胸痛，加郁金，甚加韭汁；血膨胁痛，加青皮，甚加枳壳。

调中健脾丸

【来源】《证治宝鉴》卷七。

【组成】五加皮　人参　黄耆　苍术　茯苓　陈皮　半夏　香附　楂肉　苡仁　吴萸　白芍　黄连　莱菔子　草蔻仁　大腹绒　泽泻　苏子　沉香　瓜蒌　川椒

【用法】荷叶煎汤，打黄米粉为丸。每服百丸，汤送下。

【主治】单腹胀。

大红丸

【来源】《医林绳墨大全》卷七。

【别名】血竭丹。

【组成】真血竭一两　乳香一两　朱砂五钱（要箭头上好者）　巴豆仁四钱（如枯者加一钱）

【用法】上为极细末，碾至自润成块，如卵色一样，以瓷罐或瓷盒盛之。临用时，看人大小虚实而用，小儿丸如麻子大，大人丸如米粒大，均每用三粒，温开水送下。不用热水，热水即作痛，倘积重多年者，上午先食生、熟使君子各三个，下午再服本丸。晚间不可饮食。可置净桶，看其泻下大便，如红药未出，则为积尚未出，饮温酒一杯催之，其药与积自然一同下来。如泻不止，以温粥止之。

【主治】血块、血蛊，大人小儿一切积痞。

【宜忌】七日内忌食油、盐。

决流汤

【来源】《傅青主男女科》。

【组成】黑丑二钱　甘遂二钱　肉桂一两　车前子一两

【用法】水煎服。一剂而水流斗余，二剂而痊愈，断不可与三剂。二剂之后，须用五苓散调理二剂，再以六君子汤补脾。

【主治】水臌，满身皆肿，按之如泥。

【宜忌】忌食盐三月，犯之则不救。

【方论】牵牛、甘遂，最善利水，又加之肉桂、车前子，引水以入膀胱，利水而不走气，不使牛、遂之过猛也。

逐瘀汤

【来源】《傅青主男女科·男科》卷上。

【组成】水蛭（炒黄，为末）　雷丸　红花　枳壳　白芍　牛膝各三钱　当归二两　桃仁四十粒

【用法】水煎服。服一剂血尽者，可改服四物汤调理，于补血内加白术、茯苓、人参，补元气而利水。

【主治】或因跌闪而瘀血不散，或郁忧而结血不行，或风邪而蓄血不散，留在腹中致成血臌，腹胀如臌，而四肢手足并无臌意。

回春健脾丹

【来源】《石室秘录》卷一。

【组成】人参一钱　茯苓五钱　薏仁一两　山药四钱　陈皮五分　白芥子一钱

【用法】水煎服。

【主治】臌胀，人弱极。

【宜忌】忌食盐者一月，犯则无生机矣。

健脾分水汤

【来源】《石室秘录》卷一。

【组成】人参一钱　茯苓三钱　薏仁九钱　山药五

钱　芡实九钱　陈皮五分　白芥子一钱

【用法】水煎服。

泻水方：甘遂三钱，牵牛三钱，水三碗，煎半碗服之，则泻水一桶。泻极后用本方。

【主治】臌胀，用泻水药泻极后。

【宜忌】忌盐一月。

消臌至神汤

【来源】《石室秘录》卷一。

【别名】八宝串（《串雅内编》卷三）。

【组成】茯苓一两　人参七钱　雷丸三钱　甘草二钱　萝卜子七钱　白术五钱　大黄六钱　附子一钱

【用法】水十碗，煎汤二碗，早服一碗，必然腹内雷鸣，少顷必下恶物满桶，即拿出倾去，再换桶，即以第二碗继之，又大泻大下，至黄昏而止。淡淡米饮汤饮之，不再泻。

【主治】气臌血臌，食臌虫臌，经年而不死者。

消气散

【来源】《石室秘录》卷六。

【组成】白术一两　薏仁一两　茯苓一两　人参一钱　甘草一分　枳壳五分　山药五钱　肉桂一分　车前子一钱　萝卜子一钱　神曲一钱

【用法】水煎服。日服一剂，初服觉有微碍，久则日觉有效，十剂便觉气渐舒，二十剂而全消，三十剂而全愈。

【功用】健脾行气利水。

【主治】气臌。乃气虚作肿，似水臌而非水臌也。其症一如水臌之状，但按之皮肉不如泥耳。必先从脚面肿起，后渐渐肿至上身，甚则头面皆肿者。

【宜忌】必禁食盐三月，后可渐渐少用矣。即秋石亦不可用，必须三月后可用之。

消瘀荡秽汤

【来源】《石室秘录》卷六。

【组成】水蛭（炒黑，净末）三钱　当归二两　雷丸三钱　红花三钱　枳实三钱　白芍三钱　牛膝三钱　桃仁四十粒（去皮，捣碎）

【用法】水煎服。

【主治】血臌。

冬瓜汤

【来源】《辨证录》卷五。

【组成】冬瓜一个（煎水十碗）　白术三两　车前子五钱　肉桂二钱

【用法】上药用冬瓜水煎汤二碗，先用一碗，少顷又一碗。其水从大便而出。

【主治】臌胀。

百合消胀汤

【来源】《辨证录》卷五。

【组成】白术　芡实各一两　茯苓　百合各五钱　山药一两　肉桂二钱　人参三钱

【用法】水煎服。

【主治】肺、脾、肾三经之虚，导致胃中积水浸淫，遍走于经络皮肤，气喘作胀，腹肿，小便不利，大便亦溏，一身俱肿。

泄水至神汤

【来源】《辨证录》卷五。

【组成】大麦须二两　茯苓一两　白术二两　小赤豆三钱

【用法】水煎服。

【功用】急泄其水。

【主治】臌胀。下身胀而上身未胀，正初起之病。

【方论】方中白术、茯苓健脾胃之土，又能通脾胃之气。则土之郁可解，土郁既解，力足以制水矣，况大麦须能消无形之水，赤小豆能泄有形之湿，合而相济，自能化水，直出于膀胱，由尾闾之间尽泻而出也。

逐秽消胀汤

【来源】《辨证录》卷五。

【组成】白术一两　雷丸三钱　白薇三钱　甘草一钱　人参三钱　大黄一两　当归一两　丹皮五钱　莱菔子一两　红花三钱

【用法】水煎服。一剂腹内必作雷鸣，少顷下恶物满桶，如血如脓，或有头无足之虫，或色紫色黑之状。又服一剂，大泻大下，而恶物无留矣。然后以人参一钱，茯苓五钱，薏仁一两，山药二两，白芥子一钱，陈皮五分，白术二钱，调理而安。

【主治】虫臌，血臌。虫结于血之中，面色淡黄之中有红点或红纹，单腹胀满，未饮食而腹痛，既饮食而不痛，四肢手足不浮肿，小便利而胃口开，经数年不死，非水臌者。

【宜忌】忌盐一月。虫血之臌，若胃弱者，虽本方补多于攻，亦未可轻用。

【方论】前方用攻于补之中，虽不至大伤脏腑，然大泻大下，毕竟元气少损，故秽尽之后，即以参、苓、薏、药之类继之，则脾气坚固，不愁亡阴之祸也。

健肾汤

【来源】《辨证录》卷五。

【组成】熟地　茯苓各二两　麦冬　莲子（连心用）各五钱　芡实　山药各一两

【用法】水煎服。

【主治】肾水之衰，手足尽胀，腹肿如臌，面目亦浮，皮肤流水，手按之不如泥，但陷下成孔，手起而胀满如故，饮食知味，大便不溏泻，小便闭涩，气喘不能卧倒。

消胀丹

【来源】《辨证录》卷五。

【组成】白术三钱　茯苓一两　麦冬五钱　熟地五钱　山药一两　芡实五钱　苏子一钱

【用法】水煎服。一剂而喘少定，二剂而胀渐消，十剂而小便利，二十剂而一身之肿无不尽愈也。

【主治】肺、脾、肾三经之虚，气喘作胀，腹肿，小便不利，大便亦溏，渐渐一身俱肿。

【方论】方中白术、茯苓以健其脾土，麦冬、苏子以益其肺金，熟地、山药、芡实以滋其肾水，自然脾气旺而不至健运之失职，肺气旺而不至治节之不行，肾气旺而不至关门之不开，水自从膀胱之府而尽出于小肠矣，安得而再胀哉！

雷逐丹

【来源】《辨证录》卷五。

【组成】雷丸三钱　当归　白芍各五钱　红花一两　雄黄　厚朴　槟榔各二钱　枳实　甘草各一钱

【用法】水煎服。一剂下恶秽一桶愈。

【主治】臌胀。虫结于血中，似臌而非臌，单腹胀满，四肢手足不浮肿，经数年不死者。

加生化肾汤

【来源】《辨证录》卷九。

【组成】熟地四两　生地二两　肉桂三分

【用法】水煎服。

【主治】阴亏之至，小便不通，目睛突出，腹胀如鼓，膝以上坚硬，皮肤欲裂，饮食不下，口不渴者。

人参白术汤

【来源】《冯氏锦囊杂症》卷十四。

【组成】人参三钱五分　白术二钱　茯苓二钱　槟榔二钱　黄耆二钱　当归二钱　生地二钱

【用法】水煎，食前服。

【主治】水肿臌胀。

十皮五子饮

【来源】《冯氏锦囊秘录》卷十四。

【组成】茯苓皮　草果皮　牡丹皮　地骨皮　五加皮　大腹皮　甘草皮　菟丝子　大腹子　车前子　生姜皮　木通皮　木瓜皮　紫苏子　葶苈子各一钱五分

【用法】水煎服。如要断根者，将十五味药等分为细末，用未下水之雄猪肝一个，先将温水煮一滚，取出，用竹尖钻孔数个，入药在内，蒸熟切片，捣蒜蘸食之。不过一二个，永不发也。

【主治】一切鼓肿胀，并气虚中满，单腹胀。

琥珀人参丸

【来源】《张氏医通》卷十三。

【组成】人参　五灵脂各一两　玻珀　肉桂　附子（生）各五钱　赤茯苓　川芎　沉香　穿山甲（煅）各三钱
【用法】上为末，浓煎苏木汁为丸。每服二钱，早、暮温酒送下。
【主治】血蛊。

补脾饮

【来源】《医部全录》卷四四〇引《幼幼近编》。
【组成】人参　白术　半夏曲　萝卜子　茯苓　砂仁　木香　陈皮　苍术　神曲　车前子　大腹皮
【主治】脾虚，肚腹膨胀，四肢面目浮肿。

大温中丸

【来源】《重订通俗伤寒论》。
【组成】制苍术二两　炒山楂一两半　川朴　广皮　青皮　云苓　炒白术　醋炒针砂各一两　生甘草梢二钱
【用法】六神曲糊为丸。每服二三钱。

《饲鹤亭集方》本方用法：炼蜜为丸，瘦人米饮送下，肥人白术汤送下。
【主治】

1.《重订通俗伤寒论》：黄胖水臌，腹膨肿满。

2.《饲鹤亭集方》：脾虚生湿，湿郁为热，腹膨肿满，黄肿水臌，气化不行，饮食衰少。

五胀分消丸

【来源】《重订通俗伤寒论》。
【组成】萝卜子四两　巴豆肉十六粒（拌炒去油）　炙牙皂两半　枳壳四两（烧酒煮干，切片，炒）　生川军一两（醋、酒同炒）　琥珀末一两　紫降香五钱　蝼蛄十只（去足翅上截，酒炒）
【用法】上药各为细末，再研极匀，水法丸，如芥菜子大，用景岳十香丸半料为衣。每服五分，空心吞下，日二夜一。
【主治】食、痰、水、血、虫胀。

败鼓皮丸

【来源】《重订通俗伤寒论》。
【组成】破旧铜鼓皮一张（切碎，河砂拌炒松脆，研末）
【用法】上以陈烧酒和糯米粉糊丸。每服一钱，陈酒送下。
【主治】湿滞肿满，峻逐日久，伤残脾阳，更损肾阳之水臌，腹大如箕，手足反瘦，逐渐坚胀，按之如鼓，旦食不能暮食，腰痠足软，溺色淡黄而少，甚至小便癃闭。

神效虎肚丸

【来源】《重订通俗伤寒论》。
【组成】虎肚一具　川朴片十五两　大戟四两　杜酥五钱
【用法】烧酒米糊为丸，金箔为衣。每服三四钱。
【主治】命门火衰，脾胃虚寒，不能克化水饮，致成寒水膨胀者。

消胀万应汤

【来源】《重订通俗伤寒论》。
【组成】地骷髅三钱　大腹皮二钱　真川朴一钱　莱菔子二钱（拌炒）　青砂仁五分　六神曲一钱半　陈香橼皮八分　鸡内金两张　人中白（煅透）五分　灯心五小帚
【用法】以此方送下消臌万应丹。
【功用】消滞除胀。
【主治】黄疸变膨，气喘胸闷，脘痛翻胃，痞胀结热，伤力黄肿，噤口痢。

消痞金蟾丸

【来源】《重订通俗伤寒论》。
【组成】大癞虾蟆十只（将砂仁填满其腹，以线系其脚，倒挂当风处，阴干，炙脆为末）　山楂　枳实　广皮　槟榔　胡连　雷丸　使君子肉（炒香）　麦芽各一两　党参　於术各五钱
【用法】上为细末，为丸如米粒大，炙甘草粉为衣。每服十丸至十五丸，五更空心时糖汤送下。

【主治】小儿蛊胀。

消臌万应丹

【来源】《重订通俗伤寒论》。

【组成】煅透人中白一两　地骷髅　莱菔子　六神曲各五钱　砂仁二钱（以上俱炒）　陈香橼一个

【用法】上为细末，炼蜜为丸。每服五七丸，灯心汤送下。

【主治】黄疸变臌，气喘胸闷，脘痛翻胃，痞胀结热，伤力黄肿，噤口痢。

沉香百消丸

【来源】《良朋汇集》卷一。

【别名】三仙丹（原书卷二）、百消丸（《经验广集》卷一）、沉香百消曲（《感证辑要》卷四）。

【组成】香附米（醋炒）　五灵脂（拣去砂石，酒拌，晒干）各半斤　黑丑　白丑各一斤　沉香五钱

【用法】上为末，醋糊为丸，如绿豆大。每服三十五丸或钱许，食后姜汤送下；或茶清亦可。

【功用】

1.《全国中药成药处方集》（沈阳方）：消癥化积，消食，顺气解酒，行水消痞，除胀止痛。

2.《全国中药成药处方集》（福州方）：宽胸开膈，调胃运脾。

【主治】

1.《良朋汇集》：一切积聚痞块。

2.《全国中药成药处方集》：癖积成块，癥积攻痛，久成膨胀，腹大坚硬及饮食过量，消化不良，呕吐嘈杂，胸膈胀满，酒寒积聚。

【宜忌】如孕妇泄泻、久病者勿服；忌人参。

七转丹

【来源】《良朋汇集》卷二。

【组成】木香　槟榔　大黄　使君子　锡灰　白豆蔻　雷丸各等分

【用法】水二钟，连须葱白五根，煎八分，夏、秋、春天露一宿，次日五鼓重汤煮热温服；冬月煎出温服。

【主治】水蛊膨胀，五膈噎食，心腹胀满，五积六聚。

绵大戟散

【来源】《良朋汇集》卷二。

【组成】绵大戟三钱　广木香一钱

【用法】上为末，作一服。蜜五钱，水调服。

【主治】水蛊，气蛊。

【宜忌】忌盐百日。

蒜西瓜方

【来源】方出《良朋汇集》卷二，名见《仙拈集》卷一。

【组成】西瓜一个

【用法】切去顶，如满瓤，挖去瓤三成，入蒜瓣以满为度，将原顶盖之，放在新砂锅内，又著新锅合上，用煤火蒸熟。瓜蒜汤尽食之。三日之内尽消，屡验，救活人多矣。

【主治】蛊胀。

【宜忌】不忌盐、酱。

雷音丸

【来源】《良朋汇集》卷二。

【组成】干姜（炒）　巴豆皮各等分

【用法】上为细末，面糊为丸，如绿豆大，百草霜为衣。每服五十丸，滚白水送下。

【功用】散气消满。

【主治】腹大如鼓，已下几次不愈者。

万宝丹

【来源】《灵药秘方》卷下。

【组成】水银　密陀僧　白矾　食盐（炒）　火消各一两　明雄黄五钱　朱砂五钱　滁州青瓷器（打碎研细）二两

【用法】先将水银、瓷末共研不见星，次下陀僧再研，再下矾、盐、消、雄、砂共研匀，入阳城罐内封口，升三炷香，取出灵药。二转加法，取前灵药，又加水银一两，研不见星，又下火消、盐、

矾各一两，明雄、朱砂各五钱，研匀听用，再取出山铅四两，打薄剪碎，放阳城罐底上，再放药末在上，封固，打三炷香，取灵药配后药用。配药法：每前药一钱，用牛黄、狗宝各五分，珍珠、琥珀、直僵蚕（糯米炒）、全蝎（酒洗，去头足，糯米炒）、沉香、川贝母、硼砂、朱砂、雄黄、元明粉、木香、川连、吴茱萸（煮）、川芎、白芥子、萝卜子，以上各一钱，巴豆仁（甘草水煮，去油）五分，麝香三分，牙皂八分（炒），金银箔各三十张，五倍子一个，打一孔，入大黄末填满塞紧，入多年瓦便壶内封口，火煅候冷，取五倍子、大黄为末，与前诸药和匀，用小竹刮青煎汁，打糊为丸，萝卜子大，朱砂为衣。初服三分五厘，用雄鼠粪煎汤送下；以后只用竹青煎汤，微加姜汁服。

【主治】膨胀隔气。

调荣散

【来源】《顾松园医镜》卷九。

【组成】丹参二三钱　桃仁二三钱　赤芍钱许　刘寄奴二三钱　玄胡索钱许　泽兰二三钱　莪术钱许

【主治】瘀血肿胀，或单腹胀大，不恶食，小便赤，大便黑。

【加减】热，加连翘、黄芩，或再加童便；如欲行瘀，量加制大黄，或参用大黄䗪虫丸。

【方论】方中丹参活血，桃仁、赤芍破血，刘寄奴破血下胀，玄胡索活血化气，泽兰行血化水，莪术破气中之血。

谷精丸

【来源】方出《奇方类编》卷上，名见《仙拈集》卷一。

【组成】五谷虫（洗净，炒黄色）

【用法】上为末，用黄米饭为丸。白滚水送下。

【主治】气臌。

神消散

【来源】方出《奇方类编》卷上，名见《仙拈集》卷一。

【组成】莱菔子四两（用巴豆十六粒同炒）　牙皂一两五钱（煨，去核）　沉香五钱　枳壳（炒）四两（烧酒煮，切片）　大黄一两（酒炒）　琥珀一两

【用法】上为细末。每服一钱，鸡叫时热酒送下，姜皮汤亦可。后服金匮肾气丸收功。

【主治】五种鼓胀。

健脾汤

【来源】《胎产秘书》卷上。

【组成】人参　白术　当归　茯苓　白芍　神曲各一钱　川芎七分　陈皮　炙甘草　砂仁各五分　腹皮五分

【主治】妇人产后臌胀，误用消导药。

【加减】伤食，加麦芽五分；伤冷物腹大痛，加吴茱萸一钱。

五皮散

【来源】《灵验良方汇编》卷一。

【组成】茯苓皮　地骨皮　陈皮　大腹皮（洗净）　青皮　槟榔　泽泻　姜黄　猪苓各等分

【用法】上为细末。每服二钱，临卧白滚汤调下。

【主治】诸水蛊。

误耗益气汤

【来源】《灵验良方汇编》卷下。

【组成】人参二钱（虚人四钱）　白术二钱　茯苓一钱半　川芎　大腹皮各八分　当归三钱　陈皮　厚朴各四分　木通　苏梗　莱菔子各五分　木香（磨）二分

【主治】中气不足微满，或受气作饱，二症误服耗药，致成臌胀者。

养生化滞汤

【来源】《胎产心法》卷下。

【组成】人参　茯苓　川芎　白芍（炒）各一钱　当归四钱　桃仁十粒（去皮尖）　肉苁蓉一钱五分（酒洗去泥甲）　大腹皮五分（黑豆水制净）　陈皮

四分　制香附　炙草各三分

【用法】水煎服。

【主治】产后大便不通，误服大黄等药，致成鼓胀。

【加减】如胀甚，再加人参二三钱；误用大黄多者，服参、归至半斤以上，大便方通，肿胀渐退。

扁鹊玉壶丸

【来源】《绛雪园古方选注》卷中。

【组成】硫黄八两

【用法】凡硫黄八两，配真麻油八两，将硫黄打碎，入冷油内炖炉上，炭火宜微勿烈，以桑条徐调，候硫溶尽即倾入大水缸内，急撹去上面油水，其色如金，取缸底净硫秤见若干两，仍配香麻油若干两，照前火候再溶、再倾，连前共三转；第四转用真棉花核油，配硫若干两，照前火候再溶，再倾入大水内，急撹去上面油水，其色如绛；第五转，用肥皂四两，水中同煮六时；第六转用皂荚四两，水中同煮六时，拔净制硫之油，撹去其水，其色如硫火之紫；第七转用炉中炭灰，淋碱水制六时；第八转用水豆腐制六时，拔净皂碱之性；第九转用田字草捣汁（田字草出水稻田中，其叶如田字，八九月采），和水制六时；临用研如飞面，凡净硫一两，配炒糯米粉二两，或水法或湿捣为丸。每服以硫三分为准，渐加至一钱，温开水送下。

【功用】《中药成方配本》：补火扶阳。

【主治】阴寒恶疾，命门火衰，阳气暴绝，寒水膨胀。

和中丸

【来源】《医学心悟》卷三。

【组成】白术（陈土炒）四两　扁豆（炒）三两　茯苓一两五钱　枳实（面炒）二两　陈皮三两神曲（炒黑）　麦芽（炒）　山楂（炒）　香附（姜汁炒）各二两　砂仁一两五钱　半夏（姜汁炒）一两　丹参（酒蒸）二两　五谷虫（酒拌，炒焦黄色）三两

【用法】荷叶一枚，煎水迭为丸。每服二钱，上午、下午开水送下，每日二次。

【功用】《笔花医镜》：消痞。

【主治】

1.《医学心悟》：鼓胀。

2.《笔花医镜》：腹胀食积，疟后痰结，或血裹肝气，伏于胁下，时痛时止，而成痞积。

【加减】若寒气盛，加干姜、吴萸、肉桂；若湿热盛，加黄连、连翘；若大便闭结，先用三黄枳术丸下之，随用本方渐磨之；若兼瘀血，加厚朴、赤芍；若脾气虚弱，用六君子汤吞服此丸，或以补中益气汤送下。

千金散

【来源】《惠直堂方》卷二。

【组成】千金子（取白仁，去油）约一两　枳实（炒）　青皮（炒）　陈皮　香附　山楂肉　木香　砂仁　云术（土炒）各五钱　沉香三钱

【用法】九味为末，称五分，加千金子霜八分，入生蜜调丸。五更尽，用淡姜汤调下。天明利三四次，不甚泻，每日一服，连服七日为止。如人虚，两日一服，病浅者三五服能愈。愈后除千金子外，九味末，以陈米糊为丸，每服一钱，空肚清汤送下。

【主治】一切膨胀。

【宜忌】忌生冷、牛、羊、猪、鹅、油腻、煎炒、糟、面、盐、醋等物两个月，终身忌团鱼、河豚、骡马、母猪、牛肉、王瓜、南瓜、荞麦，犯之立复。

五臌点眼方

【来源】《惠直堂方》卷二。

【组成】麝香一钱　珍珠一钱

【用法】胎粪初胎者，收贮瓷瓶内，以泥封口，埋土中三七日，共研匀，取贮小瓷瓶内。常置暖处，不可令坏，临用时男左女右，点大眼角。一次眼有泪，鼻有涕；二次胸作响；三次小便利下黄黑水。如收敛还元，以老米饭锅焦汤服之，五六日收功矣。

【主治】脐翻，眼突无纹，六脉沉伏。

槟榔散

【来源】《不居集》下集卷十二。

【组成】槟榔一两（切小块） 砂仁 白蔻仁 丁香各一两 橘皮 生姜各半斤 盐一两

【用法】用河水二碗浸一宿，次日用慢火焙干，为末收贮。每服用一撮，细嚼酒下；或开水调下亦可。

【主治】酒食过度，胸膈臌胀，口吐清水，一切积聚。

红枣丸

【来源】《外科全生集》卷四。

【组成】大红枣子四两（去皮核）

【用法】先煮红枣三滚，以枣汤洗净僵蚕，晒干为末二两，二味打和为丸。用红枣汤送下。

【主治】疮臌。

五子五皮饮

【来源】《医略六书》卷二十。

【组成】苏子三钱（炒） 葶苈二钱（甜） 桑皮钱半 腹绒钱半 菔子三钱 车前三钱 陈皮钱半 地肤子三钱（炒） 苓皮三钱 姜皮钱半

【用法】水煎，去滓温服。

【主治】喘胀浮肿，脉滑实者。

【方论】痰气内壅，湿热外溢而肺胃气逆，故喘胀不眠，肤肿面浮焉。葶苈泻湿热以定喘，苏子降痰逆以散气，桑皮清肺肃金，腹绒泄滞宽胀，菔子消痰食；陈皮利中气，车前子利水以清热，地肤子利水以益阴，苓皮渗皮肤之湿热，姜皮散皮肤之浮肿。使滞散气行，则痰消而湿热自化，何患喘胀不除，浮肿不退乎。

通瘀煎

【来源】《医略六书》卷二十三。

【组成】生蒲黄三钱 五灵脂三钱 川郁金一钱半 小枳实一钱半（炒） 白术炭一钱半 建泽泻一钱半 西赤芍一钱半 桃仁泥三钱 明琥珀三钱

【用法】水煎，去滓，温服。

【主治】血瘀成臌，脉涩滞者。

【方论】血瘀不消，脾失健运之职，不能输化精微，故浊阴窒塞而胀满有加，是为血臌。蒲黄破瘀血，通经络；灵脂破瘀血，降浊阴；桃仁破瘀润燥；赤芍破瘀泻火；枳实消胀满；术炭健脾气；郁金调气开郁结；泽泻分清阳；琥珀散瘀血，以通渗道也，使瘀化气调，则冲脉清和，而肝脾气化，窒塞顿开，何腹脉之不退哉？

厚朴散

【来源】《医宗金鉴》卷四十一。

【组成】厚朴 槟榔 木香 枳壳 青皮 陈皮 甘遂 大戟

【主治】单腹鼓胀、肠覃属气实者。

人参归芎汤

【来源】《医碥》卷六。

【组成】人参 辣桂（去粗皮） 五灵脂（炒）各二钱五分 乌药 蓬术 木香 砂仁 炙甘草各半两 川芎 当归 半夏（汤泡）各七钱五分

【用法】上锉。每服一两五钱，加生姜五片，红枣二枚，紫苏四叶，水煎，空心服。

【主治】血胀。烦躁，漱水不咽，迷忘如痴，痛闷喘急，大便黑，小便利，虚汗，厥逆。

益气丸

【来源】《活人方》卷四。

【组成】人参一两 泽泻五钱 丹皮五钱 沉香三钱 椒红三钱 附子一钱五分 肉桂一钱五分

【用法】炼蜜为丸。每服三五钱，黎明空心白滚汤送下。

【主治】臌胀。

【方论】人参益三焦元气为君，泽泻、丹皮清利三焦相火为臣，沉香、椒红化中宫凝浊之气，附子、肉桂补命门真阳之火。

桂枝姜砂汤

【来源】《四圣心源》卷五。

【组成】茯苓三钱 泽泻三钱 桂枝三钱 芍药三钱 甘草三钱（炙） 砂仁一钱（炒，研） 干姜三钱

【用法】水煎大半杯，入砂仁略煎，去滓，入西瓜浆一汤匙，温服。
【主治】气臌。
【加减】膀胱湿热，小便红涩者，加栀子清之。

肚脐饼

【来源】《仙拈集》卷一。
【别名】托脐饼（《经验广集》卷一）。
【组成】轻粉二钱　巴豆（去油）四钱　硫黄一钱
【用法】上为末，成饼。先以新绵一片铺脐上，以药饼当脐按之，外用绵扎紧。如人行五六里，黄水自下，待三五度去饼，以温粥补之。
【主治】水臌肿满。

三生萝卜

【来源】《仙拈集》卷一。
【组成】水萝卜一枚
【用法】周围钻七孔，入巴豆七粒，入土种之。待其结子，取子又种。待萝卜成，仍钻七孔，及巴豆七粒，再种。如此三次。至第四次开花时，连根拔起，阴干，收净磁器内。遇臌胀者，取一个捶碎，煎汤服之。重者二个即愈。
【主治】臌胀。

大蒜酒

【来源】《仙拈集》卷一引王永先方。
【组成】独头蒜
【用法】一岁一个，去皮，真窝儿白酒六七分，对水白酒二三成，量酒盖过蒜为度，蒸熟。如夏月露一宿，再温热用；冬月乘热连白酒服完。从大便出虚气，即下秽物，其肿自消，一服除根。
【主治】诸臌。

利水煎

【来源】《仙拈集》卷一。
【组成】陈皮　木通　腹皮　茯苓各一钱　车前米仁各三钱　茵陈一钱半　槟榔八分
【用法】水煎服。
【主治】臌胀，水肿。
【宜忌】忌盐，食淡。

草灵丹

【来源】《仙拈集》卷一。
【组成】黄牛粪（男用雄，女用雌，四五月取净者，阴干，微火焙黄）
【用法】上为末。每服一两，酒三碗，煎一碗，滤去粪滓，只饮酒。三服痊愈。
【主治】臌胀。

药乌鱼

【来源】《仙拈集》卷一引孙伟方。
【用法】活乌鱼一条（重七八两者）
【主治】水鼓。

砂仁散

【来源】《仙拈集》卷一。
【别名】萝卜砂仁散（《医学从众录》卷六）。
【组成】砂仁一两
【用法】捣萝卜子滤汁，浸一夜，炒干，浸晒七次，为末。每服一钱，米饮下。
【主治】气鼓。

大顺丸

【来源】《方症会要》卷二。
【组成】罗卜子　连翘各五钱　山楂肉二两　广术四钱　陈皮七钱　砂仁五钱　赤茯苓　神曲　半夏　白术各一两
【用法】老米糊为丸。每服一钱二分，小儿减半。
【主治】痰裹食积肿胀。

加减分消丸

【来源】《方症会要》卷二。
【组成】人参　萝卜子　陈皮　厚朴　猪苓　泽泻各三钱　白术　茯苓　黄连　苍术　半夏　枳实各四钱　姜黄　炙甘草　砂仁　干姜各一钱　黄

苓　山楂各五钱

【用法】水浸蒸饼为丸。每服二钱，淡姜汤送下。

【主治】中满气胀、鼓胀、水胀。

鼓腹遇仙丹

【来源】《方症会要》卷二。

【组成】白丑头末四两（半生半炒）　白槟榔一斤　茵陈　莪术　三棱　牙皂角各五钱

【用法】上为末，醋糊为丸，如绿豆大。五更时冷茶送下三钱。行后随以温粥补之，忌食他物。

【主治】鼓胀。

【宜忌】壮实宜服，虚弱人不可轻用。

万应丹

【来源】《本草纲目拾遗》卷八引海昌方。

【组成】人中白（以露天不见粪者方佳，火煅醋淬七次）一两　神曲　白卜子　地骷髅（即土中萝卜）各五钱　砂仁二钱（以上俱炒）　陈香橼一个

【用法】上为末，炼蜜为丸，如梧桐子大。每服三五七丸，灯草汤或酒送下。

【主治】黄疸变为臌胀，气喘，翻胃，胸膈饱闷，中脘疼痛；噤口痢疾，结胸伤寒，伤力黄肿；小儿疳疾结热。

乌牛尿膏

【来源】《杂病源流犀烛》卷十四。

【组成】乌牛尿一升

【用法】微火煎如饴糖。空心服少许。当鸣转病出，隔日更服之。

【主治】腹中痃癖，致成鼓胀。

治臌香橼丸

【来源】《杂病源流犀烛》卷二十一。

【组成】陈香橼四两　去白广皮　醋三棱　醋蓬术　泽泻　茯苓各二钱　醋香附三两　麸炒菔子六两　青皮（去瓤）　净楂肉各一两

【用法】神曲糊丸。每服五六十丸，以米饮送下。

【主治】臌胀兼痧。

硫黄兜

【来源】《医级》卷八。

【组成】硫黄（水煮七次，去臭气，白色用）　巴豆霜一两（去油净）　轻粉一两

【用法】上为细末，用棉布二幅，量腹大小，做夹肚兜一个，先以棉衬之，筛药于上令匀，再绷绵盖覆，用针密行之。系腹上。

【功用】行气泄水。

【主治】膨胀。

雷音丸

【来源】《回生集》卷上。

【组成】巴豆二两（去仁不用，只用豆皮，每豆二两，可得皮三四钱，微炒黄色，万不可用豆仁一粒）　缩砂仁一两（炒）　川大黄三钱（半生半炒）　干姜三钱（炒黑）　广木香三钱（炒黑）　牙皂二个（去筋，炒）　甘遂一钱五分（以甘草水浸三日，日换一次，看水无黑色为度，然后用面包，向火煨之，面俱黄色而止）

【用法】上为细末，绢罗过，醋打面糊为丸，如绿豆大，锅底烟煤研细为衣，晒干。每服三四十丸，晨空心姜汤送下。每服可泄水二三次，日服日泻，日泻日消，大便渐实，小便渐长渐白，直服至水尽为度，但须量老少壮弱，泻之多寡，加减丸数，不可拘执。此药治病，多则一料，少则半料必愈。

【主治】水臌，酒积，食积。

【宜忌】忌盐酱一百多日。此药虽泄而不伤元气。

牛膝汤

【来源】《风劳鼓病论》卷二。

【组成】牛膝　萆薢　杜仲　防风　苁蓉　肉桂　蒺藜　菟丝子

【功用】缓肝。

秘方石韦散

【来源】《风痨臌膈》。

【组成】石韦（醋炒）二钱　杨树簟（炒）七钱　郁金二钱　木香三钱　蜗牛（烧灰）五分

麝香五厘（一方用石韦、木香二味）
【用法】上为末。每服一钱二分，以白汤调下。
【功用】利小便。
【主治】水肿，臌胀。

黄连厚朴汤

【来源】《风痨臌膈》。
【组成】黄连（酒炒）一钱　楂肉　连翘　陈皮　山栀各一钱　柴胡五分　厚朴一钱　六一散二钱半
【用法】加生姜，水煎，二更时热服。
【主治】膨胀，独肚腹团团而便坚，脉实大洪数者，乃心脾二经积热，克制金水，而肺胃清气不升，而失下润之化也。

萝卜牙皂散

【来源】《医学从众录》卷六。
【组成】萝卜子四两（用巴豆十六粒同炒）　牙皂一两五钱（煨，去弦）　沉香五钱　枳壳四两（火酒煮，切片，炒）　大黄一两（酒焙）　琥珀一两
【用法】上为末。每服一钱，随病轻重加减，鸡鸣时温酒送下，姜汤下亦可。后服金匮肾气丸调理。
【主治】五臌。

猪肚大蒜汤

【来源】《医学从众录》卷六。
【组成】雄猪肚子一个　大蒜四两　槟榔（研末）砂仁（研末）各三钱　木香二钱
【用法】砂锅内用河水煮熟。空心服猪肚。
【主治】臌胀。

葫芦糯米酒散

【来源】《医学从众录》卷六。
【别名】葫芦糯米酒饮（《寿世新编》卷下）。
【组成】陈葫芦一个（要三四年者佳）　糯米一斗
【用法】上作酒待熟，用葫芦瓢于炭火上炙热，入酒浸之，如此五六次，将瓢烧灰存性，为细末。每服三钱，酒送下。
【主治】中满臌胀。

通灵万应丹

【来源】《痧证汇要》卷一。
【组成】茅山苍术（色黑而小朱砂点者佳，米泔水浸软，切片，烘干，为末）三两　丁香（不拘公、母）六钱　明天麻（切片，焙干，为末）　雄黄（透明者，研细，水飞）　麻黄（去节，细锉，焙，为末）　朱砂（研细，水飞）各三两六钱　真蟾酥九钱（好烧酒浸化）　麝香（上好者，为末）三钱　绵纹大黄（切片，晒干，为末）六两　甘草（去皮，微炒，为末）二两四钱
【用法】上各为细末，以糯米粥浆为丸，如萝卜子大，朱砂为衣，候干，收贮瓷瓶备用。每用轻者三丸，重者七丸，纳舌下，少顷咽下；中暑、绞肠腹痛及中寒腹痛等证，先将二丸研细，吹入鼻内，或纳之舌下，少顷吞下，再灌六丸，阴阳水或凉水送下；山岚瘴气、空心触秽，感冒风寒等证，口含三丸，邪热不侵；痈疽疔毒，及蛇蝎毒蛇所伤，捣末，好酒调敷；小儿发痘不出、急慢惊风，并年老臌胀噎膈等证，灯心汤或凉水加倍调服。
【主治】中暑头眩眼黑，及绞肠腹痛，一时闭闷，不省人事，斑痧；中寒骤然腹痛，阴阳反错，睡卧不安，手足厥冷，吐泻不出，卒然难过；山岚瘴气；夏月途行，及空心触秽；感冒风寒，恶心头痛，肚腹饱胀，风疾；痈疽疔毒，及蛇蝎所伤；小儿发痘不出，及急慢惊风，痰涎壅盛，并年老臌胀，噎膈。
【宜忌】孕妇忌服。又此方不宜与玉枢丹一时并服，以甘草与红芽大戟相反。

五香串

【来源】《串雅补》卷二。
【组成】丁香一钱　广木香三钱五　沉香二钱五　降香三钱五　巴霜一钱　朱砂一钱（为衣）
【用法】上为末，神曲糊为丸。每服五分，白汤送下。
【主治】气膈臌胀。

五臌串

【来源】《串雅补》卷二。

【组成】千金子（去油）一两　甘遂三钱　葶苈子三钱　牙皂五钱　槟榔一钱
【主治】五臌十胀。

郁金丸

【来源】《串雅补》卷二。
【组成】广木香六分　大茴四钱　雄黄四两　沉香六分　郁金一两二钱　乳香　巴霜　五灵脂各一两二钱
【用法】上为末，米醋糊为丸，如梧桐子大。朱砂为衣。每服壮人七丸，弱人五丸，陈酒送下。
【主治】臌胀。

尾　串

【来源】《串雅补》卷二。
【组成】干白蝴蝶花根（为末）四钱　生白蝴蝶花根一两二钱（切如米粞状）
【用法】上用老酒并沙糖温服，送二药。下数次，即以白粥补之。此药不肯留存腹内，切碎鸾尾囫囵泻出无存。
【主治】臌胀。
【宜忌】忌盐一百二十日。

积　串

【来源】《串雅补》卷下。
【组成】黑丑（头末）　生大黄　槟榔　生甘草（各春用八分，夏用九分，秋七分，冬一钱）
【用法】上为细末。五更用井花水冷调下，后服乌药顺气汤；至重者服末药五钱。
【主治】酒臌，酒积。

万应济世救苦膏

【来源】《续回生集》卷下。
【组成】蓖麻肉（打碎）　甘遂各四两　当归三两　大黄　京三棱　淮生地　木鳖肉　川乌　莪术　草乌各二两　川羌活　白芷　红芽大戟　黄柏　江子肉　上官桂（研末，后下）　麻黄　枳壳各一两六钱　真川朴　猪牙皂　杏仁　北防风　全蝎　玄参　花粉各一两五钱　香附米　芫花　桃仁（打碎）　花槟榔　北细辛　川山甲各一两四钱　川黄连一两二钱　龙衣退一两　顶大金头蜈蚣二十条　倍子一两　陀僧八两（研末，后下）
【用法】以上用麻油十二斤，浸油五日，煎枯去滓，猛火下广丹四斤八两，再炖至不老不嫩，滴水成珠不散，收贮，埋土中三日，去火性，方可用。五劳七伤，负重伤力，筋骨疼痛，贴膏肓、肾俞；肚腹饱胀，脾胃虚寒，心胃两气，胸膈不宽，贴膻中、中脘；左瘫右痪，手足麻木，贴两肩井、曲池；脑寒痰壅，偏正头风，贴风门穴；受寒恶心，咳嗽吐痰，贴华盖、肺俞、膻中穴；寒湿脚气，鹤膝软弱，贴两三里穴；遗精白浊，精寒走泄，贴关元穴；小肠疝气，偏坠木子，贴气海穴；经水不调，子宫寒冷，赤白带下，蛊崩血漏，贴两三阴交穴；痢疾泄泻，食积痞块，贴丹田穴；四肢无力，脾虚盗汗，贴两脚眼穴；黄病蛊胀，肠风下血，贴丹田、腰眼穴；痰火咳嗽，哮喘气急，贴肺俞穴；九种气痛，胀闷恶心，贴华盖、中脘穴；男子疟疾，男左女右，贴天间使穴；浑身走气，贴章门穴；头眩头痛，贴太阴、太阳、章门穴；漏肩疼痛，贴肩井穴；腰疼背痛，贴命门穴；凡一切跌打损伤，疔疮，无名肿毒，瘰疬，顽癣及妇人害乳，俱贴患处。
【主治】五劳七伤，肚腹饱胀，心胃气痛，左瘫右痪，偏正头风，寒湿脚气，鹤膝软弱，遗精白浊，小肠疝气，经水不调，痢疾泄泻，食积痞块，黄病蛊胀，肠风下血，痰火咳嗽，头眩头痛，漏肩疼痛，腰疼背痛，跌打损伤，疔疮，瘰疬，无名肿毒，顽癣。
【宜忌】孕妇及未满周岁小孩并热症勿贴。

抽葫芦酒

【来源】《医林改错》卷下。
【组成】抽干葫芦（焙，为末）
【用法】每服三钱，黄酒调下。若葫芦大，以黄酒入内煮一时，服酒颇效。
【主治】腹大周身肿。

乌金散

【来源】《医钞类编》卷九。

【组成】鸡内金不拘多少　紫金皮三钱　五灵脂三钱

【用法】上为末。水调服。

【主治】蛊胀。

【加减】血蛊，加玄胡子三钱。

秘传蛊胀槟榔丸

【来源】《医钞类编》卷九。

【组成】贯众一两　鹤虱一两　芜荑一两　雷丸五钱　槟榔二两　香附一两　川楝肉一两　三棱（醋炒）　莪术（醋炒）各七钱　胡连五钱　白芷梢八钱　乌梅肉五钱　熟大黄一两　芒硝八钱　毕澄茄一两　法半夏一两

【用法】上为末，炼蜜为丸服。

吞丸作吐者，先用煎鸡子一块先食，随用花椒一钱为末，开水服后，用此丸吞下，即不吐。

【主治】蛊胀。

枣蚕丸

【来源】《外科证治全书》卷四。

【组成】白僵蚕　红枣各四两

【用法】先用水煮红枣一二滚，取汤洗蚕弃汤，以枣去皮核捣烂，将蚕晒干为末二两，同枣捣和为丸。每服三钱，早、中、晚仍用红枣汤送下。服完全愈。

【主治】疮鼓。患疮误用攻劫之药，致毒气入内，腹大胀满。

佛手丸

【来源】《良方集腋》卷上。

【组成】鲜白葫芦五两（去子，蒸晒九次，另研极细如飞尘）　鲜佛手五两（用银柴胡三钱煎汤拌炒，切片，蒸晒九次）　鲜香橼五两（用金铃子三钱煎汤拌炒，去子蒸晒九次）　道地人参一钱（另研极细如飞尘）　大豆黄卷十两　炒黑枣仁五两　冬霜桑叶五两　真川贝母五两（去心）　建神曲五两　建莲肉五两

【用法】将葫芦末加入人参末内和匀，再另取川贝、莲肉末约四五两，渐渐添入葫芦、人参末中，随添随研，和至极匀候用；其香橼、建曲、豆卷、桑叶四味，及余多之川贝、莲肉，共为细末候用。先将佛手、枣仁二味煎汤收浓汁约一大面碗令满，为泛丸之用。泛时将众药起心子，泛至半即加泛人参等末，后再加众药泛上成丸，晒干收藏，宜以矿灰铺纸衬底，庶不霉坏；泛完药末后，再将糯米饮汤泛上，以免药末脱落，此丸每料干丸约有三十两，每服一钱，计共三百服左右。如肝气痛者，香附汤送下；胃气痛者，木香汤送下；脚气痛者，木瓜汤送下；臌胀病者，陈麦柴汤送下。

【主治】肝胃气痛，脚气，臌胀。

五香丸

【来源】《卫生鸿宝》卷一。

【别名】沉香百消丸。

【组成】五灵脂　香附（去毛，水浸一日）各一斤　黑丑　白丑各二两（炒，取头末）　沉香一两

【用法】上为细末，醋糊为丸，如绿豆大。每服七八分至一钱，淡姜汤送下，早晚各一服。

【功用】

1. 《卫生鸿宝》：消水，消食，消痞，消痰，消气，消滞，消血，消痢，消蛊，消膈。

2. 《北京市中药成方选集》：消积化痞，宽胸止痛。

【主治】

1. 《卫生鸿宝》：痰迷心窍。

2. 《北京市中药成方选集》：胸膈痞闷，两胁胀满，食滞痰积，气郁腹痛。

【宜忌】《北京市中药成方选集》：孕妇忌服。

猪肚煎

【来源】《卫生鸿宝》卷一。

【组成】雄猪肚一个　槟榔　牵牛各一钱　砂仁五分　葱三根

【用法】上为末，再加独头蒜填满肚内，线扎口，砂锅酒煮烂，去肚并药，单食蒜，饮汁二三杯。少顷大便去气不绝，渐渐宽泰，小便利黄水。

【主治】臌胀。

五子五皮汤

【来源】《温热经纬》卷五。

【别名】五子五皮饮（《湿温时疫治疗法》）。

【组成】五加皮　地骨皮　茯苓皮　大腹皮　生姜皮　杏仁　苏子　葶苈子　白芥子　莱菔子

【主治】

1. 《温热经纬》：喘胀。
2. 《湿温时疫治疗法》：阴水肿而且喘。

化铁丸

【来源】《杂病广要》引《卫生家宝》。

【组成】五灵脂（去砂石，拣净者）　陈橘皮（不去白，拣真者）　青橘皮（不去白，拣真者）各一两　陈糯米（拣净者）一合　巴豆（去壳并心膜）

【用法】上各锉碎。用慢火先炒五灵脂香透，次下青皮，候色变，又下陈皮，亦变赤色，却下糯米、巴豆在内同炒，唯要糯米色黄赤，取出以纸摊净地上，出火气，拣去巴豆不用，或只留三五粒在内亦得，为细末，用好酸米醋蒸饼为丸，如绿豆大。每服十五丸至二十丸，煎葱汤或茶汤送下，妇人醋汤或艾汤送下。

【主治】诸气蛊食蛊，腹肚肿胀，紧急如鼓，妨闷气促，不能坐卧，饮食顿减，手足干瘦，累治不效者；兼治翻胃。

扶抑归化汤

【来源】《医醇剩义》卷四。

【组成】党参三钱　茯苓三钱　白术一钱五分　当归二钱　附子八分　木瓜一钱（酒炒）　青皮一钱　蒺藜三钱　广皮一钱　厚朴一钱　木香五分　砂仁一钱　牛膝二钱　生姜三大片

【功用】扶土抑木，兼化阴邪。

【主治】鼓胀，肝邪炽盛，而脾土败坏，腹胀，身皆大，大与肤胀等，色苍黄，腹起青筋。

健脾膏

【来源】《理瀹骈文》。

【组成】牛精肉一斤　牛肚四两（用小磨麻油三斤浸熬，听用）　苍术四两　白术　川乌各三两　益智仁　姜半夏　南星　当归　厚朴　陈皮　乌药　姜黄　甘草（半生半炙）　枳实各二两　黄耆　党参　川乌　白芍　赤芍　羌活　香白芷　细辛　防风　香附　灵脂　苏梗　苏子　延胡索　山楂　麦芽　神曲　木瓜　青皮　槟榔　枳壳　桔梗　灵仙　腹皮　醋三棱　醋莪术　杏仁　柴胡　升麻　远志肉　吴萸　五味　草蔻仁　肉蔻仁　巴戟天　补骨脂　良姜　荜茇　大茴　红花　黄连　黄芩　大黄　甘遂　苦葶苈　红芽大戟　巴仁　黑丑头　茵陈　木通　泽泻　车前子　皂角　木鳖仁　草麻仁　全蝎　炮山甲　白附子　附子各一两　滑石四两　生姜　薤白　韭白　葱白　大蒜各四两　鲜槐枝　柳枝　桑枝各八两　莱菔子　干姜　川椒各二两　石菖蒲　艾　白芥子　胡椒　佛手干各一两　凤仙草（全株）　枣七枚

【用法】用油二十二斤，分熬丹收，再入官桂、木香、丁香、砂仁、檀香各一两，牛胶四两（酒蒸化），俟丹收后，搅至温温，以一滴试之，不爆，方下，再搅千余遍，全匀，愈多愈妙，勿炒珠，炒珠无力，且不粘也。贴胸脐。

【主治】脾阳不运，饮食不化，或噎塞饱满，或泄痢腹痛，或为湿痰，水肿，黄疸，臌胀，积聚，小儿慢脾风。

万应剪金丸

【来源】《应验简便良方》卷下。

【组成】当门子三钱　香附（童便炒）四两　尖槟榔四两　沉水香五两　青皮（炒）四两　黑白丑八两　胡黄连（醋炒）五两　芜荑二两　建神曲（炒）三两　枳壳五两　三棱八两　桃仁二两　西大黄（半生半熟）八两　当归身四两　商陆（醋炒）五两　莪术（醋炒）八两　草果三两　广藿香四两　金毛狗脊（去毛，炒）五两　广木香二两　青木香二两　苍术（米浸，炒）四两　川黄连二两

【用法】上为极细末，外用牙皂八两，茵陈一两，

合前药为煎水，炼成膏丸如果大，外用明雄黄一两，朱砂二两为衣。量人虚实，约服二三钱。

【功用】行气行血，散滞消虫。

【主治】山岚瘴气，疟疾腹疼，食积停滞，九种胃气，心口痞块，五臌十膈，小水不利，大便秘结，跌打损伤，蓄血不止；小儿疳症，虫积腹胀；妇人七癥八瘕，血块，产后气血走痛。

【宜忌】孕妇忌服。

香中丸

【来源】《梅氏验方新编》卷二。

【组成】陈香橼（去瓤）四两　真人中白三两

【用法】上为末。每服二钱，用猪苓、泽泻煎汤，空心送下。

本方方名，据剂型，当作“香中散”。

【主治】鼓胀发肿。

【宜忌】忌盐三月。

紧皮丸

【来源】《梅氏验方新编》卷二。

【组成】生地黄（炒松）一两　姜半夏一两　车前子一两　台党参三两　姜厚朴一两半　当归身（酒洗）二两　赤茯苓（去皮，忌铁）一两　苍术（米泔浸，炒）二两　神曲（炒）一两　木通一两　猪苓（去皮，忌铁）一两　泽泻一两　青皮（醋炒）一两　破故纸（盐水炒）二两　陈皮一两半　麦芽（炒）一两半　莪术（醋炒）八分

【用法】上为细末，面曲糊为丸，如梧桐子大。每日早服四十丸，午服三十丸，晚服二十丸，白汤送下。

【主治】臌胀。

通阳汤

【来源】《医门补要》卷中。

【组成】茯苓　附子　干姜　草果　陈皮　厚朴　车前子　椒目

【主治】寒湿鼓胀。寒湿留着中焦，清阳不布，满腹坚胀，面黄，不渴不食，脉沉迟。

膨症神效散

【来源】《揣摩有得集》。

【组成】炒麦芽　槟榔　甘遂各一钱

【用法】上为细末。每服五分，黄酒冲服，到八十天用猪肝一付，去净白皮，以竹刀切片，放砂锅内焙干为末，开水冲服。到百天吃鲫鱼补养。

【主治】膨症。

【宜忌】忌盐、醋百日。

田螺解胀敷脐方

【来源】《寿世新编》。

【组成】大田螺一个　雄黄一钱　甘遂末一钱　麝香一分

【用法】先将药末和田螺捣如泥，以麝置脐，放药脐上，以物覆之束好。待小便大通去之。重者再用一料，小便大通，病即除矣。

【主治】一切臌胀，肚饱发胀，小便不通。

田螺解胀敷脐方

【来源】《寿世新编》。

【组成】大田螺四个　大蒜五个（去皮）　车前子三钱（为末）

【用法】共研为饼。以一饼贴入脐中，用手帕缚之。贴药后少顷，水从小便出，一二饼即愈。

【主治】一切臌胀，肚饱发胀，小便不通。

蛊胀奇方

【来源】《寿世新编》。

【组成】黄牛粪三两（男用雄，女用雌，阴干，炒）

【用法】每服一两，酒三碗，煎一碗，绢滤去滓，饮酒，三服即愈。垂死者勿救，不可以污秽而忽之，勿令病人知也。

【主治】蛊胀。

桂枝苓泽汤

【来源】《医学摘粹》。

【组成】桂枝三钱　茯苓六钱　泽泻三钱　杏仁三

钱　法夏三钱　甘草二钱　防己三钱　桑叶三钱　生姜三钱

【用法】水煎大半杯，温服。

【主治】鼓胀。

鼓胀丹

【来源】《内外验方秘传》。

【组成】巴豆霜一钱　甘遂三钱　大戟一钱五分　芫花三钱　槟榔一两　青皮一两　陈皮一两　厚朴一两　皂角一两　良姜一两　黑白丑各一两　净轻粉一钱　小茴香八钱　葶苈子二钱

【用法】上晒干，为细末。每早姜汤送下四分，壮者六分。

【主治】鼓胀。

水胀丸

【来源】《内外验方秘传》卷下。

【组成】大戟五钱　芫花五钱　甘遂五钱　磁陆五钱　续随子五钱　黑白丑各五钱　木香五钱　轻粉一钱　白术一两　车前子一两

【用法】晒干为末。用黑枣四两煮烂（去皮核），捣和药末为丸。每服一钱，开水送下。

【主治】水胀。

大黄庶虫丸

【来源】《镐京直指医方》卷二。

【组成】生锦纹　荆三棱　䗪虫　蓬莪术　干漆　元明粉

【用法】为丸服。

【主治】腹胀血蛊，先有积块化胀，或石瘕肠覃，脉实形壮者。

宽中愈胀汤

【来源】《女科指南》。

【组成】人参　白术　茯苓　甘草　黄连　枳实　半夏　姜黄　陈皮　知母　黄芩　厚朴　猪苓　泽泻　砂仁　干姜

【用法】加生姜，水煎服。

【主治】中满单胀。

鸡胵汤

【来源】《医学衷中参西录》上册。

【组成】生鸡内金四钱（去净瓦石糟粕，捣碎）于术三钱　生杭芍四钱　柴胡二钱　广陈皮二钱　生姜三钱

【用法】水煎服。

【主治】气郁成臌胀，兼治脾胃虚而且郁，饮食不能运化。

【加减】若小便时觉热，且色黄赤者，宜酌加滑石数钱。

【方论】鸡内金为鸡之脾胃，中有瓦石铜铁皆能消化，其善化有形瘀积可知，故能直入脾中，以消化血管之瘀滞；而又以白术之健补脾胃者驾驭之，则消化之力愈大；柴胡，《本经》谓主肠胃中饮食积聚，能推陈致新，其能佐鸡内金消瘀可知，且与陈皮并用，一升一降，而气自流通也；用芍药者，因其病虽系气臌，亦必挟有水气，芍药善利小便，即善行水，且与生姜同用，又能调和营卫，使周身之气化流通也。

鸡胵茅根汤

【来源】《医学衷中参西录》上册。

【组成】生鸡内金五钱（去净瓦石糟粕，轧细）生于术（分量用时斟酌）　鲜茅根二两（锉细）

【用法】先将茅根煎汤数茶钟（不可过煎，一二沸后慢火温至茅根沉水底，汤即成），先用一钟半，加生姜五片，煎鸡内金末，至半钟时，再添茅根汤一钟，七八沸后，澄取清汤（不拘一钟或一钟多）服之。所余之滓，仍用茅根汤煎服。日进一剂，早、晚各服药一次。初服小便即多，数日后大便亦多。若至日下两三次，宜减鸡内金一钱，加生于术一钱。又数日，胀见消，大便仍勤，可减鸡内金一钱，加于术一钱。又数日，胀消强半，大便仍勤，可再减鸡内金一钱，加于术一钱。如此精心随病机加减，俾其补破之力，适与病体相宜，自能全愈。若无鲜茅根，可用药房中干茅根一两代之。无鲜茅根即可不用生姜。所煎茅根汤，宜当日用尽，煎药后若有余剩，可当茶温饮之。

【主治】水臌气臌并病，兼单腹胀，及单水臌胀，单气臌胀。

表里分消汤

【来源】《医学衷中参西录》中册。

【组成】麻黄三钱　生石膏　滑石各六钱　西药阿司匹林一瓦

【用法】将前三味煎汤，送服阿司匹林。若服药一点钟后不出汗者，再服阿司匹林一瓦；若服后仍不出汗者，还可再服，当以汗出为目的。

【主治】水臌，气臌。

【方论】麻黄之性，不但善于发汗，徐灵胎谓能深入积痰、凝血之中，凡药力所不到之处，此能无微不至，是以服之外透肌表，内利小便，水病可由汗、便而解矣，惟其性偏于热，似与水病之有热者不宜，故用生石膏以解其热，又其力虽云无微不至，究竟偏于上升，故又用滑石引之以下达膀胱，即其利水之效愈捷也。至用西药阿司匹林者，因患此证者，其肌肤为水锢闭，汗原不易发透，多用麻黄又恐其性热耗阴，阿司匹林善发汗，又善清热，故可用为麻黄之佐使，且其原质存于杨柳皮液中，原与中药并用无碍也。

臌胀丸

【来源】《丁甘仁家传珍方选》。

【组成】黄牛粪不拘多少（煅炭）　六神曲各等分

【用法】上为末，水泛为丸服。

【主治】臌胀。

华山碑记丸

【来源】《北京市中药成方选集》。

【组成】杏仁（去皮，炒）四两　葶苈子四两　大黄四两　牙皂四两　石榴皮二两　灵脂

方中灵脂用量原缺。

【用法】上为细末，用醋泛为小丸。每服五分，温开水送下。

【主治】积滞痞块，结胸腹胀，水臌痰饮，虫蛊胃痛。

【宜忌】孕妇忌服。

消胀化臌丸

【来源】《北京市中药成方选集》。

【组成】西洋参二两　巴豆霜一两五钱　甘遂（炙）三两　豆豉三两　玄胡（炙）四两　大黄五两　牙皂八两　大戟（炙）八两　杏仁（炒）三两　芫花（炙）六两　葶苈子四两　干姜四两　抽葫芦八两

【用法】上为细末，用冷开水泛为小丸，每十六两用滑石细粉四两为衣。每服五分。

【主治】气臌、水臌，中满腹胀，四肢浮肿，水道不利。

【宜忌】孕妇忌服。

槟榔四消丸

【来源】《北京市中药成方选集》。

【组成】槟榔（焦）三十二两　枳实（炒）十二两　山楂（焦）十二两　木香四两　砂仁四两　厚朴（炙）十六两　橘皮十二两　香附（炙）十二两　二丑（炒）八两　大黄十二两　麦芽（炒焦）八两　青皮（炒）十二两　芒消四两　黄芩八两

【用法】上为细粉，过罗，用冷开水泛为小丸。每服二钱，温开水送下。

【功用】消化食水，顺气宽胸。

【主治】宿食停水，气逆结滞，胸腹胀满，两胁膨闷。

【宜忌】孕妇忌服。

华山碑记丹

【来源】《全国中药成药处方集》（沈阳方）。

【组成】三棱　灵脂　甘遂　葶苈　牙皂　青皮　神曲　乌梅　陈皮　枳壳　木香　豆豉　大黄　芫花　巴豆霜　红芽大戟　干石榴各一两

【用法】上为细末，醋糊为小丸。每服十五丸或十二丸，开水送下。

【功用】利尿消肿，化积消食。

【主治】胸胁水气痛满，气臌水胀，癥瘕肠覃，停饮作喘，湿毒脚气。

【宜忌】药性剧烈，用之宜慎。孕妇忌服。

沉香消积丸

【来源】《全国中药成药处方集》(沈阳方)。

【组成】沉香二两　二丑一斤　灵脂　牙皂　大黄　香附各八两

【用法】上为极细末，醋糊为小丸。每服二钱，以白开水送下。

【功用】消食化痰，行水除胀。

【主治】食积气滞，腹胀水肿，单腹膨胀，大便秘结，胃脘作痛，噎膈吐酸，四肢水肿。

蛊症散

【来源】《全国中药成药处方集》(呼和浩特方)。

【组成】木香　槟榔　黑丑　白丑　大戟(醋炙)　芫花(醋炙)　商陆(醋炙)　牙皂　木通　泽泻　甘遂(醋炙)各等分

【用法】上为细末，瓶装四钱，亦可糊为小丸。烧酒送下。

【主治】蛊症。

镇坎散

【来源】《全国中药成药处方集》(杭州方)。

【组成】大西瓜一只　春砂仁一两　独子大头蒜四十九枚

【用法】先将西瓜蒂边开一孔，挖出瓜瓤，只留沿皮无子者，将砂仁及蒜头装入，仍用瓜蒂盖好，用坛头泥以陈酒化开，涂于瓜上令遍，约厚一寸，于泥地上挖一小坑，用砖将瓜搁空，下以炭火煅之，四周均烧，约煅半日熄火，待其自冷，次日打开去泥净，取瓜炭及药，研为细末。每服一至二钱，陈酒或米饮送下。

【功用】调气利水。

【主治】蓄水臌胀。腹大异常，胀硬如鼓，气逆喘满，二便不畅，面目浮肿。

扶阳归化汤

【来源】《谦斋医学讲稿》。

【组成】党参　茯苓　白术　厚朴　木香　砂仁　附子　当归　青陈皮　白蒺藜　木瓜　牛膝　车前　生姜

【主治】木旺土败，鼓胀，腹起青筋。

水蓬膏

【来源】《天津市固有成方统一配本》。

【组成】水蓬花五钱　大黄五钱　当归尾五钱　芫花五钱　大戟五钱　穿山甲五钱　三棱五钱　莪术五钱　秦艽五钱　芦荟五钱　血竭五钱　肉桂五钱

【用法】将水蓬花等前九味药碎断，另取麻油二百四十两，置锅内加热，将前药倒入，炸枯，去滓，过滤，炼油下丹，去火毒，再将芦荟、肉桂、血竭轧为细粉，和匀，取膏油加热熔化，待爆音停止，水气去尽，晾温，兑入细粉搅匀，将膏油分摊于布褙上，微晾，向内对折，加盖戳记。用时温热化开，贴于患处。

【主治】胸腹积水引起的胀满疼痛，积聚痞块，四肢浮肿，腰背酸痛，及血瘀经闭。

加味五苓散

【来源】《杂病证治新义》。

【组成】桂枝　白术　茯苓　猪苓　泽泻　桃仁　黑白丑

【用法】水煎服。

【功用】温化活血利水。

【主治】膨胀，腹胀大如鼓，腹筋起，二便不利者。

【方论】本方为温化活血利水之剂。以桂枝合苓术猪泽利水，合桃仁活血通瘀，合二丑温中攻下，共奏理气活血逐水之功。

乙癸丸

【来源】《吴少怀医案》。

【组成】巴戟天　山萸肉　炒山药　茯苓　丹皮　沙参　麦冬　砂仁　黄柏　菟丝子　泽泻　炙甘草各适量

【用法】上为细末，炼蜜为丸，如梧桐子大。每服三十丸。

【功用】补肾养肝，健脾祛湿。

【主治】病毒性肝炎恢复期，或肝硬化腹水消失后脾肾两虚者。

【加减】右胁隐痛，腹胀不已，去黄柏、砂仁、菟丝子、丹皮、炙甘草，加白芍、木瓜、鸡内金、香附、炒麦芽。

【验案】肝硬化腹水　张某，男，33 岁。病人 1963 年 11 月患肝硬化腹水，曾住院治疗，腹水渐少，但肝大右胁下 4 厘米，脾大左胁下 8 厘米，中等硬度，脘腹胀，两胁隐痛，胃纳不香，口干少饮，大便溏，每日二至三次，小便尚可，面色苍褐，形体消瘦，舌苔白，脉沉细弱。证属脾肾两虚，肝失所养，气结血瘀，升降失调，乃致痞积，正气已伤。治宜健脾补肾，调气和肝，佐以软坚。拟乙癸丸加减，服药三剂，脘腹舒适，胃纳增加，大便成形。虚脾肾两弱，难以速复，拟加丸剂缓图。共服丸药三料，面色转红润，诸症消失，复查肝脾，胁下可触及，恢复轻工作。

泻水丸

【来源】《古今名方》引《肝硬变腹水证治》。

【组成】生甘遂　巴豆　红大戟　净芫花各 15 克　上沉香 3 克　红枣 90 克（煮透，去皮核）

【用法】前五味各为极细末，和匀，以枣肉和成硬膏为丸，如豌豆大，滑石粉封皮。每服 15～20 丸，清晨温开水送下。每隔二三天一次（视病者体质强弱而定）。

【功用】攻里通下，逐水除饮。

【主治】肝硬化腹水。

【宜忌】体虚者慎用。

补肾养血汤

【来源】《肝硬化腹水证治》。

【组成】盐枸杞　制巴戟　制续断　当归　酒白芍　炒枳壳　泽泻　木瓜　萆薢各 9 克　川厚朴 6 克　汉防己　云茯苓各 12 克　北黄耆 15 克　竹茹 30 克

【功用】补肝肾，养气血。

【主治】肝硬化腹水恢复期。

保肝利胆汤

【来源】《老中医临床经验选编》。

【组成】蓟茅根 60 克　鸡内金 6 克　女贞子　旱莲草　柏子仁各 12 克　生地 15 克　冬瓜皮　陈葫芦　车前子各 9 克

【功用】养肝滋阴，利水消肿。

【主治】肝硬化腹水，症见面色黧黑，脸部红丝缕缕，形体消瘦，掌赤如朱，腹胀如臌，或有鼻衄、齿衄，腹部肿块，舌质红，苔光剥，脉弦细或弦滑。

桂枝茯苓鳖甲汤

【来源】《国医论坛》（1990，4：35）。

【组成】桂枝 10g　茯苓 15g　鳖甲 15g　桃仁 10g　红花 10g　柴胡 10g　白芍 25g　香附 15g　当归 10g　白术 15g　麦芽 10g　六曲 10g　山楂 10g　大腹皮 15g　青皮 10g　陈皮 10g　丹参 30g

【用法】水煎服，每日 1 剂。甚者加土元、龟版、炮山甲；偏气滞者加沉香、木香；偏湿热盛者加茵陈、虎杖、板蓝根。

【主治】肝硬化腹水。

【加减】兼外感发热恶寒者，加青蒿、白薇、知母；偏气虚湿盛者，加企边桂、巴戟天、草蔻；血热妄行者，去桂枝，加仙鹤草、三七；肝脾肿大甚者，加土元、龟版、炮山甲；偏气滞者，加沉香、木香；偏湿热盛者，加茵陈、虎杖、板蓝根。

【验案】肝硬化腹水　《国医论坛》（1990，4：35）：治疗肝硬化腹水 50 例，男 38 例，女 12 例；年龄 30～70 岁；病程 3 个月至 8 年。疗效标准：临床治愈：自觉症状消失，肝功能基本正常，肝脾回缩；显效：自觉症状消失，肝功能明显好转，肝脾不同程度改善；无效：1 周无明显变化。结果：治愈 10 例，显效 36 例，无效 4 例，总有效率为 92%。

益肝消水汤

【来源】《中医药学报》（1991，1：42）。

【组成】茯苓　猪苓　茵陈　山栀　大黄　白茅根

泽泻 大腹皮 赤芍

【用法】水煎服。

【主治】肝硬化腹水。

【用法】气虚重者加黄芪、白术、薏米；阴虚重者加生地、黄精；阳虚腹泄加肉桂、黄连；腹水大量者加服双氢克尿噻25mg，安体舒通20mg，分早、中午两次空腹服，5天1疗程，服至腹水消失或少量腹水后停药；腹水消失后加鳖甲、当归、苡仁。

【验案】肝硬化腹水 《中医药学报》（1991，1：42)：治疗肝硬化腹水54例，均有慢性乙肝病史，全系乙肝后肝硬化腹水者。中医辨证属脾虚湿热型34例，气滞血瘀型14例，肝肾阴虚型6例。结果：显效（腹水退尽）共48例，占88.9%；好转（腹水未尽，较治疗前腹围减少10cm以上，病症好转）共4例；无效2例；腹水消失率达88.9%，有效率96.3%。

健脾温肾利尿汤

【来源】《陕西中医》(1991，3：105)。

【组成】太子参 白茅根 车前子各30g 大腹皮20g 白术 仙茅 生姜皮各15g 附片 干姜 桂枝 茯苓 砂仁各10g 甘草6g

【用法】水煎服，每日1次。另用甘遂研细末，每次6g敷于神阙穴，外贴麝香虎骨膏，并用热水袋外敷。同时用速尿20～100mg，加入50%葡萄糖液内静脉注射，每日1次，7天为1疗程。

【主治】肝硬化腹水。

【验案】肝硬化腹水 《陕西中医》 （1991，3：105)：治疗肝硬化腹水34例，男20例，女14例；年龄40岁以上；病程几个月到3年以上不等，均经西医确诊。结果：主症及腹水消失，肝脾不大，肝功能B超检查正常，蛋白倒置纠正为临床治愈，共20例；腹水基本吸收，自觉症状好转，肝脾稳定性肿大，肝功能基本正常，白球比例仍倒置为好转，共11例；症状及腹水无改善，甚至恶化为无效，共3例；总有效率91%。治疗时间24～75天。

益气通络汤

【来源】《陕西中医》(1991，3：104)。

【组成】党参 山药 白茅根 茯苓皮各30g 鸡内金 白术 佛手 郁金 大腹皮 茜草 香橼 泽泻各15g 沉香 䗪虫各5g

【用法】每日1剂，水煎服。

【主治】肝硬变腹水。

【加减】腹胀加厚朴、炒莱菔子；发热加青蒿、地骨皮；大便干结加大黄；肝区疼痛加川楝子、玄胡、白蒺藜；阳虚加制附子、肉桂；阴虚加石斛、沙参；有精神症状加百合、菖蒲；出血加仙鹤草、三七；贫血加阿胶、鸡血藤；脾大加穿山甲、牡蛎；球蛋白高加丹皮、赤芍、丹参。

【验案】肝硬变腹水 《陕西中医》 （1991，3：104)：治疗肝硬变腹水84例，男52例，女32例；年龄15～62岁；病程3个月～9年。结果：显效（经治疗37～145天，腹水及消化道症状基本消失，肝功能基本恢复正常）45例，好转（主要症状减轻，腹围减少5cm以上，肝功能有一定改善）31例，无效（症状、体征及肝功能均无改善，甚或恶化及死亡）8例；总有效率90.48%。

硬化回春汤

【来源】《吉林中医》(1991，4：19)。

【组成】商陆7.5g 大腹皮15g 青皮15g 滑石10g 竹叶10g 泽兰10g 丹参15g 赤芍25g 鳖甲15g 当归15g 丹皮20g 白术15g 马鞭草10g 穿山甲5g 山楂10g

【用法】每日1剂，水煎分2次服，服6剂停1天，3个月为1疗程，停药7天后再行第2疗程。

【主治】肝硬化腹水。

【验案】肝硬化腹水 《吉林中医》 （1991，4：19)：治疗肝硬化腹水78例，男70例，女8例；年龄18～70岁；病程2～10年以上。结果：临床治愈（临床症状及体征完全消失，3年无复发者）54例，占69.2%；有效（临床症状消失，体征未完全消失，2年内偶有复发者）共17例，占21.8%；无效（症状改善，体征无变化或二者均无变化甚至恶化者）7例，占9.0%。

扶正消臌汤

【来源】《江苏中医》(1992，4：9)。

【组成】黄芪15～40g　白术15g　地黄10～30g　鬼箭羽6～10g　泽兰12g　路路通　陈皮　广木香各10g　大腹皮12g　桂枝2～5g　陈葫芦40g　连皮　茯苓　猪苓各30g

【用法】每日1剂，水煎，分2次服。

【主治】肝硬化腹水。

【验案】肝硬化腹水　《江苏中医》（1992，4：9）：治疗肝硬化腹水65例，男48例，女17例；年龄24～67岁，平均46岁；病程最短1年，最长22年，平均11.4年。结果：腹水消失，主要症状显著改善，肝功能基本正常，其他检查好转，并能坚持上班，胜任轻工作为显效，共31例，占47.7%；腹水减少、主要症状及肝功能检查明显改善，尚不能上班工作为有效，共28例，占43.1%；症状、体征、肝功能改善未达到上述标准，甚或加重恶化者为无效，共6例，占9.2%；总有效率达90.8%。

温中汤

【来源】《实用中西医结合杂志》（1993，1：17）。

【组成】附子10g　干姜10g　杜仲15g　白术15g　桂枝6g　茯神15g　当归20g　全瓜蒌30g　山药30g　大枣15g　茵陈30g　赤小豆20g　刘寄奴15g　地肤子30g

【用法】每日1剂，水煎服，连服30剂。

【主治】肝硬化腹水。

【验案】肝硬化腹水　《实用中西医结合杂志》（1991，1：42）：治疗肝硬化腹水18例，均系男性；年龄最小者25岁，最大者62岁；其中酒精中毒引起者3例，黄疸肝炎后引起者15例。结果：治愈11例，显效3例，好转2例，无效2例，总有效率为88.9%。

健脾运水汤

【来源】《浙江中医杂志》（1993，9：396）。

【组成】黄芪　麦芽　山楂　丹参　车前子　车前草各30g　白术　茵陈各12g　枳壳　制香附　赤芍　白芍各10g　柴胡6g　猪苓　泽泻　茯苓各20g

【用法】水煎服，每日1剂。10天为1疗程。

【主治】肝硬化腹水。

【用法】气虚加党参、山药；血瘀明显加桃仁、红花、穿山甲；脾肾阳虚去茵陈、赤芍，加干姜；气滞者去茵陈、白术，加木香、川楝子、蔻仁。

【验案】肝硬化腹水　《浙江中医杂志》（1993，9：396）：治疗肝硬化腹水52例，男38例，女14例；其中35～49岁30例，50～60岁18例，61～72岁4例。结果：腹水消退、症状消失，肝功能基本正常，白、球蛋白比例正常为治愈，共12例；腹水明显好转，症状减轻，白、球蛋白比例接近正常，肝功能明显好转为好转，共34例；治疗1疗程，腹水无明显减少，或治疗2疗程，白、球蛋白比值、肝功能无明显变化，症状无明显减轻为无效，共6例；总有效率为88.5%。

五参五皮饮

【来源】《首批国家级名老中医效验秘方精选》。

【组成】丹参　党参　苦参　玄参　沙参　丹皮　黄芪皮　地骨皮　青皮各10克

【用法】每日服一剂，水煎分服。

【功用】益气养阴，养血活血，利水消胀。

【主治】肝硬化腹水。症见腹臌胀痛，时有潮热，舌深红。脉弦细，证属阴虚气弱、内热水停者。

【方论】证属久病正虚，气血失调，阴虚内热，水邪内停。故方以丹参、丹皮清热活血散瘀；沙参、玄参、丹皮、地骨皮养阴清热；党参、黄芪皮益气健脾扶正；青皮、苦参疏肝化湿。诸药合用，共成扶正祛邪，固本治标之剂。

甲术消臌汤

【来源】《首批国家级名老中医效验秘方精选》。

【组成】柴胡9克　茵陈20克　丹参20克　莪术15克　党参15克　炒白术20克　炙黄芪20克　仙灵脾15克　醋鳖甲30克　五味子15克　大腹皮20克　猪茯苓各20克　泽泻20克　白茅根20克

【用法】日一剂，水煎分服。

【功用】调补脾肾，祛瘀化癥，利水消肿。

【主治】肝硬化腹水。

【加减】若肝病虚损严重，可加重培补脾肾之品，白术可增至40～60克，另外加仙茅10克，女贞子

20克，鹿角胶9克（烊化）。在扶正补虚的同时，尚须重用活血祛瘀之品。一般是轻重药并用，有时加生丹参、莪术等药之分量，再加赤芍、三棱、元胡、郁金等。

【方论】方中柴胡舒肝理气，配茵陈清热利湿解毒，以除余邪；黄芪、党参、白术、云苓健脾益气，燥湿利水，以绝水源；仙灵脾、醋鳖甲，补肝肾、温肾阳、滋肝阴、消癥瘕；泽泻、猪茯苓、大腹皮、白茅根利水消肿；五味子合鳖甲滋阴补肝，使利水而不伤阴；丹参、莪术养血、祛瘀、消癥、软肝。诸药合用，共奏调补肝肾，培土利水，祛瘀化癥，利水消肿之剂。

苍牛防己汤

【来源】《首批国家级名老中医效验秘方精选》。

【组成】苍术　白术各30克　川怀牛膝各30克　防己　大腹皮各30克

【用法】上方先用冷水浸泡2小时，浸透后煎煮。煎时以水淹没全药为度，细火煎煮二次，首煎50分钟，二煎30分钟，煎成后两煎混匀总量以250～300毫升为宜。一般分二次，饭后两小时服用。如腹胀甚不能多进饮食，药后腹满加重者，可少量多次分服，分四五次分服亦可，但须在一日内服完一剂。

【功用】健脾、活血、行水。

【主治】水臌（肝硬化腹水）。

【方论】方中以苍术、白术补脾燥湿治其本，以川、怀牛膝益血活血，缓肝疏肝以利补脾；以防己、大腹皮行水利尿以治其标。诸药合用，共奏健脾活血利水之效。

软肝化癥汤

【来源】《首批国家级名老中医效验秘方精选》。

【组成】当归10克　泽泻10克　鸡内金10克　白芍20克　淮山药20克　丹参20克　姜黄20克　茵陈20克　板蓝根20克　茯苓15克　三七6克

【用法】水煎，日1剂，分3次服。

【功用】逐水化瘀，补益脾肾，养血疏肝。

【主治】肝硬化腹水。

【加减】上方为基础方，临床辨证分型加减：脾肾阳虚型加太子参、焦术、河车粉；湿热蕴结型去淮山药、白芍，加焦山栀、碧玉散、田基黄、大黄、金钱草、二丑；肝郁气滞型加柴胡、青皮、枳实、川楝子、延胡；瘀血阻滞型加川芎、甲珠、鳖甲、二丑、猪苓、泽兰；寒湿困脾型加制附片、厚朴、苍术；肝肾阴虚型加生地、女贞子、麦冬、山楂肉；便血、衄血加地榆炭、丹皮、犀角粉；腹水消后加白术、黄芪；神志错迷加安宫牛黄丸；有黄染者加田基黄、金钱草。

【方论】方中以茯苓、淮山药、鸡内金酌加党参、黄芪、白术益气健脾，利水治本；当归、白芍酌加河车粉滋补肝肾，填精补血；佐以三七、丹参活血化瘀；茵陈、板蓝根、泽泻、二丑逐水以治其标。全方扶正祛邪，对纠正蛋白倒置、肝脾肿大以及促使表面抗原转阴均可收到满意的效果。

【验案】王某，男36岁，干部。1968年9月确诊为肝硬化住院治疗2个月无效，于同年12月18日来诊。病人半年前因腹胀，食少，右胁下疼，经某医院诊为“慢性肝炎”，间断服用肌苷、齐敦果酸片等西药无效，自觉腹部隆起，食后腹胀更甚，倦怠乏力，大便稀，小便量少，体检：神志清楚，语言清晰，面色白，巩膜皮肤无黄染，颈部有蜘蛛痣二枚，腹部膨大，腹壁青筋显露，肝脾大，肝在右肋下2cm可触及，脾在左肋下2cm可触及，质硬，移动性浊音（＋＋），下肢浮肿。实验室检查SGPT68单位，TTT16单位，TFT（＋＋），黄胆指数6单位，蛋白倒置A/G＝2.8/3.6。超声波检查：腹水（＋）。X线食管钡造影示：食管下段静脉曲张。舌淡红、苔薄白、脉沉缓。诊断为肝硬化腹水，属脾肾阳虚型。服基础方20剂后，腹水基本消退，精神、食欲好转，余症均有不同程度减轻。再按基础方服10剂，复查肝功能基本正常，蛋白已不倒置。继以益气健脾温肾法治之，方用香砂六君汤加温肾之品以巩固疗效。迄今已20余年未见复发。仍坚持工作。

变通十枣汤

【来源】《首批国家级名老中医效验秘方精选》。

【组成】甘遂10克　大枣30～50枚。

【用法】上方加水同煎20～30分钟，去渣、汁，留用大枣。一次食用大枣10枚，若已泻下则不再

加服；若未泻下，加服1枚，仍未泻下，再加服一枚，逐渐递增，以泻为度。

【功用】缓下水饮。

【主治】肝硬化腹水。

【方论】方中甘遂味苦性寒，功擅治水逐饮，通利二便，为逐水之峻药。大枣甘温质柔，能补脾和胃，益气调营；因其甘缓之性，故能缓和猛药之峻利，使之祛邪而不伤正。两药相伍，攻逐水饮而不伤正气，健脾培土而不恋水邪。

育阴养肝汤

【来源】《首批国家级名老中医效验秘方精选》。

【组成】生地15克　白芍20克　枸杞子20克　女贞子20克　制首乌20克　丹皮15克　丹参20克　茜草15克　炙鳖甲或龟版20克

【用法】每剂煎2次。头汁用冷水2碗约1000毫升，先浸泡20分钟，煎至大半碗约300毫升滤出，二汁加水600毫升左右煎至300毫升，下午2～3时和7～8时分服。

【功用】育阴养肝，化瘀消癥。

【主治】早、中期肝硬化，症见胁肋隐痛或不舒，脘腹胀满，头晕神疲纳少咽干，面色晦滞少华，舌嫩红，苔少，脉弦细。

【加减】兼肝郁不舒者，加郁金10克，苏梗10克；兼有腹水、苔腻者，去生地，加苡仁30克，茯苓20克，泽泻20克；有牙宣鼻衄者，加地榆30克，槐花15克；尿赤口干，加青蒿10克，石斛15克，麦冬15克；大便不实者，去首乌，加葛根15克，荷叶6克，山药20克；便秘，加瓜蒌仁15克；精神萎顿，加黄芪30克，当归25克；肝功能不正常者，加大青叶30克，晚蚕砂（包煎）15克；腹胀甚，加枳壳6克，槟榔20克。

【验案】赵某，女，57岁，1987年12月初诊。10年前患肝炎经治疗而愈。今年上半年开始，时感头晕乏力，脘腹胀满，食后更甚，右胁不舒，大便干秘，口燥，面色少华，舌偏嫩红、苔少、脉弦细，经检查，A/G倒置，B超提示：肝硬化伴少量散水，脾肿大2cm。证属肝阴不足，血络瘀阻，治拟育阴养肝，化瘀散结，用育阴养肝汤加减治疗3个月，腹水消失，头晕乏力明显改善。前后调治2年余，面色好转，血常规基本正常，A/G正常，B超提示：肝内光点较密，无腹水占位，脾肋下1.2cm。1991年4月随访，除偶有便干均正常。

海藻消臌汤

【来源】《首批国家级名老中医效验秘方精选》。

【组成】海藻40克　二丑各30克　木香15克　川朴50克　槟榔20克　人参15～20克　茯苓50克　白术25克

【用法】日一剂，水煎分服。

【功用】行气逐水，益气健脾。

【主治】肝硬化腹水。

【方论】方中海藻苦咸寒，苦能泻结，咸可软坚，功擅软坚散结利水；二丑达三焦，走气分，使水湿之邪从二便排出，为逐水之峻药；槟榔降气导滞，利水化湿；木香、川朴宽中理气除湿；人参、白术、茯苓等甘温益气，健脾利水。诸药合用，攻补兼施，标本同治，共奏行气、逐水、软坚、益气健脾之效。

宽中达郁汤

【来源】《首批国家级名老中医效验秘方精选·续集》。

【组成】沉香3～6克（研末冲服）　当归10克　白芍10克　柴胡8克　香橼皮10克　晚蚕砂10克　鸡内金10克　茅根30克　川朴10克　鲜葱5茎

【用法】每日1剂，水煎2次服。

【功用】宽中化气，解郁利水。

【主治】肝硬化腹水。

【加减】腹水多加大腹皮；食少有脾虚现象加白术、云苓；肝区痛胀加郁金、川楝子。

【方论】方中沉香温经行气解郁；当归、白芍养血柔肝；柴胡、香橼皮、川朴疏肝理气；晚蚕砂燥湿化浊；鸡内金健胃消积；茅根、鲜葱通经利水。诸药合用能疏肝解郁不伤正，化气利水不留邪。

【验案】伊某，男性，60岁，农民。患血吸虫肝病已多年，肝区痛，腹胀，面色黧黑，食欲不振，近来小便困难，腹胀满隆起，经超声波检查，证明为肝硬化腹水，并有蜘蛛痣，肝掌，脉弦，舌黯红，苔黄腻。用本方加白术10克，生姜4片，服药5剂后，小便增加，腹水逐步消退，连服10剂，腹水基本退净，再加疏肝理脾药调理，胁痛，腹胀，亦随之消失，超声波检查，腹水消失。

商陆二丑汤

【来源】《首批国家级名老中医效验秘方精选》。

【组成】 潞党参15克　焦白术12克　西砂仁4.5克　广木香4.5克　花槟榔10克　江枳壳6克　广陈皮5克　焦六曲12克　云茯苓15克　福泽泻12克　商陆根15克　黑白丑各4.5克　腹水草15克

【用法】 每日1剂，水煎，分早晚两次服。

【功用】 益气调脾，渗湿行水。

【主治】 肝硬化腹水。症见胸痞纳差，脘腹胀满，饮食不化，小溲短少，大便干结，舌淡红，苔薄腻，质瘀，脉细濡滑，中医辨证为脾气虚弱、水湿泛滥者。

【加减】 大便通行不畅加生军9克（后下）；腹部膨胀不减加川椒3克，甚则加舟车丸9克（分二次吞服）；胸闷呕吐去黑白丑加半夏9克，藿香9克；口粘纳呆苔腻去泽泻，加厚朴5克，炙鸡内金9克；小溲不利去枳壳，加车前子（包）15克；大便溏薄，日有多次，去槟榔、白丑，加大腹皮9克，香谷芽12克；下肢凹陷性水肿可加陈葫芦皮30克（煎汤代水）。

【方论】 方中党参、白术、云苓健脾益气，化水湿；砂仁、木香、槟榔、陈皮、六曲宽中理气；泽泻、二丑、商陆根、腹水草渗湿行水，使腹水由小便外解。诸药合用，共奏培土制水之剂。本方系参苓白术散（《和剂局方》）、木香槟榔丸（《儒门事亲》）加减而成。使用本方必须根据临床症状、舌脉为依据，只能暂时应用，注意中病则止，不宜长服久服。

【验案】 王某，女，41岁，工人。病人原有慢性肾盂肾炎、贫血、子宫肌瘤史，否认有急性肝炎史。1976年5月因肝区胀痛，腹部膨大突增，下肢浮肿明显来院诊治。检查：面萎黄，神清，全身皮肤暗黄，巩膜混浊，双手背掌可见蜘蛛痣，下颌、颈前、锁骨上未扪及明显肿大淋巴结，腹满，移动性浊音阳性，肝脾触诊不满意，腹壁静脉曲张，双下肢凹陷性水肿。诊断为肝硬化腹水。初诊：1976年7月24日。经净三天，病人面色萎黄，腹部膨胀如鼓，腹部青筋暴露，两足肿胀，小溲短少，纳差，大便自调，舌淡红，苔薄，质瘀，脉细弦滑。肝病及脾，气血两虚，湿困水聚，不宜骤攻，暂拟益气养荣，佐以行水化湿为治。方用：党参15克，白术12克，山药12克，带皮茯苓15克，泽泻12克，香附9克，当归9克，枳壳4.5克，陈皮4.5克，炙鸡内金9克，牛膝9克，车前子（包）12克，陈葫芦皮30克（煎汤代水）。7剂后，小溲较前增多，但腹部膨胀不减，胸闷气短，两足肿胀步艰，纳谷渐思，舌脉同前，再用党参15克，白术12克，带皮茯苓24克，泽泻12克，焦六曲12克，陈皮6克，炙鸡内金9克，木香4.5克，槟榔9克，大腹皮9克，商陆根15克，腹水草15克，陈葫芦皮30克（煎汤代水）。后采用消补兼施，调治2个月痊愈。

温阳利水汤

【来源】《首批国家级名老中医效验秘方精选》。

【组成】 熟附子10克（先煎）　紫油桂6克（后下）　潞党参15克　生白术15克　大腹皮12克　广木香10克　上沉香6克（后下）　泽泻15克　猪苓15克　茯苓15克

【用法】 每日1剂，水煎分2次服。

【功用】 温运肾阳，健益脾气，化气利水。

【主治】 晚期肝硬化，慢性肾炎（肾病型）臌胀、水肿，肝脾肾受损，气滞水聚。症见：腹胀腹水，尿清短少，足肿便溏，畏寒肢冷，舌质淡紫，脉沉细虚弦或微。

【加减】 心悸怔忡者，红参6克代换党参，加白芍12克；畏寒肢冷不著者，去熟附子，肉桂剂量可酌减；胀满甚者，去熟附子、潞党参，加槟榔、郁李仁各10克。

【验案】 程某，男49岁，初诊日期：1978年10月8日。病人肝炎病史8年，先后住院3次，服利尿剂等，腹水旋消旋涨。近一月来加重，A/G倒置，高度腹水，腹围103cm，肝未触及，脾肋下6cm，面黄乏神，形瘦，腹大如鼓，光亮绷急，尿清短少，便溏，足肿，畏寒肢冷，舌淡苔白，脉沉细，诊为脾肾阳虚。治以健脾温肾，化气利水。处方：熟附片10克，肉桂6克，沉香6克，党参、白术、泽泻、猪苓、茯苓各15克，广木香10克，大腹皮12克。外用甘遂3克，研末敷脐，隔日一换。上方加减连服半月，腹水递减，尿量日增，腹胀渐轻，肢温进食。经治3个多月，腹水基本消失，足肿消退，追访年余，病情稳定，未见反复。

温肾理中汤

【来源】《首批国家级名老中医效验秘方精选·续集》。

【组成】制附子9克　白术9克　茯苓12克　白芍9克　干姜6克　党参9克　甘草6克　猪苓12克　泽泻12克　枳实9克　沉香9克　三七9克　琥珀9克

【用法】每日一剂，水煎二次，早晚分服。在内服方药的同时，取甘遂100克，研为细粉，每次用5～10克，以蜂蜜调匀敷于脐上，覆2～3层纱布后用胶布固定，每日一换。肚脐下有腹主动脉分支通过，甘遂粉敷脐可迅速穿透吸收而产生逐水效应，使腹水从二便去而无任何毒副作用。

【功用】温肾理中行水，行气活血化瘀。

【主治】脾肾阳虚为病机重点的腹水证。腹胀大而形寒肢冷，腰酸足肿，倦怠乏力，口淡不渴，食少便溏，尿少或清长，舌淡嫩、苔白滑，脉沉迟。

【方论】本方是真武汤合理中汤加味组成。以真武汤益火消阴，化气行水；理中汤温运脾阳，以安后天之本。加猪苓、泽泻利尿消肿，枳实、沉香降气破滞，三七、琥珀活血行瘀。俾脾肾阳复，气行瘀散，则腹水可除。

【验案】黄某、女，72岁。患肝硬化3年，腹水2月，伴四肢不温，腰酸足肿，咳唾白色泡沫痰。腹膨隆，腹围78厘米，脾肋下1.5厘米，肝掌，双下肢凹陷性浮肿，舌淡瘀滞有齿痕，苔薄腻，脉微细。证属脾肾阳虚型肝硬化腹水。治以温肾理中行水，佐以行气活血软坚之法，用温肾理中汤内服，甘遂粉调蜜外敷。5剂而水从两便去，足肿消除，腹胀、咳痰减轻，精神、饮食好转；再进6剂而腹水退尽（腹围68.5厘米），四肢转温。继以温肾健脾暖肝法善后，予济生肾气丸合四君子汤加味，蜜合为丸常服。追访2年，肝功能、A/G恢复正常，HbsAg、HbeAb转阴，肝脾肿大回复，腹水未再出现。

臌胀消水丹

【来源】《首批国家级名老中医效验秘方精选》。

【组成】甘遂粉10克　琥珀10克　枳实15克　沉香10克　麝香0.15克

【用法】上药共研细末，装入胶囊，每次4粒，间日1次，于空腹时用大枣煎汤送服。

【功用】行气逐水。

【主治】肝硬化腹水。

【方论】本方以甘遂泻腹水而破瘀血为主，辅以枳实破结气而逐停水，沉香降逆气而暖脾肾，佐琥珀利小便而通经络，麝香通诸窍而活血滞。上药装入胶囊，枣汤送服，其旨在顾护脾胃，免伤正气。诸药合用，滞气散则腹水消，脏腑气血可望恢复。

【验案】徐某，男，46岁。患肝硬化腹水，住院治疗5个多月无明显好转。就诊时形体瘦怯，精神萎靡，腹大如鼓，巩膜皮肤黄染，晦暗不鲜，小便短少，大便稀溏，舌淡苔白，脉沉弱。肝功能化验：SGPT480单位，黄疸指数40单位，TTT20单位，TFT（+++），A/G倒置。首投消水丹以折其水，腹水大减后，予茵陈附子理中汤合五苓散以温中健脾，化气行水。服13剂后腹水全消，黄疸尽退，肝功能明显改善，精神、食欲大增，二便正常。调治3个月后复查，肝功能全部恢复正常，体重增加，康复上班。追访8年，未见复发。

鳖蒜汤

【来源】《首批国家级名老中医效验秘方精选》。

【组成】鳖鱼500克　独头大蒜200克　或鳖甲30～60克　大蒜15～30克

【用法】以鳖鱼、大蒜水煮烂熟，勿入盐，每日一剂，分三次（早、午、晚）饮汤食鱼和蒜令尽。或用鳖甲、大蒜为主，辨证配药，每日一剂，水煎两次，上、下午各服一次。

【功用】益肝阴，健脾气，破瘀软坚，行气利水，消食杀虫。

【主治】臌胀（肝硬化，脾肿大）。

【加减】若胁痛甚者，可合四逆散（柴胡、枳实各10克，白芍15～30克，甘草5克）、金铃子散（金铃子、延胡索各10～15克）、失笑散（五灵脂、蒲黄各10～15克）；若脘痞腹胀纳呆者，酌合枳术丸、保和丸、平胃散、六君子汤。

【方论】本方鳖甲性味咸寒，功能入肝以育阴潜阳，破瘀软坚；大蒜性味辛温，功能健脾暖胃，辟秽杀虫，行气导滞，破瘀利水。二药一阴一阳，相须相济，能攻能补，合而用之，对肝脾气滞血瘀而又气血不足的寒热虚实错杂之臌胀有良效。

化瘀软肝汤

【来源】《首批国家级名老中医效验秘方精选·续集》。

【组成】柴胡10克　生地10克　丹参12克　赤芍10克　当归10克　桃仁10克　丹皮10克　甘草3克

【用法】每日一剂，水煎两次，早晚分服。

【功用】活血化瘀，清热凉血。

【主治】肝炎后肝硬化，血瘀血热型。症见胁肋刺痛，痛有定处，心烦易怒，蜘蛛痣，肝或脾肿大。有时齿衄或鼻衄，面色晦暗，妇女月经量多、早期。舌紫，脉弦有力。

【方论】当归、丹参、赤芍、桃仁活血化瘀，生地、丹皮清热凉血兼能活血，柴胡疏肝以助血行，甘草调和诸药。共奏活血化瘀、清热凉血之效。张琪教授指出，此方专事活血，故不可久服，以免伤正。

消水丹

【来源】《首批国家级名老中医效验秘方精选·续集》。

【组成】甘遂10克　沉香10克　琥珀10克　枳实5克　麝香0.15克

【用法】上药共研细末，装入胶囊中，每粒重0.4克，每次服4粒。晨起空腹用桂枝汤去甘草（桂枝10克，白芍10克，生姜，肥大枣20枚）。煎汤送服。

【功用】攻水消胀。

【主治】肝硬化腹水，症见腹胀而按之疼痛，大便不通，小便短赤不利。其人神色不衰，舌苔厚腻，脉来沉实任按。属实证者。

【方论】方中甘遂泻水逐饮为攻下峻药，沉香行气降逆，引水下行；琥珀利水化瘀，可入血分；枳实破气消积，行气要药；麝香行气化瘀流通经络。五药合用攻逐水邪，为泻下峻剂。然利之过猛，恐劫伐脾肾元气，故又合桂枝汤，用桂枝护其阳，芍药护其阴，生姜健胃以防脾气、胃液之创伤，具有“十枣汤”之义。去甘草者，以甘草与甘遂相反之故也。本方驱邪而不伤正，保存了正气，以确保治疗立于不败之地。

【验案】赵某，男，46岁。患肝硬化腹水，腹胀如瓮，大便秘结不畅，小便点滴不利。中西医屡治无效，痛苦万分，自谓必死无救。切其脉沉弦有力，舌苔白腻而润。观其人神完气足，病早重而体力未衰。治当祛邪以匡正。处以桂枝汤减甘草合消水丹方。服药后，病人感觉胃肠翻腾，腹痛欲吐，心中懊憹不宁，未几则大便开始泻下，至2～3次之时，小便亦随之增加，此时腹胀减轻，如释重负，随后能睡卧休息。时隔两日，照方又进1剂，大便作泻3次，比上次服药更为畅快。此时病人惟觉疲乏无力，食后腹不中适，切其脉弦而软，舌苔白腻变薄。改用补中益气汤加砂仁、木香补脾醒胃，或五补一攻，或七补一攻，小心谨慎治疗，终于化险为夷。

镇坎散

【来源】《部颁标准》。

【组成】谷芽150g　稻芽150g　荷叶60g　香橼60g　佛手60g　白芍150g　甘草30g　使君子150g　冬瓜子（炒）120g

【用法】制成冲剂。开水冲服，每次14g，1日2次。

【功用】醒脾调中，升发胃气。

【主治】面黄乏力，食欲低下，腹胀腹痛，食少便多。

【宜忌】小儿及孕妇忌服。

臌症丸

【来源】《部颁标准》。

【组成】皂矾（醋制）200g　甘遂20g　大枣（去核炒）200g　木香20g　小麦（炒）100g

【用法】制成糖衣水丸，每10丸重1.3g，密闭，防潮。饭前服，1 次 10 丸，每日 3 次，儿童酌减。

【功用】利水消肿，除湿健脾。

【主治】臌症，胸腹胀满，四肢浮肿，大便秘结，小便短赤。

【宜忌】不可与甘草同服，忌食盐及荞麦面。

三十五、血　胀

血胀，是指因瘀血停滞所致之鼓胀。《世医得效方·胀满》："烦躁嗽水，迷忽惊狂，痛闷喘息，虚汗厥逆，小便多、大便黑，名血胀。"《医钞类编·胀病门》："血胀，瘀蓄死血作胀。"临床常见腹大、筋显青紫，手足有红缕赤痕，小水利，大便黑。治宜活血化瘀。

人参芎归汤

【来源】《仁斋直指方论》卷十七。

【组成】当归七钱五分　半夏（制）三分　川芎一两　蓬术　木香　缩砂仁　乌药　甘草（炙）各半两　人参　辣桂　五灵脂各一分

方中当归用量原缺，据《证治准绳·类方》补。《丹溪心法》有白芍，无乌药。

【用法】上锉散。每服三钱，加生姜五片，大枣二个，紫苏四叶，水煎，食前服。

【主治】

1.《仁斋直指方论》：胀满，血胀。

2.《丹溪心法》：血胀，烦躁，漱水不咽，迷忘，小便多，大便黑，或虚厥逆，妇人多有此证。

散血消肿汤

【来源】《医学入门》卷七。

【组成】川芎一钱二分　当归尾　半夏各一钱　莪术　人参各七分　砂仁七枚　木香　五灵脂　官桂各五分　甘草四分　紫苏三分　芍药五分

【用法】加生姜、大枣，水煎服。

【主治】血胀。烦躁，漱水不咽，神思迷忘，小便利，大便黑。

加味抵当丸

【来源】《保命歌括》卷二十五。

【组成】三棱（煨）　茯苓（煨）　干漆（炒烟尽）　牛膝（酒洗）　琥珀　虻虫（糯米炒）　肉桂　水蛭（石灰炒）　桃仁泥　大黄（煨）各等分

【用法】上为细末，用生地黄自然汁和米醋调匀为丸，如梧桐子大。每服十丸，空心童便送下，五日进一服，以血下为度。间服四物汤。

【主治】血胀。

散血消胀汤

【来源】《张氏医通》卷十三。

【组成】归尾一钱五分　五灵脂　官桂　乌药　甘草（炙）　木香各六分　川芎一钱二分　半夏　蓬术（煨）各八分　紫苏三分　砂仁一钱（炒）　生姜五片

【用法】水煎，食前温服。

【主治】血胀。小便多，大便溏黑光亮。

二仁通幽汤

【来源】方出《临证指南医案》，名见《重订通俗伤寒论》。

【别名】桃奴丸（《医学正传》）。

【组成】桃仁　郁李仁　归尾　小茴　红花　制大黄　桂枝　川楝子

【用法】《良方》：光桃仁九粒，郁李净仁二钱，归尾钱半，小茴三分拌炒川楝子一钱，藏红花五分，酒炒生锦纹钱半，桂枝尖四分，磨冲。

【功用】《重订通俗伤寒论》：行血通络。

【主治】

1.《临证指南医案》：脉实，久病瘀热在血，胸不爽，小腹坠，能食不渴，二便涩少。

2.《重订通俗伤寒论》：血胀，多因络瘀，或早服截疟药，胀在右边者为肝胀，在左边者为脾胀；或妇人寒郁子宫，子宫积瘀，胀在少腹者为石瘕。《内经》所谓恶血不泻，以留止，日以益大，可导而下是也。

桃花丹

【来源】《医略六书》卷三十。

【组成】大黄三两（醋煮） 代赭三两（醋煅） 桃花三两（炒黑）

【用法】上为末，薄荷汁为丸。每服三钱，沸汤送下。

【主治】血胀，噎食，脉洪涩大。

【方论】产后血瘀，肝胃不能输化，而胃气上逆，故胸腹胀满，噎食不下焉。桃仁破瘀血，以润胃燥，炒黑，不伤好血；代赭镇逆气以平厥阳，醋煅，引之入肝；醋煮大黄，以搜涤其血。薄荷汁丸，百沸汤下，使瘀血消化，则胃气自平，而腹胀无不退，噎食无不下矣。

人参归芎汤

【来源】《医碥》卷六。

【组成】人参 辣桂（去粗皮） 五灵脂（炒）各二钱五分 乌药 蓬术 木香 砂仁 炙甘草各半两 川芎 当归 半夏（汤泡）各七钱五分

【用法】上锉。每服一两五钱，加生姜五片，红枣二枚，紫苏四叶，水煎，空心服。

【主治】血胀。烦躁，漱水不咽，迷忘如痴，痛闷喘急，大便黑，小便利，虚汗，厥逆。

三十六、虫　鼓

虫鼓，是指因虫积所致之鼓胀。《石室秘录》："虫鼓，微小腹作痛，而四肢浮胀不十分之甚，面色红而带点如虫蚀之象，眼下无卧蚕微肿之形，此时虫鼓也。"治宜杀虫消积。

消虫神奇丹

【来源】《傅青主男女科》。

【组成】当归 鳖甲 地栗粉各一两 雷丸 神曲 茯苓 白矾各三钱 车前子五钱

【用法】水煎服。

【主治】虫臌。小腹痛，四肢浮肿而未甚，面色红而有白点，如虫食之状。

消臌至神汤

【来源】《石室秘录》卷一。

【别名】八宝串（《串雅内编》卷三）。

【组成】茯苓一两 人参七钱 雷丸三钱 甘草二钱 萝卜子七钱 白术五钱 大黄六钱 附子一钱

【用法】水十碗，煎汤二碗，早服一碗，必然腹内雷鸣，少顷必下恶物满桶，即拿出倾去，再换桶，即以第二碗继之，又大泻大下，至黄昏而止。淡淡米饮汤饮之，不再泻。

【主治】气臌血臌，食臌虫臌，经年而不死者。

逐秽消胀汤

【来源】《辨证录》卷五。

【组成】白术一两 雷丸三钱 白薇三钱 甘草一钱 人参三钱 大黄一两 当归一两 丹皮五钱 莱菔子一两 红花三钱

【用法】水煎服。一剂腹内必作雷鸣，少顷下恶物满桶，如血如脓，或有头无足之虫，或色紫色黑之状。又服一剂，大泻大下，而恶物无留矣。然后以人参一钱，茯苓五钱，薏仁一两，山药二两，白芥子一钱，陈皮五分，白术二钱，调理而安。

【主治】虫臌，血臌。虫结于血之中，面色淡黄之中有红点或红纹，单腹胀满，未饮食而腹痛，既饮食而不痛，四肢手足不浮肿，小便利而胃口开，经数年不死，非水臌者。

【宜忌】忌盐一月。虫血之臌，若胃弱者，虽本方补多于攻，亦未可轻用。

【方论】前方用攻于补之中，虽不至大伤脏腑，然大泻大下，毕竟元气少损，故秽尽之后，即以参、苓、薏、药之类继之，则脾气坚固，不愁亡阴之祸也。

打虫丸

【来源】《医略六书》卷二十三。

【组成】槟榔一两半　木香一两　芜荑三两　雷丸三两　枳实一两半（炒）　青皮（炒）一两半　泽泻一两半　鹤虱二两　史君三两

【用法】上为末，炼蜜为丸。每服三钱，寒湿生虫，开口花椒汤送下；湿热生虫，东向楝根皮汤送下。

【主治】虫臌，脉缓滑者。

槐连汤

【来源】《治蛊新方》。

【组成】连翘五钱　条参五钱　青蒿一两　生地五钱　槐花一两　元参五钱　黄柏三钱　贝母五钱　黄芩五钱（酒炒）　三棱三钱　广西田州三七五钱

【用法】加烧酒一两，同水久煨服。

【主治】痞蛊。

华山碑记丸

【来源】《北京市中药成方选集》。

【组成】杏仁（去皮，炒）四两　葶苈子四两　大黄四两　牙皂四两　石榴皮二两　灵脂

方中灵脂用量原缺。

【用法】上为细末，用醋泛为小丸。每服五分，温开水送下。

【主治】积滞痞块，结胸腹胀，水臌痰饮，虫蛊胃痛。

【宜忌】孕妇忌服。

三十七、奔豚气

奔豚气，亦作奔豚、贲肫、贲豚，是指自觉内气从少腹上冲心下或咽喉有如豚之奔走者。《难经》：“肾之积，名贲豚，发于少腹，上至心下，若豚状，或上或下无时，久不已，令人喘逆，骨痿，少气。”《灵枢·邪气脏府病形》：“肾脉，微急为沉厥，奔豚。”《金匮要略·奔豚气病脉证治》较为详细论述本病病机与治疗：“奔豚病，从少腹起，上冲咽喉，发作欲死，复还止，皆从惊恐得之”，“奔豚，气上冲胸，腹痛，往来寒热。奔豚汤主之。”《杂病源流犀烛·肾病源流》认为本病主要因脾肾两虚：“奔豚，皆由肾虚，脾家湿邪下传客肾所致。治宜补气健脾，辛温散结。”治宜行气消积，温肾散寒为基础。

茯苓桂枝甘草大枣汤

【来源】《伤寒论》。

【别名】甘草大枣汤（《医方类聚》卷五十三引《神巧万全方》）、茯苓桂枝汤（《伤寒总病论》卷三）、茯苓汤（《圣济总录》卷二十六）、茯苓桂甘汤（《仁斋直指方论》卷十八）、茯苓桂甘大枣汤（《伤寒图歌活人指掌》卷四）、茯苓桂枝甘枣汤（《金镜内台方议》卷六）、茯苓甘桂大枣汤（《古今医统大全》卷十四）、苓桂甘枣汤（《类聚方》）、桂苓甘枣汤（《医级》卷七）。

【组成】茯苓半斤　桂枝四两（去皮）　甘草二两（炙）　大枣十五枚（擘）

【用法】以甘澜水一斗，先煮茯苓减二升，纳诸药，煮取三升，每服一升，去滓温服，一日三次。

【功用】《注解伤寒论》：降肾气。

【主治】

1.《伤寒论》：发汗后，其人脐下悸，欲作奔豚。

2.《圣济总录》：伤寒发汗后，腹下气满，小便不利。

【方论】

1.《注解伤寒论》：本方用茯苓以伐肾邪，桂枝能泄奔豚，甘草、大枣之甘滋助脾土以平肾水气。煎用甘澜水者，扬之无力，取不助肾气也。

2.《金镜内台方议》：《难经》云，肾之积，名曰奔豚，发于小腹，上至心下，若豚状。或上或下无时，久不已，令人喘逆，骨痿少气，以夏丙丁日得之，今此发汗后，脐下悸，欲作奔豚者，虽无丙丁日得之。然乃汗者心之液，汗多则心虚。

肾气因斯而动也，丙丁亦即心也，故与茯苓为君，以其能伐肾邪而利水道。桂枝为臣，能泄肾之邪气。甘草为佐，大枣为使，以补其中而益土气，令其制水，甘澜水者。取其不助肾邪也。

3.《医方考》：汗后则心液虚，肾者水藏，欲乘心火之虚而克之，故脐下悸，欲作奔豚而上凌于心也。茯苓甘淡，可以益土而伐肾邪；桂枝辛热，可以益火而平肾气；甘草、大枣之甘，可以益脾，益脾所以制肾也。煎以甘澜水者，扬之无力，取其不助肾气尔。

4.《金匮要略心典》：此发汗后心气不足，而后肾气乘之，发为奔豚者。脐下先悸，此其兆也。桂枝能伐肾邪，茯苓能泄水气。然欲治其水，必益其土，故又以甘草、大枣补其脾气。甘澜水者，扬之令轻，使不益肾邪也。

5.《绛雪园古方选注》：肾气奔豚，治宜泄之制之。茯苓、桂枝通阳渗泄，保心气以御水凌，甘草、大枣补脾土以制水泛，甘澜水缓中而不留，入肾而不着，不助水邪，则奔豚脐悸之势缓。是方即茯苓甘草汤恶生姜性升而去之，其义深且切矣。

6.《医宗金鉴》：此方即苓桂术甘汤去白术加大枣倍茯苓也。彼治心下逆满，气上冲胸，此治脐下悸，欲作奔豚。盖以水停中焦，故用白术，水停下焦，故倍茯苓。脐下悸，是邪上干心也，其病由汗后而起，自不外乎桂枝之法。仍以桂枝、甘草补阳气，生心液；倍加茯苓以君之，专伐肾邪；用大枣以佐之，益培中土；以甘澜水煎，取其不助水邪也。土强自可制水，阳建则能御阴，欲作奔豚之病，自潜消而默化矣。

7.《金匮要略释义》：汗为心液，发汗后心气虚，肾气乃动，肾邪将上凌心，故行见脐下悸，此时当用药饵矛伐肾邪，俾奔豚不至作，主以茯苓桂枝甘草大枣汤者，以茯苓能伐肾邪，保心气，为汗后动水之对症良药。桂枝宣心阳下气，甘草大枣缓其迫促和其冲潮也。

8.《金匮要略方义》：奔豚有悸恐怒得之者，有汗后复感寒邪得之者。本方所治，乃因汗后心阳虚，水邪内动，以致脐下动悸，欲作奔豚之证。方中重用茯苓为君药，淡渗利湿，泄水饮，治胸胁逆气（《本草经》）。臣以桂枝，既能助心阳，化水饮，又能降冲气，止奔豚。苓、桂相合，更能交通心肾，温阳化饮。佐以甘草、大枣培土制水，以抑水饮之内动。药仅四味，共奏补土制水，泄饮降冲之功，其用甘澜水者，取其轻扬而不助水湿也。本方与桂枝加桂汤证同为汗后心阳虚，冲气上逆所致者。前方乃汗后感邪，阳虚阴乘，表寒仍在，故重用桂枝；本方乃汗后阳虚，水饮内动，欲作奔豚，故重用茯苓。此外，二者之病情亦有轻重之不同。

【验案】胃神经官能症 《辽宁中医杂志》（1982，12：27）：顾某，男，63 岁，1971 年 7 月 8 日来诊。脐下动悸，其势下趋，时轻时剧，日夜不休，甚则影响入睡，如此已 2 月。精神疲惫，颇为叫苦。脉弦虚滑，舌苔淡黄边有齿印，此为气血流行失畅，郁而求伸，因而脐下悸动。加味苓桂甘草汤：茯苓 15g，桂枝 6g，炒白术 10g，炙甘草 5g，大枣 15 枚，夜交藤 30g，紫丹参 15g，合欢皮 12g，龙牡各 30g，服药 3 剂，病愈十分之二。改方：茯苓 18g，桂枝 9g，炒白术 10g，炙甘草 6g，大枣 20 枚，龙牡各 30g，淮小麦 30g，百合 12g，生地 12g，3 剂脐下动悸完全消失，安然入睡已 3 夜矣。谁知停药后，又见小有发作，遂于 7 月 18 日再次就诊。自诉药后病情大有好转，但未见巩固。询之口不干，足见本方对证，效不变方，5 剂而愈，一年后随访未复发。

桂枝加桂汤

【来源】《伤寒论》。

【别名】桂枝加桂枝汤（《方剂辞典》）。

【组成】桂枝五两（去皮） 芍药三两 生姜三两（切） 甘草二两（炙） 大枣十二枚（擘）

【用法】以水七升，煮取三升，去滓，温服一升。灸其核上各一壮。

【功用】

1.《伤寒贯珠集》：泄上逆之气。

2.《伤寒论方医案选编》：温通心阳，兼祛寒以平冲逆。

【主治】烧针令其汗，针处被寒，核起而赤者，必发奔豚，气从少腹上冲心者。

【方论】

1.《伤寒论》：桂枝汤今加桂满五两，所以加桂者，以泄奔豚气也。

2.《伤寒论条辨》：与桂枝汤者，解其欲自解之肌也；加桂者，桂走阴而能伐肾邪，故用之以泄奔豚之气也。然则所加者桂也，非枝也，方出增补，故有成五两云耳。

3.《伤寒论类方》：重加桂枝，不特御寒，且制肾气。又药味重则能下达，凡奔豚症，此方可增减用之。

4.《伤寒论本旨》：相传方中或加桂枝，或加肉桂。若平肾邪，宜加肉桂；如解太阳之邪，宜加桂枝也。

5.《绛雪园古方选注》：桂枝汤，太阳经药也。奔豚，肾邪上逆也。用太阳经药治少阴病者，水邪上逆，由于外召寒入，故仍从表治，惟加桂二两，便可温少阴而泄阴气矣。原文云更加桂二两者，加其两数，非在外再肉桂也。古者铢两斤法，以四为数，申明桂枝加一、加二，犹为不足，当加四分之三，故曰更加。

6.《金匮要略心典》：此肾气乘外寒而动发为奔豚者。发汗后烧针复汗，阳气重伤，于是外寒从针孔而入通于肾，肾气乘外寒而上冲于心，故须灸其核上，以杜再入之邪，而以桂枝汤外解寒邪，加桂内泄肾气也。

7.《金匮要略方论本义》：灸后桂枝加桂汤主之，意取升阳散邪，固卫补中，所以为汗后感寒阳衰，阴乘之奔豚立法也。与前条心动气驰，气结热聚之奔豚，源流大别也。

8.《金匮要略方义》：此时，外邪尚在，故以桂枝汤散风寒，和营卫；方中更加桂二两，且不啜粥取汗，意在重用桂枝，取其温经散寒，上助心阳，下暖肝肾，尤可降逆平冲，以治奔豚之气。生姜、大枣助桂枝散寒邪而调和营卫；白芍、甘草佐桂枝和营卫而柔肝缓急。全方共奏温阳降冲，缓急止痛，虚阴乘，冲气上逆之证，用本方则可温而降之，辛而散之。此方加桂，有云加肉桂者，肉桂有温阳纳气，祛寒降逆之功，其温热之力更强，临床可随症酌用。

【验案】

1. 奔豚 《经方实验录》：周右，住浦东。初诊：气从少腹上冲心，一日四五度发，发则白津出，此作奔豚论。肉桂心一钱，川桂枝三钱，大白芍三钱，炙甘草二钱，生姜三片，大红枣八枚。二诊：投桂枝加桂汤后，气上冲减为日二三度发，白津之出亦渐稀，下得矢气，此为邪之去路，佳。肉桂心一钱半，川桂枝三钱，大白芍三钱，炙甘草三钱，生姜三片，红枣十枚，厚朴一钱半，半夏三钱。三诊：气上冲、白津出，悉渐除，益矢气得畅行故也。

2. 房室传导阻滞 《国医论坛》（2005，5：5）：用桂枝加桂汤治疗房室传导阻滞 286 例，连服 6 剂为 1 疗程，结果：治愈 157 例，显效 78 例，有效 32 例，无效 19 例，总有效率 93.36%。

奔豚汤

【来源】《金匮要略》卷上。

【组成】甘草 川芎 当归各二两 半夏四两 黄芩二两 生葛五两 芍药二两 生姜四两 甘李根白皮一升

【用法】以水二斗，煎取五升，温服一升，日三次，夜一次。

【功用】

1.《医学入门》：益元气，泄阴火，破滞气，削其坚。

2.《金匮要略浅释》：疏肝清热，降逆止痛。

【主治】

1.《金匮要略》：奔豚，气上冲胸，腹痛，往来寒热。

2.《三因极一病证方论》：肾之积，发于小腹，上至心，如豚奔走之状，上下无时，久久不已，病喘逆，骨痿，少气，其脉沉而滑。

3.《金匮要略方义》：肝胃不和，气逆上攻之胁肋痛，胸膈胀闷，噫逆呕呃，时觉气上攻冲，或往来寒热，或口苦咽干，舌苔白微黄，脉弦者。

【宜忌】《外台秘要》引《集验方》：忌海藻，菘菜、羊肉、饧。

【方论】

1.《金匮要略编注》：此因肝胆风邪相引，肾中积风乘脾，故气上冲胸而腹痛。厥阴受风，相应少阳，则往来寒热，是以芎、归、姜、芍疏养厥阴、少阳气血之正，而驱邪外出；以生葛、李根专解表里风热，而清奔豚逆上之邪；黄芩能清风化之热；半夏以和脾胃而化客痰，俾两经邪散，木不临脾而肾失其势，即奔豚自退。

2.《金匮要略心典》：此奔豚气之发于肝邪

者。往来寒热，肝脏有邪而气通于少阴也。肝欲散，以姜、夏、生葛散之。肝苦急，以甘草缓之，芎、归、芍药理其血，黄芩、李根下其气。桂、苓为奔豚主药而不用者，不由肾发也。

3.《绛雪园古方选注》：君以芍药、甘草奠安中气，臣以生姜、半夏开其结气，当归、芎藭入血以和心气，黄芩、生姜、甘李根白皮性大寒，以折其冲逆之气，杂以生葛者，寓将欲降之，以先升之之理。

4.《金匮要略浅释》：奔豚汤为小柴胡的变方。陈逊斋老师认为，方中生葛，系柴胡之误。葛主汲升，水逆上犯，决不宜升提；李根白皮以治热性奔豚；归、芎、芍以和肝镇痛；黄芩清解肝胆之热；姜、夏和胃降水逆。

5.《金匮要略方义》：本方列为治奔豚三方之首。其所治之奔豚，以气上冲胸，腹痛，往来寒热为主症。究其病因，多由惊恐恼怒，肝气郁结，化热上冲所致。治宜平降上冲之逆气为主，方中以李根白皮为君药，取其入足厥阴肝经，"下肝气之奔豚，清风木之郁热"（《长沙药解》），主治奔豚气逆。臣以半夏之降逆，以助李根白皮下气安冲之功。佐以黄芩、葛根清热平肝；当归、川芎、白芍调肝养血，既补肝之体，又利肝之用。加生姜配半夏而和胃降逆，使以甘草调和诸药，又伍芍药而缓急止腹痛。综合本方，共奏清热平肝，降逆止痛之效，故对肝郁化热，冲气上逆止奔豚病，是为主治之方。

【验案】

1. 奔豚气　《辽宁中医》（1978，4：36）：潘某某，男，50岁，工人。八天前遇事突然惊恐，遂致阵发性气从少腹上攻心下，剧痛难忍，伴有腹胀，失眠，饮食不下，平均每二小时发作一次，一次持续5～30分钟，发作时有气从少腹上冲心胸，心下闷乱，恶闻人声，时时欲呕，手足厥冷，痛楚欲死，痛甚则大汗出，神志蒙昧，但发作后诸症消失，一如常人。住院经用西药镇痛剂、解痉挛、输液等对症治疗无效。病人面色不华，舌苔白厚有裂纹，脉濡弱无力。诊断为奔豚气。症脉合参，治以疏肝解郁，下气缓急，和血调肝，清热平逆。以奔豚汤加减：葛根20克，半夏15克，生姜10克，当归15克，芍药15克，川芎15克，黄芩15克，甘草10克，牡蛎50克，苍术15克。服药三剂，发作停止，稍有打呃腹胀，遵上方去生姜，加陈皮20克，厚朴20克，继服三剂，诸症悉退而愈。

2. 神经官能症　《中国中西医结合杂志》（2007，7：879）：用奔豚汤加味，治疗焦虑性神经官能症26例。结果：痊愈20例，好转6例，总有效率100%。

奔气汤

【来源】方出《肘后备急方》卷三，名见《备急千金要方》卷十七。

【别名】茱萸汤（《普济方》卷一七一）、奔豚汤（《救急选方》卷上）。

【组成】甘草二两　人参二两　桂心二两　茱萸一升　生姜一斤　半夏一升

【用法】以水一斗，煮取三升，分三服。

【主治】

1.《肘后备急方》：奔豚病，从卒惊怖忧追得之，气下纵纵，冲心胸脐间，筑筑发动有时，不治杀人。

2.《备急千金要方》：大气上奔胸膈中，诸病发时，迫满短气不得卧，剧荏便悁欲死，腹中冷湿气，肠鸣相逐成结气。

【宜忌】《外台秘要》：忌羊肉、饧、生葱、海藻、菘菜。

牡蛎奔豚汤

【来源】《外台秘要》卷十二引《小品方》。

【组成】牡蛎三两（熬）　桂心八两　李根白皮一斤（切）　甘草三两（炙）

【用法】上切。以水一斗七升，煮取李根皮得七升，去滓，内余药，再煮取三升，分服五合，日三夜再。

【主治】奔豚，气从少腹起撞胸，手足逆冷。

【宜忌】忌生葱、海藻、菘菜。

奔豚汤

【来源】《外台秘要》卷十二引《小品方》。

【组成】葛根八两（干者）　生李根（切）一升

人参三两　半夏一升（洗）　芍药三两　当归二两　桂心五两　生姜二斤　甘草（炙）二两

【用法】上切。以水二斗，煮得五升，温服八合，每日三次。不知稍增至一升。

【主治】虚劳五脏气乏损，游气归上，上走时若群豚相逐憧憧，时气来便自如坐惊梦，精光竭不泽，阴痿，上引少腹急痛，面乍热赤色。喜怒无常，耳聋，目视无精光。

【宜忌】忌羊肉、饧、生葱、海藻、菘菜等。

奔豚汤

【来源】《外台秘要》卷十二引《小品方》。

【组成】甘草四两（炙）　李根白皮一斤（切）　葛根一斤　黄芩三两　桂心二两　栝楼二两　人参二两　芎䓖一两

【用法】上切。以水一斗五升，煮取五升，去滓，温服一升，日三次，夜二次。

【主治】奔豚，手足逆冷，胸满气促，从脐左右起，郁冒者。

【宜忌】忌海藻、菘菜、生葱。

奔豚茯苓汤

【来源】《外台秘要》卷十二引《集验方》。

【组成】茯苓四两　生葛八两　甘草二两（炙）　生姜五两　半夏一升（汤洗）　人参三两　当归二两　芎䓖二两　李根白皮（切）一升

【用法】上切。以水一斗二升，煮取五升，服一升，日三次，夜二次。

【主治】短气，五脏不足，寒气厥逆，腹胀满，气奔走冲胸膈，发作气欲绝，不识人，气力羸瘦，少腹起腾踊如豚子，走上走下，驰往驰来，寒热，拘引阴器，手足逆冷，或烦热者。

【宜忌】忌羊肉、饧、海藻、菘菜、酢物。

气奔汤

【来源】方出《备急千金要方》卷三，名见《千金翼方》卷六。

【组成】厚朴　桂心　当归　细辛　芍药　石膏各三两　甘草　黄芩　泽泻各二两　吴茱萸五两　干地黄四两　桔梗三两　干姜一两

【用法】上锉。以水一斗二升，煮取三升，去滓，分三服。服三剂佳。

【主治】产后上气及妇人奔豚气，积劳，脏气不足，胸中烦躁，关元以下如怀五千钱状。

杏仁膏

【来源】《备急千金要方》卷十三。

【组成】杏仁一升（捣研）

【用法】以水一斗，滤取汁，令尽，以铜器煻火上，从旦煮至日入，当熟如脂膏，下之。每服一方寸匕，空腹酒下，一日三次。不饮酒者，以饮服之。

【主治】

1.《备急千金要方》：上气头面风，头痛，胸中气满，奔豚气上下往来，心下烦热，产妇金疮百病。

2.《普济方》引《太平圣惠方》：亦治眼瞤鼻塞，眼暗冷泪。

奔豚汤

【来源】《备急千金要方》卷十四引徐嗣伯方。

【组成】吴茱萸一升　桂心　芍药　生姜各四分　石膏　人参　半夏　芎䓖各三分　生葛根　茯苓各六分　当归四两　李根皮一斤

【用法】上锉。以水七升，清酒八升，煮取三升，分作三服。

【主治】气奔急欲绝者。

【方论】《千金方衍义》：以芎、归、芍药和其瘀积之血，半夏、生姜涤其坚积之痰，葛根以通津液，李根以降逆气，并未尝用少阴之药。设泥奔豚为肾积，而用伐肾之剂，谬之甚矣。嗣伯治风眩气奔欲绝，故以桂、苓祛风，人参壮气，茱萸降逆，石膏开泄旺气为之必需。

人参半夏散

【来源】《鸡峰普济方》卷二十引《广济方》。

【组成】桑根白皮八两　半夏七两　干姜四两　茯苓三两　人参　甘草各二两　附子一两　桂四两

【用法】上切。以水一斗，煮取三升，滤去滓，分作三服，食后服。

【主治】奔豚气在心，吸吸短气，不欲闻人声，心下烦乱不安，发作有时，四肢烦疼，手足逆冷。

【宜忌】忌生冷、羊肉、饧、海藻、菘菜、油腻等。

竹篆下气汤

【来源】《外台秘要》卷十引《深师方》。

【组成】生甘竹篆一虎口　石膏一两　生姜　橘皮各三两　甘草三两（炙）

【用法】上切。以水七升，煮竹篆，取四升半，去滓，纳诸药，煮取二升，分二服。

【主治】卒急上气，胸心满。

【宜忌】忌海藻、菘菜。

木香散

【来源】《太平圣惠方》卷四十八。

【组成】木香一两　青橘皮半两（汤浸，去白瓤，焙）　槟榔一两　白术半两　沉香一两　茴香子半两　木瓜三分（焙干）　桂心二两　蓬莪术半两　杉木节半两

【用法】上为细散。每服二钱，以温酒调下，不拘时候。

【主治】奔豚气上冲，心胸闷乱，脐腹胀痛，饮食辄呕。

甘李根散

【来源】《太平圣惠方》卷四十八。

【组成】甘李根二两（锉）　吴茱萸半两（汤浸七遍，焙干，微炒）　半夏一两（汤洗七遍，去滑）　人参一两（去芦头）　附子一两（炮裂，去皮脐）　桂心一两　当归一两（锉，微炒）　干姜半两（炮裂，锉）　槟榔一两

【用法】上为散。每服三钱，水一中盏，煎至六分，去滓，稍热服，不拘时候。

【主治】奔豚气，脐腹胀痛，翕翕短气，发作有时，四肢疼闷。

赤茯苓散

【来源】《太平圣惠方》卷四十八。

【别名】七气汤（《普济方》卷一七一）。

【组成】赤茯苓二两半　大腹皮半两（锉）　槟榔半两　桂心一两　吴茱萸半两（汤浸七遍，焙干，微炒）　高良姜半两（锉）　诃黎勒皮一两　牵牛子一两（微炒）

【用法】上为散。每服三钱，水一中盏，煎至六分，去滓稍热服，不拘时候。

【主治】奔豚气，从小腹起，上至心下，妨胀壅闷，胸中短气，坐卧不安。

沉香丸

【来源】《太平圣惠方》卷四十八。

【组成】沉香半两　阿魏半两（以少面和溶，作饼子，炙令黄）　木香一分　桃仁半两（汤浸，去皮尖双仁，麸炒微黄）　槟榔半两　吴茱萸一分（汤浸七遍，焙干，微炒）　茴香子半两　青橘皮一分（汤浸，去白瓤，焙）　硼砂三两（不夹石者，细研，以汤一盏化，澄去滓取清，纳银器中煎成霜，研入）　蛜螂一两（生用）

【用法】上为细末，加硼砂令匀，酒糊为丸，如梧桐子大。每服二十丸，食前以姜盐汤送下。

【主治】奔豚气，小腹积聚疼痛，或时上攻，心胸壅闷。

桃仁散

【来源】《太平圣惠方》卷四十八。

【组成】桃仁一两（汤浸，去皮尖双仁，麸炒微黄，研入）　牵牛子一两（微炒）　槟榔半两　青橘皮半两（汤浸，去白瓤，焙）　木香半两　茴香子一两（微炒）　郁李仁一两（汤浸，去皮，微炒，研入）

【用法】上为细散，研入桃仁、郁李仁令匀。每服二钱，以温酒调下，不拘时候。

【主治】奔豚气，上攻心胸，喘闷胀满。

硫黄丸

【来源】《太平圣惠方》卷四十八。

【别名】木香硫黄丸（《圣济总录》卷七十一）。

【组成】硫黄一两（细研） 木香一两 青橘皮一两（汤浸，去白瓤，焙） 桂心一两 肉豆蔻一两 茴香子一两 附子一两（炮裂，去皮脐） 干姜一两（炮裂，锉） 铜青一两（细研） 槟榔一两

【用法】上为细末，酒煮面糊为丸，如梧桐子大，每服二十丸，以生姜、温酒送下。

【主治】《太平圣惠方》：奔豚气，攻筑心腹，膨胀疼痛，面色唇口青黑，四肢不和。

硼砂煎丸

【来源】《太平圣惠方》卷四十八。

【别名】硇砂煎丸（《普济方》卷一六八）。

【组成】硼砂三两（不夹石者，细研，以酒醋各一升，慢火熬令如膏） 附子一两（炮裂，去皮脐） 吴茱萸半两（汤浸七遍，焙干微炒） 木香三分 桃仁一两（汤浸，去皮尖双仁，麸炒微黄，研入） 防葵三分（锉碎，醋拌令黄） 槟榔三分

方中硼砂，《普济方》引作“硇砂”。

【用法】上为细末，入桃仁令匀，纳硼砂煎中，再入少蒸饼和溶为丸，如梧桐子大。每服十五丸，食前以温酒送下。

【主治】奔豚气在小腹，积聚成块，发歇痛。

槟榔散

【来源】《太平圣惠方》卷四十八。

【组成】槟榔一两 沉香半两 白蒺藜半两（微炒，去刺） 木香半两 附子一两（炮裂，去皮脐） 桂心半两 诃黎勒皮一两 青橘皮半两（汤浸，去白瓤，焙） 麝香一分（研入）

【用法】上为细散，入麝香令匀。每服二钱，以温酒调下，不拘时候。

【主治】奔豚气。小腹胀硬，心中满闷。

阿魏丸

【来源】《博济方》卷二。

【组成】阿魏一两半 当归一两半（切，醋炒） 官桂半两 陈皮半两（去白，细切，醋炒） 白及三分 吴白芷半两 蓬术一两 延胡索半两（锉碎，醋炒） 木香三分 吴茱萸半两（醋炒） 川芎半两（醋炒） 附子半两（炮，去皮脐） 干姜一两（炮） 肉豆蔻 朱砂各三分（研细末）

【用法】上除阿魏、朱砂外，同为细末，以头醋半升，浸阿魏经宿，同生绢袋取汁，煮面糊为丸，如梧桐子大，以朱砂为衣。每服五丸，温酒送下；橘皮汤亦可；妇人，醋汤送下。

【主治】

1. 《博济方》：男妇一切气攻刺疼痛，呼吸不得，大肠滑泄。

2. 《魏氏家藏方》：丈夫妇人一切气，五聚积气，及奔豚肾气上冲，心下雷鸣，注于两胁，久成□癖腹胀。

黑锡丹

【来源】《太平惠民和济局方》卷五（吴直阁增诸家名方）引桑君方。

【别名】医门黑锡丹（《中药成方配本》）。

【组成】沉香（镑） 附子（炮，去皮脐） 葫芦巴（酒浸，炒） 阳起石（研细，水飞） 茴香（舶上者，炒） 破故纸（酒浸，炒） 肉豆蔻（面裹，煨） 金铃子（蒸，去皮核） 木香各一两 肉桂（去皮）半两 黑锡（去滓称） 硫黄（透明者，结沙子）各二两

《普济方》引《海上方》无阳起石，有巴戟天；《普济方》引《如宜方》无木香。

【用法】上用黑盏，或新铁铫内，如常法结黑锡、硫黄沙子，地上出火毒，研令极细，余药并杵罗为细末，都一处和匀入研，自朝至暮，以黑光色为度，酒糊为丸，如梧桐子大，阴干，入布袋内，擦令光莹。每服三四十粒，空心姜盐汤或枣汤下；妇人艾醋汤下；风涎诸疾用此药百粒煎姜、枣汤灌之，压下风涎，即时苏醒。

【功用】

1. 《太平惠民和济局方》（吴直阁增诸家名方）：克化饮食，养精神，生阳逐阴，消磨冷滞，除湿破癖，安宁五脏，调畅六腑。

2. 《医门法律》：升降阴阳，补虚益元，坠痰。

【主治】

1. 《太平惠民和济局方》（吴直阁增诸家名方）：脾元久冷，上实下虚，胸中痰饮，或上攻头

目彻痛，目瞪昏眩；及奔豚气上冲，胸腹连两胁，膨胀刺痛不可忍，气欲绝者；阴阳气上下不升降，饮食不进，面黄羸瘦，肢体浮肿，五种水气，脚气上冲；及牙龈肿痛，满口生疮，齿欲落者；兼治脾寒心痛，冷汗不止；或卒暴中风，痰潮上膈，言语艰涩，神昏气乱，喉中痰响，状似瘫痪，曾用风药吊吐不出者；或触冒寒邪，霍乱吐泻，手足逆冷，唇口青黑；及男子阳事痿怯，脚膝痠软，行步乏力，脐腹虚鸣，大便久滑；及妇人血海久冷，白带自下，岁久无子，血气攻注头面四肢；兼疗膈胃烦壅，痰饮虚喘，百药不愈者。

2.《医门法律》：真元虚惫，阳气不固，阴气逆冲，三焦不和，冷气刺痛，

【方论】

1.《成方便读》：欲补真阳之火，必先回护真阴，故硫黄、黑铅二味，皆能入肾，一补火而一补水，以之同炒，使之水火交恋，阴阳互根之意；而后一派补肾壮阳之药，暖下焦逐寒湿，真阳返本，阴液无伤；寒则气滞，故以木香理之；虚则气泄，故以肉果固之；用川楝者，以肝肾同居下焦，肝有内火相寄，虽寒盛于下，恐肝家内郁之火不净耳。故此方治寒疝一证，亦甚得宜。

2.《伤寒绪论·卷下》：此方用黑锡水之精，硫黄火之精，二味结成砂子为君。诸香燥纯阳之药为臣，以金铃子苦寒一味为反佐，用沉香引入至阴之分为使。凡遇阴火逆冲，真阳暴脱，气喘痰鸣之急证，用以镇固其阳，使坎离交于顷刻，真续命神丹也。

木香散

【来源】《圣济总录》卷五十二。

【组成】青木香　茴香子（炒）　桃仁（去皮尖双仁，炒令黄）各半两　丁香　蜀椒（去目及合口者，炒出汗）各一分　蒺藜子　陈橘皮（去白，焙）　槟榔（锉）各三分

【用法】上为散。每服四钱匕，空心温酒调下。

【主治】肾气发动，上攻下注。

沉香阿魏丸

【来源】《圣济总录》卷五十二。

【组成】沉香（锉）　阿魏（研）　桃仁（汤浸，去皮尖双仁，炒，研）　槟榔（锉）　蓬莪术（炮，锉）各半两　青橘皮（去白，米醋炙）　吴茱萸（醋炒）　青木香　茴香子（炒）各一分　硇砂三两（细研，汤泡，纸滤取清，入银石器内煎成霜，研入药）

【用法】上为末，炼蜜为丸，如梧桐子大。每服二十丸，炒生姜盐汤送下。

【主治】肾脏风虚劳气，奔冲闷乱。

七气汤

【来源】《圣济总录》卷七十一。

【组成】桂（去粗皮）　赤茯苓（去黑皮）　高良姜（炒）　诃黎勒皮各一两半　大腹连皮（锉）一两　吴茱萸（汤洗，焙炒）三分　牵牛子（炒）半两

【用法】上为粗散。每服三钱匕，水一盏，煎至七分，去滓温服。微利两三行为度。

【主治】奔豚气，自少腹上至心下，若豚状，腰腹疼痛，或冲心满闷。

七宝丸

【来源】《圣济总录》卷七十一。

【组成】丁香　沉香（锉）　硇砂（汤浸，绵滤澄，入陈曲同煎成膏）各半两　蒺藜子（炒，去角）　木香各三分　附子（炮裂，去皮脐）一两　麝香一分（研）

【用法】上药除煎外，捣研为末，用前煎搜和为丸，如梧桐子大。每服十丸，炒生姜酒或炒生姜、黑豆、小便送下。

【主治】奔豚气上冲，胁肋绞痛。

天雄丸

【来源】《圣济总录》卷七十一。

【组成】天雄（生，去皮脐）一两　桃仁（去皮尖双仁，炒黄）　桂（去粗皮）　香子（炒）　蜀椒（去目并合口，炒出汗）　干蝎（炒）各半两

【用法】上为末，用狗里外肾并胆细切，就银石器中，以无灰酒一升，煎成膏，入药末为丸，如梧

桐子大。每服二十丸，空心生姜盐汤送下。

【主治】奔豚气，上下攻走疼痛。

木香汤

【来源】《圣济总录》卷七十一。

【组成】木香　桂（去粗皮）各三分　赤茯苓（去黑皮）　槟榔（锉）　桑根白皮（锉）各一两半　甘草（炙）半两　陈橘皮（汤浸，去白，焙）　紫苏茎叶各一两

【用法】上为粗末。每服三钱匕，水一盏，加生姜半枣大（拍破），煎至七分，去滓温服，空心、日午、近晚各一次。

【主治】积气不散，久伏于脐腹间，发似豚状，奔上冲心。

木香散

【来源】《圣济总录》卷七十一。

【别名】木香汤（《普济方》卷一七一）。

【组成】木香一两　青橘皮（汤浸，去白，焙）　白芷（炒）　沉香（锉）　茴香子（炒）　桂（去粗皮）　蓬莪术（炮，锉）　杉木节各半两　枳壳（去瓤，炒）　木瓜（焙）各三分

【用法】上为散。每服二钱匕，炒生姜、盐汤调下。

【主治】一切气，及肾脏奔豚气上冲，心胸闷乱。

木香槟榔散

【来源】《圣济总录》卷七十一。

【组成】木香　槟榔（煨，锉）　沉香（锉）　磁石（煅，醋淬）　诃黎勒（去核）　茴香子（炒）　芎藭　白芷（炒）　牡蛎（煅）各半两　桂（去粗皮）　陈橘皮（汤浸，去白，焙）各三分

【用法】上为散。每服二钱匕，炒生姜、盐汤调下。

【主治】积气不散，结伏奔豚，发即上冲心胸，令人喘逆，骨痿少气。

木香郁李仁丸

【来源】《圣济总录》卷七十一。

【组成】木香一两　郁李仁（去皮，生用）三两　沉香（锉）　槟榔（锉）　桂（去粗皮）　青橘皮（去白，焙）　附子（炮裂，去皮脐）　茴香子（炒）各一两

【用法】上为末，炼蜜为丸，如梧桐子大。每服二十丸，茴香子或薄荷酒送下，一日三次。脐下有块，服一月除。

【主治】奔豚。气从少腹奔冲上心，昏乱呕吐，痛甚。

化气沉香汤

【来源】《圣济总录》卷七十一。

【别名】沉香汤（《普济方》卷一七一）。

【组成】沉香　黄耆　人参各三分　茴香子（炒）　甘草（炙）　木香　桂（去粗皮）　乌药　附子（炮裂，去皮脐）　石斛（去根）　牛膝（酒浸，切，焙）　五味子（炒）　巴戟天（去心）　陈橘皮（汤浸，去白，焙）　高良姜各半两

【用法】上锉，如麻豆大。每服三钱匕，水一盏，加生姜一分（拍碎），煎至七分，去滓温服，空心、日午、食前各一次。

【主治】肾积。

四味丸

【来源】《圣济总录》卷七十一。

【组成】蜀椒（去目及闭口，炒出汗）　茴香子（炒）　附子（炮裂，去皮脐）　肉苁蓉（酒浸，切，焙）各一两

【用法】上为末，炼蜜为丸，如梧桐子大。每服十五丸，空心温酒送下。

【主治】久积奔豚气，时攻膀胱切痛。

压气木香丸

【来源】《圣济总录》卷七十一。

【别名】木香丸（《普济方》卷一七一）。

【组成】木香　丁香　白豆蔻（去皮）　肉豆蔻（去壳）　吴茱萸（醋浸一宿，炒令黄色）各半两　沉香三分　青橘皮（汤浸，去白，焙）一分　麝香（另研）二钱

【用法】除麝香外，上为末，入麝香研匀，用硇砂煎，猪胆汁为丸，如梧桐子大。每服二十丸，温酒送下。

【主治】奔豚气，上冲胸膈。

李根皮汤

【来源】《圣济总录》卷七十一。

【组成】李根白皮（锉，焙）八两　半夏（汤洗七遍，焙）七两　干姜（炮）　桂（去粗皮）各四两　赤茯苓（去黑皮）三两　人参　甘草（炙）各二两　附子（炮裂，去皮脐）一两

【用法】上锉，如麻豆大。每服五钱匕，水一盏半，煎至八分，去滓温服。

【主治】奔豚气冲心，吸吸短气，发作有时。

吴茱萸饮

【来源】《圣济总录》卷七十一。

【组成】吴茱萸（汤洗，焙干）　桃仁（汤浸，去皮尖双仁）各一分　黑豆半两

【用法】上药同炒，以黑豆熟为度。用童子小便一升，浸少顷，煎至六分，去滓分三服，空心、日午、夜卧各一次。

【主治】肾脏久积成奔豚，气注小腹急痛，发即不识人。

应急撞气丸

【来源】《圣济总录》卷七十一。

【别名】撞气丸（《普济方》卷一七一）。

【组成】铅二两　石亭脂（为末）二两　丁香（为末）一两　木香（为末）一两　麝香（研）一分

【用法】先将铅于铫子内慢火炒令干，入石亭脂末，急手炒转，莫令焰起，以水微喷之；慢火再炒令干；倾于净地坑子内，以盏子覆之，候冷取出，为细末；次入诸药相和为末，以粟米饭为丸，如鸡头子大。每用时研破二丸，热酒浸之，顿服。或汗，或下气，或通转即愈。

【主治】肾脏气发动，筑人心腹，面黑，胸闷欲绝，及诸气奔豚喘甚，妇人伤冷，血气发攻心。

【加减】秘不通，每一丸入玄明粉半两；气满胸膈，服药皆吐，以炒豆炒盐等熨，令气下，便服此药。

沉香石斛汤

【来源】《圣济总录》卷七十一。

【组成】沉香（锉）　石斛（去根）　陈曲（炒）各一两　人参　赤茯苓（去黑皮）　五味子（微炒）　桂（去粗皮）　巴戟天（去心，炒）　白术　芎䓖各三分　木香　肉豆蔻仁各半两

【用法】上为粗末，每服三钱，水一盏，加生姜三片，大枣三枚（擘），煎至六分，去滓，食前热服。

【主治】肾脏积冷，奔豚气攻少腹疼痛，上冲胸胁。

茴香槟榔散

【来源】《圣济总录》卷七十一。

【别名】茴香子散（原书卷九十四）。

【组成】茴香子（炒）　槟榔（锉）　京三棱（煨，锉）　青橘皮（汤浸，去白，切，盐炒）各半两　木香一分

【用法】上为散。每服二钱匕，热汤调下，不拘时候。

【主治】奔豚气成块，上冲腹胁满痛；寒疝积聚，脐腹疼痛，两胁胀满。

槟榔丸

【来源】《圣济总录》卷七十一。

【组成】槟榔一两（一半煨，一半生）　木香（微炒）半两　安息香（研）一分　桂（去粗皮）　青橘皮（去白，麸炒）各半两　吴茱萸（汤洗，焙）一分

【用法】上为末，以猪胆二十枚，水煮如饧，和前末捣为丸，如小豆大。每服七丸，空心嚼破，暖酒送下。

【主治】肾积气奔豚。从少腹上冲心，昏乱，呕吐，疼痛。

槟榔散

【来源】《圣济总录》卷七十一。

【组成】槟榔（锉） 诃黎勒（煨，去核）各二两 吴茱萸（陈者，汤洗，焙干，炒）一两半 牵牛子（微炒）三两

【用法】上为散。每服一钱匕，童便半盏，空心调下。如患阴阳二毒、伤寒及脚气亦可服。

【主治】奔豚气逆，冲心满闷。

磁石散

【来源】《圣济总录》卷七十一。

【组成】磁石（烧，醋淬，研） 肉豆蔻（去壳） 木香 槟榔（锉）各一两

【用法】上为散。每服三钱匕，以生葱一茎，细切，热酒投调下。

【主治】奔豚冷气，上冲昏乱，四肢软弱不收。

沉香丸

【来源】《圣济总录》卷一八六。

【组成】沉香（锉） 木香各半两 硇砂半两（水煎，炼成霜） 附子（炮裂，去皮脐）一两 丁香 槟榔（锉） 茴香子（炒）各半两

【用法】上为末，酒糊为丸，如梧桐子大。每服二十丸至三十丸，空心以盐汤或盐酒送下。

【功用】补气化积。

【主治】元脏积冷，奔豚气冲，心腹㽲痛。

苦楝丸

【来源】《普济方》卷一七一引《圣济总录》。

【组成】苦楝 茴香各一两 黑附子（炮，去皮脐）

【用法】用酒二升，煮酒尽为度，晒干或阴干，捣为细末。每一两药末，入全蝎十八个，玄胡五钱，丁香十五个，共为末，酒糊为丸，如梧桐子大。每服百丸，空心酒送下；如痛甚、煎当归入酒。大效。

【主治】奔豚，及小腹痛不可忍者。

酒煎附子四神丹

【来源】《幼幼新书》卷九引李安仁方。

【别名】四神附子煎（《传信适用方》卷二）、沉酒煎附子四神丹、四神附子丹（《普济方》卷二二五）。

【组成】水窟雄黄 雌黄 辰砂 透明硫黄各半斤（上别研水飞过，渗干，再同研匀。用烧药盒子一个，看大小用。临时先以牡丹根皮，烧烟熏盒子，令酽烟气黑黄色，入前四物在内，约留药盒子口下及一指，以醋调腊茶作饼子盖定，与盒子口缝平，用赤石脂泥固济盒子，用盒盖子盖之，令严，却用纸筋盐泥通裹盒子，固济约厚一寸，放令极干。初用炭火烧热，次加少火烧合通赤，常约令火五斤以来，渐渐添火气，小却添至五斤以来，照顾勿令炭厚薄不一，可添至三秤得济，去火渐令冷，入在地坑内，深一尺以上，用好黄土盖之。候三日取出，打破盒子，取药研细，约三十两。别入） 胡椒末 荜茇末各七两 真赤石脂末三两 好官桂心末六两 附子（及六钱以上者，炮，去皮脐，取末）十二两

【用法】上以好法酒一斗，熬至三升，然后入附子末为糊，和前药为丸，如鸡头子大，留少酒膏，恐药干。候干，轻病每服一丸，重病二丸至三丸，空心食前米饮汤送下；温酒、盐汤亦得。小儿吐泻慢惊，研一丸，米饮灌下。

【功用】升降阴阳，顺正祛邪，消风冷痰涎，散结伏滞气，通利关节，破瘀败凝涩奔冲失经之血，接助真气，生续脉息，补肾经不足，和膀胱小肠，秘精固气，定喘止逆，压烦躁，养胃气。

【主治】小儿慢惊，一切虚冷之疾。五脏亏损，下虚上壅，胸中痰饮，脐腹冷积，奔豚气冲，上下循环，攻刺疼痛，脾寒冷汗，中风痿痹，精神昏乱，霍乱吐泻，手足逆冷，阴毒伤寒，四肢厥逆，形寒恶风，向暗睡卧，乍寒乍暖。妇人产后诸疾，血气逆潮，迷闷欲绝，赤白带下，崩漏不止。

【宜忌】如有固冷陈寒，宜常久服饵。如病安愈，不得多服。

【加减】如觉热渴，即加木香、桂末一钱，同和服之。

奔风汤

【来源】《鸡峰普济方》卷二十。

【组成】甘李白皮一两半　干葛半两　半夏四钱　白芍三钱　当归　芎藭　甘草各二钱

【用法】上为细末。每服二钱，水一盏，煎至七分，去滓，食后温服。

【主治】男子妇人因惊悸忧恚气聚，自脐腹动悸，上行或冲咽喉，腹中痛。

定痛丸

【来源】《扁鹊心书·神方》。

【组成】木香　马蔺草（醋炒）　茴香　川楝子（炒）各一两

【用法】上为末。每服四钱，滚酒送下，连进二服，其痛即止。

本方方名，据剂型，当作“定痛散”。

【主治】奔豚上攻，心腹腰背皆痛，或疝气连睾丸痛。

解铃丸

【来源】《杨氏家藏方》卷十。

【组成】茴香一两（用青盐一两，研细同炒，和盐用）　蝎梢一分（去毒，炒）　蓬莪（用纸数重裹，油内浸，灯上烧过，研锉）一两

【用法】上为细末，酒煮面糊为丸，如梧桐子大。每服三十丸，空心、食前，温酒、盐汤送下。

【主治】奔豚气疼痛，手足跪缩，不可忍者。

十补丸

【来源】《是斋百一选方》卷十五。

【组成】附子一两（用防风一两，锉如黑豆大，盐四两，黑豆一合，炒附子裂，去诸药，只用附子，去皮脐）　葫芦巴　木香　巴戟（去心）　川楝子（炮，取肉）　官桂　延胡索　荜澄茄（去蒂）　舶上茴香（炒）　破故纸（炒）各一两

【用法】上为细末，用糯米粉酒打糊为丸，如梧桐子大，辰砂为衣。每服三五十丸，空心酒送下；妇人醋汤送下。若入益智子亦可。

【主治】小肠寒疝、伏梁、奔豚、痃气等疾；亦治妇人盲肠气。

茴香金铃丸

【来源】《是斋百一选方》卷十五。

【组成】金铃子（每个锉作四片，用僵蚕半两去丝嘴，同煎令香熟，去僵蚕不用）　茴香（微炒）　马蔺花　吴茱萸（汤洗七次，炒令香熟）　石茱萸（酒浸，炒令香熟）　山茱萸　青皮　陈皮各一两

【用法】上为细末，酒糊为丸，如梧桐子大。每服三十至五十丸，食前温酒、盐汤送下。

【主治】奔豚气。

养气汤

【来源】《是斋百一选方》卷十五。

【别名】食气汤（《普济方》卷一七一）。

【组成】茴香（炒）　丁香各半两　良姜三两（麻油炒）　甘草三钱（炙）　白豆蔻仁四钱

【用法】上为细末。每服二钱，入盐少许，沸汤调下，食前服。

【功用】养气散寒。

【主治】奔豚气。

愈痛丸

【来源】《魏氏家藏方》卷六。

【组成】川萆薢　鳖甲　川当归（去芦，酒浸）　三棱（炮）　破故纸（炒）　神曲（炒）　蓬莪术（炮）　麦蘖（炒）　熟干地黄（洗）各一两　干漆（炒令烟尽）　延胡索（炒）　茴香（淘去沙，炒）　沉香（不见火）　肉桂（去粗皮，不见火）　没药各半两（别研）　麝香半钱（别研）

【用法】上为细末，醋煮面糊为丸，如梧桐子大。每服二十丸至三十丸，温酒或盐汤送下，不拘时候，一日二服。

【主治】惊忧气滞，脾肾积寒，内夹冷气，久成痃癖癥瘕，透隐皮肤，或两胁牵痛不已，及小肠奔豚气痛。

主肾丸

【来源】《普济方》卷二十九引《余居士选奇方》。

【组成】磁石六分（研） 木香六分 青盐六分（研） 石亭脂一分（研） 蜀椒一分（研末） 羊肾一付

【用法】上以酒煮羊肾令烂。和诸药捣为丸，如麻子大。每服二十丸，空心温酒送下。

【主治】肾气虚弱及积日月，有块，上下不定，牵引心胸胀满，吃食无味，时时发动，四肢少力。

二物汤

【来源】《仁斋直指方论》卷十八。

【组成】辣桂一两半 牵牛（炒）一两

【用法】上为粗末。每服二钱，加生姜、大枣，水煎，温服。

【主治】奔豚疝气、攻刺走痛。

寸金丸

【来源】《仁斋直指方论》卷十八。

【组成】当归 延胡索 舶上茴香（炒） 胡芦巴（炒）各一两 桃仁（浸，去皮，焙） 桑螵蛸（酒蒸，焙） 川五灵脂（别研） 白芍药 川楝肉各半两 荜澄茄 木香各二钱半 全蝎十个（焙）

【用法】上为末，米醋打面糊为丸，如梧桐子大。每服五十丸，少量盐水酒送下。有热，小便秘，车前子、赤茯苓煎汤送下。

【主治】奔豚，诸疝作痛。

一捻金散

【来源】《类编朱氏集验方》卷三引《普济本事方》。

【组成】玄胡索 川楝子（炒） 舶上茴香（炒） 全蝎（炒）各一两 附子半两（去皮脐，生用）

【用法】上为细末。每服二钱，痛作时热酒调下。甚者不过再服。

【主治】奔豚小肠诸气，痛不可忍。

枣子酒

【来源】《类编朱氏集验方》卷三。

【组成】斑蝥一个（去头足翅）

【用法】用好肥枣一个，掰开，去核，安斑蝥在内，用湿纸包，文武火中煨熟，去斑蝥不用，将枣子细嚼，空心热酒下。

【主治】奔豚气。

奔豚丸

【来源】《东垣试效方》卷二。

【组成】厚朴（姜制）七钱 黄连（去须，炒）五钱 白茯苓（去皮，另末）二钱 川乌头（炮）半钱 泽泻二钱 苦楝（酒煮）三钱 玄胡一钱半 全蝎一钱 附子（去皮）一钱 巴豆霜四分 菖蒲二钱 独活一钱 丁香半钱 肉桂（去皮）二分

【用法】上除巴豆霜、茯苓，另为末旋入外，为细末，炼蜜为丸，如梧桐子大。初服二丸，一日加一丸，二日加二丸，渐加至大便溏，再从二丸加服，食前淡盐汤送下。周而复始，病减大半勿服。

【主治】肾之积，发于小腹，上至心下，若豚状，或下或上无时，久不已，令人喘逆、骨痿、少气；及治男子内结七疝，女人瘕聚带下。

【加减】秋、冬，加厚朴半两，通用一两二钱；如积势坚大，光服前药不减，于一料中加烧存性牡蛎三钱，癞疝、带下病勿加。

地黄膏子丸

【来源】《医垒元戎》卷十一。

【别名】地黄膏子（《赤水玄珠全集》卷十五）。

【组成】血竭 沉香 木香 广茂（炮） 玄胡 蛤蚧 人参 当归 川楝（麸炒） 芍药 川芎 续断 白术 全蝎（炒） 柴胡 茴香（炒） 没药（以上分量不定，随症加减用之）

【用法】上为细末，地黄膏子为丸，如梧桐子大。每服二十丸，日加一丸，至三十丸，空心温酒送下。

【主治】男子、妇人脐下奔豚气块，小腹疼痛，卵痛，即控睾相似，渐成肿，阴肿痛，上冲心腹不

可忍者。

【加减】多气者，加青皮、陈皮；多血者，加肉桂、吴茱萸。

防葵散

【来源】《云岐子保命集》卷下。

【组成】防葵一两　木香五钱　柴胡　黄芩各半两

【用法】上锉细。每次五钱，水煎服。

【主治】伤寒汗下后，脐左有动气者。

茯苓散

【来源】《云岐子保命集》卷下。

【组成】赤茯苓一两　槟榔三钱　桂心　大腹皮　川茴香（炮，炒）　良姜各五钱

【用法】上为细末。每服五钱，沸汤点服。

【主治】伤寒汗下后，脐下有动气者。

前胡散

【来源】《云岐子保命集》卷下。

【组成】前胡　赤茯苓各一两　大腹皮　人参各五钱　木香三钱　槟榔　大黄各三钱

【用法】上为细末。每服五钱，沸热点服。

【主治】伤寒汗下后，脐右有动气者。

玄应丸

【来源】《医方类聚》卷九十引《经验秘方》。

【组成】沉香　木香　山茱萸（去核，取肉）　石茱萸　香附子（白盐炒）　吴茱萸　破故纸　橘皮　赤芍药各半两　桃仁（麦麸炒，去皮尖双仁）　茴香（生姜汁浸透，盐炒）　川楝子（去核，取肉）　苍术（米泔浸）各一两　川椒（去目，闭口者不用）半两　青盐一两（以甜醪草揉成团，放新瓦上，炭火煅成用）　糯米一合（用斑蝥七十个，去头足翅，巴豆七粒，去壳，同炒，以米黄色为度，去豆、蝥不用）

【用法】上为细末，以米醋煮米粉糊为丸，如梧桐子大。如见发，每服三十丸，空心以灯草煎汤调四苓散送下。盐汤、温酒任意送下者，乃常服之法也。

【主治】奔豚疝气，一应下部之疾。

【宜忌】服此如忌羊、鸡、面食，必可除根。

沉香散

【来源】《医方类聚》卷一五七引《经验秘方》。

【组成】蓬术　天台乌药　茴香各三两　肉桂一两半（去粗皮，不见火）　益智仁半两　沉香一两半　玄胡索一两半（去皮）　荜澄茄一两半

【用法】上为细末。每服一钱，空心、食前以温酒、盐汤任调下。

【主治】沉寒痼冷，奔豚，小肠疼痛，阴核偏大，久不愈。

木香顺气散

【来源】《普济方》卷一七一引《医学切问》。

【组成】茴香一两（炒）　木香　槟榔　香附子各一两　三棱　莪术各三钱　荜澄茄　良姜（用巴豆炒）　青橘皮各半两（巴豆五枚炒，去巴豆）

【用法】上为粗末。每服三钱，水一盏，煎至七分，空心热服。

【主治】奔豚痃癖，心气腹满，两胁刺痛，牵引腰背，屈伸不利。

吴茱萸散

【来源】《医方类聚》卷一九七引《医林方》。

【组成】吴茱萸　槟榔　木瓜各等分

【用法】上为细末。每服五钱，生姜汤调下。

【主治】奔豚气上至，心烦乱，不省人事，上至心下，从少腹起，上至咽喉，闷绝不能言语，或吐或汗出。

备急压气散

【来源】《医方类聚》卷一九七引《医林方》。

【组成】大槟榔四个　紫苏穗二钱半　生姜一斤（取自然汁）

【用法】上为细末，分作二服。水煎，和滓温服，一日二次。

【主治】奔豚气上至，心烦乱，不省人事，上至心下，从少腹起，上至咽喉，闷绝不能言语。

郁李仁丸

【来源】《普济方》卷一七一。

【组成】木香一两　郁李仁（去皮，生用）三两　沉香（锉）　槟榔（锉）　桂（去粗皮）　青橘皮（去白，焙）　附子（炮裂，去皮脐）　茴香子（炒）各一两

【用法】上为末，炼蜜为丸，如梧桐子大。每服二十丸，茴香子或薄荷酒送下，一日三次。

【主治】奔豚气。从小腹奔冲上攻，昏乱呕吐，痛甚。

牛榔散

【来源】《本草纲目》卷十八引《普济方》。

【别名】牛郎顶（《串雅内编》卷三）。

【组成】黑牵牛半两　槟榔二钱半

【用法】上为末，每服一钱，紫苏汤调下。

本方原名牛郎丸，与剂型不符。据《仙拈集》改。

【功用】追虫去积。

【主治】

1.《本草纲目》引《普济方》：气筑奔冲不可忍。

2.《仙拈集》：鼓胀，水肿，虫积。

五妙丸

【来源】《赤水玄珠全集》卷十五。

【组成】黑丑　补骨脂　川楝肉各一两（用地龙一两同三件炒，去地龙）　半夏一两（用猪苓一两同炒，去猪苓不用）　茴香一两（用斑蝥十四枚同炒，去斑蝥不用）　丁香二分（用土狗十枚同炒，去土狗）　玄胡索一两（炒）

【用法】酒糊为丸，如梧桐子大。每服十丸，加至十五丸，空心盐酒送下。

【主治】一切下部气。

玉露酒

【来源】《鲁府禁方》卷四。

【组成】薄荷叶五斤　绿豆粉一斤半　白沙糖一斤半　天门冬（去心）一两　麦门冬（去心）一两　天花粉四两　白茯苓（去皮）四两　柿霜四两　硼砂五钱　冰片二钱

【用法】用新盆二个，将薄荷等药层相间隔，著实盛于内，二盆合，封固如法，不许透气，蒸五炷香，取出晒干，抖去群药，止用豆粉，复加白糖、柿霜、硼砂、冰片，随用此药。不拘老幼，并皆治之。不用引子，诸物不忌。

【主治】诸疾痰饮宿滞，噎塞，气痞，奔豚，膨胀，上喘下坠，乍寒乍热，头目晕胀，咽喉肿痛。

五积丸

【来源】《增补内经拾遗方论》卷三。

【组成】人参　白茯苓　厚朴　黄连　川乌　巴豆

【用法】上为细末，炼蜜为丸，如梧桐子大。

【主治】五脏之积。肝积肥气，心积伏梁，脾积痞气，肺积息贲，肾积奔豚。

奔豚丸

【来源】方出《证治准绳·类方》卷六，名见《丸散膏丹集成》。

【组成】穿山甲（麸炒）　破故纸（麸炒）　香附（去毛）各半两　土狗十枚（去头尾，瓦上焙干）　海藻（焙）　茴香　木香各一两　黑牵牛（头末）四两　全蝎十五枚（去毒）　吴茱萸一两半

【用法】上为末。用大萝卜一枚，剜去心肉，装入茱萸，以糯米一碗，同萝卜煮饭，烂为度。出茱萸晒干，同诸药为末，次将萝卜细切入米饭捣丸，如梧桐子大。每服二十丸，加至三十丸，食前盐酒送下。

【主治】奔豚气。

奔豚汤

【来源】《杏苑生春》卷六。

【组成】当归　官桂　白术各一钱　川芎八分　甘

草（炙）五分　半夏一钱二分　白茯苓一钱五分　甘李根皮（焙）四分　干姜三分

【用法】上锉。水煎熟，空心温服。

【主治】肾积，发于小腹，上至心下，如奔豚走之状，上下无时，久不愈，喘逆，骨痿，少气，脉沉而滑。

七疝汤

【来源】《寿世保元》卷五引刘水山方。

【组成】延胡索　小茴香（酒炒）　川楝子　全蝎（炒）　人参　大附子　山栀子　木香各等分

【用法】上为细末。每服三钱，空心温酒调服。

【主治】七疝及奔豚小肠气，脐腹大痛。

附子理中丸

【来源】《景岳全书》卷五十八。

【组成】附子理中汤去白术。

【用法】炼蜜为丸服。

【主治】阴寒肾气动者。

增损奔豚汤

【来源】《济阳纲目》卷四十一。

【组成】甘李根皮（焙干）　干葛各六分　川芎　当归　黄芩　半夏（汤泡七次）各一钱　芍药　甘草（炙）各五分

【用法】上锉。加生姜，水煎服。

【主治】肾积。

奔豚丸

【来源】《简明医彀》卷三。

【组成】干葛　川芎　当归　桑白皮(炙)　黄芩　甘草(炙)　甘李根皮(焙)各一钱五分　半夏(炮)二钱

【用法】上为丸服。

【主治】肾积。

奔豚饮

【来源】《证治宝鉴》卷九。

【组成】芍药　川芎　茯苓　葛根　半夏　甘草　当归　甘李根皮

【主治】肾积，小腹如江豚跳跃上冲。

肾气汤

【来源】《证治宝鉴》卷九。

【组成】橘核　巴豆　川楝　玄胡　青皮　牡丹皮　薯蓣　木通　白芷　芍药　沉香　泽泻　桂　甘草　槟榔

【主治】肾积。

安豚丹

【来源】《辨证录》卷九。

【组成】人参五钱　白术五钱　肉桂一钱　山药一两　巴戟天五钱　蛇床子三钱　附子五分　茯苓三钱　远志一钱　甘草一钱

【用法】水煎服。

【功用】补心肾之虚，温命门、心包之火，去脾经之湿。

【主治】心包、命门二经之火衰，外感寒邪，而发奔豚，如一裹之气从心而下，直至于阴囊之间，其势甚急，不可止遏，痛不可忍。

参苓桂术汤

【来源】《辨证录》卷九。

【组成】白术二两　肉桂二钱　人参五钱　半夏五分　茯苓三钱

【用法】水煎服。

【主治】外感寒邪，心包、命门二经之火衰，如一裹之气，从心下而上，直至于阴囊之间，名曰奔豚，言其如豕之奔突，其势甚急，不可止遏，痛不可忍。

桂枝茯苓汤

【来源】《医学传灯》卷下。

【别名】桂枝独活汤。

【组成】陈皮　半夏　白茯　甘草　香附　桂枝　细辛　独活

【功用】温经散血。
【主治】肾积奔豚，乃寒气从腰眼而入，肠中汁沫凝聚，小腹作痛。
【方论】用二陈以行汁沫，桂、辛、独活以散外邪。

奔豚丸

【来源】《医学心悟》卷三。
【组成】川楝子（煨，去肉）一两　茯苓　橘核（盐酒炒）各一两五钱　肉桂三钱　附子（炮）吴茱萸（汤泡七次）各五钱　荔枝子（煨）八钱　小茴香　木香各七钱
【用法】熬砂糖为丸。每服二钱，淡盐汤送下。
【主治】肾之积，在脐下，发于小腹，上冲心而痛。
【加减】若有热者，去附、桂。

十全大补丸

【来源】《活人方》卷二。
【组成】人参二两　黄耆三两　白术二两　茯苓一两五钱　肉桂一两　附子五钱　沉香五钱　川芎一两　熟地二两　当归身一两五钱
【用法】炼蜜为丸。每次用白米汤吞三钱。
【主治】三焦元气虚弱，内外真阳不足，外则恶风怯寒，面白神枯；内则心虚胆怯，意兴不扬，阳萎脾寒，奔豚疝气。

奔豚丸

【来源】《活人方》卷四。
【组成】人参一两　茯苓一两　泽泻一两　沉香七钱　牡丹皮七钱　肉桂五钱　椒红五钱　附子二钱五分　吴茱萸二钱五分
【用法】炼蜜为丸。每服三钱，早空心白滚汤送下。
【主治】积聚奔豚。

龙珠膏

【来源】《四圣心源》卷六。
【组成】川椒五钱　附子五钱　乌头五钱　巴豆三钱（研去油）　桂枝五钱　茯苓八钱　牡蛎五钱　鳖甲五钱
【用法】芝麻油、黄丹熬膏，加麝香、阿魏研细，布摊贴病块。
【主治】奔豚已结气块，坚硬。

升阳泻热汤

【来源】《杂病源流犀烛》卷十一。
【组成】柴胡　陈皮　升麻　赤茯苓　枳壳　香附　甘草　白芍
【主治】气冲。

川楝丸

【来源】《医级》卷八。
【组成】川楝子　茴香各二两　附子一两
【用法】用酒一升，煮尽为度，焙干，炒为末；每药末一两，用延胡索半两，全蝎十八个，丁香十八粒，别炒末，与前末和匀，酒糊为丸，如梧桐子大。每服五十丸，温酒送下；痛甚者，当归煎汤送下。
【主治】奔豚，小腹痛。

沉桂芦巴丸

【来源】《医级》卷八。
【组成】川楝　芦巴各八两　沉香　肉桂　附子　吴萸（滚汤泡，浸七日，逐日换水）　巴戟各二两　茴香四两
【用法】上为末，醋糊为丸，如梧桐子大。每服二三十丸，空心以温酒送下。
【主治】奔豚，疝气偏坠肿硬，攻疼冷木。

大补真阴汤

【来源】《会约医镜》卷九。
【组成】当归二三钱（血虚有寒者宜多用，血虚有热者宜少用）　熟地四五钱（或再重用）　甘草（炙）一二钱　山药　杜仲　枸杞　女贞子各二钱　牛膝（酒炒）一钱　枣皮一钱半
【用法】空心多服。

【功用】滋阴救根，以接真气。

【主治】左尺脉弱，肝肾真阴亏损，气自小腹冲上，呼吸似喘而不能接续。

【加减】如虚火上炎，宜用纯阴之品，本方去枸杞，加龟板胶（用蛤蚧粉炒成珠）二钱，麦冬钱半；如火烁肺金兼咳者，加百合二钱；如夜热骨蒸，加地骨皮钱半；如脏平无火，加骨脂（盐炒）一钱。

定悸饮

【来源】《观聚方要补》卷五。

【组成】李根皮一钱二分　茯苓　桂枝　白术　牡蛎各一钱　吴茱萸五分　甘草少许

【用法】加生姜，水煎服。

【主治】奔豚。

桂枝加当归茯苓汤

【来源】《外科证治全书》卷四。

【组成】桂枝　白芍　甘草（炙）　当归　茯苓　生姜　大枣

【用法】水煎，温服。

【功用】泻肾补心。

【主治】奔豚。

苓香丸

【来源】《续刊经验集》。

【组成】茯苓四两　小茴香四两

【用法】上为末，水泛为丸。每服三钱，开水送下。服尽自愈。

【主治】肾之积，奔豚上气疼痛。

补肾暖肝汤

【来源】《揣摩有得集》。

【组成】潞参三钱　白术三钱（土炒）　山药三钱（炒）　巴戟五钱（去心，盐水炒）　覆盆子五钱（盐水炒）　神曲一钱（炒）　桑螵蛸三钱（盐水炒）　葫芦巴二钱（盐水炒）　芡实三钱　西茴一钱（盐水炒）

【用法】水煎服。

【功用】温补肝肾。

【主治】肝气不和，肾经虚极而肾气不纳。气直上冲，腹痛难忍，病人面色发红，舌苔发白不燥，虚火上炎者。

【加减】如口干，加五味子五分。

调气止痛汤

【来源】《揣摩有得集》。

【组成】白术一钱半（土炒）　木香六分　没药五分（去油）　生草五分　白芍一钱（炒）　上元桂五分（去皮研）　青皮一钱（炒）　乌药五分（炒）　荔枝核三钱（盐水炒）　蔻米五分（研）　附子一钱　川楝子七分（炒）　小茴香一钱（炒）　桑螵蛸三钱（盐水炒）　竹茹三分（炒）　生姜一片

【用法】水煎服。

【主治】一切胃肾虚寒，气直上冲，或呕，疼痛难忍。

镇摄汤

【来源】《医学衷中参西录》上册。

【组成】野台参五钱　生赭石五钱（轧细）　生芡实五钱　生山药五钱　萸肉五钱（去净核）　清半夏二钱　茯苓二钱

【主治】胸膈满闷，其脉大而弦，按之似有力，非真有力，此脾胃真气外泄，冲脉逆气上干之证。

【加减】服药数剂后，满闷见轻，去芡实，加白术二钱。

三十八、脱　发

脱发，亦称发落，头发不生，是指头发易落且生长缓慢的病情。一般于大病后、产后及营养不良者易患。临床可见头发渐落稀疏，枯燥无泽，细软而黄，重者头发可全部脱落。病发多由肾虚或血虚，或血分有热，阴血不能荣养毛发所致。治宜益气养血，平补肝肾。

沐头方

【来源】方出《肘后备急方》卷六，名见《备急千金要方》卷十三。

【别名】沐头汤（《普济方》卷五十引《海上方》）。

【组成】桑白皮（锉）三二升

【用法】以水淹，煮五六沸，去滓，洗须鬓。数数为之，即自不落。

【功用】《备急千金要方》：润泽头发。

【主治】

1. 《肘后备急方》：须鬓秃落，不生长。
2. 《备急千金要方》：脉极虚寒，须鬓堕落。

白芷膏

【来源】《刘涓子鬼遗方》卷五。

【组成】白芷　蔓荆子　附子　防风　芎藭　莽草　细辛　黄芩　当归　蜀椒各一两（去汗，闭口）　大黄一两半　马鬐膏五合（此所用无多）

【用法】上切。以腊月猪脂三升合诸药，微火煎三上下，白芷色黄膏成。洗头泽发，勿近面。

【功用】生发。

【主治】头秃。

生眉毛方

【来源】《备急千金要方》卷十三。

【组成】墙上青衣　铁生衣各等分

【用法】上为末。以水和，涂患处。

【功用】生眉毛。

石灰酒

【来源】《备急千金要方》卷十三。

【组成】石灰三升

【用法】细筛，水拌令湿，极熟蒸之，炒令至焦，以木札投之，火即着为候，停冷取三升，绢袋贮之，以酒三升渍三宿。初服半合，日三四夜二，稍加至一合。

【主治】头发落不止。

生发膏

【来源】《备急千金要方》卷十三。

【别名】甘松膏（《普济方》卷四十八）。

【组成】丁香　甘松香　零陵香　吴藿香　细辛　蜀椒各二两　白芷　泽兰　大麻子　桑白皮　桑寄生　牡荆子　苜蓿　辛夷仁　杏仁　芎藭　防风　莽草各一两　胡麻油一升　竹叶　松叶　柏叶各半升　腊猪膏一升　乌鸡肪　雁肪各一合

【用法】上锉，以醋渍一宿，纳油膏中微火煎三上三下，白芷色黄膏成，去滓。涂头上，日二夜一。

【功用】生发。

茼茹膏

【来源】方出《备急千金要方》卷十三，名见《太平圣惠方》卷四十一。

【别名】摩膏（《普济方》卷四十六）。

【组成】蜀椒　冰草各二两　桂心　茼茹　附子　细辛各一两半　半夏　干姜各一两

【用法】上锉。以猪生肪二十两合捣，令肪消尽药成。沐头令净，以药摩囟上，每日一次。如非十二月合，则用生乌麻油和，涂头皮，沐头令净乃揩之，顿生如昔也。

【主治】头中二十种病，头眩，发秃落，面中风。

生发膏

【来源】《外台秘要》卷三十二引《延年秘录》。

【组成】松叶（切）　莲子草（切）　炼成马鬐膏　枣根皮（切）各一升　韭根（切）　蔓荆子（碎）各三合　竹沥　猪脂各二升　防风　白芷各二两　辛夷仁　吴蓝　升麻　芎藭　独活　寄生　藿香　沉香　零陵香各一两

【用法】上以枣根煮汁，竹沥等浸一宿，以脂等煎之，候白芷色黄膏成。以涂头发及顶上，日三五度。

【主治】热风冲发，发落。

生发须膏

【来源】《千金翼方》卷五。

【组成】附子　荆实各二两　松叶　柏叶各三两　乌鸡脂三合

【用法】上锉，合盛新瓦瓶中，阴干。百日出，捣以马鬐膏，和如薄粥，涂头发如泽法，裹絮中，无令中风。三十日长。

【功用】生发。

附子松脂膏

【来源】《外台秘要》卷三十二引《千金翼方》。

【别名】松脂膏（《太平圣惠方》卷四十一）。

【组成】附子　松脂各二两　蔓荆子四两（捣筛）

【用法】以乌鸡脂和，瓷器盛，密缚头，于屋北阴干，百日药成。马鬐膏和，以敷头如泽。

【功用】生发。

【宜忌】勿近面。

墙衣散

【来源】《外台秘要》卷三十二引《千金翼方》。

【组成】墙衣五合（晒干，捣末）　铁精一合　合欢木灰二合　水萍末三合

【用法】上为末。以生油和少许如膏，以涂发不生处，日夜二次，即生发。

【功用】生发。

莲子草膏

【来源】《外台秘要》卷三十二引《崔氏方》。

【别名】莲子膏（《普济方》卷四十八）。

【组成】莲子草汁二升　松叶　青桐白皮各四两　枣根白皮三两　防风　芎藭　白芷　辛夷仁　藁本　沉香　秦艽　商陆根　犀角屑　青竹皮　细辛　杜若　蔓荆子各二两　零陵香　甘松香　白术　天雄　柏白皮　枫香各一两　生地黄汁五升　生麻油四升　猪鬃脂一升　马鬐膏一升　熊脂二升　蔓荆子油一升

方中枣根白皮、青竹皮、蔓荆子，《太平圣惠方》作桑根白皮、青竹茹、牡荆子。

【用法】上细切，以莲子草汁并生地黄汁浸药再宿；如无莲子草汁，如地黄汁五小升浸药，于微火上纳油脂等和煎九上九下，以白芷色黄膏成，布绞去滓。欲涂头，先以好泔沐发后，以敷头发，摩至肌；又洗发，取枣根白皮锉一升，以水三升，煮取一升，去滓，以沐头发，涂膏。验。

【功用】长发令黑。

【主治】头风、白屑。

【加减】本方加升麻一两，名“旱莲膏”（《圣济总录》卷一〇一）。

生发膏

【来源】《外台秘要》卷三十二引《广济方》。

【组成】细辛　防风　续断　芎藭　皂荚　柏叶　辛夷仁各一两八铢　寄生二两九铢　泽兰　零陵香各二两十六铢　蔓荆子四两　桑根汁一升　韭根汁三合三勺　竹叶（切）六合　松叶（切）六升　乌麻油四大升　白芷六两十六铢

【用法】上以苦酒、韭根汁渍一宿，以绵裹煎，微火三上三下，白芷色黄去滓，滤以器盛之。用涂摩头发，日三两度。

【功用】生发。

蔓荆子膏

【来源】《外台秘要》卷三十二引《广济方》。

【别名】蔓荆实膏、集香油（《普济方》卷四十八）。

【组成】蔓荆子一升　生附子三十枚　羊踯躅花四两　葶苈子四两　零陵香二两　莲子草一握

【用法】上切，以绵裹，用油二升渍七日。每梳头常用之。若发稀及秃处，即以铁精一两，以此膏油于瓷器中研之，摩秃处。其发即生也。

【功用】生发。

【主治】头风白屑痒，发落，头重旋闷。

生发方

【来源】《外台秘要》卷三十二引《深师方》。

【组成】大黄六分　蔓荆子一升　白芷　防风　附子　芎藭　莽草　辛夷　细辛　椒当归　黄芩各

一两　马鬐膏五合　猪膏三升

【用法】上药煎至白芷色黄，先洗后敷。

【主治】发落。

生发膏

【来源】《外台秘要》卷三十二引《深师方》。

【组成】马鬐膏　驴鬐膏　猪脂　熊脂　狗脂（炼成）各半合　升麻　防风　荠苨各二两　蜣良四枚　莽草　白芷各二两

【用法】上以脂煎诸药，三上三下，膏成去滓。收以涂之。

【主治】发秃落。

泽兰膏

【来源】《外台秘要》卷三十二引《深师方》。

【别名】生发泽兰膏（《医心方》卷四）。

【组成】细辛　续断　皂荚　石南草　泽兰　厚朴　乌头　莽草　白术各二两　蜀椒二升　杏仁半升（去皮）

【用法】上切。以酒渍一宿，以炼成猪脂四斤，铜器中煎，三上三下膏成，绞去滓。拔白者以辰日涂药。

【功用】生发，令发黑不白。

茯苓术散

【来源】《外台秘要》卷三十二引《深师方》。

【组成】白术一斤　茯苓　泽泻　猪苓各四两　桂心半斤

【用法】上为散。每服一刀圭，食后服，一日三次，三十日发黑。

【主治】发白及秃落。

摩顶膏

【来源】《太平圣惠方》卷三十二。

【组成】青盐　莲子草　牛酥各三两　吴蓝　葳蕤　栀子仁　槐子　犀角屑　络石　玄参　川朴消（别研）　大青　空青（细研）各二两　竹叶两握　石长生一两

【用法】上药以油三升，先微火煎熟，次下诸药，添火煎炼三十余沸，布绞去滓，拭铛，更微火炼之，入酥及盐、朴消、空青等味，炼如稀饧。又以绵绞，纳瓷器中盛。欲卧时用摩顶上。

【主治】脑热，眼睛头旋，发落，心中烦热。

无比神验方

【来源】《太平圣惠方》卷四十一。

【别名】槐桃膏（《圣济总录》卷一〇一）。

【组成】羊粪二两半（半生半烧灰）　瓦松二两半（烧灰，半曝干）　铁粉二两　胡桃仁一斤　槐胶一两

【用法】上药前三味为细散，其胡桃仁，槐胶二味，则捣为一团，填于小口瓶子中令实；又取槐子烂捣，作一片厚饼子，笞作孔子数个，盖瓶子口，更别取一瓶子，须盛得前药瓶口者，仰空瓶子向上相合，即以马粪火烧之一宿，候冷开之，其向下瓶子满中有清油。取此油调前羊粪等药，每日将头洗净后涂之，不久即生尺余。

【功用】令生发，兼黑光润泽。

补益牛膝丸

【来源】《太平圣惠方》卷四十一。

【别名】菟丝子丸（《圣济总录》卷一〇一）、牛膝丸（《普济方》卷五十）。

【组成】牛膝一斤（去苗）　生干地黄一斤　枳壳半斤（去瓤）　菟丝子半斤　地骨皮半斤

【用法】上为末，炼蜜为丸，如梧桐子大，每日三十丸，渐加至五十丸，空心以生姜汤送下。

《圣济总录》：上五味，将菟丝子、地骨皮、枳壳捣罗为末，以牛膝、地黄汁和作饼子，晒干，再捣罗，炼蜜为丸，如梧桐子大。每服十五丸，早食后温酒下；如心中热米饮下。

【功用】久服须发皆生，永黑不白。

【主治】

1.《太平圣惠方》：须发秃落不生。

2.《圣济总录》：髭发黄白。

【宜忌】忌生葱、萝卜、大蒜等。

青莲膏

【来源】《太平圣惠方》卷四十一。

【组成】莲子草汁三升　生苣藤油一升　牛乳一升　甘草二两（细锉）

【用法】上件药，相和，于铛内以慢火煎之，才似鱼眼沸便搅之，勿住手，直至沫尽为熟，澄清，滤去滓，盛不津器中。每用候夜卧时，低枕仰卧，每鼻孔内点三五点，如小豆大，至六七遍止，良久乃起，有唾须唾，却勿得咽之，即啜少汤饮。如此点半年，白者变黑，落者重生。

【主治】血虚眉发须不生。

【宜忌】忌生蒜、萝卜、辛辣物。

松叶膏

【来源】《太平圣惠方》卷四十一。

【组成】松叶半斤　莲子草半斤　马鬐膏半斤（炼成膏者）　韭根半斤　蔓荆子二两　防风一两（去芦头）　白芷一两　辛夷半两　川升麻半两　吴蓝半两　芎藭半两　独活半两　桑寄生半两　藿香半两　沉香半两　零陵香半两

【用法】上锉细，先以桑根白皮二斤，以水八升，煮取五升，去滓；又以竹沥一升相加，浸润诸药；一宿后，以猪脂二升，煎候白芷色黄，成膏，滤去滓，于瓷器中盛。每用涂之，一日三五次。

【主治】血气风热所致，眉发髭不生。

垣衣散

【来源】《太平圣惠方》卷四十一。

【别名】生发墙衣散（《普济方》卷五十）。

【组成】垣衣五合（晒干，捣罗为末）　铁精一合　合欢木灰二两　水萍末一合

【用法】上药相和，为极细末。旋以生油调如膏。涂于不生处，日夜再涂，即生。

【主治】眉发髭不生。

胡麻膏

【来源】《太平圣惠方》卷四十一。

【组成】胡麻油一升　腊月猪脂一升　乌鸡脂一合　丁香一两半　甘松香一两半　零陵香三两　芎藭二两　竹叶二两　细辛二两　川椒二两（去目）　苜宿香三两　白芷一两　泽兰一两　大麻仁一两　桑根白皮一两　辛夷一两　桑寄生一两　牡荆子一两　防风三两（去芦头）　杏仁三两（汤浸，去皮尖双仁）　莽草一两　柏叶三两

【用法】上细锉，米醋浸一宿，滤出，纳入油、猪脂、鸡脂中，以慢火煎，候白芷色焦黄，膏成，绵滤去滓，以瓷盒盛。净洗头，涂之，一日二次。三十日发生。

【功用】长发，令速生及黑润。

南烛草煎丸

【来源】《太平圣惠方》卷四十一。

【组成】南烛草　酸石榴叶　旱莲子苗各五斤

【用法】以上三味，于五月上旬收于瓷瓶子中，泥封令密，安日中，至六月中旬取出，皆如黑饧，研之，又以生地黄五斤，绞取汁，及白蜜五合，同煎上件三味成膏，次下后诸药末：地骨皮四两，熟干地黄四两，诃黎勒皮二两，秦椒二两（去目及闭口者，微炒去汗），白芷二两，旋覆花二两，桂心二两，杏仁三两（汤浸，去皮尖双仁，麸炒微黄）。上为末，入上件膏中，用缓火煎，可丸即丸，如梧桐子大。每日空腹服三十丸，温酒送下，晚食后再服。

【主治】血气虚惫，须发秃落不生，纵生，色黄不黑。

【宜忌】忌生葱、萝卜、大蒜等。

莲子草膏

【来源】《太平圣惠方》卷四十一。

【组成】莲子草汁一斤　熊白脂一合　猪鬐膏一合　生麻油一合　柏树皮（切）三合　韭根（切）三合　瓦上青衣（切）三合

【用法】上件药相和，于铜器中煎三上三下，膏成，去滓，瓷盒中收。每夜用涂，其须发即生。

【功用】令须发重生并黑润。

【主治】须发脱落。

涂香油方

【来源】《太平圣惠方》卷四十一。

【组成】松皮一两　天麻二两　荠草一两　秦艽一两（去苗）　独活二两　川乌头三两　川椒二两（去目）　白芷二两　芎藭二两　辛夷二两　甘松一两　零陵香一两　沉香一两　羊踯躅一两　木香一两　郁香一两　甘菊花一两　牛膝一两（去苗）　松叶半斤　杏仁二两（汤浸去皮）

【用法】上为细末，以醋五升渍一宿，滤出，以生乌麻油六斤，于铛内微火煎令沸，候白芷色焦黄，膏成，以绵滤去滓，瓷器内盛。一依涂油之法任意涂之。以发生为度。

【功用】长发。

蔓荆子膏

【来源】《太平圣惠方》卷四十一。

【组成】蔓荆子三两　桑寄生五两　桑根白皮二两　白芷二两　韭根二两　鹿角屑二两　马爆脂五合　五粒松叶三两　甘松香一两　零陵香一两　生乌麻油三斤　枣根皮汁三升

【用法】上锉细，绵裹，纳脂及油枣根汁中，浸一宿，以慢火煎，数数搅，候白芷色焦黄，膏成，去滓，收瓷盒中。每日揩摩须发不生处。十日后即生。

【主治】血虚头风，须发秃落不生。

摩发膏

【来源】《太平圣惠方》卷四十一。

【组成】细辛一两　防风一两（去芦头）　续断一两　芎藭一两　皂荚一两　柏叶二两　辛夷一两　白芷二两　桑寄生三两　泽兰二两半　零陵香二两半　蔓荆子四两　竹叶（切）三合　松叶（切）三合　乌麻油四升

【用法】上锉细，以桑根白皮半斤，水三升，煮取一升，又取韭根汁三合相和，浸药一宿，以绵裹入于油中，微火煎三上三下，候白芷色黄，去滓，以瓷器盛之。用涂摩头发，日夜二三次。

【功用】长发及生发。

蔓菁子散

【来源】《太平圣惠方》卷八十九。

【组成】蔓菁子

【用法】上为末。以猪脂调，涂于秃处。

【主治】小儿头秃不生发，苦痒。

柏叶沐头丸

【来源】《圣济总录》卷九十二。

【组成】生柏叶一两　附子（生，去皮脐）半两　猪膏五两

【用法】上先将柏叶、附子为末，炼猪膏和为二十丸。每用一丸，用布裹之，纳沐头汤中洗头。

【功用】令发长不落。

【主治】脉极虚寒，鬓发堕落。

三物膏

【来源】《圣济总录》卷一〇一。

【组成】柳枝　桑枝　槐枝各（锉）一升

【用法】以水二斗，同煮至一斗，去滓，入好盐一斤，熬成膏，瓷盒盛。临卧揩牙。

【功用】

1. 《圣济总录》：荣养髭发。
2. 《普济方》：令牙齿坚牢。

石榴浆

【来源】《圣济总录》卷一〇一。

【组成】新生酸石榴（每于五月内，拣取东南枝上平坐不侧大者）

【用法】于顶上用箸札眼子，深一寸以上，用水银半两灌眼子内，更不封闭，从风日雨露直至十月叶落尽，方取下，壳内尽成水。每用以小猪胞代指，于汁内旋蘸拈之。随手以水濯，其色不落，可百日不变也。

【功用】荣养髭鬓。

汞蛭油

【来源】《圣济总录》卷一〇一。

【组成】汞一两　干水蛭七枚（为末）
【用法】上二味，以银三两作一小合，盛汞与水蛭，以蚯蚓土和泥固济，约半指厚，深埋在马粪中，四十九日取出，化为黑油，用鱼胞作指袋，时蘸少许拈髭上，其油自然倒行至髭根，变黑。
【功用】荣养髭发。

青莲膏

【来源】《圣济总录》卷一〇六。
【组成】莲子草（七月七日拣，锉，捣绞，取汁一斗煎取一升）　生麻油一升　胡桐泪一两（绵裹）
【用法】上药，以火煎取一升二合，去胡桐泪，瓷器盛七日后用。以铜箸点鼻中，每孔三点，去枕，仰头卧良久。如此一月，目日明，发生，脑凉。
【功用】明目、生发、凉脑。

柏枝油

【来源】《杨氏家藏方》卷二十。
【组成】柏枝（干者）　椒红　半夏各三两
【用法】上锉。用水二碗，煎至半碗，入蜜少许，再煎一二沸，每用时入生姜汁少许，调匀，擦无发处，每日两次。
【功用】去风生发。

香芎油

【来源】《杨氏家藏方》卷二十。
【组成】秦椒　香白芷　川芎各一两　蔓荆子　附子　零陵香各半两
【用法】上锉细，用绵裹，以生麻油一斤，于瓷器内浸三七日。涂发稀少处。不可滴在面上。
【主治】头风发落不生。

紫金油

【来源】《杨氏家藏方》卷二十。
【组成】鲫鱼胆二十个　铁暗（五钱大）一片　诃子五枚（煨，去核）　郁金二枚（锉）　黄芩半两（锉）　黑豆一大合　紫草半两　零陵香半两　生姜汁一大合
【用法】上用生绢袋子盛，取竹沥油四两，麻油十二两，入药袋子，于有油瓷盒内浸，密封，放凉处，半月取出，逐日搽头。百日内光泽，永不退落。
【主治】妇人发落稀黄。

生发药

【来源】《女科百问》卷上。
【组成】蔓荆子　青箱子　莲子草各一两　附子二字　头发灰一匙
【用法】上为末。以酒渍，纳瓷器中，封闭经二七日药成，以乌鸡脂和。先以米泔洗发，然后敷之。
【主治】妇人少年发少，因血海弱，则经脉虚竭，不能荣润，故发少而秃，或有纯赤黄者。

三圣膏

【来源】《御药院方》卷八。
【组成】黑附子（生）　蔓荆子　柏子仁各半两
【用法】上为细末，乌鸡脂和捣研千下，于瓷合内密封百日。取出，涂在髭发落处。
【主治】鬓发髭脱落。

长发滋荣散

【来源】《御药院方》卷八。
【别名】滋荣散（《普济方》卷五十）。
【组成】生姜皮（焙干）　人参各一两
【用法】上为细末。每用生姜切断，蘸药末于发落处擦之，隔日用一次。
【功用】长养髭发。
【主治】髭发脱落。

生发膏

【来源】《御药院方》卷八。
【组成】莽草一两　防风　升麻　白芷各二两　荠苨二两　蜣螂四个　驴鬐膏　豹膏（一作狗膏）　马鬐膏　熊膏（一作雄鹞膏）　猪膏
【用法】上以诸膏成煎各半升，合煎诸药，沸则下，停冷复上火，三五沸止，滤去滓。敷头，择

当用之。

【主治】发鬓秃落。

刷牙沉香散

【来源】《御药院方》卷八。

【别名】沉香散（《瑞竹堂经验方》卷三）。

【组成】沉香　白檀　醋石榴皮　诃子皮　青盐（研）　青黛（研）各二钱半　当归　川苦楝（破四片，焙）　细辛（去苗）　香附子各半两　母丁香一钱半　荷叶灰一钱　南乳香（研）一钱　龙脑（研）　麝香（研）各半钱

【用法】上为细末。每用半钱，如常刷牙，温水漱之，早、晚两次用。

【功用】荣养髭发，坚固牙齿。

柏叶散

【来源】《御药院方》卷八。

【组成】侧柏叶四两　何首乌　地骨皮　白芷各二两

【用法】上为粗末。每用半两，入生姜十片，水一大碗，煎五七沸，去滓，淋洗髭须，临睡用。

【功用】荣养髭须。

洗发菊花散

【来源】《御药院方》卷八。

【组成】甘菊花二两　蔓荆子　干柏叶　川芎　桑根白皮（去粗皮，生用）　白芷　细辛（去苗）　旱莲草（根、茎、花、叶）各一两

【用法】上为粗末。每用药二两，浆水三大碗，煎至两大碗，去滓，沐发。

【主治】头发脱落。

苁蓉丸

【来源】《世医得效方》卷十二。

【组成】当归（去尾）　生干地黄　肉苁蓉（酒洗，炙）　杨芍药各一两　胡粉五钱

【用法】上为末，炼蜜为丸，如黍米大。每服十丸，煎黑豆汤送下；兼磨化涂抹头上。

【主治】禀受血气不足，不能荣于发。

宫制蔷薇油

【来源】《永乐大典》卷八八四一引《山居备用》。

【组成】真麻油随多少。

【用法】以瓷瓮盛之令半瓮，取降真香少许投油中，厚用油纸封系瓮口；顿甑中，随饭炊两饷，持出顿冷处，三日后去所投香；清晨旋摘半开柚花（俗呼为臭橙者），拣去茎蒂，纳瓮中，令燥湿恰好，如前法密封。十日后以手邻其清液收之。取之以理发，经月常香。

【功用】香发长鬓。

金主绿云油

【来源】《医方类聚》卷八十三引《必用全书》。

【组成】蔓荆子　南没石子　诃子肉　踯躅花　白芷　沉香　附子　防风　覆盆子　生地黄　零陵香　芒消　莲子草　丁皮各等分

【用法】入卷柏三钱沉净晒干，各细锉，炒黑色，以宽纸袋盛，入瓷罐内。每用药三钱，以清香油半斤浸药，厚纸封七日。每遇梳头净，手蘸油摩顶心，令热，入发窍，不十日，秃者生发，赤者亦黑。妇人用不秃，发黑如漆；已秃者，旬日生发。

乌云油

【来源】《医方类聚》卷八十三引《必用之书》。

【组成】秦椒　白芷　川芎各一两　蔓荆子　零陵香　附子各半两

【用法】上药生用，锉为粗末，用绵袋盛，清香油一斤浸，二十一日取油。日三度擦无发处。不可令油滴白肉上。七日生效。

【主治】秃发。

七宝美髯丹

【来源】《本草纲目》卷十八引《积善堂方》。

【组成】赤白何首乌　赤白茯苓　牛膝　当归　枸杞子　菟丝子　补骨脂

【用法】上为末，炼蜜为丸，如弹子大，共一百五十丸。每日三丸，侵晨温酒送下，午时姜汤送下，卧时盐汤下；其余并丸如梧桐子大，每日空心酒服一百丸。

《扶寿精方》：初服三四日，小便多或杂色，是五脏中杂病出；二七日唇红生津液，再不夜起，若微有腹痛，勿惧，是搜病也；三七日身体轻便，两乳红润；一月鼻觉辛酸，是诸风百病皆出；四十九日补血生精，泻火益水，强筋骨，黑须发。

【功用】

1.《本草纲目》：乌须发，壮筋骨，固精气，续嗣延年。

2.《中药制剂手册》：滋阴益气，调理荣卫。

3.《上海市中药成药制剂规范》：培补肝肾，益气养血。

【主治】

1.《医方集解》：气血不足，羸弱，周痹，肾虚无子，消渴，淋沥遗精，崩带，痈疮，痔肿。

2.《全国中药成药处方集》（天津方）：女子血亏脱发精神衰弱，男子腰肾不足，筋骨不壮。

【宜忌】

1.《本草纲目》引《积善堂方》：忌诸血、无鳞鱼、萝卜、蒜、葱、铁器。

2.《中国医学大辞典》：忌食糟、醋。

三仙丸

【来源】《古今医统大全》卷一〇八。

【组成】侧柏叶八两（烘干） 当归（全身）四两 榧子仁二两

【用法】上为末，水糊为丸，如梧桐子大。每五七十丸，黄酒、盐汤任下，早、晚各一服。

【主治】头发脱落。

【宜忌】忌铁器。

二仙丸

【来源】《古今医鉴》卷九引贺兰峰方。

【组成】侧柏叶八两（焙干） 当归（全身）四两

本方原名三仙丸，与所用药数不符，据《东医宝鉴·外形篇》改。

【用法】上为末，水糊为丸，如梧桐子大。每服五七十丸，早、晚各一服，黄酒、盐汤任下。

【主治】头发脱落。

【宜忌】忌铁器。

蒲公散

【来源】《古今医鉴》卷九。

【组成】蒲公英（净，炒）四两 血余（洗净）四两 青盐四两（研）

【用法】用瓷罐一个，盛蒲公英一层，血余一层，青盐一层，盐泥封固，腌（春、秋五日，夏三日，冬七日），桑柴火煅令烟尽为度，候冷取出，碾为末。每服一钱，清晨酒调服。

【功用】乌须生发。

海艾汤

【来源】《外科正宗》卷四。

【组成】海艾 菊花 薄荷 防风 藁本 藿香 甘松 蔓荆子 荆芥穗各二钱

【用法】上用水五六碗，同药煎数滚，连滓共入敞口钵内，先将热气熏面，候汤温，蘸洗之，留药照前再洗。

【主治】

1.《外科正宗》：油风。血虚，肌肤失养，风热乘虚攻注，毛发脱落成片，皮肤光亮，痒如虫行。

2.《中医皮肤病学简编》：斑秃。

加味四君子汤

【来源】《济阳纲目》卷一〇八。

【组成】人参 白茯苓 白术各一钱 甘草（炙）五分 熟地黄一钱（砂仁炒）

【用法】上锉。水煎服。

【主治】发脱落及脐下痛。

桑麻汤

【来源】《济阳纲目》卷一〇八。

【组成】麻叶 桑叶

【用法】上以泔煮，去滓。沐发七遍。

【功用】长发。

养真丸

【来源】《嵩崖尊生全书》卷六。
【别名】养真丹（《外科真诠》卷上）。
【组成】当归　川芎　白芍　天麻　羌活　熟地　木瓜　菟丝

《外科真诠》本方用量各等分。

【用法】炼蜜为丸。盐汤送下。外以艾、菊花、薄荷、防风、藁本、藿香、甘松、蔓荆、荆芥煎汤洗之。

【主治】

1.《嵩崖尊生全书》：头发脱落成片。
2.《外科真诠》：油风毒。

浮萍丸

【来源】《医宗金鉴》卷七十三。
【组成】紫背浮萍（取大者，洗净，晒干）
【用法】上为细末，炼蜜为丸，如弹子大。每服一丸，豆淋酒送下。

《赵炳南临床经验集》本方用紫背浮萍一斤，炼蜜为丸，如梧桐子大。每服二至三钱，一日二次。

【主治】

1.《医宗金鉴》：白驳风。
2.《赵炳南临床经验集》：圆形脱发（油风脱发），皮肤瘙痒病（瘾疹），白癜风，荨麻疹（痦瘤）。

生发膏

【来源】《续名家方选》。
【组成】生地黄　附子　山椒各五钱　白蜡五钱
【用法】上以麻油浓煎如膏。涂发。
【主治】秃发。

通窍活血汤

【来源】《医林改错》卷上。
【组成】赤芍一钱　川芎一钱　桃仁三钱（研泥）　红花三钱　老葱三根（切碎）　鲜姜三钱（切碎）　红枣七个（去核）　麝香五厘（绢包）
【用法】用黄酒半斤（各处分两不同，宁可多二两，不可少），煎前七味至一钟，去滓，入麝香再煎二沸，临卧服。大人每日一付，连吃三付，隔一日再吃三付；若七八岁小儿，两晚吃一付；三四岁小儿，三晚吃一付。麝香可煎三次，再换新的。头发脱落，用药三付发不脱，十付必长新发；眼疼白珠红，无论有无云翳，先将此药吃一付，后吃加味止痛没药散，一日二付，三二日必全愈；糟鼻子，无论三二十年，此方服三付可见效，二三十付可全愈；耳聋年久，晚服此方，早服通气散，一日两付，三二十年耳聋可愈；白癜风、紫癜风，服三五付可不散漫，再服三十付可痊；紫印脸，如三五年，十付可愈，若十余年，三二十付必愈；青记脸如墨，三十付可愈；牙疳，晚服此药一付，早服血府逐瘀汤一付，白日煎黄耆八钱，徐徐服之，一日服完，一日三付，三日可见效，十日大见效，一月可全愈；出气臭，晚服此方，早服血府逐瘀汤，三五日必效；妇女干劳，服此方三付或六付，至重者九付，未有不全愈者；男子劳病，轻者九付可愈，重者十八付可愈，吃三付后，如果气弱，每日煎黄耆八钱，徐徐服之，一日服完，此攻补兼施之法；若气不甚弱，黄耆不必用，以待病去，元气自复；交节病作，服三付不发；小儿疳证，用此方与血府逐瘀汤、膈下逐瘀汤三方轮服，未有不愈者。

【功用】

1.《医林改错》：通血管。
2.《医林改错评注》：通络开窍，行血活血。
3.《江苏中医杂志》：活血祛瘀，通络止痛，芳香开窍。

【主治】头面、四肢、周身血管血瘀所致的头发脱落；眼疼白珠红；糟鼻子；耳聋年久；白癜风，紫癜风；紫印脸，脸如打伤血印，色紫成片，或满脸皆紫；青记脸如墨，长于天庭者多；牙疳；闻出臭气；妇女干劳，经血三四月不见，或五六月不见，咳嗽急喘，饮食减少，四肢无力，午后发烧，至晚尤甚；男子劳病，初病四肢酸软无力，渐渐肌肉消瘦，饮食减少，面色黄白，咳嗽吐沫，心烦急躁，午后潮热，天亮汗多；交节病作；小儿疳证，初起尿如米泔，午后潮热，日久青筋暴露，肚大坚硬，面色青黄，肌肉消瘦，皮毛憔悴，眼睛发豗。

眉毛脱落丹

【来源】《青囊秘传》。

【组成】大皂角　鹿角　松毛各等分

【用法】上烧炭存性，为末。姜汁调擦，立出。

【主治】毛发脱落。

生发水

【来源】《吉人集验方》。

【组成】闹羊花不拘多少

【用法】浸酒内三十天。外搽。

【功用】生发。

冬虫夏草酒

【来源】《赵炳南临床经验集》。

【组成】冬虫夏草二两　白酒八两

【用法】冬虫夏草浸酒内七昼夜。用牙刷沾酒外戳1~3分钟，早、晚各一次。

【功用】补气血，助生发，乌须黑发。

【主治】圆形脱发，脂溢性脱发，神经性脱发，小儿头发生长迟缓。

加味养血生发汤

【来源】方出《赵炳南临床经验集》，名见《千家妙方》卷下。

【组成】生地五钱　熟地五钱　鸡血藤五钱　首乌藤五钱　生黄耆一两　川芎三钱　白芍五钱　明天麻二钱　冬虫夏草二钱　旱连草三钱　桑椹五钱　木瓜二钱

【功用】滋补肝肾，养血生发。

【主治】肝肾不足，血虚脱发。

首乌汤1号

【来源】《临证医案医方》。

【组成】生地　熟地各9克　白芍9克　当归身9克　何首乌9克　枸杞子12克　菊花9克　女贞子9克　旱莲草9克　黑豆30克　鹿角胶3克　甘草3克

【功用】养血益肾。

【主治】脱发，头发变黄，逐渐脱落；斑秃。

生发饮

【来源】《中医杂志》（1981，5：22）。

【组成】生地15g　熟地15g　当归20g　侧柏叶15g　黑芝麻20g　首乌25g

【用法】水煎，每日1剂，分2次服。

【主治】脱发。

【验案】脱发　《中医杂志》（1981，5：22）：治疗脱发30例，男14例，女16例；年龄7~49岁，其中7岁1例，15~30岁15例，31~49岁14例。结果：痊愈7例，好转23例，有效率为100%。

加减归脾汤

【来源】《云南中医杂志》（1985，2：14）。

【组成】黄芪30g　党参18g　当归15g　白术12g　木香6g　茯神12g　柏子仁12g　炙首乌15g　鲜侧柏叶12g　炙远志6g　桑椹子12g　炙草6g

【用法】水煎服，每日1剂或2日1剂，每剂煎服3次。脱发部位用生姜外搽，每日至少3次，搽至局部发热为度。

【主治】脱发。

【验案】脱发　《云南中医杂志》（1985，2：14）：治疗脱发30例，男25例，女5例；年龄40岁以上10例，20~40岁16例，15岁以下4例；病程10年以上8例，1~3年13例，1年以内9例。结果：痊愈（所有脱发部位完全长出新发）16例，好转（脱发停止，脱发部位2/3以上长出新发，但头发毛细色淡）10例，无效4例，总有效率为86.67%。

养血生发胶囊

【来源】《中国药典》。

【组成】上药制成胶囊剂，每粒装0.5g。口服，每次4粒，1日2次。

【功用】养血补肾，祛风生发。

【主治】斑秃，全秃，脂溢性脱发，头皮发痒，头屑多，油脂多与病后、产后脱发。

生发饮

【来源】《首批国家级名老中医效验秘方精选》。

【组成】生地20克　熟地20克　当归20克　侧柏叶15克　黑芝麻30克　制首乌25克　旱莲草20克

【用法】先将药物冷水浸泡约1小时后即行煎煮，煮沸后改文火，继煎30分钟，每剂药可煎服3次。

【功用】滋补肝肾，乌须生发。

【主治】脱发及须发早白。

【加减】若肝肾亏虚甚者多为斑秃，加枸杞20克，菟丝子20克，女贞子20克，五味子10克；风盛血热者多为脂溢性脱发，去熟地、黑芝麻，加蝉蜕10克，白鲜皮20克，地肤子10克，苦参15克，丹皮10克，川芎10克，蜈蚣3条（研末服）；兼气滞血瘀者，加红花10克，桃仁10克，赤芍15克，鸡血藤30克。

【验案】田某，女，23岁，1984年7月2日初诊。去年6月发现脱发，每晨理发时就有很多头发脱落，头皮多而痒，牙龈易出血，心跳心慌乏力，饮食不佳，二便尚可，舌质稍红净无苔，脉细滑无力。证属“肝肾不足，荣卫失调”，治宜“调补肝肾，养荣凉血”法。处方：生熟地各20克，白芍10克，何首乌10克，当归12克，丹参12克，栀子10克，丹皮10克，生侧柏10克，上方加减服15剂后头发不再脱落，又拟人参归脾丸善后。

生发散

【来源】《首批国家级名老中医效验秘方精选·续集》。

【组成】生地15克　熟地15克　当归20克　侧柏叶15克　黑芝麻20克　首乌25克

【用法】水煎服。每日一剂，分二次服，须连服3~5个月。

【功用】养血生发。

【主治】各型脱发症。

【加减】风盛血燥者，去熟地，生地改用30克，加丹皮10克，蛇床子15克，蝉蜕10克，苦参20克，川芎10克，白鲜皮20克；气滞血瘀者，加红花10克，赤芍15克，桃仁10克，川芎10克，鸡血藤20克。无论辨证为哪一种类型，凡皮肤瘙痒且落屑者，均加苦参、白鲜皮、地肤子；其他则根据病情辨证施治。

【验案】杨某，男，47岁。脱发3月余，逐渐全部脱光，经皮肤科诊为“脂溢性皮炎”，曾服谷氨酸、维生素类药物，数月罔效，于1979年6月5日来院求治。初诊：除头发全部脱光外，还伴有瘙痒无度，皮屑如雪片，烦躁不宁，彻夜不眠等症，只有服用安眠镇静之剂方能入睡。另溲赤，便秘，舌红无津，苔薄黄，脉弦。诊为风热血燥所致脱发。治以清热凉血，祛风止痒。方药：苦参20克，白鲜皮75克，首乌30克，当归20克，生地25克，丹皮10克，紫草15克，蛇床子15克，川芎15克，熟地15克，蛇蜕5克。二诊：服上方6剂，头皮瘙痒减轻，鳞屑减少，始能入睡，舌红苔薄，脉弦，仍按上方继服6剂。三诊：上剂服后，头皮瘙痒、烦躁悉除，尚能安静入眠，心情舒畅，头部已有绒毛毛发长出，唯腰膝有酸软之感，五心烦热，舌红，脉细数。此乃风燥之邪伤阴之故，再拟育阴清热、生津滋液之剂。药用：生地20克，熟地20克，当归20克，侧柏叶10克，首乌25克，黑芝麻25克。四诊：上方服至30剂，见体力增强，诸证皆除，精神转佳，毛发全部长出，且色黑光泽有华，随访年余，发黑光泽如常人，未再脱落。

柏叶生发汤

【来源】《首批国家级名老中医效验秘方精选·续集》。

【组成】生侧柏叶30克　生地15克　丹皮10克　首乌10克　黄精20克　益母草15克　丹参20克　桃仁10克　川芎10克　防风10克　荆芥10克　五味子20克　玉竹15克

【用法】先将药物用冷水浸泡20分钟，浸透后煎煮。首煎沸后文火煎30分钟，二煎沸后文火煎20分钟。煎好后两煎混匀，总量约250毫升为粗，每日1剂，分早晚2次温服，饭前1小时或饭后2小时尚可。

【功用】滋肾养阴，和血生发。
【主治】脱发诸症。
【验案】崔某某，男，21岁，工人。初诊于1991年3月16日。主诉：脱发2年之久，头痒多屑，心悸，咽干，乏力，舌质淡红少苔，脉细数，皮肤科诊为脂溢性脱发。中医辨证：阴虚火旺，心阴不足。治宜养阴和血，药用柏叶生发汤14剂。二诊：心悸减轻，仍头痒多屑，上方加白芷10克，黑豆20克，14剂。三诊：药后咽干，脱发明显好转，仍多头屑，又于原方加羌活10克，连服14剂，症状消失，头已生细小毛发。

生发酊

【来源】《部颁标准》。
【组成】闹羊花60g　补骨脂30g　生姜30g
【用法】制成酊剂，每瓶装20ml，密封，置阴凉处。涂擦患处，1日2~3次。
【功用】温经通脉。
【主治】斑秃脱发症。
【宜忌】外用药。本品有毒，切勿入口。

生尔发糖浆

【来源】《部颁标准》。
【组成】熟地黄120g　制何首乌240g　菟丝子240g　赤芍100g　当归60g　黄芪150g　桑椹150g　女贞子150g　墨旱莲120g　五味子（醋制）100g
【用法】制成糖浆，密封，置阴凉处。口服，每次30~40ml，1日3次。
【功用】滋补肝肾，补气养血。
【主治】肝肾不足，气血亏虚所引起的各种脱发。
【宜忌】忌食辛辣食物。

除脂生发片

【来源】《部颁标准》。
【组成】当归78g　牡丹皮52g　川芎52g　白鲜皮78g　蝉蜕52g　地黄130g　苦参52g　地肤子78g　防风52g　何首乌（制）78g　荆芥52g　僵蚕（麸炒）52g　蜈蚣2.34g
【用法】制成糖衣片，密封。口服，每次6~8片，1日3次，小儿酌减。
【功用】滋阴养血，祛风活络，止痒。
【主治】脂溢性脱发，头皮瘙痒，落屑，油脂分泌过多症。
【宜忌】孕妇及合并其他疾病者遵医嘱。

健肾生发丸

【来源】《部颁标准》。
【组成】制何首乌200g　熟地黄80g　枸杞子45g　黄精25g　五味子15g　大枣10g　女贞子（酒制）30g　菟丝子35g　苣胜子50g　桑椹30g　当归120g　柏子仁50g　山药20g　山茱萸（酒蒸）20g　茯苓32g　泽泻（盐水炒）32g　桑叶23g　地黄40g　牡丹皮32g　黄连10g　黄柏10g　杜仲（盐水炒）25g　牛膝30g　续断20g　木瓜20g　羌活20g　川芎15g　白芍15g　甘草25g
【用法】制成大蜜丸，每丸重9g，密封。口服，每次1丸，1日2次。
【功用】补肾益肝，健肾生发。
【主治】肾虚脱发，肾虚腰痛，慢性肾炎，神经衰弱。

益肾乌发口服液

【来源】《部颁标准》。
【组成】何首乌（黑豆酒炙）250g　当归62.5g　补骨脂（黑芝麻5g炒）31.3g　枸杞子62.5g　沙苑子62.5g　茯苓62.5g　牛膝62.5g
【用法】制成口服液，每支装10ml，密封，置避光阴凉处。口服，每次10ml，1日2次。
【功用】补肝肾，乌须发。
【主治】肝肾两虚引起的须发脱落、早白。

滋补生发片

【来源】《部颁标准》。
【组成】当归60g　地黄45g　川芎30g　桑椹45g　黄芪60g　黑芝麻90g　桑叶30g　何首乌（制）90g　菟丝子45g　枸杞子45g　侧柏叶45g　熟地黄75g　女贞子60g　墨旱莲60g　鸡血藤45g
【用法】制成糖衣片，密封。口服，每次6~8片，

1日3次，小儿酌减。

【功用】滋补肝肾，益气养荣，活络生发。

【主治】脱发症。

三十九、肾　炎

肾炎，亦称肾小球肾炎。临床具有少尿、血尿、蛋白尿，常伴有水肿、高血压及肾功能损害等特征。临床有急性、急进性、慢性及隐匿性等不同类型。一般认为是人体对某些致病因素的免疫反应所致。相当于中医风水、水肿等范畴。治宜疏风散邪，利湿消肿。

栝楼瞿麦丸

【来源】《金匮要略》卷中。

【组成】栝楼根二两　茯苓三两　薯蓣三两　附子一枚（炮）　瞿麦一两

【用法】上为末，炼蜜为丸，如梧桐子大。每服三丸，饮送下，一日三次；不知，增至七八丸。以小便利，腹中温为知。

【功用】《金匮要略讲义》：化气，利水，润燥。

【主治】小便不利者，有水气，其人苦渴。

【验案】慢性肾小球肾炎　《成都中医学院学报》(1981，1：59)：刘某某，女，40岁，重庆某银行职工，1964年12月20日初诊：水肿，小便不利一年许，口渴增剧，水肿加重两月左右。现证：全身水肿，口渴引饮，腰冷腿软，精神萎靡不振，纳差，每餐约一两米饭，小便不利，短少而淡黄，尿无热感，大便2～3天1次，不结燥，面色浮白，唇淡，无苔乏津，脉沉细。西医诊断为慢性肾小球肾炎，经服中西药，治疗1年左右疗效不显。拟以润燥生津，温阳利水主治，方用栝楼瞿麦丸改用汤剂，加鹿胶以填补精血。方药：栝楼根30g、淮山药30g、茯苓15g、瞿麦15g、制附片15g（另包，先煎两小时）、鹿胶12g（另包，蒸化兑服）。上方服2剂，口渴大减，饮水量减少一半，水肿亦大减，小便量增多而畅利，饮食增加，其余舌脉同上，效不更方，将原方再进4剂，诸症皆平。

加味肾气丸

【来源】《济生方》卷四。

【别名】金匮加减肾气丸（《保婴撮要》卷五）、加味八味丸（《医学入门》卷七）、金匮肾气丸（《冯氏锦囊秘录》卷十一）、济生肾气丸（《张氏医通》卷十六）、资生肾气丸（《医宗金鉴》卷二十六）。

【组成】附子（炮）二个　白茯苓　泽泻　山茱萸（取肉）　山药（炒）　车前子（酒蒸）　牡丹皮各一两（去木）　官桂（不见火）　川牛膝（去芦，酒浸）　熟地黄各半两

【用法】上为细末，炼蜜为丸，如梧桐子大。每服七十丸，空心米饮送下。

【功用】《中国药典》：温肾化气，利水消肿。

【主治】

1.《济生方》：肾虚腰重，脚肿，小便不利。

2.《医方集解》：蛊证，脾肾大虚，肚腹胀大，四肢浮肿，喘急痰盛，小便不利，大便溏黄；亦治消渴，饮一溲一。

【验案】慢性肾炎　《新中医药》(1957，9：30)：用本方（熟地四钱，山药、山萸、泽泻、丹皮、肉桂、车前子、淮牛膝各一钱，茯苓三钱，附子五分）治疗慢性肾炎6例。临床观察结果：本方能使浮肿逐渐减退或减轻，尿量逐渐增多，尿蛋白消失或减少，肾功能改善，病人食欲增加，体力增强，血压降低。治疗过程中未发现副作用。

消风散

【来源】《外科正宗》卷四。

【别名】凉血消风散（《外科大成》卷四）。

【组成】当归　生地　防风　蝉蜕　知母　苦参　胡麻　荆芥　苍术　牛蒡子　石膏各一钱　甘草　木通各五分

【用法】上用水二钟，煎八分，食远服。

【功用】《方剂学》：疏风清热，除湿止痒。

【主治】风湿浸淫血脉，致生疮疥，瘙痒不绝；及大人、小儿风热瘾疹，遍身云片斑点，乍有乍无。

【宜忌】《方剂学》：服用本方时，不宜食辛辣、鱼腥、烟酒、浓茶等。

【验案】急性肾炎 《浙江中医杂志》（1986，9：392）：用本方治疗急性肾小球肾炎100例，由风湿热邪客于肌表所致，方用荆芥、防风、大力子、当归、苍术各10克，蝉衣、生甘草、木通各5克，苦参、生地、茺蔚子各10~20克，知母5~10克，石膏20~30克。水肿明显者加茯苓皮、车前子；疮疡加紫花地丁、蒲公英。15天为1疗程。经1疗程服药后。结果：痊愈（临床症状、体征消失，尿检正常）81例，显效（临床症状、体征消失，尿蛋白，红细胞均在+以下）10例，有效（临床症状，体征减轻，尿检蛋白>+，红细胞、白细胞>+）5例，无效4例。总有效率96%。

二仙汤

【来源】《妇产科学》。

【组成】仙茅三钱 仙灵脾三钱 当归三钱 巴戟天三钱 黄柏一钱半 知母一钱半

【用法】水煎，分二次服。

【功用】《中医方剂临床手册》：温肾阳，补肾精，泻肾火，调理冲任。

【主治】

1.《妇产科学》：更年期综合征，肾阴肾阳二虚证。

2.《中医方剂临床手册》：高血压病，闭经，以及其他慢性疾病，见有肾阴、肾阳不足而虚火上炎者。

3.《中医方剂手册》：肾阳不足，虚火浮越，头晕，头痛，目眩，肢冷，尿频，阳萎，早泄；妇女月经不调。

4.《古今名方》：肾炎、肾盂肾炎、尿路感染、闭经等见有肾虚火旺证候者。

健脾渗湿汤

【来源】方出《邹云翔医案选》，名见《古今名方》。

【组成】生黄耆30克 青防风9克 防己9克 白术15克 茯苓皮30克 大腹皮12克 陈广皮9克 生姜皮9克 炙桂枝5克 淡附片15克

【功用】补气行水，健脾渗利，温阳化气。

【主治】水湿泛滥（慢性肾炎）。

【验案】水湿泛滥（慢性肾炎） 戈某某，男，30岁，1943年夏季初诊。病人于1942年坐卧湿地达数月之久，又曾冒雨长途跋涉，致体惫劳倦，常觉乏力。至冬春之交，先感手部发紧，两腿重胀，眼皮下垂，继则出现浮肿，其势日甚，体力遂虚，当时曾至某医院诊治，诊断为肾炎。延至1943年夏季，周身浮肿，病情危重，遂入某疗养院治疗。两手肿如馒头，小脚按之凹陷不起，气急腹膨，翻身时自觉胸腹有水液振移感，检查胸、腹腔有积液。治疗无效。诊时病人头面胸腹四肢皆肿，尿量每日100毫升左右，病势危急。切其脉沉细，但尺脉有根。拟健脾渗湿汤，药服一剂后，尿量增至每日约400毫升；2剂后，尿量增至每日近1000毫升；8天后，胸、腹水基本消失；20剂后，浮肿明显消退，于2个月后消尽。后以济生肾气丸服用数月，并嘱进低盐、高蛋白饮食调理。随访35年，未曾反复。

消尿蛋白饮

【来源】《千家妙方》引邓铁涛方。

【组成】黄耆15克 龟版30克（先煎） 淮山15克 苡米15克 粟米须30克 杜仲12克 扁豆15克 谷芽15克

【用法】水煎服，每日一剂。

【功用】健脾固肾，利湿化浊。

【主治】慢性肾炎（肾病型）。脾肾两虚，面色㿠白，唇淡，眼胞微肿，疲乏纳差，大便时溏，舌嫩，苔白，脉细尺弱。

肾炎汤Ⅰ号

【来源】《临证医案医方》。

【组成】冬瓜子30克 冬瓜皮30克 车前子30克（布包） 茯苓皮30克 赤小豆30克 薏苡仁30克 白茅根60克 泽泻12克 苏梗 桔梗各6克 陈皮6克 旱莲草9克 蝉蜕6克

【主治】急性肾炎。周身浮肿，腰酸痛，小便量少色黄，舌苔薄白，脉浮数。

【方论】冬瓜皮、冬瓜子、车前子、茯苓皮、赤小豆、薏苡仁淡渗利水；茅根、泽泻清热利尿，既消肿又消炎；陈皮、苏梗、桔梗理气，加强利尿作用；蝉蜕散风热，善治面部浮肿（风水）；旱莲草凉血益肾。

肾炎汤Ⅱ号

【来源】《临证医案医方》。

【组成】巴戟天9克　仙灵脾9克　补骨脂9克　制附片5克　黄耆15克　党参9克　茯苓12克　薏苡仁12克　猪苓12克　石韦15克　白茅根30克　旱莲草9克

【功用】健脾益肾，利尿消肿。

【主治】慢性肾炎（脾肾阳虚型）。周身浮肿，腰膝酸软无力，小便量少，形寒肢冷，舌质淡胖嫩，有齿痕，脉沉细无力。

【方论】巴戟天、仙灵脾、补骨脂温补肾阳，黄耆、党参健脾补气；茯苓、薏苡仁、猪苓、泽泻、石韦、白茅根利尿消肿，旱莲草益肾止血。

和解汤

【来源】《内蒙古中医药》（1986，2：16）。

【组成】柴胡12g　半夏10g　党参6g　黄芩12g　防己12g　黄芪12g　白术12g　生姜3片　红枣3枚　竹叶6g　灯芯6g　甘草3g

【用法】水煎服。

【主治】肾小球肾炎、肾盂肾炎。

【加减】血尿黄芩用炭，骨蒸热去柴胡加银柴胡，血压高者加石决明。

【验案】肾小球肾炎、肾盂肾炎　《内蒙古中医药》（1986，2：16）：所治60例中，肾炎42例，肾盂肾炎18例。结果：肾炎痊愈28例占66.7%，有效11例占26.2%，无效3例；肾盂肾炎痊愈17例占94.4%，无效1例；总有效率为93.3%。

复方小柴胡汤

【来源】《天津中医学院学报》（1987，2：41）。

【组成】柴胡　黄芩　党参　清半夏　生姜　甘草各10g　大枣5枚　茅根30g　益母草30g　海螵蛸10g　茜草10g

【用法】每日1剂，水煎服。

【主治】急性肾小球肾炎。

【用法】血尿明显加大小蓟30g或藕节30g；炎症明显（扁桃体炎、咽炎、上呼吸道感染）加双花15g，连翘15g，牛蒡子10g，山豆根10g，杏仁10g（可选1~3味加入方中）；贫血虚寒明显加当归10g，附子3~5g；恶心呕吐严重者加代赭石30g，旋覆花10g。

【验案】急性肾小球肾炎　《天津中医学院学报》（1987，2：41）：治疗急性肾小球肾炎36例，男23例，女13例；年龄17~79岁；发病时间最短4天，最长21天。其中10例病人因感染较严重而开始加用青霉素160万单位/日，分2次肌注，一般用3~5天即停用，其余病人均单纯用中药。结果：临床症状、体征消失，尿镜检连续3次阴性为痊愈，共30例（83.3%）；临床症状、体征消失，尿镜检蛋白（+）以下为显效，共5例（13.9%）；体征消失或明显减轻，而尿镜检无明显好转者1例（2.8%）（此例合并尿毒症，经57天治疗后转院）。

安肾汤

【来源】《山东中医杂志》（1987，5：30）。

【组成】生黄芪10~60g　汉防己6~15g　益母草30g　白茅根30~60g　连翘9~15g　金银花9~15g　赤小豆30g　竹叶9g　黄柏6~12g　茯苓15~30g（由麻黄连翘赤小豆汤、防己茯苓汤化裁而成）

【用法】水煎服，每日1剂。

【主治】原发性肾小球疾患。

【验案】原发性肾小球疾患　《山东中医杂志》（1987，5：30）：治疗原发性肾小球疾患51例，其中急性肾炎17例（男10例，女7例），慢性肾炎27例（男16例，女11例），原发性肾病7例（男4例，女3例）；年龄2~51岁以上。疗效标准：痊愈：临床症状消失，尿常规及其他检验正常；好转：临床症状消失，尿常规有时异常，其他检验明显进步。结果：急性肾炎痊愈16例，占

94.1%；好转1例，占5.9%；有效率为100%。慢性肾炎痊愈24例，占88.9%；好转1例，占3.7%；无效2例，占7.4%；有效率为92.6%。原发性肾病痊愈4例，占57.1%；好转3例，占42.9%；有效率为100%。总计：痊愈44例，占86.3%；好转5例，占3.9%；无效2例，占3.9%；总有效率为96.1%。

北芪注射液

【来源】《中西医结合杂志》(1987，7：403)。
【组成】北黄芪
【用法】上药制成注射液，2ml/支。2ml/天，肌内注射，30天为1疗程，治疗期间不加用其他药物。
【主治】慢性肾炎。
【验案】慢性肾炎 《上海中医药杂志》(1984，9：17)：治疗慢性肾炎蛋白尿19例；氮质血症11例。结果：慢性肾炎蛋白尿19例中，显效8例，有效5例，无效6例，总有效率68.4%。氮质血症11例中，对BUN下降显效3例，有效4例，无效4例，总有效率68.42%。《中西医结合杂志》(1987，7：403)：治疗慢性肾小球肾炎56例，结果表明北芪注射液有调节细胞免疫和体液免疫，降低尿蛋白、改善肾功能的作用。本药治疗尿蛋白的有效率为61.7%。

五白五汤

【来源】《陕西中医》(1988，1：36)。
【组成】猪苓 云苓 泽泻 白术 桂枝 桑皮 陈皮 生姜皮 大腹皮 茯苓皮各10~15g 白茅根20~30g
【用法】水煎服，小儿酌减。
【主治】肾炎、肾病综合征。
【验案】肾炎、肾病综合征 《陕西中医》(1988，1：36)：治疗肾炎及肾病综合征30例，年龄10~60岁。全部有效，有效率达100%。

固涩补气汤

【来源】《中医杂志》(1988，3：197)。
【组成】五味子10g 金樱子25g 杭白芍15g 炙黄芪10g 太子参25g 焦白术10g 黄芩7g
【用法】水煎服。
【主治】小儿急性肾炎。
【验案】小儿急性肾炎 《中医杂志》(1988，3：197)：治疗小儿急性肾炎81例，年龄为3~9岁；其中3~5岁22例，5~7岁54例，7~9岁5例；男性55例，女性26例。结果：痊愈69例(85.2%)，显效9例(11.1%)，好转3例(3.7%)。

通肾消水汤

【来源】《实用中西医结合杂志》(1989，2：16)。
【组成】熟地 淮山药 生苡仁各50g 茯苓25g 车前子15g 牛膝 肉桂各5g 山萸肉7.5g
【用法】上药煎汤，每日1剂。
【主治】慢性肾炎肾病型。
【验案】慢性肾炎肾病型 《实用中西医结合杂志》(1989，2：16)：治疗慢性肾炎肾病型55例，男32例，女23例；病程1~6年。结果：完全缓解21例，基本缓解16例，部分缓解13例，无效5例，总有效率为90.9%。

急肾汤

【来源】《实用中医内科杂志》(1989，3：124)。
【组成】麻黄4~15g 半枝莲10~30g 白花蛇舌草10~30g 银花10~30g 连翘10~30g 茯苓10~30g 泽泻10~30g 猪苓10~15g 鲜茅根50~100g
【用法】水煎服，每日1剂。
【主治】急性肾炎。
【验案】急性肾炎 《实用中医内科杂志》(1989，3：124)：治疗急性肾炎62例，男30例，女32例，年龄2~59岁，全部病例均有轻重不等的全身浮肿，其中伴有高血压者23例；蛋白尿(+)26例，(++)18例，(+++~++++)18例；尿红细胞(+)28例，(++)18例，(+++~++++)16例；有管型尿46例。疗效标准：症状消失，体征消失，1个月内尿常规连续3次以上复查均阴性为治愈；症状及体征消失，1个月内尿常规复查有微量蛋白及少许白细胞者为好转；服

本方10天以上，症状及体征无明显进步；尿常规检查无明显改变者为无效。结果：治愈52例，好转8例，无效2例。

蛋白宁冲剂

【来源】《杏苑中医文献杂志》(1989，4：36)。

【组成】生黄芪30g　山药12g　石苇15g　大蓟根30g　米仁根30g

【用法】上药制成冲剂，每包20g±5%。每日服2次，每次1包，温开水冲服。每3个月为1疗程。

【主治】慢性肾小球肾炎蛋白尿。

【验案】慢性肾小球肾炎蛋白尿　《杏苑中医文献杂志》(1989，4：36)：治疗慢性肾小球肾炎蛋白尿30例，男14例，女16例；年龄6～67岁；病程1～20年。诊断标准根据中华全国中医学会全国肾病会议所修订的慢性肾小球肾炎辨证施治草案的诊断标准判断，所有病例均符合慢性肾小球肾炎肾功能代偿期，并均经中西药物治疗无效。完全缓解：症状、体征消失，尿蛋白阴性，24小时尿蛋白定量不超过0.2g，肾功能正常，劳动力恢复；基本缓解：症状、体征基本消失，尿常规基本转阴，24小时尿蛋白定量不超过1.0g，肾功能基本正常，劳动力基本恢复；部分缓解：部分症状和体征消失，尿常规有好转，肾功能比治疗前好转；无效：病情加快发展及至死亡。结果：经过1～2个疗程治疗后，完全缓解15例，基本缓解8例，部分缓解7例。

养血渗湿汤

【来源】《实用中医内科杂志》(1990，2：50)。

【组成】黄芪30～60g　当归15～25g　益母草30g　土茯苓100～120g　白茅根30g　益智仁10g

【用法】每日1剂，水煎分2次服。

【主治】无症状性慢性肾炎蛋白尿。

【验案】无症状性慢性肾炎蛋白尿　《实用中医内科杂志》(1990，2：50)：本组治疗无症状性慢性肾炎蛋白尿12例，男5例，女7例；年龄最小13岁，最大56岁；病程最短1年，最长11年；伴有轻度贫血者8例；全部病例肾功能正常，无肾性高血压。结果：经1～2个月治疗，全部病例均有好转。其中治疗前尿蛋白(+)4例，(++)5例，(+++)3例。治疗后尿蛋白(-)者8例，(+)者4例，随访3个月病情基本稳定。

赤龙丹

【来源】《实用中西医结合杂志》(1990，5：299)。

【组成】古龙　马尾松　针石兰　山茶根　一枝花　连翘　龙葵草　红根　川军各10g

【用法】上药加水1500ml，慢火煎煮留取500ml，高压灭菌，加蔗糖、防腐剂装瓶。成人每服100ml，1日2次，儿童每服10～50ml。30日为1疗程。

【主治】慢性肾炎。

【验案】慢性肾炎　《实用中西医结合杂志》(1990，5：299)：治疗慢性肾炎112例，男38例，女74例；年龄8～42岁，其中8～16岁52例，17～30岁41例，31～42岁19例；病程2～13年。结果：完全缓解，血清C_3、免疫球蛋白，血脂等正常，尿蛋白定量正常，症状消失，共78例；基本缓解，血清C_3、免疫球蛋白，血脂正常，症状消失，尿蛋白在(+～-)，共26例；好转，三者生化检验接近正常，症状好转或部分消失，共8例。

五草汤

【来源】《中医杂志》(1991，3：146)。

【组成】鱼腥草15g　旱莲草15g　益母草15g　车前草10g　灯心草1.5g　半枝莲15g

【用法】水煎分服。

【主治】儿童急性肾小球肾炎。

【验案】儿童急性肾小球肾炎　《中医杂志》(1991，3：146)：治疗儿童急性肾小球肾炎40例。治疗后平均蛋白尿消失时间21.7天，蛋白尿在2个月内消失38例，平均血尿消失时间为41.3天，血尿在2个月内消失30例。

健脾补肾固精汤

【来源】《山东中医杂志》(1992，3：15)。

【组成】黄芪15g　党参15g　白术15g　山药30g

菟丝子 30g　熟地黄 15g　白芍 15g　山茱萸 12g　车前子 15g　芡实 15g　金樱子 15g　甘草 6g

【用法】水煎服，每日 1 剂，早晚各服 1 次。30 天为 1 疗程。若舌淡苔白，畏寒肢冷者加肉桂 6g，附子 6g；若阴虚去菟丝子，加枸杞 15g。

【主治】慢性肾炎。

【验案】慢性肾炎　《山东中医杂志》（1992，3：15）：治疗慢性肾炎 96 例，男 50 例，女 46 例；年龄 8 ~ 65g；病程 1 ~ 15 年。中医辨证均属脾肾两虚型。其中西医诊断为慢性肾炎普通型者 54 例，肾病者 36 例，肾性高血压者 6 例。结果：完全缓解（肾功能正常者）32 例；基本缓解（肾功能正常或基本正常，与正常者相差不超过 15% 者）18 例；好转（肾功能正常或有改善者）36 例；无效 10 例；总有效率 89.6%。

抑白散

【来源】《实用中医内科杂志》（1992，3：125）。

【组成】生黄芪 30g　制附片 12g（先煎 30 分钟）　白茯苓　猪苓各 20g　党参　焦白术各 15g　桂枝　仙茅各 10g　鹿角胶　龟版胶各 13g（烊化）

【用法】每日 1 剂，早晚分煎各取汁 250ml，口服，3 个月为 1 疗程。并配用龟龄集每晨空腹吞服 1g，白开水送下，疗程同上。

【主治】慢性肾炎顽固性。

【验案】慢性肾炎顽固性　《实用中医内科杂志》（1992，3：125）：治疗慢性肾炎顽固性 18 例，近期临床治愈 17 例。

宣肺活血汤

【来源】《陕西中医》（1993，4：152）。

【组成】麻黄　桂枝　羌活　杏仁　蝉蜕　地龙各 10g　白茅根　益母草　车前草　玉米须各 30g　甘草 3g

【用法】颜面肿甚加苏叶、生姜皮各 10g；双下肢肿甚加猪茯苓、泽泻、大腹皮各 10g；血尿甚加侧柏叶、藕节、蒲黄各 10g；尿蛋白甚者加雷公藤、鹿御草、柿叶各 15g；待肿消后麻、桂、羌减半合用玉屏风散。水煎分服，每天 1 剂，2 周为 1 疗程。

【主治】肾小球肾炎。

【验案】肾小球肾炎　《陕西中医》（1993，4：152）：治疗肾小球肾炎 50 例，男性 29 例，女性 21 例；年龄 3 ~ 12 岁；病程 1 周内至 4 周以上不等；临床均以恶寒、发热、咽痛、咳嗽、眼睑颜面及双下肢浮肿，血压增高，神疲纳差，苔白腻，脉浮数为主。尿镜检蛋白（+ ~ + + +）、RBC（+ ~ + + +），有细胞管型及颗粒管型。4 例有轻度肾功能损害。结果：临床症状消失，尿检连续 5 次阴性，3 个月内无复发者为临床治愈，共 42 例；症状明显改善或基本消失，尿检阴转有复发者为好转，共 5 例；症状及尿检均无明显改善为无效，计 3 例；总有效率 94%。

培补脾肾汤

【来源】《中国中西医结合杂志》（1993，7：439）。

【组成】党参　白术　山药　黄芪　山茱萸　菟丝子　女贞子　金樱子　芡实各 10g

【用法】上药加水 600ml，文火煎 30 分钟，得煎液 200ml，再加水 150ml，煎 20 分钟，得煎液约 100ml。2 次煎液混合，分 2 次服，每日 1 剂。对照组口服维生素 B_1 10mg，维生素 C 100mg，每日 3 次。两组均进行医疗体育锻炼，改正站立姿势，增加营养，改善瘦弱体质等。2 组治疗均为 15 天。1 个疗程后停药 10 天，每天做尿蛋白直立试验 1 次。共 3 个疗程。

【主治】直立性蛋白尿。

【验案】直立性蛋白尿　《中国中西医结合杂志》（1993，7：439）：治疗直立性蛋白尿 20 例，自拟培补脾肾汤治疗组 12 例，其中男性 7 例，女性 5 例；年龄 2 ~ 17 岁。西药对照组 8 例，其一般情况与治疗组基本相同。诊断标准：①尿蛋白直立试验阳性，即挺腹直立 15 分钟后尿蛋白阳性，平均休息 3 小时后尿蛋白消失或明显减少；②尿蛋白定量 < 1g/24 小时；③尿沉渣镜检无异常发现；④各项肾功能检查均属正常范围；⑤部分病例还做血生化、电解质、尿路 X 线检查及同位素肾图等检查，均属正常范围；排除慢性肾炎、隐匿性肾炎、类脂性肾病，无急性肾炎、慢性扁桃腺炎、鼻窦炎等的既往病史。疗效标准：治愈：尿蛋白直立试验连续 10 次检查均阴性；有效：尿蛋白直立试

验在治疗后较治疗前明显好转，但仍偶有阳性，即检查10次，阳性不超过3次者；无效：尿蛋白试验治疗前、后无明显变化，或检查10次阳性超过3次者。结果：治疗组与对照组1个疗程后分别治愈1例、0例，2个疗程后分别治愈3例、0例，3个疗程后治愈5例、1例；有效分别为2例、1例；无效分别为1例、6例。两组总有效率分别为91.7%和25%，治疗组显著高于对照组（$P < 0.01$）。全部痊愈病例半年后随访，尿蛋白直立试验连续10天，每天1次，均为阴性。

芪仙益母汤

【来源】《实用中西医结合杂志》（1993，9：561）。

【组成】黄芪30g　仙灵脾20g　益母草30g　茅根30～50g　蝉蜕15g　泽泻20g　车前子20g

【用法】每日1剂，水煎服。

【主治】慢性肾炎。

【验案】慢性肾炎　《实用中西医结合杂志》（1993，9：561）：治疗慢性肾炎30例，男24例，女6例；年龄9～75岁；病程1年以下7例，2～5年15例，6～10年6例，11年以上2例。结果：完全缓解者10例，基本缓解13例，好转者5例，无效者2例，总有效率为93.3%。

益肾通络汤

【来源】《陕西中医》（1993，11：487）。

【组成】桃仁　红花各10g　丹参　党参　草决明　益母草　车前子各30g　蝉蜕　僵蚕　地龙各12g　蜈蚣2条

【用法】上药水煎，温服250ml，1日2次，2～4周为1疗程。高血压重者加防己、猪苓；伴左心衰竭、肺水肿者另服高丽参，加木防己、桂枝；尿血者加小蓟、地榆炭，去桃仁、红花；肾阳虚者加附子、肉桂；肾阴虚者加熟地、枸杞、沙参；蛋白尿显著者加芡实、山萸、五味子；对肾病型已服激素者，强的松40～60mg，晨服，继续延用；必要时纠正水、电解质紊乱，补充血浆蛋白。

【主治】肾小球肾炎。

【用法】高血压重者加防己、猪苓；伴左心衰竭、肺水肿者另服高丽参，加木防己、桂枝；尿血者加小蓟、地榆炭，去桃仁、红花；肾阳虚者加附子、肉桂；肾阴虚者加熟地、枸杞、沙参；蛋白尿显著者加芡实、山萸、五味子；对肾病型已服激素者，强的松40～60mg，晨服，继续延用；必要时纠正水、电解质紊乱，补充血浆蛋白。

【验案】肾小球肾炎　《陕西中医》（1993，11：487）：治疗肾小球肾炎46例，男28例，女18例；年龄18～65岁；病程2～12年。结果：症状体征消失，血压不稳，尿常规等检查好转，半年内有复发现象为显效，共42例；症状体征部分消失，尿常规等检查部分项目仍存在为有效，共2例；症状体征及各项检查无好转为无效，共2例，总有效率95.7%。

肾愈汤

【来源】《陕西中医》（1993，11：488）。

【组成】党参　黄芪各20g　益母草　白茅根各30g　泽兰　云苓各15g

【用法】每日1剂，水煎分2次服。2周为1疗程。

【主治】肾小球肾炎。

【加减】兼风寒表证者加荆芥、防风；兼风热表证者加银花、牛蒡子；血尿者重用白茅根，加生地、茜草；浮肿明显者加大腹皮、车前子、猪苓；若肿退尿蛋白不消者加芡实、金樱子等。

【验案】肾小球肾炎　《陕西中医》（1993，11：488）：治疗肾小球肾炎31例，男25例，女6例；年龄19～71岁；病程2年以内至6年以上不等；普通型28例，肾病型3例。结果：症状体征完全消失，肾功能正常，尿蛋白、尿沉渣计数正常为治愈，共8例；症状体征消失，肾功能正常，尿沉渣计数接近正常为好转，共20例；临床表现与上述实验室检查均无明显改善为无效，共3例；总效率为90.3%。

小儿肾病合剂

【来源】《首批国家级名老中医效验秘方精选》。

【组成】嫩苏梗9克　制厚朴10克　广陈皮6克　炒白术6克　肥知母9克　云苓9克　抽葫芦10克　炒枳壳9克　麦冬9克　猪苓5克　泽泻10克　甘草6克

【用法】将上药放入容器内，先用冷水浸泡20分钟，然后用微火煎30分钟，取120～150毫升，分两次温服。

【功用】健脾化湿，调整脾胃。

【主治】小儿肾病综合征，及脾虚不运所致的肿胀。

【加减】若感受风热，出现发热、咳嗽、咽痛时，可去方中苏梗、白术，加薄荷、芥穗，连翘、银花；感受风寒而见畏寒、身热、肢冷者，可加羌活、防风、苏叶；正气偏虚，兼受时邪者，可加太子参、葛根、柴胡，仿人参败毒散意，以扶正祛邪；病久气阴两虚，或久服激素，出现面赤火升，阴虚阳亢时，可去白术、猪苓，重用知母、麦冬或配生地以甘润滋阴。

【验案】王某，女，13岁，学生。1984年5月20日来诊。自1984年4月15日感冒低热咽痛，继之面及全身浮肿，4月20日诊为“急性肾炎”、“小儿肾病综合征”。经某医院用中、西药与强的松10毫克每日三次治疗，尿蛋白自（+++）降至（+），后持续不降，经常呕吐，面部及腿仍有浮肿。于5月20日来诊，病人面色苍白，舌苔薄腻，脉象稍滑。随嘱其递减停用强的松。处方：太子参20克，苏梗9克，云苓15克，猪苓10克，泽泻12克，白术10克，白茅根10克，每日1剂。服用10剂后，浮肿消失，食欲转佳，尿蛋白微量～（-），前方加藿香10克，佩兰10克，又服七剂，先后复查三次尿蛋白（-），而治愈。

五草汤

【来源】《首批国家级名老中医效验秘方精选》。

【组成】倒叩草30克　鱼腥草15克　半枝莲15克　益母草15克　车前草15克　白茅根30克　灯芯草1克

【用法】每日一剂，水煎，二次分服。

【功用】清热解毒，利尿渗湿，活血降压。

【主治】小儿急、慢性肾炎，肾病综合征，泌尿系感染。

【加减】如血尿严重，可加用女贞子10克，旱莲草15克，止血效果更佳。同时根据临床不同证候，分别配合以传统的“发汗、利尿、逐水、燥湿、理气、清解、健脾、温化”等八法，灵活配伍，辨证论治。

【方论】方中鱼腥草、半枝莲性味辛寒，功用清热解毒，活血渗湿；倒叩草、灯心草清热解毒，利水消肿；益母草可活血通络，去瘀生新（现代实验证明有明显的利尿降压作用）；车前草甘寒滑利，可清热渗湿，利水消肿（现代实验证明有抗菌消炎、利尿降压作用）；白茅根清热凉血止血。诸药合伍，有很强的清热利水，活血解毒作用。

【验案】于某，10岁，男，1986年3月1日初诊。半月来下肢生疮，多为脓疱疮，日渐增多，继而逐渐浮肿，尿少色黄，食少神疲、头晕头痛，舌苔黄腻、脉滑数。化验尿蛋白（++），红细胞15～20、白细胞10～15，证系毒热内郁，湿毒内陷营分，血郁气滞，毒湿外发于肌肤腠理则为疮疡肿胀，内蓄于膀胱则尿短色赤。治宜：清热解毒，利湿消肿。处方：倒叩草30克，鱼腥草15克，半枝莲15克，益母草15克，车前草15克，白茅根30克，灯芯草1克，连翘15克，泽泻10克，胆草3克。上药加减服6剂后，症有好转，周身面部浮肿渐消，脓疮渐少，大便干、小便少黄、饮食、神疲、头晕、头痛均有好转，舌质稍红、苔薄黄，脉弦滑。再拟方：苍术、黄柏各5克，银花10克、连翘6克，旱莲草10克，白藓皮10克，蝉衣3克，炒栀子5克，炒黄芩5克，泽泻6克，猪苓6克，云苓6克，姜皮3克，防风3克，生草3克。此方加减又进12剂后，症状均减，化验尿常规正常。

六五地黄汤

【来源】《首批国家级名老中医效验秘方精选》。

【组成】干地黄25克　牡丹皮10～20克　炒山药20克　山萸肉15克　白茯苓15～25克　桑椹子25克　枸杞子15～20克　地肤子15～25克

【用法】上药用冷水浸泡后，文火煎煮二次，每次约30分钟，总量为300毫升，分两次服用。

【功用】滋补肝肾，淡渗利水。

【主治】肾病型肾炎，发病日久，肝肾阴伤者。症见颧面潮红或暗红，五心烦热，腰膝酸软，眩晕耳鸣，两目干涩，口燥咽干，夜热盗汗，或轻度肿胀，便秘溲赤，舌质稍红或暗红，苔薄黄或薄白，脉细数或沉滑数。

【方论】本方以六味地黄汤加枸杞、女贞、桑椹、车前、地肤子，故名六五地黄汤。方用六味地黄汤滋补肝肾；枸杞、女贞、桑堪子养阴平肝；车前子、地肤子清热利尿。诸药合用，共奏滋补肝肾，淡渗利水之功。

安肾汤

【来源】《首批国家级名老中医效验秘方精选》。

【组成】莲子肉20克 芡实20克 淮山药20克 茯苓20克 冬虫夏草10克 党参20克 黄芪20克 杜仲10克 猪脬1～2个共炖服（视病人胃口，可适当加猪瘦肉或猪排骨共炖服）

【用法】每日一剂，水煎分服。

【功用】滋养脾肾，补益气血，消蛋白尿。

【主治】慢性肾炎，食欲不振，疲乏无力，腰酸腿软，头晕眼花，尿中蛋白、管型、红细胞未能改善，作为治疗及善后的预防复发。

【加减】阳微阴脱，呼吸急促，脉细，加高丽参10克（另炖），蛤蚧尾一对，肉桂2克（合研末，安肾汤冲服）；如肾阳不足，腰痛脚弱，小便不利，金匮肾气丸10克，安肾汤送服，1日2次；如阳虚气虚，呕恶腹胀，心悸不宁，右归丸10克，安肾汤送服，1日2次；食少便溏，脘腹胀满，香砂六君丸10克，安肾汤送服，1日2次。

芪萸仲柏汤

【来源】《首批国家级名老中医效验秘方精选》。

【组成】黄芪15克 山茱萸9克 杜仲12克 黄柏6克 白茅根12克 茯苓15克 牡蛎20克 金樱子12克

【用法】1日1剂，清水煎，上下午各服一次。

【功用】益气养阴，补肾化浊。

【主治】慢性肾炎、肾病综合征而表现腰酸体瘦，舌质淡红胖嫩，苔腻，脉沉细弦，蛋白尿者。

【加减】体虚易于感冒者加党参12克，炒白术9克；水肿未消、小溲短少者茯苓改为用皮，加大腹皮9克，车前草10克，薏苡仁20克；口干烘热者加生地15克，麦冬9克，炒知母9克，菟丝子12克；尿赤而见红细胞者加大小蓟各12克，阿胶珠9克。

【验案】钱某，男，51岁，1991年10月7日初诊。肾炎反复6年，近半年来，夜尿频多，每晚4～5次，量多清长，腰脊酸楚，两耳鸣响，神倦乏力，舌质淡红胖嫩，边有齿印，苔薄白腻，脉沉细。治拟益气养阴，补肾化浊。生黄芪24克，制萸肉6克，生地15克，杜仲12克，黄柏9克，银花15克，生牡蛎20克，白茯苓15克，白茅根15克，金樱子12克，芡实15克，菟丝子12克，潞党参15克。宗上方意，稍作增损，连服50余剂。11月25日复诊，尿检连续3次蛋白呈阴性。夜尿1～2次，腰酸耳鸣减轻，体力渐增，血清蛋白5.8克%，甘油三酯120毫克/100毫升，总胆固醇260毫克/100毫升。

复元固本汤

【来源】《首批国家级名老中医效验秘方精选》。

【组成】干地黄15～20克 山萸肉15克 炒山药15～20克 白茯苓20～50克 人参10～15克 黄芪15～20克 牡丹皮15克 菟丝子15克 枸杞子15克 五味子10克 制附子5克 嫩桂枝10克

【用法】水煎服。

【功用】补肾固本，健脾益气。

【主治】肾病型肾炎属肾气虚者，浮肿减轻或消退后，多见脾肾气虚证候者，症见面色萎黄或暗滞，少气乏力，腰膝酸软，眩晕耳鸣，食少腹胀或便溏，或下肢浮肿，小便不利，舌质淡或紫，苔白或腻，脉弱或沉滑无力，尺部尤甚。

【验案】刘某，女，30岁，工人。患慢性肾炎七年余，曾先后三次住院，累用抗生素及激素病情缓解，但每因外感，过劳则浮肿加重，近日因过劳而复发。诊视中见：颜面萎黄，面及四肢浮肿，舌质淡，苔薄白，脉沉弱；病者述：腰膝酸软，少气乏力，眩晕耳鸣，食少纳呆，小便不利，大便经常溏泻。病日久而致脾肾气虚，当以补肾固本，健脾益气之法治之。方用复元固本汤加车前子20克，寄生15克，川断15克，白术15克，水煎服。上方服用20剂，浮肿减轻，腰膝酸软好转，体力渐增，舌质淡红，脉象和缓，尿常规检查多次均呈阴性。

资肾益气汤

【来源】《首批国家级名老中医效验秘方精选》。

【组成】生晒参10克（药汤炖） 黄芪30克 车前子20克 茯苓皮30克 杜仲20克 地骨皮15克 泽泻15克

【用法】每日一剂。文火久煎，分二次温服。

【功用】扶正祛邪，益气养阴，健脾利尿。

【主治】慢性肾炎，神疲倦怠，腰酸腿软，四肢轻度浮肿，小便短赤，大便时溏时秘，口干而喜饮，舌质淡有齿痕，脉沉细等。

【加减】脾虚气滞，全身浮肿明显，加川花椒10克，生姜皮三片，另以玉米须60克，水三大碗先煎，去渣将汤分2次煎上药；肾虚水泛，面浮身肿，按之没指，乃肾阳不化，加肉桂3克，漂川附子10克，破故纸8克，桑螵蛸8克；瘀血阻络，水肿久留，面色暗滞，舌质紫暗，加生蒲黄10克，五灵脂10克，红花5克，益母草10克；脾虚失运，食欲不振，脘腹胀满，舌淡苔白腻，加白术15克，砂仁10克，陈皮10克；肾衰水泛，头目眩晕，恶心呕吐，加吴茱萸8克，半夏8克，陈皮8克，代赭石20克；如血压升高，头晕脑胀，手指蠕动，面色潮红，舌干咽噪，烦躁不眠，属于阴虚阳亢者，加夏枯草15克，炒枣仁30克，龟版20克，地龙干20克，天麻10克。

益气化瘀补肾汤

【来源】《首批国家级名老中医效验秘方精选》。

【组成】生黄芪30克 仙灵脾20克 石苇15克 熟附子10克 川芎10克 红花10克 全当归10克 川续断10克 怀牛膝10克

【用法】每日一剂，用益母草90～120克煎汤代水煎药，早晚分服。

【功用】益气化瘀，温阳利水，补肾培本。

【主治】慢性肾炎日久，肾气亏虚，络脉瘀滞，气化不行，水湿潴留，肾功损害，缠绵不愈者。

【加减】慢性肾炎急性发作或各型慢性肾炎合并上呼吸道感染，出现严重蛋白尿者，去黄芪、红花，加连翘18克，漏芦18克，巴蓣18克，地鳖虫9克，鱼腥草30克，白花蛇舌草30克，蝉衣4.5克；各型慢性肾炎以肾功能低下为主者，加炮山甲片7.5克；临床辨证为阳虚，加肉桂4克，鹿角霜10克，巴戟天10克；肾阴虚者加生地黄15克，龟版15克，枸杞子12克，女贞子12克，旱莲草12克；脾虚者，加党参15克，白术15克，怀山药20克，苡仁米30克；尿蛋白增高者，加金樱子12克，芡实15克，益智仁12克；浮肿明显并伴高血压者，加水蛭1.5克（研末装入胶囊早晚分吞）以化瘀利水；血压高者，去川芎，加桑寄生30克，广地龙15克；血尿者，加琥珀3克（研末分早晚吞服），茅根30克；

离明肾气汤

【来源】《首批国家级名老中医效验秘方精选》。

【组成】干地黄25克 制附子10～25克 炒白术15克 嫩桂枝10～20克 山萸肉15克 炒山药15～25克 盐泽泻20克 白茯苓25～50克 巴戟天20克 车前子25～50克 生黄芪25～50克

【用法】上药用冷水浸泡后，文火煎煮二次，每次约30分钟，总量为300毫升，分两次服用。

【功用】温补脾肾，利水消肿。

【主治】慢性肾炎有脾肾阳虚、水湿泛滥见证者。症见面白肢冷，腰酸乏力，全身浮肿，下肢尤甚，或伴胸水、腹水，食少乏味，腹胀便溏，舌质淡体胖，或有齿痕，苔白滑，脉沉迟或微弱。

【验案】王某，男，28岁，工人。患肾炎4年余。双下肢浮肿，按之没指，眼睑肿，脘闷腹胀，纳减便溏，肢冷神疲，小便短少（500毫升/日），腰酸痛重，舌质淡，苔白滑，脉沉弱而滑。综合以上脉证，实为脾肾阳虚，水湿不化所致。立温补脾肾，利水消肿之法。方用离明肾气汤加泽兰叶30克，大腹皮30克，淫羊藿30克，丹参20克，水煎服。上方服用一月余，手足转温，浮肿渐消，仍以上方出入，继服近两月，精神转旺，浮肿且消，腰部酸痛痊愈，体力逐渐复常。尿常规连续两次化验均阴性，尿FCP（-），血浆白蛋白4.0g%，球蛋白1.0g%，血胆固醇141mg%，BUN 16.3mg%，遂以临床治愈而出院。

清化益肾汤

【来源】《首批国家级名老中医效验秘方精选》。

【组成】生黄芪30～50克　白术10～15克　当归10～15克　丹参15～30克　冬葵子30～50克　土茯苓30～50克　益母草30～50克　益智仁15～20克　浙贝母10～15克　白茅根30～50克

【用法】文火久煎，分温两服。有水肿者，少盐饮食。

【功用】益气化瘀，清利湿热。

【主治】慢性肾小球肾炎。症见水肿时重时轻，时起时伏；或始终水肿不明显，腰痛倦怠；或无明显症状，舌质偏淡；或有紫气瘀点，面色不华，脉沉细或弦。尿常规检查有蛋白、管型、红白细胞等。或有血压高、贫血、胆固醇与类脂质高等。中医辨证属于脾肾亏虚，气阴两虚或阴阳俱虚而兼夹湿邪血瘀之水肿肾劳证者。

【加减】尿少、浮肿明显者加石苇、车前草；有胸水、腹水者另用蟋蟀7只，蝼蛄7只，研细末，分三次服，酌加黑白丑；有血尿者加琥珀、小蓟；瘀血明显，舌有紫气瘀点，或舌下络脉淡紫粗长，水肿难消者加红花、水蛭粉（每次1克吞服）；面色㿠白，短气者加人参（或党参、太子参）；头眩烦热，口干不多饮，舌质偏红加生地、女贞子；舌质偏淡加熟地、枸杞子；背寒怕冷、便溏、面㿠、血压偏高加怀牛膝、苦丁茶；食少难消者加谷麦芽、鸡内金；尿蛋白久不消失者加芡实、金樱子、鱼鳔粉（每次2克吞服）；遇新感而有表证者选加麻黄、生石膏，或金银花、连翘、板蓝根；曾用激素者加菟丝子、鹿角霜，待病情缓解后渐停激素。

【方论】本方系由《金匮要略》防己黄芪汤、葵花茯苓散、当归贝母苦参丸等化裁组成。方中黄芪、白术补气健脾助运以扶正，气虚甚者宜量大；黄芪配当归、丹参增强益气养血化瘀之功，使瘀消而不伤正；冬葵子、土茯苓、浙贝母、白茅根清热解毒利湿，为祛邪之主药，量宜大，有黄芪、当归之助，使湿去而不伤阴，可放心大胆用之；益母草活血化瘀而利尿，且有降血压之效，对血瘀湿盛水肿甚者可用至60～100克无妨；益智仁温肾摄精以固肾气治本。诸药共奏益气化瘀，清利湿热之效。

【验案】王某，男，16岁，1987年3月20日初诊。幼年有肾炎病史，发育营养良好，近因发热，水肿，尿少而到大连某医院急诊，3天后热退，而水肿增剧，诊为肾病型慢性肾炎而住院3月余，先后曾用激素、雷公藤片等中西药及补充血浆蛋白治疗，病情未见缓解而日趋严重，遂邀会诊。视病人面色苍白，眼周晦暗，呈满月面，精神萎靡不振，全身高度水肿，阴囊肿大尤亮，脐凸，背平，足心平，腹部及下肢肌肤有多处水泡隆起；小便色黄短少，24小时尿量不足500毫升，大便2～3日一行，纳呆食少，有时恶心，倦怠短气，卧床不起，有胸水腹水证；实验室检查：尿常规蛋白（＋＋＋＋），红细胞3～5个/L，白细胞12个/L，颗粒管型1～2个/L，血浆蛋白4.0克，白蛋白1.7克，球蛋白2.3克，血肌酐71.6毫克，尿素氮90毫克，二氧化碳结合力31.6容积%；血压12.0/8.5kPa，肾功轻度损害，脉象沉涩，舌质淡红胖嫩边有瘀点，舌下络脉淡紫细长。脉证合参，证系脾肾阳虚，湿瘀互结，蕴滞三焦，水气泛溢。治以益气化瘀，淡渗泄水，佐以扶阳，予清化益肾汤加减。处方：黄芪50克，党参30克，丹参20克，桂枝7.5克，炮附子6克，二丑各15克，益母草60克，土茯苓30克，冬葵子30克，大腹皮15克，白茅根30克，当归10克，鹿角霜15克，菟丝子15克，每日1剂，水煎服。服药10剂后，小便增多，大便已调，水肿渐消，饮食少增，除间断补充血浆蛋白外，激素渐撤，原方加减治疗两月余，水肿全消，面转红润，食量增加，二便通调。实验室检查，尿常规各项均转正常，肾功正常，脉象弱滑，舌质淡红，瘀点消失，舌下络脉淡红细短，湿去瘀消，正气渐复，遂出院回家调养。嘱食黄芪大枣粥，配服鱼鳔粉、枸杞子等。3个月体重增加：一切正常，多次检查尿常规各项均为阴性。随访3年未见复发，并已复学。

滋阴益肾汤

【来源】《首批国家级名老中医效验秘方精选》。

【组成】生地15克　山萸肉10克　旱莲草12克　粉丹皮9克　泽泻10克　茯苓12克　猪苓15克　怀牛膝12克　桑寄生15克　白茅根30克　生益母草30克　黄芪30克　小叶石苇12克

【用法】先将诸药加入清水，以能浸没上药为度，浸泡半小时左右，用文火煎煮半小时至40分钟，滤汁，共煎两次，药液混匀，均分两次，早晚各

服一次。病重者日服一剂半，分三次服。

【功用】滋阴益肾，利湿清热，益气化瘀。

【主治】肾阴亏虚，水热互结，瘀血内阻之水肿，虚劳（慢性肾小球肾炎、肾盂肾炎等，以及由这些疾病引起的慢性肾功能衰退、尿毒症之较轻者）等。临床表现眩晕耳鸣，腰膝酸软，五心烦热，颜面或四肢浮肿，舌淡红少苔或无苔，脉细数。

【加减】兼见小便涩痛，灼热、腰痛、少腹胀满者，可加滑石15克，金钱草30克以上，量小则作用不大；兼见头胀痛，面烘热，心烦少寐，血压偏高者，可酌加钩藤、天麻、石决明等，并重用桑寄生20克以上；血尿顽固者，仍用阿胶，并加用炒蒲黄、仙鹤草、大小蓟等。

【方论】该方在经方猪苓汤合六味地黄汤的基础上，结合现代药理研究化裁而来。猪苓汤以生地易阿胶，则滋阴作用强，活血散瘀而无阿胶滋腻之弊；合旱莲草、山萸肉、桑寄生，怀牛膝以滋补肝肾之阴，滋阴而不助湿，且旱莲草又可凉血止血，山萸肉涩精利尿，桑寄生、怀牛膝具利小便、强腰膝等作用，又可助茯苓、泽泻、猪苓渗利水湿，开通水道，使水邪外排。丹皮、益母草，活血凉血，既可散瘀，又可清热，益母草还具有利尿除湿之功，配合生地、旱莲草，散瘀而无伤血之虞，伍猪苓、茯苓、泽泻等利湿而具散结之功，合小叶石苇、白茅根，清热解毒，利湿通淋，凉而不寒，自无凝滞结聚之忧。妙在黄芪一味，既可补脾益气，健中促运，又可伍生地等生血补虚，暗合补血汤之意；配泽泻、茯苓开通水路，利尿排浊；合益母草、丹皮等补气活血，推血循行，周流不息；佐寄生、怀牛膝，外调肝气，以降眩晕，诚可谓一举而多得。全方合用，共奏滋补肾阴，利湿清热，益气化瘀之功。

抗变肾病方

【来源】《首批国家级名老中医效验秘方精选·续集》。

【组成】乌梅4克　防风3克　柴胡5克　五味子4克　甘草2克　雷公藤7克　白花蛇舌草7克　生黄芪10克　红花5克　桃仁5克　熟地6克　桑螵蛸4克

【用法】每日1剂，水煎2次，分2次温服。

【功用】补脾益肾，升清降浊。

【主治】慢性肾炎，肾病。

【加减】血尿者加茅根4克，茜草4克，花蕊石5克，炮山甲7克；水肿甚者加泽泻6克，茯苓10克；贫血加红参6克，紫河车5克，鹿茸3克；腰痛甚者加苓桂术甘汤（《金匮要略》），或加杜仲6克，川断6克，狗脊8克；咽喉疼痛者加山豆根7克，射干4克，桔梗4克，辛夷4克，荆芥3克，侧柏叶4克；合并慢性肾功能衰竭者在原方基础上配中药灌肠，方用生军10克，制大黄15克，二丑12克，煅龙牡各15克，车前子4克；呕恶者加旋覆代赭汤配藿香、佩兰、紫苏等。

【方论】方中黄芪、五味子、桑螵蛸、熟地补脾益肾，升清降浊；乌梅利筋脉，缓痉挛；桃红、红花活血化瘀；柴胡、防风、雷公藤、白花蛇舌草、甘草疏风清热解毒。诸药合用，共奏补脾益肾，升清降浊，疏风清热，理气活血之功。

【验案】李某，男，18岁。1991年5月16日就诊。病人幼年有肾炎病史，近月因发热水肿到医院就诊，诊断为慢性肾炎（肾病型）。曾用强的松、利尿剂及补充血浆蛋白等治疗，发热早退，但水肿少尿，病情时好时坏，遂来就诊。症见面色萎黄，满月脸，一身悉肿，以双下肢为甚，腹胀纳差，便溏，身重乏力，精神萎靡，小便色黄短少，伴腰酸痛，苔微黄而腻，舌边有瘀点，脉沉细弱。查体：血压13.6/9.2kPa，腹围99厘米。尿常规：蛋白（++++），颗粒管型1~2。脉证合参，证属脾肾虚损，湿瘀互结，水气泛滥。治以补脾益肾，升清降浊，化湿解毒，疏风活血之法。方用抗变肾病方加茯苓10克，泽泻6克，桂枝5克，白术6克。10剂后，小便增多，大便已调，水肿渐消，饮食增加，腹胀、腰酸减轻；守原方继服20剂，水肿全消，面色红润，二便通畅，尿常规多次检查正常，随访一年无复发。

肾病清肺汤

【来源】《首批国家级名老中医效验秘方精选·续集》。

【组成】玄参10克　板蓝根10克　山豆根5克　鱼腥草15克　车前草15克　倒叩草15克　益母草15克　灯心草1克

【用法】每日1剂，水煎2次，可分多次服用，当日服完。

【功用】清肺利咽，利尿消肿。

【主治】小儿肾病，急慢性肾炎等。症见浮肿，少尿，伴有鼻塞流涕，咽喉不利，咳嗽喉中痰鸣等。

【加减】兼鼻塞流涕者加辛夷10克，苍耳子10克；兼咽喉肿痛者加锦灯笼10克，青果10克；兼声音嘶哑者加蝉衣3克，钩藤10克；兼咳嗽有痰者加桑白皮10克，地骨皮10克，南沙参10克；兼表卫不固而汗多者加生黄芪15克，防风10克，炒白术10克；水肿较重者加桑白皮10克，茯苓皮10克，生姜皮1克。

【验案】吴某某，男性，5岁6个月。患肾病综合征2年，于1992年6月3日住院治疗。入院时颜面肿胀，咽红：扁桃体肥大Ⅱ度，未见分泌物；心、肺（－）；腹部膨隆，腹围66厘米，移动性浊音（＋）；阴囊水肿，双下肢有凹性水肿；纳可，小便量少，每日约100毫升；脉弦滑。实验室检查：尿蛋白（＋＋＋＋），血浆总蛋白3.6g%，白蛋白1.0g%，球蛋白2.6g%，胆固醇639mg%，肌酐0.2mg%，尿素氮4mg。证属外邪困肺，不能通调水道则水液泛滥而发水肿。治宜清咽泻肺，利水消肿。处方：玄参10克，板蓝根10克，山豆根5克，鱼腥草15克，车前草15克，益母草15克，倒叩草15克，灯心草1克，猪苓10克，大腹皮10克，生姜皮1克。经上方略加出入治疗二月余，尿量正常，浮肿消退无反应，腹围62厘米，移动性浊音（－），实验室检查：尿蛋白（－），血浆总蛋白6.0克%，白蛋白3.6g%，球蛋白2.4g%，胆固醇159mg%。

固肾方

【来源】《首批国家级名老中医效验秘方精选·续集》。

【组成】黄精30克　熟地15克　细辛3克　大蓟30克　小石苇30克　益母草30克　杜仲15克　补骨脂15克　覆盆子30克　核桃肉15枚

【用法】每日一剂，水煎二次，早晚分服。

【功用】补肾固精。

【主治】慢性肾炎后期，因长期尿蛋白流失而出现肾气虚衰证候，如腰酸痛，耳鸣眩晕，性欲减退，遗清带下，两膝痿软，两足轻度浮肿，或形寒怕冷，大便时溏，小溲清利，或咽干痛，失眠烦躁，舌淡胖，脉沉细，或舌质红，脉细数。

【加减】肺脾气虚，少腹胀坠，小便不畅者加升麻9克，党参15克；体虚怕冷，常易感冒者加黄芪30克，白术15克，防风9克；皮肤感染湿疹者加地肤子30克，白鲜皮30克；关节酸痛者加徐长卿30克，威灵仙30克，金雀根30克；小便短赤或涩痛者加滋肾通关丸15克；尿检有颗粒管型者加扦扦活30克。

【方论】方中黄精、熟地滋补肾阴；杜仲、细辛、补骨脂、覆盆子、核桃肉补肾固精，兼温肾阳；大蓟、小石苇、益母草清热利尿通淋；全方固肾摄精，阴阳互济，补涩通利并用。

养阴消毒饮

【来源】《首批国家级名老中医效验秘方精选·续集》。

【组成】生地10克　元参10克　射干10克　锦灯笼10克　银花15克　蒲公英15克　小蓟15克　板蓝根12克　鲜茅根30克　生甘草3克

【用法】每日一剂，共煎两次，共取药汁300毫升，分作两次或三次服。

【功用】养阴清热，凉血解毒。

【主治】急性链球菌感染后肾炎。证见咽峡充血，咽壁淋巴滤泡增生，扁桃体慢性增大，可有轻度浮肿或不肿，口干，尿少短涩或为洗肉水色，舌苔薄白或无苔，质红，脉沉细数或滑数。

【加减】咽炎明显滤泡增生者蒲公英加至30克，青果榄10克；细菌感染性咽扁桃体炎同时应警惕风湿性心肌炎、肾病，应加重蒲公英的用量，大青叶10克，板蓝根15克，射干（山豆根代亦可）15克；若是猩红热后肾炎，在上方中加大青叶；若是皮肤脓疱病后肾炎，加土茯苓15克，白鲜皮10克。

益气活血方

【来源】《首批国家级名老中医效验秘方精选·续集》。

【组成】党参12克　黄芪12克　白术12克　茯苓

12克　炙甘草9克　黄连3克　炮姜3克　当归12克　丹参30克　生地榆30克　马鞭草30克　桑椹子30克　大枣4枚

【用法】每日一剂，水煎二次，早晚分服。

【功用】益气补虚，活血化瘀。

【主治】慢性肾炎病程日久者。病人面色萎黄或白，形体虚衰，疲惫乏力，食欲不振，脘腹胀坠，腑行不畅或溏泄，尿检除见蛋白外常伴红细胞，舌质瘀紫，苔薄腻，脉浮弱。

【验案】汪某某，男，46岁。1980年2月4日初诊。病人于1978年4月劳累后得病，尿常规持续有红细胞+～++，尿蛋白++，肾功能轻度受损。曾于外院屡用凉营止血，健脾补肾等中药及西医诸法，均未获效。形体虚弱，面色萎黄，头晕乏力，腰酸膝软，下肢轻度浮肿，苔薄，舌淡，脉濡细。证属气血虚衰，络脉瘀阻，按久病入络，久漏宜通的原则，治以益气活血行瘀，予“益气活血方”。加减服用5月余，诸症俱减，尿常规基本正常。

强肾泄浊煎

【来源】《首批国家级名老中医效验秘方精选·续集》。

【组成】桑寄生12克　川续断12克　全狗脊12克　鹿衔草12克　土茯苓30～60克　忍冬藤24～40克　连翘9～12克　白薇9～12克

【用法】每日一剂，文火煎二次，共取汁300毫升，分两次服。可连服数月，每周停药一天，毋使胃困。如有小便，更须持之以恒，勿见异思迁。

【功用】补肾葆真，解毒泄浊。

【主治】慢性肾病，肾功能不全者。

【加减】如见浮肿甚，小溲不利者，可加泽泻、泽兰、车前子、路路通；如见小便利而尿蛋白偏多者，加蚕茧壳、菟丝子、淮山药；如见小便利而有红细胞者，加槐米、荠菜花、蒲黄（地榆亦可用）；如伴有血压高者，加杜仲、牛膝、旋覆花、代赭石；偏阴虚而见舌绛口干者，可加山药、生地、知母、麦冬；阳虚而舌淡口和者，可加制川附子（先煎）、仙茅、仙灵脾、蚕蛹；气虚者，加党参、黄芪，同时可加用大腹皮以疏其壅；血虚者，加首乌、杞子，同时加赤芍、当归以和其营。

【验案】庄某，男，35岁。患肾炎2年余，素有慢性咽喉炎史，经中西医治疗无效。尿蛋白（+++～++++），久久不见消失，血压偏高，腰痛乏力，咽痛反复发作，心悸失眠，时有烘热，夜间盗汗淋漓，阴虚阳浮，肾气不纳，虚热上僭。治予“强肾泄浊煎”，佐以平肝潜阳。服药2月余，尿蛋白减至（+～++），烘热盗汗已减，咽痛仍有。续用前法，予“强肾泄浊煎”加杜仲、牛膝、苍术、玄参、夜交藤、合欢皮、知母、甘草。守方服用80余剂，佐以养肝益肾健脾（原方加潼沙苑、蚕茧壳、黄芪、山药、泽泻），经治半年余，精神增强，纳增味馨，血压正常，尿检、血检均属正常范围，恢复全天上班。调理善后，随访八载，旧恙未发。

裘氏慢肾简验方

【来源】《首批国家级名老中医效验秘方精选·续集》。

【组成】黄芪30克　煅牡蛎30克　马戟15克　黄柏10克　泽泻15克　土茯苓30克　黑大豆30克　大枣7枚

【用法】用清水将诸药浸泡半小时，文火煎煮40分钟，滤汁，共煎两次，取汁400毫升，早晚各服一次。

【功用】补气健脾益肾，利水泄浊解毒。

【主治】慢性肾炎。

【加减】如兼畏寒，咽痛，发热等表症，可加蝉蜕、苍耳草、白芷、羌活；如血压明显升高，可加夏枯草、防己、钩耳；清利水湿可用玉米须、薏苡仁、茯苓、猪苓等；固肾涩精可用覆盆子、芡实、金樱子、肉苁蓉等；活血化瘀可用益母草、丹参、桃仁、红花等。

【验案】宁某，男，7岁。经某医院儿科诊为肾病综合征伴慢性肾功能不全，住院2月余，迭经各种西药治疗，未能收效，院方已发病危通知。患儿家属慕名邀诊，见病人面色白，神气消沉，全身浮肿，大腹如鼓，胸膺高突，阴囊肿大透亮，小便点滴难下。诊其脉微细欲绝，舌体胖，舌质淡，苔腻水滑。此正气大虚，气不化精而化水，水湿泛滥，流溢皮里膜外。病经迁延，形神俱衰，证情险笃，恐凶多吉少。家属仰求一治，以冀万一。

为拟一方：生黄芪50克，茯苓30克，黑大豆30克，大枣7枚，牡蛎30克（捣）。3剂后，小便通畅，肿势稍退，神气略振，脉较前有力。药有效机，当击鼓再进，不可懈怠。原方加巴戟肉15克，黄柏15克，泽泻18克，再服一周，小便24小时总量已达1500毫升以上，水肿大减，阴囊肿胀基本退尽，所喜胃气来复，渐可进展，神态活跃，舌淡苔薄，舌体不胖，脉细有神。证已转机，仍不可掉以轻心，当守前法，耐心调养。以“简验方”增减，连服3月，诸症全消，悉如常人，体检化验均在正常范围。随访2年，未再复发。

慢肾汤

【来源】《首批国家级名老中医效验秘方精选·续集》。

【组成】淫羊藿15克　鹿含草15克　川续断15克　金狗脊9克　潞党参15克　陈皮6克　麦芽30克　谷芽30克　土茯苓15克　金丝草15克　益母草9克　紫苏叶6克　秋蝉衣6克　粉甘草4克

【用法】每日一剂，水煎二次，早晚分服。

【功用】温补脾肾，淡渗利湿。

【主治】慢性肾炎，脾肾两虚证。表现为反复浮肿，面色白，纳食不香，形神倦怠，腰膝酸楚，小溲不利，脉弱，舌淡等。

【加减】如遇淋雨沐浴，寒湿束表，症见头重头楚，胸脘痞满，倦怠无力，脉濡，苔白腻者，酌加制香附、苍术、川朴、藿香之类；如遇风邪犯肺，咽痒咳嗽，痰白质稀，脉虚浮，苔薄白者，酌加蜜麻黄、苦杏仁、桔梗、前胡之类；如遇湿热交蒸，症见浮肿溲赤，口干不欲饮，低烧不撤，神倦纳呆，脉濡数，舌红苔厚浊者，酌加连翘、赤小豆、蚕砂、炒苡仁之类；如遇热毒内聚，症见高烧咽痛，溲赤便干，口渴喜饮，脉数，舌红苔黄厚者，酌减温补脾肾药物的份量，加银花、板蓝根、蒲公英、丹皮、六神丸之类。在治疗慢性肾炎的整个过程中，无论出现任何症状与兼症，均需注意慎用苦寒直折，峻攻妄下，宜暖宜温。如非用苦寒泻下药不可，亦须中病则止，再转温补脾肾。

【验案】陈某，男，36岁。1981年6月4日初诊。病人于1969年患急性肾炎，经住院治疗，临床症状痊愈。近十余年来浮肿反复发作，尿蛋白（+~++++），屡经中西医治疗，顽固性蛋白尿不能消除。近因劳累过度，复感风邪，症见咽痒咽痛，咳嗽痰稠，畏风怕冷，面目浮肿，腰膝酸楚，形神倦怠，纳呆便溏，小溲短赤，眼花头昏，脉濡，舌淡红苔薄腻。血压：150/110毫米汞柱。尿检：蛋白（+++），红细胞（+），脓细胞（+），上皮细胞少许，颗粒管型（0~3）。诊为：风邪犯肺，湿热交蒸，脾肾两虚，水液不行。治宜：疏风宣肺，清热利湿，健脾补肾，佐以消肿。处方：蜜麻黄3克，苦杏仁6克，桔梗6克，连翘9克，制香附6克，苏叶6克，党参12克，麦芽30克，谷芽20克，川断15克，鹿含草12克，益母草9克，土茯苓15克，赤小豆20克，焦山楂12克，鸡苏散24克，2剂。药后诸症均减，上方续服2剂。外感诸症消失，小溲转清长，浮肿亦消，纳食增进，大便成形，仍见轻度腰酸，倦怠，脉细弦，舌淡红苔薄。血压：130/90毫米汞柱。尿检：蛋白（++），红细胞（-），脓细胞（-），上皮细胞少许。外邪已去，宜从根本论治，用“慢肾汤”加味治疗。处方：紫苏叶6克，秋蝉衣6克，淫羊藿12克，鹿含草15克，川续断15克，金狗脊9克，甘枸杞15克，潞党参15克，稻香陈皮6克，麦芽30克，谷芽30克，土茯苓15克，金丝草15克，益母草9克，粉甘草3克。以上方出入，前后服药120余剂，蛋白尿消失，随访至1986年，未见复发。

肾炎片

【来源】《部颁标准》。

【组成】一枝黄花1080g　马鞭草270g　白茅根540g　车前草540g　葫芦壳270g　白前270g

【用法】制成糖衣片，密闭，防潮。口服，每次6~8片，每日3次。

【功用】清热解毒，利水消肿。

【主治】急慢性肾炎和泌尿道感染。

肾康宁片

【来源】《部颁标准》。

【组成】黄芪360g　丹参300g　茯苓300g　泽泻

180g　益母草450g　淡附片180g　锁阳300g　山药50g

【用法】制成片剂，密封。口服，每次5片，1日3次。

【功用】温肾益气，和血渗湿。

【主治】慢性肾炎，肾气亏损，肾功能不全所引起的腰酸、疲乏、畏寒及夜尿增多。

肾宁散胶囊

【来源】《部颁标准》。

【组成】西瓜翠衣1个　紫皮大蒜500g

【用法】制成胶囊，每粒装0.5g，密封，置阴凉干燥处。用白茅根50g煎水400ml冲服，每次12～20粒，早（空腹）、晚各1次，小儿酌减或遵医嘱。

【功用】消炎利尿，消除浮肿及尿蛋白。

【主治】急慢性肾盂肾炎，肾小球肾炎。

肾肝宁胶囊

【来源】《部颁标准》。

【组成】育成蛹粉242.5g　牛膝粉24.6g

【用法】制成胶囊，每粒装0.45g，密封，置阴凉干燥处。口服，每次4～5粒，1日3次。

【功用】补益肝肾，扶正固本，具有同化蛋白，促进新陈代谢和增强免疫等功能。

【主治】肾小球肾炎，肾病综合征，甲型肝炎，肝硬化等。

肾炎灵胶囊

【来源】《部颁标准》。

【组成】旱莲草71.6g　女贞子43g　地黄43g　山药76.6g　当归43g　川芎14.4g　赤芍28.8g　狗脊（烫）143g　茯苓43g　猪苓43g　车前子（盐炒）86g　茜草43g　大蓟71.6g　小蓟71.6g　栀子43g　马齿苋172g　地榆143g

【用法】制成胶囊剂，每粒装0.25g，密封。口服，每次6～7粒，1日3次。

【功用】清热凉血，滋阴养肾。

【主治】慢性肾小球肾炎。

【宜忌】孕妇慎用。

慢肾宝合剂

【来源】《部颁标准》。

【组成】地骨皮　太子参　泽泻　全蝎　龟甲

【用法】制成合剂。口服，每次5ml，1日3次。

【功用】益气滋肾，利水通络。

【主治】气阴两虚，面肢浮肿，腰膝酸痛，倦怠乏力，慢性肾小球肾炎属上述证候者。

【宜忌】尿毒症病人忌服。

肾炎舒片

【来源】《新药转正标准》。

【组成】苍术　茯苓　白茅根　防己　生晒参（去芦）　黄精　菟丝子　枸杞子　金银花　蒲公英等

【用法】制成片剂。口服，每次6片，1日3次，小儿酌减。

【功用】益肾健脾，利水消肿。

【主治】脾肾阳虚型肾炎引起的浮肿、腰痛、头晕、乏力等症。

肾炎消肿片

【来源】《新药转正标准》。

【组成】桂枝　泽泻　陈皮　香加皮　苍术　茯苓　姜皮　大腹皮　黄柏　椒目　冬瓜皮　益母草等

【用法】制成片剂。口服，每次4～5片，1日3次。

【功用】健脾渗湿，通阳利水。

【主治】急、慢性肾炎脾虚湿肿证候，临床表现为肢体浮肿，晨起面肿甚，午后腿肿较重，按之凹陷，身体重困，尿少，脘胀食少，舌苔白腻，脉沉缓。

肾炎温阳片

【来源】《新药转正标准》。

【组成】人参　黄芪　附子（盐制）　党参　肉桂　香加皮　木香　大黄　白术　葶苈子等

【用法】制成片剂。口服，每次4～5片，1日3次。

【功用】温肾健脾，化气行水。

【主治】慢性肾炎，症见脾肾阳虚，全身浮肿，面色苍白，脘腹胀满，纳少便溏，神倦尿少。

肾炎解热片

【来源】《新药转正标准》。

【组成】白茅根　连翘　荆芥　杏仁（炒）　陈皮　大腹皮　泽泻（盐制）　茯苓　桂枝　车前子（炒）　赤小豆　生石膏　蒲公英　蝉蜕

【用法】制成片剂。口服，每次 4～5 片，1 日 3 次。

【功用】疏解风热，宣肺利水。

【主治】急性肾炎，见有发热不恶汗或热重寒轻，头面眼睑浮肿，咽喉肿痛或口干咽燥，肢体酸痛，小便短赤，舌苔薄黄，脉浮数等属风热证者。

四十、肾病综合征

肾病综合征，是由多种病因引的以大量蛋白尿、低蛋白血症、水肿、高脂血症为其临床特点的一组证候群。相当于中医水肿病范畴。治疗宜利水消肿，温肾健脾。

蛋白宁冲剂

【来源】《杏苑中医文献杂志》（1989，4：36）。

【组成】生黄芪 30g　山药 12g　石苇 15g　大蓟根 30g　米仁根 30g

【用法】上药制成冲剂，每包 20g ± 5%。每日服 2 次，每次 1 包，温开水冲服。每 3 个月为 1 疗程。

【主治】慢性肾小球肾炎蛋白尿。

【验案】慢性肾小球肾炎蛋白尿　《杏苑中医文献杂志》（1989，4：36）：治疗慢性肾小球肾炎蛋白尿 30 例，男 14 例，女 16 例；年龄 6～67 岁；病程 1～20 年。诊断标准根据中华全国中医学会全国肾病会议所修订的慢性肾小球肾炎辨证施治草案的诊断标准判断，所有病例均符合慢性肾小球肾炎肾功能代偿期，并均经中西药物治疗无效。完全缓解：症状、体征消失，尿蛋白阴性，24 小时尿蛋白定量不超过 0.2g，肾功能正常，劳动力恢复；基本缓解：症状、体征基本消失，尿常规基本转阴，24 小时尿蛋白定量不超过 1.0g，肾功能基本正常，劳动力基本恢复；部分缓解：部分症状和体征消失，尿常规有好转，肾功能比治疗前好转；无效：病情加快发展及至死亡。结果：经过 1～2 个疗程治疗后，完全缓解 15 例，基本缓解 8 例，部分缓解 7 例。

养血渗湿汤

【来源】《实用中医内科杂志》（1990，2：50）。

【组成】黄芪 30～60g　当归 15～25g　益母草 30g　土茯苓 100～120g　白茅根 30g　益智仁 10g

【用法】每日 1 剂，水煎分 2 次服。

【主治】无症状性慢性肾炎蛋白尿。

【验案】无症状性慢性肾炎蛋白尿　《实用中医内科杂志》（1990，2：50）：本组治疗无症状性慢性肾炎蛋白尿 12 例，男 5 例，女 7 例；年龄最小 13 岁，最大 56 岁；病程最短 1 年，最长 11 年；伴有轻度贫血者 8 例；全部病例肾功能正常，无肾性高血压。结果：经 1～2 个月治疗，全部病例均有好转。其中治疗前尿蛋白（+）4 例，（++）5 例，（+++）3 例。治疗后尿蛋白（-）者 8 例，（+）者 4 例，随访 3 个月病情基本稳定。

养阴活血汤

【来源】《现代中医》（1992，3：98）。

【组成】黄芪　益母草　丹参各 30g　太子参　地黄　半边莲各 15g　当归　川芎　红花　甘草各 10g　陈皮 6g

【用法】水煎服，每日 1 剂，2 个月为 1 疗程。强的松每日 30～45mg，环磷酸胺 0.2g 隔日静注，总量 8～12g。

【主治】难治性肾病综合征。

【验案】难治性肾病综合征《现代中医》（1992，3：98）：治疗难治性肾病综合征 60 例，男 37 例，女 23 例；年龄 14～52 岁；病程 6 个月至 7 年。结果：缓解 31 例，基本缓解 6 例，部分缓解 13 例，无效 10 例，总有效率 83.3%。

五子桃仁真武汤

【来源】《陕西中医》（1992，11：487）。

【组成】 菟丝子　枸杞子　覆盆子　车前子　桃仁　白术　白芍各 20g　五味子　红花　川附子（先煎）各 15g　茯苓 50g　生姜 3 片

【用法】 每日 1 剂，水煎服，21 天为 1 疗程。病情缓解后，以此方为丸久服之。西药：强的松：小儿 $60mg \cdot (m^2)^{-1} \cdot d^{-1}$ 开始持续治疗，每日早餐后 1 次顿服，持续到尿蛋白转阴，再服药 2 周，改为间歇用药，将原剂量改为隔日 1 次，巩固 1 个月后再减 5mg，以后递减至 10mg/日，坚持服半年。环磷酰胺：$2 \sim 3mg \cdot (m^2)^{-1} \cdot d^{-1}$，每晚静脉注射，直至尿蛋白消失后再续用药 2 周，然后改为每晚口服 200mg，疗程 6～12 个月。

【主治】 肾病综合征。

【验案】 肾病综合征　《陕西中医》（1992，11：487）：治疗肾病综合征 59 例，男 45 例，女 14 例；各年龄阶段均有发病；病程几个月至 5 年以上不等。结果：症状、体征消失，尿常规检查持续 1 个月阴性，肾功能和血液生化指征正常，出院后观察半年无变化者为临床治愈，共 21 例；症状、体征消失，肾功能和血液生化检查正常，尿蛋白微量、沉渣计数基本正常为基本治愈，共 28 例；症状、体征、尿常规和肾功能有明显改善，但未达到基本治愈标准者为好转，共 7 例；治疗 3 个月，临床表现与化验检查无明显改善者为无效，共 3 例；总有效率为 94.9%。

解毒健肾汤

【来源】《国医论坛》（1993，3：202）。

【组成】 鱼腥草　鹿衔草　益母草　白花蛇舌草　银花　半枝莲　太子参　麦冬　楮实子各 15g　沙苑子　枸杞各 10g　汉防己 12g

【用法】 每日 1 剂，水煎服，基本缓解后，2～3 日 1 剂。

【主治】 肾病综合征。

【验案】 肾病综合征　《国医论坛》（1993，3：202）：治疗肾病综合征 21 例，男 16 例，女 5 例；年龄 4～42 岁，平均 20 岁，病程 1 周至 10 年，平均 18.1 个月。结果：完全缓解（肾病症状体征消失，尿蛋白阴性，或 24 小时尿蛋白定量不超过 0.2g，血浆蛋白、血脂及肾功能恢复正常）13 例，基本缓解（水肿消退，肾病症状基本消失，尿常规接近正常，Tup < 1.0g/24h，血浆蛋白、血脂及肾功能接近正常）5 例，部分缓解（水肿消退，一部分症状体征缓解，尿常规好转，Tup 减少，血浆蛋白、血脂及肾功能改善，但未达到基本缓解的指标）2 例，无效 1 例。

培补脾肾汤

【来源】《中国中西医结合杂志》（1993，7：439）。

【组成】 党参　白术　山药　黄芪　山茱萸　菟丝子　女贞子　金樱子　芡实各 10g

【用法】 上药加水 600ml，文火煎 30 分钟，得煎液 200ml，再加水 150ml，煎 20 分钟，得煎液约 100ml。2 次煎液混合，分 2 次服，每日 1 剂。对照组口服维生素 B_1 10mg，维生素 C 100mg，每日 3 次。两组均进行医疗体育锻炼，改正站立姿势，增加营养，改善瘦弱体质等。2 组治疗均为 15 天。1 个疗程后停药 10 天，每天做尿蛋白直立试验 1 次。共 3 个疗程。

【主治】 直立性蛋白尿。

【验案】 直立性蛋白尿　《中国中西医结合杂志》（1993，7：439）：治疗直立性蛋白尿 20 例，自拟培补脾肾汤治疗组 12 例，其中男性 7 例，女性 5 例；年龄 2～17 岁。西药对照组 8 例，其一般情况与治疗组基本相同。诊断标准：①尿蛋白直立试验阳性，即挺腹直立 15 分钟后尿蛋白阳性，平均休息 3 小时后尿蛋白消失或明显减少；②尿蛋白定量 < 1g/24 小时；③尿沉渣镜检无异常发现；④各项肾功能检查均属正常范围；⑤部分病例还做血生化、电解质、尿路 X 线检查及同位素肾图等检查，均属正常范围；排除慢性肾炎、隐匿性肾炎、类脂性肾病，无急性肾炎、慢性扁桃腺炎、鼻窦炎等的既往病史。疗效标准：治愈：尿蛋白直立试验连续 10 次检查均阴性；有效：尿蛋白直立试验在治疗后较治疗前明显好转，但仍偶有阳性，即检查 10 次，阳性不超过 3 次者；无效：尿蛋白

试验治疗前、后无明显变化，或检查10次阳性超过3次者。结果：治疗组与对照组1个疗程后分别治愈1例、0例，2个疗程后分别治愈3例、0例，3个疗程后治愈5例、1例；有效分别为2例、1例；无效分别为1例、6例。两组总有效率分别为91.7%和25%，治疗组显著高于对照组（$P<0.01$）。全部痊愈病例半年后随访，尿蛋白直立试验连续10天，每天1次，均为阴性。

四十一、肾功能衰竭

肾功能衰竭，是由多种原因引起的，肾小球严重破坏，肾脏功能部分或全部丧失的病理状态，使身体在排泄代谢废物和调节水电解质、酸碱平衡等方面出现紊乱的临床综合证候群。按其发作之急缓分为急性和慢性两种。根据肾功能损害的程度将慢性肾功能衰竭分为四期：肾贮备功能下降，病人无症状；肾功能不全代偿期；肾功能失代偿期（氮质血症期），病人有乏力、食欲不振和贫血；尿毒症阶段，有尿毒症症状。治疗宜利水消肿，健脾补肾。

复肾散

【来源】《千家妙方》引任继学方。

【组成】广狗肾2具　海马50克　鹿肾1对　土茯苓200克　淡菜100克　鹿角菜50克　鲍鱼50克　头发菜50克　砂仁50克　杜仲炭50克　杞果100克　冬虫草酒　生地各50克

【用法】上为细末。每服10克，以淡盐汤送下，一日三次。

【功用】补阴培阳。

【主治】肾功能不全（阴阳俱虚）。浮肿尿少，腹胀，恶心呕吐，纳呆，呼吸气短，不能平卧，口干不欲饮，腰酸膝冷，四肢欠温，颜面青白，口唇淡，舌体肥大，质嫩红，少苔，脉沉弦而数，证属阴阳两虚者。

通腑泄热灌肠液

【来源】《中医杂志》(1986，10：752)。

【组成】玄参30g　麦冬30g　鲜生地60～120g　鲜茅根250～500g　大黄15～30g（后下）　元明粉12～15g（冲）　车前子（包）30g　通草9g　知母12g　黄柏12g

【用法】腹泻加枳实、厚朴；血尿加藕节、小蓟；尿膜（尿排出膜样组织）加萹蓄、瞿麦；血瘀加桃仁、丹皮；气壅加葶苈子、桑白皮；抽搐加羚羊角粉、钩藤；气虚加人参；神昏加安宫牛黄丸。轻者每次1剂，重者每次2剂。水煎至200ml，保留灌肠，每日2～4次，直至多尿期为止。

【主治】急性肾功能衰竭。

【验案】急性肾功能衰竭（流行性出血热所致）《中医杂志》(1986，10：752)：以本方治疗流行性出血热所致急性肾功能衰竭49例，对照组18例以西药治疗。结果：治愈（临床症状消失，每日尿量大于1000ml，尿素氮小于20mg%，肌酐小于2mg%）41例，好转（临床症状好转，每日尿量大于1000ml，尿素氮、肌酐明显下降，但未恢复正常）2例，无效（临床症状及尿素氮、肌酐无改善或有恶化者）6例；总有效率为87.8%，病死率为12.2%。对照组治愈12例，好转2例，死亡4例，总有效率77.8%，病死率为22.2%。治疗组尿蛋白转阴为5.7±2.5天，少尿时间为3.5±1.5天，尿素氮、肌酐恢复正常为8.6±4.5天；对照组分别为8.9±3天，6.1±2.1天，11.8±3.5天。两组3项指标均有显著性差异（$P<0.001$，$P<0.001$，$P<0.01$）。

肾衰汤

【来源】《湖南中医学院学报》(1988，4：13)。

【组成】黄芪15g　附片6g　法夏10g　陈皮5g　茯苓10g　益母草15g　枳实10g　半边莲15g　生大黄10g　甘草3g

【用法】每日1剂，水煎服，1个月为1个疗程。

【主治】慢性肾功能衰竭。

【加减】水肿者加泽泻、车前子；肝肾阴虚，肝阳上亢眩晕者加怀牛膝、杜仲、石决明；咽痛甚者加连翘、玄参；皮肤瘙痒者加蝉衣；舌苔黄，口干苦，湿浊化热者加川黄连，暂去附片。

【验案】慢性肾功能衰竭 《湖南中医学院学报》（1988，4：13）：治疗慢性肾功能衰竭30例，男22例，女8例；年龄28～60岁。结果：显效（临床症状及体征基本消失，尿素氮下降＞30mg/dl，肌酐下降3mg/dl）21例；有效（临床症状及体征好转，肾功能有改善）7例；无效2例（其中1例死亡）。

大黄丹附汤

【来源】《湖南中医杂志》（1988，6：6）。

【组成】大黄50g　丹参30g　附片20g　益母草20g　蒲公英20g　牡蛎30g

【用法】浓煎取汁400ml，每次200ml高位保留灌肠，上、下午各1次，并应用蛋白同化激素利尿、降血压、纠正酸中毒，维持水电解质平衡，控制和预防继发感染。

【主治】慢性肾衰。

【验案】慢性肾衰 《湖南中医杂志》（1988，6：6）：治疗慢性肾衰67例。结果：治疗后血尿素氮正常或下降≥2.0mg/dl，症状缓解或明显改善者为显效，共31例；治疗后血尿素氮有所下降，症状改善者为好转，共18例；无效15例，死亡3例；总有效率为73.13%。

导泻汤

【来源】《陕西中医》（1990，6：251）。

【组成】大黄　槐花　桂枝各30g

【用法】以水煎取200ml，行保留灌肠，每日1次，重症每日2次，保留时间为15～20分钟。治疗期间不用西药利尿剂，其他对症疗法仍继续使用。

【主治】流行性出血热急性肾功能衰竭。

【验案】流行性出血热急性肾功能衰竭 《陕西中医》（1990，6：251）：治疗流行性出血热急性肾功能衰竭30例，男22例，女8例；年龄16～63岁。结果：经导泻后，小便均不同程度增加，其他症状亦逐步缓解。

大黄泻毒汤

【来源】《云南中医杂志》（1991，6：21）。

【组成】生大黄30g　桂枝20g　炙附子15g　半枝莲30g　煅牡蛎30g　玄明粉15g

【用法】每剂煎2次，取汁300ml，每日1次灌肠，保留1小时，20天为1疗程。

【主治】慢性肾功能衰竭。

【验案】慢性肾功能衰竭 《云南中医杂志》（1991，6：21）：以本方治疗慢性肾功能衰竭52例，男24例，女28例；年龄18～64岁；病史4年以内。结果：显效（自觉症状明显好转或基本消失，血尿素氮下降大于7.0mmol/L，血肌酐下降大于177μmol/L或降至正常者）21例；有效（自觉症状减轻，血尿素氮下降3.5～7.0mmol/L，血肌酐下降88～177μmol/L者）19例；无效12例。

肾劳汤

【来源】《湖北中医杂志》（1992，3：8）。

【组成】二丑　生大黄各15～20g　黄芪15g　车前子20g　首乌　半枝莲各15g　鱼腥草20g　益母草30g　鸡内金12g

【用法】舌红苔黄、脉数者加竹叶、黄柏；舌淡、苔白、脉细者加白蔻仁、姜半夏、陈皮；眩晕目胀者加石决明、钩藤；腰痛加菟丝子、枣皮；心悸、气短、自汗者合生脉散。每日1剂，水煎服，尿毒症期，在内服肾劳汤的同时，以肾劳汤浓煎取汁100ml，作保留灌肠，每日1次。

【主治】慢性肾功能衰竭。

【验案】慢性肾功能衰竭 《湖北中医杂志》（1992，3：8）：治疗慢性肾功能衰竭41例，男28例，女13例；年龄16～68岁；病程1.5～10年。均以2个月后统计疗效。结果：显效（症状、体征消失，血尿素氮、肌酐正常，或血尿素氮下降≥20mg/dl、血肌酐下降≥2mg/dl）14例；有效（症状，体征明显改善，血尿素氮、肌酐均有不同程度下降）20例，无效（症状，体征及肾功能检查均无明显改善）7例，总有效率为82.9%。

益气补肾冲剂

【来源】《中国中西医结合杂志》(1992，6：335)。

【组成】黄芪　枸杞　党参　白术　茯苓　丹参　益母草　干地黄　五味子　大黄

【用法】上药按比例制成冲剂，每日服20g，含原生药150g，分2次冲服。3个月为1疗程（短期）。

【主治】慢性肾功能不全。

【实验】动物实验表明：本方既能减少2、8－二羟基腺嘌呤结晶在肾小球和肾小管内的沉积，又能使部分肾小球毛细血管不闭塞，以保证部分肾小球的血供，从而保护了部分肾小球的功能，起到延缓慢性肾功能衰竭的作用。

【验案】慢性肾功能不全　《中国中西医结合杂志》(1992，6：335)：将慢性肾功能不全病人60例分为A、B两组，A组（即益气补肾冲剂组）30例，其中男性17例，女性13例，平均年龄40.8岁；病程1个月至34年。B组（用包醛氧化淀粉，每日20g，分2次冲服。服药期间病人条件与A组基本等齐）28例，其中男性14例，女性14例；平均年龄41.5岁；病程1～32.5年。结果：总有效率A组为53.3%，B组为42.9%。

加味温胆汤

【来源】《江苏中医杂志》(1992，9：5)。

【组成】半夏　陈皮　竹茹　枳实　苍白术各10g　茯苓12g　生姜5片　焦楂曲各15g　制大黄6～15g　甘草3g

【用法】每日1剂，水煎，分早、晚2次服。以1周为1疗程，最长治疗4个疗程。

【主治】慢性肾功能衰竭。

【验案】慢性肾功能衰竭　《江苏中医杂志》(1992，9：5)：对临床症状以恶心呕吐、食欲不振等为主要表现的慢性肾功能衰竭病人70例进行了治疗观察，其中男性49例，女性21例；年龄最大者71岁，最小者21岁，平均42.5岁；病程最长者23年，最短者13个月，平均6.8年。结果：经用本方治疗后，时间最短者服药4天诸症即见改善，长者服药4周。治疗前后对6个主症的改善情况进行统计，恶心、呕吐好转率为90.6%～91.7%，脘痞、纳差、口黏、苔腻（白腻或黄腻）好转率均在60%以上。

扶肾汤

【来源】《实用中医内科杂志》(1993，4：173)。

【组成】制附子100g　黄芪50g　党参30g　丹参　川芎各25g　桂枝15g　益母草50g　公英　地丁　茅根各30g　大黄10g

【用法】水煎服，每日1剂。

【主治】老年慢性肾功能不全。

【验案】老年慢性肾功能不全　《实用中医内科杂志》(1993，4：173)：治疗老年慢性肾功能不全42例，男40例，女2例；年龄63～75岁。结果：明显改善者19例，略有改善者13例，无效9例，死亡1例，总有效率76%。

宁元散

【来源】《首批国家级名老中医效验秘方精选》。

【组成】西洋参10克　川三七10克　鸡内金10克　琥珀10克　珍珠粉10克　麝香0.3克

【用法】上药共研细末，调匀，每次2克，1日2～3次。

【功用】解毒强心，利尿安神，活血祛瘀。

【主治】元气虚衰，倦怠纳呆，头痛恶心，小便短少，心悸气短，出现尿毒症状或心绞痛、心肌梗死均可服用。

【加减】若肾阳虚，四肢不温，加肉桂2克（研末调匀）；若神清惊悸，加珍珠粉2克；若神志错迷，热痰壅盛，加牛黄1克；若惊悸抽搐，加羚羊角粉2克；若惊悸发热，加熊胆1克；若神错谵语，配服安宫牛黄丸1粒；若烦躁不眠，风痰壅盛，配服至宝丹5丸（如梧桐子大）；若痰壅气闭，不省人事，配服苏合香丸1粒。

益气保元汤

【来源】《首批国家级名老中医效验秘方精选·续集》。

【组成】紫河车10克　黄芪15克　白术10克　陈皮6克　熟地15克　枸杞15克　菟丝子15克　巴戟天10克　淫羊藿10克

化瘀泄浊丸：蜈蚣（去头足）30条，水蛭30克，土鳖30克，丹参90克，大黄90克研末，水泛为丸，梧桐子大。

【用法】汤剂每日1剂，浓煎2次，共取汁300毫升，分2次温服，3个月为1疗程。丸药日服2次，每次6克，15天为1疗程。间隔3～5天再行第2疗程。

【功用】益气保元，化瘀泄浊。

【主治】慢性肾功能衰竭，尿毒症。

【加减】若偏于阴虚去巴戟、淫羊藿，加生地、首乌、白芍。

【验案】吕某，女，40岁。因“慢性肾盂肾炎”、“慢性肾功能衰竭尿毒症期”而就诊收院，证见面色晦暗，面浮肢肿，恶心呕吐，口中尿味，神疲乏力，纳呆腹胀，腰膝酸软，畏寒冷，大便溏薄，小便频短，舌淡暗苔浊腻，脉沉细。实验室检查：二氧化碳结合力20.3mmol/L，尿素氮22.8mmol/L，血肌酐609.9mmol/L，血色素40.8g/L。中医辨证：脾肾阳虚，浊毒瘀阻。拟上述汤、丸合治，西药纠酸、利尿、抗感染等，治疗两月余，浮肿减退，纳谷增加，精神好转，诸症悉平，实验室检查，血尿素氮下降50%以上，血肌酐下降30%，血色素上升，酸中毒得到纠正，显效出院，随访半年无恙。

肾衰宁胶囊

【来源】《部颁标准》。

【组成】太子参250g　黄连100g　半夏（制）250g　陈皮100g　茯苓200g　大黄400g　丹参700g　牛膝200g　红花100g　甘草100g

【用法】制成胶囊剂。口服，每次4～6粒，1日3～4次，45天为1疗程，小儿酌减。

【功用】益气健脾，活血化瘀，通腑泄浊。

【主治】脾失运化，瘀浊阻滞，升降失调所引起的腰痛疲倦，面色萎黄，恶心呕吐，食欲不振，小便不利，大便粘滞及多种原因引起的慢性肾功能不全见上述证候者。

四十二、尿道结石

尿道结石，亦称泌尿系结石。主要由于钙磷代谢紊乱，尿中晶体饱和度高，容易形成结晶，晶体与胶体沉积而成。相当于中医石淋病范畴。治宜利尿通淋，行气活血。

重剂排石汤

【来源】《急腹症方药新解》。

【组成】三棱15克　莪术15克　穿山甲9克　皂角刺9克　桃仁12克　赤芍15克　乳香9克　没药9克　牛膝15克　青皮12克　白芷15克　薏苡仁30克　枳壳15克　厚朴15克　金钱草30克　车前子15克

【用法】每日1剂，煎取150～200毫升，每剂2～3煎，每日服2～3剂。

【功用】破血，活血祛瘀。

【主治】尿路结石，石体较大，停留嵌顿时间较久，或结石部位有粘连。

【方论】方中三棱，莪术、桃仁、赤芍、乳香、没药活血祛瘀止痛；皂角刺消肿，下胞；薏苡仁利水排脓；白芷消肿止痛。

排石汤

【来源】《千家妙方》引杨友信方。

【组成】金钱草30克　生鸡内金15克　萹蓄15克　瞿麦15克　滑石30克　车前子15克　木通6克　冬葵子30克　留行子18克　牛膝10克　白茅根30克

【用法】水煎服，每日一剂。

【主治】下焦湿热，泌尿系结石。

【验案】石淋　夏某某，男，23岁，邮电工人。经常左侧腰痛，尿急、尿血一月余，经X线腹部平片检查，发现左输尿管中段有黄豆大不透光阴影，诊断为左输尿管结石。曾在门诊服药20剂，因突起左腰后痛，尿血，急诊入院。服“排石汤”18剂，排出结石一块（1.1×0.8cm），痊愈出院，随访5年未再复发。

轻剂排石汤

【来源】《古今名方》引中医研究院广安门医院方。

【组成】车前子　泽泻　石韦　滑石　冬葵子　牛膝　枳壳　王不留行各15克　金钱草30克　莱菔子15~30克　大黄3~9克

【功用】行气通淋。

【主治】尿路结石。

【加减】若有脾气虚，加党参、黄耆，去大黄；肾虚，加熟地、何首乌、补骨脂；肾结石，加补肾药；输尿管、膀胱结石，加乌药，重用大黄、莱菔子；少腹拘急，痛及脐中，结石下移时，重用冬葵子、牛膝。

益胆丸

【来源】《古今名方》。

【组成】郁金120克　玄参　滑石粉　明矾　金银花各100克　火消210克　甘草60克

【用法】上为末，为丸。每服1.5克，一日二次。

【功用】行气散结，排石通淋。

【主治】胆结石，肾结石，膀胱结石，尿道结石，阻塞性黄疸及肾炎，胆囊炎。

通络排石汤

【来源】《古今名方》引刘炳凡经验方。

【组成】金钱草30克　六一散15克（包）　火消4.5克（分兑）　桃胶30克　白芍　腊瓜（八月札）各12克　当归9克　郁金5克　鸡内金3克

【功用】益气活血，通络排石。

【主治】尿路结石。

益胆丸

【来源】《古今名方》。

【组成】郁金120克　玄参　滑石粉　明矾　金银花各100克　火消210克　甘草60克

【用法】上为末，为丸。每服1.5克，1日1次。

【功用】行气散结，排石通淋。

【主治】胆结石，肾结石，膀胱结石，尿道结石，阻塞性黄疸及肾炎，胆囊炎。

凿石丸

【来源】《古今名方》引湖南中医学院第二附属医院经验方。

【组成】冬葵子　海金砂　滑石各15克　地龙　牛膝　茯苓　泽泻　赤芍各9克　火消　甘草梢各6克　琥珀　沉香各3克

【用法】上为末，水为丸。每服15克，一日三次。

【功用】通淋排石。

【主治】泌尿系结石。

排石汤

【来源】《中草药》（1976，1：32）。

【组成】金钱草60g　车前子9g　木通9g　徐长卿9g　石苇9g　瞿麦9g　银花藤15g　滑石15g　冬葵子9g　甘草15g

【用法】上药水煎提浸膏，制成冲剂。每袋20g相当原生药52.86g。每日3次，每次1袋冲服。

【主治】泌尿系结石。

【验案】泌尿系结石　《中草药》（1976，1：32）：治疗泌尿系结石116例，男95例，女21例；年龄最大63岁，最小13岁；结果：开始治疗至排石时间，最短为1日，最长为504日，在1个月内排石占大多数，共64例，占55.2%，而其中又以1个月内者为最多计43例，占37.07%，平均排石日数为73日。

金牛排石汤

【来源】《新医学》（1976，4：205）。

【组成】金钱草二两　冬葵子五钱　飞滑石四钱　海金沙四钱　川牛膝三钱　川红花一钱半

【功用】清热渗湿，化瘀通淋。

【主治】尿路结石。

【加减】肾结石，加核桃肉四钱，鸡内金二钱，王不留行三钱，车前仁四钱；输尿管结石，加尿珠子、腊瓜各二两；膀胱结石，加石韦四钱；尿路结石，加火消一钱；气虚，去红花，加党参、黄耆各五钱；肾阳虚，加补骨脂四钱，菟丝子四钱，或肉桂一钱半，附子三钱；肾阴虚，加熟地、枸杞、核桃肉各四钱；脾虚，加山药、茯苓各四钱；

如结石久不移动，舌苔，脉象均无虚象者，重用清利之药，并加一些行气活血的药，如桃仁、红花、山甲、当归等；腰痛腿痛，加桑寄生、川续断各四钱；尿道痛，加甘草梢三钱；血尿，加白茅根二两；有感染者，加黄芩四钱，紫花地丁或蒲公英一两；大便结，加生川军二钱；绞痛发作或持续甚者，加玄胡、香附、广木香各三钱。

通淋排石汤

【来源】《贵阳中医学院学报》（1981，2：36）。

【组成】滑石 20g　冬葵子 20g　瞿麦 15g　石苇 12g　炒蒲黄 9g　川牛膝 12g　木通 12g　泽泻 12g　车前子 12g　芒硝 12g　煅硼砂 12g　海金沙 20g　鸡内金 9g　台乌药 12g　小茴香 12g　炒鳖甲 12g　金钱草 20g　萹蓄 12g　陈皮 12g　茯苓 12g　茅草根 20g

【用法】水煎服，每日 1 剂，5 剂为 1 疗程。若气虚加黄芪，阴虚加生地，气阴两虚芪地同用，阳虚加附片，若血尿多加小蓟炭，腰痛甚加杜仲，腹痛甚加广木香或川木香。

【主治】泌尿系结石。

【验案】泌尿系结石　《贵阳中医学院学报》（1981，2：36）：治疗泌尿系结石 36 例，均有不同程度阵发性腰腹绞痛或放射性疼痛，肉眼或显微镜下有血尿，经腹部平片或肾静脉造影证实为泌尿系结石，病情有初发有复发。结果：痊愈（结石排出，临床症状消失，X 线摄片检查原结石阴影消失，尿检正常）占 67%；显效（临床症状明显改善，亦见部分结石排出，X 线摄片检查原结石影较前缩小或结石有移动，但结石影未完全消失者）占 6%；无效（经服药 15 剂后，症状无明显改善或稍有改善，但始终结石未排出者）占 27%；总有效率为 73%。

昆海排石汤

【来源】《陕西中医》（1984，1：19）。

【组成】昆布　海藻各 18g　红花 9g　桃仁　柴胡各 12g　白芍 24g　枳实 9g　海金沙　冬葵各 12g　滑石 15g　大黄 9g　鸡内金（冲）　琥珀各 6g（冲）　甘草 3g

【用法】每日 1 剂，水煎，共取汁 900ml，分 3 次服。

【主治】泌尿系结石。

【加减】湿热甚者加蚤休、黄柏、金钱草、虎杖、土茯苓；血尿多者加大小蓟、地榆、茅根、三七；肾阳虚者加肉桂、附片，减滑石、大黄；肾阴虚者加生熟地、鳖甲、山萸肉，减滑石、海金沙、大黄；结石久不移动者加甲珠、皂刺、乳香、没药、王不留行。

【验案】泌尿系结石　《陕西中医》（1984，1：19）：治疗泌尿系结石 30 例。结果：除 3 例为鹿角状肾结石无效改手术取石外，余 27 例均排出结石，临床症状消失。排石最快时间 3 天，最慢 3 个月，一般 1 个月左右。

益气活血祛瘀汤

【来源】《云南中医杂志》（1984，2：13）。

【组成】黄芪 60g　续断 30g　桑寄生 15g　地龙 15g　丹参 30g　三棱 10g　莪术 10g　益母草 30g　乌药 10g　桃仁 10g　红花 10g　川牛膝 10g

【用法】每日 1 剂，30 剂为 1 疗程。可连续服药 3 个疗程。

【主治】泌尿系结石。

【用法】偏于下焦湿热者，加黄柏、米仁、金钱草；脾虚气滞者，加陈皮、半夏、木香、厚朴等；心气不足，加枣仁、桂枝、五味子等；血尿较甚，加黄芪、党参等。

【验案】泌尿系结石　《云南中医杂志》（1984，2：13）：治疗泌尿系结石 230 例，男 183 例，女 47 例；年龄 8～59 岁；病程最短 3 天，最长 15 年；肾结石 27 例，输尿管结石 203 例。结果：治愈（排出结石，再经 X 线尿路平片复查，结石阴影消失）133 例（57.8%）；显效（服药 1 个疗程，X 线复查结石下移 10cm 以上者）20 例（8.8%），有效（服药 1 个疗程，X 线复查结石下移 2cm 以上）15 例（6.5%），总有效率为 73.0%。

通淋汤

【来源】《江苏中医杂志》（1984，4：20）。

【组成】海金沙　石苇　滑石　车前子　四川大金

钱草各30g 萹蓄 瞿麦 泽兰 泽泻 冬葵子各12g 木通6g

【用法】每日1剂，水煎服。

【主治】泌尿系结石。

【验案】泌尿系结石 《江苏中医杂志》（1984，4：20）：治疗泌尿系结石46例，男39例，女7例；年龄最小18岁，最大60岁，以20～40岁居多；病程最长7年，最短2小时。结果：服药后结石自尿道排出者14例，手术取石者3例，症状好转29例。排出结石最小如砂粒或米粒，最大如黄豆。结石排出最快3～7天，最慢3～6个月。

行气排石汤

【来源】《实用中医内科杂志》（1988，2：60）。

【组成】橘核15g 荔枝核15g 小茴香15g 金钱草75g 生内金15g（后下） 海金砂15g 琥珀粉5g（冲服）

【用法】每日1剂，水煎服。并配合多饮水和跳跃运动以助药力排石。

【主治】泌尿系结石。

【验案】泌尿系结石 《实用中医内科杂志》（1988，2：60）：治疗泌尿系结石50例，男39例，女11例；发病年龄多在25～40岁；其中肾结石4例，输尿管结石39例，膀胱结石7例；病史最长者3年，最短1周，多数在2周至1个月；结石最大者1.2cm×0.7cm，最小者0.4cm×0.2cm，数目最多者6个。结果：痊愈（症状、结石消失，X线检查结石影已消失）34例，有效（症状缓解，结石缩小或下移3cm以上）11例，无效（症状及结石无变化者）5例，总有效率90%。

通淋化石汤

【来源】《山西中医》（1989，3：26）。

【组成】滑石15g 木通6g 金钱草24g 小茴香10g 海金砂15g 瞿麦10g 石苇10g 川楝子10g 甘草梢10g 雄鸡屎白（焙黄干为面）15g

【用法】水煎前9味，取汁冲服鸡屎白粉，1日4次。

【主治】尿路结石。

【验案】尿路结石 《山西中医》（1989，3：26）：治疗尿路结石80例，肾结石6例，膀胱结石14例。结果：全部治愈（症状消失，结石排出，X线平片无结石显影）。最短服药6剂，最长服药22剂。

三石三金排石汤

【来源】《浙江中医学院学报》（1989，5：21）。

【组成】飞滑石 硝石 生内金 白茯苓 广金钱草 海金沙 炙地龙 车前子 白术 玉米须 淮牛膝 生黄芪 生甘草

【用法】上药加水1000ml，煎取汁300～500ml，日分3次服完，必要时可日服2剂。

【主治】泌尿系结石。

【加减】气滞血瘀者，加元胡、三棱、莪术；脾肾阳虚者，加苍术、淫羊藿、淡附片；湿热蕴结，加黄柏、过路黄、蒲公英；气血两虚，加炙黄芪、熟地、炒党参；尿检有蛋白者，加白茅根、净蝉衣、赤小豆；有脓细胞者，加土茯苓、地肤子。

【验案】泌尿系结石 《浙江中医学院学报》（1989，5：21）：治疗泌尿系结石86例，其中男65例，女21例；年龄15岁以下3例，16～60岁76例，61岁以上7例；肾结石30例，输尿管结石53例，膀胱和尿道结石3例；合并肾炎5例，肾盂积水伴有梗阻18例，高血压3例，糖尿病2例。中医辨证分型：气滞血瘀型15例，湿热蕴结型52例，脾肾阳虚型9例，气血两虚型10例。病人均有典型的临床症状及体征，并经化验、摄片及B超证实，结石最大横径在1.5cm以下。结果：排石者52例，排石率为60%。其中服药5～40剂者28例，40～100剂者27例，100剂以上者9例，最多为200剂。未发现毒副反应。

通淋排石汤

【来源】《国医论坛》（1990，1：29）。

【组成】石苇 萹蓄 生地 郁金 金钱草 车前草 川牛膝各15g 泽泻 大黄各10g 冬葵子 王不留行各12g 滑石20g

【用法】每日1剂，水煎服。服药期间嘱病人大量饮水，以10～15天为1疗程。

【主治】尿石症。

【用法】有血尿者，加茅根30g或小蓟10g；发热者，加蒲公英或黄柏12g。

【验案】尿石症 《国医论坛》（1990，1：29）：治疗尿石症43例，男性35例，女性8例；疗程10～30天；平均年龄最大者56岁，最小者18岁。结果：治愈28例，好转13例，无效2例，总有效率达95.35%。

理肝通淋活血汤

【来源】《实用中医内科杂志》（1990，1：39）。

【组成】柴胡　延胡索　乌药　川楝各10g　苡仁　石苇　冬葵子各30g　瞿麦　益母草各20g　泽兰15g　生地　麦冬各10g

【用法】每日1剂，水煎服。用药时配合跳跃运动，4周为1疗程。

【主治】尿路结石。

【验案】尿路结石《实用中医内科杂志》（1990，1：39）：治疗尿路结石60例，男42例，女18例；年龄16～60岁，平均年龄32岁；发病时间最短2天，最长7天，首发24例，复发36例。结果：痊愈49例，好转9例，无效2例，总有效率96.7%。

五子排石汤

【来源】《浙江中医学院学报》（1990，2：21）。

【组成】留行子10g　车前子15g　冬葵子10g　川楝子15g　急性子10g　金钱草40g　生内金10g　枳壳12g　京三棱10g　蓬莪术10g　泽泻10g　川牛膝12g　六一散20g

【用法】水煎服。15天为1疗程。每日服药后过2小时，饮白开水1000ml，过30分钟做跳跃活动，连跳50～100次。如肾绞痛发作甚者用阿托品肌注。

【主治】肾输尿管结石。

【验案】肾输尿管结石 《浙江中医学院学报》（1990，2：21）：治疗肾输尿管结石55例，其中男45例，女10例；年龄20～50岁51例，50岁以上4例；病程3天至10年；肾结石25例，多发性结石10例，输尿管结石20例；尿血均为阳性；X线腹部平片显示阳性结石28例，B超提示阳性结石27例，有肾积水者25例。结果：治愈（结石排出或症状消失，尿常规正常，X线腹部平片及B超提示阴影消失者）40例，有效（部分排出或结石位置下移，症状明显缓解者）8例，无效（经6个月治疗，结石大小位置无变化者）7例，总有效率为87.27%。

通淋化瘀排石汤

【来源】《四川中医》（1990，5：33）。

【组成】金钱草50g　海金砂　滑石（包煎）各30g　蒲公英20g　车前子（包）　泽兰　益母草　牛膝　鸡内金各15g　硝石（冲服）10g　生甘草5g

【用法】1日1剂。水煎服。

【主治】泌尿系结石。

【加减】血尿，加大、小蓟、白茅根；腰痛，加川断、杜仲；腹痛，加白芍；气滞，加广木香、乌药；便秘，加生大黄；肾阴受损，加生地、枸杞；气虚，加黄芪、党参。

【验案】泌尿系结石 《四川中医》（1990，5：33）：治疗泌尿系结石54例，男36例，女18例；年龄最小15岁，最大60岁；病程最短3个月，最长7年。结果：痊愈36例，好转12例，无效6例，治愈率66.7%，总有铲率88.9%。排石时间最短者5天，最长者90天，平均21天。

固肾利湿化石汤

【来源】《陕西中医》（1990，6：253）。

【组成】滑石　金钱草各30g　穿破石　瞿麦　王不留行　乌药　怀牛膝各10g　鸡内金　海金沙　冬葵子　白茯苓　桑椹各12g　海浮石　生大黄　地龙　郁金　炮山甲　升麻　甘草梢各6g　黄芩15g　鱼脑石4个（研末冲服）

【用法】每日1剂，水煎服。

【主治】泌尿系结石。

【验案】泌尿系结石 《陕西中医》（1990，6：253）：治疗泌尿系结石203例，男118例，女85例；年龄17～64岁。结果：痊愈（症状消失，X线、B超或拍片检查无结石存在）121例，显效（症状显著减轻，透视或B超示结石变小变少或向下移动）37例，无效（诸症依然，透视拍片或B

超均证实结石无明显变化）45 例，总有效率 78%。

祛瘀排石汤

【来源】《湖北中医杂志》（1992，1：22）。

【组成】桃仁 12g 石苇 12g 玄胡索 12g 制乳没各 10g 海金砂 10g 枳壳 10g 川楝子 10g 鸡内金 8g 车前草 30g 金钱草 15g 滑石 15g

【用法】上药用清水 1000ml，白酒 50g，浸 10～15 分钟，再用武火煎开 2 分钟后，用文火煎 3～5 分钟，取汁 300～500ml，1 次服完，每日煎服 2 次。服药后少时续饮水 1000ml，并每日做跳跃运动 4～6 次，1 周为 1 疗程。

【主治】泌尿系结石。

【用法】便秘加大黄，体虚者加党参、当归等。

【验案】泌尿系结石 《湖北中医杂志》（1992，1：22）：治疗泌尿系结石 67 例，男 38 例，女 29 例，年龄 17～58 岁，全部经 X 线摄片或 B 超检查有结石影，有肉眼血尿或镜检血尿，其中肾结石 24 例，输尿管结石 38 例，膀胱结石 3 例，尿道结石 2 例。结果：痊愈（临床症状消失，结石全部排出体外）58 例，有效（结石部分排出，临床症状不能缓解）8 例，无效（结石不能排出，临床症状不能缓解）1 例，总有效率为 98.5%。用药最长者 4 个疗程，最短者 1 个疗程。

清降排石汤

【来源】《江西中医药》（1992，4：59）。

【组成】金钱草 30g 海金砂 15g 车前子 15g 滑石（包）30g 冬葵子 15g 牛膝 15g 威灵仙 15g 磁石（先煎）30g 鸡内金 15g 淮山药 12g 麦冬 12g 白芍 12g 生甘草 6g 琥珀 10g（研末冲服）

【用法】上药每日 1 剂，水煎分 2 次服，每周停用 1～2 天，1 个月为 1 疗程，一般连服 1～3 个疗程。

【主治】泌尿系结石。

【验案】泌尿系结石 《江西中医药》（1992，4：59）：治疗泌尿系结石 164 例，男 123 例，女 41 例；年龄在 20 岁以上；病程 0.5～10 余年。结果：完全排石 92 例；部分排石或结石位置明显下降 35 例；无明显改变 37 例；总有效率为 77%。

扶肾排石汤

【来源】《吉林中医》（1992，5：9）。

【组成】山药 20g 山萸肉 泽泻各 15g 茯苓 20g 丹皮 15g 生地 30g 瞿麦 萹蓄 木通 石苇各 15g 金钱草 40g 海金砂 20g

【用法】水煎服。于服药第 2 天开始，每天肌注山莨菪碱（654－2），早晚各 1 支，以利排石。

【主治】泌尿系结石。

【验案】泌尿系结石 《吉林中医》（1992，5：9）：治疗泌尿系结石 51 例，男 28 例，女 23 例；年龄 15～55 岁；病程 10 天至半年。结果：痊愈（B 超结石影消失，尿检正常，症状消失者）48 例，好转（B 超结石超过 1.0cm 者未能排出，小者排出，症状基本消失者）3 例。

益肾通淋散

【来源】《甘肃中医》（1993，2：16）。

【组成】鹿角霜 30g 川牛膝 30g 补骨脂 15g 金钱草 100g 海金沙 30g 鱼脑石 20g 冬葵子 30g 鸡内金 30g 芒硝 30g 王不留行 30g 血珀 10g 速尿 200mg 山莨菪碱 220mg 氟哌酸 2.4g

【用法】共研细末，装胶囊，每日 2 次，饭后送服，每次 15～20g，10 天为 1 疗程。同时结合运动，且每日饮磁化水 1000ml 左右。

【主治】泌尿系结石。

【验案】泌尿系结石 《甘肃中医》（1993，2：16）：治疗泌尿系结石 76 例，男 47 例，女 29 例；年龄最小 12 岁，最大 68 岁。根据 X 线摄片及 B 超复查结果判定疗效，结果：痊愈 59 例，占 77.6%，好转 11 例，占 14.5%，无效 6 例，占 7.9%；总有效率为 92.1%。平均疗程 21 天。

补肾消石汤

【来源】《浙江中医杂志》（1993，5：199）。

【组成】金钱草 100g 石韦 石榴树根 王不留行 溶石散各 30g 川续断 杜仲 滑石各 20g 元胡 牛膝各 15g 木香 10g

【用法】每日 1 剂，加水煎 3 次，滤药去渣，成药液 600ml，每次温服 200ml，日服 3 次，20 天为 1

疗程，观察 3 个疗程。治疗期间嘱病人以鱼腥草 50g 开水冲泡，频频代茶饮。

【主治】肾结石。

【用法】血尿重加白茅根 30g 或小蓟 20g；久病气血虚加黄芪、当归各 20g，脾虚加炒白术 15g；阴虚加生地 20g；阳虚加仙茅、仙灵脾各 20g。

【验案】肾结石 《浙江中医杂志》（1993，5：199）：治疗肾结石 96 例，男 69 例，女 27 例；年龄 19～30 岁 36 例，31～50 岁 58 例，50 岁以上 2 例。结果：症状完全消失，尿常规正常，B 超复查结石消失为治愈，共 42 例；症状基本消失，尿常规正常，B 超复查对照结石比原来缩小 2/3 以上，积水消失者为显效，共 31 例；症状缓解，尿常规检查示好转，B 超复查对照结石溶化缩小 1/3 以上，积水明显减少者为有效，共 20 例；症状时缓时发，B 超及尿常规检查未达到有效指标者为无效，共 3 例；总有效率为 96.9%。

五淋化石丹

【来源】《中成药》（1993，6：23）。

【组成】海金沙 车前子 琥珀 鸡内金 石韦 泽泻

【用法】上药制成丸剂。每 5 粒丸重 1.25g。口服，每次 5 粒，1 日 3 次。急性泌尿系感染者，7 天为 1 疗程；慢性泌尿系感染尿结石者，28 天为 1 疗程。

【主治】泌尿系结石、泌尿系感染。

【验案】尿石症泌尿系感染 《中成药研究》（1993，6：23）：治疗泌尿系结石、泌尿系感染 215 例，男 131 例，女 84 例。结果：总有效率 91.63%。

石淋通片

【来源】《中国药典》。

【组成】广金钱草

【用法】上药制成片剂，每片含干浸膏 0.12g。口服，1 次 5 片，每日 3 次。

【功用】清湿热，利尿，排石。

【主治】尿路结石，肾盂肾炎，胆囊炎。

排石颗粒

【来源】《中国药典》。

【组成】连钱草 车前子（盐水炒） 关木通 徐长卿 石韦 瞿麦 忍冬藤 滑石 苘麻子 甘草

【用法】制成颗粒剂，每袋装 20g 或 5g（无糖型）。开水冲服，1 次 1 袋，每日 3 次，或遵医嘱。

本方制成膏剂，名“排石膏”（《部颁标准》）。

【功用】清热利水，通淋排石。

【主治】肾脏结石，输尿管结石，膀胱结石等病属下焦湿热证者。

三金排石汤

【来源】《首批国家级名老中医效验秘方精选》。

【组成】海金沙 60 克 川金钱草 60 克 鸡内金 12 克 石韦 12 克 冬葵子 9 克 硝石 15 克（包） 车前子 15 克（包）

【用法】每日一剂，水煎 2 次分服。

【功用】利尿排石。

【主治】泌尿系结石。

【加减】尿石不尽可加煅鱼脑石 30 克，以加强排石作用。

【方论】方中海金沙、金钱草、石韦清热利湿，活血化瘀，为治结石之佳品；鸡内金、硝石善化结石；车前子、冬葵子能利尿。诸药合用，共奏利尿排石、化石之功。

邓氏通淋汤

【来源】《首批国家级名老中医效验秘方精选》。

【组成】金钱草 30 克 海金沙藤 18 克 白芍 10 克 生地 12 克 鸡内金 6 克 琥珀末 3 克（冲服） 广木香 4.5 克（后下） 小甘草 4.5 克

【用法】水煎服。

【功用】清热利湿，通淋逐石。

【主治】输尿管结石。

【方论】方中金钱草清利湿热，为排石化石之上品；海金沙藤、鸡内金、琥珀利尿排石、溶石；广木香理气，小甘草调和诸药。诸药合用，共奏清利湿热，排石溶石之功。

金珀消石散

【来源】《首批国家级名老中医效验秘方精选》。

【组成】海金沙100克　苏琥珀40克　净芒硝100克　南硼砂20克

【用法】以上诸药共研极细末，装瓶备用。1日3次，每次以白开水送服5～10克。

【功用】活血散瘀，利尿通淋。

【主治】砂石淋。

【方论】本方由一派攻伐渗利之品组成，药专力猛。海金沙甘寒、利水通淋，为治淋之要药；琥珀甘平，活血散瘀，利尿通淋，既可排石又可止痛；芒硝咸苦寒，能逐实化石；硼砂甘咸凉，因其为碱性，可使黏膜去垢，口服用于尿道杀菌，特别是尿为酸性时，可使之成为碱性，这对于排石和防止继发尿路感染都是有益的。

二子化瘀排不畅

【来源】《首批国家级名老中医效验秘方精选·续集》。

【组成】急性子15克　王不留行15克　川牛膝15克　枳壳15克　生鸡内金9克　石韦30克　扁蓄30克

【用法】每日一剂，每剂分二次煎服，并嘱病人尽量多饮开水，根据病人所生结石的部位及体质情况，做相宜的体育活动。如跳绳、跑步、倒立等。

【功用】活血化瘀，清热通淋。

【主治】泌尿系统结石，结石横径在2厘米以下者。

【加减】腰酸甚者加川断、狗脊；肾阴虚者加生地、墨旱莲；肾阳虚者加肉桂、制附子，或鹿角霜、仙灵脾；气虚者加黄芪、党参；尿血明显者加琥珀末（分吞）。

【方论】方中急性子、王不留行活血行瘀而散结，其力较猛，故为本方之主药；川牛膝散肝肾瘀血，使血气流通以除凝滞，并能引药达下焦病所；“气为血帅”，枳壳能破气，故有助于上述活血药物更好地发挥化瘀排石的作用；生鸡内金消积化石；鉴于活血化瘀方药并无明显的利尿作用，故用石韦、扁蓄以加强通淋利尿的作用。《本经》称石韦能“利小便水道”。

三金胡桃汤

【来源】《首批国家级名老中医效验秘方精选·续集》。

【组成】金钱草30～60克　生地15克　海金砂12克　玄参12克　石苇12克　瞿麦12克　车前子12克　滑石12克　天门冬9克　怀牛膝9克　炙鸡内金粉6克（分二次冲服）　木通4.5克　生甘草4.5克　胡桃仁四枚（分二次嚼服）

【用法】每日一剂，头煎加水600毫升，文火煎沸后30分钟得400毫升，二煎再加水500毫升，煎法如前，余300毫升。两煎药汁合兑，分早晚各温服一次。

【功用】滋肾清热，渗湿利尿，通淋化结。

【主治】泌尿系结石。

【验案】钱某，女，39岁，干部。1970年5月间，突感右腰部疼痛剧烈，辗转不宁，大汗肢冷，呕吐。查尿常规：红细胞（+++）。经用保守治疗疼痛缓解。于1970年9月25日腰痛复犯，在某医院拍片检查：右侧输尿管下段有两块0.4×0.7厘米结石阴影，左侧输尿管下段有一块0.6×0.9厘米结石阴影。于10月20日开始服用上方，于11月3日排一块结石如黄豆大，于2月10日又排出有棱角如小花生米之结石一块。及至1977年8月22日两肾区绞痛又复发，又服上方，于9月11日再排出结石一块，9月26日拍片检查双侧输尿管无异常发现。

火硝排石汤

【来源】《首批国家级名老中医效验秘方精选·续集》。

【组成】硝石3克　乌药10克　元胡10克　红花10克　骨碎补10克　赤芍10克　内金10克　桃仁10克　肉桂3克　金钱草30克　海金沙10克　泽泻15克　石韦10克

【用法】每日一剂，药物用水浸泡30分钟后煎煮，每煎取汁250毫升，共煎二次，早晚分服。

【功用】清利湿热，通淋排石。

【主治】泌尿系结石。

【方论】石淋一症乃湿热蕴阻，煎熬尿液而成。方用火硝一药，意在辛苦微咸，可软坚散结，按

《神农本草经》可化七二二种石，故而用此。乌药、元胡理气止痛；红花、桃仁活血化瘀破结；金钱草、海金沙、泽泻、石韦、内金利尿通淋排石，佐以肉桂以化气行水，加之骨碎补益肾强腰以助排石之力。

【验案】刘某某，男，26岁，工人，初诊于1991年10月5日。主诉：两天前突然左侧腰疼剧烈，难以忍受，经注射度冷丁50mg方缓解，后仍腰酸痛，乏力。检查：病人面色红润，无痛苦面容，舌质红、苔薄黄，脉象滑数有力。B型超声波检查报告："左侧输尿管末端结石。"中医辨证：湿热瘀血，闭郁不宣。治宜清利湿热。予火硝排石汤7剂。二诊：面色神志无异常，舌质红、苔薄黄，脉弦滑有力，诉腰酸减轻，但仍乏力。于前方加王不留行20克，皂刺20克，瞿麦10克，7剂。三诊：病人主诉服上方第5剂时，在排小便时，忽感尿道刺痛，排出结石一块约0.5cm（带来实物）为土黄色不规则的菱形状颗粒。于上方减去硝石、王不留行、皂刺，加茯苓20克，远志10克，寄生20克。后经"B超"复查输尿管已无结石存在。

金威汤

【来源】《首批国家级名老中医效验秘方精选·续集》。

【组成】金钱草60克　威灵仙30克　炮山甲24克　滑石24克　川牛膝24克　鸡内金9克　制乳香9克　甘草梢4.5克

【用法】每日一剂，用文火煎两次，每次取汁500毫升，共1000毫升分两次服，并多饮水，多做跳跃运动，有利于结石的排出。

【功用】渗湿泄热，排石通淋。

【主治】泌尿系各部位结石，症见尿中时挟砂石，小便艰涩，或排尿时突然中断，尿道窘迫疼痛，小腹拘急，或腰腹绞痛难忍，尿中带血，舌红，苔薄黄，脉弦或带数。

【加减】对症情严重，痛势较剧者可酌加下列药物，组成排石大方治之。木香、白芍、香附、沉香粉理气止痛；延胡、桃仁、王不留行、大黄、芒硝等化瘀攻下；旋覆花、代赭石、地龙、大麦杆、石苇、海金砂导引下行、利尿排石。

【方论】方中金钱草渗湿泄热利胆排石；威灵仙善破坚积，长于化石；鸡内金消积化石；山甲攻坚；滑石渗湿泄热，滑可去着；乳香去瘀定痛；川牛膝破瘀消癥，且与甘草梢同有导引下行之功；配合应用具有渗湿泄热，运化积石导其外泄的作用。

【验案】张某，女，40岁。平素酷喜肉食辣味酒酿等物，前因腰痛尿频、血尿，经X线检查诊为肾结石、肾盂肾炎，给予常规治疗后服中药化石。症见渴不欲饮，溲混而黄，尿道热痛，脉濡数、苔黄。平素湿热久蕴，拟渗湿泄热，运化积石，处金威汤原方不变，连服10付，药后排出黄豆大结石一枚，经X线复查，结石阴影消失。

活血化石汤

【来源】《首批国家级名老中医效验秘方精选·续集》。

【组成】金钱草30克　石韦10克　泽泻10克　冬葵子10克　滑石20克（布包煎）　丹参15克　川芎10克　三棱10克　莪术15克　大黄10克　鸡内金15克

【用法】每日一剂，水煎二次，取汁600毫升，分三次服，并每日饮水2000~2500毫升。

【功用】行气活血，利尿化石。

【主治】肾结石临床特点以肾区腰部酸胀、疼痛为主证，部分病人可无明显症状，而在体检时被B超所发现。

【加减】乏力气虚者加潞党参30克，生黄芪20克；腰寒肢冷、阳虚寒胜酌加巴戟、肉桂、附片；水湿明显者酌加防己、茵陈、木通、灯心草。

【方论】方中金钱草、石韦、冬葵子、滑石利尿通淋化石；泽泻利尿坚肾；丹参、川芎、三棱、莪术活血化瘀，大黄通瘀泻下，鸡内金通淋化石。

【验案】张某某，女，35岁。右腰部酸痛6个月。半年前劳动后自感右腰部疼痛，休息后症状可缓解。此后腰部常感酸胀、闷痛、不适。病人无外伤史，腰部无红肿瘀血，右肾区轻度叩击痛，舌质淡，苔薄白，脉沉细。B超检查示显右肾中盏有一0.5~0.4cm结石并轻度积水。证属气滞血瘀，湿浊郁留，诊断为右肾结石。用上方加巴戟、肉桂、海金砂、生黄芪，每日1剂，嘱每日饮水2000~2500毫升。服药一周后复诊，自觉精神好转，腰部不适消失，守前方去巴戟、川芎，加沉

香、苡仁、乌药、茯苓。再进四剂后，结石排出，经B超复查正常而愈。

益肾化通汤

【来源】《首批国家级名老中医效验秘方精选·续集》。

【组成】党参15～30克（人参9克） 黄芪15～30克 菟丝子12克 补骨脂9克 石斛15～24克 山甲片12克 王不留行15克 茯苓30克 冬葵子12克 石韦30克 瞿麦15克 郁金15克 鸡内金12克 赤芍15克 金钱草30～60克

【用法】每日1剂，水煎，早晚分2次分服，用药同时，嘱病人注意饮食，多饮水，做跳跃运动。

【功用】益气补肾，化瘀通窍。

【主治】泌尿系结石。

【加减】结石活动期、热象较明显者，去补骨脂，酌减参、芪，或改用太子参，重用金钱草、瞿麦、冬葵子，或选加川牛膝、琥珀粉、石决明、大黄；腹痛明显者，加白芍、甘草；结石静止期、气虚明显者，重用党参、黄芪，有条件尽量用人参；结石日久者，可同时选加血余炭、三棱、莪术、丹参，配理气之品木香、台乌药；有阳虚之象者，重用补骨脂、菟丝子；有阴虚之象者，重用石斛。

双香排石颗粒

【来源】《部颁标准》。

【组成】乳香（制）938g 青木香938g 肉桂300g 连钱草6250g 车前子938g 木通938g 徐长卿938g 石韦938g 瞿麦938g 忍冬藤1563g 滑石1563g 冬葵子938g 甘草1563g

【用法】制成冲剂，每袋装20g，密闭，防潮。开水冲服，1次20g，每日3次或遵医嘱。

【功用】利水通淋，排石解毒。

【主治】泌尿系结石。

石淋通冲剂

【来源】《部颁标准》。

【组成】广金钱草1500g

【用法】制成冲剂，每袋装15g（相当于总药材15g），密封。开水冲服，1次15g，每日3次。

【功用】清湿热，利尿，排石。

【主治】尿路结石，肾盂肾炎，胆囊炎。

肾石通冲剂

【来源】《部颁标准》。

【组成】金钱草100g 王不留行（炒）100g 萹蓄60g 延胡索（醋制）30g 鸡内金（烫）40g 丹参40g 木香20g 瞿麦50g 牛膝30g 海金沙40g

【用法】制成颗粒剂，每袋装15g，密封。温开水冲服，1次1袋，每日2次。

【功用】清热利湿，活血止痛，化石，排石。

【主治】肾结石，肾盂结石，膀胱结石，输尿管结石。

荡石片

【来源】《部颁标准》。

【组成】苘麻子125g 石韦100g 海浮石125g 蛤壳125g 茯苓240g 小蓟125g 玄明粉83g 牛膝125g 甘草50g

【用法】制成片剂。口服，每次6片，1日3次。

【功用】清热利水，通淋石。

【主治】肾结石，输尿管、膀胱等泌尿系统结石。

【宜忌】孕妇忌用。

泌石通胶囊

【来源】《新药转正标准》。

【组成】槲叶干浸膏、滑石粉。

【用法】制成胶囊。口服，每次2粒，1日3次。

【功用】清热逐湿，行气化瘀。

【主治】气滞血瘀型及湿热下注型肾结石或输尿管结石，适用于结石在1.0cm以下者。

【宜忌】出现胃脘不适、头眩、血压升高者应停药。孕妇慎用。

四十三、不射精症

不射精症，是指性活动时，有正常性兴奋，阴茎勃起，性交，但没有精液排出，也不伴有情欲高潮，是男性不育的原因之一。治宜补肾养心，行气活血。

通精汤

【来源】《新中医》（1990，6：35）。

【组成】淫羊藿　车前子　蛇床子各10g　肉苁蓉15g　鹿角胶6g　怀牛膝30g

【用法】每日1剂，水煎服，1个月为1疗程。

【主治】不射精症。

【验案】不射精症　《新中医》（1990，6：35）：以本方治疗不射精症36例，疗效标准：同房时有精液排出为痊愈；服药3个疗程同房仍无精液排出为无效。结果：痊愈34例，无效2例，治愈率94%。

解郁通精汤

【来源】《辽宁中医杂志》（1991，6：35）。

【组成】柴胡　枳壳各12g　半夏10g　黄芩　桃仁各12g　王不留行30g　石菖蒲　桂枝　青皮　炮山甲各12g

【用法】每日1剂，水煎2次，早晚空腹服。20日为1疗程。服药期间节制房事。精液已通者，再服药1个疗程巩固。

【主治】同房不射精症。

【加减】肾阳虚加淫羊藿、补骨脂；肾阴虚加枸杞子、生地；气虚加党参、黄芪；血虚加当归、何首乌；血瘀较甚加牛膝、红花；气滞较甚加郁金、枳实；湿热明显加黄柏。

【验案】同房不射精症　《辽宁中医杂志》（1991，6：35）：治疗同房不射精症38例，年龄21～25岁18人，26～30岁14人，31～35岁6人，最大35岁，最小21岁。原发性不射精33人，继发性不射精5人。病程最长14年，最短1年。结果：同房射精功能正常为痊愈，共20人；同房已有射精感，然精出艰涩，精量极少为有效，共10人；服药3个疗程以上，久交不射精为无效，共8人；总有效率为79%。本组38例平均服药1个半疗程。

补精通关汤

【来源】《南京中医学院学报》（1993，2：18）。

【组成】熟地　龟版胶各30g　肉苁蓉　淫羊藿各24g　鹿角胶9g　榧子　车前子　炮山甲各15g

【用法】每日1剂，水煎服。

【主治】不射精症。

【加减】相火偏亢加丹皮、知母；下焦湿热加苍术、黄柏；肝郁气滞加柴胡、枳壳；痰瘀阻窍加全瓜蒌24g，地鳖虫10g。适当加路路通、石菖蒲、王不留行。

【验案】不射精症　《南京中医学院学报》（1993，2：18）：以本方治疗不射精症32例，年龄20～25岁7例，26～30岁15例，31～35岁6例，36～40岁4例；病程最长10年，最短3月。结果：痊愈30例，其中女方怀孕25例，未孕5例；无效2例；治愈率为93.75%。

天王补心汤

【来源】《首批国家级名老中医效验秘方精选》。

【组成】党参　麦冬　远志（制）　酸枣仁（炒）　天冬　茯苓　五味子各10克　合欢　甘草各15克

【用法】上药煎20分钟，取汁约250毫升，日服2次，并配以心理疗法。

【主治】少年时期遗尿引起的不射精症。

四逆散

【来源】《首批国家级名老中医效验秘方精选》。

【组成】柴胡　香附　枳实各10克　甘草6克　白芍　牛膝各12克

【用法】每日1剂，水煎服。

【主治】功用性不射精症。

【验案】用上法治疗46例病人，取得满意疗效。例如治疗1例胡氏男病人，服上药1剂后，胸闷减轻，性交仍不能射精，上方再加急性子12克，威灵仙10克。先后服药10余剂，终告痊愈。

加味血府逐瘀汤

【来源】《首批国家级名老中医效验秘方精选》。

【组成】当归　生地　牛膝　红花各9克　桃红12克　柴胡　枳壳　赤芍各6克　川芎　桔梗各4.5克　甘草3克　紫石英30克　蛇床子9克　韭菜子9克

【用法】水煎服，日一剂。

【功用】活血化瘀，温肾通窍。

【主治】青壮年不射精症属血瘀者。

【方论】方中桃红四物活血化瘀；四逆散疏肝解郁，调畅气机；桔梗、牛膝一升一降，使气血更易于运行。紫石英、牛膝温肾通窍；蛇床子、韭菜子温补肾阳。诸药合用，共奏疏理肝气，活血、祛瘀、温肾、通窍之功。

【验案】李某，男，40岁。病人结婚11年来，同房不排精液，曾就医多处，无效。观其壮年体健，寡言少语，舌紫，苔薄，脉沉涩。精子形态数值等均正常。肝郁者则性情每多易怒或沉默，气机不畅。气结血瘀，瘀血阻滞精关窍道；滞塞不通，影响性功能，则性交而不排精。治宜疏其气血，令其调达，而致和平，处以上方。服药7剂后竟获显效，续服至30剂即愈。翌年得一子。

加味血府逐瘀汤

【来源】《首批国家级名老中医效验秘方精选》。

【组成】当归12克　赤芍10克　川芍6克　桃仁10克　牛膝10克　生地15克　桔梗6克　枳壳10克

【用法】随症加味，每日1剂，水煎服。

【主治】不射精、阳痿、不育症、前列腺肥大等男性病。

【验案】谢某，男，29岁。婚后2年未育。病人体健壮实，欲念甚强，婚后房事不射精，有射精动作，嗣后半夜遗泄。经泌尿外科检查无特殊发现，曾多处求治，均按肾虚投以温肾之剂，未能获效。于1987年12月13日请笔者诊治，症如上述，余无不适，苔薄白，脉弦滑，治以疏肝化瘀通络，并授以性知识教育，解除思想负担。上方加柴胡6克，桔梗6克，枳壳10克，当归12克，川芎6克，赤芍10克，生地15克，桃仁10克，牛膝10克，蜈蚣2克，甘草6克，服5剂后，感房事少量精液排出，甚感欣慰，原方续服10剂，房事射精正常，但欲念过强，改用知柏地黄丸调治2月。1988年8月其爱人受孕。

知柏地黄汤

【来源】《首批国家级名老中医效验秘方精选》。

【组成】知母15克　黄柏20克　丹皮15克　熟地20克　山萸肉15克　山药15克　泽泻10克　茯苓15克　龟板15克

【用法】日服1剂，连服3剂，症状明显减轻，上方加菟丝子20克，枸杞15克，又进3剂告全愈。1989年12月其妻生一男孩。

【主治】不射精。

排精汤

【来源】《首批国家级名老中医效验秘方精选》。

【组成】黄芪30克　当归9克　急性子12克　蜈蚣2条　石菖蒲　川牛膝　车前子各10克　麻黄4.5克　路路通15克　冰片（分冲）3克

【用法】每日1剂，10天为1疗程。治疗期间暂停房事。肾阳虚加仙灵脾30克，苁蓉15克，肉桂、附片各4.5克；肾阴虚加知母12克，川柏9克，龟板、生地、熟地各15克；肝气郁结加柴胡12克，枳实9克，白芍15克，甘草6克；兼瘀血加桃仁、红花各10克，土鳖虫9克，留行子15克；湿热下注加龙胆草6克，黄芩、山栀各9克，滑石20克。同时针刺，第一组穴为曲骨，大赫（双），太溪（双），太冲（双）。第二组穴为肾俞（双），关元俞（双），三阴交（双）。每日2次，交替用毫针针刺，得气后每10分钟行针一次，提插捻转补泻手法，留针30分钟，10天1疗程。针刺时曲骨大赫，三阴交用中等刺激，行平补平泻；太溪，肾俞，关元俞用轻刺激，行补法，并出针后，紧按眼2分钟；太冲用强刺激，重泻，出针时用开合泻法。如失眠多梦加神门；焦虑不安加心愈，内关；梦遗加灸关元，并针志室，得气后行补法。

【主治】不射精症。

【方论】不射精症虽与肝肾二脏关系最为密切，但其直接原因则是精关不开，精窍失灵。故治疗应以通关开窍为主，并在此基础上结合全身症状及舌脉进行辨证论治。排精汤中黄芪、当归补气生血；急性子、路路通、川牛膝、蜈蚣活血通络；石菖蒲、麻黄、车前子、冰片通利精道。针刺可振奋阳气，通调精关，因此采取药针配合，可提高疗效。此外，在治疗过程中应进行性知识教育，减轻病人心理负担，并嘱戒除烟酒，增加营养，加强体育活动，保持乐观，以增强治疗信心。

【验案】治疗 30 例，22 例痊愈，8 例中断治疗。